menus d'hiver

Dîner gourmand
Pour 6 personnes

Huîtres chaudes en bouillon crémeux *page 296*

Médaillons de bœuf en croûte *page 236*

Épinards au poisson fumé en salade *page 267*

Mangue à la crème de mangue *page 429*

Dîner en famille
Pour 4 personnes

Gratinée à l'oignon *page 356*

Escalopes de dinde au curry *page 270*

Purée de pommes de terre au basilic *page 53*

Crêpes Suzette *page 226*

Dîner de réception
Pour 4 personnes

Bisque de langoustines *page 72*

Brioches au foie gras *pa*[illegible]

Canar[illegible] *pa*[illegible]

Salade [illegible] *pag*[illegible]

Fondant [illegible] *page 162*

Brunch du dimanche

Kedgeree au haddock *page 389*

[illegible]és aux [illegible] [illegible]e 478

[illegible]ioché

[illegible] et [illegible]ge 103

[T]arte à la cassonade *page 126*

Déjeuner de week-end
Pour 6 personnes

Petites pommes de terre aux œufs de saumon *page 486*

Pintade au chou *page 554*

Salade périgourdine *page 301*

Salade d'oranges au Grand Marnier *page 654*

Déjeuner en famille
Pour 4 personnes

Moules marinière *page 458*

Blé cuit au poivron et aux olives *page 76*

Mousse au chocolat *page 164*

Tête-à-tête de gourmets
Pour 2 personnes

Coquilles Saint-Jacques crues au caviar *page 128*

Rognons au xérès *page 756*

Omelette norvégienne *page 496*

Dîner à l'anglaise
Pour 4 personnes

Oyster cocktail *page 376*

Chicken pie *page 548*

Salade de chou blanc *page 170*

Mousse au citron *page 178*

Déjeuner en famille
Pour 4 personnes

Salade tiède de lentilles *page 409*

Raie au fromage *page 615*

Omelette soufflée aux violettes cristallisées *page 495*

Dîner de week-end
Pour 4 personnes

Rosace de pommes de terre aux huîtres *page 376*

Hochepot flamand *page 370*

Île flottante au caramel *page 377*

Souper de Noël
Pour 4 personnes

Gâteau bressan *page 301*

Poularde demi-deuil *page 593*

Cardons à la moelle *page 118*

Vacherin aux marrons *page 741*

Dîner économique
Pour 6 personnes

Soupe de chou au lard *page 405*

Flamiche aux poireaux *page 292*

Crèmes renversées au caramel *page 218*

Dîner entre amis
Pour 6 personnes

Potage à la bière *page 68*

Pot-au-feu *page 589*

Salade croquante aux pommes *page 54*

Ananas surprise *page 24*

Dîner à l'antillaise
Pour 4 personnes

Punch au citron vert *page 601*

Acras de morue *page 12*

Poulet aux bananes *page 46*

Riz créole *page 631*

Gâteau antillais *page 471*

Lendemain de réveillon
Pour 4 personnes

Bouillon de légumes *page 89*

Carottes Vichy *page 120*

Filets de turbot à la vapeur *page 738*

Coupe de litchis au champagne *page 416*

Dîner égoïste
Pour 1 personne

Rêve noir et blanc *page 735*

Foie de veau à la vénitienne *page 294*

Truffes en chocolat *page 736*

LAROUSSE DE LA Cuisine

LAROUSSE DE LA Cuisine

21 Rue du Montparnasse 75283 Paris cedex 06

La première édition du Larousse de la Cuisine 1990
a été conçue et réalisée par Sylvie Girard et Frédérique Longuépée,
assistées de Blandine Serret.

La présente édition
a été revue et augmentée
par Sylvie Girard et Frédérique Longuépée.

Direction de la publication
Marie-Pierre Levallois

Direction éditoriale
Colette Hanicotte

Edition
Ewa Lochet
La présente édition a été réalisée avec la collaboration de
Virginie Mahieux, Paule Neyrat (diététique)
et Marie-Thérèse Ménager

Direction artistique
Emmanuel Chaspoul
assisté de Olivier Caldéron, Michel Delporte et Martine Debrais

Conception de maquette et mise en pages
Sophie Compagne

Lecture-correction
Annick Valade, assistée de Madeleine Biaujeaud

Fabrication
Annie Botrel

Couverture
Marie-Astrid Bailly-Maître, Véronique Laporte

Photographies
Voir page 831

Sont remerciées pour leur participation :
Anne Clerc et Marie de Combarieu

Distributeur exclusif au Canada : Messageries ADP, 1751 Richardson, Montréal (Québec).
ISBN 2- 03-560280-7

dans le Larousse de la Cuisine vous trouverez

Tous les produits et recettes de A à Z

Le produit ou la préparation
est classé par ordre alphabétique et surligné pour apparaître clairement. Il est accompagné d'une information précise sur ses variétés, ses modes de préparation et de conservation. Il est suivi d'une ou plusieurs recettes.

La recette
accompagne une préparation ou un produit. Son titre est suivi du nombre de convives et des temps de préparation et de cuisson.

Le déroulé de la recette
est découpé en étapes courtes numérotées.

Les ingrédients
apparaissent dans l'ordre de leur utilisation dans la recette. *Pour bien doser : voir le tableau des équivalences page 8.*

Les renvois
à d'autres articles pour trouver variantes et informations supplémentaires

Le conseil diététique
détaille la valeur nutritive du produit.

La boisson
une idée d'accord alcoolisé ou non. *En complément : le cahier vins page 772.*

laitue

laitue

→ voir aussi petits pois, trévise

C'est la plus courante des salades vertes. Si l'on ne précise pas « romaine » ou « batavia », il s'agit de la laitue pommée ou beurrée, verte ou violacée avec un cœur jaune. Cultivée partout, elle est présente toute l'année sur le marché. Achetez-la avec des feuilles fermes, très fraîche, et cultivée en plein champ ; la laitue sous serre ou tunnel plastique est tout à fait insipide. La variété « feuille de chêne » possède un léger goût poivré : essayez-la pour varier les plaisirs.

Diététique. Très peu calorique (100 g = 15 kcal), la laitue possède des vertus digestives.

romaine

lollo rossa

pommée beurre

feuille de chêne rouge

Les variétés de laitues proposent une vaste gamme de couleurs et de saveurs. Pour conserver une laitue 2 ou 3 jours dans le bac à légumes du réfrigérateur, épluchez-la, ne la lavez pas, mettez-la dans un sachet en plastique et fermez-le.

batavia blonde

iceberg

396

Feuilles de chêne aux foies de volaille

Pour **4 personnes**
Préparation **25 min**
Cuisson **3 min environ**

2 c. à soupe de vinaigre de xérès • 4 c. à soupe d'huile d'olive • 1 c. à soupe de persil haché • 6 ou 7 brins de ciboulette • 400 g de laitue feuille de chêne • 250 g de foies de volaille • 15 g de beurre • huile de maïs • sel • poivre

1 Préparez la vinaigrette avec le vinaigre de xérès, l'huile d'olive, le persil et la ciboulette ciselée. Salez et poivrez.
2 Lavez la salade, égouttez-la et épongez-la dans un torchon. Détaillez les feuilles en petits morceaux. Coupez les foies de volaille en petites bouchées.
3 Faites chauffer le beurre et un filet d'huile de maïs dans une poêle. Faites-y sauter les morceaux de foies de volaille pendant 2 ou 3 min en les retournant. Salez et poivrez. Égouttez-les.
4 Ajoutez 1 c. à soupe du jus de cuisson dans la vinaigrette et fouettez. Répartissez la salade dans les assiettes. Ajoutez les foies de volaille et arrosez de vinaigrette. Servez aussitôt.

Boisson **rosé sec**

Laitues braisées aux petits oignons

Pour **4 personnes**
Préparation **15 min**
Cuisson **1 h environ**

100 g de beurre • 24 petits oignons blancs • 4 belles laitues • 1 bouquet garni • sucre semoule • sel • poivre

1 Faites fondre 25 g de beurre dans une casserole sans le laisser roussir. Ajoutez les petits oignons pelés et 1 c. à café de sucre. Salez et laissez colorer 25 min sur feu doux. Égouttez-les.
2 Débarrassez les laitues de leurs grosses feuilles vertes. Coupez-les en 2 et lavez-les. Essorez-les et épongez-les dans un torchon. Ficelez-les.
3 Faites fondre le reste de beurre dans une grande poêle. Mettez-y les laitues. Salez et poivrez. Poudrez légèrement de sucre et faites-les dorer doucement en les retournant plusieurs fois.
4 Mettez-les dans une cocotte avec les oignons glacés au milieu, ajoutez le bouquet garni, couvrez et laissez cuire doucement à couvert pendant 20 min. Déficelez les laitues. Ôtez le bouquet garni.

Servez les laitues braisées en garniture de côtes de porc, grenadins ou escalopes de veau.

Salade mimosa

RECETTE LÉGÈRE 1 portion 155 kcal

Pour **4 personnes**
Préparation **20 min**
Cuisson **10 min**

2 œufs • 4 fonds d'artichauts en conserve • 1 citron • 1 belle laitue pommée • 2 c. à soupe de vinaigre à l'estragon • 4 c. à soupe d'huile d'olive • 1 c. à café de moutarde à l'estragon • sel • poivre

1 Faites durcir les œufs, rafraîchissez-les et écalez-les. Égouttez les fonds d'artichauts, citronnez-les et mettez-les de côté.
2 Effeuillez la laitue. Lavez-la soigneusement. Égouttez-la et épongez-la. Taillez les feuilles en petites bouchées.
3 Préparez une vinaigrette bien relevée avec le vinaigre, l'huile et la moutarde. Salez et poivrez.
4 Coupez les œufs durs en 2, extrayez le jaune et émiettez-le. Hachez le blanc.

Salade mimosa ▲
Si vous avez le temps de faire cuire et de préparer vous-même des fonds d'artichauts bretons bien charnus, cette salade n'en sera que meilleure.

5 Égouttez les fonds d'artichauts et émincez-les. Arrosez la laitue de vinaigrette et mélangez bien.
6 Répartissez la laitue assaisonnée dans les assiettes de service. Ajoutez en garniture les lamelles de fonds d'artichauts citronnées, le jaune d'œuf au centre et le blanc en couronne. Servez aussitôt.

→ autres recettes de laitue à l'index

lamproie

Ce poisson de mer ou de rivière se pêche en France dans la Gironde, la Loire ou le Rhône, de février à juin. Il ressemble à un gros serpent qu'il faut dépouiller et saigner : le sang sert à lier la sauce de sa préparation, le plus souvent au vin rouge.

Diététique. Ce poisson est riche en phosphore, mais il est assez gras : 100 g = 177 kcal.

397

Le commentaire gourmand
propose des variantes, des conseils et des idées de service.

Les tampons
identifient les recettes légères (kcal / portion) et les recettes à réaliser au four à micro-ondes.

Les renvois aux index
page 793

les échappées gourmandes

20 doubles pages portant sur un grand thème (préparation, mode de cuisson, produit, occasion, cuisine du monde). Des recettes gourmandes, des encadrés pratiques, de nombreuses illustrations, une multitude d'idées...

Sommaire des échappées gourmandes

les annexes

Alimentation et santé — page 762

alimentation et santé

Alimentation et santé

équilibre alimentaire et santé

L'être humain est un organisme vivant qui a besoin d'énergie pour fonctionner correctement. Depuis des siècles, il a mis au point toutes sortes de produits et de techniques pour satisfaire ses envies et ses gourmandises.

Énergie et nutriments

Une alimentation équilibrée

Trois repas sont nécessaires

le végétarisme

Bien conçu, un régime végétarien offre d'indéniables atouts, mais un changement de régime alimentaire ne doit pas être adopté du jour au lendemain. Pour éviter les carences, il faut apprendre à diversifier son alimentation.

Les régimes végétariens

Les atouts du végétarisme

Les risques de carences

762 763

Choisir et servir les vins — page 772

choisir et servir les vins

Choisir et servir les vins

les mets et les vins

Le bon accord d'un mets et d'un vin exige que l'on tienne compte des caractéristiques gustatives de chaque partenaire. Il n'y a cependant pas de règles immuables. La saison, l'occasion, l'ambiance et les convives participent aussi à la réussite du repas.

Les accords difficiles

Quelques principes d'accord

L'âge du vin, la saison et les convives

le service du vin

Soigneusement choisi en fonction du repas, le vin mérite une préparation qui le mettra en valeur. Chaque détail a son importance, car la négligence peut décevoir bien des espoirs. Des règles simples et un peu de bon sens permettent de réussir la dégustation.

La température de service

La décantation

Que faire d'une bouteille entamée ?

773

Le glossaire des techniques — page 779

glossaire

brunoise

chemiser

ciseler

canneler

clarifier

concasser

décortiquer

Décortiquer un crabe

Décortiquer un homard

780

les index — page 793

Capacités et contenances

Si vous n'avez pas à portée de main d'instruments de mesure précis, ce tableau vous permettra d'estimer la capacité et le poids des ingrédients dont vous avez besoin pour réaliser telle ou telle recette. Vous trouverez en bas un rappel des équivalences au Canada ainsi qu'un rappel des abréviations utilisées dans l'ouvrage.

	capacités	**poids**
1 c. à café	0,5 cl	5 g (café, sel, sucre, tapioca), 3 g (fécule)
1 c. à dessert	1 cl	
1 c. à soupe	1,5 cl	5 g (fromage râpé), 8 g (cacao, café, chapelure), 12 g (farine, riz, semoule, crème fraîche), 15 g (sucre en poudre, beurre)
1 tasse à moka	de 8 à 9 cl	
1 tasse à café	10 cl	
1 tasse à thé	de 12 à 15 cl	
1 tasse à déjeuner	de 20 à 25 cl	
1 bol	35 cl	225 g de farine, 320 g de sucre en poudre, 300g de riz, 260 g de raisins secs, 260 g de cacao
1 assiette à soupe	de 25 à 30 cl	
1 verre à liqueur	de 2,5 à 3 cl	
1 verre à madère	de 5 à 6 cl	
1 verre à bordeaux	de 10 à 15 cl	
1 grand verre	25 cl	150 g de farine, 220 g de sucre en poudre, 200 g de riz, 190 g de semoule, 170 g de cacao
1 verre à moutarde	15 cl	100 g de farine, 140 g de sucre en poudre, 125 g de riz, 110 g de semoule, 120 g de cacao, 120 g de raisins secs
1 bouteille de vin	75 cl	

Abréviations utilisées

g	=	gramme
kg	=	kilogramme
cl	=	centilitre
min	=	minute
h	=	heure
kcal	=	kilocalorie
°C	=	degré Celsius

Poids équivalence des mesures impériales et métriques (Canada)

5 oz	30 g
1/4 lb	125 g
1/3 lb	150 g
1/2 lb	250 g
3/4 lb	375 g
1 lb	500 g

Capacités équivalence des mesures impériales et métriques (Canada)

5 ml	0,5 cl	2/3 tasse	15 cl
15 ml	1,5 cl	3/4 tasse	17,5 cl
1/4 tasse	5 cl	4/5 tasse	20 cl
1/3 tasse	7,5 cl	1 tasse	25 cl
1/2 tasse	12,5 cl		

abats

Un animal de boucherie fournit à la fois de la chair, des muscles (la viande) et d'autres parties qui sont les abats. On distingue les abats rouges (cœur, foie, langue et rognons) et les abats blancs (cervelle, ris, pied, tête, tripes ; ces trois derniers sont vendus déjà cuits). Règle absolue : les abats doivent toujours être de la plus grande fraîcheur. Ne les faites jamais attendre et cuisinez-les sitôt achetés.

Le veau et l'agneau fournissent les abats les plus délicats (foie, rognon, ris, cervelle).

Diététique. Les abats ont des valeurs nutritionnelles très différentes. Attention à la cervelle, au foie, aux ris et aux rognons, riches en cholestérol. Le foie est néanmoins riche en fer : il est bon d'en consommer une fois tous les 15 jours.

abattis

Le cou, les ailerons, le gésier, le foie et le cœur d'une volaille constituent ses abattis. Pour un prix modique, vous en tirerez le meilleur parti en les cuisinant en ragoût, en fricassée, en farce, en brochettes ou en salade (foies de volaille).

abricot

abricot frais Les abricots frais sont des fruits d'été fragiles qu'il faut déguster sans attendre : achetez-les pas trop mous et sans meurtrissures. Les premiers abricots vendus en France (mi-mars) viennent des pays méditerranéens. Ceux de la vallée du Rhône, du Languedoc-Roussillon et de Provence fournissent le marché de la mi-juin à la fin de juillet. Le quart de la production de qualité va directement en conserverie : au naturel ou au sirop, pelés et dénoyautés, généralement en moitiés (oreillons). Employez-les pour faire des salades de fruits, des coulis chauds ou froids, pour décorer des gâteaux de riz, mais aussi pour garnir du jambon braisé ou dans une salade de volaille.

Pas trop gros, bien colorés et vendus près du lieu de ramassage, les abricots frais sont juteux et parfumés. Un long transport et un stockage prolongé les rendront fades et farineux. On peut néanmoins en tirer parti dans des compotes ou des marmelades, ou les pocher dans un sirop vanillé. S'ils sont servis nature, les abricots n'ont pas besoin d'être lavés. Passez-les éventuellement sous l'eau pour les dépoussiérer et essuyez-les. Utilisés frais dans un entremets ou un gâteau, ils sont généralement pelés : il suffit de les plonger quelques secondes dans de l'eau bouillante et de les égoutter, et la peau se retire facilement avec un couteau pointu.

Fruit privilégié des tartes et des confitures, l'abricot frais se marie aussi très bien avec la viande, surtout l'agneau et le porc.

abricot sec Les abricots secs vendus en France sont tous importés : Californie ou Australie (assez gros et pâles,

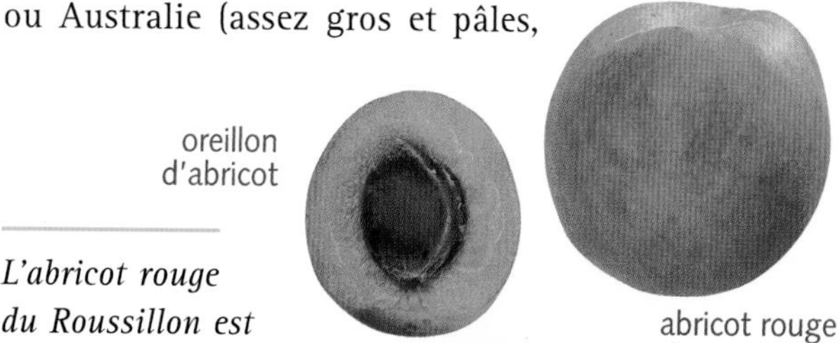

L'abricot rouge du Roussillon est un bon fruit de table. Réservez l'orangé de Provence pour des confitures, avec 1 ou 2 amandes du noyau cassé.

souvent pâteux), Turquie (orange foncé avec un goût muscadé, les meilleurs). Pour les réhydrater, faites-les tremper 2 h dans de l'eau tiède. Ils s'emploient surtout dans des compotes ou des ragoûts.

Diététique. 100 g d'abricots frais = 44 kcal. Riche en carotène, l'abricot est un fruit d'été qui favorise le bronzage. 100 g d'abricots secs = 272 kcal.

Abricotine aux framboises

Pour **6 personnes**
Préparation **20 min, 3 h à l'avance**
Pas de cuisson

1 kg d'abricots ◆ 2 feuilles de gélatine ◆ 250 g de sucre semoule ◆ 10 cl de crème fraîche ◆ 150 g de framboises

1 Portez à ébullition une grande casserole d'eau et plongez-y les abricots 2 min. Égouttez-les, coupez-les en 2, pelez-les et retirez les noyaux.
2 Faites tremper la gélatine 15 min dans de l'eau froide, égouttez-la et faites-la fondre dans 2 c. à soupe d'eau chaude.
3 Écrasez les abricots en purée, ajoutez-leur le sucre et incorporez ensuite la gélatine.
4 Fouettez la crème fraîche et ajoutez-la à la préparation. Garnissez d'un rond de papier sulfurisé le fond d'un moule à brioche côtelé ou à charlotte.
5 Versez-y la préparation et mettez au réfrigérateur pendant 3 h.
6 Pour servir, plongez le moule 20 secondes dans de l'eau tiède, essuyez-le puis retournez-le sur un plat de service. Démoulez et ôtez le papier. Ajoutez les framboises en garniture.

Compote d'abricots secs aux figues

MICRO ONDES

Pour **4 personnes**
Préparation **3 min**
Cuisson **11 min**
Repos **20 min**

100 g de figues sèches ◆ 300 g d'abricots secs ◆ 1 c. à soupe de raisins secs ◆ 1 bâton de cannelle ◆ 1 verre de vin rouge ◆ 1 c. à soupe de miel liquide

1 Coupez les queues des figues. Étalez dans un grand plat creux les abricots, les raisins et les figues.
2 Ajoutez la cannelle cassée en tronçons. Arrosez avec le vin mélangé à 15 cl d'eau. Couvrez.
3 Faites cuire 10 min à puissance maximale en remuant 2 fois pendant la cuisson.
4 Laissez reposer 20 min. Retirez la cannelle et ajoutez le miel. Mélangez. Repassez au four 1 min à chaleur forte avant de servir. Proposez en même temps de la crème fraîche très froide ou du fromage blanc. Agrémentez de noisettes hachées ou d'amandes.

Pour des enfants, remplacez le vin par du jus de raisin.

Couronne de riz aux abricots

Pour **6 personnes**
Préparation **30 min**
Cuisson **1 h**

200 g de riz à grains ronds ◆ 1 l de lait ◆ 1 gousse de vanille ◆ 2 c. à soupe de crème fraîche ◆ 2 œufs ◆ 180 g de sucre semoule ◆ 25 g de beurre ◆ 1 kg d'abricots au sirop ◆ 1 c. à soupe de rhum ◆ 20 cerises confites ◆ 50 g d'angélique confite ◆ 1 c. à soupe d'amandes effilées ◆ sel

1 Lavez le riz. Faites bouillir une casserole d'eau, versez-y le riz et laissez-le 2 min. Égouttez-le, videz l'eau. Remettez-le dans la casserole avec le lait, une pincée de sel et la vanille. Faites cuire très doucement à couvert pendant 45 min.
2 Retirez la vanille. Incorporez la crème fraîche, les œufs battus et 100 g de sucre. Mélangez intimement.
3 Beurrez un moule à savarin, versez-y le riz. Faites cuire encore 15 min au bain-marie.
4 Réservez les 12 plus beaux oreillons d'abricots. Réduisez les autres en purée au mixer, en ajoutant le reste de sucre et le rhum. Faites chauffer doucement.
5 Démoulez le riz sur un plat rond. Nappez de coulis d'abricots chaud et versez au milieu des oreillons au sirop.
6 Décorez avec les cerises et l'angélique. Piquez les amandes dans le riz.

Flan aux abricots

RECETTE LÉGÈRE – 1 portion 150 kcal

Pour **4 personnes**
Préparation **10 min**
Cuisson **15 min**

600 à 700 g d'abricots ◆ 2 gros œufs ◆ 25 cl de lait écrémé ◆ 1 gousse de vanille ◆ édulcorant en poudre

1 Lavez et essuyez les abricots. Coupez-les en 2 et dénoyautez-les. Rangez-les dans un plat à gratin, face bombée vers le haut. Choisissez un plat à gratin à revêtement anti-adhésif assez grand pour contenir les demi-fruits sur une seule couche, serrés les uns contre les autres.
2 Préchauffez le four à 160 °C. Versez le lait dans une casserole, ajoutez la gousse de vanille fendue en 2 et grattée avec un petit couteau. Faites chauffer jusqu'à la limite de l'ébullition.
3 Cassez les œufs dans une jatte à part et ajoutez 2 ou 3 c. d'édulcorant, selon votre goût.
4 Versez le lait bouillant sur les œufs en fouettant légèrement, puis nappez ensuite délicatement les abricots de cette préparation.
5 Enfournez le plat pendant 15 min. Sortez-le, laissez reposer le flan 5 min avant de servir.

Sauce à l'abricot

Pour **4 personnes**
Préparation **10 min**
Cuisson **5 min**

400 g d'abricots mûrs ◆ 250 g de sucre semoule ◆ 2 c. à soupe de kirsch

1 Dénoyautez et pelez les abricots. Passez-les au mixer. Faites dissoudre le sucre dans un verre d'eau tiède.
2 Versez le sirop et la purée dans une casserole à fond épais. Portez à ébullition et laissez bouillir 5 min sans cesser de remuer.
3 Retirez du feu et tamisez. Ajoutez le kirsch et mélangez. Servez chaud ou tiède avec un gâteau de riz, une coupe glacée ou un pudding.

Variante : mélangez 6 c. à soupe de marmelade d'abricots et 2 c. à soupe de jus de citron. Faites chauffer en délayant avec 2 c. à soupe d'eau. Passez au tamis et parfumez avec un alcool. Mélangez intimement et servez.

→ **autres recettes d'abricot à l'index**

Flan aux abricots ▲

Ce dessert léger et digeste peut aussi se préparer avec des pêches jaunes ou des quetsches.

achard

Mélange de fruits et de légumes hachés, macérés et cuits dans une sauce épicée au vinaigre. Ce condiment antillais se sert avec des brochettes grillées ou de la viande froide.

acra

Très populaires dans toutes les Antilles, les acras sont des beignets salés et épicés, à base de chair de morue le plus souvent, mais on en prépare aussi avec une purée d'aubergine, de carotte ou de potiron. Ils se servent en amuse-gueule ou en hors-d'œuvre avec un punch.

Diététique. La morue est un poisson maigre, mais ces beignets absorbent toute l'huile de friture : leur valeur énergétique est triplée.

Acras de morue

Pour **4 personnes**
Dessalage **12 h**
Préparation **30 min**
Repos **4 h**
Cuisson **4 min**

450 g de morue ◆ 10 brins de ciboulette ◆ 1 oignon ◆ 2 gousses d'ail ◆ 8 cives (ou ciboules) ◆ 40 cl de lait ◆ 250 g de farine ◆ 2 œufs ◆ huile de friture ◆ sel ◆ poivre

1 La veille, mettez la morue dans un récipient sous l'eau courante (peau dessus) et laissez-la dessaler en changeant d'eau plusieurs fois. Disposez ensuite la morue dans une casserole remplie d'eau froide. Portez à ébullition sur feu moyen et laissez cuire pendant 15 min. Égouttez-la, puis ôtez la peau et les arêtes. Pilez la chair au mortier.

2 Lavez et ciselez finement la ciboulette. Pelez l'oignon et les gousses d'ail et hachez-les finement. Lavez et ciselez les cives. Versez la morue dans un saladier. Ajoutez les herbes en mélangeant bien, puis réservez.

3 Dans un second saladier, mélangez vigoureusement le lait et la farine. Cassez les œufs dans un bol et battez-les en omelette. Ajoutez-les à la pâte. Salez et poivrez. Fouettez vigoureusement. Passez éventuellement au mixer. Couvrez d'un linge propre. Laissez reposer à température ambiante au moins pendant 4 h.

4 Mettez à chauffer l'huile dans une friteuse. Versez la pâte sur la morue écrasée et travaillez avec une spatule en bois jusqu'à l'obtention d'une consistance molle.

5 Prenez la pâte à l'aide d'une cuiller et jetez les cuillerées dans l'huile très chaude. N'en faites pas trop à la fois afin que les acras ne collent pas les uns aux autres. Laissez frire pendant 3 ou 4 min. Sortez-les à l'aide d'une écumoire et égouttez-les au fur et à mesure sur du papier absorbant. Servez-les chauds ou tièdes.

Vous pouvez également préparer des acras avec des crevettes ou un reste de poisson cuit : vous économisez ainsi le temps de dessalage et de cuisson du poisson.

agneau

➔ voir aussi blanquette, brochettes, gigot, mouton, navarin, ragoût, ris

Ce terme désigne en boucherie des viandes très différentes, en fonction de l'âge de l'animal. L'agneau de lait (5 semaines environ, 5 à 6 kilos) possède une chair très tendre et délicate. Il est vendu, parfois chez le volailler, de février à Pâques. L'agneau blanc, ou laiton, de 2 à 4 mois, est nourri au lait de vache et donne une viande rose vif et ferme, qui devient tendre à la cuisson, avec une graisse blanche. Le broutard, ou agneau gris, qui peut atteindre 12, parfois 14 mois, a été nourri en herbage, ce qui parfume et colore davantage sa chair.

Différents labels sont attribués aux meilleures provenances : Quercy (viande rosée, délicate et savoureuse), « Cœur de France » (Allier), Vivalpagneau (Sisteron, Ardèche, Drôme, Isère), agneau Gavot de Provence (particulièrement parfumé). Les bons bouchers privilégient également des marques réputées : Poitou-Charentes, Baronet du Limousin, Agneau Soleil, Pauillac, Grévin du Mont-Saint-Michel (agneau de pré salé, engraissé dans les pâturages marins qui bordent les côtes de la Manche, d'une qualité exemplaire).

Une viande d'agneau de qualité est brillante et bien colorée (sauf l'agneau de lait, blanche), élastique et douce au toucher, avec un grain serré, une graisse assez claire et pas trop abondante.

Comptez 300 g d'agneau par personne pour les morceaux avec os et 200 g pour les parties charnues. Si le gigot, le carré, la selle, le baron et les côtelettes sont des pièces onéreuses, l'épaule, la poitrine et le collier sont plus avantageux.

Diététique. 100 g d'agneau = 280 kcal.

Agneau persillade

Pour **4 personnes**
Préparation **20 min**
Cuisson **45 min**

100 g de beurre ◆ 1 c. à soupe d'huile d'olive ◆ 1 kg de haut de côtelettes en morceaux ◆ 6 c. à soupe de persil plat haché très fin ◆ sel ◆ poivre

1 Faites chauffer 50 g de beurre et l'huile dans une grande cocotte allant au four. Ajoutez les morceaux de viande et faites-les dorer doucement en les retournant plusieurs fois. Salez et poivrez.

2 Ajoutez 1 c. à soupe d'eau et poursuivez la cuisson au four à 190 °C en retournant les morceaux de viande plusieurs fois.

3 Retirez la viande de la cocotte et mettez-la dans un plat chaud. Versez dans la cocotte 1 c. à soupe d'eau et grattez les sucs de cuisson.

4 Ajoutez en fouettant le reste de beurre en petits morceaux et le persil. Mélangez bien et versez ce jus sur la viande. Servez aussitôt.

Attention, ne laissez pas brunir le mélange de beurre et d'huile en début de cuisson : le goût de brûlé apparaît rapidement.

Boisson **bourgueil**

Fricassée d'agneau à l'ail

Pour **6 personnes**
Préparation **10 min**
Cuisson **1 h**

3 tranches de pain de mie rassis ◆ 4 gousses d'ail ◆ 4 c. à soupe de persil plat haché ◆ 1,5 kg de collier désossé coupé en morceaux ◆ 3 c. à soupe d'huile d'olive ◆ 30 g de beurre ◆ sel ◆ poivre

1 Réduisez le pain de mie en chapelure fine. Pelez les gousses d'ail et hachez-les. Ciselez le persil et mélangez-le avec l'ail. Salez et poivrez la viande.

2 Faites chauffer l'huile dans une cocotte. Faites-y dorer les morceaux de viande sur tous les côtés en les retournant sans laisser roussir. Égouttez-les et jetez la graisse fondue.

3 Versez dans la cocotte le beurre et la chapelure. Faites dorer en remuant, puis remettez la viande. Remuez et ajoutez le mélange d'ail et de persil. Poursuivez la cuisson doucement en enrobant les morceaux avec la chapelure à l'ail et au persil. Servez très chaud.

Variante : faites macérer la viande 30 min avant la cuisson dans un mélange de sel, poivre et thym ; elle sera plus parfumée.

Pour cuire l'agneau sans matières grasses, faites bien chauffer la poêle puis mettez-y la viande sur sa partie la plus grasse. Utilisez la matière grasse fondue pour cuire les deux côtés.

Boisson **côtes-de-provence**

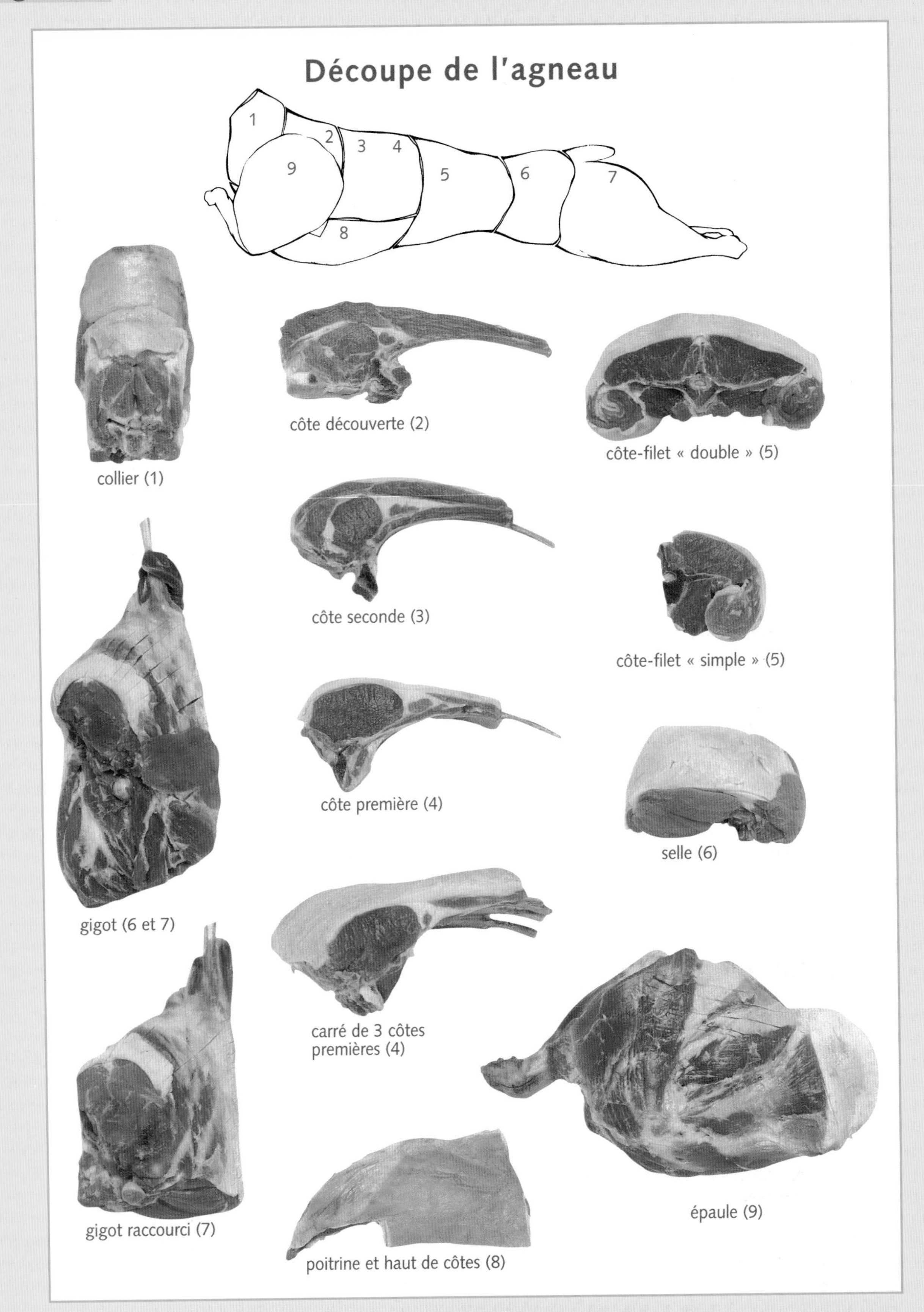
Découpe de l'agneau
1
2
3
4
9
5
6
7
8
collier (1)
côte découverte (2)
côte-filet « double » (5)
côte seconde (3)
côte-filet « simple » (5)
côte première (4)
selle (6)
gigot (6 et 7)
carré de 3 côtes premières (4)
épaule (9)
gigot raccourci (7)
poitrine et haut de côtes (8)

Sauté d'agneau à la poulette

Pour 6 personnes
Préparation 15 min
Cuisson 50 min

1,5 kg d'épaule d'agneau de lait ◆ 30 g de beurre ◆ 2 oignons ◆ 3 blancs de poireaux ◆ farine ◆ 20 cl de vin blanc sec ◆ 1 bouquet garni ◆ 300 g de champignons de couche ◆ 2 jaunes d'œufs ◆ 10 cl de crème fraîche ◆ 1 citron ◆ sel ◆ poivre

1 Faites revenir les morceaux d'agneau sans gras dans une poêle antiadhésive. Retirez-les quand ils sont bien dorés.
2 Faites fondre le beurre dans une cocotte. Versez-y les oignons et les poireaux émincés. Laissez fondre sans colorer, puis ajoutez la viande. Faites chauffer en remuant, poudrez de farine et enrobez les morceaux.
3 Versez le vin blanc et autant d'eau, ajoutez le bouquet garni, salez et poivrez. Laissez mijoter à couvert pendant 30 min.
4 Nettoyez soigneusement les champignons, lavez-les à l'eau citronnée et émincez-les. Ajoutez-les dans la cocotte et faites cuire encore 10 min très doucement.
5 Pendant ce temps, mélangez dans un bol les jaunes d'œufs, la crème, 1 c. à café de jus de citron et un peu de sauce chaude.
6 Retirez le bouquet garni et versez le mélange précédent dans la cocotte. Remuez hors du feu, faites réchauffer sans bouillir et servez.

Boisson **pouilly fumé**

Terrine d'agneau en gelée

Pour 6 personnes
Préparation 30 min, 24 h à l'avance
Cuisson 2 h 30

5 gousses d'ail ◆ 1 bouquet de persil plat ◆ 1 bouquet de ciboulette ◆ 1 feuille de laurier ◆ 1 c. à café de thym ◆ 1,5 à 2 kg d'agneau (collier, épaule, haut de côtes) en morceaux désossés ◆ 50 cl de vin blanc sec ◆ 1 l de bouillon ◆ 1 sachet de gelée en poudre ◆ sel ◆ poivre

1 Pelez les gousses d'ail et écrasez-les. Hachez le persil et la ciboulette. Émiettez le laurier. Mélangez le tout avec le thym.

Terrine d'agneau en gelée ▲

Dégraissez soigneusement la cuisson de la viande pour obtenir une gelée translucide. Servez la terrine en hors-d'œuvre avec des cornichons.

2 Rangez les morceaux d'agneau dans une terrine par couches, en ajoutant du mélange d'aromates à chaque fois. Versez le vin blanc et 50 cl de bouillon. Salez et poivrez. Faites cuire 2 h 30 à couvert au four à 180 °C. Sortez la terrine, ajoutez un peu de bouillon et laissez refroidir.
3 Retirez la graisse figée en surface. Préparez la gelée avec le reste de bouillon chaud. Arrosez-en la terrine. Recouvrez d'une planche et mettez un poids par-dessus. Mettez au réfrigérateur toute la nuit. Servez très frais.

→ autres recettes d'agneau à l'index

aiglefin

→ voir aussi haddock

Poisson de mer de la même famille que le cabillaud. Sa chair est ferme et légèrement rosée. Il se vend souvent en tranches, en tronçons ou en filets et se cuisine au court-bouillon, au four ou à la poêle.

Diététique. Poisson maigre : 100 g = 70 kcal.

Filets d'aiglefin à la moutarde

Pour **4 personnes**
Préparation **5 min**
Cuisson **11 min**

4 blancs de poireaux ◆ 800 g de filets d'aiglefin ◆ 15 cl de crème fraîche ◆ 1 c. à soupe de moutarde forte ◆ jus de citron ◆ sel ◆ poivre

1 Lavez et séchez les poireaux. Émincez-les finement. Mettez-les dans un petit plat creux avec 2 c. à soupe d'eau. Faites cuire à pleine puissance pendant 3 min.
2 Rangez les filets de poisson dans un plat et arrosez de jus de citron. Couvrez de film adhésif, percez-le en 2 ou 3 endroits et faites cuire à pleine puissance pendant 6 min, en faisant pivoter le plat d'un demi-tour à mi-cuisson.
3 Mélangez dans un bol la crème et la moutarde. Faites chauffer dans le four à chaleur moyenne pendant 2 min.
4 Disposez les filets de poisson sur des assiettes de service, ajoutez le poireau en garniture. Salez et poivrez. Nappez de sauce et servez aussitôt.

ail

➔ **voir aussi aïoli, croûton, escargot, persillade, pistou, tapenade**

Cette plante à bulbe est surtout utilisée comme condiment. Parmi les différentes variétés d'aulx, retenez le « rosé d'Albi », vendu en tresses (label rouge), et l'ail nouveau de Saint-Clar (Gers), particulièrement délicat.

Évitez de faire rissoler l'ail sur feu vif : il devient âcre. Pour les hachis, les farces ou les sautés, écrasez-le sur une planche avec la lame d'un gros couteau. Les gousses entières cuites non pelées, « en chemise », donnent un arôme moins violent. Pour condimenter le gigot, taillez les gousses en minces éclats à piquer dans la viande. Grossièrement hachées et macérées dans un flacon d'huile d'olive, elles fournissent un excellent assaisonnement pour salades et crudités.

Diététique. On reconnaît à l'ail une action vermifuge et diurétique, ainsi qu'un rôle bénéfique pour stimuler l'appétit et calmer la tension. Il peut provoquer une certaine fermentation. Contentez-vous alors de son parfum : saladier frotté d'ail ou gousses non pelées, retirées de la cuisson avant de servir le plat.

Aïgo boulido

RECETTE LÉGÈRE – 1 portion 195 kcal

Pour **4 personnes**
Préparation **10 min**
Cuisson **10 min environ**

6 gousses d'ail ◆ 1 branche de sauge fraîche ◆ 1 petite branche de thym ◆ 1/2 feuille de laurier ◆ 4 tranches de pain de campagne ◆ 4 c. à soupe d'huile d'olive ◆ 1 jaune d'œuf ◆ sel

1 Pelez et écrasez les gousses d'ail. Portez à ébullition 1 l d'eau dans une casserole. Ajoutez le sel et l'ail. Faites bouillir 10 min.
2 Ajoutez la sauge, le thym et le laurier. Retirez du feu et laissez infuser à couvert 3 min.
3 Retirez les herbes. Placez une tranche de pain dans chaque assiette et arrosez-la d'huile. Ajoutez le jaune d'œuf dans le bouillon, fouettez et versez dans les assiettes. Servez aussitôt.

ail blanc
ail rose
ail séché
gousses

Une tête d'ail est formée de 12 à 16 gousses (les caïeux).
L'ail frais apparaît de la mi-juin à la mi-août.
Pour le rendre plus digeste, retirez le germe vert au centre de chaque gousse. Utilisez le vert haché en condiment.
L'ail sec (à choisir bien ferme) se conserve au frais et au sec.

germe
vert d'ail

Crème d'ail

RECETTE LÉGÈRE 1 portion 75 kcal

Pour **4 personnes**
Préparation **20 min**
Cuisson **20 min**

12 gousses d'ail ◆ 25 cl de lait ◆ 1 c. à soupe de persil haché ◆ 1 tranche de pain de mie ◆ muscade ◆ sel ◆ poivre

1 Pelez l'ail. Portez à ébullition une casserole d'eau. Plongez-y les gousses pendant 1 min, égouttez-les et répétez cette opération deux fois.
2 Versez le lait dans une casserole et faites chauffer. Ajoutez les gousses d'ail, le persil et le pain. Salez, poivrez et muscadez.
3 Faites cuire à feu doux pendant 20 min en surveillant. Mixez le tout jusqu'à consistance homogène. Servez en sauce chaude avec une volaille rôtie ou grillée, du gigot ou bien des côtelettes d'agneau grillées.

Si vous faites cuire l'ail en chemise, il vous suffit de presser sur les gousses pour obtenir une purée d'ail.

→ **autres recettes d'ail à l'index**

aïoli

→ **voir aussi mayonnaise**

Sauce provençale à base de gousses d'ail pilées avec du jaune d'œuf et de l'huile d'olive. Elle a les mêmes emplois que la mayonnaise. Comme plat de fête, servez un « grand aïoli » : morue pochée, œufs durs, viande et légumes bouillis, escargots ou petits poulpes réunis autour de la sauce.

Sauce aïoli

Pour **8 personnes**
Préparation **10 min**
Pas de cuisson

8 gousses d'ail ◆ 2 jaunes d'œufs ◆ 1/2 citron ◆ 50 cl d'huile d'olive ◆ sel ◆ poivre

1 Pelez les gousses d'ail et mettez-les dans un mortier. Pilez-les en purée fine. Ajoutez les jaunes d'œufs, salez modérément et poivrez.
2 Versez l'huile en filet, en continuant à fouetter pour monter la sauce comme une mayonnaise.
3 Terminez avec quelques gouttes de jus de citron. Conservez au réfrigérateur.

Pour mieux monter la sauce, ajoutez en cours de préparation 2 ou 3 c. à café d'eau tiède, à intervalles réguliers.

airelles

Ces petites baies rouges au goût acidulé sont généralement vendues en conserve au naturel. On les utilise pour préparer des confitures, des gelées ou des sauces pour le gibier. Une autre variété, la canneberge, existe en Amérique du Nord.

Diététique. Très riches en pectine et en vitamine C, ces fruits sont peu sucrés. 100 g = 15 kcal.

Compote d'airelles

Pour **6 personnes**
Préparation **10 min**
Cuisson **25 min**

1 kg d'airelles ◆ 500 g de sucre semoule ◆ 1/2 citron

1 Triez, lavez et égrappez les airelles. Râpez finement le zeste du 1/2 citron.
2 Faites bouillir 2 dl d'eau avec le sucre et le zeste de citron.
3 Ajoutez les airelles et faites cuire sur feu vif pendant 10 min.
4 Égouttez les airelles et versez-les dans un compotier.
5 Faites réduire le sirop de 1/3 sur feu vif. Versez-le sur les fruits. Laissez refroidir complètement avant de servir. Vous pouvez agrémenter de crème fraîche.

akvavit

→ **voir aussi rhum, tequila**

Alcool de grain traditionnel en Scandinavie. Parfumé au cumin ou au fenouil, il titre 45 % Vol et se boit sec, bien frappé. Servez l'akvavit dans des petits verres très froids avec un assortiment de canapés nordiques (poissons fumés, œufs de saumon et charcuterie).

alcool

→ voir aussi bière, cidre, cocktail, eau-de-vie, tequila, vin, vodka, whisky

On appelle alcool toute boisson résultant de la distillation de substances sucrées, après leur fermentation. C'est ainsi que l'on obtient, à partir des jus de fruits (raisin, pomme, poire, cerises, prunes, baies, etc.), tout d'abord le vin, le cidre et le poiré puis, par distillation, des marcs, des eaux-de-vie (calvados, armagnac, cognac), ainsi que des alcools blancs (framboise, mirabelle, prune, kirsch, etc.). Les céréales également (orge, blé, maïs, riz, seigle) fournissent la bière et le whisky, le gin et la vodka, tandis que certaines racines (pomme de terre, betterave) ou plantes exotiques (palme, mil, canne à sucre, agave) donnent rhum, tequila et divers autres alcools.

Les alcools font partie des plaisirs de la table. Ils sont également très utilisés en cuisine, pour déglacer, flamber, imbiber, mariner, ainsi qu'en pâtisserie, pour parfumer gâteaux et entremets, glaces et sorbets. Lorsqu'un liquide alcoolisé ou alcoolique est chauffé et surtout flambé, l'alcool est éliminé : il reste essentiellement les arômes.

Les alcools et eaux-de-vie possèdent des propriétés antiseptiques utiles pour les conserves de fruits.

Diététique. Le seul réel intérêt de l'alcool, à petites doses, est son effet décontractant. Attention : 1 g d'alcool apporte 7 kcal. Les doses considérées comme acceptables pour l'organisme sont de 2 verres de vin par jour pour un homme, 1 verre pour une femme, qui métabolise moins bien l'alcool. Bon à savoir : en total calorique, 2 verres de vin = 2 coupes de champagne = 1 whisky = 1 bière de 33 cl.

▼ Salade océane

Les saveurs franches et iodées de cette salade aux crevettes et aux algues s'accommodent d'une bolée de cidre et d'une tartine de beurre salé.

algues

→ voir aussi bar

Surtout utilisés dans l'industrie alimentaire comme gélifiants ou émulsifiants, ces végétaux marins connaissent un grand regain d'intérêt en cuisine. Le parfum d'iode que les algues communiquent au poisson cuit à la vapeur sur un lit de varech est très plaisant : elles doivent être soigneusement lavées et bouillies quelques minutes dans de l'eau douce. La « laitue de mer » (algues vertes), lavée, cuite 20 minutes et rafraîchie, s'utilise dans des farces de poisson ou pour confectionner des papillotes. Méfiez-vous de vos récoltes personnelles et fournissez-vous de préférence chez le poissonnier.

On trouve dans les magasins de diététique des mélanges d'algues lyophilisées qui peuvent agrémenter salades composées, vinaigrettes ou sauces froides, la cuisson du riz ou un potage, ou même une pâte à pain ou des petits biscuits. Elles se réhydratent facilement dans un peu de liquide. Expérimentez aussi les algues séchées en provenance du Japon : kombu émincé avec pâtes ou crudités, wakamé en bouillon.

Salade océane

Pour 2 personnes
Préparation 15 min
Pas de cuisson
Repos 15 min au frais

2 ou 3 tomates mûres ◆ 1/2 concombre ◆ 4 petits oignons blancs ◆ 150 g de crevettes décortiquées ◆ huile de maïs ◆ vinaigre de cidre ◆ 2 c. à soupe d'algues lyophilisées mélangées ◆ sel ◆ poivre

1 Lavez les tomates, essuyez-les et coupez-les en rondelles fines. Pelez le concombre et taillez-le en très fines lamelles. Hachez les petits oignons. Mélangez ces ingrédients dans une coupe, ajoutez les crevettes.
2 Préparez une vinaigrette classique en lui ajoutant le mélange d'algues émietté. Fouettez pour homogénéiser.
3 Arrosez la salade de cette sauce, remuez et laissez reposer au frais. Servez avec des tartines de beurre salé.

Boisson **cidre bouché**

aligot

Cette spécialité auvergnate se prépare avec de la purée de pommes de terre, de l'ail et de la tomme fraîche de cantal. Le tout est fondu ensemble jusqu'au point critique où les fils de fromage se cassent. Servez l'aligot en entrée chaude, après avoir proposé une bouteille de saint-péray mousseux en apéritif.

Aligot du Cantal

Pour **4 personnes**
Préparation **20 min**
Cuisson **25 min**

700 g de pommes de terre ◆ 300 g de tomme fraîche de cantal ◆ 1 gousse d'ail ◆ 80 g de beurre ◆ 15 cl de crème fraîche ◆ sel

1 Faites cuire les pommes de terre à l'eau dans leur peau pendant 25 min. Égouttez-les.
2 Détaillez le fromage en lamelles le plus finement possible. Évitez de le râper. Pelez la gousse d'ail et hachez-la finement.
3 Dans une marmite à fond épais, versez le beurre, la crème et l'ail. Mélangez sur feu doux. Salez modérément.
4 Pelez les pommes de terre et écrasez-les en purée à la fourchette.
5 Ajoutez la purée en battant la préparation avec une cuiller en bois. Incorporez le fromage et continuez à battre vigoureusement, en soulevant la masse avec la cuiller pour faire filer la purée. Dès qu'elle est onctueuse et homogène, servez-la aussitôt.

Ne chauffez pas trop cette purée, sinon elle risque de granuler.

allumette

Rectangle allongé de pâte feuilletée dont il existe deux versions. L'allumette glacée est une petite pâtisserie garnie de glaçage au sucre. Les allumettes salées, servies en entrée chaude ou à l'apéritif, sont des feuilletés garnis à l'anchois, au fromage, etc.

Allumettes au fromage

Pour **12 allumettes environ**
Préparation **15 min**
Cuisson **15 min**

4 jaunes d'œufs ◆ 2 c. à soupe de crème fraîche épaisse ◆ 5 c. à soupe de gruyère râpé finement ◆ poivre de Cayenne ◆ 250 g de pâte feuilletée ◆ 15 g de beurre ◆ sel

1 Mélangez dans un bol jaunes d'œufs, crème et fromage. Salez modérément et ajoutez une pointe de cayenne. Mettez au frais.
2 Abaissez la pâte feuilletée sur 4 à 5 mm. Divisez-la en bandes de 9 cm de large. Recouvrez-les avec le mélange au fromage.
3 Retaillez les bandes une fois garnies en rectangles de 2 cm de large. Rangez-les sur la tôle du four beurrée. Faites cuire 15 min à four chaud (220 °C). Servez brûlant.

Allumettes glacées

Pour **12 allumettes environ**
Préparation **20 min**
Cuisson **12 à 15 min**

2 blancs d'œufs ◆ 300 g de sucre glace ◆ jus de citron ◆ 250 g de pâte feuilletée

1 Versez les blancs d'œufs dans une jatte. Ajoutez peu à peu le sucre glace en remuant sans cesse. Lorsque le mélange est assez consistant pour s'étaler sans couler, ajoutez le jus de citron. Travaillez cette pâte à la spatule pendant 3 ou 4 min. Gardez-la au frais.
2 Abaissez la pâte feuilletée sur 5 mm d'épaisseur. Taillez-y des bandes régulières de 8 cm de large sur 30 cm de long.
3 Étalez par-dessus une couche régulière de glace au sucre à l'aide d'une spatule. Coupez ensuite chaque bande en tronçons réguliers.
4 Rangez les allumettes sur la tôle du four et faites cuire à chaleur moyenne 12 min environ.

alose

Poisson qui naît en rivière, se développe en mer et revient pondre en eau douce, l'alose se trouve sur le marché de mars à juin. Il en existe plusieurs espèces. La grande alose fait aujourd'hui l'objet d'un élevage en Garonne.

Sa chair très délicate, un peu grasse, est truffée d'arêtes : si la cuisson n'est pas trop poussée, elles resteront attachées à l'arête centrale. C'est pourquoi on l'accommode généralement à l'oseille, dont l'acide oxalique (ou oxalate) a la propriété de les dissoudre.

Cuisinez l'alose dès son achat, car sa chair s'altère assez rapidement.

Diététique. 100 g d'alose = 165 kcal.

Alose à l'oseille

Pour **4 personnes**
Préparation **20 min**
Cuisson **10 à 15 min**

4 ou 5 échalotes grises ◆ 15 cl de vin blanc sec ◆ 25 cl de crème fraîche ◆ 100 g de beurre ◆ 500 g d'oseille ◆ 1 alose de 800 g à 1 kg ◆ 1 sachet de court-bouillon ◆ persil frisé ◆ sel ◆ poivre

1 Pelez et hachez finement les échalotes. Mettez-les dans une casserole avec le vin. Faites chauffer sur feu moyen en remuant pendant 8 à 10 min. Ajoutez la crème, remuez et laissez cuire doucement 10 min. Incorporez en fouettant 50 g de beurre en parcelles. Salez et poivrez. Mettez de côté.

2 Triez les feuilles d'oseille et coupez les queues. Lavez les feuilles et taillez-les en chiffonnade.

3 Écaillez, videz et lavez l'alose. Faites chauffer le court-bouillon dans une poissonnière ou une grande cocotte ovale. Lorsqu'il atteint l'ébullition, plongez-y l'alose. Comptez 10 min de cuisson à petits frémissements, à partir de la reprise de l'ébullition.

4 Pendant ce temps, faites fondre le reste de beurre dans une casserole, ajoutez la chiffonnade d'oseille et couvrez. Laissez fondre doucement pendant 10 min. Incorporez ensuite la crème d'échalote et remuez bien.

5 Égouttez l'alose et posez-la sur un plat de service, entourée de persil. Présentez l'oseille à part.

Boisson vin blanc sec

aloyau

→ voir aussi bœuf

Cette pièce de bœuf de première catégorie comprend le filet, le faux-filet, le rumsteck et la bavette. Rarement cuisiné entier, l'aloyau est généralement détaillé en rôtis, en biftecks, en chateaubriands ou en tranches, à poêler ou à griller.

Tranches d'aloyau à la provençale

Pour **4 personnes**
Préparation **15 min**
Cuisson **6 min environ**

4 belles tomates rondes ◆ 8 filets d'anchois à l'huile ◆ 1 petit bocal de câpres ◆ 1 bouquet de persil ◆ quelques feuilles de menthe ◆ 4 c. à soupe de blé précuit ◆ huile d'olive ◆ 1 c. à soupe bombée de parmesan râpé ◆ 20 g de beurre ◆ 4 tranches d'aloyau de 2 cm d'épaisseur ◆ sel ◆ poivre

1 Lavez les tomates, essuyez-les et retirez le chapeau. Évidez l'intérieur avec une petite cuiller, salez-les et retournez-les pour les laisser dégorger sur du papier absorbant.

2 Égouttez les filets d'anchois et épongez-les. Égouttez les câpres. Lavez et hachez finement le persil et la menthe.

3 Faites cuire le blé pendant 5 min à l'eau bouillante, puis égouttez-le. Mélangez-le ensuite avec 2 c. à soupe d'huile et le parmesan, puis ajoutez les 3/4 du mélange persil-menthe et la moitié des câpres. Garnissez les tomates évidées avec cette préparation.

4 Faites chauffer le beurre avec un filet d'huile dans une poêle et saisissez les tranches d'aloyau des deux côtés. Salez et poivrez. Baissez le feu et laissez au chaud pendant quelques instants.

5 Posez les tranches d'aloyau sur un plat de service, décorez-les avec les filets d'anchois en croisillons, le reste des câpres et du persil. Posez les tomates farcies au blé en garniture. Servez aussitôt.

Tranches d'aloyau à la provençale ►

L'anchois a toujours été un compagnon idéal pour la viande de bœuf. Associé ici avec des tomates farcies, il donne à l'aloyau une touche méditerranéenne.

amande

→ voir aussi frangipane, nougat, pâte d'amandes

Il existe deux variétés de ce fruit : l'amande douce, utilisée en pâtisserie, en confiserie et en cuisine, et l'amande amère dont seul le parfum est utilisé dans les bonbons et les liqueurs. Les amandes effilées achetées en sachet ont tendance à sécher ou à rancir rapidement. Comme les amandes en poudre, ne les stockez pas longtemps et conservez-les dans une boîte hermétique, au sec. Pour faire griller des amandes au four à micro-ondes : 3 min à puissance maximale en les remuant deux ou trois fois.

Diététique. Riches en minéraux (magnésium, potassium), les amandes sont très caloriques : 50 g = 300 kcal.

Amandin

Pour **8 personnes**
Préparation **20 min**
Cuisson **50 min**

4 œufs ◆ 250 g de sucre semoule ◆ 200 g d'amandes en poudre ◆ 20 cl de jus d'orange ◆ 1 c. à soupe de zeste d'orange râpé ◆ 25 g de beurre ◆ 2 c. à soupe de marmelade d'oranges ◆ 50 g d'amandes

1 Mélangez les jaunes d'œufs et le sucre pendant 10 min. Incorporez les amandes en poudre, le jus d'orange et le zeste. Fouettez les blancs en neige et ajoutez-les.
2 Beurrez soigneusement un rond de papier sulfurisé de 24 cm de diamètre. Placez-le dans le fond d'un moule de même taille. Versez la pâte.
3 Faites cuire 30 min à 180 °C, puis 20 min à 200 °C. Laissez tiédir le gâteau, démoulez-le. Badigeonnez-le de marmelade. Concassez les amandes et incrustez-les sur le pourtour.

Bouchées aux amandes

Pour **6 personnes**
Préparation **20 min**
Cuisson **15 min**

250 g de sucre semoule ◆ 3 blancs d'œufs ◆ 250 g d'amandes en poudre ◆ 20 g de beurre

1 Versez le sucre dans une casserole à fond épais et faites chauffer sur feu très doux. Ajoutez les blancs d'œufs et mélangez intimement.
2 Lorsque le mélange a épaissi, incorporez la poudre d'amandes petit à petit en remuant bien.
3 Retirez la casserole du feu. Beurrez une plaque à pâtisserie. Prélevez des portions de pâte avec une cuiller et déposez-les sur la plaque, à intervalles réguliers.
4 Faites cuire au four à 120 °C. Décollez les bouchées avec une spatule et laissez refroidir.

Crème amandine aux fruits frais

Pour **4 personnes**
Préparation **20 min**
Repos **1 h**
Pas de cuisson

2 pêches jaunes mûres ◆ 200 g de framboises ◆ 300 g de fromage blanc en faisselle à 20% de matières grasses ◆ 2 blancs d'œufs ◆ édulcorant en poudre ◆ extrait d'amandes amères

1 Ébouillantez rapidement les pêches pour les peler facilement. Retirez le noyau et coupez la pulpe en dés. Ne lavez pas les framboises.
2 Mettez le fromage blanc dans une grande jatte et battez-le avec une fourchette en lui ajoutant quelques gouttes d'extrait d'amandes et 2 c. à soupe d'édulcorant.
3 Incorporez ensuite les dés de pêches. Montez les blancs d'œufs en neige très ferme avec une pincée de sel et ajoutez-les délicatement.
4 Mettez la préparation dans le réfrigérateur pour la raffermir et la servir très froide. Disposez-la sur des assiettes de service en garnissant de framboises fraîches.
5 Pour le décor, vous pouvez ajouter quelques amandes effilées grillées.

amande de mer

Petit coquillage bivalve marqué de stries concentriques que l'on ramasse sur les fonds sableux, l'amande de mer se mange crue avec du jus de citron, farcie comme la praire, ou en salade, comme les coques.

Diététique. L'amande de mer est riche en protéines, comme tous les coquillages. Sans lipides, elle apporte donc peu de calories.

amuse-gueule

Ce mot désigne un petit mets salé, chaud ou froid, servi à l'apéritif. On dit aussi « amuse-bouche ». *Voir aussi pages 26-27.*

ananas

Ce fruit est importé régulièrement toute l'année. Frais, il se choisit au poids et à l'odeur : bien lourd dans la main, avec un parfum très franc, pas trop prononcé. Les ananas les plus frais, donc les meilleurs, voyagent par avion : une étiquette en fait foi. La couleur varie selon l'espèce. Les feuilles bien vertes doivent être solidement attachées au fruit. L'ananas se garde quelques jours à température ambiante : ne le mettez jamais au réfrigérateur.

Vendu également en conserve (tranches, morceaux ou macédoine), l'ananas intervient aussi bien en pâtisserie qu'en cuisine.

- **Diététique.** Ses vertus prétendues amaigrissantes sont inexactes. Il contient bien une enzyme – la broméline – qui agirait sur la dégradation des protéines, mais non sur les lipides. Il permettrait donc de mieux digérer, en aucun cas de maigrir. Notez en outre que l'ananas est particulièrement riche en fibres et peu sucré. 100 g d'ananas frais = 50 kcal.

Ananas meringué

RECETTE LÉGÈRE — 1 portion 100 kcal

Pour **4 personnes**
Préparation **15 min**
Repos **1 h**
Cuisson **3 min**

1 gros ananas mûr ◆ 2 kiwis ◆ 1 c. à soupe de rhum ◆ 2 blancs d'œufs ◆ édulcorant en poudre ◆ sel fin

1 Pelez l'ananas en éliminant les yeux. Coupez-le en quatre dans la longueur en récupérant le jus. Retirez le cœur, puis taillez la pulpe en dés réguliers. Mettez-les dans un saladier avec le jus.

2 Pelez les kiwis et coupez-les en rondelles, puis recoupez celles-ci en deux. Ajoutez-les à l'ananas, ainsi que le rhum. Mélangez, couvrez et laissez reposer au frais pendant 1 h.

3 Préchauffez le gril du four à 200° C. Versez le contenu du saladier dans un plat à gratin. Fouettez les blancs d'œufs en neige très ferme avec une pincée de sel, puis incorporez 2 ou 3 c. à soupe d'édulcorant.

4 Étalez cette meringue sur le contenu du plat et mettez celui-ci dans le four sous le gril pour dorer la meringue rapidement. Servez.

L'ananas « avion » de Côte-d'Ivoire est le meilleur et le plus cher. Il est également importé du Cameroun et de la Martinique. Pour le servir nature, découpez-le dans la longueur et ôtez le centre dur. Faites des entailles à intervalles réguliers et séparez les morceaux de l'écorce.

Ananas surprise

Pour **4 personnes**
Préparation **20 min, 3 h à l'avance**
Pas de cuisson

1 gros ananas ou 2 petits ◆ 1 orange ◆ 2 bananes ◆ 1/2 pamplemousse ◆ 3 mandarines ◆ 1 citron ◆ 125 g de sucre semoule ◆ 1/2 l de glace à la vanille

1 Coupez l'ananas en deux dans la longueur. Évidez délicatement chaque moitié et mettez-les au frais. Taillez la pulpe en dés. Pelez tous les autres fruits. Coupez les bananes en rondelles et séparez les agrumes en quartiers.
2 Réunissez tous les fruits dans un saladier. Ajoutez le jus de citron et le sucre. Mélangez et laissez macérer 2 ou 3 h au frais.
3 Pour servir, tapissez les moitiés d'ananas avec une couche de glace. Remplissez-les de fruits mélangés, en ajoutant au milieu le reste de glace.

Carré de porc à l'ananas

Pour **6 personnes**
Préparation **10 min**
Cuisson **1 h 30**

50 g de beurre ◆ 1 c. à soupe d'huile ◆ 1 kg de carré de porc désossé et ficelé ◆ 1 grande boîte d'ananas au sirop ◆ 2 pommes acides ◆ 1/2 citron ◆ 1 c. à soupe de rhum ◆ sel ◆ poivre

1 Faites chauffer 25 g de beurre et l'huile dans une cocotte. Mettez-y à dorer le rôti en le retournant plusieurs fois. Salez et poivrez. Couvrez et faites cuire au four à 200 °C pendant 1 h 30.
2 Égouttez les tranches d'ananas. Réservez le sirop. Pelez les pommes, coupez-les en quartiers et citronnez-les. Faites chauffer 25 g de beurre dans une poêle. Mettez-y à dorer les pommes et l'ananas.
3 Environ 10 min avant la fin de la cuisson du rôti, ajoutez dans la cocotte l'ananas et les pommes avec un peu de sirop.
4 Égouttez le rôti et coupez-le en tranches sur un plat de service ; garnissez d'ananas et de pommes. Tenez au chaud.
5 Déglacez la cocotte avec le rhum et faites réduire sur feu vif. Servez cette sauce à part.

Boisson **vin jaune du Jura**

→ **autres recettes d'ananas à l'index**

anchois

Rarement vendu et consommé frais (il se cuisine alors comme la sardine), l'anchois est surtout un poisson de conserve : de semi-conserve même, à garder au réfrigérateur en respectant la date limite de vente. La meilleure provenance est Collioure. On trouve ainsi les anchois salés (en bocaux) ou à l'huile, entiers ou en filets (en boîtes) : à dessaler ou à éponger soigneusement avant emploi. Existent aussi en semi-conserves : la pâte d'anchois (90 % minimum d'anchois), la crème d'anchois (75 % minimum) et le beurre d'anchois (75 % minimum).
Diététique. 100 g d'anchois salés = 160 kcal.

Anchoïade

Pour **4 personnes**
Préparation **25 min**
Cuisson **5 min**

125 g d'anchois à l'huile ◆ 125 g d'anchois au sel ◆ 3 gousses d'ail ◆ 1 figue sèche ◆ 1 c. à soupe d'huile d'olive ◆ 1 c. à café de vinaigre ◆ 1 c. à café de zeste de citron ◆ 4 à 6 tranches de pain de campagne assez épaisses

1 Égouttez les anchois et épongez-les. Pelez les gousses d'ail. Coupez la figue en petits morceaux.
2 Pilez tous ces ingrédients ensemble dans un mortier (ou passez-les au mixer), en ajoutant l'huile, le vinaigre et le zeste de citron.
3 Lorsque le mélange est homogène, tartinez-en le pain de campagne.
4 Faites griller dans le four très chaud. Servez aussitôt, avec une salade de tomates ou de romaine aux œufs durs.

Boisson **cassis (vin blanc sec)**

Œufs durs farcis aux anchois

Pour **4 personnes**
Préparation **15 min,** mayonnaise **10 min**
Cuisson **10 min**

6 œufs ◆ 6 filets d'anchois dessalés ◆ 2 c. à soupe de mayonnaise très ferme ◆ 12 filets d'anchois à l'huile ◆ 12 olives noires

1 Faites cuire les œufs durs. Rafraîchissez-les et écalez-les. Coupez-les en deux dans la longueur.

2 Extrayez les jaunes et réservez les blancs au frais. Mixez les anchois dessalés. Incorporez à cette purée les jaunes écrasés puis la mayonnaise.
3 Garnissez les blancs de ce mélange. Épongez les filets d'anchois à l'huile. Sur chaque demi-œuf farci, placez une olive entourée d'un filet d'anchois. Servez très frais.

Boisson **côtes-de-provence rosé**

→ **autres recettes d'anchois à l'index**

andouille

Saucisson cuit et fumé de gros calibre, confectionné avec de l'intestin et de l'estomac de porc, sous une peau noire. L'andouille se mange froide, coupée en rondelles fines en hors-d'œuvre. On distingue l'andouille de Guéméné (boyaux enfilés les uns dans les autres, ce qui donne des anneaux concentriques à la coupe) et celle de Vire (boyaux hachés).
Diététique. 100 g d'andouille = 300 kcal.

andouillette

Confectionnées avec des abats de porc, les andouillettes se présentent sous un boyau blanc assez fin, parfois enrobées de chapelure, de gelée ou de saindoux. On les fait griller, rissoler ou mijoter au vin blanc.
Diététique. 100 g d'andouillette = 320 kcal.

Andouillettes au vin blanc ▲

Grand classique des plats de bistrot, l'andouillette au vin blanc se garnit à volonté de frites, d'une purée de pommes de terre ou d'un gratin dauphinois.

Andouillettes au vin blanc

Pour **4 personnes**
Préparation **15 min**
Cuisson **35 min environ**

80 g d'échalotes ◆ 4 andouillettes ◆ 20 g de beurre ◆ 1 c. à soupe d'huile ◆ 25 cl de vin blanc sec ◆ 1 c. à soupe de moutarde de Dijon ◆ 2 c. à soupe de crème fraîche ◆ sel ◆ poivre

1 Pelez les échalotes et émincez-les finement. Piquez plusieurs fois chaque andouillette avec la pointe d'un petit couteau.
2 Dans une poêle, faites chauffer le beurre et l'huile sur feu moyen. Dès que le beurre est fondu, placez les andouillettes dans la poêle et faites-les cuire pendant 10 min en les retournant plusieurs fois. Ôtez-les de la poêle et jetez la graisse de cuisson : il ne doit rester qu'une pellicule sur les parois de la poêle.
3 Remettez la poêle sur feu très doux, ajoutez les échalotes et laissez-les cuire 3 ou 4 min en remuant. Versez le vin blanc, portez à ébullition sur feu vif et laissez bouillir pendant 1 ou 2 min.
4 Baissez à nouveau le feu et remettez les andouillettes dans la poêle. Salez et poivrez légèrement. Couvrez et faites cuire sur feu doux pendant 20 min. Pendant ce temps, faites chauffer un plat de service. Sortez délicatement les andouillettes et posez-les sur le plat bien chaud. Maintenez-les au chaud dans le four entrouvert.
5 Laissez la poêle sur feu moyen. Ajoutez la moutarde et la crème fraîche en fouettant, laissez mijoter encore quelques instants pour que la sauce épaississe un peu et versez-la sur les andouillettes. Servez aussitôt avec des épinards.

Boisson **chablis**

amuse-gueule

Un éventail varié de menus hors-d'œuvre, chauds et froids, colorés et savoureux, faciles à réaliser, pour accompagner les cocktails ou l'apéritif.

Le hérisson

Confectionnez des mini-brochettes avec des petits cubes de fromage à pâte ferme, des demi-quartiers d'orange et de pamplemousse, des grains de raisin, des olives et des filets d'anchois enroulés sur eux-mêmes. Enfoncez les bâtonnets une fois garnis à intervalles réguliers sur une pastèque. Calez la pastèque dans un saladier juste assez grand pour la contenir.
Autres supports possibles : un ananas ou des pamplemousses.

Les mini-tartelettes

Pour une vingtaine de petites croûtes rondes en pâte brisée de 5 cm de diamètre

Répartissez dans les croûtes du jambon haché menu, des queues de crevettes, du saumon bien égoutté, de la chair de crabe et des pointes d'asperges cocktail.
Fouettez dans une jatte 2 gros œufs et 10 cl de crème fraîche.
Salez et poivrez.
Versez doucement ce mélange sur les garnitures pour remplir les croûtes.
Faites cuire 8 min à four chaud.

Complétez le décor avec, respectivement : un bouquet de persil frisé, une rondelle de tomate, de l'aneth frais, du paprika et des pluches de cerfeuil.
Servez chaud.

Les bouchées sur bâtonnet

Une moule marinée et une lamelle de tomate sur une feuille de laitue.

Une tranche de mozzarella entre deux morceaux carrés de poivron rouge.

Un filet d'oie fumé enroulé sur un pruneau dénoyauté.

Une tranche de blanc de poulet roulée sur un lardon grillé.

Deux cubes de jambon cuit, un morceau d'ananas égoutté.

Un demi-cornichon malossol et une fine tranche de saumon fumé.

Un cube de melon pelé enveloppé de jambon de Parme.

Les bouchées en aumônière

Avec une petite crêpe fine pour chaque bouchée

Préparez une farce de champignons hachés, sautés au beurre avec des fines herbes et liés de crème fraîche.
Posez 1 c. à soupe de farce au milieu de la crêpe, remontez les bords et maintenez l'aumônière fermée avec une lanière de vert de poireau.
Autre farce : hachis de mortadelle douce.
À la place de la crêpe, prenez une feuille de laitue blanchie et épongée. Confectionnez l'aumônière avec du haddock poché, effeuillé, de la pulpe de citron et du poivre vert ; comme lien, des brins de ciboulette.

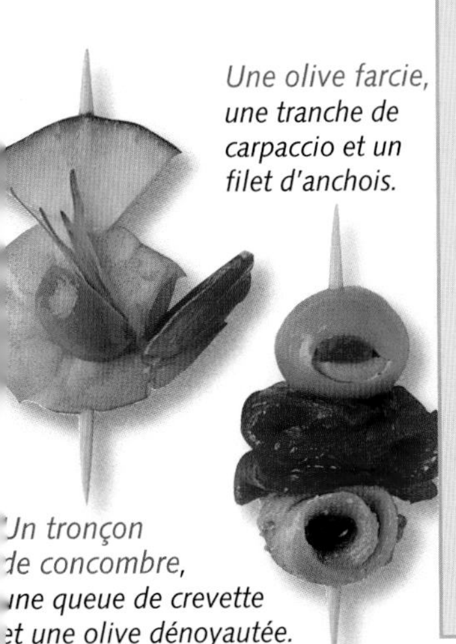

Une olive farcie, une tranche de carpaccio et un filet d'anchois.

Un tronçon de concombre, une queue de crevette et une olive dénoyautée.

Idées rapides pour changer des amuse-gueule tout faits

Préparez-les à l'avance et tenez-les au frais.

Tête de champignon évidée, citronnée, farcie de tarama avec décor d'œufs de saumon.

Petite tomate évidée farcie de caviar d'aubergines avec une feuille de menthe en décor.

Tête de champignon farcie de fromage frais à l'ail et aux fines herbes, piquée de brins de ciboulette.

Six idées pour canapés, sur pain de mie

Rondelle de pomme, beurre, filet de hareng et cornichon.

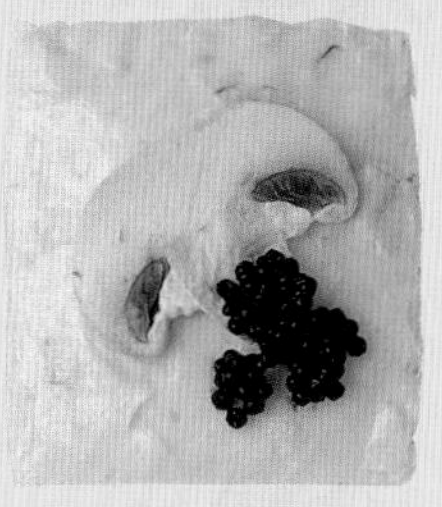

Beurre de crevette, lamelle de champignon et œufs de lump.

Filet d'oie fumé, beurre salé, quartier d'orange, poivre et persil haché.

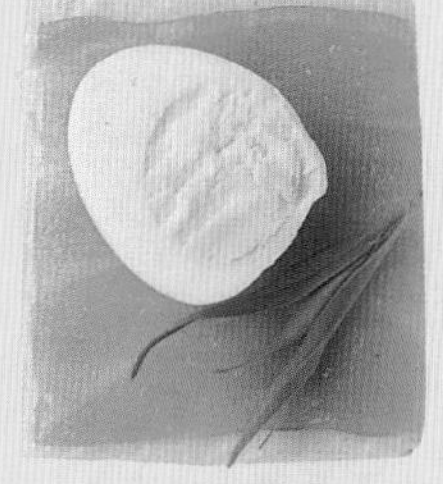

Saumon fumé, beurre de raifort, demi-œuf de caille et feuille d'estragon.

Pâté de foie de porc et cerneau de noix, poivre blanc au moulin.

Carré demi-sel en couche épaisse, paprika et raisins secs.

L'assortiment de crudités, en raviers ou dans un panier

Servez les crudités avec des dips, sauces froides pour y tremper au choix chaque bouchée.

Dip aux petits légumes

Oignon, carotte, chou-fleur, cornichon finement hachés, mélangés avec de la mayonnaise au citron et une pointe de moutarde.

Dip au roquefort

Crème fraîche épaisse, roquefort, poivre blanc et Worcestershire sauce.

Dip à l'avocat

Pulpe d'avocat passée au mixer, fromage blanc, jus de citron, persil haché et moutarde à l'estragon.
Complétez avec un pot de tapenade, une coupelle de caviar d'aubergines et un bol de fromage blanc battu avec des fines herbes.

Diététique

Il est toujours déconseillé de boire de l'alcool à jeun. Les amuse-gueule sont donc indispensables, mais les chips, les fruits secs salés et les crackers aromatisés sont hyper-caloriques. Accordez-vous un écart avec des petits toasts au saumon fumé : ils apportent un peu de glucides, beaucoup de protides et beaucoup moins de calories qu'une poignée de cacahuètes salées.

aneth

Les fines sommités vertes de cette plante aromatique ont une saveur pénétrante, proche du fenouil. L'aneth fait merveille avec le saumon, le concombre ou les écrevisses. N'oubliez pas non plus les graines d'aneth séchées dans les marinades au vinaigre ou avec certains légumes comme le fenouil ou les courgettes.

aneth

Salade de concombre à l'aneth

RECETTE LÉGÈRE 1 portion 70 kcal

Pour **4 personnes**
Préparation **15 min**
Repos **30 min**
Pas de cuisson

2 concombres ◆ 1 grosse tomate ◆ 2 pots de yaourt nature ◆ 1 c. à soupe de crème fraîche épaisse ◆ 1 bouquet d'aneth frais ◆ 1 c. à soupe de jus de citron ◆ sel ◆ poivre noir au moulin

1 Coupez un concombre en deux. Pelez-en une moitié, ainsi que le second concombre. Taillez cette pulpe en fines rondelles, faites dégorger au sel pendant 30 min.
2 Ébouillantez la tomate, pelez-la et coupez la pulpe en petits dés. Versez dans un bol le yaourt, la crème et le jus de citron. Fouettez, poivrez puis incorporez l'aneth finement ciselé.
3 Taillez le concombre restant en rondelles, non pelé. Rangez-les autour d'un plat rond.
4 Mélangez dans une jatte le concombre dégorgé, essoré à fond, et la sauce au yaourt. Versez dans le plat, ajoutez les dés de tomate au centre. Poivrez au moulin. Servez très frais.

Proposez avec cette salade du poisson froid.

Sauce au beurre à l'aneth

Pour **6 personnes**
Préparation **15 min**
Cuisson **30 min environ**

5 ou 6 échalotes ◆ 100 g de champignons de couche ◆ jus de citron ◆ 1 bouquet d'aneth frais ◆ 150 g de beurre ◆ 2 c. à soupe de vinaigre de vin blanc ◆ 2 verres de vin blanc sec ◆ 20 cl de crème fraîche ◆ sel ◆ poivre blanc

1 Pelez et hachez finement les échalotes. Nettoyez et émincez les champignons, citronnez-les. Ciselez l'aneth.
2 Faites fondre 25 g de beurre dans une casserole à fond épais. Mettez-y les échalotes et remuez à la spatule sur feu doux.
3 Ajoutez les champignons ainsi que la moitié de l'aneth. Remuez pendant 2 min sur le feu et versez le vinaigre. Faites réduire à sec.
4 Versez le vin et poursuivez la cuisson en remuant jusqu'à ce que le liquide soit réduit de moitié. Incorporez la crème et faites cuire 5 min. Ajoutez alors le beurre en petites parcelles, en fouettant régulièrement. Terminez avec le reste d'aneth. La sauce doit être onctueuse et assez épaisse.

Cette délicieuse sauce au beurre à l'aneth accompagne parfaitement des darnes de saumon grillées.

angélique

Cette plante aromatique est utilisée pour ses tiges vertes confites au sucre (spécialité de la ville de Niort). Elle entre aussi dans la composition de liqueurs (Chartreuse).

Gâteau à l'angélique

Pour **6 personnes**
Préparation **20 min**
Cuisson **30 min**

120 g de beurre ◆ 200 g de farine ◆ 1 pincée de sel ◆ 1 c. à café de levure ◆ 100 g de sucre semoule ◆ 1 œuf ◆ 1 jaune d'œuf ◆ 80 g d'angélique confite en petits tronçons

1 Faites ramollir le beurre. Mélangez dans une jatte la farine, le sel, la levure et le sucre. Faites-y une fontaine.
2 Ajoutez 1 œuf, 100 g de beurre en parcelles et 60 g d'angélique. Mélangez.
3 Beurrez un moule de 25 cm de diamètre, versez-y la pâte et badigeonnez le dessus au jaune d'œuf. Parsemez avec le reste d'angélique.
4 Faites cuire au four à 200 °C pendant 30 min. Laissez refroidir et démoulez.

anguille

→ voir aussi civelles

Nées en mer, les anguilles grandissent en rivière. Jeunes, elles sont minuscules et transparentes (6 à 9 cm) : ce sont les civelles ou pibales, à faire frire. Les anguilles adultes de petite taille se font griller ou sauter ; les plus grosses se cuisinent en matelote. L'anguille fumée se sert en hors-d'œuvre.

Diététique. C'est le plus gras des poissons : 100 g = 200 kcal. Mais très riche en vitamine A.

Anguilles au vert

Pour **6 personnes**
Préparation **10 min**
Cuisson **25 min**

1,5 kg de petites anguilles ◆ 100 g d'épinards ◆ 100 g d'oseille ◆ 1 bouquet de persil plat ◆ 120 g de beurre ◆ 20 cl de vin blanc sec ◆ 1 bouquet garni ◆ 1 bouquet d'estragon ◆ 2 c. à soupe de sauge fraîche ciselée ◆ 5 feuilles de menthe fraîche ◆ 2 jaunes d'œufs ◆ 1 citron ◆ sel ◆ poivre

1 Demandez au poissonnier de vider et de parer les anguilles. Coupez-les en tronçons. Triez les épinards, l'oseille et le persil. Coupez les queues et lavez les feuilles.
2 Faites fondre le beurre dans une cocotte. Ajoutez les tronçons d'anguille et faites-les sauter 5 min. Ajoutez les épinards et l'oseille. Baissez le feu et laissez fondre 5 min.
3 Ajoutez le vin, le bouquet garni et les autres herbes. Assaisonnez, laissez mijoter 10 à 15 min.
4 Mélangez les jaunes d'œufs et le jus de citron. Versez cette liaison dans la sauteuse et remuez sans laisser bouillir. Servez les anguilles avec toute leur sauce. Dégustez chaud ou froid.

Boisson **riesling**

anis

Cette plante aromatique fournit des petits grains utilisés pour parfumer des pains, des biscuits et des gâteaux, voire des soufflés. En confiserie, les petites dragées de Flavigny et, en distillerie, le pastis et l'anisette témoignent de son arôme pénétrant. Ne pas confondre avec le « faux anis » (aneth) et l'« anis étoilé » (badiane).

Petits biscuits à l'anis

Pour **24 biscuits environ**
Préparation **30 min, 24 h à l'avance**
Cuisson **20 min**

4 œufs ◆ 250 g de sucre semoule ◆ 10 g d'anis en grains ◆ 250 g de farine ◆ huile

1 Cassez les œufs dans une jatte. Ajoutez le sucre en fouettant. Travaillez le mélange 10 min jusqu'à ce qu'il soit mousseux et homogène.
2 Ajoutez les grains d'anis, puis la farine tamisée, progressivement.
3 Huilez une tôle à pâtisserie puis farinez-la. À l'aide d'une petite cuiller, déposez la pâte sur la tôle par petits tas, espacés les uns des autres. Aplatissez-les légèrement. Laissez reposer dans un endroit sec.
4 Le lendemain, retournez les petits biscuits, puis enfournez-les et faites cuire 20 min à 180 °C.

Offrez ces biscuits avec le thé.

Anguilles au vert ▼

Typique de la cuisine du nord de la France, l'anguille au vert exige un bel assortiment de fines herbes et d'aromates de toute première fraîcheur.

appenzell

Ce fromage suisse de lait de vache possède une pâte cuite bien ferme et très fruitée avec quelques trous. Servez-le avec un vin blanc parfumé. Employez-le en cuisine comme le gruyère.

araignée

➔ voir aussi bifteck, bœuf

Ce morceau de bœuf un peu gras, très tendre et juteux, donne une grillade savoureuse. Demandez au boucher de le dénerver avec soin.

araignée de mer

On donne ce nom à plusieurs espèces de crabes à longues pattes, à pinces allongées et à carapace épineuse, surtout communes dans la Manche et l'Atlantique. Rare sur le marché en été, ce crustacé se déguste surtout en hiver.

La chair – surtout celle de la femelle – est très fine. Mais, pour l'extraire de la carapace et des pattes, munissez-vous de patience !

Araignées de mer à la bretonne

RECETTE LÉGÈRE — 1 portion 160 kcal

Pour 2 personnes
Préparation 10 min
Cuisson 12 min

2 araignées femelles ◆ 1 feuille de laurier ◆ 1 poignée de gros sel ◆ quelques brins de thym

1 Lavez et brossez les araignées. Remplissez d'eau une grande marmite. Ajoutez le sel, le thym et le laurier.

2 Faites chauffer. Quand l'eau bout, plongez-y les araignées. Laissez cuire 10 à 12 min. Laissez tiédir dans la cuisson. Égouttez les araignées. Servez-les froides avec de la crème fraîche additionnée de jus de citron.

Si le crustacé a perdu une patte, bouchez l'emplacement avec un peu de pain de mie, sinon la chair risque de s'échapper dans la cuisson.

Vous pouvez aussi servir l'araignée cuite avec de la mayonnaise ou des poireaux assaisonnés d'huile d'olive et de vinaigre de xérès.

araignée mâle

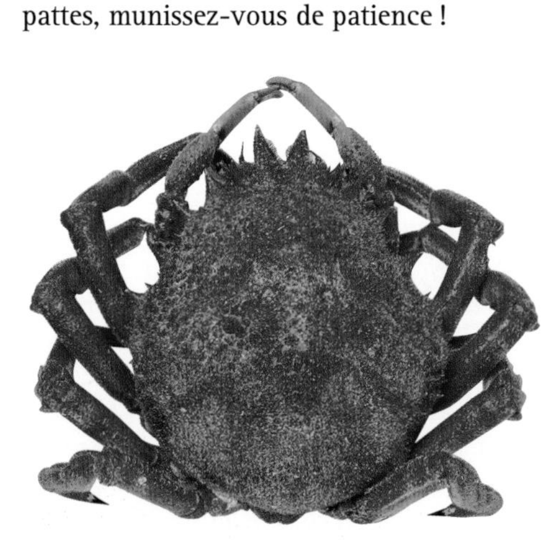

araignées femelles

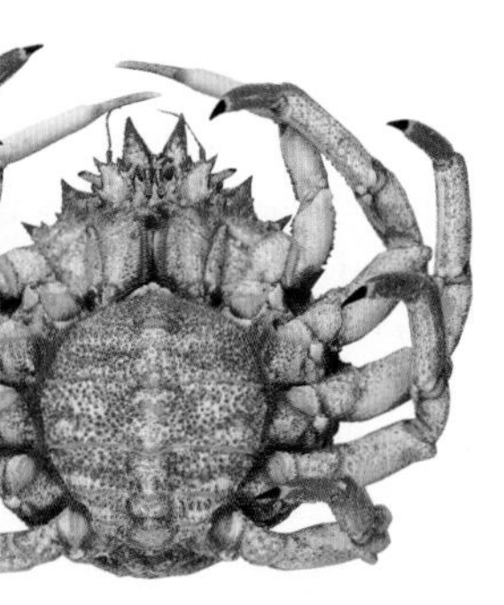

L'araignée femelle se reconnaît en soulevant la languette recourbée située en arrière sous la carapace : elle doit être large, avec huit fausses pattes étroites. Chez le mâle, la languette est plus mince, avec quatre fausses pattes seulement.

Ne mettez surtout pas les araignées cuites au réfrigérateur : le froid altère la saveur de la chair.

armagnac

Cette eau-de-vie de vin provient essentiellement du Gers. Le bas Armagnac donne des alcools corsés et chauds d'une grande finesse. La Ténarèze produit une eau-de-vie souple et parfumée, plus légère. Dans le haut Armagnac, l'alcool est moins typé, plus grossier. Du plus jeune au plus vieux, avec son parfum caractéristique de pruneau séché, on peut citer le « trois étoiles », le VSOP (Very Superior Old Pale) et le « hors d'âge ». Dégustez-le dans un verre ventru en le faisant tourner le long des parois pour dégager ses arômes. Cet alcool intervient aussi en cuisine comme parfum (marinades, terrines, farces) ou pour faire macérer des fruits séchés.

Pruneaux à l'armagnac

Pour **6 personnes**
Préparation **25 min**
Cuisson **5 min**
Macération **2 jours**
Réfrigération **2 h**

30 gros pruneaux ◆ 20 cl d'armagnac ◆ 110 g de sucre semoule ◆ 6 jaunes d'œufs ◆ 50 cl de lait ◆ 4 c. à soupe d'armagnac

1 Coupez les pruneaux en 2 et dénoyautez-les. Versez l'armagnac et 50 g de sucre semoule dans une casserole. Portez à ébullition sur feu doux en remuant pour faire fondre le sucre.
2 Ajoutez les pruneaux, continuez à chauffer et ôtez du feu dès que le liquide commence à frémir. Transvasez le mélange dans un saladier. Laissez refroidir puis couvrez et mettez au réfrigérateur. Laissez macérer pendant 48 h.
3 La veille, préparez une crème anglaise. Fouettez les jaunes d'œufs et 60 g de sucre. Faites chauffer le lait et ôtez-le du feu au premier bouillon. Versez-le sur le mélange sucre-œufs, remuez et reversez le tout dans la casserole.
4 Faites cuire sur feu très doux quelques minutes, sans cesser de remuer, en veillant à ne jamais atteindre l'ébullition pour que la crème épaississe. Quand elle nappe le dos de la spatule, versez-la dans un saladier bien froid. Ajoutez l'armagnac, mélangez bien puis laissez refroidir en tournant régulièrement. Mettez au réfrigérateur 2 h au minimum.
5 Égouttez les pruneaux et répartissez-les dans des coupelles. Versez la crème anglaise dessus et remettez au réfrigérateur jusqu'au service.

Pruneaux à l'armagnac ▲

Hommage gourmand à deux célèbres produits du Sud-Ouest, ce dessert haut en saveurs convient très bien après un repas un peu copieux.

aromates

→ **voir aussi** court-bouillon, fines herbes, fumet, marinade

Ces substances odorantes servent à parfumer les mets cuisinés et sont fournies par les plantes, dont on peut utiliser les feuilles (basilic, menthe, cerfeuil, estragon, persil), les fleurs (câpres et capucines), les fruits (baies de genièvre ou piment), les graines (carvi, anis, coriandre, moutarde), les bulbes (ail, oignon, échalote), les racines (raifort) ou les tiges (angélique). Certains légumes (carotte, céleri, poireau) remplissent également une fonction aromatique. Ne confondez pas les aromates avec les épices, plutôt d'origine exotique et d'un goût plus relevé, chaud ou piquant. Sans valeur nutritive, les aromates sont pourtant indispensables à la cuisine. On les utilise soit directement selon certains accords comme la tomate et le basilic, le poulet et l'estragon, l'agneau et le thym, soit indirectement, par l'intermédiaire de vinaigres ou d'huiles aromatisés, de condiments cuisinés (tapenade, moutarde), de farces ou de marinades. Les aromates sont employés frais ou conservés par réfrigération, congélation ou dessiccation. Dans ce dernier cas, conservez-les au sec, dans des pots opaques et bien bouchés.

artichaut

Cette plante dont on consomme les feuilles et le fond est un légume d'été. Ne placez pas les artichauts à proximité des œufs : ils les rendent inconsommables. Un artichaut cuit s'oxyde très rapidement : consommez-le aussitôt.

Les fonds d'artichauts débarrassés de leur foin et bien citronnés cuisent de 12 à 15 min dans une casserole d'eau salée avec un peu de farine. Une fois égouttés, utilisez-les dans des salades composées. Faites-les aussi gratiner avec une bonne couche de sauce Mornay ou remplis de champignons à la crème poudrés de parmesan.

Diététique. L'artichaut contient de l'inuline, qui peut entraîner des ballonnements. Peu énergétique, c'est une bonne source de fer et de potassium. 100 g = 40 kcal.

Artichauts à la vinaigrette

Pour **6 personnes**
Préparation **10 min**
Cuisson **30 min environ**

6 gros artichauts bretons ◆ 15 cl d'huile d'olive ◆ 4 ou 5 c. à soupe de vinaigre de vin blanc ◆ 1 c. à café de moutarde forte ◆ ciboulette hachée ◆ sel ◆ poivre

1 Lavez les artichauts et cassez les queues. Parez-les en éliminant les parties non comestibles, ainsi que les feuilles jusqu'aux deux tiers de la hauteur.
2 Faites-les cuire dans une grande quantité d'eau bouillante salée. Ils sont cuits lorsqu'une grosse feuille de l'extérieur s'arrache facilement.
3 Préparez la vinaigrette : faites dissoudre quelques pincées de sel dans le vinaigre, ajoutez l'huile en fouettant, ainsi que la moutarde et la ciboulette hachée.
4 Égouttez les artichauts et laissez-les tiédir. Dégagez le cœur et retirez soigneusement tout le foin. Servez-les avec la vinaigrette à part.

Cuisson dans un autocuiseur : 10 min à l'eau, 12 min à la vapeur, à partir de la mise en rotation de la soupape. Lorsque les artichauts cuisent à l'eau à découvert, couvrez-les d'un linge pour que la cuisson soit uniforme.

Autres sauces pour servir les artichauts nature : sauce mousseline, vinaigrette à l'œuf dur, rémoulade.

Brouillade de petits violets

Pour **6 personnes**
Préparation **20 min**
Cuisson **1 h**

30 petits artichauts violets ◆ 1 citron ◆ 4 tomates vertes ◆ 2 tomates mûres ◆ 2 gousses d'ail ◆ 2 petits oignons blancs ◆ 200 g de petits lardons maigres ◆ 5 c. à soupe d'huile d'olive ◆ 10 feuilles de basilic ◆ thym ◆ laurier ◆ sel ◆ poivre

1 Coupez le bout des feuilles de chaque artichaut avec des ciseaux. Extrayez le cœur avec une cuiller à pamplemousse. Citronnez les artichauts sur toutes les faces.
2 Lavez les tomates et coupez-les en quartiers. Pelez et hachez finement l'ail et les oignons.
3 Mettez les lardons dans un poêlon ou une sauteuse et faites chauffer sans rajouter de graisse. Retirez-les au bout de 10 min et mettez à la place les quartiers de tomates et l'ail. Faites sauter, salez et poivrez. Retirez-les du feu.
4 Mettez alors les petits artichauts et les oignons. Arrosez-les d'huile. Faites revenir en remuant ; ajoutez quelques pincées de thym et un peu de laurier émietté. Au bout de 10 min, ajoutez les tomates et les lardons. Couvrez et laissez mijoter pendant 20 min.
5 Ciselez grossièrement les feuilles de basilic et ajoutez-les dans la brouillade. Poursuivez la cuisson encore 10 min.

Servez la brouillade très chaude avec de l'agneau grillé, des grenadins de veau ou des tournedos ou complètement refroidie, en entrée avec une vinaigrette à l'huile d'olive, au citron, une pointe d'ail et de l'estragon.

Boisson **bandol rosé ou rouge**

Fonds d'artichauts au chèvre

RECETTE LÉGÈRE 1 portion 200 kcal

Pour **4 personnes**
Préparation **15 min**
Cuisson **30 min environ**

4 gros artichauts bretons ◆ 1 citron ◆ 200 g de chèvre frais ◆ 1 bouquet de ciboulette ◆ 2 c. à soupe d'huile d'olive ◆ 1 c. à soupe d'huile de noisette ◆ 200 g de laitue feuilles de chêne ◆ sel ◆ poivre

1 Lavez les artichauts et cassez les queues. Parez-les en retirant les parties non comestibles et les feuilles jusqu'aux 2/3 de la hauteur. Faites-les cuire 30 min dans de l'eau salée. Égouttez-les, retirez les feuilles et le foin. Mettez les cœurs dans une jatte, arrosez-les de jus de citron et laissez-les refroidir.
2 Mettez le chèvre frais dans un bol, écrasez-le en ajoutant 1 c. à soupe d'huile d'olive, la ciboulette ciselée, sel et poivre. Réservez au frais.
3 Lavez la salade et essorez-la. Récupérez le jus de citron et préparez une sauce avec ce jus, les deux huiles, sel et poivre. Assaisonnez la salade et répartissez-la sur des assiettes. Garnissez les artichauts de fromage à la ciboulette. Disposez-les sur la salade. Servez frais.

Poivrade d'artichauts

RECETTE LÉGÈRE 1 portion 190 kcal

Pour **4 personnes**
Préparation **40 min**
Cuisson **1 h 15**

8 petits artichauts poivrade ◆ 1 citron ◆ 1 kg de petits pois frais ◆ 2 cœurs de laitue ◆ 4 c. à soupe d'huile d'olive ◆ sel ◆ poivre

1 Débarrassez les artichauts de toutes leurs feuilles et éliminez le foin avec une petite cuiller. Citronnez les fonds et mettez-les dans une cocotte. Écossez les petits pois, lavez les cœurs de laitue, épongez-les et taillez-les en grosse chiffonnade.
2 Arrosez les artichauts d'huile, salez et poivrez. Faites sauter en remuant pendant quelques minutes, puis baissez le feu et couvrez.
3 Après 15 min de cuisson, ajoutez les petits pois et la chiffonnade de laitue. Remuez.
4 Couvrez hermétiquement la cocotte et poursuivez la cuisson sur feu doux pendant 1 h sans rajouter de liquide.
5 Servez ce ragoût très chaud dans la cocotte elle-même ou dans des assiettes creuses bien chaudes. Au moment de servir, ajoutez quelques feuilles d'estragon fraîches finement ciselées.

À défaut de petits pois frais, les surgelés sont une excellente solution de rechange.

→ **autres recettes d'artichaut à l'index**

artichauts romanesco

artichauts poivrade

artichauts camus de Bretagne

La saison de l'artichaut commence avec les petits « poivrade » du Midi. Viennent ensuite les gros camus bretons bien charnus, à choisir lourds, d'une couleur franche, avec des feuilles cassantes, pas trop ouvertes. Les artichauts romanesco laissent peu à peu la place aux violets de la vallée du Rhône, moins avantageux. Un artichaut cru se garde frais pendant quelques jours, la tige plongée dans de l'eau. Ne coupez pas la queue mais cassez-la.

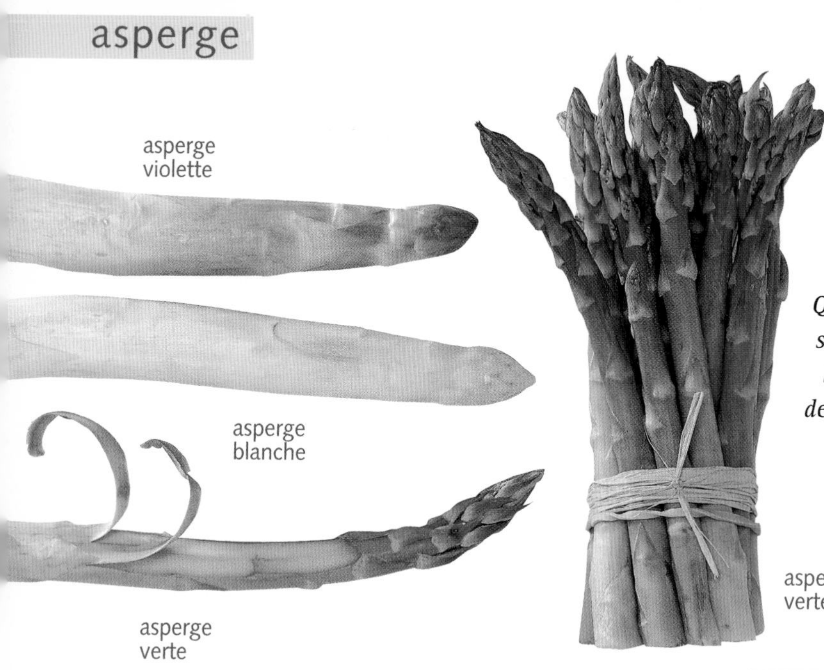

Du début mars à la fin juin, trois variétés d'asperges arrivent sur le marché. Les vertes du Midi sont rarissimes. Les pointes violettes du Midi sont fruitées et savoureuses. Quant aux blanches, toujours grosses et souvent très moelleuses, c'est la variété la plus répandue. Choisissez-les toutes de même calibre. Pelez les asperges avec un couteau économe en allant de la pointe vers la base.

asperge

L'asperge, légume fin et délicat, constitue un plat à elle seule. Elle peut cependant se marier avec certains poissons ou viandes blanches qui n'ont pas un goût trop soutenu, pour que sa saveur prédomine. À l'achat, l'asperge doit être lisse, rigide et cassante, lourde dans la main, avec une section brillante. Une teinte jaunâtre trahit un légume trop vieux, qui risque d'être filandreux. N'achetez pas des asperges trop longues : cela augmente le poids, mais pas toujours la proportion à consommer. Pour les asperges vertes, l'idéal est d'avoir le même rapport de blanc et de vert.

Les asperges craignent la chaleur et l'air sec, cuisinez-les aussitôt achetées. Plus elles sont fraîches, meilleures elles sont. À noter que les blanches se congèlent très bien en barquette d'aluminium. Elles se conservent un an. Faites-les dégeler à l'eau bouillante.

Quand vous servez les asperges en entrée, comptez 400 à 500 g par personne (non épluchées).

Les asperges en conserve au naturel sont en général fades. Égouttez-les à fond et utilisez-les dans un potage aux fines herbes ou une salade composée. Les petites asperges « cocktail » sont pratiques pour les canapés.

Diététique. Riche en fibres et en vitamine C, l'asperge est un légume léger, excellent pour la santé. Elle n'apporte que 15 kcal pour 100 g. Mais elle contient de l'asparagine, une substance irritante, déconseillée pour les personnes sujettes aux infections urinaires.

Asperges et haricots verts aux pignons

Pour **4 personnes**
Préparation **30 min**
Cuisson **20 min**

500 g de haricots verts ◆ 1 oignon ◆ 2 tomates ◆ 1 botte d'asperges vertes ◆ 150 g de tagliatelle vertes ◆ 100 g de pignons de pin ◆ huile d'olive ◆ vinaigre balsamique ◆ basilic ◆ sel ◆ poivre

1 Effilez et lavez les haricots verts. Pelez et émincez l'oignon. Ébouillantez, pelez et concassez les tomates. Pelez le pied des asperges vertes.

2 Faites chauffer un filet d'huile dans une grande poêle, ajoutez l'oignon et faites-le revenir sans coloration. Ajoutez les haricots verts et faites chauffer 5 min en remuant. Ajoutez les tomates, salez et poivrez. Laissez mijoter 15 min.

3 Pendant ce temps, faites cuire les asperges à la vapeur 10 min. Faites cuire les tagliatelle dans une grande casserole d'eau bouillante, égouttez-les et mélangez-les avec les asperges et 2 c. à soupe d'huile. Salez et poivrez.

4 Faites dorer les pignons de pin à sec dans une poêle sur feu moyen. Ciselez quelques feuilles de basilic.

5 Réunissez dans un grand plat creux les haricots verts à la tomate et les tagliatelle aux asperges. Mélangez délicatement en ajoutant un filet de vinaigre et le basilic. Parsemez de pignons de pin dorés et servez aussitôt.

Asperges à la mayonnaise légère

Pour **4 personnes**
Préparation **20 min**
Cuisson **20 min environ**

1,5 kg d'asperges blanches ◆ 10 cl de crème fraîche liquide ◆ 10 cl de mayonnaise ◆ 2 c. à soupe de cerfeuil haché ◆ gros sel ◆ sel ◆ poivre du moulin

1 Posez les asperges sur une planche et coupez l'extrémité dure afin que les asperges aient toutes la même longueur. Pelez-les avec un couteau économe, en partant de la tête vers la base et en éliminant toutes les parties fibreuses. Lavez-les à l'eau fraîche sans les laisser tremper et liez-les en bottes avec de la ficelle de cuisine. Mettez une jatte au réfrigérateur.
2 Portez à ébullition une marmite d'eau salée (à raison de 10 g de gros sel par litre d'eau). Dès que l'eau bout, plongez-y les asperges et laissez-les cuire pendant 20 min environ.
3 Préparez la sauce pendant la cuisson des asperges. Versez la crème liquide très froide dans la jatte refroidie et fouettez-la énergiquement au fouet à main ou au fouet électrique à vitesse moyenne, jusqu'à ce qu'elle soit bien ferme. Incorporez-la délicatement à la mayonnaise. Salez et poivrez. Ajoutez le cerfeuil. Versez dans une saucière et mettez au réfrigérateur jusqu'au moment de servir.
4 Vérifiez la cuisson des asperges en les piquant avec la pointe d'un couteau : elles doivent être juste tendres mais rester fermes. Sortez-les délicatement en les égouttant avec une écumoire. Posez-les sur un linge blanc plié sur le plat de service.
5 Servez les asperges chaudes ou bien laissez-les tiédir ou refroidir, selon la façon dont vous désirez les déguster. Servez la sauce en même temps. Si vous préparez la sauce à l'avance, conservez-la au réfrigérateur quelques heures, mais n'ajoutez le cerfeuil qu'au dernier moment.

Boisson **muscat d'Alsace**

Asperges aux noix

Pour **4 personnes**
Préparation **25 min**
Cuisson **20 min**

600 g d'asperges vertes ◆ 1 cœur de céleri ◆ 400 g de petites pommes de terre nouvelles ◆ 80 g de beurre ◆ 1 bouquet de ciboulette ◆ 80 g de cerneaux de noix ◆ huile de noix ◆ vinaigre balsamique ◆ sel ◆ poivre

1 Pelez les asperges. Parez le céleri et hachez-le. Brossez les pommes de terre et faites-les cuire à l'eau 20 min.
2 Rangez les asperges dans une poêle. Recouvrez-les d'eau et ajoutez le beurre. Salez et poivrez. Faites frémir l'eau, laissez cuire 20 min environ, jusqu'à ce que l'eau et le beurre soient absorbés. Laissez rissoler 1 min et retirez du feu.
3 Lavez et ciselez la ciboulette. Concassez les noix. Huilez quatre assiettes de service. Répartissez le céleri haché dessus, les pommes de terre en rondelles, les asperges et la ciboulette. Salez et arrosez d'un filet de vinaigre. Garnissez de cerneaux de noix concassés et servez aussitôt.

Asperges à la mayonnaise légère ►

À la saison des asperges, il faut varier au maximum les sauces et les recettes pour tirer le meilleur parti de ce délicieux légume fondant et mœlleux.

Asperges polonaises

Pour **4 personnes**
Préparation **20 min**
Cuisson **20 à 30 min**

1,5 kg d'asperges ◆ 3 œufs ◆ 150 g de beurre ◆ 1 petit bouquet de persil ◆ 2 c. à soupe de chapelure ◆ sel

1 Préparez et faites cuire les asperges à l'eau bouillante salée pendant 20 min. Faites cuire les œufs durs, rafraîchissez-les et écalez-les. Coupez-les en 2 et extrayez les jaunes. Émiettez-les finement. Gardez les blancs pour les ajouter dans une salade composée.
2 Égouttez les asperges et beurrez un plat de service. Rangez-y les asperges en plaçant chaque rang en recul par rapport au précédent, pour faire apparaître toutes les pointes.
3 Hachez finement le persil. Mélangez-le avec les jaunes d'œufs émiettés. Parsemez les pointes d'asperges de ce mélange.
4 Faites chauffer le beurre dans une casserole. Lorsqu'il atteint une couleur noisette, ajoutez la chapelure et remuez régulièrement avec une spatule jusqu'à ce qu'elle soit bien blonde. Arrosez aussitôt les asperges de cette sauce et servez sans attendre.

Boisson **champagne**

Darnes de saumon aux asperges

Pour **4 personnes**
Préparation **20 min, 2 h à l'avance**
Cuisson **20 min**

10 cl de vin blanc ◆ 1 bouquet garni ◆ 4 darnes de saumon de 150 g chacune ◆ 12 asperges vertes pas trop grosses ◆ 15 cl de crème fraîche ◆ 2 citrons ◆ 24 queues de crevettes décortiquées ◆ 1 bouquet d'aneth frais ◆ sel ◆ poivre

1 Versez dans une casserole 1 l d'eau et le vin blanc. Ajoutez le bouquet garni, salez et poivrez. Portez à ébullition. Plongez-y les darnes de saumon et faites pocher doucement pendant 10 min. Retirez du feu et laissez refroidir dans le liquide de cuisson.
2 Faites cuire les asperges à l'eau bouillante salée, égouttez-les et gardez entières les pointes avec un peu de tige. Passez le reste au mixer avec la crème fraîche et le jus d'un citron.
3 Disposez chaque darne froide sur une assiette avec en garniture 3 asperges et 6 crevettes. Complétez avec l'aneth ciselé et des rondelles de citron. Ajoutez enfin une grosse cuillerée de sauce bien froide.

Boisson **pouilly fumé**

Quiche aux asperges

Pour **6 personnes**
Préparation **40 min**
Pâte **1 h**
Cuisson **30 min**

250 g de pâte brisée ◆ 2 kg d'asperges ◆ beurre ◆ farine ◆ 50 cl de lait ◆ 3 jaunes d'œufs ◆ 60 g de crème fraîche ◆ muscade ◆ poivre ◆ sel

1 Abaissez la pâte brisée sur 5 mm d'épaisseur. Garnissez-en une tourtière de 24 cm de diamètre. Piquez le fond et faites cuire à blanc dans le four à 200 °C pendant 20 min. Laissez reposer.
2 Parez les asperges et pelez-les, faites-les cuire 15 min à l'eau bouillante salée. Égouttez-les et réservez 10 cl de leur eau. Coupez les pointes sur 8 cm et taillez le reste en petits tronçons. Versez le tout dans un plat à feu et mettez celui-ci à four chaud pendant 5 min.
3 Faites un roux avec le beurre et la farine. Mouillez avec le lait et l'eau des asperges. Mélangez intimement. Salez, poivrez et muscadez. Après 12 min de cuisson, retirez du feu. Incorporez les jaunes battus avec la crème, ainsi que les tronçons d'asperges égouttés.
4 Versez cette préparation sur le fond de tarte. Ajoutez par-dessus, en les égouttant bien, les pointes d'asperges en rosace, en les enfonçant un peu dans la garniture.
5 Faites cuire au four pendant 10 min à 200 °C. Servez très chaud.

Épongez bien les asperges sur un linge avant de les incorporer à la sauce.

Choisissez de préférence pour cette recette des asperges vertes ou des asperges violettes de petit calibre. Vous pouvez ajouter à la garniture un petit bouquet de cerfeuil ciselé et une poignée de petits pois frais juste cuits.

→ autres recettes d'asperge à l'index

aubergine

→ voir aussi **moussaka**

Légume produit en France dans le Midi de mai à novembre, mais disponible toute l'année grâce aux importations, l'aubergine est peu fragile et voyage bien : c'est l'assurance de plats ensoleillés en toute saison. Comptez 200 à 300 g par personne si le légume est seul. Il se marie bien avec la tomate, l'ail, la courgette et l'oignon.

Si l'aubergine est cuisinée à l'étuvée, en gratin ou sautée, voire en salade, il est souvent nécessaire de la faire dégorger : pelez-la, taillez-la en rondelles, en dés ou en quartiers, poudrez-les de sel, mélangez et laissez reposer pendant 30 min avant de rincer et d'égoutter.

Pour la faire cuire dans sa peau, piquez-la et glissez-la dans le four chaud : coupez-la en deux et récupérez la chair.

Diététique. Peu calorique et riche en fibres, l'aubergine absorbe très facilement les graisses de cuisson, ce qui augmente beaucoup sa valeur nutritive. Idée minceur : salade d'aubergines crues dégorgées, vinaigrette à l'huile d'olive et au jus de citron avec beaucoup de fines herbes.

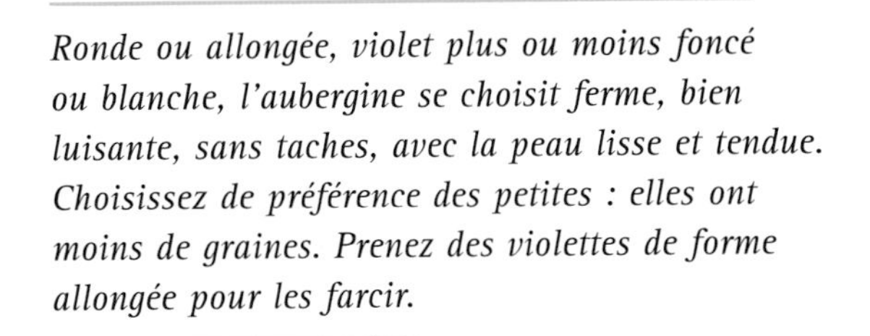

Ronde ou allongée, violet plus ou moins foncé ou blanche, l'aubergine se choisit ferme, bien luisante, sans taches, avec la peau lisse et tendue. Choisissez de préférence des petites : elles ont moins de graines. Prenez des violettes de forme allongée pour les farcir.

Aubergines farcies

Pour **4 personnes**
Préparation **40 min**
Cuisson **1 h 30**

100 g de raisins secs ◆ 4 aubergines ◆ 1 citron ◆ 2 oignons ◆ 400 g de tomates ◆ 5 c. à soupe d'huile d'olive ◆ 50 g de riz ◆ 1 c. à café de thym émietté ◆ persil ◆ sel ◆ poivre

1 Faites tremper les raisins dans une tasse d'eau tiède. Essuyez les aubergines, ne les pelez pas, mais coupez-les en 2 dans la longueur. Extrayez la pulpe sans percer l'écorce. Hachez-la grossièrement et citronnez-la. Pelez et hachez les oignons. Pelez et concassez les tomates.

2 Faites chauffer 3 c. à soupe d'huile dans un poêlon. Faites-y revenir les oignons avec les dés d'aubergine. Salez et poivrez. Ajoutez les tomates et le persil haché. Laissez mijoter 10 min, puis ajoutez le riz et les raisins secs. Poursuivez la cuisson sur feu doux pendant 10 min.

3 Huilez un plat allant au four. Remplissez les demi-aubergines avec la farce bien mélangée. Rangez-les dans le plat. Poudrez de thym et arrosez d'un filet d'huile. Faites cuire au four pendant 1 h à 160 °C. Servez chaud ou très froid.

Boisson **cassis blanc**

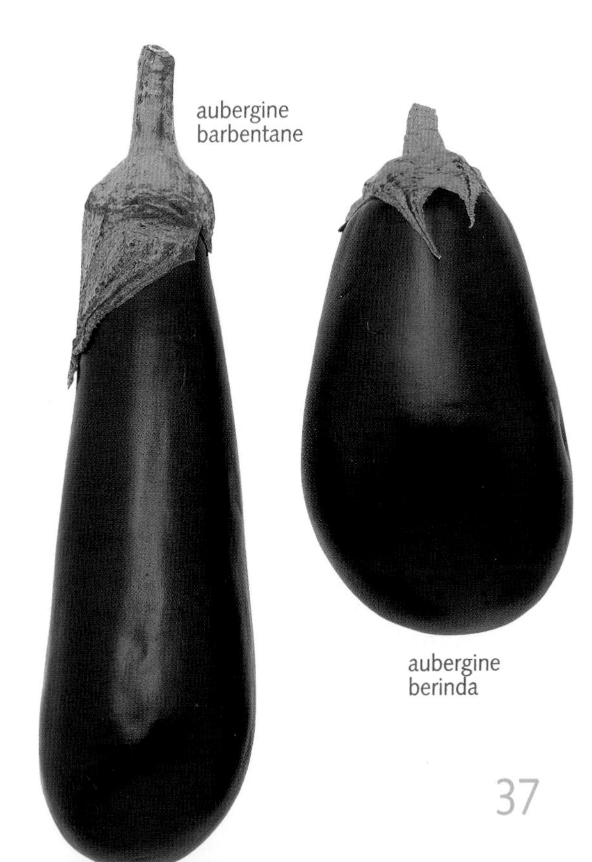

Aubergines à la niçoise

Pour **4 personnes**
Préparation **20 min**
Marinade **30 min**
Cuisson **15 min environ**

2 grosses aubergines ◆ 6 cl d'huile d'olive ◆ 1 citron ◆ 8 grandes tranches de pain de campagne ◆ 2 gousses d'ail ◆ 100 g de mayonnaise ◆ fines herbes mélangées ◆ quelques feuilles de salade ◆ sel ◆ poivre

1 Parez les aubergines, lavez-les, coupez-les dans la longueur en tranches de 1 cm d'épaisseur. Ciselez les herbes fraîches (thym, basilic et persil plat). Versez l'huile dans un plat creux, ajoutez le jus de citron et 4 c. à soupe du mélange de fines herbes ciselées. Salez et poivrez. Mettez les aubergines dans ce plat, retournez-les et laissez mariner 30 min.
2 Pelez et émincez l'ail. Broyez-le avec un filet d'huile d'olive, incorporez la mayonnaise et un peu de thym haché.
3 Préchauffez le gril du four. Égouttez les tranches d'aubergines, rangez-les sur une grille. Faites-les griller de chaque côté 7 ou 8 min.
4 Tartinez les tranches de pain d'aïoli au thym. Garnissez-les de salade, puis disposez les tranches d'aubergines dessus. Poivrez et ajoutez quelques gouttes de jus de citron avant de servir.

Pour accompagner un rôti de porc, servez ces aubergines avec des rondelles d'ananas et des quartiers de pommes cuits.

Aubergines soufflées

Pour **4 personnes**
Préparation **30 min**
Cuisson **30 min**

4 belles aubergines bien fermes ◆ 1 c. à soupe d'huile ◆ 1 oignon ◆ 30 g de beurre ◆ 30 g de farine ◆ 20 cl de lait ◆ 2 œufs ◆ 2 c. à soupe de parmesan râpé ◆ sel ◆ poivre

1 Coupez les aubergines en deux dans la longueur. Mettez-les dans le four à 200 °C. Au bout de 10 à 15 min, retirez-les et extrayez la pulpe en laissant 5 mm dans le fond. Placez les demi-aubergines dans un plat à gratin huilé. Réservez la pulpe, hachez l'oignon menu.
2 Faites fondre le beurre dans une casserole, ajoutez l'oignon. Ajoutez la farine et remuez 2 min. Mouillez avec le lait, puis laissez cuire 10 min en remuant. Incorporez la chair des aubergines et les jaunes d'œufs, salez, poivrez.
3 Battez les blancs en neige, incorporez-les. Remplissez les aubergines et poudrez de parmesan. Passez au four pendant 15 min à 180 °C.

Servez ces aubergines en entrée chaude, avec une salade de mesclun ou de roquette parsemée de quelques copeaux de parmesan.

Caviar d'aubergines

Pour **4 personnes**
Préparation **10 min, 24 h à l'avance**
Cuisson **8 min**

2 aubergines ◆ 2 c. à soupe de graines de sésame ◆ 1 gousse d'ail ◆ 1/2 citron ◆ huile d'olive ◆ coriandre ◆ sel ◆ poivre

1 Lavez les aubergines, essuyez-les, ôtez le pédoncule et enveloppez-les dans du papier absorbant. Faites-les cuire dans le four à pleine puissance pendant 5 min en les retournant une fois. Laissez reposer 5 min.
2 Étalez les graines de sésame dans une assiette. Passez 3 min au four en secouant le récipient une fois.
3 Écrasez l'ail et pressez le citron. Déballez les aubergines et coupez-les en deux. Récupérez la pulpe et versez-la dans une terrine. Ajoutez en mélangeant l'huile, le jus de citron, l'ail, la coriandre et les graines de sésame. Salez et poivrez. Servez froid sur des toasts grillés.

Pour compléter des amuse-gueule en été, proposez avec ce caviar tartiné sur des petits croûtons des mini-brochettes de tomates cerises et des petits cubes de mozzarella.

→ **autres recettes d'aubergine à l'index**

Aubergines à la niçoise ►
Trop mûre, l'aubergine est amère. Trop grosse, elle est farineuse. Choisissez pour cette recette les bonnes aubergines de Provence, bien fermes et parfumées.

Avocats farcis au crabe ▲

Le citron vert donne un goût plus acidulé à ce hors-d'œuvre. Décorez-le d'aneth et de pourpier. Servez-le avec un rosé très frais.

Avocats farcis au crabe

Pour **4 personnes**
Préparation **20 min**, mayonnaise **10 min**
Pas de cuisson

2 avocats mûrs ◆ 1 citron ◆ 1 boîte de crabe ◆ 2 c. à soupe de riz cuit ◆ 3 c. à soupe de mayonnaise ◆ 1 c. à café de ketchup ◆ 1 c. à café de cognac

1 Coupez les avocats en 2 et retirez les noyaux. Videz les demi-avocats avec une petite cuiller en évitant de crever la peau. Citronnez les boules de pulpe au fur et à mesure.
2 Ouvrez la boîte de crabe, égouttez la chair en éliminant le cartilage qui pourrait rester. Mélangez-la avec le riz en ajoutant la mayonnaise, le ketchup et le cognac.
3 Incorporez délicatement les boules d'avocat au mélange. Remplissez de cette farce les demi-avocats. Servez frais.

On peut ajouter en décor des queues de crevettes, des rondelles de citron vert ou 1 c. à café d'œufs de saumon.

Avocats aux fruits frais

RECETTE LÉGÈRE 1 portion 150 kcal

Pour **4 personnes**
Préparation **20 min**
Repos au frais **30 min**
Pas de cuisson

1 banane ◆ 1 citron ◆ 1 orange ◆ 1 poire ◆ 2 avocats ◆ édulcorant en poudre

1 Pelez la banane, coupez-la en rondelles et citronnez-les. Pelez l'orange à vif et coupez-la en tranches fines. Pelez la poire, émincez-la finement et citronnez les lamelles.
2 Réunissez ces fruits dans une jatte, saupoudrez d'édulcorant selon votre goût et mettez au réfrigérateur pendant 30 min.
3 Coupez les avocats en 2. Retirez le noyau et citronnez l'intérieur.
4 Garnissez chaque demi-avocat avec les fruits mélangés et égouttés. Arrosez de jus rendu par les fruits et servez frais.

Vous pouvez aussi prélever la chair des avocats avec une cuiller à boule et présenter le mélange dans une coupe. Autre suggestion : remplacez la banane par une demi-mangue.

avocat

Ce fruit surtout utilisé dans des plats salés est disponible à longueur d'année, en provenance d'Israël, d'Amérique du Sud et de Floride.

Pour reconnaître si un avocat est mûr, pressez-le légèrement : la chair doit céder sous le doigt (on peut alors le conserver 1 ou 2 jours dans le bas du réfrigérateur). S'il a une peau épaisse et granuleuse, agitez-le : à maturité, le noyau se détache légèrement de la pulpe et on l'entend se déplacer dans la cavité. Un avocat pas encore mûr, enveloppé dans du papier journal, arrive en quelques jours au bon degré de dégustation.

La chair de l'avocat s'oxyde rapidement : n'hésitez pas à la citronner abondamment.

Diététique. Riche en matières grasses, l'avocat fournit 200 kcal pour 100 g. Évitez l'excès de mayonnaise en sa compagnie. Il contient en revanche une substance qui favorise le bon état de la peau.

Salade d'avocats aux tomates

Pour **6 personnes**
Préparation **20 min**
Pas de cuisson

3 avocats ◆ 1 citron ◆ 1 cœur de laitue ◆ 3 tomates ◆ 2 c. à soupe de vinaigre de vin vieux ◆ 1 c. à soupe de whisky ◆ 7 c. à soupe d'huile de noisette ◆ sel ◆ poivre de Cayenne

1 Coupez les avocats en 2. Retirez la peau et les noyaux. Taillez la pulpe en dés réguliers et citronnez-les. Effeuillez le cœur de laitue.
2 Ébouillantez les tomates, pelez-les et taillez-les en dés réguliers.
3 Préparez une vinaigrette en mélangeant le vinaigre, le whisky et l'huile. Fouettez quelques minutes, salez et poivrez.
4 Réunissez les ingrédients dans un saladier, arrosez de vinaigrette. Remuez délicatement et servez à température ambiante.

Velouté glacé à l'avocat

RECETTE LÉGÈRE — 1 portion 185 kcal

Pour **6 personnes**
Préparation **15 min, 2 h à l'avance**
Pas de cuisson

2 beaux avocats ◆ 1/2 citron ◆ 2 c. à soupe de cerfeuil haché ◆ 1 c. à soupe d'estragon ciselé ◆ 1 c. à soupe de persil plat haché ◆ 20 cl de crème liquide ◆ 60 cl de bouillon de volaille ◆ 1 c. à café de Worcestershire sauce ◆ sel ◆ poivre

1 Coupez les avocats en 2. Retirez les noyaux. Extrayez toute la pulpe. Arrosez-la de jus de citron.
2 Passez-la au mixer en ajoutant les fines herbes et la crème liquide. Versez cette préparation dans une soupière et ajoutez le bouillon de volaille en fouettant.
3 Salez, poivrez, ajoutez la Worcestershire sauce et quelques gouttes de jus de citron. Fouettez encore pour bien homogénéiser. Mettez au réfrigérateur pendant au moins 2 h. Servez glacé.

Pour rehausser la couleur de ce potage, on peut lui incorporer du cresson haché

→ **autres recettes d'avocat à l'index**

avocat Ettinger

avocat Hass

avocat Ettinger coupé

On trouve toute l'année, sur les marchés, plusieurs variétés d'avocats, à peau lisse et à peau rugueuse. L'avocat cornichon sans noyau peut aussi se découper en fines rondelles. Le gros noyau de l'avocat se retire facilement avec la pointe d'un couteau. La peau de l'avocat ne doit avoir aucune tache ni point noir, signes d'un début de pourrissement.

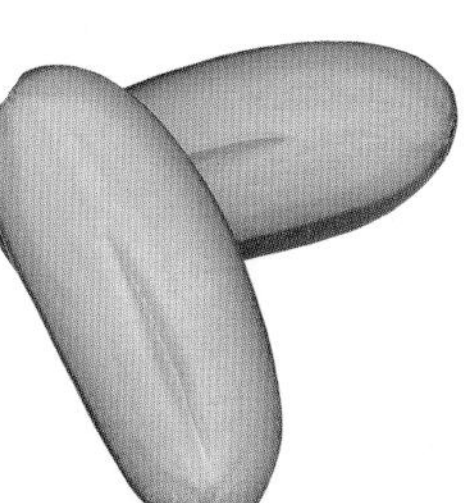

avocats cornichons sans noyau

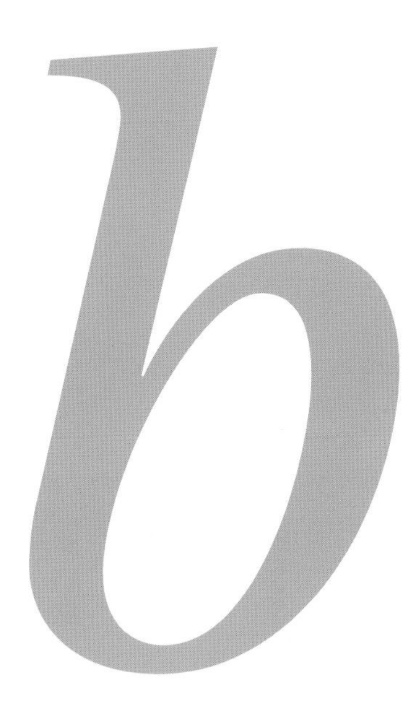

baba

Gâteau individuel fait d'une pâte mélangée de raisins secs, imbibé après sa cuisson d'un sirop au rhum ou au kirsch. Il prend la forme du petit moule en couronne dans lequel il cuit et on le décore pour le servir de cerises confites et de petits tronçons d'angélique découpés en forme de feuilles.

Cuits et imbibés de sirop, les babas peuvent se conserver 24 h au maximum enveloppés séparément dans des feuilles d'aluminium.

Gros baba lorrain

Pour **6 personnes**
Préparation **20 min**
Cuisson **30 min**

230 g de farine ◆ 50 g de sucre semoule ◆ 4 œufs ◆ 2 c. à soupe de crème fraîche ◆ 100 g de beurre ◆ 30 g de levure ◆ sel
Pour le sirop **150 g de sucre semoule ◆ 40 cl de vin blanc ◆ 5 g de fécule ◆ 10 cl de rhum ◆ 1 jaune d'œuf**

1 Mettez la farine dans une terrine. Faites un puits et ajoutez une pincée de sel, le sucre et les œufs, un par un, en mélangeant bien. Travaillez la pâte 5 min avec une cuiller en bois.
2 Ajoutez la crème fraîche, 80 g de beurre ramolli et la levure. Mélangez.
3 Beurrez un moule à savarin et versez-y la pâte. Laissez reposer 15 min. Faites cuire au four à 180 °C pendant 30 min.
4 Environ 15 min avant la fin de la cuisson, faites dissoudre le sucre avec le vin blanc dans une casserole sur feu doux. Ajoutez la fécule délayée dans le rhum et mélangez bien.
5 Battez le jaune à la fourchette et incorporez-le au sirop chaud. Ne laissez plus bouillir et réservez au bain-marie.
6 Sortez le baba du four et démoulez-le sur une grille posée sur un plat creux. Arrosez-le aussitôt avec la sauce au rhum en laissant à la pâte le temps de l'absorber.
7 Servez froid, avec de la chantilly glacée.

Petits babas au rhum

Pour **8 gâteaux**
Préparation **30 min, 1 h à l'avance**
Pâte et sirop **1 h**
Cuisson **20 min**

pâte à baba et sirop au rhum *(voir page 43)* **◆ 25 g de beurre ◆ 8 bigarreaux confits ◆ 16 petits tronçons d'angélique**

1 Préparez la pâte et le sirop. Faites fondre le beurre pour graisser 8 petits moules à baba.
2 Remplissez chaque moule à moitié, puis laissez lever pendant environ 1 h. Faites cuire les babas pendant 15 à 20 min à 200° C.
3 Sortez les babas, démoulez-les sur une grille et laissez-les refroidir. Réchauffez le sirop.
4 Arrosez chaque baba plusieurs fois avec le sirop bouillant. Décorez les babas avec les cerises confites et les tronçons d'angélique.

Pâte à baba

Pour **8 gâteaux**
Préparation **30 min**
Repos de la pâte **1 h**

15 g de levure de boulanger ◆ 125 g de beurre ◆ 225 g de farine ◆ 3 œufs ◆ 25 g de sucre semoule ◆ 75 g de raisins secs ◆ 12 cl de rhum ◆ sel

1 Délayez la levure dans l'eau tiède et laissez reposer 10 min. Ramollissez le beurre coupé en petits morceaux en les écrasant avec la paume de la main et laissez-les en attente à température ambiante.

2 Tamisez ensemble la farine et le sel au-dessus d'une terrine. Faites un puits. Cassez les œufs dans une jatte et battez-les rapidement. Versez les œufs battus dans le puits et ajoutez ensuite le sucre, puis la levure délayée. Avec la main, mélangez tous les ingrédients pour obtenir une pâte homogène.

3 Pétrissez cette pâte en la soulevant du bout des doigts et en la rabattant avec force dans la terrine. Poursuivez cette opération pendant 5 min pour faire disparaître tous les grumeaux.

4 Lorsque la pâte est bien lisse et élastique, déposez les morceaux de beurre ramolli à sa surface, puis couvrez la terrine avec un torchon humide. Placez-la dans un endroit chaud pendant 45 min à 1 h : au bout de ce temps de repos, la pâte doit avoir doublé de volume et recouvert le beurre. Pendant ce temps, faites tremper les raisins secs dans le rhum en allongeant celui-ci avec un peu d'eau tiède.

5 Égouttez les raisins secs bien gonflés dans une passoire. Avec les mains, incorporez le beurre ramolli à la pâte jusqu'à ce que le mélange soit homogène. Incorporez également les raisins secs. La pâte est alors prête à être moulée et cuite.

Sirop au rhum pour imbiber les babas : versez 250 g de sucre et 50 cl d'eau dans une casserole à fond épais. Remuez sur feu doux pour faire fondre, puis portez à ébullition et laissez bouillonner 2 à 3 min jusqu'à ce que le sirop soit limpide. Parfumez-le alors avec 1 c. à soupe de rhum. Ce sirop doit être utilisé bouillant.

La pâte à baba sert aussi à préparer le savarin. Dans ce cas, on supprime les raisins secs.

1

2

3

4

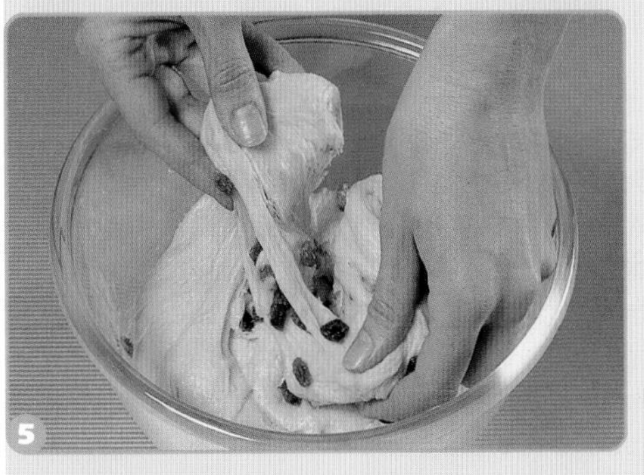
5

bacon

Filet de porc maigre, salé et fumé, détaillé en tranches fines, à faire griller ou frire. Faites-les rissoler sans matière grasse. Ce produit, typiquement anglo-saxon, correspond en France à la poitrine de porc maigre ou à la noix, également salées et fumées.

Diététique. Viande grasse et riche en sel, le bacon est déconseillé dans les régimes sans sel ou hypocaloriques : 100 g = 300 kcal.

Foie de veau au bacon

Pour **4 personnes**
Préparation **5 min**
Cuisson **5 min**

4 tranches de foie de veau ◆ farine ◆ 8 fines tranches de bacon ◆ 8 rondelles de citron ◆ 1 c. à soupe de vinaigre de vin blanc ◆ sel ◆ poivre

1 Salez et poivrez les tranches de foie de veau. Farinez-les légèrement.
2 Faites rissoler les tranches de bacon dans une poêle, sans matière grasse, égouttez-les.
3 Dans le gras rendu par le bacon, faites cuire les tranches de foie de veau, sur feu modéré, en les retournant à mi-cuisson.
4 Disposez les tranches de foie sur un plat chaud, garnissez avec le bacon et les rondelles de citron. Versez le vinaigre dans la poêle et déglacez sur feu vif. Arrosez le foie de ce jus. Servez.

Du jus de citron peut remplacer le vinaigre.

Boisson **vin rouge (saumur-champigny)**

Œufs sur le plat au bacon

Pour **1 personne**
Préparation **5 min**
Cuisson **5 min**

2 tranches de bacon ◆ 15 g de beurre ◆ 2 œufs ◆ sel

1 Les tranches de bacon doivent avoir 2 mm d'épaisseur environ. Ébouillantez-les 3 min puis égouttez-les : elles seront bien moelleuses et ne se racorniront pas à la cuisson.
2 Mettez la moitié du beurre dans un petit plat en porcelaine à feu et faites-y rissoler légèrement le bacon. Cassez les œufs sur le bacon et ajoutez le reste du beurre.
3 Salez légèrement et mettez au four bien chaud. Laissez cuire 4 min environ.

Boisson **thé de Ceylan (au petit déjeuner) ou vin rouge**

→ **autres recettes de bacon à l'index**

ballottine

→ **voir aussi galantine**

Une volaille désossée, farcie, roulée dans sa peau, ficelée puis cuite, fournit une ballottine que l'on sert chaude ou froide, déficelée et coupée en tranches assez épaisses.

Ballottine de dinde

Pour **8 personnes**
Préparation **1 h 30, 24 h à l'avance**
Cuisson **1 h 20 environ**

1 dinde de 2 kg ◆ 2 poireaux ◆ 1 carotte ◆ 250 g de jambon cuit ◆ 250 g de noix de veau ◆ 200 g de chair à saucisse ◆ 200 g de lard gras ◆ 1 truffe ◆ 500 g de foie de veau ◆ 300 g de foie gras frais ◆ gros sel ◆ poivre noir en grains

1 Demandez au volailler de désosser la dinde sans déchirer la peau et récupérez les abattis.
2 Mettez-les dans une grande marmite avec les poireaux émincés, la carotte, 15 g de gros sel et 20 grains de poivre. Ajoutez 2,5 l d'eau et faites bouillir pendant 1 h 30, puis laissez refroidir.
3 Pendant ce temps, hachez ensemble le jambon, la noix de veau, la chair à saucisse et le lard. Ajoutez à cette farce les pelures de la truffe nettoyée. Salez et poivrez.
4 Posez la dinde à plat sur le plan de travail côté peau dessous. Étalez la farce par-dessus. Posez ensuite le foie de veau, coupé en 2 ou 3 morceaux, le foie gras et des lamelles de truffe.
5 Rabattez la peau de la dinde en tirant pour rapprocher les bords et cousez la ballottine assez serré. Enveloppez-la dans un torchon en formant un paquet régulier et cousez-le. Le tout doit être bien serré. Pesez la ballottine.
6 Placez-la dans une grande casserole et versez le bouillon froid par-dessus avec les légumes. Portez lentement à ébullition et laissez cuire doucement en comptant 20 min par livre. Égouttez la ballottine et laissez-la refroidir.

7 Mettez la ballottine au réfrigérateur sans la déballer. Ne décousez le linge que lorsqu'elle est bien froide. Déballez-la, retirez tous les fils et coupez-la en tranches.

Boisson **châteauneuf-du-pape**

bambou

Cette plante exotique produit de jeunes pousses que l'on trouve en Europe vendues en conserve, au naturel ou au vinaigre, en tranches ou émincées. Une fois rincées à l'eau et égouttées, faites-les sauter ou employez-les en crudités.

Un peu acidulées et craquantes, elles accompagnent bien le poulet et le porc.

Salade aux pousses de bambou

RECETTE LÉGÈRE – 1 portion 265 kcal

Pour **4 personnes**
Préparation **30 min**
Cuisson **10 min**

80 g de champignons noirs séchés ◆ 1 boîte de pousses de bambou au naturel ◆ 2 blancs de poulet cuit fumé (300 à 400 g) ◆ 3 c. à soupe d'huile de sésame ◆ 1 c. à soupe de vinaigre de xérès ◆ 1/2 citron ◆ 100 g de crevettes décortiquées ◆ sel ◆ poivre

1 Faites tremper les champignons noirs à l'eau tiède pendant 20 min. Égouttez les pousses de bambou, versez-les dans une casserole, couvrez d'eau et portez à ébullition. Laissez bouillonner 5 min, égouttez et rafraîchissez.

2 Émincez les blancs de poulet en fines languettes. Préparez une vinaigrette avec l'huile de sésame, le vinaigre de xérès, le jus de citron. Salez, poivrez.

3 Égouttez les champignons noirs et épongez-les. Réunissez dans un saladier bas le poulet, les crevettes, les champignons et les pousses de bambou. Arrosez de sauce et remuez délicatement. Servez aussitôt.

Boisson **bière chinoise**

banane

Disponible toute l'année, ce fruit exotique s'achète sans tache, uniforme, bien lourd dans la main. Si la banane n'est pas consommée dans les 3 jours, choisissez-la un peu verte. Une peau tigrée est souvent signe de qualité.

Ne conservez jamais les bananes au réfrigérateur : la pulpe commence à se détériorer vers 5 °C. Une fois pelée, la banane s'oxyde très vite : arrosez-la de jus de citron.

Goûtez aussi la banane rose et la banane figue chez les marchands de produits antillais. La banane plantain, toujours consommée cuite, s'emploie en purée, en ragoût ou frite. Faites-la bouillir à l'eau dans sa peau pendant 30 minutes. Une banane fruit très peu mûre peut aussi servir de légume. La banane séchée peut compléter une compote d'hiver.

Diététique. Méfiez-vous des fausses équivalences : une banane ne « vaut » pas un bifteck, comme on le dit souvent. C'est l'un des fruits les plus riches en sucre : 13 g pour 100 g.

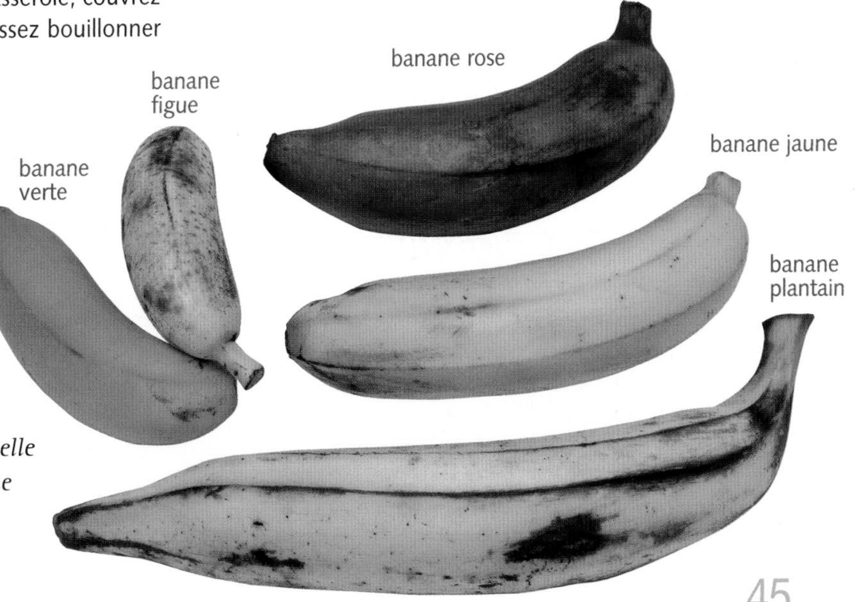

La banane jaune, la plus courante, se couvre de taches brunes en mûrissant. La banane rose (peau rose foncé et chair rose pâle) est plus sèche. La banane verte, ou fressinette, s'utilise comme la banane plantain, qui a une chair sèche et fibreuse. Selon qu'elle est verte ou mûre, la banane figue s'emploie en légume ou en fruit.

Banana split

Pour **4 personnes**
Préparation **20 min, 2 h à l'avance**
Crème Chantilly **10 min**
Pas de cuisson

4 bananes ◆ 1 citron ◆ 400 g de fraises ◆ 1/2 l de glace à la vanille ◆ 8 petites meringues ◆ 50 g d'amandes effilées ◆ crème Chantilly

1 Pelez les bananes et coupez-les en 2 dans la longueur. Citronnez-les. Lavez et équeutez les fraises, mixez-les avec le reste de jus de citron.
2 Placez les bananes dans des coupes de service en mettant 2 boules de glace au milieu et 2 meringues à chaque bout.
3 Nappez de coulis de fraises. Parsemez d'amandes effilées. Garnissez de chantilly.

Bananes antillaises

Pour **6 personnes**
Préparation **10 min**
Cuisson **20 min**

6 bananes ◆ 2 oranges ◆ 50 g de raisins secs ◆ 50 g de sucre semoule ◆ 1 sachet de sucre vanillé ◆ 50 g de beurre ◆ 10 cl de rhum

1 Pelez les bananes et pressez les oranges. Lavez les raisins secs. Mélangez les deux sucres.
2 Mettez le plat de service dans le four chaud. Faites chauffer le beurre dans une poêle. Mettez-y à dorer les bananes 4 à 5 min sur chaque face.
3 Ajoutez le sucre, le jus d'orange et les raisins secs. Faites chauffer jusqu'à ébullition. Versez la moitié du rhum, faites mijoter encore 5 min.
4 Faites chauffer le reste de rhum dans une louche. Versez le contenu de la poêle dans le plat chaud. Arrosez de rhum chaud et flambez. Servez.

Poulet aux bananes

Pour **4 personnes**
Préparation **15 min**
Cuisson **40 min**

1 gros oignon ◆ 1 poulet de 1,5 kg en morceaux ◆ 3 tomates ◆ 6 bananes plantain ◆ 1/2 citron vert ◆ laurier ◆ sauge ◆ huile d'arachide ◆ clous de girofle ◆ muscade ◆ fécule ◆ sel ◆ poivre de Cayenne

1 Versez 1,5 l d'eau dans un faitout, ajoutez 1 feuille de laurier, 5 ou 6 feuilles de sauge et l'oignon pelé coupé en rondelles. Faites bouillir. Plongez les morceaux de poulet dans ce bouillon et laissez cuire 10 min. Salez et poivrez.
2 Pelez les tomates et coupez-les en dés. Faites chauffer un peu d'huile dans une poêle. Égouttez les morceaux de poulet, épongez-les et faites-les revenir dans la poêle.
3 Mettez-les ensuite dans une cocotte. Ajoutez les tomates et un verre de bouillon, 2 clous de girofle, quelques pincées de muscade et de cayenne. Couvrez et faites mijoter 15 min.
4 Pelez les bananes et coupez-les en gros tronçons. Ajoutez-les dans la cocotte et poursuivez la cuisson pendant 15 min. Délayez 1 c. à café de fécule dans le jus de citron et versez dans la cocotte. Remuez. Servez chaud avec du riz créole.

Boisson **clairette de Die**

Salade de fruits aux bananes

Pour **4 personnes**
Préparation **20 min, 2 h à l'avance**
Pas de cuisson

4 bananes ◆ 1 citron vert ◆ 1 mangue ◆ 400 g de grosses fraises ◆ 4 c. à soupe de sucre semoule ◆ 1 c. à soupe de bourbon

1 Pelez les bananes, coupez-les en grosses rondelles et roulez-les dans le jus de citron vert sans les laisser mariner. Pelez la mangue et taillez la pulpe en gros dés. Lavez et équeutez les fraises. Coupez-les en 2.
2 Réunissez tous les fruits dans un saladier. Ajoutez le sucre et le bourbon. Remuez délicatement. Mettez au frais 2 h avant de servir.

→ **autres recettes de banane à l'index**

banon

Ce petit fromage provençal à pâte molle en forme de palet est fait de lait de vache, de chèvre ou de brebis. Il est soit emballé dans des feuilles de châtaignier et ficelé avec du raphia, soit présenté nu, aromatisé à la sarriette : on l'appelle alors poivre d'âne ou pèbre d'ai. Il est bon de mai à novembre.

bar

➔ voir aussi loup

Ce poisson de mer se pêche en Méditerranée et dans l'Atlantique. Sa chair est très délicate. Assez rare et coûteux, le bar se fait pocher, rôtir ou braiser, griller et parfois frire s'il est petit. Le bar-portion pèse environ 500 g. Le bar doit être ferme et brillant, ses écailles bien adhérentes. Les petits bars, produits de l'aquaculture, ont une chair moins fine.

Pour 4 personnes, choisissez un bar de 1 kg au moins. Si vous devez le griller ou le pocher, il ne faut pas l'écailler : sa chair sera plus moelleuse. Dans le Midi, on fait griller les petits bars sur la braise, en les posant sur des branches de fenouil sèches, qui le parfument. Servez le bar avec un beurre d'anchois ou un beurre maître d'hôtel.

Diététique. Poisson maigre (3 % de matières grasses), le bar a une chair très fine qui demande une cuisson rapide pour conserver ses qualités.

Bar grillé à la compote de tomates ▲

Complétez la garniture de ce poisson grillé avec des tranches de courgettes sautées et du beurre d'anchois ou un beurre vert.

Bar grillé à la compote de tomates

RECETTE LÉGÈRE – 1 portion 280 kcal

Pour **4 personnes**
Préparation **20 min**
Cuisson sur les braises **30 min environ**

1 bar de 1 kg ◆ 1 kg de tomates ◆ huile d'olive ◆ graines de fenouil ◆ sel ◆ poivre

1 Videz le bar. Ne l'écaillez pas. Ciselez-le de chaque côté. Préparez un lit de braises. Badigeonnez le bar d'huile. Salez et poivrez. Placez-le dans un gril double.

2 Ébouillantez les tomates et pelez-les. Coupez-les en quartiers. Faites chauffer 3 c. à soupe d'huile dans un poêlon, ajoutez 3 c. à café de graines de fenouil et remuez sur feu moyen.

3 Ajoutez les quartiers de tomates et faites-les cuire à découvert sur feu modéré pendant 30 min. Salez et poivrez.

4 Environ 20 min avant de servir, jetez une poignée de fenouil sec sur les braises chaudes, et faites griller le bar. Retournez-le à mi-cuisson. Servez le bar avec la compote de tomates.

Lorsque le bar est cuit, la peau et les écailles se retirent facilement.

Boisson rosé de Provence

Bar poché

RECETTE LÉGÈRE – 1 portion 165 kcal

Pour **6 personnes**
Préparation **15 min**
Cuisson **12 à 15 min**

2 bars de 800 g chacun ◆ 1 bouquet garni ◆ 1 bouquet de persil frisé ◆ sel

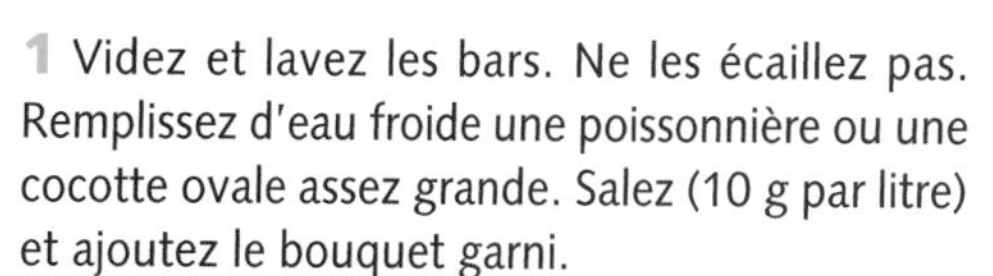

1 Videz et lavez les bars. Ne les écaillez pas. Remplissez d'eau froide une poissonnière ou une cocotte ovale assez grande. Salez (10 g par litre) et ajoutez le bouquet garni.

2 Mettez les poissons dans l'eau froide et faites chauffer. Lorsque l'ébullition est atteinte, réduisez le feu et laissez pocher doucement pendant 8 à 10 min.

3 Égouttez les bars et posez-les dans un plat sur une grille. Entourez de bouquets de persil. Servez à part du beurre fondu citronné ou une sauce hollandaise, des fenouils ou des pommes vapeur.

Bar à la vapeur d'algues

Pour **2 personnes**
Préparation **15 min**
Cuisson **20 min**

1 bar de 800 g ◆ 2 poignées belles de varech ◆ sel ◆ poivre noir

1 Videz le poisson et coupez les nageoires. Ne l'écaillez pas. Lavez les algues dans plusieurs bains d'eau froide. Étalez-en la moitié dans le fond d'une cocotte ovale.
2 Salez et poivrez l'intérieur du poisson. Posez-le sur les algues et recouvrez-le avec le reste de varech. Couvrez la cocotte et faites cuire sur feu vif pendant 20 min.
3 Portez la cocotte sur la table et ôtez le couvercle : humez le parfum d'iode et de poisson.
4 Posez le bar sur un plat. Dépouillez-le (grâce aux écailles, la peau se retire facilement). Levez les filets. Salez et poivrez.

En sauce d'accompagnement, prévoyez un coulis de tomates fraîches, une mayonnaise aux fines herbes ou aux crevettes.

Ce mode de cuisson développe au maximum l'arôme d'un poisson délicat comme le bar.

Boisson vin blanc sec

Tranches de bar à la normande

Pour **4 personnes**
Préparation **20 min**
Cuisson **25 min environ**

1 carotte ◆ 1 oignon ◆ 1 branche de céleri ◆ 1 bouquet garni ◆ 4 tranches de bar assez épaisses ◆ 25 cl de fumet de poisson ◆ 25 cl de cidre brut ◆ 10 cl de crème fraîche ◆ 1 citron ◆ 20 g de beurre demi-sel ◆ farine ◆ sel ◆ poivre

1 Pelez la carotte et l'oignon. Émincez-les finement. Hachez le céleri. Mettez ces légumes dans une grande casserole avec le bouquet garni.
2 Placez les tranches de bar par-dessus. Arrosez avec le fumet et le cidre. Salez et poivrez.
3 Portez à la limite de l'ébullition à découvert, puis couvrez et laissez frémir doucement 20 min environ. Égouttez les tranches de bar et mettez-les dans un plat de service chaud.
4 Filtrez la cuisson et remettez-la sur le feu dans une casserole. Portez à ébullition et faites réduire de moitié.
5 Incorporez la crème fraîche, mélangez et ajoutez 1 c. à café de jus de citron. Remuez pour faire épaissir.
6 Malaxez dans une jatte le beurre et 1 c. à soupe de farine. Ajoutez cette liaison dans la sauce par petites fractions, en fouettant régulièrement. Lorsque la sauce est homogène, nappez-en les tranches de bar et servez.

Si vous utilisez du beurre doux, salez davantage la sauce.

barbecue

Cet appareil de cuisson à charbon de bois qui permet de griller des viandes, des légumes ou du poisson est destiné à des repas en plein air qui portent le même nom. *Voir aussi pages 50-51.*

barbue

Grand poisson plat pêché dans l'Atlantique, la barbue a une chair fine et blanche. Bonne saison : avril à juillet. Elle est assez coûteuse car les déchets sont importants. Faites-la braiser ou pocher ; les filets se font cuire au beurre ou à la vapeur. Si vous la cuisinez entière, fendez-la le long de l'arête, sur la face foncée, et soulevez légèrement les filets puis brisez l'arête en 2 ou 3 endroits : le poisson ne se déformera pas.
Diététique. 100 g de barbue = 80 kcal.

Barbue à la crème et aux crevettes

Pour **6 personnes**
Préparation **10 min**
Cuisson **25 min**

1 barbue de 1,2 kg ◆ 100 g de beurre ◆ 25 g de farine ◆ 40 cl de crème fraîche épaisse ◆ 200 g de queues de crevettes ◆ sel ◆ poivre

1 Videz et écaillez le poisson. Fendez-le le long de l'arête, du côté noir. Beurrez un plat à four et

posez-y le poisson, côté blanc dessus. Salez et poivrez. Ajoutez 40 g de beurre en parcelles. Couvrez le plat d'aluminium.
2 Faites cuire au four à 170 °C pendant 20 min. Pendant ce temps, faites fondre le reste de beurre dans une casserole. Ajoutez la farine et remuez sur feu doux pendant 5 min. Ajoutez la crème peu à peu sans laisser bouillir.
3 Retirez la sauce du feu et ajoutez-y les crevettes. Salez et poivrez.
4 Égouttez la barbue et retournez-la sur un plat pour retirer la peau noire. Versez le jus de cuisson dans la sauce et faites réchauffer quelques minutes en remuant. Nappez le poisson de sauce et servez aussitôt.

Vous pouvez accompagner ce poisson de pleurotes ou d'autres champignons étuvés.

Boisson **meursault**

Blanquette de barbue

Pour **4 personnes**
Préparation **20 min**
Cuisson **30 min**

1 poireau ◆ 1 branche de céleri ◆ 1 oignon ◆ 1 carotte ◆ 200 g de champignons de couche ◆ 1 citron ◆ 60 g de beurre ◆ 1 bouquet garni ◆ 30 cl de vin blanc sec ◆ 1,2 kg de filets de barbue ◆ 1 jaune d'œuf ◆ 25 cl de crème fraîche ◆ sel ◆ poivre

1 Épluchez, lavez et hachez les légumes. Nettoyez les champignons et émincez-les finement. Citronnez-les.
2 Faites fondre 20 g de beurre dans une casserole et ajoutez le hachis de légumes. Remuez sur feu moyen pendant 8 min. Ajoutez le bouquet garni, le vin blanc et un verre d'eau. Salez et poivrez. Laissez mijoter 15 min. Passez au chinois.
3 Versez la cuisson dans une cocotte et mettez-y les filets de poisson. Faites-les pocher doucement pendant 8 à 10 min. Égouttez-les et mettez-les dans un plat creux bien chaud.
4 Mettez à la place les champignons égouttés (en réservant le jus de citron) et faites-les cuire à découvert pendant 8 min. Égouttez-les et ajoutez-les au poisson.
5 Faites réduire la cuisson sur feu vif. Retirez du feu. Fouettez vivement dans un bol le jaune d'œuf et la crème fraîche, versez cette liaison dans la sauce en ajoutant le jus de citron réservé.
6 Incorporez le reste de beurre en fouettant et versez aussitôt cette sauce bien crémeuse sur le poisson et les champignons. Servez aussitôt.

Pendant la préparation de la sauce, tenez le poisson au chaud à four doux dans le plat de service, couvert d'une feuille d'aluminium.

Boisson **mâcon**

Filets de barbue aux épinards

Pour **6 personnes**
Préparation **30 min**
Cuisson **50 min**

1 barbue de 2 kg environ ◆ 2 oignons ◆ 1 carotte ◆ 1 bouquet garni ◆ 200 g de crème fraîche ◆ 1 c. à soupe de concentré de tomates ◆ 500 g de jeunes épinards ◆ 2 jaunes d'œufs ◆ sel ◆ poivre

1 Demandez au poissonnier de lever les filets de la barbue et de vous donner les parures et la tête.
2 Faites bouillir celles-ci à découvert pendant 30 min dans 1 l d'eau avec les oignons et la carotte émincés, le bouquet garni, sel et poivre. Passez ce fumet.
3 Posez les filets de barbue dans une casserole basse. Versez le fumet refroidi, portez à ébullition, retirez du feu, couvrez et laissez pocher 5 min. Égouttez les filets de barbue et placez-les sur le plat de service. Tenez au chaud.
4 Faites réduire le fumet sur feu vif, ajoutez la crème et le concentré de tomates. Rectifiez l'assaisonnement. Par ailleurs, ciselez grossièrement les feuilles d'épinards lavées et équeutées.
5 Incorporez dans la sauce les jaunes d'œufs, hors du feu en fouettant, et remettez sur le feu sans faire bouillir. Ajoutez 1/3 des épinards et mélangez.
6 Versez cette sauce onctueuse sur les filets de barbue et ajoutez en garniture le reste des épinards crus. Servez aussitôt.

Choisissez pour cette recette des feuilles d'épinards très tendres, comme pour une salade. Si vous utilisez des épinards surgelés, choisissez-les en branches pour les incorporer à la sauce, et garnissez de feuilles de laitue.

Boisson **vin d'Anjou blanc**

cuisine au **barbecue**

Plaisir de cuisiner en plein air, saveur incomparable des aliments grillés sur les braises, travail simplifié auquel chacun prend part : pour un moment de détente au soleil, voici grillades et brochettes.

Un poisson gras comme le maquereau est idéal pour le barbecue : 5 min de chaque côté sur des braises. Servez avec du citron.

Pour griller une douzaine de petits poissons à la fois, prenez un gril double pour les retourner facilement à mi-cuisson.

Un menu autour du barbecue

Composez un menu varié où chacun choisira selon ses goûts : brochettes et côtelettes d'agneau ou steaks et saucisses à griller, poissons pour les amateurs, mais aussi crudités, salades ou mousses de fruits et boissons rafraîchissantes. Un plateau de fromages de chèvre sera le bienvenu. Pour les grillades, pensez à faire chauffer les assiettes, car, en plein air, tout refroidit vite. Les desserts doivent être très frais.

Réussir les brochettes

Utilisez sur une même brochette des ingrédients qui ont le même temps de cuisson : porc, saucisse et fenouil ou volaille, champignon et rognons... Faites mariner les dés de viande ou de volaille 20 min dans une huile parfumée. Retournez souvent les brochettes pendant la cuisson. Proposez en accompagnement des sauces variées : aïoli, vinaigrette, tartare, piquante, béarnaise, ketchup, etc.

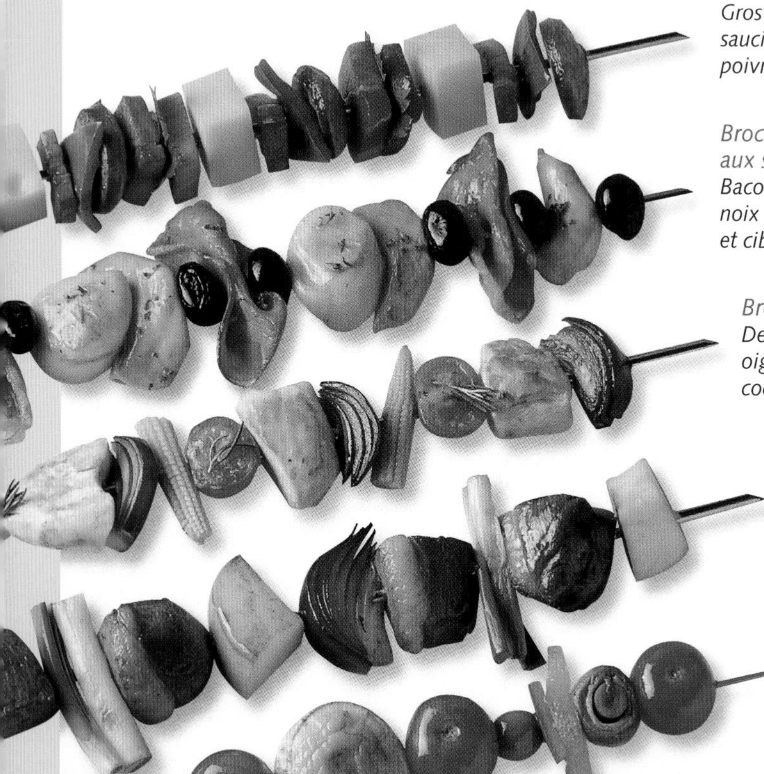

Brochette de porc
Gros lardons maigres, saucisse fumée, gruyère, poivron et persil plat.

Brochette aux saint-jacques
Bacon, olives noires, noix de saint-jacques et ciboulette.

Brochette de poulet
Demi-tomates cerises, poulet, oignon doux et épis de maïs cocktail.

Brochette de bœuf
Bouchées de filet de bœuf, tronçons de ciboule et cubes de pomme.

Brochette de légumes
Tomates cerises, têtes de champignons, olives et quartiers d'orange.

La pierre à griller qui emmagasine la chaleur : une solution astucieuse pour un mini-barbecue en appartement.

Les papillotes dans les braises

La cuisson en papillotes, sous les cendres chaudes ou sur un gril, convient parfaitement aux légumes (demi-tomates, rondelles de courgettes ou bouquets de brocoli), aux poissons délicats (rougets, saumon) et même aux fruits (oranges ou pommes pelées, agrémentées de fruits secs, rhum ou sucre doux). Prévoyez des portions de même taille qui auront un temps de cuisson identique.

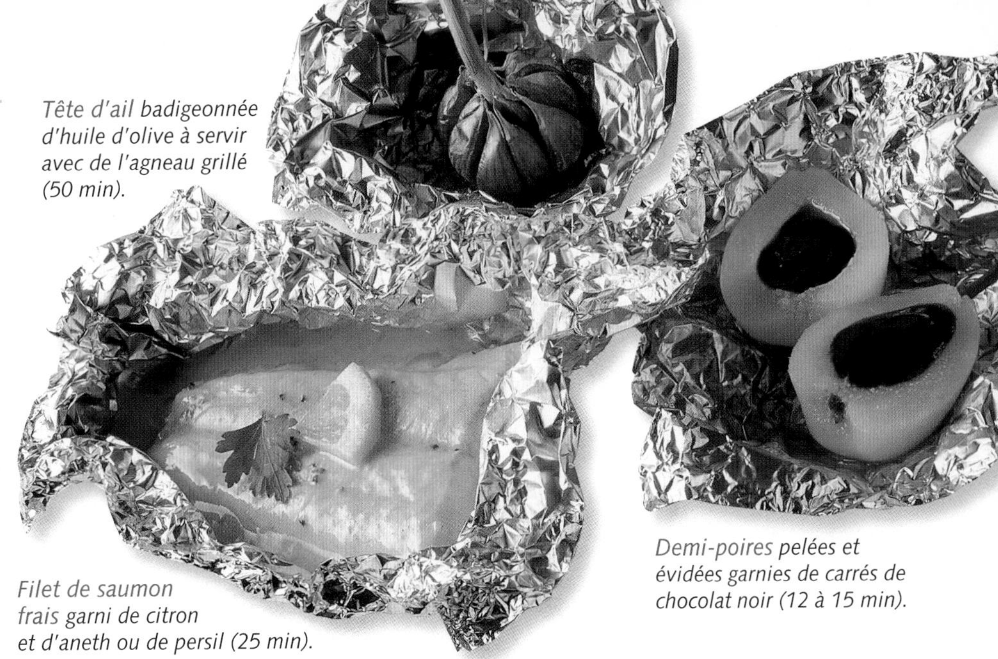

Tête d'ail badigeonnée d'huile d'olive à servir avec de l'agneau grillé (50 min).

Filet de saumon frais garni de citron et d'aneth ou de persil (25 min).

Demi-poires pelées et évidées garnies de carrés de chocolat noir (12 à 15 min).

Une sauce « barbecue » : tomates pelées et concassées mijotées à l'huile d'olive avec échalotes et oignon doux hachés, thym, origan et basilic.

Le mixed grill

« Grillade mélangée », comme son nom l'indique. Prévoyez pour 1 personne, par exemple : une côtelette d'agneau, un rognon, une tranche de lard maigre fumé et une saucisse fine, complétés par des morceaux de tomates et d'oignons. Un mixed grill peut également se composer de steak de bœuf ou de dés de foie de veau ou de volaille.

Les ingrédients doivent être saisis rapidement. Pour les servir, vous pouvez les enfiler sur une longue brochette à manche de bois.

◄ Barquettes aux crevettes

Servez ces barquettes en hors-d'œuvre ou en amuse-gueule avec un vin blanc sec et fruité. Préparez-les au dernier moment pour préserver leur fraîcheur.

Barquettes aux marrons

Pour **6 personnes**
Préparation **20 min**, pâte **30 min**
Cuisson **10 min**

200 g de pâte brisée ◆ 180 g de crème de marrons ◆ 3 c. à soupe de marrons glacés ◆ 24 violettes confites

1 Abaissez la pâte sur 5 mm d'épaisseur. Garnissez-en 12 moules à barquettes. Piquez le fond et faites cuire dans le four à 180 °C pendant 10 min.
2 Sortez les barquettes du four, démoulez et laissez refroidir.
3 Remplissez-les de crème de marrons et lissez le dessus à la spatule. Émiettez les marrons glacés et décorez avec les violettes confites.

Pour parfaire le décor, vous pouvez ajouter quelques rosettes de chantilly bien ferme.

barquette

→ voir aussi fond de pâtisserie

Petite croûte en pâte brisée (parfois feuilletée), remplie d'une garniture salée ou sucrée. Préparez des barquettes à l'avance dans des chutes de pâte à tarte, faites-les cuire à blanc et conservez-les au sec pour les garnir au dernier moment.

Barquettes aux crevettes

Pour **4 personnes**
Préparation **20 min**, mayonnaise **10 min**
Cuisson des barquettes **10 min**

1 avocat ◆ 1/2 citron ◆ 4 c. à soupe de mayonnaise ◆ 8 barquettes de 10 cm de long ◆ 20 crevettes roses décortiquées ◆ poivre de Cayenne ◆ sel ◆ poivre

1 Coupez l'avocat en deux. Extrayez la pulpe et réduisez-la en purée en ajoutant le jus du demi-citron. Salez, poivrez et relevez de cayenne. Incorporez la mayonnaise et mélangez.
2 Garnissez les barquettes de cette préparation et lissez le dessus. Ajoutez les queues de crevettes décortiquées. Servez très frais.

basilic

Il existe plusieurs variétés de cette plante très aromatique à feuilles plus ou moins grandes et vertes. Employez toujours frais ce condiment de la cuisine méridionale (accord parfait avec tomates et pâtes fraîches). Sec, il perd tout son parfum, mais il se conserve très bien dans l'huile.

Filets de sole au basilic

Pour **4 personnes**
Préparation **20 min**
Cuisson **10 min environ**

8 branches de basilic ◆ 8 filets de sole ◆ 2 œufs ◆ 3 tomates ◆ 2 échalotes ◆ 1 citron ◆ huile d'olive ◆ moutarde ◆ cerfeuil ciselé ◆ sel ◆ poivre

1 Étalez 7 branches de basilic sur le panier d'un cuit-vapeur. Posez les filets de sole dessus, repliés en 2. Salez et poivrez.
2 Versez 2 verres d'eau dans le récipient de cuisson et faites-la bouillir. Mettez en place la partie haute. Couvrez et laissez cuire 10 min.
3 Faites cuire les œufs mollets. Rafraîchissez-les et écalez-les. Ébouillantez les tomates, pelez-les et concassez la pulpe. Pelez et hachez les échalotes.
4 Faites chauffer 1 c. à soupe d'huile dans une casserole. Ajoutez les échalotes et remuez pendant 2 min.
5 Incorporez à cette préparation 1 c. à café de moutarde et le jus du citron. Fouettez en ajoutant en filet 3 c. à soupe d'huile d'olive. Ajoutez enfin les tomates et 1 c. à soupe de cerfeuil.
6 Répartissez les filets de sole sur des assiettes. Nappez de sauce. Ajoutez un demi-œuf mollet par personne et le reste de basilic en décor.

Pour une présentation plus originale, choisissez des œufs de caille (1 par personne) que vous pouvez faire cuire soit mollets, soit durs ou même sur le plat.

Boisson **vin blanc ou rosé sec**

basilic rouge

Purée de pommes de terre au basilic

Pour **4 personnes**
Préparation **15 min**
Cuisson **30 min**

800 g de pommes de terre charlottes ◆ 1 bouquet de basilic à grandes feuilles ◆ 2 gousses d'ail ◆ 20 cl de lait ◆ 15 cl d'huile d'olive ◆ sel ◆ poivre

1 Pelez les pommes de terre et faites-les cuire à l'eau bouillante salée. Lavez le basilic, éliminez les grosses tiges et mettez les feuilles de côté.
2 Pelez l'ail et pilez-le. Faites chauffer le lait dans une casserole. Écrasez les pommes de terre cuites en purée en incorporant alternativement le lait chaud et l'huile d'olive jusqu'à consistance moelleuse. Ajoutez l'ail. Salez et poivrez.
3 Ciselez le basilic et ajoutez-le au dernier moment en mélangeant. Faites réchauffer à feu très doux pendant quelques minutes.

Cette purée accompagne parfaitement le gigot rôti, les brochettes d'agneau ou les steaks de thon grillés. Vous pouvez ajouter au basilic quelques feuilles de menthe fraîche ciselée. Augmentez légèrement la proportion d'huile d'olive pour une consistance plus onctueuse.

batavia

→ **voir aussi** laitue

Cette variété de laitue se reconnaît à ses feuilles épaisses, gaufrées et découpées. Le cœur est volumineux, mais moins ferme que celui de la laitue pommée. Elle demande en général un assaisonnement bien relevé. Achetez-la de préférence en été.

Le basilic à grandes feuilles vertes est le plus courant, mais il est moins parfumé que le basilic à petites feuilles. Il existe aussi des basilics à feuilles rouges, plus rares, mais très aromatiques. Employez de préférence cette plante seule, sans la mélanger avec d'autres aromates. Les feuilles de basilic doivent être brillantes et bien vertes et les tiges, bien fermes.

Salade croquante aux pommes

Pour **6 personnes**
Préparation **25 min**
Pas de cuisson

1 batavia ◆ 2 pommes reinettes ◆ 1/2 citron ◆ 1 petit cœur de céleri-branche ◆ 10 cl de crème liquide ◆ 1 c. à café de curry doux ◆ 3 c. à soupe de jus d'orange ◆ poivre noir ◆ sel

1 Parez la salade, effeuillez-la et lavez-la. Taillez les feuilles en petites bouchées. Épongez à fond. Pelez les pommes, coupez-les en quartiers, retirez le cœur et les pépins. Détaillez-les en lamelles et citronnez-les.

2 Parez, lavez et épongez le céleri. Émincez-le finement. Versez la crème dans un bol. Ajoutez le curry puis, en fouettant, 2 c. à soupe de jus de citron, le jus d'orange. Salez et poivrez au goût.

3 Réunissez les éléments de la salade dans une grande coupe (ou des coupes individuelles). Ajoutez la sauce, remuez délicatement et servez sans attendre.

Boisson **cidre bouché**

bavarois

Cet entremets froid se prépare avec une crème ou une purée de fruits additionnée de gélatine et moulée. Préparez-le la veille ou le matin pour le soir et gardez-le au réfrigérateur jusqu'au service. Soignez le décor et jouez les contrastes de couleurs.

Diététique. Dans sa formule allégée (fromage blanc, édulcorant, gélatine et pulpe de fruits), c'est un excellent dessert minceur et santé.

Bavarois au cassis

Pour **8 personnes**
Préparation **30 min, 24 h à l'avance**
Cuisson **10 min**

700 g de cassis ◆ 250 g de sucre semoule ◆ 5 feuilles de gélatine ◆ 50 cl de crème fraîche ◆ 50 g de sucre glace ◆ 15 g de beurre

1 Passez les baies de cassis au moulin à légumes grille fine. Il faut obtenir environ 25 cl de pulpe de fruits.

2 Faites tremper la gélatine dans un bol d'eau froide. Versez le sucre semoule dans une casserole avec 12 cl d'eau. Faites chauffer jusqu'à ébullition. Retirez du feu.

3 Ajoutez la pulpe de cassis et les feuilles de gélatine égouttées, une par une, en remuant bien. Filtrez dans une passoire fine.

4 Laissez refroidir complètement, puis incorporez la crème fraîche et le sucre glace.

5 Beurrez un moule à manqué et tapissez-le de papier sulfurisé. Versez-y la préparation et mettez au réfrigérateur pendant 24 h.

6 Plongez le fond du moule 30 secondes dans l'eau tiède, essuyez-le et retournez-le sur un plat.

bavette

→ **voir aussi** bœuf

La bavette à bifteck est un morceau de bœuf à grosses fibres qui donne une viande juteuse, à griller ou à poêler. Demandez-la bien rassise, car elle est parfois un peu ferme. La bavette à pot-au-feu convient pour le bouilli ou la daube.

Diététique. Contrairement à une idée reçue, ce n'est pas la plus « goûteuse » des viandes, mais elle n'apporte que 5 % de lipides par 100 g.

Bavette grillée au thym

Pour **4 personnes**
Préparation **20 min**
Cuisson **8 à 10 min**

4 tranches de bavette à bifteck ◆ huile d'olive ◆ 2 c. à soupe de thym frais ◆ sel ◆ poivre au moulin

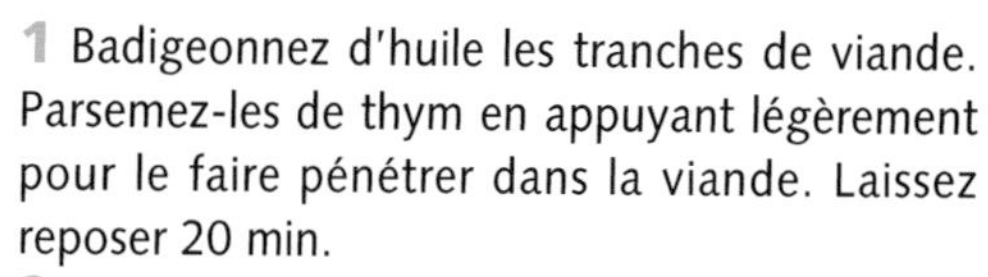

1 Badigeonnez d'huile les tranches de viande. Parsemez-les de thym en appuyant légèrement pour le faire pénétrer dans la viande. Laissez reposer 20 min.

2 Faites griller sur les braises (ou dans le four) pendant 4 à 5 min de chaque côté. Salez et poivrez en fin de cuisson. Servez aussitôt.

N'arrosez pas les grillades avec de l'huile pendant la cuisson : elle coule et s'enflamme, ce qui carbonise la viande. Mais vous pouvez jeter du thym séché sur les braises.

Boisson **beaujolais**

béarnaise

Cette sauce chaude qui accompagne la viande de bœuf grillée ou rôtie ainsi que certains poissons grillés se prépare toujours au dernier moment, car la garder au chaud est délicat. Additionnée d'une c. à soupe de concentré de tomates, elle devient la sauce Choron, avec les mêmes emplois.

Diététique. N'oubliez pas que 1 c. à soupe de béarnaise apporte 200 kcal.

Sauce béarnaise

Pour **6 personnes**
Préparation **10 min**
Cuisson **12 min environ**

4 échalotes ◆ 2 c. à soupe d'estragon haché ◆ 2 c. à soupe de cerfeuil ciselé ◆ thym ◆ laurier ◆ 4 c. à soupe de vinaigre de vin blanc ◆ 4 c. à soupe de vin blanc ◆ 2 jaunes d'œufs ◆ 125 g de beurre ◆ citron ◆ sel ◆ poivre concassé

1 Pelez et hachez finement les échalotes, mettez-les dans une petite casserole avec 3 pincées de poivre concassé, 1 c. à soupe d'estragon, 1 c. à soupe de cerfeuil, 1 brin de thym et 1/2 feuille de laurier. Mélangez.

2 Ajoutez le vinaigre et le vin blanc, salez et faites chauffer sur feu doux. Faites réduire jusqu'à ce qu'il reste 1 c. à soupe de liquide. Retirez du feu, laissez refroidir et filtrez.

3 Ajoutez les jaunes d'œufs un par un au liquide filtré : délayez-les en fouettant et en incorporant 1 c. à soupe d'eau froide. Placez la casserole au bain-marie sur feu moyen : l'eau doit être très chaude mais ne doit pas bouillir.

4 Incorporez le beurre petit à petit par fractions, en remuant sans arrêt : la préparation doit être bien lisse avant chaque ajout de beurre.

5 Lorsque la sauce a la consistance d'une mayonnaise, ajoutez le reste d'herbes. Rectifiez l'assaisonnement et ajoutez quelques gouttes de jus de citron.

Si la sauce est sur le point de tourner, retirez-la du bain-marie et plongez le fond de la casserole dans de l'eau froide en incorporant quelques gouttes d'eau froide. Lorsqu'elle est redevenue lisse, remettez-la au bain-marie.

Pour éviter tout risque, on peut aussi ajouter 1/2 c. à café de farine en même temps que les œufs.

beaufort

Ce fromage savoyard à pâte cuite se présente en grosse meule. Sans trous, il offre parfois quelques minces fentes horizontales.

Le meilleur beaufort est produit de juin à septembre, au moment où les vaches broutent l'herbe des alpages. Il s'achète de préférence en octobre, protégé par le label « haute montagne ».

Utilisé dans les gratins, il est plus savoureux que l'emmental.

Poireaux au beaufort

Pour **6 personnes**
Préparation **20 min**
Cuisson **30 min**

1 kg de poireaux ◆ 1 gousse d'ail ◆ 50 g de beurre ◆ 120 g de beaufort ◆ 20 g de chapelure ◆ muscade ◆ sel ◆ poivre blanc

1 Épluchez et lavez les poireaux. Gardez seulement les blancs et la partie la plus tendre du vert. Coupez-les en tronçons de 5 cm.
2 Faites-les cuire à l'eau bouillante salée pendant 15 min. Ils doivent être encore un peu fermes. Égouttez-les et pressez-les doucement pour en extraire le maximum d'eau.
3 Frottez un plat à gratin avec la gousse d'ail pelée. Beurrez-le copieusement. Versez-y une couche de poireaux. Salez et poivrez, muscadez et poudrez de beaufort râpé.
4 Remplissez ainsi tout le plat en alternant les poireaux et le fromage. Terminez par le fromage et la chapelure puis ajoutez quelques noisettes de beurre.
5 Faites gratiner pendant 10 min à 200 °C. Servez aussitôt.

Boisson **vin blanc sec**

bécasse

Ce gibier à plume qui se chasse surtout en automne – c'est alors qu'il est le plus gras et le plus tendre – est très estimé, mais sa commercialisation est interdite par la loi tant sur les marchés que dans les restaurants.

La bécasse supporte un léger faisandage pour un salmis ou une terrine ; on peut la préférer fraîche, à faire rôtir sous une légère barde sans la vider.

Bécasses sur canapés

Pour **4 personnes**
Préparation **10 min**
Cuisson **15 à 18 min**

2 bécasses ◆ 2 fines bardes de lard ◆ 50 g de beurre ◆ 50 g de foie gras ◆ 10 cl de champagne ◆ 4 toasts de pain de mie ◆ sel ◆ poivre

1 Ne videz pas les bécasses. Entourez-les chacune d'une barde de lard. Salez et poivrez. Faites-les cuire au four à 200 °C pendant 10 min en les retournant pour les faire dorer.
2 Versez la moitié du champagne dans le plat de cuisson et faites cuire encore 5 min. Faites dorer les toasts dans 25 g de beurre.
3 Sortez les bécasses du four et videz l'intérieur à la petite cuiller. Réservez le jus de cuisson.
4 Faites fondre le reste de beurre dans une petite casserole, ajoutez le foie gras, l'intérieur des bécasses et le jus de cuisson.
5 Faites chauffer doucement en ajoutant le reste de champagne.
6 Passez cette préparation au chinois avant de la verser dans une saucière chaude. Avec le résidu, tartinez les toasts. Coupez les bécasses en 2.
7 Servez chaque 1/2 bécasse sur un toast, avec la saucière à part.

Boisson **pomerol ou côte-de-nuits**

béchamel

→ **voir aussi** roux

Cette sauce blanche, faite avec un roux et du lait, est indispensable pour préparer gratins, soufflés, coquilles garnies, apprêts d'œufs, de légumes, etc. On la prépare plus ou moins épaisse selon son emploi. L'ajout d'autres ingrédients donne des sauces dérivées.

Si vous préparez la béchamel à l'avance, tenez-la au chaud au bain-marie.

Diététique. Relativement légère par rapport à certaines autres sauces : 1 c. à soupe = 50 kcal.

Poireaux au beaufort ►

Servi en garniture d'un rôti de porc ou de veau, ce gratin de poireaux au fromage fournit une garniture onctueuse et parfumée, à servir brûlante.

Sauce Béchamel

Pour **50 cl de sauce**
Préparation **5 min**
Cuisson **20 min**

50 g de beurre ◆ 50 g de farine ◆ 50 cl de lait ◆ muscade ◆ sel ◆ poivre

1 Sur feu doux, faites fondre le beurre dans une casserole.

2 Versez aussitôt toute la farine et remuez vivement avec un fouet.

3 Faites cuire sur feu doux en remuant sans arrêt pendant 2 min.

4 Lorsque le mélange est lisse, retirez du feu et versez doucement le lait en continuant à fouetter régulièrement.

5 Remettez sur feu doux et faites chauffer lentement en remuant toujours. Laissez cuire doucement 12 min. Salez, poivrez, muscadez.

La sauce doit être bien liée, pas trop épaisse. Évitez toute ébullition qui lui donnerait un goût de colle.

Il est indispensable de remuer régulièrement pendant toute l'opération. On peut aussi faire chauffer le lait et l'incorporer bouillant sur le roux, mais celui-ci doit alors être froid (ce qui peut éviter les grumeaux).

Selon l'utilisation de la béchamel, utilisez du lait ou moitié lait et moitié bouillon de cuisson des légumes qu'elle doit accompagner. Dans ce cas, ne salez pas la sauce.

Vous pouvez remplacer la moitié du lait par un court-bouillon de poisson. Attention : s'il s'agit d'un court-bouillon au vinaigre, il risque, à ébullition, de faire cailler le lait.

La béchamel est une sauce de base qui permet de multiples variantes. Pour la sauce Mornay, ajoutez du gruyère râpé et un jaune d'œuf ; pour la sauce Nantua (à servir avec des filets de barbue ou de lotte), ajoutez du beurre d'écrevisses ou de crevettes ; pour la sauce Aurore, vous ajouterez du concentré de tomates.

On peut aussi aromatiser le lait qui sert à préparer la béchamel en y faisant infuser des feuilles de céleri, du persil ou du thym.

beignet

→ voir aussi acra, huile

Le principe du beignet, sucré ou salé, consiste à enrober de pâte une bouchée d'aliment, cuit ou cru, et à le faire frire.

La pâte se prépare toujours à l'avance pour lui laisser le temps de gonfler, mais les beignets se servent sitôt frits, brûlants.

Diététique. Les beignets absorbent de toute façon 40 à 50 % de matière grasse, ce qui les rend particulièrement caloriques.

Beignets de courgettes

Pour **4 personnes**
Préparation **15 min, 2 h à l'avance**
Cuisson **12 min**

200 g de farine ◆ 4 courgettes ◆ 1 citron ◆ 1 blanc d'œuf ◆ huile ◆ persil haché ◆ huile de friture ◆ sel ◆ poivre

1 Préparez une pâte à beignets avec la farine, 1 c. à soupe d'huile, 20 cl d'eau tiède et 1 pincée de sel. Elle doit être coulante sans être trop fluide. Laissez reposer 2 h.
2 Lavez les courgettes. Essuyez-les, ne les pelez pas. Coupez-les en rondelles pas trop fines. Mettez-les dans un plat creux avec 2 c. à soupe d'huile, le jus de citron, 3 c. à soupe de persil haché, sel et poivre. Remuez et laissez mariner 1 h.
3 Égouttez les rondelles de courgettes. Battez le blanc d'œuf en neige ferme et incorporez-le à la pâte. Faites chauffer le bain de friture à 175 °C.
4 Trempez les rondelles de courgettes dans la pâte, enrobez-les bien et plongez-les dans la friture par groupes de 5 ou 6. Laissez dorer et gonfler, puis égouttez-les avec une écumoire et épongez-les sur du papier absorbant. Servez aussitôt, en entrée avec un coulis de tomates.

Beignets de crevettes

Pour **6 personnes**
Préparation **15 min**, pâte **10 min, 2 h à l'avance**
Cuisson **10 min**

200 g de farine ◆ 4 c. à soupe d'huile d'olive ◆ 20 cl de bière ◆ 1 œuf ◆ 36 crevettes roses ◆ 1 citron ◆ thym séché ◆ huile de friture ◆ sel

Beignets de crevettes ▲
Servez les beignets toujours brûlants et bien égouttés, en amuse-gueule ou en entrée chaude avec un condiment relevé : sauce tomate ou rémoulade, mayonnaise au curry.

1 Préparez une pâte à beignets avec la farine, 1 c. à soupe d'huile, la bière et l'œuf. Laissez-la reposer pendant 2 h au minimum.
2 Décortiquez les crevettes et mettez-les dans un plat creux. Poudrez de thym, ajoutez le reste d'huile d'olive et le jus de citron. Laissez mariner pendant 1 h.
3 Faites chauffer le bain de friture à 175 °C. Égouttez les crevettes. Trempez-les une par une dans la pâte à beignets, puis jetez-les dans la friture chaude.
4 Laissez gonfler et dorer. Retournez-les, puis égouttez-les à fond.
5 Servez aussitôt avec une sauce tomate bien relevée, du ketchup ou un chutney.

Pour accompagner ces beignets, proposez par exemple une salade de chou chinois très finement émincé, relevé de coriandre fraîche.

Beignets aux pommes

Pour **6 personnes**
Préparation **30 min**
Repos **30 min**
Cuisson **10 min**

150 g de farine ◆ 1/2 sachet de levure chimique ◆ 1 œuf ◆ 15 cl de lait ◆ 4 ou 5 pommes ◆ huile de friture ◆ 90 g de sucre semoule ◆ 1 c. à café de cannelle en poudre ◆ sel

1 Préparez la pâte à beignets. Versez la farine dans un saladier et faites une fontaine au milieu. Ajoutez la levure chimique et une pincée de sel. Cassez l'œuf en séparant le blanc du jaune. Mettez le jaune dans le saladier, mouillez avec un peu de lait et mélangez bien à l'aide d'une spatule en bois. Incorporez peu à peu le reste du lait. Laissez reposer à température ambiante pendant 30 min.

2 Pelez les pommes, retirez le cœur et les pépins avec un vide-pomme. Coupez ensuite chaque pomme transversalement en tranches épaisses et régulières. Faites chauffer l'huile dans une friteuse.

3 Dans une assiette, mettez la moitié du sucre avec la cannelle et mélangez. Passez-y les tranches de pomme en appuyant pour que le sucre adhère bien. Retournez-les et faites la même chose de l'autre côté. Trempez-les ensuite dans la pâte.

4 Plongez les tranches de pommes enrobées de pâte dans l'huile chaude et laissez-les frire, puis disposez-les sur du papier absorbant pour les égoutter pendant quelques instants.

5 Saupoudrez-les avec le reste de sucre. Servez aussitôt.

Si vous n'aimez pas le goût de la cannelle, vous pouvez la remplacer par du zeste de citron ou bien d'orange finement râpé.

Comme variété de pomme, choisissez de préférence des reinettes grises, des reinettes du Mans ou des belles de Boskoop.

Boisson **gewurztraminer**

Pâte à beignets

Pour **20 beignets environ**
Préparation **10 min, 1 ou 2 h à l'avance**

125 g de farine ◆ **1 gros œuf** ◆ **1 c. à soupe d'huile** ◆ **20 cl de lait** ◆ **sel**

1 Tamisez la farine et versez-la dans une terrine. Faites un puits au milieu.

2 Ajoutez l'œuf entier et 1/2 c. à café de sel dans le puits.

3 Versez l'huile et délayez progressivement à la spatule.

4 Versez peu à peu le lait (ou moitié eau et moitié lait). Travaillez vigoureusement la pâte.

5 La pâte doit être bien lisse et pas trop liquide. Laissez reposer jusqu'à l'emploi.

Selon sa composition, la pâte à beignets intervient en cuisine ou en pâtisserie.

Pour des beignets sucrés : ajoutez 1 c. à soupe de sucre à la farine et un parfum (1 c. à soupe de rhum, quelques gouttes d'eau de fleurs d'oranger ou d'extrait de vanille). Les beignets sucrés sont surtout à base de fruits : oreillons d'abricots, morceaux d'ananas, rondelles de bananes, de pommes.

Pour des beignets salés : vous pouvez utiliser de la bière à la place du lait. La gamme des ingrédients utilisables va des légumes (tranches d'aubergines ou de courgettes, fonds d'artichauts émincés, pointes d'asperges, salsifis) à des poissons et des crustacés (anchois, purée de morue, langoustines, laitances), de la viande ou des abats (langue, cervelle, jambon et même foie gras).

Réduisez l'élément choisi en purée, mélangez-le à de la pâte à beignets et formez des boulettes.

Le bain de friture destiné aux beignets doit toujours être abondant, car les éléments tombent dans le fond de la bassine avant de remonter vers la surface sous l'action de la chaleur, qui fait gonfler la pâte. Il est toujours recommandé de retourner les beignets à mi-cuisson. Outre la pâte à beignets, d'autres pâtes permettent de préparer des beignets, comme la pâte à choux pour les beignets soufflés ou la pâte à brioche pour les beignets fourrés à la confiture.

→ **autres recettes de beignet à l'index**

1

2

3

4

5

bette

Ce légume possède de grandes feuilles vert plus ou moins foncé, lisses ou gaufrées. La nervure principale forme une côte charnue et blanche, de 4 à 5 cm de large.

Cultivée partout en France (essentiellement dans le Sud), la bette s'achète surtout en hiver et au printemps, parfois sous le nom de blette ou de poirée. Les parties vertes, assez fades, s'accommodent comme les épinards. Les « côtes » ou « cardes » (cuites à l'eau bouillante) se cuisinent en gratin, à la béchamel, ou se servent en garniture, au jus.

Diététique. Le légume entier est riche en vitamines C et D, en fibres et en calcium ; les feuilles contiennent beaucoup de fer ; elles contiennent aussi de l'acide oxalique (à déconseiller pour ceux qui souffrent de calculs rénaux).

Bettes à la savoyarde

Pour **4 personnes**
Préparation **10 min**
Cuisson **40 min**

1 kg de bettes ◆ 1 citron ◆ 60 g de beurre ◆ 80 g de gruyère râpé ◆ 2 œufs ◆ sel ◆ poivre

1 Épluchez les bettes. Cassez les côtes pour retirer facilement les filandres et pelez-les. Coupez-les en tronçons de 5 cm. Réservez le vert pour un potage.

2 Remplissez d'eau une casserole et ajoutez le jus de citron, salez et portez à ébullition. Plongez-y les tronçons de bettes et faites-les cuire à découvert pendant 30 min. Égouttez-les à fond.

3 Faites chauffer le beurre dans une grande poêle à rebords. Mettez-y les bettes et faites-les revenir en remuant à la spatule pendant 5 min. Poudrez de fromage et remuez encore pendant 3 min. Retirez du feu.

4 Battez les œufs dans un bol avec sel et poivre. Remettez la poêle sur le feu et versez aussitôt les œufs. Remuez à la spatule jusqu'à ce que les œufs soient pris. Servez sans attendre.

Si ce plat accompagne un rôti, par exemple, incorporez 2 c. à soupe de jus de viande dans les œufs battus avant de les verser sur les bettes.

Boisson côtes-du-rhône

Tourte aux bettes

Pour **8 personnes**
Préparation **45 min, 1 h à l'avance**
Cuisson **40 min environ**

Pour la pâte **400 g de farine ◆ 50 g de sucre semoule ◆ 1 sachet de levure chimique ◆ 1 jaune d'œuf ◆ 20 cl d'huile d'olive ◆ sel**
Pour la garniture **100 g de raisins secs ◆ 1 verre d'eau-de-vie ◆ 500 g de feuilles de bettes bien vertes ◆ 2 pommes acidulées ◆ 1 citron ◆ 2 figues sèches ◆ 1 macaron nature ◆ 1 c. à soupe de pignons de pin ◆ 2 œufs ◆ 1 c. à soupe d'huile d'olive ◆ 3 c. à soupe de gelée de groseille ◆ sucre glace**

1 Mettez les raisins secs dans un bol avec l'eau-de-vie. Laissez-les macérer.

2 Préparez la pâte brisée en mélangeant la farine, le sucre semoule et une pincée de sel. Ajoutez ensuite la levure chimique, le jaune d'œuf et l'huile. Mélangez.

3 Amalgamez le tout avec 2 c. à soupe d'eau bien froide. Ramassez la pâte en boule et mettez-la au frais pendant 1 h.

4 Pendant ce temps, nettoyez les feuilles de bettes et faites-les blanchir quelques minutes à l'eau bouillante. Égouttez-les et hachez-les grossièrement.

5 Pelez les pommes, coupez-les en fines rondelles et citronnez-les. Mettez-les dans une terrine. Ajoutez les figues coupées en petits morceaux, le macaron émietté et les pignons de pin.

6 Incorporez ensuite les bettes et les raisins secs égouttés. Liez cette préparation avec les œufs entiers battus à la fourchette.

7 Huilez une tourtière assez profonde de 27 cm de diamètre en porcelaine à feu. Abaissez la pâte sur 5 mm.

8 Garnissez la tourtière avec la moitié de la pâte, puis versez-y la garniture. Nappez le tout avec la gelée de groseille.

9 Recouvrez avec le reste de pâte pour former un couvercle. Soudez les bords. Faites une cheminée au centre.

10 Faites cuire pendant 40 min à 200 °C. Saupoudrez de sucre glace à la sortie du four.

Servez cette spécialité niçoise en dessert, tiède ou refroidie.

Boisson muscat

betterave

→ voir aussi borchtch

Cette rave rouge est vendue le plus souvent déjà cuite ou en conserve (en marinade au vinaigre). Utilisez-la pour confectionner des hors-d'œuvre ou des salades composées. Pour la faire cuire, au four ou à l'eau, comptez au moins 2 h.

Diététique. Attention, c'est un légume à la fois riche en sucre (8 % de glucides contre 4 % pour les légumes en général) et en acide oxalique (déconseillé pour ceux qui souffrent de calculs ou de cystite).

Betteraves aux harengs

RECETTE LÉGÈRE – 1 portion 165 kcal

Pour 4 personnes
Préparation 20 min
Cuisson 20 min

2 betteraves cuites de taille moyenne • 2 pommes de terre cuites • 1 demi-concombre • 2 filets de harengs marinés • 1 œuf dur • aneth frais • huile de tournesol • crème liquide • vinaigre de vin blanc • moutarde • jus de citron • sel • poivre

1 Pelez les betteraves et taillez-les en petits dés. Pelez les pommes de terre et coupez-les en rondelles. Pelez le concombre et taillez-le en fines rondelles. Tronçonnez les harengs égouttés en petits morceaux.
2 Réunissez ces ingrédients dans un saladier bas. Remuez en ajoutant 1 c. à soupe d'aneth. Salez et poivrez. Mettez au frais.
3 Mélangez dans un bol 3 c. à soupe d'huile, 1 c. à soupe de crème, 2 c. à soupe de vinaigre, 1 c. à café de moutarde et autant de jus de citron. Émulsionnez la sauce en fouettant vivement.
4 Écalez l'œuf dur, coupez-le en deux et retirez le jaune. Émiettez-le. Hachez le blanc séparément. Versez la sauce sur la salade et remuez délicatement en enrobant tous les ingrédients. Parsemez le jaune d'œuf au milieu et le blanc tout autour. Servez frais.

Boisson bière blonde

Betteraves râpées aux noisettes

Pour 2 personnes
Préparation 10 min
Pas de cuisson

1 betterave crue • 1 bouquet de cerfeuil • 20 noisettes • 1 c. à soupe de vinaigre de vin blanc • 1 c. à soupe d'huile de noisette • sel • poivre

1 Pelez la betterave et râpez-la finement. Ciselez le cerfeuil. Concassez grossièrement les noisettes.
2 Versez le vinaigre dans un bol sur quelques pincées de sel. Remuez pour faire dissoudre. Versez l'huile de noisette en fouettant à la fourchette. Poivrez au goût.
3 Versez cette vinaigrette sur les betteraves râpées dans un plat creux. Ajoutez les noisettes et remuez intimement. Ajoutez le cerfeuil ciselé et servez.

Si la saveur de la betterave crue vous paraît trop marquée, préparez cette salade avec moitié betterave et moitié panais ou carotte.

Vous pouvez remplacer les noisettes par des cerneaux de noix ou des noix de cajou et l'huile de noisette par de l'huile de noix.

Très finement râpée, la betterave est une délicieuse crudité. Le jus de betterave cuite ou crue peut colorer en rose une sauce au fromage blanc.

beurre

Obtenu par barattage de la crème du lait, le beurre est un produit de base de la cuisine et de la pâtisserie. Utilisez-le toujours très frais.

Il est vendu sous trois catégories : beurre fermier (ou « cru »), fabriqué en ferme, savoureux, mais rare et cher ; ne se garde pas plus de trois jours au frais ; beurre laitier, fabriqué industriellement avec du lait cru ou pasteurisé ; beurre pasteurisé, le plus répandu, dont la qualité varie selon la marque.

On distingue aussi le beurre extra-fin (fait de crème pasteurisée non congelée, non surgelée), parfait pour les pâtes, crèmes, sauces, liaisons, beurres composés, etc., et le beurre fin (à base de crème pasteurisée, éventuellement congelée ou surgelée), qui se conserve plus longtemps, à réserver pour le beurre clarifié ou pour graisser les moules.

Notez deux appellations d'origine : beurre normand Isigny et beurre Charentes-Poitou (appelé aussi Charentes ou Deux-Sèvres). Autres origines réputées : Échiré, Surgères, Baignes, Valognes et Sainte-Mère-Église.

Un bon beurre à température ambiante n'est ni cassant, ni collant, ni grumeleux, mais il se tartine facilement et ne laisse pas suinter d'eau ; son odeur est franche, sa saveur de noisette assez marquée. Le beurre demi-sel et le beurre salé (0,5 à 2 % de sel) sont à utiliser surtout crus.

Sachez choisir le beurre selon l'emploi : beurre « gras » (normand ou breton) pour les sauces émulsionnées, la brioche, la pâte sablée ; beurre « sec » (des Charentes et de l'Est) plutôt pour le feuilletage.

Diététique. Le beurre est composé de 82 à 100 % de matière grasse. C'est une bonne source de vitamine A. Si vous êtes au régime, limitez-vous à 30 g de beurre frais par jour. Le plus concentré (95 à 100 % de lipides) est exclusivement un beurre de cuisine : ne le mangez pas cru. L'apparition des beurres allégés (41 à 65 %) et des « spécialités laitières à tartiner allégées » (20 à 40 %), où la matière grasse est remplacée par de l'eau et parfois coupée de matière grasse végétale, répond à la demande d'un public préoccupé par des problèmes de silhouette et d'excès de cholestérol (le beurre en contient 250 à 280 mg par 100 g). Les beurres allégés à 60 % ont l'intérêt d'être à la fois tartinables et de supporter la cuisson, ce qui n'est pas le cas pour les 41 %. Mais, au-delà de 100 °C, attention à l'acroléine qui se dégage : c'est une substance très indigeste.

Beurre clarifié

Pour **100 g de beurre**
Préparation **10 min environ**

1 Coupez le beurre en morceaux et mettez-le dans une casserole à fond épais. Posez sur feu doux et laissez fondre sans remuer.
2 Retirez l'écume qui s'est formée en surface à l'aide d'une cuiller.
3 Faites ensuite couler le beurre fondu avec précaution dans un autre récipient, pour que le dépôt blanchâtre reste au fond de la casserole. Conservez au frais.

Beurre fondu

Pour **4 personnes**
Préparation **4 min**
Cuisson **10 min**

1 citron ◆ 150 g de beurre ◆ sel ◆ poivre blanc

1 Pressez le jus du citron et passez-le pour éliminer les pépins ou la pulpe.
2 Mettez le beurre en morceaux dans une casserole à fond épais. Faites chauffer doucement. Lorsque le beurre est fondu, retirez l'écume, puis ajoutez le jus de citron. Salez et poivrez. Remuez.

Beurre noisette

Pour **4 personnes**
Préparation **15 min**
Cuisson **3 min**

150 g de beurre ◆ vinaigre ou jus de citron ◆ sel ◆ poivre

1 Clarifiez le beurre. Remettez-le sur le feu jusqu'à ce qu'il prenne une coloration noisette.
2 Salez et poivrez. Retirez du feu. Ajoutez éventuellement 1 c. à soupe de jus de citron ou de vinaigre. Utilisez-le brûlant.

beurre blanc

Cette sauce accompagne les poissons pochés, cuits à la vapeur ou en papillotes, les crustacés et les coquillages. Préparez toujours le beurre blanc au dernier moment.

Beurre blanc

Pour **4 personnes**
Préparation **10 min**
Cuisson **15 à 20 min**

250 g de beurre ◆ 8 échalotes grises ◆ 2 c. à soupe de vinaigre de vin blanc ◆ 4 c. à soupe de vin blanc sec ◆ sel ◆ poivre blanc

1 Coupez le beurre en morceaux et tenez-le au frais. Pelez et hachez les échalotes. Mettez-les dans une casserole à fond épais. Ajoutez le vinaigre et le vin blanc.

2 Faites cuire sur feu moyen en remuant jusqu'à consistance de purée. Filtrez pour obtenir 1 c. à soupe de liquide.

3 Sur feu doux, ajoutez le beurre, morceau par morceau, en fouettant sans arrêt. Le beurre doit épaissir la sauce en s'incorporant et la rendre crémeuse.

4 Salez et poivrez sans cesser de fouetter et augmentez légèrement le feu pour bien laisser réchauffer la sauce.

5 Servez immédiatement dans une saucière tiède, pas trop chaude. Si la sauce doit attendre, mettez-la au bain-marie en la fouettant de temps en temps.

Hachez toujours les échalotes à la main.

Pour obtenir une sauce plus mousseuse, ajoutez à la fin de la préparation 3 c. à soupe d'eau tiède, sans cesser de remuer.

Pour mieux contrôler la chaleur, vous pouvez exécuter toute la cuisson au bain-marie.

Vous pouvez aussi incorporer juste avant le beurre 1 c. à soupe de crème.

Certains cuisiniers préfèrent monter le beurre blanc non pas sur feu doux et continu, mais sur feu vif en fouettant rapidement. Le beurre doit alors être très froid.

C'est aussi une sauce pour laquelle on peut utiliser du vinaigre d'alcool et non de vin blanc : son acidité donne une saveur particulière au beurre blanc.

L'estragon parfume agréablement le beurre blanc, mais vous pouvez choisir pour cela d'autres fines herbes : menthe fraîche, basilic ou persil, jeunes feuilles d'aneth et d'oseille.

Quelques zestes de citron, ou d'orange, non traités, finement râpés, changeront également le goût du beurre blanc.

beurre composé

→ voir aussi amuse-gueule, canapé, pain-surprise

Beurre frais dont on enrichit le goût en lui incorporant un ingrédient. Préparez-le à l'avance et roulez-le en boudin dans une feuille d'aluminium pour le conserver au réfrigérateur. Faciles à réaliser au mixer, les beurres composés se congèlent bien.

Quelques idées : beurre de roquefort sur côte de bœuf, beurre de tapenade et daurade grillée, beurre de thym et poulet froid, beurre de saumon sur canapés aux crevettes, beurre à la ciboulette avec œuf à la coque.

Beurre d'amandes

Pour 125 g de beurre composé
Préparation 4 min
Pas de cuisson

80 g de beurre ◆ 2 c. à soupe bombées d'amandes en poudre

1 Coupez le beurre en petits morceaux. Il ne doit être ni trop ferme ni ramolli. Mettez-en la moitié dans le bol d'un mixer. Ajoutez les amandes, puis le reste de beurre.
2 Mixez rapidement 1 min. Arrêtez l'instrument, décollez la préparation des parois. Mixez à nouveau 3 min. La préparation doit être bien lisse.

Essayez la même recette avec des noix, des noisettes ou des pistaches réduites en poudre. On peut aussi utiliser des amandes effilées, blondies dans le four pendant 1 min.

Beurre d'anchois

Pour 125 g de beurre composé
Préparation 10 min, 1 h à l'avance
Pas de cuisson

60 g d'anchois au sel ◆ 80 g de beurre ◆ 1 petite gousse d'ail ◆ poivre

1 Lavez les anchois, épongez-les et faites-les dessaler 1 h dans un bol d'eau froide. Épongez-les et coupez-les en petits morceaux.
2 Coupez le beurre en petits morceaux. Pelez l'ail et hachez-le.
3 Mixez tous les ingrédients jusqu'à consistance lisse et homogène. Arrêtez deux fois en cours d'opération pour décoller le beurre des parois du bol. Conservez au frais.

Variante : essayez cette recette avec des œufs de cabillaud fumés.

Beurre de crevettes

Pour 125 g de beurre composé
Préparation 3 à 4 min
Pas de cuisson

80 g de beurre demi-sel ◆ 60 g de queues de crevettes décortiquées ◆ poivre ◆ paprika

1 Coupez le beurre en morceaux. Mélangez-le rapidement avec les queues de crevettes. Poivrez et ajoutez 2 pincées de paprika.
2 Mixez le mélange, en arrêtant 2 fois l'appareil pour décoller le beurre des parois. Lorsque le beurre composé est bien lisse, versez-le dans un pot en verre et réservez-le au réfrigérateur.

Variante : remplacez les crevettes par 60 g de chair de crabe.

Beurre maître d'hôtel

Pour 100 g de beurre composé
Préparation 5 min
Pas de cuisson

1 bouquet de persil plat ◆ 100 g de beurre demi-sel ◆ 1/2 citron ◆ poivre concassé

1 Lavez, épongez et hachez le persil.
2 Coupez le beurre en petits morceaux. Mettez-le dans le bol d'un mixer avec le persil. Ajoutez 1 c. à café de poivre concassé.
3 Mixez rapidement 1 min. Ajoutez le jus de citron et continuez à mixer en arrêtant 2 fois pour décoller le beurre des parois.

→ autres recettes de beurre composé à l'index

beurre manié

Mélange à parts égales de beurre en pommade et de farine, qui sert à épaissir les sauces : ajoutez-le dans une sauce très chaude mais non bouillante, par petites fractions, en fouettant régulièrement.

bière

La bière est faite essentiellement d'eau, la plus pure possible, de malt (orge grillée) et de houblon. À cause de la fermentation que subit le mélange, la bière est alcoolisée : 2 à 3° pour les bières de table ; 4 à 5° pour les bières de luxe ; 5 à 7° (parfois plus) pour les « spéciales ». On différencie les bières par la couleur : du blond pâle au brun presque noir en passant par le roux. Mais elles se partagent surtout en deux types, selon la nature de la fermentation : une semaine à moins de 12 °C ou quelques jours seulement à une température plus élevée. Les premières (fermentation basse) sont les plus courantes, en majorité les blondes, légères, amères et houblonnées (alsaciennes, allemandes). Les brunes et les rousses sont plus fruitées et lourdes (fermentation haute), avec des saveurs plus marquées, notamment chez les belges et certaines anglaises ou irlandaises.

Une bière blonde se boit fraîche (10 °C). Plus elle est colorée, moins on la boit fraîche. Certaines brunes se boivent chambrées jusqu'à 15 °C. Une bière à la pression est meilleure qu'une canette si le débit est très fréquent : dès que la bière reste trop longtemps en fût sans être consommée, elle s'oxyde. Une bière en bouteille se conserve environ 6 mois, au frais (10 °C) et au sec.

La bière sert à cuisiner des soupes, des ragoûts, des poissons ou des volailles en sauce, auxquels elle donne de l'onctuosité et une pointe d'amertume. Elle accompagne bien certains fromages du Nord ou de Hollande. Elle entre aussi dans la préparation de cocktails, ainsi que des pâtes à crêpes et à beignets.

Diététique. Riche en vitamines B, qui favorisent la lactation, la bière n'est pas pour autant recommandée pour les femmes qui allaitent : c'est avant tout un alcool. Elle est nettement déconseillée dans les régimes amaigrissants. Une bière de 25 cl = 10 à 13 g d'alcool.

Filets de sole à la bière ▲

L'amertume de la bière blonde, adoucie par la crème fraîche et le beurre frais, se marie volontiers avec les apprêts de poissons de mer délicats.

Filets de sole à la bière

Pour **4 personnes**
Préparation **35 min**
Cuisson **20 min**

4 soles en filets ◆ 5 échalotes ◆ 80 g de beurre ◆ 2 canettes de bière blonde amère ◆ 25 g de farine ◆ 1 jaune d'œuf ◆ 2 c. à soupe de crème fraîche ◆ sel ◆ poivre

1 Aplatissez les filets de sole et pliez-les en 2. Pelez et hachez finement les échalotes. Faites fondre 40 g de beurre dans une casserole sur feu moyen. Ajoutez les échalotes et faites fondre doucement.

2 Versez-les dans un plat à gratin. Étalez-les et rangez par-dessus les filets de sole repliés. Arrosez de bière et laissez mariner 30 min.

3 Salez et poivrez, mettez le plat dans le four à 180 °C et faites cuire 10 min.

4 Beurrez un plat de service et mettez-y les filets de sole. Tenez au chaud. Faites réduire la cuisson de moitié.

5 Pendant ce temps, malaxez le reste de beurre avec la farine. Incorporez-le dans la sauce par parcelles en fouettant sur feu vif.

6 Hors du feu, ajoutez le jaune d'œuf, mélangez intimement puis ajoutez la crème fraîche. Fouettez pour bien lier. Nappez les filets de sole de cette sauce et servez aussitôt.

Boisson **bière belge**

Lapin à la bière

Pour **6 personnes**
Préparation **40 min**
Marinade **1 h**
Cuisson **1 h 30**

1 lapin de 1,5 kg en morceaux ◆ 3 oignons ◆ laurier ◆ thym ◆ 1 c. à café de poivre concassé ◆ 15 cl de vinaigre de vin blanc ◆ farine ◆ 60 g de beurre ◆ 10 pruneaux ◆ 1 citron ◆ 2 canettes de bière blonde amère ◆ sucre semoule ◆ fécule de maïs ◆ sel ◆ poivre

1 Mettez les morceaux de lapin dans une terrine. Ajoutez 1 oignon coupé en rondelles, le laurier et le thym, le poivre concassé et le vinaigre. Complétez le mouillement avec juste assez d'eau pour couvrir les morceaux. Laissez mariner 1 h.
2 Égouttez les morceaux de lapin, essuyez-les. Salez et poivrez. Farinez-les. Faites fondre le beurre dans une grande poêle et mettez-y à revenir les morceaux, en les retournant souvent sur feu assez vif. Quand ils sont dorés, mettez-les dans une cocotte.
3 Filtrez la marinade. Coupez en rondelles les deux autres oignons. Mettez à tremper les pruneaux dans de l'eau tiède.
4 Versez 10 cl de la marinade sur le lapin, ajoutez les oignons hachés, le jus de citron et la bière. Remuez bien, ajoutez ensuite 1 c. à café de sucre semoule.
5 Portez à ébullition, baissez le feu, couvrez et faites cuire doucement 1 h. Ajoutez les pruneaux et continuez la cuisson pendant 30 min.
6 Mettez les morceaux de lapin et les pruneaux dans un plat creux. Délayez 2 c. à café de fécule de maïs dans 1 c. à soupe d'eau et versez ce mélange dans la cocotte. Faites cuire en remuant sur feu vif jusqu'à bonne liaison. Versez la sauce sur le lapin. Servez aussitôt avec des pâtes fraîches.

Boisson **bière blonde allemande**

Potage à la bière

Pour **6 personnes**
Préparation **10 min**
Cuisson **30 min**

2 l de bouillon de volaille ◆ 30 cl de bière blonde amère ◆ 250 g de mie de pain ◆ 10 cl de crème fraîche épaisse ◆ muscade ◆ sel ◆ poivre blanc

1 Versez le bouillon dans une casserole, ajoutez la bière et mélangez. Émiettez le pain dans le liquide. Portez lentement à ébullition en remuant avec une spatule. Salez, poivrez et muscadez.
2 Couvrez et faites cuire sur feu doux 30 min en remuant. Mixez le contenu de la casserole puis incorporez la crème fraîche. Servez brûlant.

→ autres recettes de bière à l'index

bifteck

Choisissez cette tranche de bœuf en fonction de votre goût. Rond de gîte ou tranche : maigres et tendres. Merlan ou poire : très savoureux, mais rares. Araignée ou bavette : moins charnues et bien juteuses. Onglet : délicat et tendre. Hampe : plus ferme, très goûteuse. Tranche de rumsteck, filet ou faux-filet : tendres, plutôt à griller.

Temps de cuisson (poêlé ou grillé, par face) : 2 min pour bleu ou très saignant (rouge à cœur) ; 3 min pour saignant (notamment la bavette, sinon elle est trop sèche) ; 10 min (au maximum) pour à point ; 12 min pour bien cuit.

bigorneau

Ce petit coquillage noir se cuit dans un court-bouillon bien aromatisé : thym, laurier, gros sel (35 g par litre d'eau), clou de girofle et poivre en grains. Comptez 5 à 7 min de cuisson si vous les mettez à l'eau froide. Servez-les tièdes ou refroidis avec beurre demi-sel et pain de campagne.

Diététique. À proscrire dans le cas d'un régime sans sel. Sinon, c'est une aubaine pour les boulimiques : 100 g n'apportent que 60 kcal.

biscuit (pâte à)

→ voir aussi biscuits secs, génoise, omelette norvégienne

La pâte à biscuit est généralement allégée par une forte proportion d'œufs qui la rendent riche et mousseuse. Elle donne des pâtisseries très variées : génoise, biscuit de Savoie, quatre-quarts, manqué, etc. Avec un parfum, un fourrage ou une garniture, on obtient de nombreux gâteaux.

Biscuit de Savoie

Pour **8 personnes**
Préparation **20 min**
Cuisson **40 min**

1 citron non traité ◆ 6 œufs de 55 g ◆ 170 g de sucre semoule ◆ 50 g de farine ◆ 50 g de fécule de pomme de terre ◆ 20 g de beurre ◆ sel

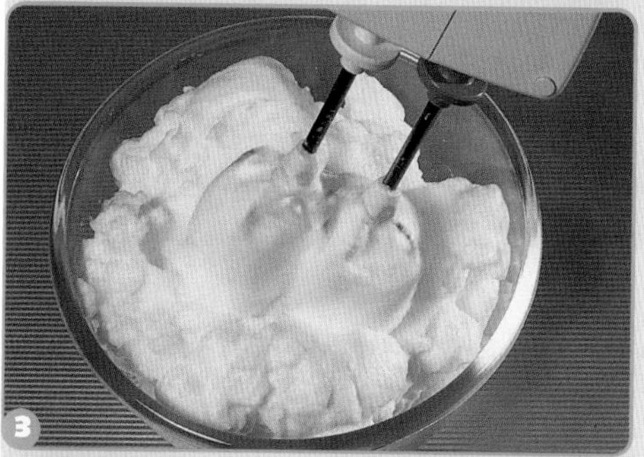

1 Râpez finement le zeste du citron. Séparez les blancs des jaunes d'œufs. Mettez les jaunes dans une terrine avec 1 pincée de sel et 150 g de sucre. Travaillez le mélange jusqu'à ce qu'il devienne onctueux et mousseux.

2 Ajoutez la farine tamisée, puis la fécule et le zeste de citron.

3 Fouettez les blancs d'œufs en neige bien ferme. Incorporez 2 c. à soupe de blancs en neige dans la pâte et remuez énergiquement pour la liquéfier.

4 Faites ensuite glisser toute la masse des blancs d'œufs sur la pâte et mélangez délicatement avec une cuiller en bois, en enrobant le mélange pour lui garder sa légèreté.

5 Beurrez et poudrez de sucre un moule à manqué de 26 cm de diamètre. Versez-y la pâte qui doit être coulante mais non liquide. Faites cuire de 40 à 45 min à four doux (150 à 180 °C). Pour vérifier la cuisson, piquez une brochette en métal au centre du gâteau, elle doit ressortir sèche. Démoulez à la sortie du four en retournant le moule sur une grille. Laissez refroidir.

La réussite de ce gâteau tient surtout au soin de sa cuisson, qui doit se faire à four moyen, plutôt doux, en plaçant le biscuit à peu près à mi-hauteur. Placez-le sur une grille et non sur une tôle, pour que la chaleur puisse circuler tout autour. Si le four est trop chaud, le gâteau monte vite et dore trop rapidement. Si vous ouvrez le four, la pâte retombe avant d'être cuite.

Les quantités pour un moule de 22 cm sont de 3 œufs, et, pour un moule de 24 cm, de 4 œufs. Les autres ingrédients ne changent pratiquement pas. Le moule peut être rond ou rectangulaire, mais aussi en forme de cœur.

◄ Biscuit roulé à la confiture

Laissez libre cours à votre imagination pour décorer le biscuit roulé à votre goût : amandes effilées, fruits confits, poudre de noix de coco ou sucre glace.

biscuit glacé

Ce dessert associe généralement une crème glacée (un ou plusieurs parfums) et un fond de biscuit ou de meringue, en forme de pavé ou de brique. Ce peut être simplement un pudding froid décoré de chantilly, de fruits confits ou au sirop, ou encore de vermicelles en chocolat.

Biscuit glacé au marasquin

Pour **6 personnes**
Préparation **20 min, 24 h à l'avance**
Pas de cuisson

1 orange non traitée ◆ 1 citron non traité ◆ 3 œufs ◆ 250 g de beurre ◆ 250 g de sucre semoule ◆ 1 génoise de 400 g environ ◆ 3 c. à soupe de marasquin (ou de liqueur de cerise)

1 Râpez le zeste des fruits et pressez leur jus. Séparez les blancs des jaunes d'œufs. Coupez le beurre en morceaux dans une terrine et ramollissez-le à la spatule.

2 Ajoutez le sucre semoule et travaillez le mélange jusqu'à ce qu'il soit crémeux. Incorporez alors les jaunes d'œufs, le zeste des fruits et les 3/4 de leur jus.

3 Fouettez les blancs en neige très ferme. Découpez la génoise en portions régulières, grosses comme des biscuits à la cuiller. Imbibez-les de marasquin.

4 Incorporez les blancs d'œufs à la crème. Tapissez le fond d'un moule à cake de morceaux de génoise imbibés et recouvrez d'une bonne couche de crème au beurre. Remplissez le moule en alternant les couches.

5 Mettez au réfrigérateur pendant la nuit et servez démoulé froid.

biscuit roulé

On réalise ce gâteau avec une pâte à biscuit cuite en une seule couche sur la tôle du four, puis recouverte de confiture ou de crème au beurre et roulée sur elle-même.

Biscuit roulé à la confiture

Pour **4 à 6 personnes**
Préparation **25 min**
Cuisson **10 min**

60 g de beurre ◆ 4 œufs ◆ 225 g de sucre ◆ 50 g de farine ◆ 50 g de fécule de pomme de terre ◆ 1/2 c. à café de levure ◆ 1 c. à café de rhum ◆ 125 g d'amandes effilées ◆ 6 c. à soupe de confiture de framboise ◆ 2 c. à soupe de marmelade d'abricot

1 Préparez la pâte à biscuit : faites fondre 30 g de beurre. Séparez les blancs des jaunes d'œufs. Travaillez les jaunes avec 125 g de sucre jusqu'à consistance mousseuse. Battez les blancs en neige ferme. Mélangez la farine et la fécule. Ajoutez-en la moitié au mélange jaunes-sucre,

puis incorporez le beurre fondu et la levure. Incorporez ensuite alternativement les blancs d'œufs et le reste de mélange farine-fécule. Préchauffez le four à 180 °C.

2 Tapissez la plaque du four de papier sulfurisé et badigeonnez-le avec le reste de beurre fondu. Étalez ensuite régulièrement la pâte sur 1 cm d'épaisseur avec une spatule métallique. Enfournez et laissez cuire 10 min : le dessus du biscuit doit juste blondir.

3 Mélangez le reste de sucre avec 10 cl d'eau, faites bouillir puis ajoutez le rhum. Faites griller légèrement les amandes au four à 180 °C.

4 Déposez le gâteau sur un torchon et, avec un pinceau, imbibez-le de sirop. Avec une spatule, recouvrez-le de confiture de framboise. Roulez le biscuit en vous aidant du torchon pour ne pas le casser. Tranchez les deux extrémités en biais. Au pinceau, badigeonnez tout le biscuit avec la marmelade d'abricot légèrement tiédie. Parsemez le dessus avec les amandes effilées.

biscuits secs

→ **voir aussi** macaron, meringue, palmier, sablé, tuile

Ces petits gâteaux légers sont d'une grande variété, achetés dans le commerce ou faits maison. Conservez-les dans une boîte hermétique, bien au sec. Ne les laissez pas attendre trop longtemps (pas plus d'un mois), sinon ils rancissent.

Diététique. Attention, sous un faible volume, les biscuits apportent glucides et lipides en quantité : 1 biscuit de 5 g = 40 kcal en moyenne. Grignotés entre les repas, ils déséquilibrent la ration alimentaire.

Biscuits au citron

Pour 40 biscuits environ
Préparation 25 min
Cuisson 10 min

50 g de beurre ◆ 150 g de sucre semoule ◆ 1 œuf ◆ 1 c. à soupe de zeste de citron râpé ◆ 175 g de farine ◆ 1 pot de lemon curd ◆ sel

1 Travaillez le beurre en pommade dans une terrine puis ajoutez le sucre. Lorsque le mélange est blanc et homogène, incorporez l'œuf entier et le zeste de citron.

2 Tamisez la farine avec le sel et ajoutez-la progressivement sans cesser de remuer. Lorsque la pâte devient assez ferme, incorporez le reste de farine en pétrissant à la main.

3 Abaissez cette pâte au rouleau sur 8 mm d'épaisseur. Découpez-y des cœurs ou des losanges à l'emporte-pièce. Rangez-les sur la tôle du four beurrée et faites cuire à 180 °C pendant 10 min.

4 Décollez les biscuits de la tôle et faites-les refroidir sur une grille. Tartinez-en la moitié avec du lemon curd. Collez-les deux par deux et servez-les aussitôt.

Biscuits aux raisins secs

Pour 40 biscuits environ
Préparation 30 min
Cuisson 15 min

125 g de raisins secs ◆ 125 g de beurre ◆ 125 g de sucre glace ◆ 3 œufs ◆ 3 ou 4 gouttes d'extrait de vanille ◆ 150 g de farine ◆ 100 g de marmelade d'abricots ◆ 3 c. à soupe de rhum ◆ sel

1 Faites tremper les raisins secs à l'eau tiède. Travaillez le beurre à la spatule dans une terrine jusqu'à ce qu'il devienne crémeux. Ajoutez peu à peu le sucre.

2 Quand le mélange est mousseux, incorporez les œufs et la vanille, puis la farine et une pincée de sel.

3 Beurrez légèrement la tôle du four et déposez-y des petits tas de pâte avec une cuiller. Espacez-les bien, car la pâte s'étale à la cuisson (pas plus d'une dizaine de tas à la fois). Ajoutez 3 ou 4 grains de raisin sur chaque tas de pâte.

4 Faites cuire à four moyen (180 °C) pendant 12 à 15 min. Recommencez jusqu'à épuisement des ingrédients.

5 Faites chauffer la marmelade avec le rhum en remuant à la spatule. Badigeonnez chaque palet avec ce mélange à la sortie du four. Laissez refroidir.

bisque

L'ingrédient caractéristique de ce potage est la chair d'un crustacé : écrevisse, homard, langouste, langoustine ou crabe. Servie brûlante, la bisque est toujours bien relevée et enrichie de crème fraîche.

Bisque de langoustines

Pour **4 personnes**
Préparation **30 min**
Cuisson **30 min**

1 oignon ◆ 1 carotte ◆ 2 branches de céleri ◆ 125 g de beurre ◆ thym ◆ laurier ◆ 8 belles langoustines vivantes ◆ 1 petit verre de cognac ◆ 25 cl de vin blanc sec ◆ 1 l de fumet de poisson (ou de court-bouillon bien relevé) ◆ 2 c. à soupe de riz ◆ 15 cl de crème fraîche ◆ poivre de Cayenne ◆ sel ◆ poivre

1 Pelez l'oignon et la carotte. Hachez-les menu. Émincez finement le céleri.
2 Faites fondre 40 g de beurre dans une casserole. Ajoutez les légumes, le thym et 1/2 feuille de laurier. Laissez fondre doucement en remuant.
3 Ajoutez les langoustines en séparant les pinces et les coffres de la queue. Faites chauffer pendant 3 min sur feu vif, puis arrosez de cognac et flambez. Versez ensuite le vin et faites cuire doucement 8 à 10 min. Égouttez les langoustines.
4 Versez le fumet de poisson dans la casserole, portez à ébullition et jetez le riz en pluie. Baissez le feu et laissez cuire 20 min.
5 Pendant ce temps, préparez le beurre de langoustines. Décortiquez les langoustines : récupérez la chair des pinces et l'intérieur des coffres. Coupez les queues en petits dés, passez au mixer tout le reste avec 85 g de beurre.
6 Passez également le potage au mixer et remettez-le sur le feu en incorporant la crème fraîche. Ajoutez le beurre de langoustines par petits morceaux, en fouettant sans arrêt. Assaisonnez au goût.
7 Répartissez les queues de langoustines dans des assiettes creuses très chaudes et versez la bisque dessus.

blanc

Mélange d'eau et de farine, additionné de jus de citron. On soumet à une précuisson dans ce liquide certains légumes qui noircissent (salsifis, fonds d'artichauts, cardons) ou des abats (langue et pied de mouton, tête de veau).

blanc de volaille

→ **voir aussi** magret, salpicon, suprême

Chacun des deux morceaux de chair blanche, sans os, de chaque côté du bréchet, constitue un blanc, plus important et charnu sur la dinde et la poularde que sur le poulet. Prélevé sur une volaille pochée, le blanc refroidi s'emploie dans des salades composées, des sandwiches ou des potages.

Lorsque vous servez le blanc d'une volaille rôtie que vous venez de découper, détaillez-le de préférence en fines tranches régulières (en faisant glisser le couteau en diagonale), surtout s'il s'agit d'une dinde. Dans la cuisine asiatique, les blancs de volaille sont toujours coupés en morceaux de petite taille : soit en bouchées rapides à cuire dans un wok avec des légumes, soit en fines languettes pour garnir une soupe.

Diététique. Le blanc constitue toujours la partie la plus maigre d'une volaille : à privilégier dans les régimes hypocaloriques.

◄ Bisque de langoustines

Toujours bien relevée, la bisque de crustacés constitue une entrée chaude idéale pour un dîner élégant. Proposez en même temps des crackers ou des gressins.

Blancs de volaille aux légumes

Pour **4 personnes**
Préparation **20 min**
Cuisson **15 min**

4 blancs de volaille dépouillés de 150 g chacun ◆ 200 g de carottes ◆ 200 g de céleri ◆ 200 g de haricots verts extra-fins ◆ 2 branches d'estragon ◆ 40 cl de bouillon de volaille ◆ 100 g de cresson ◆ 50 g de fromage blanc ◆ sel ◆ poivre

1 Salez et poivrez les blancs de volaille. Pelez les carottes et le céleri. Taillez-les en fine julienne. Effilez et lavez les haricots verts. Lavez et épongez l'estragon. Réservez 8 feuilles.
2 Placez les branches d'estragon dans la partie supérieure d'un cuiseur à vapeur. Posez les blancs de volaille dessus et recouvrez-les de légumes.
3 Versez de l'eau dans le bas du cuiseur, portez à ébullition et mettez en place la partie supérieure. Couvrez et faites cuire 6 ou 7 min. Retirez du feu.
4 Pendant ce temps, faites bouillir 10 cl de bouillon de volaille avec le cresson. Passez au mixer. Faites réduire de moitié le reste de bouillon. Ajoutez-le à la purée de cresson avec le fromage blanc. Mixez à nouveau. Salez et poivrez.
5 Nappez de sauce les assiettes de service. Placez dessus les blancs de volaille. Garnissez-les avec les légumes et décorez avec les feuilles d'estragon réservées.

Risotto de volaille aux champignons

Pour **4 personnes**
Préparation **15 min**
Cuisson **35 à 40 min**

4 oignons moyens ◆ 200 g de champignons de couche ◆ 300 g de blancs de volaille cuits ◆ 100 g de beurre ◆ 250 g de riz à grains longs ◆ 10 cl de vin blanc sec ◆ 40 cl de bouillon de volaille ◆ 80 g de parmesan ◆ sel ◆ poivre

1 Pelez les oignons et hachez-les. Nettoyez les champignons et émincez-les. Coupez les blancs de volaille en tout petits dés.
2 Faites chauffer le beurre dans une casserole. Ajoutez les oignons et remuez sur le feu pendant environ 3 min puis versez le riz.
3 Remuez à nouveau. Lorsque les grains sont transparents, ajoutez les champignons puis versez le vin. Laissez cuire à découvert jusqu'à absorption complète du liquide.
4 Ajoutez alors le blanc de volaille, remuez et versez doucement le bouillon. Salez et poivrez. Laissez cuire encore 15 à 20 min sur feu doux, en évitant une trop forte ébullition.
5 Ajoutez le parmesan, remuez et servez brûlant.

Le risotto ne doit surtout pas être sec, mais bien lié et onctueux. On peut ajouter au dernier moment 30 g de beurre frais en parcelles.

Boisson **chianti**

Salade américaine au poulet

Pour **6 personnes**
Préparation **25 min,** mayonnaise **10 min**
Pas de cuisson

1 laitue ◆ 800 g de blancs de poulet cuits ◆ 4 branches de céleri bien tendres ◆ 8 tranches d'ananas égouttées ◆ 20 cl de mayonnaise bien ferme ◆ 15 cl de crème liquide ◆ sel ◆ poivre au moulin

1 Lavez la laitue, séparez les feuilles et épongez-les. Détaillez les blancs de poulet en petits cubes. Ôtez les filandres du céleri et coupez les branches en petits tronçons. Taillez la pulpe d'ananas en petits dés.
2 Fouettez la mayonnaise avec la crème jusqu'à consistance mousseuse. Salez et poivrez.
3 Réunissez dans une jatte le poulet, l'ananas et le céleri. Arrosez de sauce et remuez à fond pour bien enrober les ingrédients.
4 Tapissez de feuilles de laitue les assiettes de service, en réservant le cœur. Ajoutez par-dessus la salade de poulet assaisonnée. Effeuillez le cœur de laitue au milieu. Donnez un ou deux tours de moulin à poivre et servez aussitôt.

Variante : employez du poulet fumé et de la mangue à la place de l'ananas. Remplacez la crème liquide par du fromage blanc maigre.

Boisson **rosé de Provence**

Sandwich au poulet

Pour **2 personnes**
Préparation **25 min**, mayonnaise **10 min**
Cuisson **2 min**

4 tranches de bacon ◆ 4 feuilles de laitue bien tendres ◆ 1 grosse tomate ◆ 2 blancs de poulet cuits ◆ 6 tranches de pain de mie ◆ mayonnaise

1 Faites rissoler les tranches de bacon à sec des deux côtés et épongez-les sur du papier absorbant. Lavez et séchez les feuilles de laitue.
2 Coupez la tomate en minces tranches régulières. Émincez les blancs de poulet en biais le plus finement possible. Tartinez les tranches de pain de mayonnaise.
3 Confectionnez chaque sandwich en superposant tranche de pain, mayonnaise, salade, bacon, tomate, blanc de poulet, une deuxième tranche de pain, salade, bacon, tomate, blanc de poulet et une troisième tranche de pain, mayonnaise au-dessous. Appuyez légèrement pour souder.

On peut toaster les tranches de pain pour avoir des sandwiches croustillants.

→ **autres recettes de blanc de volaille à l'index**

blanquette

Ce ragoût se prépare avec une viande blanche (veau, agneau, parfois volaille) ou un poisson blanc et ferme (lotte surtout, daurade ou barbue) dans un fond blanc ou dans de l'eau. Vous pouvez cuisiner la blanquette à l'avance, mais la liaison se fait toujours au dernier moment.

Blanquette de dinde

Pour **4 personnes**
Préparation **20 min**
Cuisson **50 min**

600 g d'escalopes de dinde charnues ◆ 12 petits oignons grelots ◆ 8 champignons de couche ◆ 1 branche de céleri ◆ 8 carottes ◆ 1 bouquet garni ◆ 50 cl de bouillon de volaille dégraissé ◆ 1 c. à soupe rase de fécule de maïs ◆ 25 cl de lait écrémé ◆ 1 jaune d'œuf ◆ 1 citron ◆ sel ◆ poivre

1 Coupez la viande, mettez-la dans une cocotte, couvrez d'eau froide. Pelez les oignons, nettoyez les champignons, effilez et tronçonnez le céleri. Pelez et tronçonnez les carottes.
2 Ajoutez ces légumes dans la cocotte avec le bouquet garni et le bouillon de volaille. Portez à ébullition, couvrez et laissez mijoter 35 à 40 min.
3 Égouttez la viande et les légumes et réservez-les au chaud. Jetez le bouquet garni. Passez le fond de cuisson, ajoutez 20 cl de lait et faites bouillir 5 min dans une casserole. Incorporez la fécule de maïs délayée dans le reste de lait et faites mijoter en remuant sans laisser bouillir.
4 Fouettez le jaune d'œuf dans un bol avec 2 c. à soupe de jus de citron et un peu de sauce chaude. Versez cette liaison dans la casserole et remuez sans laisser bouillir. Versez sur la viande et les légumes. Mélangez délicatement et servez.

Blanquette de lotte

RECETTE LÉGÈRE — 1 portion 340 kcal

Pour **6 personnes**
Préparation **20 min**
Cuisson **25 min**

1,5 kg de lotte ◆ 2 blancs de poireaux ◆ 250 g de petits oignons ◆ 250 g de champignons de couche ◆ 1 carotte ◆ 40 g de beurre ◆ 20 cl de vin blanc ◆ 1 bouquet garni ◆ 2 jaunes d'œufs ◆ 15 cl de crème fraîche ◆ 1 citron ◆ sel ◆ poivre

1 Coupez la lotte en cubes de 2 à 3 cm. Lavez et émincez les poireaux. Pelez les oignons. Nettoyez et émincez les champignons. Pelez la carotte et émincez-la.
2 Faites chauffer le beurre dans une cocotte. Mettez-y à raidir les morceaux de lotte sans les colorer. Mouillez avec le vin blanc et ajoutez juste assez d'eau pour couvrir le poisson.
3 Ajoutez petits oignons, carotte, champignons, poireaux et bouquet garni. Faites cuire 15 min à petite ébullition. Retirez le bouquet garni, égouttez les morceaux de lotte et les légumes : mettez-les dans un plat creux.
4 Mélangez dans un bol les jaunes d'œufs, la crème et le jus de citron. Versez cette liaison dans la cocotte en fouettant régulièrement la cuisson pour obtenir une sauce onctueuse. Faites chauffer sans laisser bouillir. Nappez le poisson et les légumes et servez aussitôt.

Boisson **sancerre blanc**

Blanquette de veau

Pour **4 personnes**
Préparation **20 min**
Cuisson **1 h 20**

1 poireau ◆ 2 carottes ◆ 1 oignon ◆ 1 clou de girofle ◆ 30 g de beurre ◆ 1 c. à soupe d'huile ◆ 1,2 kg de tendrons ou de flanchet en morceaux ◆ 1 bouquet garni ◆ 2 jaunes d'œufs ◆ 15 cl de crème fraîche ◆ 1/2 citron ◆ farine ◆ sel ◆ poivre

1 Lavez et épluchez le poireau, émincez-le. Pelez les carottes et coupez-les en rondelles. Piquez le clou de girofle dans l'oignon pelé.
2 Faites chauffer le beurre et l'huile dans une grande cocotte. Mettez-y à revenir les morceaux de viande, très doucement, sans laisser rissoler. Salez et poivrez.
3 Poudrez de farine, remuez bien et faites cuire 2 min. Mouillez avec juste assez d'eau chaude pour couvrir la viande.
4 Ajoutez les carottes, le poireau, l'oignon piqué et le bouquet garni. Couvrez et laissez mijoter doucement pendant 1 h 15.
5 Sortez les morceaux de viande et mettez-les dans un plat creux. Tenez au chaud. Passez le bouillon de cuisson et remettez-le sur le feu. Faites réduire quelques minutes sur feu vif.
6 Mélangez dans un bol les jaunes d'œufs et la crème. Ajoutez le jus de citron. Salez et poivrez. Versez cette liaison dans le bouillon en fouettant sans arrêt sur feu doux. Évitez toute ébullition. Versez la sauce sur la viande, remuez et servez.
7 Garniture classique de la blanquette : riz nature ou pommes vapeur. Vous pouvez ajouter les légumes égouttés à la viande avant de verser la sauce.

Variante : faites cuire la viande dans un mélange mi-eau, mi-vin blanc. On peut également ajouter à la sauce 180 g de champignons émincés.

Boisson **saint-joseph**

Blanquette de veau ▲

Faites revenir les cubes de viande très légèrement sans les faire roussir : la blanquette doit rester blanche. Ajoutez le jus d'un demi-citron avant de servir pour relever le goût de la sauce.

blé

→ voir aussi céréales, farine, pain

Les grains de cette céréale servent à fabriquer les farines et les semoules, ainsi que certaines boissons alcoolisées, mais ils se mangent aussi cuits, germés ou concassés. Le blé tendre, ou froment, est transformé en farines plus ou moins blanches et complètes, qui servent à faire les pains, les biscuits, les pâtisseries, ainsi que les pâtes fraîches. Le blé dur sert à la fabrication des semoules et des pâtes alimentaires sèches. La cuisine végétarienne a fait redécouvrir le blé comme aliment naturel (grains de blé moulus pour boulettes ou croquettes, blé germé pour les salades, germe de blé séché ou en poudre pour les potages, salades ou mélanges de céréales pour le petit déjeuner). Le blé existe aussi en grains précuits : il est prêt en 7 à 20 min, soit cuit dans 6 fois son volume d'eau bouillante salée, puis égoutté ; soit revenu à l'huile comme le riz pilaf, couvert de son volume d'eau chaude et cuit jusqu'à absorption du liquide. Le blé germé, séché et concassé, est très utilisé dans la cuisine du Moyen-Orient, agrémenté de raisins secs ou de pois chiches : c'est le boulghour, ingrédient de base du taboulé. On le trouve soit précuit, soit cru, à faire cuire dans trois fois son volume d'eau jusqu'à évaporation.

Diététique. C'est sous la forme de grains que le blé est un aliment intéressant : riche en fibres, en minéraux, en vitamines et en protéines.

Blé concassé aux légumes

Pour **6 personnes**
Préparation **20 min**
Cuisson **25 min**

2 échalotes • 250 g de blé concassé • 100 g de raisins secs • 100 g d'amandes • 150 g de pois gourmands • 2 petits bulbes de fenouil • 3 carottes nouvelles • 2 oignons rouges • 25 g de beurre • huile d'olive

1 Pelez les échalotes et émincez-les finement. Faites chauffer 2 c. à soupe d'huile dans une sauteuse, ajoutez les échalotes et faites-les revenir doucement en remuant, ajoutez ensuite le blé concassé, remuez à la cuiller de bois, puis couvrez d'eau bouillante.

2 Ajoutez les raisins secs et les amandes. Couvrez et laissez cuire doucement pendant 20 min environ jusqu'à ce que l'eau soit évaporée.

3 Pendant ce temps, parez les pois gourmands. Nettoyez les fenouils, émincez-les. Pelez les carottes et les oignons, émincez-les également.

4 Faites cuire ces légumes à la vapeur pendant 12 min, puis égouttez-les. Faites-les chauffer à la poêle dans un peu de beurre, salez et poivrez.

5 Mélangez dans un plat creux de service le blé concassé aux fruits secs et les légumes. Rectifiez l'assaisonnement et servez chaud.

Blé cuit au poivron et aux olives

RECETTE LÉGÈRE — 1 portion 125 kcal

Pour **6 personnes**
Préparation **20 min**
Cuisson **20 min**

1 oignon • 2 gousses d'ail • 2 c. à soupe d'huile d'olive • 1 c. à soupe de concentré de tomates • 250 g de grains de blé précuits • 1 pincée de poivre de Cayenne • 2 poivrons rouges • 200 g d'olives vertes dénoyautées • sel

1 Pelez et émincez finement l'oignon et les gousses d'ail. Versez 1 c. à soupe d'huile d'olive dans une cocotte. Faites chauffer puis ajoutez l'ail et l'oignon, faites dorer 2 min en remuant.

2 Délayez le concentré de tomates dans 15 cl d'eau et versez-le dans la cocotte. Ajoutez ensuite les grains de blé et 35 cl d'eau. Salez et ajoutez le poivre de Cayenne. Couvrez et laissez cuire sur feu doux pendant environ 20 min.

3 Pendant ce temps, mettez les poivrons dans le four à chaleur forte jusqu'à ce que la peau se boursoufle. Sortez-les, enfermez-les pendant quelques instants dans un sac en plastique, puis retirez-les et pelez-les. Coupez-les en 2, épépinez-les et taillez la chair en lamelles. Coupez les olives en petits dés.

4 Faites revenir les lamelles de poivron à la poêle dans le reste d'huile bien chaude. Lorsque le blé est cuit, versez-le dans un plat de service, ajoutez les olives au milieu et garnissez de lamelles de poivron. Servez aussitôt.

Salade de blé germé

RECETTE LÉGÈRE — 1 portion 235 kcal

Pour **6 personnes**
Préparation **1 h, 48 h à l'avance**
Pas de cuisson

200 g de blé complet • 2 courgettes à peau fine • 5 cl d'huile d'olive • 3 c. à soupe de jus de citron • 4 c. à soupe de raisins secs • 1 poivron jaune mariné • sel • poivre

1 Mettez à tremper les grains de blé recouverts d'eau dans un plat creux pendant 24 h. Lavez les grains, remettez-les dans le plat sans eau, pendant 24 h. Ils doivent rester un peu humides. Lavez-les à nouveau.

2 Lavez et émincez les courgettes. Arrosez-les d'huile et de jus de citron. Laissez-les mariner pendant 30 min.

3 Pendant ce temps, faites gonfler les raisins secs dans de l'eau tiède. Émincez le poivron.

4 Réunissez dans un saladier le blé germé, les courgettes avec leur marinade, le poivron et les raisins secs égouttés. Salez et poivrez au goût. Remuez et servez à température ambiante.

Blé concassé aux légumes ►

Coloré, savoureux, équilibré, ce plat de céréales enrichi de légumes frais peut accompagner des brochettes d'agneau ou un poulet rôti.

bleus

→ voir aussi gorgonzola, stilton

Tous les fromages à pâte molle et persillée (avec des veinures bleu-vert) portent le nom de « bleus ». De goût soutenu, ils sont fabriqués au lait de brebis ou de vache selon le même principe que le roquefort ou les fourmes. Un bon bleu présente une pâte ivoire ou crème, ferme et souple, plus ou moins grasse, avec des veinures régulièrement réparties. Produits en Auvergne, en Savoie ou dans le Jura, ce sont essentiellement : le bleu d'Auvergne, le bleu des Causses, le bleu du haut Jura (tous les trois appellations d'origine), le bleu de Bresse, le bleu du Quercy et le bleu de Laqueille.

Diététique. Compte tenu de leur fabrication, les bleus sont très riches en vitamines du groupe B, bonnes pour la peau et l'état des cellules nerveuses. Ils sont aussi très caloriques.

Soupe au bleu d'Auvergne

Pour 4 personnes
Préparation 15 min
Cuisson 50 min

50 cl de lait ◆ 800 g de pommes de terre ◆ 1 os de veau ◆ 8 fines tranches de pain de campagne un peu rassis ◆ 150 g de bleu d'Auvergne ◆ 40 g de beurre ◆ sel ◆ poivre noir au moulin

1 Versez le lait dans une casserole et ajoutez 1,5 l d'eau. Portez à ébullition. Pendant ce temps, pelez et lavez les pommes de terre, coupez-les en rondelles.
2 Lorsque le lait bout, ajoutez les pommes de terre et l'os de veau. Laissez cuire pendant 45 min environ.
3 Disposez dans une soupière basse les tranches de pain alternées avec le fromage émietté et le beurre en noisettes.
4 Retirez l'os de veau de la soupe et versez délicatement celle-ci dans la soupière. Poivrez au moulin. Couvrez et laissez reposer 3 à 4 min. Servez aussitôt.

Pour donner davantage de relief à cette soupe rustique, utilisez un pain de seigle à la saveur un peu acide. Vous pouvez aussi la servir dans des petites soupières individuelles.

blini

→ voir aussi russe (cuisine)

Petite crêpe épaisse en pâte levée et salée, le blini doit être servi chaud et moelleux. Achetés tout faits chez un traiteur ou en semi-conserve, les blinis se réchauffent dans une grande poêle sur feu très doux avec une noisette de beurre, ou à four doux, dans une feuille d'aluminium.

Ils accompagnent aussi bien le caviar, les œufs de saumon ou de lump que tous les poissons fumés.

Diététique. Relativement calorique, même nature, le blini devient très riche si vous le dégustez nappé de beurre fondu ou de crème fraîche.

Blinis aux œufs de saumon

Pour 4 personnes
Préparation 15 min, 1 h 30 à l'avance
Cuisson 15 min environ

10 g de levure fraîche ◆ 150 g de farine ◆ 40 cl de lait ◆ 2 œufs ◆ 30 cl de crème fraîche ◆ 150 g d'œufs de saumon ◆ sel ◆ beurre

1 Délayez la levure et 25 g de farine dans 20 cl de lait. Laissez lever pendant 20 min dans un endroit tiède.
2 Ajoutez le reste de la farine et de lait, 2 jaunes d'œufs et 1 pincée de sel. Mélangez bien avec un fouet.
3 Incorporez 5 cl de crème fraîche et les blancs d'œufs battus en neige. Laissez reposer la pâte pendant 1 h.
4 Faites cuire les blinis dans une petite poêle beurrée de 15 cm de diamètre.
5 Nappez-les de crème fraîche et garnissez-les d'œufs de saumon.

Boisson **vodka glacée**

bœuf

→ voir aussi brochettes, carpaccio, fondue, tartare

En boucherie, le terme de bœuf s'applique à la viande de tous les gros bovins : génisse, vache, bœuf et bouvillon, voire taurillon.

Une viande de bœuf de bonne qualité est rouge vif et brillante, sa consistance ferme et élastique, son odeur douce. La graisse, blanche ou légèrement jaune, forme un réseau plus ou moins serré ; quand elle abonde dans le muscle, la viande est persillée ou marbrée. Pour être tendre, le bœuf doit être rassis : maturé de quelques jours à une semaine, il devient plus coloré.

Parmi les meilleures provenances, retenez le bœuf du Limousin, de Normandie, du Charolais ou de Parthenay, ainsi que de la Chalosse (Aquitaine) et de Salers (Auvergne), plus rares.

Selon sa découpe, le bœuf fournit des pièces « nobles », à cuisson rapide, les plus chères, et des morceaux de deuxième et troisième catégories, plus avantageux, à cuisson lente. Parmi les premières, les biftecks, chateaubriands et tournedos, l'entrecôte, la côte de bœuf et les rôtis. Quant aux seconds, ce sont les braisés, daubes et bourguignons, la carbonade et le pot-au-feu.

La viande de bœuf se congèle très bien à condition d'être rassise. Ne prenez pas de morceaux trop gros : plutôt 2 fois 1,5 kg que 3 kg en une seule fois. Inutile de barder, car la barde rancit vite.

Diététique. La teneur en lipides du bœuf est bien inférieure à ce qu'elle était il y a encore peu de temps : 12 à 20 % pour l'entrecôte, le plat de côtes et le gîte, mais 5 à 10 % pour le rumsteck, la tranche, la bavette, le filet ou le jumeau, par exemple. Sachant que la viande perd un peu de sa matière grasse à la cuisson, elle a parfaitement sa place dans une alimentation équilibrée, à raison de 100 à 150 g par personne. En outre, la bonne qualité des protéines du bœuf en fait une source majeure de fer. La valeur calorique du bœuf (tous morceaux confondus) est de 120 à 130 kcal par 100 g (20 % de protides et 5 % de lipides).

Bœuf braisé

Pour **6 personnes**
Préparation **10 min**
Cuisson **1 h 30**

1,5 kg de paleron ou de jumeau ◆ 3 oignons ◆ 1 c. à soupe de margarine ◆ 20 cl de vin blanc ◆ 1 citron ◆ 1 gousse d'ail ◆ 1 bouquet garni ◆ 200 g de gros lardons ◆ sel ◆ poivre

1 Demandez au boucher de larder et de ficeler la viande. Pelez et hachez les oignons.
2 Faites chauffer la margarine dans une cocotte et mettez-y la viande à dorer sur tous les côtés. Évitez de laisser brûler la graisse.
3 Mouillez avec le vin, le jus de citron et 10 cl d'eau. Ajoutez les oignons, l'ail et le bouquet garni. Salez et poivrez.
4 Faites mijoter doucement pendant 1 h 30. Une dizaine de minutes avant de servir, faites dorer les lardons dans une poêle sans graisse. Sortez la viande de la cocotte, retirez la ficelle et coupez-la en tranches.
5 Servez les tranches de viande avec les lardons croustillants, nappés du jus de cuisson dégraissé.

Choisissez une cocotte assez large pour que le liquide ne soit pas trop abondant et ne recouvre pas la viande.

Boisson **bordeaux rouge**

Bœuf à la ficelle

RECETTE LÉGÈRE — 1 portion 305 kcal

Pour **6 personnes**
Préparation **20 min**
Cuisson **30 min**

200 g de carottes ◆ 3 blancs de poireaux ◆ 4 branches de céleri ◆ 1 kg de filet de bœuf paré et ficelé ◆ 1 bouquet garni ◆ 1 oignon ◆ 1 clou de girofle ◆ 1 c. à soupe de gros sel ◆ 10 grains de poivre

1 Pelez et tronçonnez les carottes. Lavez les poireaux. Coupez les branches de céleri en 2 ou 3. Nouez 2 bouts de ficelle aux extrémités du morceau de bœuf en gardant suffisamment de longueur pour l'attacher aux poignées du faitout.
2 Versez 2 l d'eau dans un faitout, ajoutez le bouquet garni, l'oignon piqué du clou de girofle, les légumes, le gros sel et le poivre. Portez à ébullition.
3 Plongez le morceau de bœuf dedans. Attachez la ficelle aux poignées du faitout sans trop la tendre.
4 Veillez à une ébullition régulière et faites cuire 20 à 30 min. La viande doit être complètement immergée dans le bouillon.
5 Retirez la viande en vous aidant des ficelles. Posez-la dans un plat et déficelez-la. Coupez-la en tranches : elles doivent être rosées à la coupe. Égouttez les légumes et disposez-les autour.
6 Servez en même temps cornichons, petits oignons et betteraves au vinaigre, moutarde et gros sel. Passez le bouillon et servez-le, garni de petits croûtons et de gruyère râpé.

Boisson **chinon rouge**

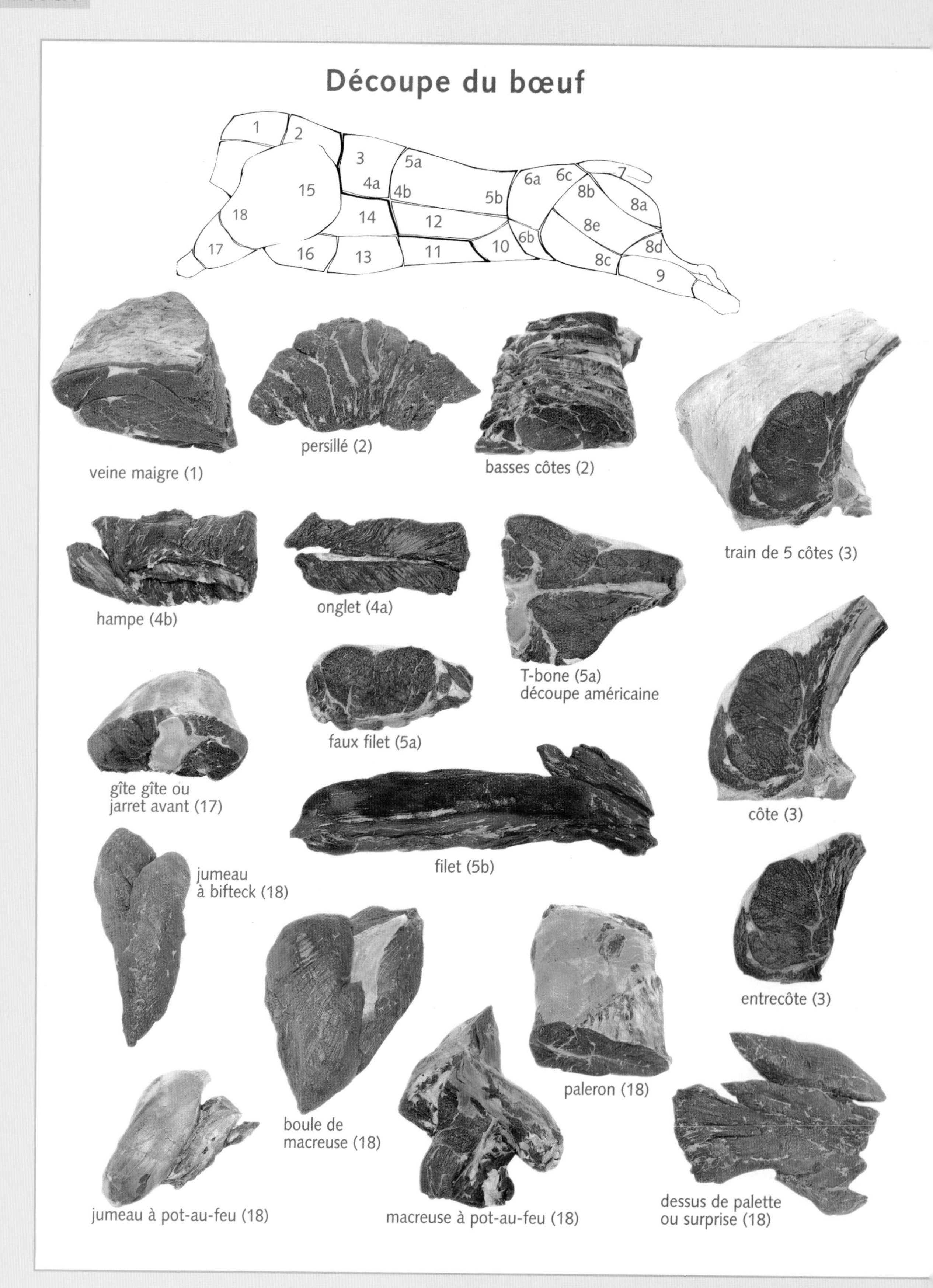
Découpe du bœuf
1
2
3
4a
4b
5a
5b
6a
6b
6c
7
8a
8b
8c
8d
8e
9
10
11
12
13
14
15
16
17
18
veine maigre (1)
persillé (2)
basses côtes (2)
train de 5 côtes (3)
hampe (4b)
onglet (4a)
T-bone (5a)
découpe américaine
faux filet (5a)
gîte gîte ou
jarret avant (17)
côte (3)
filet (5b)
jumeau
à bifteck (18)
entrecôte (3)
paleron (18)
boule de
macreuse (18)
jumeau à pot-au-feu (18)
macreuse à pot-au-feu (18)
dessus de palette
ou surprise (18)

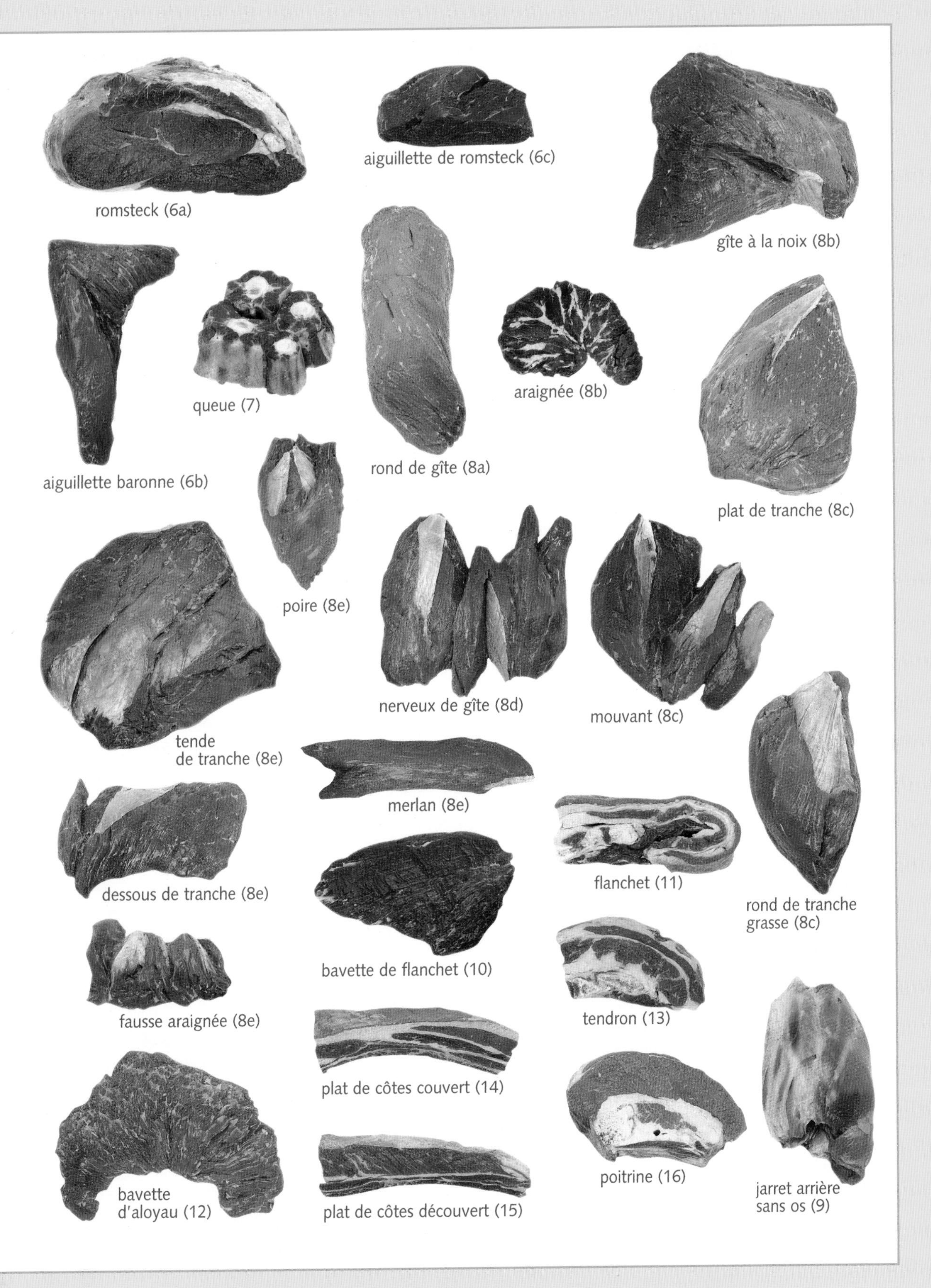
romsteck (6a)
aiguillette de romsteck (6c)
gîte à la noix (8b)
aiguillette baronne (6b)
queue (7)
rond de gîte (8a)
araignée (8b)
plat de tranche (8c)
poire (8e)
tende
de tranche (8e)
nerveux de gîte (8d)
mouvant (8c)
merlan (8e)
dessous de tranche (8e)
flanchet (11)
rond de tranche
grasse (8c)
bavette de flanchet (10)
fausse araignée (8e)
tendron (13)
plat de côtes couvert (14)
bavette
d'aloyau (12)
plat de côtes découvert (15)
poitrine (16)
jarret arrière
sans os (9)

Bœuf mode

Pour **6 à 8 personnes**
Préparation **15 min**
Cuisson **3 h environ**

1,5 kg de culotte de bœuf, de macreuse ou de paleron désossé ◆ 1,5 kg de carottes ◆ 3 oignons ◆ 3 échalotes ◆ 15 g de beurre ◆ huile ◆ 1 pied de veau désossé ◆ 1 bouquet garni ◆ 25 cl de vin blanc ◆ sel ◆ poivre

1 Demandez au boucher de larder le morceau de viande, de le barder et de le ficeler.
2 Pelez les carottes et coupez-les en rondelles. Pelez et émincez les oignons et les échalotes.
3 Faites chauffer le beurre et 1 c. à soupe d'huile dans une grande cocotte. Mettez-y à dorer le morceau de viande en le retournant plusieurs fois. Retirez-le de la cocotte et dégraissez la cuisson.
4 Remettez la viande dans la cocotte avec le pied de veau, les légumes et le bouquet garni. Salez et poivrez. Arrosez avec le vin et un grand verre d'eau.
5 Portez à ébullition, couvrez, baissez le feu et laissez mijoter pendant au moins 3 h.

Préparez ce plat 24 h à l'avance, car il est encore meilleur réchauffé.

Bœuf aux olives

Pour **6 personnes**
Préparation **20 min**
Cuisson **2 h 40**

3 échalotes ◆ 1 gousse d'ail ◆ 12 petits oignons ◆ 2 carottes ◆ 250 g d'olives noires ◆ 100 g de lardons ◆ 1,2 kg de paleron ◆ 1 bouquet garni ◆ 30 cl de vin rouge ◆ sel ◆ poivre

1 Pelez les échalotes, l'ail et les oignons. Pelez et émincez les carottes. Dénoyautez les olives.
2 Mettez les lardons dans une cocotte et posez sur feu doux. Laissez-les fondre sans rissoler. Retirez-les. Mettez à la place le morceau de viande et faites-le colorer doucement en le retournant.
3 Ajoutez les carottes, les échalotes et les oignons, remuez, salez et poivrez. Couvrez et laissez mijoter pendant 15 min. Ajoutez l'ail, le bouquet garni et les lardons. Mouillez avec le vin, couvrez et laissez mijoter pendant 1 h 30.
4 Ajoutez les olives et poursuivez la cuisson pendant encore 40 min. Retirez le bouquet garni pour servir.

Bœuf Stroganov

Pour **4 personnes**
Préparation **20 min**
Cuisson **25 min environ**

2 oignons ◆ 250 g de champignons de couche ◆ 30 g de beurre ◆ 10 cl de vin blanc ◆ 600 g de filet de bœuf ◆ 3 c. à soupe d'huile de tournesol ◆ concentré de tomates ◆ moutarde ◆ 20 cl de crème liquide ◆ paprika ◆ sel ◆ poivre

1 Pelez et hachez finement les oignons. Nettoyez et émincez les champignons. Faites fondre le beurre dans une casserole. Ajoutez champignons et oignons. Faites cuire 12 min en remuant.
2 Mélangez à part dans un bol 1 c. à soupe de concentré de tomates, autant de moutarde et le vin blanc. Versez ce mélange dans la casserole et mélangez bien. Réservez sur feu doux.
3 Découpez la viande en tranches régulières de 8 mm d'épaisseur, puis retaillez-les en languettes de 5 ou 6 cm de large. Faites chauffer l'huile dans une sauteuse et mettez-y les languettes de viande. Faites sauter 3 min. Salez et poivrez.
4 Ajoutez dans la sauteuse la préparation aux champignons ; remuez, puis ajoutez la crème liquide et 1 c. à café de paprika. Faites chauffer pendant 2 à 3 min et servez aussitôt dans un plat creux chaud.

Grillades marinées

Pour **4 personnes**
Préparation **20 min**, marinade **6 h**
Cuisson **12 min environ**

2 oignons ◆ 2 gousses d'ail ◆ 3 tomates ◆ 2 tranches de macreuse à bifteck de 300 g chacune ◆ huile d'olive ◆ vinaigre de vin rouge ◆ vin rouge ◆ poivre en grains ◆ thym séché ◆ sel ◆ poivre

1 Pelez et émincez les oignons et l'ail. Pelez les tomates et passez la pulpe au tamis.
2 Ajoutez à la pulpe de tomate 4 c. à soupe d'huile, autant de vinaigre et 3 c. à soupe de vin. Salez et poivrez, fouettez vivement.

3 Étalez la moitié des oignons dans un grand plat creux, avec l'ail. Placez les tranches de viande dessus.
4 Versez par-dessus la préparation aux tomates. Recouvrez avec le reste d'oignons, ajoutez 1 c. à soupe de grains de poivre et 1 c. à café de thym. Laissez mariner 6 h.
5 Égouttez la viande et épongez-la à fond. Versez la marinade dans une casserole et faites chauffer doucement 10 min.
6 Pendant ce temps, faites griller les tranches de viande 12 min, en les retournant à mi-cuisson. Passez le contenu de la casserole au mixer et nappez-en les tranches de viande.

Marmite de bœuf

Pour **6 personnes**
Préparation **20 min, 24 h à l'avance**
Cuisson **3 h environ**

4 carottes ◆ 3 échalotes ◆ 2 oignons ◆ 1,2 kg de culotte de bœuf en morceaux ◆ 1 bouquet garni ◆ 50 cl de vin blanc sec ◆ 1 pied de veau ◆ 3 tomates ◆ 20 petits oignons ◆ 200 g de champignons de couche ◆ cognac ◆ huile ◆ sel ◆ poivre

1 Pelez les carottes et coupez-les en grosses rondelles.
2 Pelez et émincez les échalotes et les gros oignons.
3 Mettez la viande dans une terrine avec ces légumes, ajoutez le bouquet garni, le vin blanc, 3 c. à soupe de cognac et autant d'huile.
4 Laissez mariner 24 h en retournant les morceaux 2 ou 3 fois.
5 Mettez le pied de veau coupé en deux dans une grande cocotte. Ajoutez la viande et toute la marinade, ainsi que les tomates en quartiers. Salez et poivrez.
6 Portez à ébullition. Couvrez, baissez le feu et laissez mijoter 2 h.
7 Pelez les petits oignons, nettoyez et émincez les champignons. Ajoutez-les dans la cocotte et poursuivez la cuisson pendant 1 h.

Mignons de bœuf à l'échalote

Pour **4 personnes**
Préparation **5 min**
Cuisson **10 min environ**

8 mignons de bœuf de 70 g chacun ◆ 50 g d'échalotes ◆ 25 cl de bouillon de bœuf ◆ 1/2 citron ◆ vin rouge ◆ sel ◆ poivre au moulin

1 Salez et poivrez les mignons de bœuf des deux côtés. Pelez et hachez finement les échalotes.
2 Faites sauter les mignons de bœuf dans une poêle à revêtement antiadhésif pendant 4 min en tout environ. Retirez-les de la poêle et tenez-les au chaud.
3 Versez les échalotes dans la poêle et faites-les cuire en remuant sans les laisser colorer.
4 Ajoutez le bouillon, 2 c. à soupe de vin et faites réduire de moitié sur feu vif.
5 Salez, poivrez et ajoutez 1 c. à soupe de jus de citron. Versez cette sauce brûlante sur les mignons de bœuf et servez aussitôt.

Garniture : une purée de brocoli ou de céleri ou encore des frites.

Mignon de bœuf à l'échalote ►

Vite prêtes et vite cuites, ces petites pièces de bœuf sautées, garnies d'une sauce au vin et à l'échalote, feront un repas élégant avec un pomerol ou un saint-émilion.

Borchtch ▲

Vous pouvez servir cette soupe telle quelle ou présenter le bouillon en entrée, accompagné de pain, et réserver la viande pour un autre usage.

1 Mettez un moule à charlotte au réfrigérateur pendant 20 min. Étalez la glace à la vanille en couche épaisse, dans le fond et contre les parois du moule, à l'aide d'une spatule.
2 Faites durcir au congélateur pendant 10 min. Versez ensuite au centre les fruits confits et arrosez-les avec la liqueur.
3 Remplissez la cavité restante avec la glace à la fraise. Tassez bien. Remettez au réfrigérateur jusqu'au service. Garnissez la bombe selon votre goût avec des fraises fraîches, des framboises ou des groseilles.

Boisson **champagne**

bombe glacée

Ce dessert se prépare en associant deux variétés de glace, de consistance différente, moulées ensemble en forme de tronc de cône arrondi ou côtelé. Le moule est chemisé de glace ou de sorbet, puis l'intérieur est rempli avec un parfait ou une glace d'un autre parfum. Le décor est fait de fruits confits, de marrons glacés, de grains de café à la liqueur, etc.

Diététique. Une portion de bombe glacée apporte en moyenne 250 kcal, contre 70 pour un fruit.

Bombe tutti frutti

Pour **6 personnes**
Préparation **30 min, 24 h à l'avance**
Pas de cuisson

1/2 l de glace à la vanille ◆ 6 c. à soupe de fruits confits ◆ 1 c. à soupe de liqueur de fraise ◆ 1/2 l de glace à la fraise

borchtch

Les ingrédients de base de cette soupe d'origine russe sont l'oignon, le chou, le bœuf et, surtout, la betterave, qui lui donne sa couleur rouge caractéristique. On sert toujours le borchtch avec, à part, de la crème aigre.

Borchtch à la crème

Pour **4 personnes**
Préparation **30 min**
Cuisson **3 h**

500 g de céleri-rave ◆ 2 poireaux ◆ 1 petit chou ◆ 1 tomate ◆ 400 g de betteraves crues ◆ 2 grosses carottes ◆ 500 g de macreuse (ou de bœuf dans la tranche) ◆ 200 g de lard de poitrine non fumé ◆ 10 baies de genièvre ◆ 1 bouquet d'aneth ◆ 5 cl de crème aigre ◆ sel ◆ poivre

1 Pelez le céleri, coupez-le en quatre puis émincez-le finement. Préparez les poireaux, fendez-les en deux, lavez-les et émincez-les.
2 Parez le chou, lavez-le, coupez-le en quatre puis émincez-le. Lavez la tomate, pelez-la et détaillez-la en petits morceaux. Pelez les betteraves et coupez-les en dés. Pelez les carottes et coupez-les en rondelles.
3 Coupez la viande en cubes de 4 cm de côté et le lard en gros lardons. Mettez la viande dans un faitout. Versez 2,5 l d'eau et faites chauffer.
4 Quand elle bout, ajoutez tous les légumes et les lardons. Salez modérément et poivrez. Ajourez les baies de genièvre. Faites cuire pendant 3 h en écumant souvent.

5 Lavez, équeutez et effeuillez l'aneth. Versez la soupe dans des grands bols chauds. Parsemez-la d'aneth. Déposez 1 c. à soupe de crème aigre par-dessus. Servez très chaud.

Si vous n'avez pas de crème aigre, remplacez-la par de la crème fraîche à laquelle vous aurez ajouté du jus de citron.

Préparez le borchtch avec deux morceaux de bœuf différents : il n'en sera que meilleur.

bouchée

→ **voir aussi** amuse-gueule, canapé

Les bouchées salées sont soit des amuse-gueule gros comme une bouchée, soit des petites croûtes ou des choux remplis d'une garniture, servis chauds ou froids en entrée. La bouchée à la reine est toujours une croûte feuilletée ronde avec une garniture chaude liée d'une sauce.

Quant aux bouchées sucrées, petits fours frais à la crème ou au chocolat, présentez-les avec le café.

Diététique. Ne vous fiez pas à leur modeste volume : en une bouchée, vous prenez facilement 100 kcal.

Bouchées aux chipolatas

Pour **30 bouchées environ**
Préparation **20 min**
Cuisson **15 min**

250 g environ de pâte feuilletée ◆ 8 chipolatas ◆ 1 œuf ◆ poivre de Cayenne

1 Abaissez la pâte feuilletée sur 4 mm d'épaisseur. Découpez-y des bandes assez grandes pour envelopper chaque saucisse dans la longueur.
2 Poudrez légèrement de poivre de Cayenne chaque chipolata. Posez-les sur les morceaux de pâte et enroulez-les avec la paume de la main.
3 Collez la jointure à l'eau en appuyant légèrement. Badigeonnez chaque rouleau avec de l'œuf battu dans un peu d'eau.
4 Coupez chaque rouleau en deux ou trois portions égales. Rangez-les sur la tôle du four et faites cuire 15 min à four très chaud.
5 Servez aussitôt sur des pique-olives.

Bouchées au chocolat

Pour **20 bouchées environ**
Préparation **25 min**
Cuisson **30 min**

100 g de chocolat noir ◆ 125 g de farine ◆ 60 g de noisettes ◆ 80 g de beurre ◆ 2 œufs ◆ 4 pincées de levure ◆ 250 g de sucre semoule ◆ quelques gouttes d'extrait de vanille

1 Cassez le chocolat en petits morceaux. Tamisez la farine. Concassez les noisettes.
2 Dans une casserole, faites fondre le chocolat avec le beurre sur feu très doux. Laissez refroidir. Ajoutez ensuite les œufs, 1 par 1, en remuant bien jusqu'à absorption complète.
3 Incorporez ensuite la farine et la levure, puis le sucre et la vanille. Ajoutez les noisettes. Le mélange doit être homogène.
4 Beurrez un moule carré assez grand pour que la pâte y forme une couche de 3 cm.
5 Faites cuire au four à 180 °C pendant 30 min. La pâte doit se décoller légèrement des bords. Sortez du four et démoulez.
6 Découpez en pavés carrés ou rectangulaires. Laissez refroidir complètement avant de déguster.

Bouchées brésiliennes

Pour **12 à 15 bouchées**
Préparation **10 min, 1 h à l'avance**
Cuisson **5 min**

400 g de sucre de canne en poudre ◆ 1 c. à soupe de miel ◆ 1 petite tasse de moka bien corsé ◆ 40 g de beurre ◆ 70 g de noix du Brésil décortiquées

1 Versez le sucre de canne, le miel et le café dans une petite casserole à fond épais. Faites chauffer sur feu doux en remuant.
2 Lorsque le mélange est bien dissous, retirez la casserole du feu et ajoutez le beurre en parcelles. Ne mélangez pas.
3 Concassez les noix. Ajoutez-les au mélange et remuez énergiquement.
4 Versez la pâte dans un moule carré légèrement huilé. Lissez le dessus et laissez refroidir complètement.
5 Découpez des petits carrés dans la masse. Servez avec le café.

Bouchées à la reine

Pour **6 personnes**
Préparation **30 min**
Cuisson **1 h**

150 g de champignons de couche ◆ 1 citron ◆ 100 g de ris de veau ◆ 45 g de beurre ◆ 75 cl de bouillon de volaille ◆ 2 blancs de poulet cuits ◆ muscade ◆ 6 petites quenelles de veau ◆ 3 jaunes d'œufs ◆ 10 cl de crème fraîche ◆ 6 croûtes en pâte feuilletée ◆ farine ◆ sel ◆ poivre

1 Nettoyez les champignons et coupez-les en fines lamelles. Citronnez-les. Faites cuire le ris de veau 10 min à l'eau bouillante salée. Dépouillez-le et coupez-le en petits dés.
2 Faites fondre le beurre dans une casserole, ajoutez 3 c. à soupe de farine et faites cuire en remuant 3 min. Mouillez avec le bouillon et portez à ébullition.
3 Coupez le poulet en petits dés et ajoutez-les dans la sauce avec le ris de veau et les champignons égouttés. Salez, poivrez et muscadez. Faites cuire en remuant doucement à découvert.
4 Incorporez les quenelles coupées en petits tronçons. Remuez délicatement. Délayez les jaunes d'œufs dans la crème et versez cette liaison dans la préparation. Remuez sur feu très doux 3 à 4 min.
5 Faites chauffer les croûtes feuilletées à four moyen. Remplissez-les de la garniture avec la sauce et servez aussitôt.

Boisson **meursault**

Bouchées au saumon fumé

Pour **20 personnes**
Préparation **15 min**
Cuisson **2 à 3 min**

120 g de miettes de saumon ◆ 2 c. à soupe de crème fraîche ◆ 1 c. à café de zeste de citron râpé ◆ 20 tranches rondes de pain de mie de 4 cm de diamètre ◆ 50 g de beurre ◆ 180 g de tranches fines de saumon fumé ◆ aneth frais ◆ poivre au moulin

1 Passez au mixer les miettes de saumon et la crème fraîche en ajoutant le zeste de citron et en donnant quelques tours de moulin à poivre. Mettez au frais.
2 Tartinez de beurre les rondelles de pain de mie sur les 2 faces et faites-les dorer doucement dans une poêle en les retournant. Égouttez-les très soigneusement.
3 Détaillez les tranches de saumon fumé en fines languettes régulières.
4 Recouvrez chaque toast d'une couche de mousse de saumon et décorez-le de languettes de saumon enroulées sur elles-mêmes, avec un peu d'aneth au milieu. Servez aussitôt.

Boisson **champagne brut**

→ autres recettes de bouchée à l'index

boudin blanc

Cette charcuterie est faite d'une farce fine à base de viande blanche (veau ou volaille), avec du gras de porc, du lait, de la crème, de la farine et des épices. Le boudin blanc doit cuire doucement car il éclate facilement.

Diététique. Le boudin blanc est aussi gras que le noir. De plus, il absorbe le beurre de cuisson.

Boudin blanc purée mousseline

Pour **4 personnes**
Préparation **10 min**
Cuisson **30 min**

1 kg de pommes de terre ◆ huile ◆ 4 boudins blancs ◆ 50 cl de lait ◆ 60 g de beurre ◆ muscade ◆ sel ◆ poivre

1 Lavez les pommes de terre et faites-les cuire dans leur peau à l'eau salée.
2 Huilez 4 morceaux de papier sulfurisé et emballez chaque boudin. Mettez les papillotes au four à 160 °C.
3 Pelez les pommes de terre et passez-les au moulin à légumes. Délayez la purée petit à petit avec le lait bouillant.
4 Incorporez le beurre, salez, poivrez et muscadez la purée en fouettant. Versez-la brûlante dans un plat creux.
5 Retirez les papillotes du four, déballez les boudins et posez-les sur la purée.

Cuits en papillotes, les boudins n'éclateront pas.

boudin noir

L'ingrédient essentiel de cette charcuterie est le sang de porc. Sa qualité dépend de sa fraîcheur : il s'altère vite et doit être consommé rapidement. La farce est souvent agrémentée de fruits : pommes, pruneaux, raisins secs ou châtaignes. Vendu « au mètre » ou en portions fermées, il se fait griller ou poêler et se sert brûlant. Le boudin antillais, lui aussi noir mais très épicé, se fait pocher à l'eau bouillante.

Diététique. Le boudin noir est toujours très riche en lipides. Dommage : c'est une bonne source de fer.

Boudin noir et pommes en l'air

Pour **4 personnes**
Préparation **10 min**
Cuisson **20 min environ**

800 g de pommes reinettes ◆ 1 citron ◆ 100 g de beurre ◆ 4 boudins noirs ◆ sel ◆ poivre

1 Pelez les pommes, émincez-les et citronnez-les. Faites chauffer la moitié du beurre dans une poêle. Mettez-y à dorer les tranches de pommes sur feu moyen en les retournant souvent.
2 Faites fondre le reste de beurre dans une seconde poêle et faites-y cuire les boudins en les retournant régulièrement jusqu'à ce qu'ils soient bien croustillants. Laissez saisir au début, puis surveillez bien pour que le boyau n'éclate pas.
3 Mettez les boudins dans la poêle avec les pommes, salez et poivrez. Faites chauffer 1 min, puis servez aussitôt très chaud.

Paupiettes de veau farcies au boudin

Pour **4 personnes**
Préparation **20 min**
Cuisson **1 h 15**

2 carottes ◆ 2 oignons ◆ 25 cm de boudin noir ◆ 4 escalopes de veau bien aplaties ◆ 20 g de beurre ◆ 2 c. à soupe d'huile ◆ 1 bouquet garni ◆ 10 cl de vin blanc ◆ 1 petit verre de calvados ◆ 2 c. à soupe de crème fraîche ◆ sel ◆ poivre

1 Pelez et émincez les carottes. Pelez et hachez les oignons. Coupez le boudin en quatre.
2 Placez un tronçon de boudin sur chaque escalope. Roulez-les et ficelez-les.
3 Faites fondre le beurre et l'huile dans une cocotte. Faites-y dorer les paupiettes pendant 10 min en les retournant.
4 Ajoutez les carottes et les oignons, le bouquet garni. Salez et poivrez. Mouillez avec le vin blanc et complétez avec un peu d'eau.
5 Baissez le feu et couvrez la cocotte : laissez mijoter pendant 1 h. Égouttez les paupiettes et déficelez-les. Posez-les dans un plat creux avec les carottes et les oignons.
6 Passez la cuisson. Remettez-la sur le feu, ajoutez le calvados. Fouettez sur feu vif en incorporant la crème fraîche. Nappez les paupiettes.

Boisson **vouvray**

Petits boudins à la créole

Pour **4 personnes**
Préparation **10 min**
Cuisson **20 min**

1 gros oignon ◆ 1 grand verre de riz à grains longs ◆ 20 petits boudins antillais ◆ 1 c. à café de curry doux ◆ huile

1 Pelez l'oignon et faites-le revenir à l'huile dans une casserole. Ajoutez le riz et remuez pendant 3 min. Versez un verre et demi d'eau et laissez cuire sur feu doux pendant 20 min.
2 Faites bouillir de l'eau, ajoutez les boudins, éteignez, couvrez et laissez pocher.
3 Incorporez le curry au riz cuit. Servez le riz avec les boudins bien égouttés.

bouillabaisse

Cette soupe de poissons typiquement marseillaise n'est jamais aussi bonne que préparée dans le Midi, où l'on trouve l'assortiment de poissons de roche idéal. La rascasse (ou chapon), le loup, la murène, la girelle, notamment, passent pour indispensables. Soyez exigeant sur la qualité de l'huile d'olive et n'oubliez pas le choix d'épices : fenouil et écorce d'orange séchée, pointe de safran et soupçon d'anis. La cuisson doit être menée à pleine ébullition.

◄ Bouillabaisse de Marseille

La bouillabaisse est un plat copieux qui se suffit à lui seul. Suivi de fromages de chèvre et d'une salade de fruits rafraîchis, c'est un repas qui sent bon le soleil.

Bouillabaisse de Marseille

Pour **6 personnes**
Préparation **1 h**
Cuisson **15 min**

2 kg de poissons variés entiers (rascasse, saint-pierre, lotte, daurade, grondin, tranches de congre, merlan) ◆ 10 étrilles ◆ 2 oignons ◆ 3 gousses d'ail ◆ 2 poireaux ◆ 3 branches de céleri ◆ huile d'olive ◆ 1 bulbe de fenouil ◆ 3 tomates ◆ 1 bouquet garni ◆ safran en filaments ◆ sel ◆ poivre
Pour la rouille **1 tranche de pain de mie ◆ 3 gousses d'ail ◆ 1 piment rouge ◆ 1 jaune d'œuf ◆ huile d'olive ◆ 1 baguette de pain ◆ sel ◆ poivre de Cayenne**

1 Écaillez, videz et étêtez les poissons. Tronçonnez-les.
2 Hachez menu 1 oignon et 1 gousse d'ail, les poireaux et le céleri. Faites-les revenir dans 10 cl d'huile. Salez et poivrez. Ajoutez les têtes et les parures de poissons. Couvrez d'eau, faites bouillonner pendant 20 min.
3 Passez le mélange dans un tamis et pressez-le. On obtient le bouillon de cuisson.
4 Pelez les tomates et coupez-les en morceaux. Dans une grande marmite, faites revenir dans un peu d'huile 1 oignon, 2 gousses d'ail et le fenouil haché. Versez-y le bouillon, les tomates et le bouquet garni.
5 Ajoutez rascasse, grondin, lotte, congre, daurade, les étrilles brossées et le safran.
6 Faites bouillir sur feu vif pendant 8 min. Ajoutez ensuite saint-pierre et merlan, laissez cuire pendant 5 à 6 min.
7 Préparez la rouille : mouillez le pain de mie avec un peu de bouillon, pressez-le. Pilez-le avec 3 gousses d'ail et le piment haché. Incorporez le jaune d'œuf puis ajoutez 25 cl d'huile d'olive en montant le mélange comme une mayonnaise.
8 Coupez la baguette en rondelles et faites-les griller dans un four.
9 Disposez les poissons et les étrilles dans un grand plat chaud, versez le bouillon dans une soupière. Apportez en même temps la rouille et les croûtons.

Si vous trouvez des petites cigales de mer, ajoutez-les à la bouillabaisse.

bouillon

➜ voir aussi **court-bouillon, fond**

Le liquide de cuisson à l'eau du bœuf, d'une volaille ou de légumes s'utilise pour préparer un potage ou une sauce. Le bouillon désigne en particulier la partie liquide du pot-au-feu. On le sert très chaud avant les viandes.

Les bouillons concentrés en cubes, à diluer dans une cuisson bouillante, sont très pratiques.

Diététique. Seul le bouillon de légumes présente un réel intérêt nutritionnel : c'est un concentré de minéraux et de vitamines. Excellent également pour le teint.

Bouillon de légumes

RECETTE LÉGÈRE 1 portion 30 kcal

Pour **1 l de bouillon**
Préparation **15 min**
Cuisson **30 min**

2 carottes ◆ 2 oignons ◆ 1 clou de girofle ◆ 2 poireaux ◆ 2 branches de céleri ◆ 1 bouquet garni ◆ sel ◆ poivre

1 Pelez les carottes et les oignons. Piquez un des oignons avec le clou de girofle. Lavez les poireaux et le céleri, et coupez-les en gros tronçons. Gardez le maximum de vert aux poireaux et réservez les feuilles de céleri.
2 Coupez les carottes et les oignons en grosses rondelles et mettez-les dans une marmite. Ajoutez les poireaux, les aromates et les feuilles de céleri. Versez 1,5 l d'eau. Portez à ébullition et faites cuire doucement 30 min. Passez.

Pour un potage épais, réduisez les légumes en purée et réincorporez-les dans le bouillon.

→ **autres recettes de bouillon à l'index**

boulette

→ **voir aussi fricadelle**

Façonnées avec une farce, un hachis ou une purée, les boulettes servent souvent à utiliser un reste de viande ou de poisson. Sautées ou rissolées, elles demandent une sauce relevée. Pochées dans un bouillon, elles garnissent une soupe ou un ragoût.
Diététique. Exemple type d'une source de calories cachées, surtout si les boulettes sont rissolées et servies en sauce.

Boulettes de bœuf sauce madère

Pour **6 personnes**
Préparation **30 min**
Cuisson **30 min**

100 g de lard maigre ◆ 2 oignons ◆ 600 g de bœuf haché ◆ 2 c. à soupe de persil haché ◆ 1 œuf ◆ farine ◆ 2 tomates bien mûres ◆ 40 g de beurre ◆ 6 c. à soupe de madère ◆ 2 c. à soupe de crème fraîche ◆ sel ◆ poivre

1 Hachez le lard très finement. Pelez les oignons et hachez-les menu. Mélangez dans une terrine la viande hachée, le lard, les oignons et le persil. Pétrissez en ajoutant l'œuf entier. Poivrez.
2 Façonnez 6 grosses boulettes avec cette farce, en les tassant bien entre vos mains. Farinez-les. Pelez les tomates et taillez la pulpe en dés.
3 Faites fondre le beurre dans une cocotte. Mettez-y à dorer les boulettes en les retournant 2 ou 3 fois.
4 Quand elles sont bien fermes et croustillantes, ajoutez le madère et la pulpe de tomates. Baissez le feu et couvrez. Faites mijoter doucement pendant 20 min.
5 Ajoutez la crème et délayez-la dans la sauce. Faites encore chauffer 2 ou 3 min sans bouillir. Goûtez et rectifiez l'assaisonnement.

Attention au sel que contient le lard. Servez les boulettes avec des pâtes.

Boisson **bordeaux rouge**

Boulettes au paprika

RECETTE LÉGÈRE 1 portion 320 kcal

Pour **4 personnes**
Préparation **25 min**
Cuisson **20 min**

500 g de noix de veau ◆ 1 tranche de pain de mie rassis ◆ 2 oignons ◆ paprika ◆ 1 bouquet de ciboulette ◆ 400 g de pommes de terre à chair ferme ◆ quelques grandes feuilles de laitue ◆ huile de maïs ◆ sel ◆ poivre

1 Hachez grossièrement la viande. Faites tremper le pain émietté dans un peu d'eau puis pressez-le. Pelez et hachez les oignons.
2 Mélangez ces ingrédients avec la moitié de la ciboulette ciselée et 1 c. à café rase de paprika. Salez et poivrez.
3 Lorsque la préparation est bien homogène, façonnez des boulettes à la main. Réservez-les au réfrigérateur.
4 Lavez les pommes de terre et faites-les cuire à l'eau bouillante dans leur peau.
5 Faites bouillir de l'eau dans la partie basse d'un cuit-vapeur, disposez les boulettes bien raffermies sur le panier, tapissé de feuilles de laitue et faites-les cuire à la vapeur 20 min.
6 Faites réchauffer les pommes de terre épluchées dans une poêle sur feu doux avec un filet d'huile et parsemez-les du reste de ciboulette. Servez bien chaud.

boulette d'Avesnes

Ce fromage de lait de vache du Nord est en forme de cône de 10 cm de haut environ. La pâte, malaxée avec du persil et des aromates, a un goût fort et piquant. La croûte, rougeâtre, est lavée à la bière. Dégustez ce fromage avec un petit verre de genièvre ou une bière de la région.

bouquet garni

Le bouquet garni réunit les plantes aromatiques suivantes : 2 ou 3 tiges de persil, 1 brin de thym et 1 feuille de laurier, ficelés ensemble. On peut lui ajouter de la sauge, du céleri-branche ou du romarin. Tout fait, il est souvent trop sec. Retirez-le toujours de la préparation avant de servir.

Bœuf bourguignon ▼

Ne coupez pas la viande du bourguignon en trop gros morceaux. Il sera plus vite cuit et aussi plus facile à servir. Le vin de cuisson doit être assez corsé : vous pouvez même choisir un vin d'Algérie.

bourbon

Apparenté au whisky, le bourbon américain est un alcool de grain qui contient au moins 50 % de maïs. Vieilli en fût de chêne, il acquiert un goût moelleux et une couleur dorée. Il se consomme comme le whisky. Les marques les plus réputées sont : *Wild Turkey, Four Roses, Ten High* et *Eagle Rare.*

Diététique. Un verre de bourbon (20 cc) apporte 180 kcal.

bourguignon

Le bœuf bourguignon est un ragoût qui permet l'emploi de morceaux économiques : macreuse, jumeau, paleron désossé ou talon. Vous pouvez aussi demander au boucher des « faux morceaux » (entames des pièces fournies à la découpe).

Faites mariner la viande quelques heures dans le vin rouge de la cuisson avec des aromates pour relever la saveur du ragoût. N'hésitez pas à augmenter les proportions : réchauffé le lendemain, il est aussi délicieux.

Diététique. Le bourguignon n'est pas si « riche » : 180 kcal pour 100 g (29 g de protides et 7 g de lipides), il serait dommage de vous en priver.

Bœuf bourguignon

Pour **4 personnes**
Préparation **15 min**
Cuisson **2 h**

2 gros oignons ◆ 1 carotte ◆ 40 g de beurre ◆ huile ◆ 150 g de lardons ◆ 1 kg de gîte ou de macreuse en morceaux ◆ 1 bouteille de bourgogne rouge ◆ 1 bouquet garni ◆ 1 gousse d'ail ◆ 200 g de champignons de couche ◆ 1 c. à soupe de concentré de tomates ◆ sel ◆ poivre

1 Pelez et émincez les oignons. Pelez la carotte et coupez-la en rondelles. Faites chauffer 20 g de beurre et 1 c. à soupe d'huile dans une cocotte. Faites-y revenir les lardons et les oignons. Quand ils sont dorés, retirez-les.

2 Remplacez-les par les morceaux de viande et faites-les également dorer, puis remettez les lardons et les oignons. Poivrez et versez le vin.

3 Ajoutez le bouquet garni, la carotte et la gousse d'ail pelée. Couvrez, baissez le feu et laissez mijoter 2 h.

4 Nettoyez les champignons et émincez-les. Faites-les revenir dans le reste de beurre. Ajoutez-les dans la cocotte 15 min avant la fin de la cuisson, avec le concentré de tomates. Mélangez bien.
5 Servez dans la cocotte en retirant le bouquet garni. Accompagnez le bourguignon de pommes vapeur persillées.

Boisson **bourgogne rouge ou madiran**

bourride

Voisine de la bouillabaisse, la bourride est une soupe de poissons dont l'ingrédient caractéristique est la lotte. Les aromates y jouent un rôle important. Elle est liée en fin de cuisson avec de l'aïoli. On sert à part le bouillon et les poissons.

Diététique. Comme la bouillabaisse, c'est un excellent plat complet.

Bourride

Pour **6 personnes**
Préparation **15 min**
Cuisson **15 min**

20 cl de vin blanc sec ◆ 1 oignon ◆ 3 tranches de citron ◆ 1 tronçon d'écorce d'orange séchée ◆ 1 brin de thym ◆ 1 feuille de laurier ◆ 1 c. à café de graines de fenouil ◆ 5 gousses d'ail ◆ 1,5 kg de poissons blancs (lotte, bar, turbot, colin) en tranches ou en tronçons ◆ 5 jaunes d'œufs ◆ 1 verre d'huile d'olive ◆ 2 c. à soupe de crème fraîche ◆ sel ◆ poivre

1 Versez 1 l d'eau dans un faitout avec le vin. Ajoutez l'oignon haché, le citron, l'orange, le thym, le laurier, le fenouil et 1 gousse d'ail écrasée. Portez à ébullition.
2 Ajoutez les morceaux de poisson, salez, poivrez et faites cuire à petits bouillons pendant 12 à 15 min.
3 Égouttez le poisson et gardez-le au chaud dans un plat creux, avec 1 c. à soupe de bouillon. Passez le bouillon.
4 Préparez un aïoli avec les gousses d'ail pelées et pilées, 2 jaunes d'œufs et l'huile d'olive. Salez et poivrez.
5 Remettez le bouillon sur feu doux et incorporez-lui la moitié de l'aïoli en fouettant. Ajoutez aussi 3 jaunes d'œufs en remuant sans cesse et sans laisser bouillir. Finissez la liaison avec la crème et fouettez jusqu'à ce que le bouillon soit crémeux et épais.
6 Servez en même temps les morceaux de poisson, le bouillon en soupière et, à part, de l'aïoli. Complétez la garniture avec des pommes de terre bouillies.

brandade

→ **voir aussi** croque-monsieur

Cette purée de morue à l'huile d'olive et au lait d'origine provençale existe aussi en boîte, ce qui permet de confectionner des petites entrées rapides, comme des tartelettes garnies de brandade, décorées d'olives noires et passées au four chaud.

Diététique. Une préparation à réhabiliter, car c'est un plat complet, équilibré et relativement peu riche en calories.

Brandade de morue

Pour **6 personnes**
Trempage **12 h à l'avance**
Préparation **10 min**
Cuisson **45 min environ**

1 kg de filets de morue ◆ 2 gousses d'ail ◆ 20 cl de lait ◆ 2 verres d'huile d'olive

1 Faites dessaler les filets de morue à l'eau froide en renouvelant celle-ci plusieurs fois.
2 Mettez les filets égouttés dans une casserole ; couvrez d'eau froide et portez à ébullition. Baissez le feu et laissez pocher 12 min.
3 Égouttez les filets et émiettez-les. Pilez-les dans un mortier avec les gousses d'ail pelées.
4 Faites chauffer le lait. Mettez la purée de morue dans une grande casserole sur feu doux. Incorporez alternativement le lait et l'huile en travaillant énergiquement le mélange avec une spatule. La brandade doit être souple, mais surtout pas liquide. Arrêtez d'ajouter de l'huile dès que la bonne consistance est atteinte. Servez brûlant ou tiède.

Si la purée est trop molle, ajoutez en cours de préparation une pomme de terre cuite à l'eau, bien chaude, grossièrement écrasée.

Boisson **vin blanc sec**

brandy

Le terme de brandy (du verbe « to brand », brûler), qui désigne l'eau-de-vie en anglais, a pris aujourd'hui plusieurs sens. Pour les Anglo-Saxons, le brandy, c'est le cognac.

En France, le brandy français est une eau-de-vie de vin et de marc.

brick (ou brik)

→ voir aussi amuse-gueule

Mets d'origine tunisienne fait d'une pâte très fine à base de semoule bouillie à l'eau. On garnit la feuille de brick diversement (viande hachée agrémentée d'un œuf, de pommes de terre et de thon) puis on la plie en triangle ou on la roule en cigare. Les bricks sont ensuite frits à l'huile et servis en amuse-gueule.

La pâte à brick (semblable à la pâte à phyllo), difficile à réaliser soi-même, s'achète toute faite, généralement en feuilles rondes, au rayon frais.

Bricks au thon et au persil

Pour **4 personnes**
Préparation **25 min**
Cuisson **15 min**

6 feuilles de brick ◆ 2 pommes de terre cuites ◆ 1 grande boîte de thon à l'huile ◆ 1 bouquet de persil ◆ 1 œuf ◆ 1 gousse d'ail ◆ huile de friture ◆ sel ◆ poivre

1 Coupez les feuilles de brick en 2. Pelez les pommes de terre et écrasez-les en purée.
2 Mélangez dans un saladier le contenu de la boîte de thon bien égoutté et les pommes de terre, ajoutez 6 c. à soupe de persil finement ciselé, l'œuf et la gousse d'ail pelée et hachée. Salez et poivrez. Mélangez intimement.
3 Répartissez la farce sur les feuilles de brick avec une cuiller à soupe. Pliez-les en triangles ou en carrés ou roulez-les en cigares.
4 Faites chauffer l'huile de friture. Quand elle est bien chaude, plongez-y une partie des bricks et laissez-les dorer.
5 Comptez 3 à 4 min de cuisson par fournée. Égouttez-les sur du papier absorbant et servez-les aussitôt chauds et croustillants.

On peut également ajouter à la farce 1 ou 2 c. à soupe de petits pois et remplacer le persil par de la coriandre fraîche.

Boisson **pastis ou anisette**

brie

→ voir aussi coulommiers

Fabriqué au lait de vache, ce fromage à pâte molle et à croûte fleurie possède une saveur fruitée et un bouquet parfois prononcé. On distingue quatre sortes de bries : de Meaux et de Melun (protégés par une appellation d'origine), de Montereau et de Coulommiers. Le brie bien fait a parfois une épaisseur inégale : c'est la partie la plus mince du disque qui est le mieux affinée. Le plus connu et le plus répandu des bries est celui de Meaux, bon de mai à octobre. Celui de Melun est plus petit et plus épais. Il est parfois vendu frais ou aromatisé (au poivre, aux fines herbes).

Diététique. Une part de brie = 90 kcal.

brioche

C'est la qualité et la proportion de beurre dans la pâte qui fait la réussite de cette pâtisserie délicate. Elle peut se mouler de différentes façons : brioche parisienne à tête, cuite dans un moule spécial à côtes (existe aussi en petites brioches individuelles) ; pain brioché à sections marquées (à choisir pour le pain perdu ou les croûtes aux fruits) ; brioche mousseline, haute et cylindrique.

La pâte à brioche, parfois agrémentée de raisins secs, peut aussi se mouler en couronne ou en grosse galette. Pour réchauffer une brioche, enveloppez-la dans du papier de soie humide et passez-la 5 minutes à four chaud. Servez-la avec le thé ou le chocolat.

Diététique. Compte tenu de sa composition, évitez de tartiner de beurre les tranches de brioche.

Bricks au thon et au persil ►

Tout dorés, croustillants et bien épicés, les bricks se servent aussi bien en amuse-gueule qu'en petite entrée chaude avec une salade de laitue agrémentée de menthe fraîche.

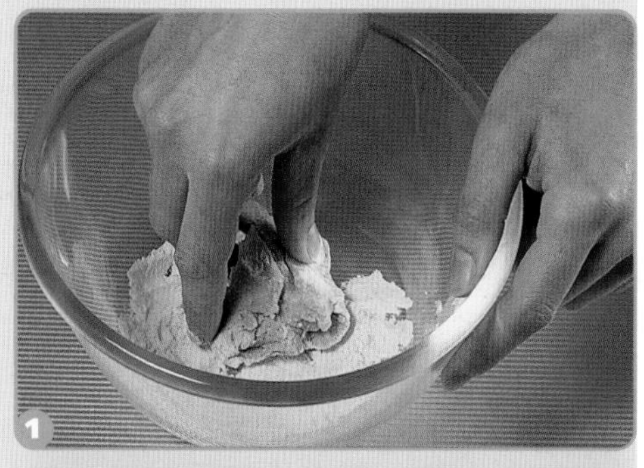

Brioche mousseline

Pour **un moule à charlotte**
de 14 cm de diamètre
Préparation **30 min**
Repos de la pâte **6 h**
Cuisson **45 min**

250 g de farine ◆ 10 g de levure de boulanger ◆ 3 c. à soupe de lait tiède ◆ 210 g de beurre extra-fin ◆ 4 œufs ◆ 30 g de sucre semoule ◆ 10 g de sel fin

1 Passez une terrine à l'eau chaude et essuyez-la. Tamisez la farine et versez-la dedans. Délayez la levure dans le lait et incorporez-lui un peu de farine pour obtenir une boule molle (le levain).

2 Malaxez 190 g de beurre à la spatule pour le réduire en crème. Il ne doit pas être fondu. Faites un puits dans la farine. Versez-y le beurre, le levain, 3 œufs entiers, le sucre et le sel. Incorporez peu à peu les ingrédients à la farine, puis ramassez la pâte en boule au milieu de la terrine. Couvrez-la, placez-la dans un endroit tiède (20 °C environ) et laissez-la lever environ 3 h.

3 Lorsque la pâte a doublé de volume, tapotez-la fortement pour l'affaisser et faites-la lever dans un linge tiède pendant 1 h. Découpez un rond de papier sulfurisé à la dimension du fond du moule et une bande de papier, pour tapisser les parois, qui dépasse du moule de 6 à 8 cm en hauteur. Beurrez les 2 morceaux de papier et mettez-les en place dans le moule.

4 Tapotez à nouveau la pâte pour qu'elle s'affaisse, ramassez-la en boule et déposez-la dans le moule. Faites lever pendant au moins 2 h.

5 Badigeonnez le dessus avec 1 jaune d'œuf. Enfournez à 210 °C et faites cuire 30 min. Baissez le feu à 180 °C et poursuivez la cuisson pendant 10 à 15 min. Vérifiez la cuisson avant de démouler, en glissant une aiguille au centre : elle doit ressortir sèche. N'ouvrez en aucun cas la porte du four avant les 10 dernières minutes de cuisson. Démoulez la brioche, retirez le papier et laissez refroidir sur une grille.

Il ne faut pas pétrir la pâte d'une brioche, mais la « rompre » : l'enfoncer avec les pouces en la tapotant, pour favoriser le bon développement de la pâte levée.

Brioche antillaise

Pour **6 personnes**
Préparation **20 min**
Cuisson **10 min**

1 grosse brioche à tête ◆ 60 g de beurre ◆ 1 grande boîte d'ananas au sirop ◆ 3 c. à soupe de rhum ◆ 4 bananes

1 Ôtez la tête de la brioche et évidez-la en gardant au fond et à la paroi une épaisseur de 2 cm.
2 Coupez la mie en cubes et faites-les dorer à la poêle avec 20 g de beurre sur feu doux.
3 Égouttez les morceaux d'ananas et faites réduire le sirop des trois quarts sur feu vif dans une casserole ; parfumez-le avec le rhum.
4 Pelez les bananes et coupez-les en rondelles. Faites sauter dans le reste de beurre les morceaux d'ananas et les rondelles de bananes.
5 Imbibez de sirop au rhum l'intérieur de la brioche. Remplissez-la avec les fruits et les cubes de brioche passés au beurre. Arrosez avec le reste de sirop. Replacez la tête et passez au four quelques minutes. Servez chaud.

Vous pouvez enrichir la garniture de fruits confits coupés en petits dés ou de raisins secs gonflés dans du rhum et bien égouttés. Utilisez de préférence du rhum agricole martiniquais, moins corsé et plus parfumé que celui de la Guadeloupe.

Brioches aux œufs brouillés

Pour **4 personnes**
Préparation **15 min**
Cuisson **20 min**

4 petites brioches individuelles à tête ◆ 100 g de beurre ◆ 6 œufs ◆ ciboulette ◆ sel ◆ poivre

1 Retirez les têtes des brioches et évidez délicatement l'intérieur de celles-ci sans les percer. Beurrez-les légèrement et mettez-les dans le four à chaleur douce.
2 Cassez les œufs dans une jatte et battez-les à la fourchette. Salez et poivrez. Faites fondre 80 g de beurre dans une casserole.
3 Versez les œufs dans la casserole et faites cuire sur feu doux en remuant sans arrêt.
4 Retirez les œufs brouillés du feu et répartissez-les dans les brioches. Poivrez. Garnissez de ciboulette ciselée. Remettez en place les chapeaux.

Vous pouvez remplacer la ciboulette par des feuilles d'estragon, elles aussi ciselées très finement, dont la saveur se marie idéalement avec celle des œufs.

Brioches aux pralines

Pour **8 personnes**
Préparation **30 min, 6 h à l'avance**
Cuisson **45 min environ**

500 g de farine ◆ 20 g de levure de boulanger ◆ 15 g de sel ◆ 60 g de sucre semoule ◆ 5 œufs ◆ 300 g de beurre ◆ 250 g de pralines roses

1 Mélangez 175 g de farine avec la levure et assez d'eau pour juste la délayer. Formez une boule molle : c'est le levain. Laissez-le doubler de volume pendant 20 min dans un lieu tiède.
2 Mélangez le reste de farine avec le sel, le sucre et les œufs entiers. Pétrissez vigoureusement le mélange en tapant la pâte sur la table.
3 Ajoutez le beurre par petites quantités puis incorporez le levain. Roulez la pâte en boule et laissez lever pendant 6 h.
4 Concassez les 3/4 des pralines. Broyez le reste. Ajoutez les pralines concassées à la pâte et pétrissez-la à nouveau. Formez 3 boules et parsemez-les avec les pralines broyées.
5 Faites-les cuire au four à 230 °C pendant 20 min, baissez la chaleur à 180 °C et poursuivez la cuisson pendant 25 min environ. Faites refroidir sur une grille.

Ces brioches se conservent 3 ou 4 jours. Passez-les au four tiède pour les servir.

→ **autres recettes de brioche à l'index**

broccio

Ce fromage corse au lait de brebis (parfois de chèvre) possède une pâte fraîche et onctueuse. Égoutté, il se consomme dans les 48 h.

Sous la dénomination « passu », il peut être salé, affiné et plus sec. Employez-le pour des gâteaux ou des légumes farcis.

Gâteau corse au broccio

Pour **6 personnes**
Préparation **20 min**
Cuisson **30 min**

500 g de broccio frais ◆ 1 citron à peau fine non traité ◆ 1 orange à peau fine non traitée ◆ 6 œufs ◆ 150 g de sucre semoule ◆ huile d'olive ◆ sel

1 Mettez le broccio dans une mousseline et placez-le dans une passoire pour l'égoutter à fond. Râpez le zeste de l'orange et du citron. Cassez les œufs et séparez les blancs des jaunes.
2 Versez les jaunes dans une jatte et ajoutez le sucre. Battez vigoureusement le mélange jusqu'à ce qu'il soit mousseux.
3 Battez les blancs en neige ferme avec une pincée de sel. Incorporez au mélange précédent le fromage, les zestes et les blancs.
4 Huilez un moule à manqué de 25 cm de diamètre environ. Versez la pâte dedans et lissez le dessus. Faites cuire à 180 °C) pendant 30 min. Laissez tiédir, démoulez et servez froid.

Dans ce gâteau, l'une des nombreuses variantes du célèbre fiadone, vous pouvez remplacer les zestes râpés par 1 c. à soupe d'eau de fleur d'oranger.

Boisson **muscat**

Brochet au beurre d'herbes

Pour **4 personnes**
Préparation **25 min**
Cuisson **30 min**

1 brochet de 1,2 kg environ ◆ 1 citron ◆ 2 échalotes ◆ 70 g de beurre ◆ persil haché ◆ estragon ◆ sel ◆ poivre

1 Videz, écaillez et lavez le brochet après lui avoir coupé la tête. Ouvrez-le en 2 sur toute la longueur, par le ventre, et retirez soigneusement l'arête centrale.
2 Pressez le jus du citron. Pelez et hachez les échalotes. Citronnez, salez et poivrez l'intérieur du brochet.
3 Beurrez un plat creux assez large pour contenir le brochet à plat. Parsemez les échalotes au fond du plat. Posez le brochet par-dessus, côté chair contre le fond.
4 Incisez la peau en biais en 6 ou 7 endroits, assez profondément. Malaxez le beurre dans un bol avec 3 c. à soupe de persil haché et une dizaine de feuilles d'estragon. Introduisez ce mélange par petites quantités dans les incisions.
5 Faites cuire au four à 210 °C pendant environ 30 min, en arrosant de temps en temps avec le jus de cuisson. Servez dans le plat.

brochet

➔ **voir aussi** quenelle

Le brochet de rivière est un poisson à dos vert et à nageoires argentées. Il a meilleure réputation que le brochet d'eaux dormantes, plus foncé, qui risque d'avoir un goût de vase : si c'est le cas, lavez-le abondamment dans une eau fortement vinaigrée.

Les brochetons (1 à 2 kg) sont préférables aux gros brochets, dont la chair plus fade convient pour les quenelles ou les terrines de poisson. Les très petits se font cuire au bleu, comme la truite. La cuisson au court-bouillon ou au vin – blanc ou rouge – permet d'apprécier au mieux la finesse de ce poisson à la chair ferme et blanche, mais riche en arêtes. L'apprêt le plus classique est le brochet au beurre blanc.

Diététique. La chair du brochet est particulièrement pauvre en lipides. Sa laitance peut parfois provoquer un malaise digestif passager.

Brochet au vin blanc

RECETTE LÉGÈRE – 1 portion 355 kcal

Pour **4 personnes**
Préparation **30 min**
Cuisson **25 min**

1 brochet de 1,2 kg environ ◆ 60 g de beurre ◆ 1 c. à soupe d'huile ◆ 3 échalotes ◆ 50 cl de muscadet ◆ 10 cl de crème fraîche ◆ sel ◆ poivre

1 Coupez le brochet étêté, écaillé, vidé et lavé en larges tranches. Faites chauffer 25 g de beurre et l'huile dans une grande sauteuse.
2 Posez-y les tranches de brochet et faites-les cuire 5 min sur feu vif. Retournez-les et poursuivez la cuisson 5 ou 6 min. Salez et poivrez.
3 Retirez les tranches de brochet et réservez-les. Jetez la graisse de cuisson.
4 Dans la sauteuse, mettez les échalotes pelées et hachées. Mouillez avec le muscadet et laissez réduire de moitié sur feu moyen en remuant de temps en temps.

5 Ajoutez la crème, faites cuire en remuant 5 min, puis incorporez le reste du beurre en fouettant vivement. Versez la sauce sur les tranches de brochet.

Si vous aimez les saveurs aigres-douces, ajoutez dans la sauce 30 g de petits raisins secs gonflés à l'eau tiède et bien égouttés.

Boisson **muscadet**

brochettes

→ voir aussi **amuse-gueule, barbecue**

Piques métalliques servant à griller des aliments.

Pour les réussir, composez-les avec des éléments qui ont à peu près le même temps de cuisson et coupez-les en morceaux réguliers. Faites-les mariner 30 min dans une huile aromatisée. Posez-les sur un gril chauffé et huilé, mais sur feu moyen, et retournez-les souvent. Utilisez des brochettes longues pour ne pas vous brûler les doigts ; et aplaties : les morceaux ne tourneront pas pendant la cuisson.

Quelques idées de composition : blanc de dinde, lardons, rondelles de bananes et champignons ; foies de volaille et rognons d'agneau, tomates et poivrons ; jambon cuit, ananas et fromage à pâte cuite ; merguez, cœurs d'artichauts, petites tomates vertes et grosses olives ; médaillons de porc, poivron jaune, rondelles de citron et champignons ; queues de crevettes, jambon cru, rondelles d'ananas et cornichons ; bacon, olives, noix de saint-jacques.

Diététique. Cuites sans graisse, les brochettes sont des préparations très bien adaptées aux régimes hypocaloriques.

Brochettes d'agneau à la provençale

RECETTE LÉGÈRE — 1 portion 325 kcal

Pour **8 personnes**
Préparation **20 min**
Marinade **2 h**
Cuisson **10 min**

1 kg d'épaule d'agneau désossée et dégraissée • 4 c. à soupe d'huile d'olive • thym • romarin • laurier • 2 oignons • 2 poivrons • 6 tomates • sel • poivre

1 Coupez la viande en morceaux réguliers, pas trop gros. Mélangez dans un plat creux 4 c. à soupe d'huile d'olive et 2 c. à soupe d'aromates mélangés (thym, romarin et laurier émiettés), sel et poivre. Mettez-y à mariner les morceaux d'agneau pendant 2 h en les retournant de temps en temps. Selon le temps dont vous disposez, vous pouvez les faire mariner simplement 1 h, voire 30 min.

2 Pelez les oignons. Lavez les poivrons et coupez-les en 2. Faites-les blanchir 3 min à l'eau bouillante.

3 Égouttez-les et coupez-les en grosses lamelles. Coupez les tomates en quartiers. Épongez les morceaux d'agneau.

4 Enfilez les éléments sur des brochettes en les alternant. Faites-les griller 10 min en les retournant souvent. Servez avec des pommes de terre en papillotes.

Attention : une cuisson prolongée dessèche la viande. Le gril doit être chaud et huilé.

Boisson **beaujolais**

Brochettes d'agneau à la provençale ▲

Les brochettes sont plus savoureuses si la viande a mariné avec des aromates. À chacun de faire glisser les morceaux bien chauds dans son assiette.

Brochettes de fruits

Pour 6 personnes
Préparation 30 min
Cuisson 10 min

6 abricots ◆ 6 grosses cerises ◆ 2 oranges à peau fine ◆ 3 bananes ◆ 1 citron ◆ 1 petit ananas ◆ 150 g de sucre semoule ◆ 3 c. à soupe de rhum ◆ 12 tranches de pain de mie de 2 cm d'épaisseur ◆ 100 g de beurre ◆ cannelle

1 Dénoyautez les abricots et les cerises. Coupez les oranges non pelées en 6 quartiers chacune. Pelez les bananes et coupez-les en rondelles. Citronnez-les. Pelez soigneusement l'ananas et taillez la pulpe en dés.
2 Faites macérer ces fruits dans le rhum avec 3 c. à soupe de sucre. Beurrez les tranches de pain, passez-les dans le sucre, puis coupez-les chacune en 4 carrés réguliers.
3 Confectionnez les brochettes en alternant les fruits et les morceaux de pain.
4 Mélangez le sucre et le beurre restants dans une casserole et faites fondre en remuant. Ajoutez une pincée de cannelle.
5 Faites cuire les brochettes au four ou sur les braises en les retournant souvent et en les arrosant de beurre au sucre. Après 10 min, elles sont caramélisées.

Brochettes de poulet aux foies de volaille

Pour 6 personnes
Préparation 10 min, marinade 30 min
Cuisson 10 à 12 min

RECETTE LÉGÈRE – 1 portion 325 kcal

400 g de blancs de poulet ◆ 600 g de foies de volaille ◆ 6 c. à soupe d'huile d'olive ◆ 2 gousses d'ail ◆ 24 tomates cerises ◆ thym ◆ romarin ◆ estragon

1 Détaillez les blancs de poulet en morceaux réguliers de 3 cm de côté. Coupez les foies de volaille en 2.
2 Mélangez dans un grand plat creux l'huile, l'ail haché et 2 c. à soupe de thym, romarin et estragon hachés.
3 Ajoutez les viandes et mélangez. Laissez mariner 30 min. Égouttez les morceaux de volaille et réservez l'huile. Enfilez-les sur 12 brochettes.
4 Ajoutez 1 tomate cerise à chaque bout. Faites griller 10 min à four chaud ou sur un gril.

Si vous grillez les brochettes sur la braise, isolez-les en les plaçant sur une feuille d'aluminium huilée étalée sur le gril. Arrosez-les pendant la cuisson avec l'huile de la marinade.

→ **autres recettes de brochettes à l'index**

brocoli

Cette variété de chou-fleur à petits bouquets vert vif est un légume d'été. Les tiges, assez fermes, sont à peler comme des asperges. Pour les cuire, séparez-les des bouquets et tronçonnez-les en petits morceaux pour assurer une cuisson régulière. Les bouquets resteront bien verts si vous les plongez dans de l'eau froide juste après la cuisson ; réchauffez-les ensuite à la vapeur. Utilisez les tiges pour un potage ou une purée.

Diététique. C'est le plus digeste de tous les choux. Riche en vitamine A (bonne pour la peau et le bronzage), il aurait même des vertus anticancéreuses : 100 g = 35 kcal.

Brocoli aux herbes

Pour 4 personnes
Préparation 10 min
Cuisson 10 min

1 kg de brocoli ◆ 1 œuf ◆ 1 citron ◆ 5 c. à soupe d'huile d'olive ◆ 2 c. à soupe de ciboulette hachée ◆ 1 c. à soupe de persil haché ◆ 1 c. à soupe d'estragon ciselé ◆ 1 c. à soupe de cerfeuil ciselé ◆ sel ◆ poivre

1 Parez les brocoli, lavez-les et épongez-les. Faites-les cuire 10 min à l'eau bouillante salée. Faites par ailleurs cuire l'œuf dur.
2 Rafraîchissez l'œuf dur, écalez-le et extrayez le jaune. Écrasez-le à la fourchette et mettez-le dans un mixer.
3 Ajoutez le jus de citron et l'huile, salez et poivrez. Mixez une fois, ajoutez toutes les fines herbes et mixez encore une fois.
4 Égouttez à fond les brocoli et mettez-les dans un plat de service. Lorsqu'ils sont tièdes, arrosez avec la sauce aux herbes. Servez en hors-d'œuvre ou en garniture de poisson poché.

Les brocoli se congèlent facilement : blanchis 1 min, rafraîchis, égouttés et refroidis, congelés sur plateau puis mis en sachets (conservation : 12 à 15 mois).

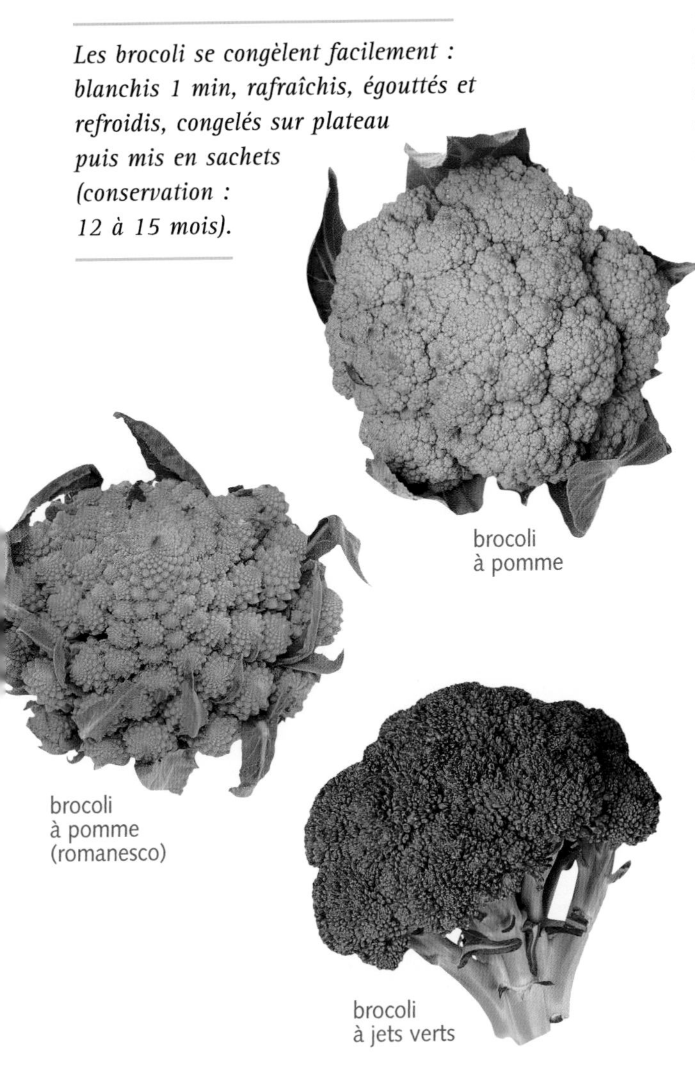

Panaché de légumes au brocoli

RECETTE LÉGÈRE 1 portion 180 kcal

Pour **4 personnes**
Préparation **25 min**
Cuisson **30 min**

4 carottes ◆ 250 g de champignons ◆ 1 citron ◆ 2 navets ◆ 200 g de brocoli ◆ 12 choux de Bruxelles ◆ 20 g de beurre frais ◆ 1 bouquet de ciboulette ◆ sel ◆ poivre

1 Pelez les carottes et coupez-les en tronçons. Nettoyez les champignons, laissez-les entiers s'ils sont petits, citronnez-les. Pelez et coupez les navets en cubes. Parez les bouquets de brocoli et les choux de Bruxelles.

2 Faites cuire à l'eau séparément d'une part les carottes et les navets, d'autre part les brocolis et les choux de Bruxelles. Réunissez-les ensuite dans un plat creux et ajoutez les champignons crus citronnés. Mélangez délicatement, salez et poivrez. Ajoutez le beurre frais en parcelles ainsi que la ciboulette ciselée. Servez.

Purée de brocoli

Pour **4 personnes**
Préparation **10 min**
Cuisson **10 min**

1,5 kg de brocoli ◆ 20 cl de crème fraîche ◆ 50 g de beurre ◆ sel ◆ poivre blanc au moulin

1 Parez les brocoli et pelez les tiges. Séparez les bouquets des tiges et entaillez celles-ci en croix à la section pour assurer une cuisson régulière.
2 Remplissez d'eau une grande casserole, salez et portez à ébullition. Plongez-y les brocoli et laissez cuire 5 min. Égouttez-les et passez-les aussitôt au mixer.
3 Pendant ce temps, versez la crème dans une petite casserole et laissez-la réduire jusqu'à consistance onctueuse.
4 Faites chauffer le beurre dans une autre casserole. Quand il est bien chaud, ajoutez la purée de brocoli et remuez vigoureusement avec une spatule. Incorporez la crème, mélangez intimement. Salez et poivrez. Servez très chaud.

Vous pouvez saupoudrer cette purée de parmesan râpé.

Cette garniture accompagne très bien un poisson poché ou une viande blanche.

brugnon

→ **voir aussi** pêche, nectarine

Voisin de la pêche, ce fruit se caractérise par sa peau lisse, rouge marbré de jaune. Sa chair assez ferme rappelle celle de la prune ; elle adhère au noyau, à la différence de celle de la nectarine. Relativement acide, le brugnon se consomme surtout nature. Il peut remplacer la pêche dans certains entremets, mais il n'est pas aussi savoureux. Réservez-le pour une compote ou une confiture.

Diététique. 100 g de brugnons = 64 kcal.

brunch

Le mot brunch est la contraction des termes anglais « breakfast » (déjeuner) et « lunch » (repas du midi). Servi généralement entre 11 h et 14 h, il combine à la fois le petit déjeuner et le déjeuner.

On y présente en même temps des plats sucrés et des mets salés.

Disposez tous les plats sur la table : chaque convive se servira à sa guise.

La présentation

Lors d'un brunch, on dispose tous les plats en même temps comme pour un buffet. Les convives peuvent s'asseoir autour de la table, mais généralement chacun se sert à sa guise.
Décorez la table de bouquets aux couleurs franches, peu encombrants pour que le service soit facile.
Regroupez les serviettes en papier de couleurs vives en piles.
Vous pourrez dresser la table la veille et y disposer tout ce qui peut l'être : confitures, sucre, assiettes, verres, etc.
Placez une pile d'assiettes et les tasses à café en bout de table, regroupez à côté tous les ustensiles et les mets se rapportant au brunch : beurrier, crémier, couverts, thermos de café, sucrier, pichets de jus de fruits et de thé, viennoiseries, toasts, confitures, compotes, etc.
Disposez un peu plus loin les plats contenant les mets salés : viandes froides, charcuterie, fromage, tartes salées, etc., et placez les pains pouvant les accompagner (pain aux céréales, pain aux noix, pain de seigle, pain au cumin...) dans des corbeilles couvertes d'une grande serviette de table.

Les œufs

Si vous souhaitez servir des œufs à la coque, préparez-les un peu à l'avance. Réduisez légèrement leur temps de cuisson et gardez-les au chaud sous une serviette épaisse. Les œufs brouillés peuvent aussi être préparés d'avance, gardez-les au chaud dans un récipient muni d'un couvercle. Vous pouvez aussi les servir dans des brioches individuelles, légèrement évidées. Dans ce cas, faites-les tiédir avant de les servir.

Cake au brocoli

▸ **Pour 6 personnes**
250 g de farine ◆ 150 g de jambon blanc ◆ 250 g de gruyère râpé ◆ 1 sachet de levure chimique ◆ 8 à 10 petits bouquets de brocoli ◆ 4 œufs ◆ 20 g de beurre pour le moule ◆ 10 cl d'huile d'olive ◆ sel ◆ poivre

Préchauffez le four à 180 °C. Faites cuire les bouquets de brocoli à la vapeur pendant 5 min. Hachez le jambon. Tamisez dans un saladier la farine et la levure chimique. Ajoutez les œufs et l'huile d'olive. Travaillez la pâte jusqu'à ce qu'elle soit lisse. Ajoutez le jambon haché et le gruyère. Mélangez le tout. Salez et poivrez. Versez la préparation dans un moule à cake beurré. Enfouissez dans la pâte les bouquets de brocoli bien égouttés et laissez cuire 45 min. Servez le cake encore tiède.

Brunch de printemps

- Quiche aux asperges *page 36*
- Pain au maïs à l'américaine *page 506*
- Salade de soja au pamplemousse *page 682*
- Œufs à la coque *page 481*
- Tarte au fromage blanc *page 314*
- Compote de mangue à l'orange *page 428*
- Pains et viennoiseries
- Confitures (fraises, cerises, mirabelles), miel

Brunch d'été

- Tabboulé libanais *page 701*
- Cake au brocoli *page 100*
- Carpaccio de saumon *page 122*
- Œufs brouillés *page 479*
- Salade fraîche aux fruits exotiques *page 654*
- Pains et viennoiseries
- Confitures (abricots, framboises, groseilles)
- Plateau de fruits frais de saison

Brunch d'automne

- Quiche lorraine *page 610*
- Carottes râpées aux raisins secs *page 120*
- Salade composée au muscat *page 618*
- Gratin de poires épicé *page 355*
- Pains et viennoiserie
- Confitures (oranges, poires, myrtilles)

Brunch d'hiver

- Flamiche aux poireaux *page 292*
- Salade croquante aux pommes *page 54*
- Brioches aux œufs brouillés *page 95*
- Tarte à la cassonade *page 126*
- Compote d'abricots secs aux figues *page 10*
- Fromage blanc
- Pains et viennoiseries
- Confitures (oranges, marrons, figues), compotes

Les boissons

Présentez le café et le thé de préférence dans des thermos qui les garderont au chaud. Proposez deux sortes de sucre en morceaux : blanc et roux. N'oubliez pas le lait dans un petit pot. Versez les jus de fruits (orange, pamplemousse, pomme, raisin…) dans de grands pichets. Dans tous les cas, une bouteille d'eau minérale bien fraîche sera la bienvenue.

Brioches aux œufs brouillés

Compote d'abricots secs aux figues

Gratin de poires épicé

◄ Bûche aux marrons

Pour décorer la bûche, préférez les champignons en meringue poudrés de cacao aux sujets en pâte d'amandes qui l'alourdissent. Servez la bûche avec une crème anglaise.

bûche de Noël

De tradition en France pour les fêtes de Noël, cette pâtisserie est souvent faite d'un biscuit roulé fourré et enrobé de crème au beurre, chocolat, vanille ou café, avec un décor de petits champignons en meringue et de feuilles de houx en pâte d'amande. Coupez très soigneusement les deux extrémités en biseau et recouvrez-les aussi de crème bien lissée pour parfaire la présentation.

Diététique. Une fois par an, offrez-vous ce luxe calorique ! Mais sachez que la bûche glacée est une solution plus légère.

Bûche aux marrons

Pour **8 personnes**
Préparation **25 min, 24 h à l'avance**
Pas de cuisson

125 g de chocolat noir ◆ 125 g de beurre ◆ 500 g de purée de marrons ◆ 125 g de sucre glace

1 Mettez le chocolat cassé en morceaux dans une casserole sur feu très doux. Ajoutez 2 c. à soupe d'eau et laissez ramollir. Par ailleurs, travaillez le beurre à la spatule.

2 Versez la purée de marrons dans une jatte et travaillez-la à la fourchette pour éliminer le moindre grumeau. Incorporez le beurre et le chocolat avec la moitié du sucre glace. Mélangez bien pour homogénéiser.

3 Versez cette pâte par cuillerée sur une double feuille d'aluminium. Façonnez-la en forme de pain allongé bien épais et roulez-la dans la feuille d'aluminium. Mettez au réfrigérateur pendant au moins 24 h.

4 Lorsque le rouleau est bien ferme, ôtez le papier et placez la bûche sur un plat long. Coupez les deux bouts en biseau. Striez le dessus à la fourchette et poudrez avec le reste de sucre glace. Tenez au frais jusqu'au service. Vous pouvez parfumer la pâte avec un peu de rhum.

Pour gagner du temps, on peut aussi faire raffermir la bûche pendant 2 h dans le freezer.

bulot

Variété d'escargot de mer appelée également buccin ou ran, le bulot risque de devenir coriace si on le fait cuire trop longtemps. Si vous en avez une grande quantité, servez-les décoquillés en salade à la vinaigrette avec des rondelles de pommes de terre.

Bulots à la mayonnaise

Pour **6 personnes**
Préparation **25 min**, mayonnaise **10 min**
Cuisson **15 min**

1 kg de bulots ◆ thym ◆ laurier ◆ 1 oignon ◆ gros sel ◆ mayonnaise ◆ pain de campagne

1 Lavez les bulots à l'eau courante. Mettez-les dans une terrine, ajoutez 1 c. à soupe de gros sel et couvrez d'eau. Remuez. Laissez dégorger pendant 20 min.

2 Lavez-les abondamment. Versez 2 l d'eau dans un faitout, ajoutez le thym, le laurier et l'oignon haché. Portez à ébullition.
3 Plongez-y les bulots et comptez 15 min à peine de cuisson, à petits bouillons. Égouttez-les et servez-les tièdes avec du pain de campagne et de la mayonnaise.

Pour déguster les bulots, ôtez la pastille qui obture la coquille. Extrayez la chair avec une épingle.

Boisson **gros-plant**

bun

Petits pains ronds en pâte levée, les buns sont traditionnels en Grande-Bretagne pour le petit déjeuner ou le thé. C'était la pâtisserie du vendredi saint, et on la déguste encore à Pâques. La pâte est parfois enrichie de raisins secs et le dessus quadrillé de morceaux d'écorce d'orange confite. Servez les buns tout chauds, fendus en deux dans l'épaisseur et fourrés de beurre frais.

Diététique. Si vous surveillez votre ligne, autorisez-vous un seul bun en évitant le beurre.

Buns au miel et à la cannelle

Pour **12 buns environ**
Préparation **1 h 10 environ**
Cuisson **25 min**

12 cl de lait ◆ 50 g de beurre ◆ 3 c. à soupe de miel ◆ 1 c. à soupe de levure de boulanger ◆ 2 œufs ◆ 350 g de farine ◆ cannelle en poudre ◆ sel

1 Faites chauffer le lait. Retirez-le du feu au moment où il se met à frémir. Ajoutez le beurre, 10 g de sel et 1 c. à soupe bien pleine de miel. Remuez pour bien faire fondre et ajoutez 12 cl d'eau froide.
2 Incorporez ensuite la levure et 1 œuf entier. Fouettez 2 min puis couvrez et laissez au repos 15 min à l'abri des courants d'air pour faire lever.
3 Versez la farine dans une terrine et faites un puits au milieu. Versez peu à peu le contenu de la casserole en incorporant la farine avec une cuiller en bois.
4 Travaillez la pâte 5 à 6 min jusqu'à ce qu'elle soit souple et homogène.
5 Mélangez dans un bol le reste de miel, 1 blanc d'œuf et 1 c. à café de cannelle.
6 Façonnez la pâte en une douzaine de boulettes. Badigeonnez chaque bun au pinceau avec un peu du mélange précédent. Rangez-les sur une tôle huilée. Couvrez d'un torchon et laissez lever pendant 45 min.
7 Faites cuire 25 min dans le four à 190 °C et servez-les tout chauds.

Boisson **thé orange pekoe ou lapsang souchon**

Cross buns

Pour **12 buns environ**
Préparation **30 min**
Repos **1 h**
Cuisson **15 min**

25 g de levure de boulanger ◆ 1 c. à soupe de sucre semoule ◆ 18 cl de lait ◆ 250 à 300 g de farine ◆ 1 pincée de sel ◆ 1 pincée de mélange quatre-épices ◆ 2 œufs ◆ 2 c. à soupe de beurre ramolli ◆ 75 g de raisins de Smyrne ◆ 24 languettes d'orange confites

1 Mélangez dans un bol la levure, le sucre et 5 cl de lait tiède. Laissez reposer 10 min jusqu'à ce que le mélange soit mousseux.
2 Versez 250 g de farine dans une terrine, faites un puits au milieu, ajoutez la levure dissoute, le sel et le mélange quatre-épices puis le reste de lait. Mélangez, incorporez 1 œuf entier puis le beurre ramolli, en ajoutant encore un peu de farine si la pâte semble trop molle.
3 Renversez la pâte sur le plan de travail fariné et pétrissez-la pendant 10 min en la repliant plusieurs fois.
4 Mettez la pâte en boule dans une terrine propre, couvrez d'un torchon et laissez lever au chaud pendant 45 min.
5 Reprenez-la et incorporez les raisins secs. Fractionnez la pâte en boulettes et rangez-les sur une tôle. Faites lever encore pendant 15 min dans un endroit chaud.
6 Incisez le dessus des buns en croix sur 1 cm de profondeur, badigeonnez-les à l'œuf et faites-les cuire dans le four à 230 °C pendant 15 min. Décorez-les quand ils sont tièdes avec les écorces d'orange placées en croisillons.

Boisson **juliénas ou côtes-de-provence rouge**

cabécou

Petit fromage de chèvre ou de brebis (parfois de lait de vache et de chèvre), en forme de palet plus ou moins sec. Le cabécou au pur lait de chèvre est le meilleur. Le rocamadour du Quercy, de chèvre ou de brebis, lui est apparenté.

La meilleure période pour déguster ce fromage s'étend d'avril à octobre.

cabillaud

→ voir aussi morue

Poisson des mers froides, qui se raréfie à force d'être pêché en grand nombre. Le cabillaud mesure de 30 cm à 1 m, a un corps allongé, une tête importante, à large bouche dentée. La couleur de son dos et de ses flancs varie du gris-vert au brun, avec des pointes sombres ; son abdomen est blanchâtre. Il possède une chair très fine, ferme et délicate, qui s'effeuille facilement après cuisson.

À part le jeune cabillaud, ou moruette, de moins de 2 kg vendu à la pièce de septembre à mai, on trouve ce poisson en filets, en tranches, en darnes ou en tronçons, ainsi que surgelé, en croquettes panées ou en filets. Coupées près de la tête, les tranches sont plus savoureuses. Très fragile, le cabillaud ne se grille pas. Les tranches se cuisent à la poêle, les tronçons au four ou au court-bouillon, souvent additionné de vin blanc.

La chair de cabillaud se prête bien à la confection des pains de cuisine, des gratins, des coquilles, des croquettes ou des mousses.

Diététique. C'est le moins gras des poissons (0,4 g de lipides). 100 g = 68 kcal. Particulièrement digeste, le cabillaud est très utilisé dans les menus des régimes dits « minceur ».

Coquilles de poisson gratinées

Pour **6 personnes**
Préparation **15 min**
Cuisson **30 min**

200 g de champignons de couche ◆ 1 citron ◆ 2 échalotes ◆ 60 g de beurre ◆ 2 c. à soupe de farine ◆ 10 cl de crème fraîche ◆ 10 cl de vin blanc ◆ muscade râpée ◆ 2 jaunes d'œufs ◆ 250 g de cabillaud, ou de colin, cuit au court-bouillon ◆ 250 g de filets de merlan cuits au court-bouillon (restes parés et dépouillés, complétés par du poisson surgelé) ◆ 100 g de crevettes cuites décortiquées ◆ 1 c. à soupe de gruyère râpé ◆ 1 c. à soupe de chapelure ◆ sel ◆ poivre

1 Nettoyez les champignons et émincez-les. Citronnez-les. Pelez et hachez les échalotes. Faites chauffer le beurre dans une casserole.

2 Ajoutez les échalotes et laissez fondre sur feu doux. Ajoutez les champignons et laissez cuire à découvert en remuant pendant 8 à 10 min.

3 Saupoudrez de farine et faites cuire en remuant 2 min. Versez la crème et le vin. Laissez mijoter 15 min. Salez, poivrez et muscadez.

4 Hors du feu, ajoutez les jaunes d'œufs et remuez. Incorporez le poisson détaillé en petites bouchées, ainsi que les crevettes.

5 Répartissez cette préparation dans des coquilles. Saupoudrez de fromage mélangé avec la chapelure. Faites gratiner pendant 5 min sous le gril. Servez très chaud.

Préparez ces coquilles à l'avance pour ne plus avoir qu'à les passer dans le four juste avant de servir.

Dos de cabillaud à la tomate

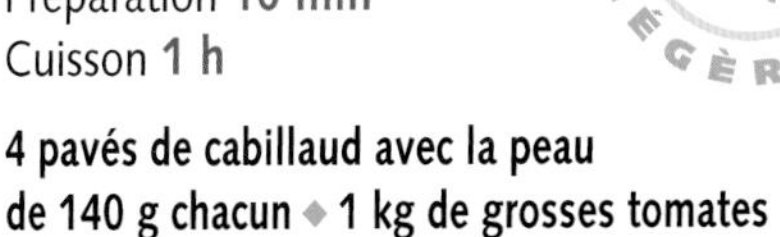

Pour **4 personnes**
Préparation **10 min**
Cuisson **1 h**

4 pavés de cabillaud avec la peau de 140 g chacun ◆ 1 kg de grosses tomates ◆ 4 champignons de couche ◆ 1 gousse d'ail ◆ 4 filets d'anchois à l'huile ◆ quelques brins de persil ◆ thym ◆ huile d'olive ◆ sel ◆ poivre

1 Rincez et épongez les filets de cabillaud. Salez-les et poivrez-les, poudrez-les de thym et réservez-les au frais, à couvert.
2 Lavez les tomates, coupez-les en tranches et réservez-les. Nettoyez les champignons et émincez-les.
3 Pelez et hachez la gousse d'ail. Épongez les filets d'anchois et hachez-les. Lavez et ciselez le persil.
4 Préchauffez le four à 200° C.
5 Huilez un plat à gratin. Rangez-y les tranches de tomates, intercalées avec les champignons. Ajoutez l'ail, les anchois hachés et le persil et un mince filet d'huile.
6 Mettez le plat 20 min dans le four. Baissez la chaleur et poursuivez la cuisson pendant encore 30 min.
7 Forcez un peu la température du four à nouveau, sortez le plat et posez le cabillaud sur les tomates à moitié confites.
8 Remettez-le dans le four et comptez encore 10 min de cuisson, puis servez.

Dos de cabillaud à la tomate ▲
L'ail, le thym, l'anchois et l'huile d'olive donnent à ce plat de cabillaud une tonalité méditerranéenne, à compléter par un gratin de courgettes en garniture.

Gratin de cabillaud

Pour **6 personnes**
Préparation **30 min**
Cuisson **35 min**

1,2 kg de cabillaud ◆ 1 sachet de court-bouillon ◆ 50 g de beurre ◆ 50 g de farine ◆ 50 cl de lait ◆ noix de muscade ◆ 2 c. à soupe de crème fraîche ◆ 50 g de gruyère râpé ◆ sel ◆ poivre

1 Mettez le cabillaud dans une grande casserole, poudrez de court-bouillon, arrosez d'eau froide, portez à ébullition, puis laissez frémir 10 min.
2 Retirez du feu, laissez pocher encore 5 min, puis égouttez le poisson. Retirez tous les déchets, la peau et les arêtes. Effeuillez-le.
3 Préparez une béchamel muscadée avec le beurre, la farine et le lait. Incorporez-lui la crème et la moitié du fromage.
4 Disposez le poisson dans un plat à gratin beurré. Nappez de sauce et parsemez le reste de fromage. Faites gratiner au four (200 °C) pendant 20 min. Servez.

Pour relever la saveur du gratin, vous pouvez mélanger plusieurs fromages : parmesan et gruyère ou mimolette affinée et emmental par exemple. N'hésitez pas à « forcer » un peu sur le poivre et la muscade.

Décorez éventuellement le dessus du gratin avec quelques feuilles de persil plat ou un hachis de ciboulette.

Parmentier au poisson

Pour **4 personnes**
Préparation **20 min**
Cuisson **40 min**

400 g de filets de cabillaud ◆ 1 sachet de court-bouillon ◆ 800 g de pommes de terre à chair farineuse ◆ 12 cl de lait écrémé ◆ 125 g de fromage blanc à 0% ◆ 1 bouquet de persil plat ◆ 15 g de beurre ◆ 30 g de fromage râpé ◆ sel ◆ poivre ◆ muscade râpée

1 Délayez le court-bouillon dans 1,5 l d'eau, ajoutez les queues du persil et portez à ébullition. Faites-y pocher les filets de cabillaud, puis égouttez-les.
2 Mettez à cuire les pommes de terre dans une casserole d'eau salée, égouttez-les, pelez-les, réduisez-les en purée. Salez et poivrez.
3 Incorporez le lait petit à petit, salez, poivrez et muscadez.
4 Lavez et ciselez le persil. Émiettez les filets de poisson, retirez les arêtes éventuelles, ajoutez le fromage blanc et le persil, salez et poivrez.
5 Beurrez un plat à gratin. Versez dans le fond la moitié de la purée, ajoutez le mélange poisson-fromage blanc, puis recouvrez de purée et poudrez de fromage râpé. Mettez le plat sous le gril pendant quelques instants pour bien gratiner.

Rôti de cabillaud

RECETTE LÉGÈRE
1 portion
360 kcal

Pour **6 personnes**
Préparation **25 min**
Cuisson **40 min**

1,2 kg de cabillaud ◆ 3 grosses tomates ◆ 300 g de champignons ◆ 10 cl de vin blanc sec ◆ 10 cl d'huile ◆ oignon ◆ persil ◆ sel ◆ poivre

1 Salez et poivrez le morceau de poisson. Mettez-le dans un plat à four. Coupez les tomates en grosses tranches et disposez-les autour. Nettoyez les champignons, coupez-les en 2 ou 3 et ajoutez-les dans le plat. Arrosez de vin blanc et d'huile.
2 Faites cuire dans le four à 220 °C pendant 30 min, en arrosant de temps en temps.
3 Pelez et hachez finement l'oignon. Mélangez-le avec le persil. Poudrez de ce hachis le plat de poisson et faites cuire encore 10 min. Servez.

cacahuète

Les cacahuètes (ou cacahouètes) entières sont une variété spéciale de graines d'arachide réservées à la consommation. On les trouve vendues en vrac, nature et à décortiquer, ou décortiquées et salées, pour l'apéritif. Nature, elles peuvent remplacer les pignons de pin dans les salades, les amandes ou les pistaches en pâtisserie. Le beurre de cacahuètes (peanut butter), vendu en pot, se consomme tartiné sur du pain.

Diététique. Les cacahuètes sont très caloriques : 30 g = 200 kcal. Évitez-les à l'apéritif si vous surveillez votre poids.

cacao

Matière première du chocolat, qui lui donne son goût et son arôme, le cacao existe sous forme de poudre fine. En pâtisserie, choisissez toujours un chocolat riche en cacao, 50 % minimum.

Ne confondez pas le « cacao en poudre », non sucré, et le « chocolat en poudre » ou « cacao sucré » qui est un mélange de poudre de cacao et de sucre. Quant aux « poudres au cacao », elles contiennent du cacao, de la farine, du sucre et du lait : elles ne conviennent que pour les boissons.

Diététique. Les excitants que contient le cacao en font une boisson comparable au café. Choisissez plutôt du cacao maigre et non sucré : 100 g = 325 kcal.

Meringues au cacao

Pour **10 meringues doubles**
Préparation **35 min**
Cuisson **1 h**

2 blancs d'œufs ◆ 100 g de sucre semoule ◆ 1 c. à café de fécule ◆ 2 c. à soupe de cacao non sucré ◆ 65 g de beurre ◆ 50 g de sucre glace

1 Mettez les blancs d'œufs et le sucre semoule dans une casserole au bain-marie. Battez-les au fouet jusqu'à ce que la meringue obtenue soit ferme et brillante.
2 Incorporez délicatement hors du feu la fécule et 1 c. à soupe de cacao. Introduisez le mélange dans une poche à douille unie.
3 Beurrez une feuille de papier sulfurisé avec 20 g de beurre. Couchez-y 20 meringues.

4 Faites cuire 1 h à four très doux (110 °C). Décollez les meringues et laissez-les refroidir.
5 Travaillez dans une jatte le reste de beurre ramolli, le sucre glace et le reste de cacao.
6 Réunissez les meringues 2 par 2 en les collant avec le mélange au cacao.

Mousse légère au cacao

Pour **4 personnes**
Préparation **20 min**
Repos **2 h**
Cuisson **5 min**

RECETTE LÉGÈRE — 1 portion 100 kcal

20 cl de lait demi-écrémé ◆ 4 c. à soupe rases de cacao en poudre ◆ 4 feuilles de gélatine ◆ 3 blancs d'œufs ◆ 1 c. à café rase de cannelle en poudre ◆ 1 c. à café rase d'édulcorant en poudre

1 Versez le lait dans une casserole, ajoutez le cacao tamisé, en fouettant pour que le mélange soit homogène, et faites chauffer. Pendant ce temps, faites ramollir les feuilles de gélatine dans un grand bol d'eau tiède.
2 Incorporez la cannelle au lait cacaoté et retirez la casserole du feu. Égouttez la gélatine ramollie et pressez-la délicatement entre vos mains puis ajoutez-la dans la casserole. Mélangez en ajoutant l'édulcorant. Lorsque la préparation est homogène, versez-la dans une coupe de service.
3 Fouettez les blancs d'œufs en neige très ferme. Lorsque le contenu de la coupe commence juste à prendre, incorporez les blancs en neige jusqu'à consistance bien mousseuse. Mettez au frais jusqu'au moment de servir.

café

→ **voir aussi** moka

Il existe deux grandes catégories de café. L'arabica donne un café doux et parfumé (Brésil et Arabie, Mexique et Costa Rica, Colombie). Le robusta, avec une teneur en caféine 2 fois plus forte, offre un café plus corsé, mais plus amer (Côte-d'Ivoire, Angola). La plupart du temps, les cafés vendus dans le commerce sont des mélanges qui combinent le goût corsé et l'arôme. Les amateurs de café l'achètent fraîchement torréfié : en petites quantités, car il perd son arôme en 15 jours (une semaine s'il est moulu). Conservez-le au frais dans un bocal étanche, car il rancit à l'air libre. Un café vendu avec mention d'une variété d'arabica ne peut contenir que cette variété : moka ou bourbon pour le parfum, Colombie pour la douceur ou Haïti pour l'arôme corsé, par exemple.

Vendu sans mention, c'est soit un robusta, soit un mélange de robusta et d'arabica, plus cher. Vendu torréfié en grains ou moulu, le café s'achète aussi en paquet sous vide (à consommer rapidement une fois ouvert) ou en poudre soluble. Les cafés « décaféinés » ne possèdent pas plus de 0,1 % de caféine, ce qui les rend inoffensifs.

Pour préparer un bon café, choisissez une eau plate en bouteille, peu minéralisée car le chlore de l'eau du robinet tue l'arôme. Choisissez une cafetière en porcelaine ou en faïence plutôt qu'en métal, qui altère le goût. L'eau doit être frémissante, non bouillante, et le café servi chaud, mais non brûlant. Comme arôme en pâtisserie, utilisez soit de l'extrait de café, soit du café en grains concassés (à mélanger au liquide à parfumer, qu'il faut ensuite filtrer), soit du café très fort (6 c. à soupe de café moulu pour 25 cl d'eau), soit du café soluble (1 c. à soupe dans quelques gouttes d'eau).

Diététique. Attention au café de 17 h qui peut vous empêcher de dormir. La caféine est un excitant qui agit comme un tonicardiaque : bénéfique si l'on ne dépasse pas 250 mg de caféine par jour. Une tasse d'arabica en apporte 60 mg, mais une tasse de robusta en fournit 150 mg.

Café liégeois

Pour **4 personnes**
Préparation **30 min, 2 h à l'avance**
Pas de cuisson

4 petites tasses de café noir sucré ◆ 15 cl de crème fraîche ◆ 1 c. à soupe de sucre glace ◆ 1/2 l de glace au café ◆ petits grains de café à la liqueur

1 Mettez le café au réfrigérateur pour qu'il soit bien froid.
2 Fouettez la crème très froide et le sucre en chantilly bien ferme.
3 Répartissez le café dans de hauts verres à pied évasés. Remplissez les verres de glace au café en tassant bien. Garnissez de crème Chantilly et décorez de grains de café. Servez très froid.

Pour raffiner le décor, ajoutez la chantilly avec une poche à douille.

Café frappé

Pour **4 personnes**
Préparation **10 min**
Pas de cuisson

1/2 l de glace au café ◆ 20 cl de crème liquide très froide ◆ 2 c. à soupe de noix finement hachées ◆ 4 tasses de café très froid assez fort ◆ 4 verres à liqueur de Cointreau

1 Laissez ramollir la glace à température ambiante. Fouettez vivement la crème liquide. Incorporez les noix hachées et la crème fouettée à la glace, en réservant un peu de crème.
2 Répartissez ce mélange dans 4 verres tulipe. Arrosez-le aussitôt de café froid en le laissant couler jusqu'au fond du verre.
3 Versez par-dessus le Cointreau et servez aussitôt avec des pailles. Ajoutez en décor le reste de crème fouettée.

Remplacez la glace au café par de la glace à la vanille et le Cointreau par du rhum.

→ **autres recettes de café à l'index**

caille

→ **voir aussi** œuf

Ce petit oiseau, presque toujours d'élevage, possède une chair blanche et ferme, parfois un peu fade.

On compte au moins 1 caille par personne (120 à 180 g). Faites-les rôtir en brochettes, alternées avec saucisses et lardons ; griller sur les 2 faces après les avoir ouvertes, aplaties et beurrées ; braiser en cocotte avec des grains de raisin.

Diététique. C'est un aliment très maigre et facile à cuisiner. N'hésitez pas à varier les recettes.

Cailles aux pommes

RECETTE LÉGÈRE — 1 portion 230 kcal

Pour **4 personnes**
Préparation **15 min**
Cuisson **30 min**

4 cailles vidées et parées ◆ 4 pommes boskoop ◆ 1 citron ◆ 250 g de champignons ◆ 15 g de beurre ◆ 1 c. à soupe de raisins secs blonds ◆ 10 cl de vin blanc sec ◆ huile de maïs ◆ sel ◆ poivre

1 Salez et poivrez largement l'intérieur et l'extérieur des cailles.
2 Pelez les pommes, évidez-les, coupez-les en dés et citronnez-les. Nettoyez les champignons, hachez-les grossièrement et citronnez-les également pour qu'ils ne noircissent pas. Rincez les raisins secs à l'eau bouillante.
3 Introduisez quelques dés de pomme à l'intérieur de chaque caille et ficelez-les. Faites chauffer le beurre avec un filet d'huile dans une cocotte. Posez les cailles dedans et faites-les dorer doucement en les retournant plusieurs fois pendant 5 min. Arrosez de vin blanc, couvrez et laissez mijoter pendant 10 min.
4 Ajoutez ensuite les champignons, le reste des pommes et les raisins secs mélangés. Salez et poivrez. Poursuivez la cuisson à couvert pendant 15 min et servez dans le plat.

Cailles au raisin

Pour **4 personnes**
Préparation **10 min**
Cuisson **25 min**

4 cailles vidées ◆ 2 c. à soupe de farine ◆ 60 g de beurre ◆ 15 cl de vin blanc ◆ 2 c. à soupe de jus de citron ◆ 20 à 25 gros grains de raisin ◆ 1 c. à soupe d'amandes effilées ◆ sel ◆ poivre

1 Salez et poivrez les cailles intérieurement. Bridez-les. Farinez-les.
2 Faites chauffer le beurre dans une grande sauteuse. Mettez-y les cailles et faites-les colorer sur tous les côtés en les retournant plusieurs fois.
3 Ajoutez le vin blanc et le jus de citron. Baissez le feu, couvrez, faites mijoter 15 min.
4 Pelez et épépinez les grains de raisin lavés et épongés. Ajoutez-les dans la sauteuse avec les amandes. Remuez délicatement et poursuivez la cuisson pendant 10 min.

Boisson muscat d'Alsace

→ **autres recettes de caille à l'index**

Cailles au raisin ►

Garnies de gros grains de raisin pelés et épépinés, les cailles mijotées en cocotte au vin blanc font un plat d'automne savoureux et fruité.

cake

Cette pâtisserie aux raisins secs et aux fruits confits, cuite dans un moule en forme de brique, se sert en tranches épaisses. Le cake se conserve très bien une dizaine de jours dans une boîte en métal ou en plastique : il est d'ailleurs meilleur un peu rassis.

Diététique. Une tranche de cake = 198 kcal.

Cake aux raisins et aux fruits confits

Pour **8 personnes (moule à cake de 24 cm)**
Préparation **25 min**
Cuisson **45 min**

100 g de raisins de Corinthe ◆ 100 g de fruits confits mélangés ◆ 1 verre à liqueur de rhum ◆ 175 g de beurre ◆ 125 g de sucre semoule ◆ 1 pincée de sel ◆ 3 œufs ◆ 250 g de farine ◆ 1/2 sachet de levure chimique ◆ 10 g de beurre

1 Lavez les raisins et coupez les fruits confits en petits morceaux. Faites-les macérer dans le rhum.
2 Travaillez vigoureusement le beurre en pommade dans une terrine. Ajoutez le sucre semoule petit à petit ainsi que le sel. Travaillez le mélange jusqu'à ce qu'il soit onctueux.
3 Incorporez les œufs entiers l'un après l'autre. Versez la farine d'un seul coup, puis ajoutez les fruits confits et les raisins avec le rhum. Ajoutez la levure et mélangez bien.
4 Beurrez un papier sulfurisé et tapissez-en l'intérieur du moule. Versez-y la pâte, elle doit le remplir aux 3/4 seulement.
5 Faites cuire dans le four à 210 °C pendant 10 min, puis réduisez la température à 150 °C et laissez cuire pendant 35 min. Démoulez à la sortie du four et laissez refroidir sur une grille.

Farinez les fruits confits, ils seront ainsi bien répartis dans la pâte.

➜ **autres recettes de cake à l'index**

calmar

Ce mollusque estival porte aussi le nom d'encornet. On l'appelle chipiron sur la côte basque et supion dans le Midi. Il peut atteindre 50 cm, avec des tentacules inégaux, dont 2 très longs. Les plus gros se cuisinent farcis. On peut aussi les découper, les faire frire, cuire au vin blanc ou les apprêter en salade. Les *calamares en su tinta,* en sauce avec l'encre, sont une spécialité espagnole.

Diététique. 100 g de calmars = 90 kcal.

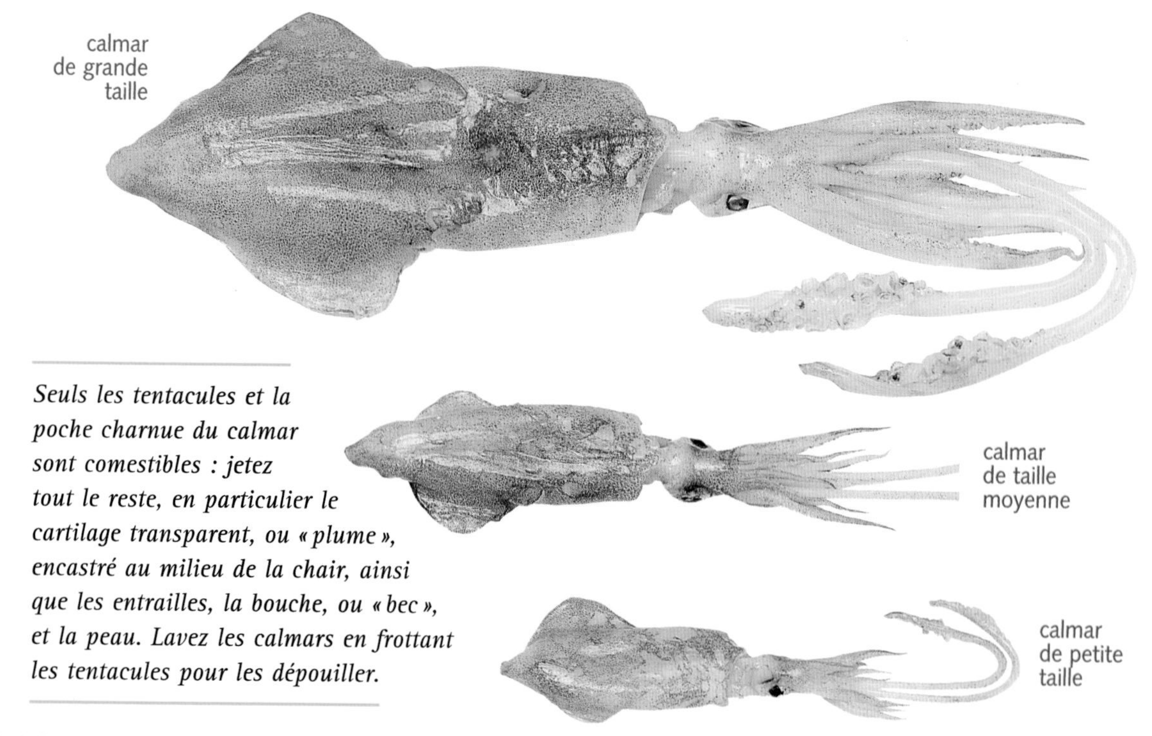

Seuls les tentacules et la poche charnue du calmar sont comestibles : jetez tout le reste, en particulier le cartilage transparent, ou « plume », encastré au milieu de la chair, ainsi que les entrailles, la bouche, ou « bec », et la peau. Lavez les calmars en frottant les tentacules pour les dépouiller.

Calmars farcis à la provençale

Pour **4 personnes**
Préparation **20 min**
Cuisson **40 min**

4 gros calmars nettoyés, avec les tentacules ◆ 3 gros oignons ◆ 100 g de pain rassis ◆ lait ◆ 2 tomates ◆ 4 gousses d'ail ◆ 1 bouquet de persil ◆ 4 c. à soupe d'huile d'olive ◆ 2 jaunes d'œufs ◆ 1 verre de vin blanc sec ◆ 2 ou 3 c. à soupe de chapelure ◆ sel ◆ poivre

1 Hachez les tentacules des calmars avec 2 oignons pelés. Faites tremper le pain dans un peu de lait, essorez-le et ajoutez-le au hachis précédent. Pelez et concassez les tomates.
2 Pelez et hachez 3 gousses d'ail et la moitié du persil. Faites revenir dans un poêlon le hachis de calmars et d'oignons avec 2 c. à soupe d'huile.
3 Ajoutez l'ail et le persil, puis les tomates. Incorporez hors du feu les jaunes d'œufs et remuez. Remplissez les calmars de cette farce. Recousez-les.
4 Rangez les calmars farcis serrés les uns contre les autres dans un plat à four huilé. Ajoutez par-dessus l'ail, l'oignon et le persil restants, finement hachés. Salez et poivrez. Mouillez avec le vin blanc et 15 cl d'eau.
5 Couvrez le plat avec une feuille d'aluminium huilée. Faites démarrer la cuisson sur le feu, puis enfournez à 180 °C et laissez cuire 30 min.
6 Découvrez le plat, faites réduire la cuisson 5 min sur feu vif, puis arrosez les calmars d'un filet d'huile d'olive, poudrez de chapelure et faites gratiner 3 min.

Boisson **vin blanc sec**

Calmars sautés

Pour **4 personnes**
Préparation **10 min**
Cuisson **25 min**

1 kg de petits calmars nettoyés ◆ 12 cl d'huile d'olive ◆ 4 gousses d'ail ◆ persil plat haché ◆ sel ◆ poivre

1 Lavez et épongez les calmars. Mettez-les dans une poêle et versez l'huile par-dessus.
2 Faites chauffer sur feu vif et laissez cuire pendant 10 min en remuant. Salez et poivrez.
3 Couvrez, réduisez le feu et laissez cuire encore 15 min. Pendant ce temps, pelez et hachez finement les gousses d'ail.
4 Ajoutez l'ail et le persil hachés dans la poêle et remuez pour enrober les calmars, en augmentant le feu. Servez aussitôt, très chaud.

Boisson **madiran**

calvados

→ **voir aussi** alcool

Cette eau-de-vie de cidre distillée en Normandie doit sa qualité aux variétés de pommes utilisées pour sa fabrication. Le calvados d'appellation contrôlée vient du pays d'Auge (une partie du département du Calvados et plusieurs communes de l'Orne et de l'Eure). Les autres calvados sont dits « d'appellation réglementée ». Eau-de-vie âpre et rude, le calvados doit vieillir plusieurs années pour acquérir son parfum, sa couleur ambrée et le bon degré d'alcool (40 à 43°) : 29 ans pour une « vieille réserve », 10 ans pour une « réserve » ou 3 ans seulement pour un « trois pommes ». Le secret d'un bon calvados dépend de l'assemblage entre des eaux-de-vie plus ou moins acides, fruitées, tanniques, etc.

Le calvados se consomme en digestif, versé à température ambiante dans un verre à cognac ou dans la tasse encore chaude du café une fois bu. Il s'emploie aussi en cuisine et en pâtisserie.

Pommes au calvados

Pour **6 personnes**
Préparation **15 min**
Cuisson **30 min**

4 c. à soupe de calvados ◆ 2 c. à soupe de raisins secs ◆ 6 belles pommes reinettes ◆ 1/2 citron ◆ 2 jaunes d'œufs ◆ 4 c. à soupe de sucre semoule ◆ 30 g de beurre ◆ 60 g d'amandes effilées

1 Faites chauffer le calvados dans une petite casserole. Retirez du feu et mettez-y les raisins secs.
2 Pelez et évidez les pommes. Citronnez-les. Égouttez les raisins secs et réservez le calvados.
3 Mélangez les jaunes d'œufs et le sucre. Ajoutez le beurre, les amandes et les raisins.
4 Garnissez les pommes de ce mélange et mettez-les dans un plat à gratin. Arrosez-les de calvados avec 2 c. à soupe d'eau. Faites cuire 30 min au four à 190 °C. Servez chaud ou refroidi.

camembert

Ce fromage normand au lait de vache a suscité de nombreuses imitations : le meilleur est au lait cru, moulé à la louche et affiné au moins pendant un mois. Choisissez plutôt un VCN (Véritable Camembert de Normandie), de préférence du Calvados. Les camemberts pasteurisés, meilleur marché, ont nettement moins de bouquet.

Faites confiance à un bon fromager pour palper le camembert. Si la croûte blanche offre une pigmentation rougeâtre peu marquée, parfois visible à travers le papier, il est en train de se faire et sera à point dans la journée. Ne le mettez pas au réfrigérateur. Il doit être souple, jamais mou, avec une odeur fine et fruitée, sans relent d'ammoniac.

canapé

➔ voir aussi amuse-gueule

À la différence du sandwich, le canapé est formé d'une seule tranche de pain, avec une garniture très variable. Les canapés froids sont faits le plus souvent de pain de mie ou de pain de seigle : ne les préparez pas trop à l'avance, pour qu'ils ne se dessèchent pas, et tenez-les au frais sous un linge. Les canapés chauds (au fromage, aux champignons, aux rillettes, etc.) se préparent plutôt avec du pain de campagne ou complet.

Les petits gibiers à plume comme la caille sont servis « sur canapé » : tranches de pain rissolées au beurre, tartinées de farce.

Canapés chauds au fromage

Pour **4 personnes**
Préparation **10 min**
Cuisson **7 à 8 min**

8 tranches de pain de mie de 8 cm de côté ◆ 150 g de comté ◆ 100 g de chester ◆ 50 g de beurre ◆ 4 c. à soupe de bière ◆ 1 c. à soupe de moutarde douce ◆ 1 bouquet de persil frisé ◆ sel ◆ poivre

1 Faites griller les tranches de pain de mie des deux côtés pour les faire juste blondir.
2 Râpez grossièrement les 2 fromages. Faites fondre le beurre dans un poêlon sur feu doux.
3 Ajoutez les fromages. Laissez fondre sans cesser de remuer en délayant avec la bière. Ajoutez la moutarde. Poivrez. Salez modérément.
4 Retirez du feu, laissez reposer 2 min, puis répartissez ce mélange sur les toasts. Posez-les sur la grille du four et faites gratiner 2 min. Parsemez de persil ciselé. Servez brûlant.

canard

➔ voir aussi confit, foie gras, gésier, magret

Les deux races de canards d'élevage que l'on trouve aujourd'hui le plus souvent sont le nantais, un peu gras, mais très fin, et le barbarie, plus ferme, légèrement musqué. Le mulard, élevé dans le Sud-Ouest pour le foie gras, et le duclair, excellent canard normand, sont commercialisés surtout localement. La canette est très souvent plus savoureuse et dodue que le canard, plus chère aussi. À l'achat, vérifiez que les ailerons sont souples, le bec flexible, la peau souple et la poitrine bien charnue.

C'est généralement en hiver que le canard est le meilleur. On compte en général 350 g par personne. Un canard très tendre peut se cuire à la broche. Tendre, il se fait rôtir au four (50 min à 1 h 10, à 240 °C pour 1,5 kg) : on le sert pas trop cuit, avec la chair rosée. Un peu moins tendre – pour des grosses volailles de 2 kg au moins –, il est meilleur braisé en cocotte, avec des légumes ou des fruits. Les très grosses pièces conviennent pour des pâtés ou des ballottines. Avant la cuisson, retirez toujours les 2 glandes placées sur le croupion.

Diététique. Le canard d'élevage est une viande assez grasse : 100 g = 200 kcal. En revanche, le canard sauvage l'est beaucoup moins : 100 g = 125 kcal. Comme la graisse est localisée sous la peau, il suffit de la laisser de côté.

Canard aux petits navets

Pour **4 personnes**
Préparation **20 min**
Cuisson **1 h environ**

80 g de beurre ◆ 1 c. à soupe d'huile ◆ 1 petit canard de Barbarie ◆ 20 cl de vin blanc sec ◆ 1 kg de petits navets nouveaux ◆ 1 botte de petits oignons nouveaux ◆ sel ◆ poivre

Canard à l'orange ►

La chair grasse et un peu serrée du canard se marie bien avec de nombreux fruits : pêches, cerises, pamplemousses et bien sûr oranges. Servez ce plat de fête avec un vin de classe : à la place du rouge, essayez aussi un sauternes ou un traminer.

1 Faites chauffer dans une grande cocotte 25 g de beurre et l'huile. Mettez le canard vidé, prêt à cuire, salé et poivré. Faites-le revenir sur tous les côtés.
2 Lorsqu'il est bien doré, retirez-le de la cocotte et videz la graisse de cuisson. Remettez le canard dans la cocotte et arrosez-le de vin blanc. Couvrez et réglez le feu sur chaleur modérée. Laissez cuire doucement pendant 30 min.
3 Pendant ce temps, pelez les navets et les petits oignons. Faites-les blanchir séparément pendant 2 min dans une casserole d'eau bouillante.
4 Égouttez à fond les navets et les oignons. Mettez-les dans la cocotte autour du canard. Salez et poivrez. Poursuivez la cuisson pendant environ 20 min.
5 Égouttez le canard et les légumes. Disposez-les sur un plat de service. Faites réduire le jus de cuisson sur feu vif en ajoutant le reste de beurre en fouettant. Arrosez le canard de cette sauce et servez aussitôt.

Pour une cuisson plus rapide (30 min en tout), coupez le canard en morceaux.

Boisson **côtes-du-rhône**

Canard à l'orange

Pour **5 ou 6 personnes**
Préparation **45 min**
Cuisson **1 h 20 min**

6 oranges ◆ 1 carotte ◆ 1 oignon ◆ 100 g de beurre ◆ 1 canard de 2 kg au moins ◆ 1 bouquet garni ◆ 2 c. à soupe de cognac ◆ 4 c. à soupe de Cointreau ◆ 1 c. à soupe de vinaigre de vin blanc ◆ 2 c. à café de fécule ◆ sel ◆ poivre

1 Prélevez le zeste de 2 oranges et taillez-le en fines languettes. Faites-les bouillir 5 min à l'eau et égouttez-les. Pelez 3 oranges à vif, coupez-les en tranches et réservez-les. Pelez et émincez la carotte et l'oignon.
2 Faites fondre 70 g de beurre dans une cocotte et faites-y dorer le canard de tous les côtés, sur feu modéré, en ajoutant la carotte et l'oignon. Ajoutez 2 c. à soupe d'eau, le bouquet garni, salez et poivrez.
3 Couvrez, baissez le feu et faites mijoter pendant 45 min. Arrosez le canard avec le cognac et le Cointreau. Couvrez à nouveau et laissez reposer hors du feu pendant 10 min. Retirez le canard de la cocotte et tenez-le au chaud enveloppé d'une feuille d'aluminium.
4 Ajoutez dans la cuisson de la cocotte le vinaigre et le jus de l'orange restante. Faites mijoter 10 min.
5 Passez et dégraissez cette sauce. Remettez-la dans une casserole en ajoutant la fécule délayée dans un peu d'eau. Laissez mijoter.
6 Faites fondre le beurre restant dans une poêle, ajoutez les tranches d'orange et faites-les chauffer.
7 Découpez le canard et disposez les morceaux sur un plat chaud. Versez le jus que contient la feuille d'aluminium dans la sauce. Faites chauffer et arrosez les morceaux de canard, entourés de tranches et de zestes d'orange. Servez le reste en saucière.

Boisson **côte-de-beaune**

Canard aux petits pois

Pour 6 personnes
Préparation 20 min
Cuisson 40 min

40 g de beurre ◆ 12 petits oignons ◆ 200 g de lardons ◆ 1 canard nantais vidé et bridé ◆ 25 cl de fond de volaille ◆ 1 kg de petits pois frais ◆ 1 bouquet garni ◆ sucre semoule ◆ sel ◆ poivre

1 Faites fondre le beurre dans une cocotte. Ajoutez les oignons pelés et les lardons. Faites revenir 8 à 10 min en remuant. Égouttez-les.
2 Dans le même beurre, mettez le canard et faites-le colorer sur tous les côtés. Retirez-le. Déglacez la cocotte avec le fond de volaille.
3 Remettez le canard dans la cocotte, ajoutez les petits pois écossés, les oignons, les lardons et le bouquet garni. Salez, poivrez et poudrez avec 1 c. à soupe rase de sucre semoule. Couvrez et faites cuire pendant 35 min.
4 Égouttez le canard et disposez-le sur un plat de service. Découpez-le en morceaux. Servez à part les petits pois aux oignons dans un légumier et le jus de cuisson en saucière.

Boisson **bourgueil**

canard sauvage

➜ **voir aussi** salmis
C'est surtout le colvert que l'on trouve dans le commerce. Comme il est plus petit que le canard domestique, on en compte 1 pour 2 personnes, surtout s'il est rôti : c'est le cas du jeune canard (20 à 25 min par livre), arrosé de porto ou de madère par exemple. Si le canard est moins jeune, cuisinez-le en fricassée, avec des pommes ou des cèpes.

Canard aux pommes

Pour 4 personnes
Préparation 25 min
Cuisson 40 min

600 g de pommes ◆ 1 canard sauvage de 1,5 kg ◆ 50 g de beurre ◆ 2 c. à soupe de calvados ◆ 10 cl de vin blanc sec ◆ 10 cl de crème fraîche ◆ sel ◆ poivre

1 Pelez et hachez 1 pomme en petits morceaux. Hachez le foie et le gésier du canard.
2 Faites fondre 20 g de beurre dans une casserole, ajoutez le hachis précédent. Salez et poivrez. Remuez sur feu vif, puis arrosez de calvados et flambez.
3 Farcissez le canard avec cette préparation et recousez-le, puis bridez-le. Mettez-le dans un plat à four et faites cuire 40 min à 220 °C.
4 Pendant ce temps, pelez les pommes et coupez-les en quartiers. Faites chauffer le reste de beurre dans une poêle et faites-y sauter les pommes pendant 10 min.
5 Sortez le canard du four et du plat, tenez-le au chaud sous une feuille d'aluminium. Videz la plus grande partie de la graisse de cuisson.
6 Déglacez le plat avec le vin blanc. Faites bouillir 2 min, puis ajoutez la crème et mélangez 2 min sur feu doux.
7 Découpez le canard et disposez les morceaux sur un plat. Nappez de sauce et garnissez de pommes. Servez.

Boisson **graves rouge**

➜ **autres recettes de canard à l'index**

cannelle

Écorce séchée d'un arbre de la famille du laurier, la cannelle s'achète en poudre ou en bâtonnets. On l'utilise pour parfumer compotes et gâteaux aux pommes, ainsi que le vin chaud. La poudre est commode pour aromatiser au dernier moment des fruits cuits ou un dessert au fromage blanc.

Biscuits à la cannelle

MICRO ONDES

Pour 10 à 12 biscuits
Préparation 15 min
Cuisson 2 min 30

1 orange non traitée ◆ 50 g de beurre ◆ 3 c. à soupe de marmelade de pommes ◆ 100 g de farine ◆ 2 c. à soupe de cannelle en poudre

1 Râpez finement le zeste de l'orange et pressez le jus. Travaillez en pommade à la spatule le beurre et la marmelade.
2 Incorporez la farine, puis ajoutez le zeste, 1 c. à soupe de jus d'orange et la cannelle.
3 Abaissez cette pâte sur 3 mm d'épaisseur. Découpez-y des ronds réguliers et disposez-les sur une feuille de papier sulfurisé dans le four.

4 Recouvrez-les de papier absorbant et posez une assiette creuse à l'envers par-dessus.
5 Faites cuire 2 min 30 à pleine puissance. Laissez reposer 5 min, puis refroidir sur une grille.

→ **autres recettes de cannelle à l'index**

cannelloni

Rectangles de pâte à nouilles enroulés autour d'une farce, les cannelloni sont généralement cuisinés à la sauce tomate et souvent gratinés. On trouve dans le commerce des cannelloni prêts à farcir, en forme de tuyaux de pâte cuits, mais ils sont moins maniables que les carrés à farcir et à rouler.

Cannelloni au fromage

Pour **4 personnes**
Préparation **15 min**, sauce **30 min**
Cuisson **25 min**

500 g de ricotta ou de fromage blanc ◆ 2 œufs ◆ 1 jaune d'œuf ◆ 4 c. à soupe de persil ◆ 5 c. à soupe de parmesan râpé ◆ muscade ◆ 12 grands carrés de pâte à nouilles ◆ 12 tranches de jambon cru ◆ 25 g de beurre ◆ 30 cl de sauce tomate ◆ sel ◆ poivre

1 Mélangez dans une terrine le fromage, les œufs, le persil et 1 c. à soupe de parmesan. Salez, poivrez et muscadez.
2 Faites cuire les carrés de pâte 3 min à l'eau bouillante salée, égouttez-les à fond. Faites fondre le beurre.
3 Posez sur chaque carré une tranche de jambon puis une portion de farce au fromage. Roulez les cannelloni. Rangez-les dans un plat. Arrosez de beurre fondu. Nappez de sauce tomate. Poudrez de parmesan. Faites cuire 20 min à 100 °C.

Cannelloni à la viande

Pour **4 personnes**
Préparation **25 min**
Cuisson **1 h 50 min**

2 gousses d'ail ◆ 3 oignons ◆ 500 g de bœuf à braiser ◆ 6 tomates ◆ 2 branches de céleri ◆ 3 c. à soupe d'huile d'olive ◆ 1 bouquet garni ◆ 25 cl de bouillon de bœuf ◆ 20 cl de vin rouge ◆ 20 rectangles de pâte à nouilles ◆ 1 boîte de concentré de tomates ◆ 3 c. à soupe de parmesan râpé ◆ sel ◆ poivre

1 Pelez et hachez l'ail et les oignons. Hachez grossièrement la viande. Pelez et concassez les tomates. Effilez et hachez le céleri.
2 Faites revenir à l'huile l'ail et les oignons, ajoutez le céleri et le bouquet garni, ainsi que la viande. Remuez 5 min, puis ajoutez les tomates.
3 Laissez mijoter 10 min à découvert, puis ajoutez le bouillon et le vin. Faites cuire 1 h 30 à couvert. Faites cuire les rectangles de pâte 3 min à l'eau bouillante salée. Égouttez-les bien.
4 Retirez le bouquet garni. Garnissez les rectangles de pâte avec cette sauce épaisse et roulez-les. Placez-les dans un plat à gratin. Délayez le reste de sauce avec le concentré de tomates et nappez-en les cannelloni. Poudrez de parmesan et faites gratiner à four chaud.

Cannelloni au fromage ▼

La farce de fromage frais relevée de persil, doublée d'une tranche de jambon cru, donne à ces cannelloni un accent typiquement italien.

cantal

→ voir aussi aligot

Fromage auvergnat au lait de vache à pâte pressée, le cantal bénéficie d'une appellation d'origine. Selon son affinage, on distingue la « tomme fraîche », utilisée en cuisine mais rarement consommée nature ; le cantal mi-affiné, un peu souple et noiseté ; et le cantal « vieux », beaucoup plus fort de goût. Choisissez-le fermier et dégustez-le en hiver avec un vin rouge fruité.

Diététique. Une portion de cantal = 130 kcal.

Soupe au cantal

Pour **4 personnes**
Préparation **20 min**
Cuisson **25 min**

8 fines tranches de pain de campagne ◆ 200 g de cantal demi-affiné ◆ 200 g d'oignons ◆ 25 g de beurre ◆ 1,5 l de bouillon de volaille ◆ sel ◆ poivre noir au moulin

1 Faites sécher les tranches de pain dans le four à chaleur douce. Râpez grossièrement le cantal. Pelez et émincez les oignons.
2 Faites fondre le beurre dans une casserole et ajoutez les oignons. Remuez à la cuiller pour faire légèrement colorer, puis versez le bouillon.
3 Portez à ébullition, baissez le feu et laissez cuire 10 min.
4 Pendant ce temps, disposez les tranches de pain dans une soupière, en ajoutant le fromage à intervalles réguliers.
5 Versez doucement le contenu brûlant de la casserole dans la soupière. Couvrez et laissez mitonner 10 min. Servez aussitôt.

→ **autres recettes de cantal à l'index**

câpre

→ voir aussi raie, ravigote

Petit bourgeon de la fleur du câprier, confit dans du vinaigre ou conservé dans de la saumure. Égouttez toujours les câpres, rincez-les si elles sont très salées. Elles relèvent les pizzas, les sauces de salades et de poissons.

Diététique. La câpre n'a aucune valeur nutritionnelle mais son acidité est parfois mal supportée.

Sauce aux câpres

Pour **50 cl de sauce**
Préparation **8 min**
Cuisson **20 min**

50 g de beurre ◆ 40 g de farine ◆ 30 cl de court-bouillon ◆ 15 cl de crème fraîche ◆ 2 grosses c. à soupe de câpres bien égouttées ◆ jus de citron ◆ sel ◆ poivre

1 Préparez un roux en mélangeant sur feu doux le beurre fondu et la farine.
2 Lorsque le mélange commence à mousser, versez le court-bouillon très chaud en remuant sans arrêt avec un fouet.
3 Laissez cuire tout doucement pendant 15 min. Ajoutez alors la crème et poursuivez la cuisson 5 min sur feu doux.
4 Incorporez les câpres et le jus de citron. Remuez. Goûtez et rectifiez l'assaisonnement.

Vous pouvez ajouter 1 ou 2 c. à soupe de persil haché.

Cette sauce est l'accompagnement idéal pour un poisson poché servi chaud.

caramel

→ voir aussi crème, île flottante, œufs au lait

Simple sucre cuit avec un peu d'eau et plus ou moins coloré en brun par la chaleur, le caramel a aussi donné son nom à un bonbon. Très fréquemment utilisé en pâtisserie, il est disponible sous forme liquide dans le commerce, prêt à l'emploi. En le préparant vous-même, vous adaptez sa cuisson et sa coloration à son emploi :

Très pâle pour glacer les petits fours et les fruits déguisés (on arrête la cuisson dès que le sirop commence à se colorer) ;

Clair ou blond, pour caraméliser les choux, assembler une pièce montée ;

Moyen, pour caraméliser un moule, napper un gâteau de riz, parfumer une crème, les œufs à la neige, etc. ;

Brun, trop âcre pour la pâtisserie, mais éventuellement pour colorer une sauce ou un bouillon en cuisine.

Les bonnes proportions pour préparer un caramel sont de 3 c. à soupe d'eau pour 100 g de sucre en morceaux.

Caramel

Préparation **2 min**
Cuisson **8 à 12 min**

sucre en morceaux ◆ eau ◆ vinaigre ou jus de citron

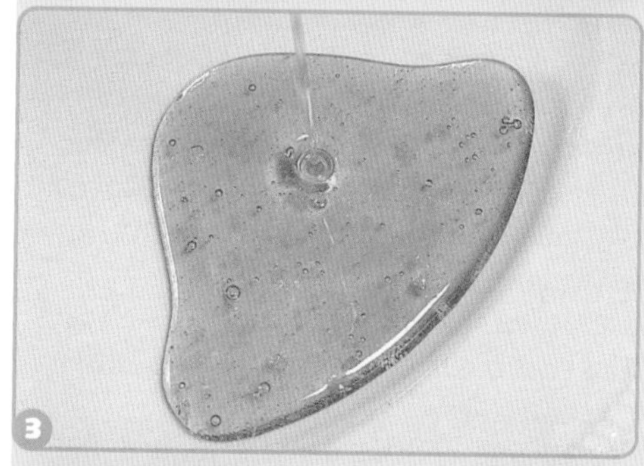

1 Choisissez une petite casserole en acier inoxydable ou en cuivre non étamé. Faites fondre le sucre avec l'eau en surveillant la cuisson.

2 Ne remuez pas, mais inclinez de temps en temps le récipient pour unifier la couleur et répartir la chaleur.

3 Le caramel clair s'obtient à une température d'environ 150 à 160 °C. Versez 1 c. de sirop sur une assiette blanche : le sirop doit avoir la couleur du miel pâle.

4 Pour que le caramel reste liquide plus longtemps (quand on veut par exemple enrober des petits fours ou des choux), ajoutez 1/2 c. à café de vinaigre ou un filet de citron pour 100 g de sucre.

5 Lorsqu'il est couleur acajou, ajoutez une petite quantité d'eau froide avec précaution pour stopper la cuisson : une partie du sirop se solidifie aussitôt ; vous pouvez alors l'employer comme parfum en le faisant à nouveau fondre sur feu doux.

Pour caraméliser un moule. S'il peut aller sur le feu, versez dedans 80 g de sucre en morceaux mouillés d'eau (pour un moule à flan de 22 cm), posez sur feu moyen et surveillez la cuisson. Dès qu'il a pris la couleur désirée, retirez-le du feu et inclinez le moule pour que le caramel le recouvre complètement. Laissez refroidir le moule retourné pour éviter la formation d'un dépôt.

Si le moule ne peut pas aller sur le feu, faites chauffer le sucre en morceaux dans une petite casserole et en même temps placez le moule vide dans le four chaud pour que le caramel ne se fige pas lorsqu'il sera prêt. Versez le caramel dans le moule et inclinez celui-ci pour qu'il le recouvre bien.

Pour glacer des fruits au caramel (fraises, cerises, grains de raisin). Comptez 1 morceau de sucre n° 3 par fruit. Embrochez les fruits sur des bâtonnets pointus et plongez-les 1 par 1 dans le caramel clair.

Pour caraméliser des choux. Employez un caramel clair au vinaigre (comptez 1 morceau de sucre n° 3 par chou).

carbonade

Ragoût de bœuf cuisiné avec des oignons et de la bière, la carbonade est une spécialité du Nord qui doit mijoter longuement. On donne également le nom de carbonade à une grillade de porc taillée le long de la palette. Le même mot désigne enfin une daube de bœuf au vin rouge dans le Midi.

Carbonade flamande

Pour **6 personnes**
Préparation **25 min, 24 h à l'avance**
Cuisson **2 h**

5 gros oignons ◆ 1,2 kg de bœuf à braiser ◆ 30 g de beurre ◆ 2 c. à soupe d'huile ◆ 1 c. à soupe de sucre roux ◆ 2 c. à soupe de farine ◆ 25 cl de bouillon de bœuf ◆ 25 cl de bière blonde ◆ 1 c. à soupe de vinaigre ◆ 1 bouquet garni ◆ sel ◆ poivre

1 Pelez les oignons et émincez-les. Détaillez la viande en tranches de 1 cm d'épaisseur.
2 Faites chauffer le beurre et l'huile dans une poêle. Ajoutez les morceaux de viande et faites-les raidir sur feu assez vif. Égouttez-les et réservez-les.
3 Baissez le feu et mettez les oignons à la place. Faites-les cuire 5 min en remuant sans les laisser brunir. Égouttez-les.
4 Étalez-en une couche dans le fond d'une cocotte. Salez et poivrez. Ajoutez une couche de viande. Remplissez la cocotte en alternant oignons et viande.
5 Dans la cuisson de la poêle, versez le sucre et la farine. Faites cuire en remuant pendant 2 min, puis ajoutez un peu de bouillon pour obtenir une sauce épaisse. Faites mijoter 2 min, puis ajoutez le reste de bouillon, la bière et le vinaigre. Faites bouillir 3 min.
6 Versez cette sauce dans la cocotte et ajoutez le bouquet garni. Couvrez et laissez mijoter pendant 2 h environ. Servez dans le plat de cuisson.

Boisson **bière blonde**

cardamome

Cette épice se présente sous forme de graines brunes avec une odeur et un goût prononcés. C'est surtout en Inde qu'elle est utilisée pour parfumer les plats de riz et les friandises. Dans les pays nordiques, on l'apprécie beaucoup en pâtisserie. En France, on la trouve surtout dans le pain d'épices. Dans les pays du Maghreb, la cardamome aromatise le café.

cardon

Légume d'hiver cousin de l'artichaut, le cardon possède une longue tige centrale sur laquelle se développent d'autres tiges blanchâtres. Le cardon ressemble à la bette, mais ses feuilles ne sont pas comestibles. C'est le blanc des branches intérieures que l'on consomme.

On cuisine les cardons frits ou à la moelle, au jus ou à la béchamel, pour accompagner du bœuf rôti ou une poularde pochée.

Diététique. Les cardons sont assez riches en sels minéraux. 100 g de cardons = 40 kcal.

Cardons à la moelle

Pour **6 personnes**
Préparation **30 min**
Cuisson **1 h environ**

2 gros pieds de cardons ◆ 1 citron ◆ 2 c. à soupe de farine ◆ 60 g de beurre ◆ 150 g de moelle de bœuf ◆ 1 bouquet de ciboulette ◆ sel ◆ poivre

1 Nettoyez les cardons en ne gardant que les côtes. Ôtez les fils et coupez les cardons en gros tronçons. Mettez-les au fur et à mesure dans de l'eau citronnée.
2 Délayez la farine dans un peu d'eau froide et versez-la dans une grande casserole avec 2,5 l d'eau. Portez à ébullition en remuant, ajoutez les cardons et faites-les cuire 40 min à couvert sur feu moyen.
3 Égouttez-les à fond. Faites fondre le beurre dans une poêle et mettez-y les cardons. Laissez chauffer sans colorer, en remuant de temps en temps pendant environ 10 min, pour qu'ils finissent de rendre toute leur eau. Salez et poivrez.
4 Pendant ce temps, coupez la moelle en tranches de 1 cm d'épaisseur. Faites pocher les rondelles de moelle 2 à 3 min dans une casserole d'eau tout juste frémissante. Égouttez-les et épongez-les.
5 Versez les cardons dans un légumier chaud. Ajoutez les rondelles de moelle sur le dessus, puis la ciboulette hachée.

Si la peau de la carotte est très fine, grattez-la sans la peler, la partie externe étant riche en vitamines et en sels minéraux.

carotte

→ **voir aussi** macédoine

On trouve ces légumes toute l'année sur le marché, mais ses deux grandes saisons sont le printemps (petites carottes nouvelles, tendres et pratiquement sans peau) et l'hiver (grosses carottes longues, idéales pour les soupes ou le pot-au-feu). Plus la carotte est orangée, plus elle est tendre et sucrée. La peau doit être lisse, uniforme et sans taches, les fanes bien attachées à la racine.

Achetez-les de préférence en bottes ou en vrac et non sous un emballage plastique qui dégage souvent une humidité nuisible et peut dissimuler des légumes abîmés. Si les carottes sont vieilles, fendez-les en deux et éliminez la partie centrale, jaune et ligneuse.

Consommées crues ou cuites, les carottes seront grattées plutôt que pelées, car la partie externe est riche en vitamines et en sels minéraux. Faites-en aussi des jus de légumes dans une centrifugeuse.

Diététique. C'est un des légumes les plus riches en sucre (9 g de glucides pour 4 g en moyenne dans les autres légumes). Consommez-les avec modération, mais ne les oubliez pas : riches en provitamine A et en carotène, elles préparent la peau au bronzage.

Carottes glacées

Pour **6 personnes**
Préparation **15 min**
Cuisson **40 min environ**

1,5 kg de carottes ◆ 125 g de beurre ◆ 30 g de sucre semoule ◆ sel ◆ poivre

1 Pelez ou grattez les carottes. Taillez-les en tronçons réguliers si elles sont grosses, sinon laissez-les entières.

2 Mettez-les dans une sauteuse large à fond épais. Ajoutez un peu d'eau froide pour les mouiller sans les recouvrir et ajoutez la moitié du beurre en morceaux.

3 Faites-les sauter sur feu assez vif en les remuant plusieurs fois. Lorsque l'eau est évaporée, salez et poivrez ; ajoutez le reste de beurre et poudrez de sucre.

4 Continuez à faire sauter à découvert jusqu'à ce que les carottes deviennent bien brillantes et un peu caramélisées.

Les carottes glacées accompagnent idéalement les viandes sautées ou rôties.

Carottes à l'orange

Pour **4 personnes**
Préparation **15 min**
Cuisson **35 min environ**

1 kg de carottes nouvelles ◆ 2 oignons doux ◆ 1 orange non traitée ◆ 80 g de raisins secs blonds ◆ 1 petit bouquet de ciboulette ◆ vinaigre balsamique ◆ huile d'olive ◆ cumin en poudre ◆ sel ◆ poivre

1 Grattez les carottes. Coupez-les en rondelles. Pelez et émincez les oignons. Râpez le zeste de l'orange et pressez son jus. Faites gonfler les raisins dans de l'eau tiède, réservez.
2 Faites chauffer 2 c. à soupe d'huile dans une casserole. Faites-y revenir les oignons. Ajoutez 1 pincée de cumin. Salez et poivrez. Mélangez, puis ajoutez les carottes et la ciboulette ciselée. Mouillez d'eau, couvrez et faites cuire 10 min.
3 Ajoutez les raisins secs, égouttés, le jus de l'orange, le zeste râpé et mélangez. Couvrez et laissez cuire en remuant jusqu'à ce que le liquide soit presque absorbé. Ajoutez le vinaigre. Rectifiez l'assaisonnement et servez bien chaud.

Carottes râpées aux raisins secs

Pour **4 personnes**
Préparation **20 min**
Pas de cuisson

500 g de carottes nouvelles ◆ 1 banane ◆ 1 citron ◆ 1 bouquet de cerfeuil ◆ huile d'olive ◆ vinaigre de vin blanc ◆ 80 g de raisins secs « sultane » ◆ sel ◆ poivre

1 Grattez les carottes et râpez-les dans un saladier. Pelez la banane et coupez-la en rondelles. Citronnez-les. Ajoutez-les aux carottes avec le jus de citron. Mélangez.
2 Ciselez le cerfeuil. Préparez une vinaigrette avec 4 c. à soupe d'huile, 1 c. à soupe de vinaigre, salez et poivrez.
3 Versez cette sauce sur la salade et remuez. Ajoutez les raisins secs et mélangez. Garnissez avec le cerfeuil. Servez à température ambiante.

Choisissez de préférence des petits raisins secs blonds sans pépins. Vous pouvez remplacer l'huile d'olive par de l'huile de noisette.

Carottes Vichy

RECETTE LÉGÈRE – 1 portion 120 kcal

Pour **4 personnes**
Préparation **15 min**
Cuisson **1 h environ**

800 g de carottes nouvelles ◆ 1 c. à soupe de sucre semoule ◆ 30 g de beurre ◆ 1 bouquet de persil plat ◆ sel

1 Grattez les carottes et coupez-les en fines rondelles. Mettez-les dans une grande sauteuse. Salez et sucrez. Recouvrez d'eau juste à hauteur. Faites cuire doucement jusqu'à ce que toute l'eau soit absorbée.
2 Versez les carottes dans un légumier, ajoutez le beurre en parcelles et du persil ciselé.

Jus de légumes vitaminé

RECETTE LÉGÈRE – 1 portion 65 kcal

Pour **2 personnes**
Préparation **15 min**
Pas de cuisson

2 carottes ◆ 1 betterave rouge ◆ 2 oranges non traitées ◆ 1 pamplemousse rose non traité ◆ 1 bouquet de persil plat ◆ 1 citron non traité

1 Lavez les carottes et coupez-les en tronçons. Pelez la betterave et coupez-la en cubes. Pelez les agrumes. Coupez l'orange en 4 morceaux et le pamplemousse en quartiers. Lavez le persil.
2 Passez ces ingrédients dans une centrifugeuse. Versez le jus dans des verres et servez frais en ajoutant le jus de citron au dernier moment.

→ **autres recettes de carotte à l'index**

carpaccio

Ce plat d'origine italienne est fait de très fines tranches de bœuf cru, servies froides en hors-d'œuvre avec une vinaigrette à l'oignon. Sur le même principe, préparez également un carpaccio de saumon ou de daurade avec une vinaigrette au citron agrémentée d'olives hachées ou encore des carpaccios de légumes méditerranéens en fines lamelles, assaisonnés à l'huile d'olive.

Diététique. Une excellente façon de consommer de la viande rouge, riche en fer, à condition de ne pas faire d'excès avec la sauce.

Carpaccio de légumes ►

Le principe du carpaccio, traditionnellement appliqué à la viande de bœuf, permet de réaliser des assortiments de légumes d'été assaisonnés à l'huile d'olive et au basilic.

Carpaccio de bœuf

RECETTE LÉGÈRE — 1 portion 205 kcal

Pour **4 personnes**
Préparation **30 min,**
1 h à l'avance
Pas de cuisson

250 g de filet de bœuf de 1re qualité ◆ 4 c. à soupe d'huile d'olive ◆ 2 c. à café de poivre vert ◆ 2 échalotes grises ◆ 1 oignon blanc ◆ sel

1 Emballez le morceau de viande dans du film plastique après l'avoir bien épongé. Tordez les 2 bouts du plastique pour que la viande reste bien compacte. Mettez-la 1 h au congélateur.
2 Avec un couteau bien tranchant, taillez le morceau de viande déballé en très fines lamelles.
3 Placez chaque tranche obtenue entre 2 épaisseurs de film plastique, aplatissez-la au maximum en la battant régulièrement avec le plat de la lame d'un couteau. Réservez les tranches ainsi préparées au frais.
4 Mélangez dans un bol l'huile et le poivre vert. Salez légèrement. Pelez et hachez finement les échalotes et l'oignon.
5 Badigeonnez légèrement le fond des assiettes de service avec l'huile. Disposez les tranches de viande froide par-dessus. Badigeonnez-les également. Garnissez avec les échalotes et l'oignon.

Boisson **lambrusco ou chianti très frais**

Carpaccio de légumes à l'huile d'olive

RECETTE LÉGÈRE — 1 portion 130 kcal

Pour **4 personnes**
Préparation **25 min,**
5 h à l'avance
Pas de cuisson

3 petites courgettes à peau fine ◆ 2 petites aubergines bien fermes ◆ 3 tomates rondes bien mûres mais fermes ◆ 1 citron ◆ 1 c. à soupe de vinaigre balsamique ◆ 1/2 c. à café de graines de coriandre ◆ 1 gousse d'ail ◆ huile d'olive ◆ feuilles de basilic ◆ sel ◆ poivre

1 Lavez les courgettes et les aubergines. Coupez le pédoncule, puis détaillez-les en rondelles régulières assez fines. Allumez le gril du four et garnissez la tôle de papier aluminium.
2 Rangez les rondelles d'aubergines et de courgettes dessus, badigeonnez-les d'huile d'olive. Salez et poivrez.
3 Passez les légumes pendant 5 min sous le gril, retournez-les, badigeonnez-les à nouveau et repassez-les sous le gril pendant encore 5 min. Laissez refroidir complètement.
4 Ébouillantez les tomates, pelez-les et coupez-les en 2, épépinez-les et coupez-les en rondelles fines. Répartissez les aubergines, les courgettes et les tomates sur des assiettes de service.
5 Préparez une vinaigrette avec 5 c. à soupe d'huile d'olive, le jus du citron et le vinaigre balsamique, ajoutez la coriandre concassée et l'ail pelé et émincé. Salez et poivrez.
6 Fouettez, puis arrosez les assiettes d'assaisonnement. Couvrez de film alimentaire et laissez mariner 5 h au réfrigérateur. Au moment de servir, décorez avec des feuilles de basilic.

Carpaccio de saumon

Pour **4 personnes**
Préparation **20 min**
Repos au frais **24 h**
Pas de cuisson

800 g de filet de saumon maigre et bien rouge de toute première fraîcheur ◆ 1 c. à soupe de baies de genièvre ◆ 1 c. à soupe de pastis ◆ sucre en poudre ◆ huile d'olive ◆ sel ◆ poivre

1 Débarrassez le filet de saumon de la peau et des arêtes. Éliminez soigneusement la moindre arête subsistante avec une pince à épiler. Posez ensuite le filet sur une grande feuille de papier aluminium. Écrasez les baies de genièvre. Arrosez le saumon avec le pastis. Salez et poivrez. Ajoutez les baies de genièvre et quelques pincées de sucre en poudre.
2 Rabattez la feuille d'aluminium et fermez bien le tout, puis laissez reposer dans le réfrigérateur pendant 24 h. Le saumon doit être bien ferme.
3 Découpez le saumon en très fines tranches de 4 mm d'épaisseur et disposez-les sur des assiettes de service légèrement badigeonnées d'huile d'olive.

Vous pouvez aussi supprimer le pastis et servir le saumon cru avec du wasabi (moutarde verte japonaise) délayé dans de la sauce soja douce.

Carpe à la chinoise

Pour **4 personnes**
Préparation **20 min**
Cuisson **30 min environ**

250 g de concombre ◆ 2 oignons ◆ 15 cl d'huile ◆ 2 c. à soupe de vinaigre de vin blanc ◆ 1 c. à soupe de sucre semoule ◆ 1 c. à café de gingembre en poudre ◆ 2 c. à soupe de xérès ◆ 1 carpe de 1,5 kg nettoyée et vidée ◆ sel ◆ poivre

1 Pelez le concombre et taillez la pulpe en fines languettes. Poudrez de sel et laissez dégorger au réfrigérateur.
2 Pelez les oignons et hachez-les menu. Faites chauffer 1 c. à soupe d'huile dans une sauteuse et ajoutez les oignons. Faites revenir en laissant légèrement colorer.
3 Ajoutez le vinaigre, le sucre, le gingembre et le xérès. Mélangez bien.
4 Salez et poivrez, ajoutez 25 cl d'eau et couvrez. Laissez mijoter pendant 10 min.
5 Coupez la carpe en morceaux réguliers et pas trop gros.
6 Faites chauffer le reste d'huile dans une grande poêle et faites-y sauter les morceaux de poisson, en les retournant régulièrement, pendant 10 à 12 min.
7 Versez la sauce par-dessus en ajoutant les languettes de concombre rincées et bien égouttées. Faites chauffer le tout ensemble 2 min et servez aussitôt dans un plat creux.

Boisson **rosé de Provence**

carpe

Poisson d'eau douce pouvant atteindre 80 cm, la carpe possède parfois un léger goût de vase si elle est élevée en étang ; dans ce cas, une fois vidée et écaillée, rincez-la dans un bain d'eau courante légèrement vinaigrée. La carpe miroir, qui possède quelques rangées d'écailles sur les flancs, est réputée plus fine que la carpe cuir, qui est presque sans écailles.

Choisissez-la charnue, avec ses œufs ou sa laitance (juin à avril). Faites-la vider par le poissonnier, qui retirera la poche à fiel difficile à extraire au fond de la gorge. La carpe se prépare farcie, pochée, au bleu, braisée, au four ou en matelote.

Diététique. La carpe d'élevage, la plus fréquente, est riche en graisses (9 g de lipides pour 100 g) ; consommez-la de préférence grillée.

carré

→ **voir aussi** agneau, porc, veau

Cette pièce de viande comprend l'ensemble des côtes premières et secondes. Non séparées, elles constituent, surtout chez l'agneau, un succulent rôti : demandez au boucher de dégraisser le train de côtes, de dénuder le haut des manches de côtelettes et d'entailler les os des vertèbres pour faciliter la découpe lors du service.

Le carré de veau désossé, roulé et ficelé fournit un rôti de choix ; demandez au boucher les os pour les placer à côté du rôti pendant la cuisson : ils donneront de la saveur à la viande. Il en est de même pour le porc. Mais le carré entier rôti a davantage de goût que lorsqu'il est préparé désossé.

Carré d'agneau à l'ail

Pour **6 personnes**
Préparation **5 min**
Cuisson **25 à 30 min**

1 carré d'agneau de 12 côtelettes ◆ 10 gousses d'ail ◆ 30 cl de crème fraîche ◆ sel ◆ poivre

1 Faites chauffer le four au maximum. Placez le carré dans la lèchefrite, partie grasse contre la grille. Surveillez la cuisson.
2 Lorsque les os commencent à roussir, au bout de 10 min, retournez le carré. Salez et poivrez. Poursuivez la cuisson jusqu'à ce qu'il soit doré. Laissez reposer 5 à 7 min dans le four éteint.
3 Pendant ce temps, épluchez les gousses d'ail et ôtez le germe. Mettez-les dans une petite casserole avec la crème, sel, poivre et 15 cl d'eau. Faites cuire 15 à 20 min et passez au mixer pour réduire le tout en purée.
4 Détaillez le carré en côtelettes régulières : elles doivent être saignantes. Servez-les avec la crème d'ail à part.

Boisson pauillac

Carré de porc au thym

Pour **6 personnes**
Préparation **15 min**
Marinade **2 h**
Cuisson **1 h 30**

1 gousse d'ail ◆ 1 carré de porc de 1,5 kg ◆ 25 cl de vin blanc ◆ 4 ou 5 brins de thym ◆ 2 c. à soupe de chapelure fine ◆ 1 c. à soupe de persil haché ◆ sel ◆ poivre au moulin

1 Pelez la gousse d'ail et taillez-la en éclats. Glissez-les dans la viande, près des os, à l'aide d'un couteau pointu. Salez et poivrez le carré.
2 Mettez-le dans un plat creux. Arrosez-le de vin et ajoutez le thym effeuillé. Laissez mariner 2 h en le retournant 2 ou 3 fois.
3 Faites cuire 1 h au four à 220 °C en recouvrant la viande d'une feuille d'aluminium.
4 Mélangez la chapelure et le persil. Étalez le mélange sur le gras de la viande en appuyant.
5 Remettez au four sans couvrir et faites cuire encore 30 min à 160 °C en arrosant de temps en temps avec la cuisson. Servez très chaud lorsque la croûte est dorée.

→ **autres recettes de carré à l'index**

carrelet

Nom usuel de la plie, poisson plat en forme de losange vivant dans toutes les zones côtières de l'Atlantique. Le carrelet mesure 25 à 60 cm, et son corps brun-vert est parsemé de taches orange. Il est aussi appelé « brette » dans la Manche et « piatte » dans le golfe de Gascogne.

Le carrelet est un poisson bon marché. Il est disponible toute l'année, mais il est meilleur en hiver. Il faut choisir un carrelet aux taches bien brillantes, signe de fraîcheur.

On prévoit environ 230 g par personne, car les déchets sont importants. On le trouve aussi en filets. Il se cuisine comme la barbue, la sole ou la lotte : au four, grillé ou en papillote. Petit, on peut le frire à la poêle dans un mélange de beurre et d'huile. Dans ce cas, il est préférable de le fariner légèrement.

Diététique. Assez fin, le carrelet est le poisson est en outre très maigre : 100 g = 65 kcal.

Carré d'agneau à l'ail ▼

Pour un carré d'agneau, on compte 2 côtelettes par personne. Dégagez les manches de celles-ci avant la cuisson pour faciliter le découpage.

Carrelets au raifort

Pour **4 personnes**
Préparation **20 min**
Cuisson **25 min**

2 carrelets de 500 g ◆ jus de citron ◆ 40 g de beurre ◆ 1 pomme ◆ 4 c. à soupe de raifort râpé ◆ 20 cl de crème fraîche ◆ sucre semoule ◆ sel ◆ poivre

1 Parez, videz, lavez et épongez les poissons. Salez, poivrez et arrosez de jus de citron.
2 Faites fondre le beurre sur feu doux. Préchauffez le four à 200 °C.
2 Versez 1/3 du beurre dans un plat à four, posez-y les poissons, arrosez avec le reste de beurre. Faites cuire 10 min environ.
3 Pelez et émincez finement la pomme. Dans une jatte, mélangez intimement le raifort, la crème fraîche et la pomme. Salez et ajoutez 1 pincée de sucre semoule.
4 Versez cette sauce dans le plat et nappez bien les poissons. Remettez dans le four 15 min.

carvi

→ **voir aussi** cumin

Plante aromatique commune en Europe centrale et en Europe septentrionale, appelée aussi, en raison de similitudes de goût et d'aspect, « cumin des prés », « faux anis » ou « cumin des montagnes ».

Ses petites graines séchées au goût épicé condimentent la choucroute et les ragoûts, des fromages et des pains. Le carvi est utilisé aussi dans la fabrication de liqueurs : kummel, vespetro, schnaps et akvavit.

Diététique. La mastication de graines de carvi, qui ont des propriétés digestives, aide à éliminer l'odeur d'ail et stimule l'appétit.

Bœuf au carvi

Pour **2 personnes**
Préparation **20 min**
Cuisson **25 min**

2 pommes de terre ◆ 150 g de chou rouge ◆ 2 oignons doux ◆ 200 g de bœuf bouilli ◆ 2 c. à soupe de vinaigre ◆ 1 c. à café de carvi ◆ huile ◆ sel ◆ poivre

1 Faites cuire les pommes de terre à l'eau. Émincez le chou.
2 Pelez et émincez les oignons. Détaillez la viande en petits dés.
3 Émincez les pommes de terre et mélangez-les avec le chou, les oignons et la viande.
4 Salez et poivrez, arrosez de 4 c. à soupe d'huile. Laissez reposer.
5 Faites chauffer le vinaigre et ajoutez-lui le carvi. Versez-le sur la salade. Remuez et servez.

cassate

Glace à plusieurs parfums, en forme de brique, souvent farcie de fruits confits. La cassate se sert démoulée, coupée en tranches épaisses.

Cassate aux fraises

Pour **6 personnes**
Préparation **40 min, 3 à 4 h à l'avance**
Chantilly **10 min**
Pas de cuisson

4 c. à soupe de fruits confits hachés ◆ 1 verre de liqueur de fraise ◆ 1,5 l de glace à la vanille ◆ 40 cl de crème Chantilly ◆ 1,5 l de glace à la fraise

1 Faites macérer les fruits confits avec la liqueur pendant 20 min.
2 Étalez la glace à la vanille dans un moule à cake en tassant bien. Mettez au réfrigérateur.
3 Égouttez les fruits confits et mélangez-les rapidement avec la crème Chantilly. Versez cette préparation sur la couche de glace à la vanille. Mettez au congélateur 10 min.
4 Recouvrez avec la glace à la fraise. Tassez bien. Remettez au froid jusqu'au service.

Soignez la présentation de cette glace en servant en même temps un assortiment de petits macarons de toutes les couleurs.

Cassate aux fraises ►
La liqueur de fraises et les fruits confits donnent à cette cassate classique, associant la fraise et la vanille, un raffinement supplémentaire. Préparez-la largement à l'avance.

cassis

Ce fruit cousin de la groseille se trouve rarement frais en dehors des régions de production : Côte-d'Or, Lorraine et Val de Loire surtout. Mais la congélation et la surgélation donnent de très bons résultats. C'est le « noir de Bourgogne », à petits grains noirs et brillants, qui est le plus savoureux. Les variétés à gros grains violets sont assez pâteuses.

La « crème de cassis » ou « cassis » est une liqueur très parfumée obtenue en faisant macérer des grains dans de l'alcool avec du sucre. Ne confondez pas ce cassis avec le cassis, vin blanc sec de Provence.

Diététique. Peu calorique, riche en vitamine C : excellent pour son action de « coup de fouet ».

Liqueur de cassis

Pour **1 l de liqueur**
Préparation **30 min, 1 mois ou 2 à l'avance**
Pas de cuisson

1 kg de grappes de cassis ◆ 1 l d'eau-de-vie ◆ 1 clou de girofle ◆ 1,5 bâton de cannelle ◆ 10 à 12 feuilles de cassis bien vertes ◆ 800 g de sucre cristallisé

1 Égrappez le cassis, lavez et épongez les baies. Écrasez-les. Mélangez l'eau-de-vie, le clou de girofle, la cannelle et les feuilles de cassis.
2 Ajoutez les baies de cassis et le sucre. Mélangez bien et versez dans un grand bocal. Fermez-le hermétiquement. Placez ce récipient dans un endroit chaud, si possible au soleil, et laissez reposer pendant 1 mois.
3 Versez le mélange dans un torchon propre, au-dessus d'un récipient large. Exprimez tout le liquide en tordant le torchon.
4 Filtrez le liquide obtenu et mettez-le en bouteille. Si vous trouvez la liqueur trop forte, vous pouvez lui ajouter du sucre fondu à froid dans de l'eau (250 g pour 25 cl).

Sorbet au cassis

RECETTE LÉGÈRE — 1 portion 155 kcal

Pour **6 personnes**
Préparation **15 min**
Pas de cuisson

150 g de sucre cristallisé ◆ 40 cl de jus de cassis frais ◆ 1 citron ◆ 2 blancs d'œufs ◆ 2 c. à soupe de sucre semoule

1 Versez dans une casserole le sucre cristallisé et 40 cl d'eau. Faites chauffer pour dissoudre et portez à ébullition pendant 5 min. Écumez la mousse qui se forme à la surface.
2 Ajoutez le jus de cassis et le jus du citron pressé. Faites reprendre l'ébullition, puis passez le sirop au chinois et laissez refroidir.
3 Versez le mélange dans des bacs à glaçons et mettez au freezer pendant environ 1 h.
4 Fouettez les blancs d'œufs en neige ferme. Versez le sorbet à moitié pris dans une terrine froide et incorporez rapidement les blancs en neige et le sucre semoule.
5 Mélangez et versez à nouveau dans les bacs à glace. Remettez dans le freezer jusqu'à ce que le sorbet ait la bonne consistance.

→ **autres recettes de cassis à l'index**

cassonade

→ **voir aussi sucre**

Extrait directement du jus de la canne à sucre, ce sucre brut cristallisé possède une couleur brune et un léger goût de rhum. On l'emploie notamment dans la cuisine du Nord (civet, chou rouge, boudin noir). En pâtisserie, la cassonade donne un arôme particulier aux tartes et aux brioches.

Tarte à la cassonade

Pour **une tourtière de 25 cm**
Préparation **20 min**
Repos **3 à 4 h**
Cuisson **50 min**

250 g de farine ◆ 125 g de beurre ◆ 150 g d'amandes mondées ◆ 20 cl de crème fraîche épaisse ◆ 300 g de cassonade ◆ 3 œufs ◆ sel

1 Mettez la farine en tas, faites une fontaine et ajoutez le beurre ramolli. Travaillez les ingrédients avec 1 grosse pincée de sel et amalgamez la pâte avec 4 c. à soupe d'eau. Ramassez-la en boule et laissez-la reposer 3 à 4 h.
2 Garnissez-en une tourtière sans abaisser la pâte trop finement. Faites cuire à blanc dans le four pendant 10 min à 200 °C.
3 Passez les amandes au mixer. Versez-les dans une terrine, ajoutez la crème, la cassonade et les jaunes d'œufs. Mélangez.

4 Fouettez les blancs d'œufs en neige ferme et incorporez-les au mélange. Versez cette préparation sur le fond de tarte et remettez au four pendant 40 min.

Cassoulet occitan ▲

Le cassoulet est un plat complet. Ne servez pas d'entrée et faites-le suivre d'un fromage, avec une salade verte et un entremets aux fruits. Les amateurs estiment qu'il faut enfoncer sa croûte de gratin au moins 8 fois au cours de la cuisson.

cassoulet

Ce ragoût de haricots blancs garni de viandes connaît traditionnellement trois interprétations. Celui de Castelnaudary est à base de porc : jambon, jarret, saucisson, couennes, enrichi de confit. Dans celui de Carcassonne, on rajoute du gigot de mouton et, en saison, de la perdrix. Celui de Toulouse fait appel à la poitrine de porc, au collier de mouton, au confit et à la saucisse locale.

Pour réussir un bon cassoulet, choisissez surtout de bons haricots blancs, prévoyez une cuisson à chaleur douce, évitez les viandes fumées et les saucisses de Francfort.

Cassoulet occitan

Pour **8 personnes**
Préparation **10 min**
Cuisson **3 h environ**

1 kg de gros haricots lingots ◆ 200 g de couennes ◆ 300 g de lard de poitrine ◆ 3 gousses d'ail ◆ 1 bouquet garni ◆ 1 oignon piqué de 2 clous de girofle ◆ 4 portions de confit d'oie ou de canard ◆ 750 g d'épaule ou de jarret de porc ◆ 40 cm de saucisse fraîche pur porc ◆ sel ◆ poivre

1 Versez les haricots dans une grande casserole, couvrez d'eau froide et portez à ébullition pendant 5 min. Égouttez-les et recouvrez-les à nouveau d'eau tiède.
2 Ajoutez les couennes coupées en morceaux assez larges, le lard grossièrement haché avec l'ail, le bouquet garni et l'oignon piqué du clou de girofle. Faites mijoter doucement à couvert pendant 1 h. Les haricots doivent être cuits, mais un peu fermes.
3 Mettez les portions de confit dans une grande poêle et faites fondre la graisse. Réservez-les. Dans la graisse rendue, faites revenir la viande de porc en morceaux. Égouttez-la. Faites aussi revenir la saucisse à la poêle.
4 Versez dans le fond d'une grande terrine allant au four une bonne couche de haricots avec leur jus et la garniture qu'ils contiennent. Ajoutez ensuite une couche de viande (porc et confit). Remplissez la terrine en alternant les ingrédients.
5 Poivrez, salez et posez la saucisse en spirale sur le dessus, arrosez avec le contenu de la poêle.
6 Mettez le plat au four à 160 °C pendant 1 h. Lorsqu'une croûte dorée se forme, enfoncez-la et laissez-la se reconstituer. Enfoncez-la plusieurs fois de suite.
7 La cuisson peut se prolonger sans problème 1 h de plus. Servez très chaud directement dans la terrine.

Préparez ce plat le matin très tôt pour le soir ou la veille pour le lendemain midi.

Boisson **madiran ou cahors**

caviar

→ voir aussi **blini, lump, œufs de poisson**

Préparation d'œufs d'esturgeon conservés en saumure. Le caviar provient de la mer Caspienne et se présente sous trois variétés différentes, faciles à reconnaître.

caviar

Le beluga, le plus rare et le plus cher, présente de gros grains gris clair à gris foncé, fragiles, mais d'une saveur exceptionnelle : onctueuse, discrète et suave à la fois. L'ossetra possède des grains assez gros, jaune doré à bruns, qui ont un goût plus fruité. Le sevruga est le plus courant et le plus vendu : les grains sont plus petits, gris clair à gris foncé, leur goût de noisette est assez marqué. Il existe en outre un caviar pressé moins cher que les précédents : c'est un mélange de beluga et de sevruga selon des proportions précises, qui donne un produit plus compact, sombre et brillant, très apprécié par les amateurs de sensations gustatives plus fortes. Pour obtenir 1 kg de caviar pressé, il faut 3,5 kg de caviar frais.

Le caviar est une semi-conserve très fragile, à garder entre - 2 et + 4 °C. Quand on le sert en hors-d'œuvre, on compte 50 g par personne. N'ouvrez jamais la boîte avant consommation car il risque de s'oxyder. Sortez-la du réfrigérateur 15 min avant de servir ; enchâssez-la dans un récipient contenant de la glace pilée. Jamais de citron avec le caviar : il le dénature. Dégustez-le tel quel, étalez-le sans l'écraser sur une tranche de pain de mie à peine toastée, légèrement tartinée de beurre doux. Les blinis sont à préférer avec le caviar pressé.

Boisson recommandée pour accompagner ce mets de luxe : vodka russe glacée ou champagne brut.

Diététique. 100 g de caviar = 280 kcal.

Coquilles Saint-Jacques crues au caviar

Pour **2 personnes**
Préparation **25 min**
Pas de cuisson

4 coquilles Saint-Jacques ◆ 2 c. à soupe d'huile d'olive ◆ 4 c. à soupe d'huile d'arachide ◆ 60 à 80 g de caviar ◆ toasts grillés ◆ beurre frais ◆ sel ◆ poivre

1 Ouvrez les coquilles, décoquillez les noix et le corail. Ébarbez-les soigneusement. Lavez-les rapidement, séchez-les.
2 Mélangez les 2 huiles dans un bol. Détaillez les noix et le corail en rondelles régulières.
3 Plongez chaque rondelle dans le mélange d'huile, égouttez-la et essuyez-la du bout des doigts. Répartissez les coquilles et le corail sur 2 assiettes. Salez légèrement et poivrez.
4 À l'aide d'une petite cuiller, déposez les grains de caviar en garniture sur les rondelles de noix et le corail. Servez avec les toasts bien chauds et du beurre frais.

Boisson **graves blanc**

cédrat

Plus gros que le citron, en forme de poire, avec un zeste très épais et compact, ce fruit méditerranéen appartient à la famille des agrumes. On le consomme et on le trouve très rarement nature. C'est l'écorce qui est employée, confite, en pâtisserie.

Gâteau au cédrat

Pour **6 personnes**
Préparation **25 min**
Cuisson **45 min**

3 œufs ◆ 150 g de cédrat confit haché ◆ sucre semoule ◆ beurre ◆ farine ◆ 1 petit verre de cognac ◆ sel

1 Pesez les œufs. Pesez ensuite le même poids de sucre, de beurre et de farine. Mettez le cédrat dans un bol et ajoutez le cognac. Laissez macérer. Beurrez et farinez un moule à cake. Faites fondre le beurre.
2 Cassez les œufs et séparez les blancs des jaunes. Dans une terrine, travaillez les jaunes et le sucre avec une pincée de sel.
3 Incorporez le beurre fondu, puis la farine et enfin le cédrat confit et le cognac.
4 Fouettez les blancs en neige ferme. Incorporez-les. Versez la pâte dans le moule.
5 Faites cuire dans le four à 200 °C pendant 45 min. Démoulez le gâteau et laissez-le refroidir.

cédrat

céleri

On utilise de cette plante les côtes (tiges), les feuilles, la racine et les graines. Les feuilles surtout comme condiment dans les courts-bouillons ou en décor de salade, les graines séchées comme aromate, au même titre que le fenouil. Au chapitre des légumes proprement dits, il existe deux variétés de céleri : le céleri-branche et le céleri-rave. Quant au sel de céleri, il s'agit de sel auquel on a incorporé de la poudre de céleri séché (condiment du jus de tomate, mais aussi des vinaigrettes ou des potages).

Le céleri-branche est disponible presque toute l'année. Choisissez-le à tiges plutôt courtes, bien fermes, droites et charnues. Avant de l'apprêter, retirez les filaments des tiges en commençant par le pied. Il se consomme aussi bien cru (salade, amuse-gueule au roquefort) que cuit (braisé, en gratin, au jus, ou en garniture de poulet).

Le céleri-rave est plutôt un légume d'hiver. Choisissez-le bien ferme et lourd. Retirez la peau sur une bonne épaisseur et citronnez la chair pour qu'elle ne noircisse pas.

Servez-le râpé cru en rémoulade ou faites-en une purée, une mousseline, un potage ou des croquettes frites.

Diététique. Le céleri-branche est deux fois plus léger que le « rave » : 20 kcal contre 44 kcal pour 100 g.

céleri-branche type vert

céleri-branche type doré

céleri-rave

Céleri à la crème

Pour **6 personnes**
Préparation **15 min**
Cuisson **1 h environ**

3 pieds de céleri-branche ◆ 50 g de beurre ◆ 25 cl de crème fraîche épaisse ◆ 1 bouquet de persil ◆ sel ◆ poivre

1 Raccourcissez les côtes à 20 cm environ. Taillez la base des pieds de céleri en pivot. Lavez-les et défilandrez les côtes. Épongez-les.

2 Faites-les blanchir pendant 8 à 10 min dans une grande casserole d'eau bouillante salée. Égouttez-les et partagez-les en 2.

3 Beurrez une cocotte avec 25 g de beurre, rangez-y les pieds de céleri. Salez et poivrez. Arrosez avec un verre d'eau, couvrez et faites cuire pendant 1 h au four.

4 Égouttez-les et disposez-les dans un légumier chaud. Versez la crème dans la cocotte et faites chauffer pour réduire. Ajoutez le persil haché et le reste de beurre en parcelles. Lorsque la crème est bien onctueuse, versez-la sur le céleri.

Le céleri-branche se conserve frais plusieurs jours si vous trempez le bas des tiges dans de l'eau froide : au réfrigérateur, il flétrit. Gardez les feuilles pour un court-bouillon ou un potage.

Céleri rémoulade

Pour **6 personnes**
Préparation **25 min**, mayonnaise **10 min**
Cuisson **2 min**

4 cornichons ◆ 1 c. à soupe de câpres ◆ 25 cl de mayonnaise ◆ 1 c. à soupe de moutarde ◆ 1 c. à soupe de cerfeuil ciselé ◆ 1 c. à soupe d'estragon ciselé ◆ 1 boule de céleri ◆ 1 citron ◆ sel ◆ poivre

1 Hachez les cornichons et les câpres égouttées. Versez la mayonnaise dans une jatte et incorporez en fouettant la moutarde, les fines herbes et le hachis de câpres et de cornichons. Goûtez et rectifiez l'assaisonnement.
2 Pelez le céleri-rave et citronnez-le abondamment. Coupez-le en quartiers et râpez-le avec une râpe à gros trous.
3 Faites-le blanchir pendant 2 min dans une grande casserole pleine d'eau salée. Rafraîchissez-le aussitôt. Égouttez-le et épongez-le.
4 Versez le céleri râpé dans un saladier, ajoutez la sauce et remuez intimement.

Salade de céleri

Pour **4 personnes**
Préparation **20 min**
Pas de cuisson

4 cœurs de laitue ◆ 4 branches de céleri ◆ 1 c. à soupe de roquefort ◆ 10 cl de crème liquide ◆ 10 cl d'huile d'olive ◆ 3 c. à soupe de vinaigre d'estragon ◆ 3 ou 4 feuilles de céleri ◆ sel ◆ poivre

1 Coupez les cœurs de laitue en 4, lavez le céleri et coupez-le en tronçons réguliers.
2 Délayez le roquefort et la crème liquide dans un bol. Ajoutez petit à petit l'huile en fouettant, puis le vinaigre. Salez, poivrez.
3 Réunissez la laitue et le céleri dans un saladier. Versez la sauce et remuez intimement. Garnissez avec les feuilles de céleri.

→ **autres recettes de céleri à l'index**

cèpe

La famille des bolets, champignons de cueillette parmi les plus savoureux, comprend plus de 60 variétés différentes, de qualité inégale. Quatre d'entre elles sont appelées « cèpes » : le vrai cèpe de Bordeaux, à chair épaisse et blanche, plus ferme chez les petits, plus parfumée chez les gros, a un chapeau brun-ocre et un gros pied massif. Le cèpe bronzé ou « tête-de-nègre » à chapeau noir a une saveur un peu plus musquée. Le cèpe des pins, couleur acajou, possède un parfum très intense. Le cèpe d'été est le moins goûteux.

Diététique. 100 g = 30 kcal. Peu calorique s'il est cuit sans aucun corps gras.

Cèpes à la bordelaise

Pour **4 personnes**
Préparation **15 min**
Cuisson **20 min**

500 g de cèpes bien fermes ◆ 5 c. à soupe d'huile ◆ 1/2 citron ◆ 3 échalotes ◆ 30 g de beurre ◆ 2 c. à soupe de persil haché ◆ sel ◆ poivre

1 Nettoyez les cèpes sans les laver. Faites chauffer un peu d'huile dans une casserole, mettez-y les cèpes et arrosez-les avec 1 c. à café de jus de citron. Laissez étuver 3 ou 4 min sur feu modéré.
2 Épongez les cèpes sur du papier absorbant. Coupez les pieds et mettez-les de côté. Escalopez les têtes. Pelez et hachez les échalotes.
3 Faites chauffer le reste de l'huile et le beurre dans une grande poêle. Faites-y sauter les têtes de cèpes escalopées. Salez et poivrez.
4 Hachez les pieds des cèpes et ajoutez-les dans la poêle. Continuez à faire sauter le tout pendant 5 min.
5 Ajoutez le hachis d'échalotes. Poursuivez la cuisson pendant encore 2 ou 3 min. Parsemez de persil et ajoutez un filet de jus de citron.

Choisissez les cèpes selon la recette : gros chapeaux à farcir et petits bouchons de champagne à sauter. Gardez les pieds hachés pour les farces. Si les tubes (le « foin » sous le chapeau) sont fermes, laissez-les. Ôtez-les s'ils sont trop gros ou mous.

cèpe tête-de-nègre

cèpe de Bordeaux

Cèpes grillés

Pour **4 personnes**
Préparation **10 min**
Cuisson **4 min**

8 têtes de cèpes de taille moyenne ◆ 120 g de beurre ◆ 1 c. à café d'échalote hachée ◆ 1 c. à café de persil haché ◆ 4 c. à soupe d'huile d'olive ◆ jus de citron ◆ sel ◆ poivre

1 Nettoyez les têtes des cèpes avec un linge humide ou un pinceau. Ciselez légèrement la partie bombée en croisillons avec un couteau.
2 Malaxez dans un bol le beurre ramolli, l'échalote, le persil, sel, poivre. Assaisonnez de quelques gouttes de jus de citron. Mettez au frais.
3 Salez et poivrez les têtes des cèpes et badigeonnez-les d'huile. Faites-les cuire sur un gril bien chaud, 2 min de chaque côté.
4 Placez 2 têtes de cèpes par assiette. Garnissez-les de beurre composé. Servez aussitôt.

Filets de sole aux cèpes

Pour **4 personnes**
Préparation **10 min**
Trempage **2 h**
Cuisson **20 min**

RECETTE LÉGÈRE 1 portion 30 kcal

8 filets de sole ◆ 1 sachet de cèpes secs ◆ 200 g de champignons de couche ◆ 1 barquette de mâche ◆ 2 c. à soupe d'huile ◆ 1 sachet de court-bouillon ◆ 1 citron ◆ sel ◆ poivre

1 Rincez et épongez les filets de sole. Salez-les et poivrez-les. Faites tremper les cèpes 2 h dans de l'eau chaude. Nettoyez les champignons et émincez-les. Lavez et essorez la mâche.
2 Faites chauffer un filet d'huile dans une casserole. Faites-y sauter les champignons de couche, salez et poivrez. Ajoutez la moitié du jus de citron, couvrez et laissez étuver 10 min.
3 Délayez le court-bouillon à l'eau froide, faites-le chauffer. Faites-y pocher les filets de sole pendant 6 min en les retournant une fois.
4 Égouttez et épongez les cèpes. Huilez une poêle pour y saisir les lamelles de cèpes.
5 Garnissez des assiettes de mâche, arrosez de jus de citron. Posez les filets de sole dessus et garnissez de champignons et de cèpes.

→ **autres recettes de cèpe à l'index**

céréales

→ **voir aussi** polenta, tabboulé

Très nutritifs, les grains que fournissent les céréales jouent un rôle important dans l'alimentation, soit entiers ou concassés, soit transformés en farines, semoules ou flocons. Ce sont l'avoine, le blé, le maïs, le riz, l'orge, le seigle, mais aussi le millet, le sarrasin et l'épeautre. On appelle aussi simplement « céréales » les produits prêts à consommer pour le petit déjeuner, à mélanger avec du lait : leurs grains décortiqués sont diversement traités. On trouve par ailleurs des produits à base de céréales précuites (semoule de blé, flocons d'avoine et d'orge ou encore boulghour, flocons de seigle et d'épeautre), faciles et rapides à préparer, qui peuvent remplacer le riz ou le couscous dans de nombreuses garnitures.

Diététique. Composées de sucres à absorption lente qui libèrent de l'énergie tout au long de la journée, elles sont en outre constituées d'un germe riche en protéines (8 à 13 %), de fibres, de vitamines du groupe B et de nombreux sels

Filets de sole aux cèpes ▼

Les champignons de cueillette font toujours bon ménage avec les poissons, tant de mer que de rivière. Ce plat d'hiver est en outre agréablement garni d'une salade de mâche.

Potage au cerfeuil ▲

Ce simple potage de poireaux aux pommes de terre lié de jaunes d'œufs et de crème fraîche acquiert une toute autre dimension grâce au parfum inimitable du cerfeuil frais.

minéraux. Ces protéines végétales doivent être, au cours d'un même repas, associées à des protéines animales pour réaliser un bon équilibre des acides aminés. Toutes les céréales ont à peu près les mêmes qualités, mais elles sont plus nutritives lorsqu'elles sont « complètes ». Additionnées d'un minimum de matière grasse, elles ont une valeur calorique raisonnable : privilégiez dans ce cas l'huile d'olive, favorable à la production du « bon » cholestérol.

cerfeuil

→ voir aussi béarnaise

Le cerfeuil fait partie des fines herbes le plus souvent utilisées en cuisine. Son arôme subtil est assez volatil : employez-le toujours bien frais, sans le faire trop chauffer. C'est en pluches finement ciselées au dernier moment qu'il donne le meilleur résultat : avec une salade, un potage ou une omelette.

cerfeuil

Potage au cerfeuil

RECETTE LÉGÈRE — 1 portion 220 kcal

Pour **6 personnes**
Préparation **20 min**
Cuisson **30 min environ**

2 bouquets de cerfeuil • 2 blancs de poireaux • 40 g de beurre • 1,5 l de bouillon de volaille • 3 pommes de terre farineuses • 2 jaunes d'œufs • 10 cl de crème liquide • sel • poivre blanc

1 Lavez et épongez le cerfeuil. Ciselez finement les feuilles et hachez les queues. Épluchez et lavez les poireaux. Émincez-les.
2 Faites fondre le beurre dans une casserole et ajoutez les poireaux. Laissez fondre en remuant sans colorer. Ajoutez les queues de cerfeuil et 1/3 des feuilles ciselées. Remuez 2 ou 3 min sur feu doux, puis versez le bouillon et portez à ébullition sur feu moyen.
3 Pelez les pommes de terre, lavez-les et coupez-les en dés. Versez-les dans le bouillon et poursuivez la cuisson sur feu moyen. Salez et poivrez.
4 Au bout de 30 min environ, passez le contenu de la casserole au moulin à légumes. Remettez le potage dans la casserole sur feu doux.
5 Délayez dans un bol les 2 jaunes d'œufs, la crème liquide et 3 c. à soupe de potage chaud. Versez ce mélange dans la casserole et liez en remuant sur feu doux sans laisser bouillir.
6 Versez en soupière. Ajoutez le reste des pluches de cerfeuil frais. Servez aussitôt.

Sauce au cerfeuil

Pour **4 à 6 personnes**
Préparation **20 min**
Cuisson **10 min**

2 œufs • 1 jaune d'œuf • 1 c. à café de moutarde forte • 20 cl d'huile • 2 c. à soupe de crème fraîche • 1 c. à café de vinaigre • 1 bouquet de cerfeuil frais • sel • poivre

1 Faites cuire les œufs durs, rafraîchissez-les et écalez-les. Prélevez-en les jaunes et passez-les au tamis.
2 Mettez les jaunes en purée dans un bol, ajoutez le jaune d'œuf cru et la moutarde. Battez au fouet électrique en incorporant l'huile peu à peu, comme pour une mayonnaise.
3 Lorsque la sauce est ferme, ajoutez la crème fraîche en fouettant, puis incorporez le vinaigre. Salez et poivrez.

4 Ciselez le cerfeuil et ajoutez-le au dernier moment. Servez avec des œufs mollets ou du poisson.

→ **autres recettes de cerfeuil à l'index**

cerise

→ **voir aussi** clafoutis, confitures, fruits confits, kirsch, tarte

Rouge plus ou moins foncé, avec une chair plus ou moins ferme, la cerise est un fruit d'été : mi-mai à début juillet. Selon la variété, elle est douce (bigarreau et guigne) ou acidulée (griotte, utilisée surtout pour les conserves, les fruits confits et les cerises à l'eau-de-vie).

Achetez les cerises pas trop mûres, mais bien colorées, avec la queue encore un peu verte et qui tient bien au fruit ; celui-ci continue à mûrir pendant 24 h après sa cueillette. La peau doit être bien brillante et la chair jamais molle. Une simple petite tache est un début de pourrissement. Le poids du noyau n'est pas négligeable à l'achat : 10 % du poids total pour les griottes ou les anglaises, mais jusqu'à 50 % pour les guignes.

Si vous les servez nature, lavez-les à l'eau fraîche, mais ne les équeutez pas. La pâtisserie en fait un grand usage, mais aussi la cuisine (notamment celle du gibier). À noter l'emploi des cerises à l'aigre-doux comme condiment, à servir avec une viande bouillie.

Diététique. Les cerises sont des fruits très riches en sucre : au-delà d'une dizaine, nature, attention à votre ligne. Une exception : les cerises des Antilles, fruit exotique peu calorique et très riche en vitamine C.

napoléon

summit

griotte

guillaume

sunburst

duroni

burlat

stark hardy giant

Cerises à l'eau-de-vie

Pour **2 bocaux de 1 l chacun**
Préparation **30 min, 3 mois à l'avance**
Pas de cuisson

700 g de sucre candi • 2 l d'eau-de-vie • 2 kg environ de cerises griottes ou montmorency

1 Ébouillantez les bocaux et laissez-les en attente, renversés sur un linge. Faites dissoudre le sucre dans l'eau-de-vie en remuant bien.

2 Triez les cerises et éliminez celles qui ne sont pas parfaitement saines. Lavez-les et épongez-les. Coupez la moitié de la queue. Percez chaque cerise avec une aiguille à l'opposé de la queue.

3 Rangez les cerises dans les bocaux, recouvrez-les entièrement d'eau-de-vie sucrée. Bouchez les bocaux et conservez-les dans un endroit frais, à l'abri de la lumière.

Attendez 3 mois avant de consommer.

Le verger français de la cerise est concentré dans le Sud-Est : Vaucluse surtout, vallée du Rhône et Provence. Les bigarreaux, les plus cultivés, sont plutôt des fruits de table. Utilisez les guignes pour les tartes, compotes ou clafoutis. Les griottes sont en général trop amères pour être mangées crues.

Gâteau fourré aux cerises

Pour **6 personnes**
Préparation **30 min**
Cuisson **50 min environ**

500 g de cerises ◆ 20 cl de crème fraîche épaisse ◆ 150 g de sucre semoule ◆ 5 œufs ◆ 250 g de farine ◆ kirsch ◆ 1 sachet de levure ◆ 10 cl de lait ◆ 25 g de beurre

1 Lavez les cerises, épongez-les, équeutez-les et dénoyautez-les. Mélangez dans une jatte la crème fraîche et le sucre semoule.
2 Cassez 3 œufs en séparant les blancs des jaunes. Mettez les jaunes dans une terrine, ajoutez 2 œufs entiers et mélangez en ajoutant la crème au sucre.
3 Incorporez peu à peu la farine et la levure en évitant les grumeaux. Lorsque la pâte est homogène, ajoutez le kirsch puis le lait par petites quantités pour la détendre.
4 Fouettez les 3 blancs en neige ferme et incorporez-les en dernier. Beurrez un moule à manqué de 24 cm de diamètre.
5 Versez le tiers de la pâte dans le moule. Ajoutez la moitié des cerises. Recouvrez-les avec le tiers de la pâte, puis ajoutez le reste des cerises et de la pâte. Faites cuire dans le four à 200 °C pendant 45 à 50 min.
6 Laissez tiédir le gâteau hors du four, démoulez-le sur une grille et faites-le refroidir complètement avant de le servir.

Soupe aux cerises

Pour **4 personnes**
Préparation **10 min**
Cuisson **15 min environ**

600 g de cerises ◆ 50 g de beurre ◆ 1 c. à soupe de farine ◆ 20 cl de vin rouge ◆ 20 cl de kirsch ◆ sucre semoule ◆ 4 tranches de pain de mie

1 Lavez les cerises, épongez-les et dénoyautez-les en récupérant le jus.
2 Faites fondre 25 g de beurre dans une casserole. Ajoutez la farine et remuez pendant 2 min. Versez alors 75 cl d'eau tiède et, en fouettant, le vin rouge et le kirsch.
3 Lorsque ce mélange est homogène, ajoutez les cerises et saupoudrez de sucre au goût (1 à 3 c. à soupe). Laissez chauffer quelques minutes sur feu doux.
4 Beurrez les tranches de pain, faites-les dorer, puis taillez-les en petits croûtons. Répartissez-les dans des assiettes creuses et versez la soupe dessus. Servez aussitôt.

→ **autres recettes de cerise à l'index**

cervelas

Grosse saucisse courte à base de chair de porc entrelardée et condimentée à l'ail, le cervelas se vend cuit ou cru. La plupart des cervelas se font mijoter avec des légumes.

Salade de lentilles au cervelas

Pour **4 personnes**
Préparation **10 min**
Cuisson **65 min environ**

250 g de lentilles ◆ 1 carotte ◆ 1 oignon ◆ 1 clou de girofle ◆ 1 bouquet garni ◆ 2 cervelas ◆ 4 ou 5 c. à soupe d'huile de maïs ◆ 2 c. à soupe de vinaigre de vin blanc ◆ 2 échalotes ◆ 4 c. à soupe de persil haché ◆ sel ◆ poivre

1 Mettez les lentilles dans une grande casserole d'eau, portez à ébullition et laissez bouillir 15 min. Égouttez-les.
2 Remettez-les dans la casserole avec la carotte pelée, l'oignon pelé piqué du clou de girofle et le bouquet garni. Salez, poivrez. Couvrez d'eau et faites cuire sur feu moyen pendant 40 min. Égouttez-les.
3 Faites pocher les cervelas à l'eau pendant 10 min. Préparez une vinaigrette à l'échalote.
4 Versez les lentilles dans un plat creux. Égouttez les cervelas et coupez-les en tranches. Ajoutez-les aux lentilles. Arrosez de vinaigrette et remuez. Parsemez de persil. Servez tiède.

Boisson riesling

cervelle

La cervelle est l'un des abats blancs, plus ou moins fin selon l'animal. Elle doit toujours être de la plus grande fraîcheur. Cervelle de bœuf (1 pour

4 personnes) : assez ferme et la plus économique (20 min de cuisson). De veau : tendre et délicate, assez chère (1 pour 2 personnes, 10 min de cuisson). D'agneau : à peine rosée, très fine, coûteuse (1 par personne, 5 min de cuisson). De porc : même qualité que celle du bœuf (1 par personne, 5 min de cuisson).

Diététique. Deux fois moins riche en protéines que la viande, la cervelle contient beaucoup de cholestérol.

Cervelles d'agneau poulette

Pour **4 personnes**
Préparation **15 min**
Cuisson **30 min environ**

4 cervelles d'agneau surgelées ◆ 1 sachet de court-bouillon ◆ 50 g de beurre ◆ 40 g de farine ◆ 50 cl de bouillon de volaille ◆ 2 jaunes d'œufs ◆ 1 citron ◆ 1 bouquet de ciboulette ◆ sel ◆ poivre

1 Faites cuire les cervelles d'agneau au court-bouillon.
2 Faites fondre le beurre dans une casserole. Ajoutez la farine et remuez sur feu doux. Versez le bouillon de volaille bien chaud. Remuez sans arrêt et faites cuire 15 min sans ébullition.
3 Délayez à part les jaunes d'œufs et le jus de citron avec 3 c. à soupe de sauce chaude. Versez cette liaison dans la sauce et mélangez bien sur feu doux.
4 Égouttez les cervelles et coupez-les en 2. Mettez-les dans la sauce pour les réchauffer. Versez le tout dans un plat creux, ajoutez la ciboulette ciselée. Servez.

Cervelles meunière

Pour **4 personnes**
Préparation **15 min, 1 h à l'avance**
Cuisson **20 min**

2 cervelles de veau ◆ 2 c. à soupe de vinaigre ◆ 1 bouquet garni ◆ 40 g de beurre ◆ 1 c. à soupe d'huile ◆ 2 citrons ◆ farine ◆ persil plat ◆ sel ◆ poivre blanc

1 Lavez les cervelles sous l'eau froide. Éliminez le sang et la pellicule qui les recouvre. Mettez-les dans un récipient plein d'eau additionnée de vinaigre et laissez dégorger 1 h.
2 Égouttez-les et rincez-les. Mettez-les dans une casserole d'eau avec le jus de 1 citron, un peu de sel et le bouquet garni. Portez à ébullition et laissez pocher 12 min.
3 Égouttez les cervelles et épongez-les. Laissez-les tiédir, puis détaillez-les en tranches obliques et régulières.
4 Farinez les tranches de cervelle. Faites chauffer le beurre et l'huile dans une poêle. Ajoutez les tranches de cervelle et faites-les dorer doucement sur les 2 faces.
5 Égouttez les tranches de cervelle, disposez-les sur un plat. Entourez de tranches de citron et poudrez de persil.

Boisson **vouvray**

chabichou

Petit fromage de chèvre du Poitou, en forme de tronc de cône, le chabichou se consomme frais, affiné ou sec. Comme pour tous les chèvres, sa meilleure saison est l'été.

chair à saucisse

→ **voir aussi** crépinette, farce, paupiette, tomate

Vendue au poids toute prête, la chair à saucisse se compose de maigre de porc dénervé et de gras de porc, hachés menu et salés.

N'hésitez pas à l'agrémenter de persil haché, d'échalotes, de pistaches, voire de truffe, pour la personnaliser avant de l'utiliser.

champignon de couche

→ **voir aussi** duxelles, farce, pleurote

Ce petit champignon, appelé aussi « de Paris », est l'espèce la plus cultivée dans le monde. Disponible frais à peu près partout en France, cultivé en caves, il est supérieur à toutes les variétés en conserve, même « sauvages ». Il en existe deux variétés : le blanc et le blond (ou bistre), plus parfumé.

Choisissez-les bien fermes et de couleur uniforme, sans taches. Si le chapeau se sépare de la queue, il n'est pas de bonne qualité. Conservez-les quelques jours au frais, pas plus, dans un endroit bien aéré. Ils se congèlent assez bien. Pour une salade ou un hors-d'œuvre cru, ils doivent être bien blancs et croquants, si possible très jeunes et bien fermés. Pour un plat cuit, un conseil : achetez des champignons de belle taille et mettez-les 5 ou 6 jours dans le bac à légumes du réfrigérateur ; en se déshydratant, ils vont gagner du parfum.

Les champignons de couche se vendent couramment en boîtes (extra, 1er choix, choix et en morceaux, selon la qualité), ainsi qu'en surgelés, de loin préférables, ou bien lyophilisés : réservez-les alors pour compléter un plat, un hachis, une sauce ou un potage.

Diététique. Les champignons apportent peu de calories, mais sont le plus souvent cuisinés avec beaucoup de matières grasses. Ce sont des légumes riches en fibres : attention en cas de colopathie. 100 g = 45 kcal.

Champignons à la crème

Pour **4 personnes**
Préparation **10 min**
Cuisson **15 min environ**

800 g de champignons de couche ◆ 30 g de beurre ◆ 1/2 citron ◆ 40 cl de crème fraîche ◆ cerfeuil ◆ sel ◆ poivre

1 Nettoyez les champignons et émincez-les.
2 Faites fondre le beurre dans une casserole et ajoutez les champignons. Ajoutez le jus du demi-citron. Faites cuire sur feu doux pendant 10 min environ, à découvert.
3 Lorsque l'eau de végétation s'est évaporée, ajoutez la crème fraîche et remuez. Faites cuire encore 5 min. Ajoutez du cerfeuil ciselé, au goût, salez et poivrez.

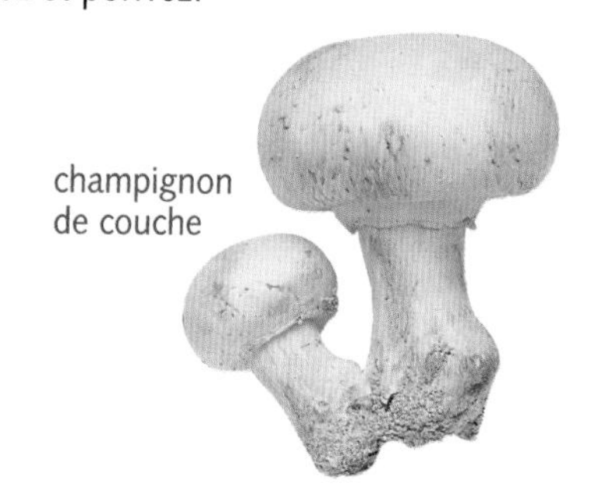
champignon de couche

Champignons farcis

Pour **4 personnes**
Préparation **15 min**
Cuisson **11 min**

3 oignons nouveaux ◆ 2 gousses d'ail ◆ 1 courgette ◆ 8 gros champignons de couche ◆ 1 c. à soupe d'huile d'olive ◆ 1 c. à soupe d'origan séché ◆ 3 c. à soupe de purée de tomate ◆ sel ◆ poivre

1 Pelez et hachez les oignons et l'ail. Lavez la courgette et taillez-la en petits dés.
2 Essuyez les champignons. Ôtez les pieds et hachez-les. Évidez l'intérieur de chaque chapeau.
3 Versez l'huile dans un plat creux. Passez 1 min au four à puissance maximale. Ajoutez les oignons et l'ail. Repassez au four 2 min en remuant à mi-cuisson.
4 Ajoutez les pieds hachés des champignons, la courgette, l'origan et la purée de tomate. Remuez et faites cuire 4 min au four à puissance maximale.
5 Salez et poivrez. Garnissez les chapeaux de cette farce et mettez-les dans un plat creux. Repassez au four pendant 4 min, en les changeant de place une fois, à mi-cuisson. Laissez reposer 2 min et servez.

Champignons farcis aux raisins secs

Pour **4 personnes**
Préparation **20 min**
Cuisson **15 min**

12 gros champignons de couche ◆ 1 citron ◆ 1 c. à soupe de raisins secs blonds ◆ 2 échalotes ◆ 1 bouquet de persil plat ◆ 1 c. à soupe d'huile d'olive ◆ sel ◆ poivre

1 Nettoyez les champignons et séparez les pieds des chapeaux. Citronnez les chapeaux et hachez les pieds. Faites tremper les raisins dans une tasse d'eau bouillante.
2 Pelez et hachez les échalotes. Lavez et épongez le persil. Ciselez-le.
3 Préchauffez le four à 180° C. Mélangez dans un saladier le hachis de champignons, les échalotes, la moitié du persil, les raisins secs égouttés, salez et poivrez. Garnissez le chapeau des champignons de cette farce en formant un dôme.

4 Badigeonnez d'huile le fond d'un plat à four. Parsemez-le du reste de persil et rangez-y les champignons. Faites cuire au four 15 min. Servez avec un peu de jus de citron, sel et poivre.

Champignons à la grecque

Pour **4 personnes**
Préparation **20 min, 1 h à l'avance**
Cuisson **30 min environ**

2 carottes ◆ 1 oignon ◆ 4 c. à soupe d'huile d'olive ◆ 2 c. à soupe d'huile de maïs ◆ 2 c. à soupe de vin blanc ◆ 1 bouquet garni ◆ 12 grains de coriandre ◆ 1 gousse d'ail ◆ 500 g de petits champignons de couche ◆ 2 tomates ◆ 3 c. à soupe de persil haché ◆ sel ◆ poivre noir au moulin

1 Pelez et hachez les carottes et l'oignon. Faites-les sauter dans une casserole à fond épais avec 2 c. à soupe d'huile d'olive et l'huile de maïs. Quand le hachis est doré et bien tendre, mouillez avec le vin blanc, salez et poivrez. Ajoutez le bouquet garni, la coriandre et l'ail.
2 Nettoyez rapidement les champignons et coupez les pieds au ras du chapeau. Mettez les chapeaux dans la casserole avec les tomates coupées en quartiers.
3 Faites cuire doucement à découvert pendant 20 min environ. Le liquide rendu par les tomates et les champignons doit réduire peu à peu.
4 Retirez du feu et laissez tiédir. Retirez le bouquet garni et rajoutez 2 c. à soupe d'huile d'olive. Goûtez et rectifiez l'assaisonnement. Versez dans un plat de service et laissez refroidir complètement. Parsemez de persil et servez en hors-d'œuvre.

Gratin de champignons aux épinards

Pour **4 personnes**
Préparation **15 min**
Cuisson **20 min environ**

600 g de champignons de couche ◆ 50 g de beurre ◆ 1/2 citron ◆ 30 cl de crème fraîche ◆ 400 g d'épinards en branches ◆ muscade ◆ sel ◆ poivre

1 Nettoyez les champignons. Hachez les pieds et coupez les chapeaux en quartiers. Faites fondre 30 g de beurre dans une casserole et ajoutez tous les champignons.
2 Faites cuire à découvert doucement pendant une douzaine de min en ajoutant le jus de citron. Le liquide de cuisson doit s'évaporer presque entièrement.
3 Ajoutez la crème fraîche. Salez, poivrez et muscadez. Faites cuire doucement pendant encore quelques minutes en mélangeant pour bien lier. Réservez.
4 Triez et lavez les épinards. Épongez-les bien à fond. Taillez les feuilles en grosse chiffonnade.
5 Mettez le reste de beurre dans une casserole et ajoutez les épinards. Faites fondre en remuant, puis versez le tout dans une passoire. Égouttez à fond, puis étalez les épinards uniformément dans le fond d'un plat.
6 Nappez avec la préparation aux champignons. Enfournez sous le gril du four et faites gratiner pendant 4 ou 5 min.

Salade de champignons

Pour **4 personnes**
Préparation **20 min**
Cuisson **8 à 10 min**

RECETTE LÉGÈRE — 1 portion 120 kcal

250 g de champignons de couche ◆ 1 c. à soupe de jus de citron ◆ 200 g de haricots verts ◆ 1 échalote ◆ 1 œuf dur ◆ 3 c. à soupe d'huile d'olive ◆ 1 c. à soupe de vinaigre d'estragon ◆ cerfeuil frais ◆ sel ◆ poivre

1 Nettoyez les champignons et émincez-les finement. Citronnez-les.
2 Faites cuire les haricots verts à l'eau bouillante. Égouttez-les et laissez tiédir. Pelez et hachez finement l'échalote.
3 Écalez l'œuf dur et coupez-le en 2. Sortez le jaune et émiettez-le dans un bol. Ajoutez l'huile et le vinaigre. Salez et poivrez.
4 Réunissez les champignons et les haricots verts dans un saladier. Arrosez avec la sauce et remuez. Ajoutez en décor le blanc d'œuf haché et le cerfeuil ciselé.

Vous pouvez remplacer le cerfeuil par de la coriandre.

➜ **autres recettes de** champignon de couche **à l'index**

champignon de cueillette

→ voir aussi cèpe, girolle, pleurote, trompette

Produit « sauvage » par excellence, le champignon est d'autant plus apprécié qu'il est « débusqué » dans les sous-bois, mais les marchés se trouvent aujourd'hui approvisionnés par un bel éventail de variétés sauvages, autorisées par la loi : morille, mousseron, pholiote, girolle, psalliote, cèpe, lactaire, tricholome, pied-bleu, par exemple. La meilleure saison d'achat est octobre, sauf pour les morilles (printemps).

Ils doivent être intacts et entiers (chapeau, pied, bulbe ou volve), à un degré de maturité qui permet l'identification. Évitez de laisser les champignons en attente avant de les cuire : le séjour au réfrigérateur leur fait perdre saveur et parfum. Conservez-les éventuellement dans un endroit frais, la tête en bas. Utilisez toujours couteaux et matériel de cuisson en acier inoxydable, pour éviter le noircissement. Hachez toujours par petites quantités et pas trop finement. Évitez surtout de trop laver les champignons, qui se gorgent d'eau et deviennent insipides : nettoyez-les avec un torchon ou un pinceau. S'il faut vraiment les laver, faites-le très rapidement sous l'eau courante.

Pour la cuisson, plusieurs solutions. Si vous les faites à la poêle, entiers ou en morceaux, laissez-les d'abord rendre leur eau à cru, puis faites-les revenir sur feu vif avec une noix de beurre, échalote ou ail, en rajoutant un peu de l'eau de végétation. En friture, surtout pour les petits champignons fragiles (coprins, mousserons) : plongez-les propres et secs dans le bain de friture pendant quelques secondes. Au four, pour les têtes de champignons assez gros, posez-les sur un grand plat légèrement huilé.

Pour conserver les champignons, plusieurs méthodes. Pour la congélation, faites-les blanchir 3 min puis égouttez-les. Ils se conservent huit mois. Ou bien faites-les sécher sur une claie en osier au soleil en les retournant souvent et rangez-les en bocaux quand ils sont bien secs. Stérilisez-les – blanchis et égouttés – pendant 1 h à 100 °C et consommez-les dans un délai de huit à dix mois. Mettez-les aussi en conserve au vinaigre, à l'huile ou à la graisse d'oie.

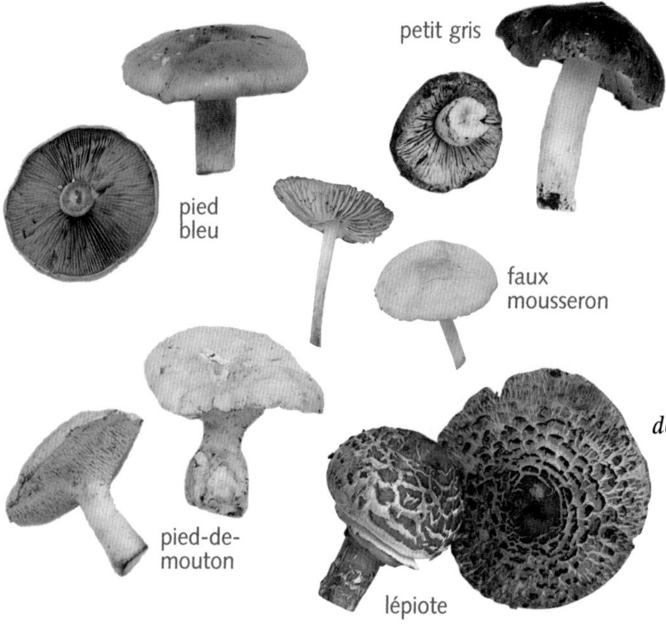

Forestière de lapin

Pour **4 personnes**
Préparation **20 min**
Cuisson **50 à 60 min**

12 petits oignons ◆ 50 g de beurre ◆ huile de maïs ◆ 150 g de lardons ◆ 1 lapin coupé en morceaux ◆ 35 cl de vin rouge ◆ 20 cl de bouillon de volaille ◆ 1 bouquet garni ◆ 1 gousse d'ail ◆ 400 g de champignons de cueillette ◆ 300 g de pommes de terre ◆ farine ◆ sel ◆ poivre

1 Pelez les oignons. Faites chauffer 25 g de beurre et l'huile dans une cocotte. Ajoutez les oignons et les lardons, faites rissoler. Égouttez-les.
2 Ajoutez les morceaux de lapin, faites-les dorer, salez et poivrez. Égouttez-les.
3 Versez 1 c. à soupe de farine dans la cocotte, remuez 2 min sur feu moyen, puis versez le vin, portez à ébullition, ajoutez enfin le bouillon, le bouquet garni et l'ail.
4 Remettez les morceaux de lapin dans la cocotte avec les oignons et les lardons. Couvrez et faites cuire dans le four pendant 25 min environ à 150 °C.
5 Pendant ce temps, nettoyez les champignons et pelez les pommes de terre. Faites sauter les

Il existe deux grandes saisons pour la cueillette des champignons sauvages : le printemps avec les morilles et les premiers tricholomes, et surtout l'automne, avec cèpes, trompettes-des-morts, chanterelles, lactaires, psalliotes et russules. Ne cuisinez jamais un champignon douteux.

pommes de terre à la poêle avec le reste de beurre pendant 15 min, égouttez-les. Faites ensuite sauter les champignons pendant 6 à 7 min.
6 Ajoutez les pommes de terre et les champignons dans la cocotte et poursuivez la cuisson à couvert pendant 20 à 25 min. Servez très chaud dans la cocotte.

Boisson pomerol

Fricassée de champignons sauvages

Pour 4 personnes
Préparation 15 min
Cuisson 15 à 20 min

1 kg de champignons mélangés (petits cèpes, girolles, mousserons, pieds-de-mouton, etc.) ◆ 2 ou 3 échalotes grises ◆ 30 g de beurre ◆ quelques tiges de ciboulette ◆ sel ◆ poivre

1 Nettoyez les champignons en évitant de les laver. Coupez le pied terreux. Retaillez les chapeaux s'ils sont volumineux. Pelez et hachez finement les échalotes.
2 Mettez les champignons dans une poêle ou une sauteuse à revêtement antiadhésif. Faites chauffer à couvert pour qu'ils rendent leur eau de végétation. Égouttez-les et conservez l'eau.
3 Faites chauffer le beurre dans une poêle et mettez-y les champignons. Faites-les sauter sur feu pas trop vif pendant 10 min environ.
4 Salez et poivrez. Ajoutez les échalotes et poursuivez la cuisson pendant 3 min sur feu doux en arrosant avec l'eau de végétation. Ajoutez la ciboulette et servez.

Fricassée de champignons sauvages ▲
Plus votre cueillette sera variée, associant girolles, petits cèpes, mousserons et chanterelles, plus votre fricassée sera réussie, mêlant toutes les saveurs d'un sous-bois d'automne.

Terrine de champignons

Pour 6 personnes
Préparation 25 min
Cuisson 45 min
Repos 15 min

RECETTE LÉGÈRE — 1 portion 160 kcal

1 petite boîte de champignons de couche ◆ 1 belle tranche de jambon blanc ◆ 2 échalotes grises ◆ 1 bouquet de persil ◆ 1 œuf ◆ 10 cl de crème liquide ◆ 250 g de girolles ◆ 200 g de trompettes-des-morts ◆ 200 g de mousserons ◆ 2 c. à soupe d'huile d'olive ◆ 50 g de beurre ◆ sel ◆ poivre

1 Égouttez les champignons de couche bien à fond et hachez-les. Hachez également le jambon et ajoutez-le aux champignons. Pelez et hachez les échalotes, ajoutez-les avec le persil ciselé. Incorporez au mélange l'œuf battu et la crème liquide. Salez et poivrez.
2 Nettoyez les champignons sauvages et faites-les sauter séparément à la poêle dans le mélange d'huile et de beurre (réservez-en pour beurrer le moule). Égouttez-les soigneusement, une fois qu'ils sont légèrement croustillants.
3 Beurrez un moule à cake. Mélangez rapidement la farce au jambon et à la crème liquide avec les champignons sautés. Versez le tout dans le moule.
4 Faites cuire au bain-marie dans le four à 180 °C pendant 40 min. Sortez le moule du four et laissez reposer 15 min. Retournez pour démouler. Coupez des tranches assez épaisses.

→ autres recettes de champignon de cueillette à l'index

champignons exotiques

Les champignons des recettes d'Extrême-Orient portent le nom d'ensemble de « champignons noirs ». Il s'agit surtout de l'oreille-de-Judas, ou oreille-de-chat, que l'on trouve en Europe sous forme séchée dans les magasins de produits exotiques. Après trempage dans de l'eau tiède et essorage, ils servent à préparer des salades, des mélanges de légumes ou des garnitures. Ils se consomment crus ou cuits. Retirez le pied, souvent coriace.

On trouve également sous la même forme des champignons chinois parfumés qui s'apprêtent de la même façon. Les champignons séchés cuits dans un four à micro-ondes retrouvent très rapidement leur aspect initial, sans rien perdre de leur saveur : versez 25 g de champignons séchés dans un bol d'eau bouillante, enfournez 3 min à puissance maximale et laissez reposer 15 min. Hachez-les menu et ajoutez-les à un bouillon ou un mélange de légumes. Conservez le liquide pour aromatiser une sauce ou un potage.

Disponible parfois frais sur le marché, le shiitake, ou lentin de chêne, ressemble un peu au pleurote, charnu, avec une chair plus ferme. Faites-le sauter à l'huile, en tranches épaisses, avec des légumes émincés, des fines herbes et des aromates.

Crevettes aux champignons parfumés

Pour **4 personnes**
Préparation **1 h environ**
Cuisson **15 min**

100 g de champignons parfumés séchés ◆ 1 gousse d'ail ◆ 500 g de grosses crevettes roses ◆ 1 c. à soupe d'huile de maïs ◆ 2 c. à soupe de fécule ◆ 2 c. à soupe de sauce soja ◆ 1 c. à soupe de xérès ◆ 1 c. à soupe de sauce tomate ◆ 15 cl de bouillon de volaille ◆ 100 g de pousses de bambou ◆ 50 cl d'huile d'arachide ◆ 200 g de nouilles de riz fraîches ◆ 1 c. à café de gingembre frais ◆ sel ◆ poivre

1 Faites tremper les champignons séchés dans de l'eau tiède pendant au moins 40 min. Pelez et hachez la gousse d'ail. Décortiquez les crevettes.
2 Mélangez dans une jatte les queues de crevettes, l'huile de maïs, 1 c. à soupe de fécule, la sauce soja et le xérès. Salez et poivrez. Laissez reposer 15 min.
3 Délayez le reste de fécule avec la sauce tomate et le bouillon. Détaillez les pousses de bambou en languettes.
4 Faites chauffer l'huile d'arachide dans une sauteuse à fond épais. Lorsqu'elle commence à fumer, ajoutez les nouilles de riz et faites-les frire quelques secondes. Dès qu'elles ont gonflé, égouttez-les et réservez.
5 Faites frire rapidement dans la même huile les crevettes avec l'ail. Égouttez-les.
6 Videz l'huile et ajoutez dans la sauteuse les champignons égouttés, le gingembre et les pousses de bambou en languettes.
7 Rajoutez la macération des crevettes et le bouillon lié de fécule. Faites mijoter doucement sur le feu pendant 10 min, sans cesser de remuer pour empêcher les légumes d'attacher.
8 Versez les nouilles frites dans un plat creux. Ajoutez les crevettes, puis le ragoût de champignons. Servez.

Salade chinoise

RECETTE LÉGÈRE – 1 portion 190 kcal

Pour **2 personnes**
Préparation **25 min, 1 h à l'avance**
Cuisson **2 min**

30 g de champignons noirs séchés ◆ 1 c. à soupe de germes de soja ◆ 250 g de chou chinois ◆ 1 c. à soupe d'huile de maïs ◆ 1 gousse d'ail ◆ 2 c. à soupe d'huile de sésame ◆ 1 c. à soupe de jus de citron ◆ 1 c. à café de sucre semoule ◆ 1 c. à soupe de sauce soja ◆ sel ◆ poivre noir au moulin

1 Faites tremper les champignons séchés dans de l'eau tiède pendant 1 h. Lavez et égouttez les germes de soja. Tenez-les au frais.
2 Émincez très finement le chou chinois. Faites chauffer l'huile de maïs dans une poêle et mettez le chou dedans. Faites sauter très vivement pendant 2 min et égouttez. Laissez refroidir.
3 Pelez et hachez finement l'ail. Préparez la vinaigrette en mélangeant l'huile de sésame, le jus de citron, le sucre, l'ail haché et la sauce soja. Salez et poivrez.
4 Égouttez à fond les champignons, pressez-les et coupez les queues.
5 Mélangez dans un saladier les champignons, les germes de soja et le chou. Arrosez de sauce, remuez et servez.

chantilly

Crème fraîche rendue mousseuse par un brassage énergique à l'aide d'un fouet. Parfumée avec de l'extrait de café, du cacao ou une liqueur, elle constitue un entremets à servir glacé.

Crème Chantilly

Pour **4 à 6 personnes**
Préparation **10 min**
Pas de cuisson

40 à 50 cl de crème fraîche ◆ 50 g de sucre glace ◆ 1 sachet de sucre vanillé ◆ 1 ou 2 glaçons

1 Pilez finement le ou les glaçons dans un bol. Versez par ailleurs la crème fraîche dans une jatte à fond rond.

2 Ajoutez à la crème le sucre glace, le sucre vanillé et la glace pilée : la crème doit être très froide et le glaçon aide à la réussite de la chantilly.

3 Commencez à battre le mélange, lentement au début. Le fouet à main est préférable au batteur électrique, mais, si vous utilisez ce dernier, fouettez la chantilly dans un récipient assez haut.

4 Au fur et à mesure que la crème fraîche devient mousse, accélérez peu à peu le mouvement du fouet en vérifiant sa fermeté.

5 Arrêtez de battre dès que la crème fraîche devenue mousseuse forme un bec au bout du fouet et que les stries restent marquées à la surface de la crème.

La chantilly ne se conserve que quelques heures au réfrigérateur. Vous pouvez incorporer au dernier moment 1 blanc d'œuf pour l'alléger. Dans ce cas, consommez-la aussitôt.

Sachez apprécier la fermeté et la légèreté d'une chantilly réussie : pas assez battue, elle est molle et sans consistance ; trop battue, des globules gras se séparent et l'on obtient du beurre. La crème utilisée doit être très froide et fluide. Pensez aussi à refroidir le récipient à l'avance au réfrigérateur ou bien placez la jatte où vous battez la crème dans un autre récipient garni de glaçons.

Formule de remplacement si vous n'avez pas de crème fraîche : mélangez vigoureusement au fouet 1 boîte de lait concentré non sucré (453 g) et 150 g de sucre glace. En 3 ou 4 min, une mousse abondante se forme, que vous pouvez utiliser comme la chantilly.

Fraises à la chantilly

Pour **4 personnes**
Préparation **20 min**
Pas de cuisson
Repos au frais **1 h**

50 cl de crème fraîche ◆ 50 g de sucre glace ◆ 1 sachet de sucre vanillé ◆ 1 kg de fraises ◆ 1 bouteille de champagne brut ◆ 25 cl de coulis de fraises ou de framboises ◆ pétales de roses ◆ macarons roses

1 Préparez la crème Chantilly avec la crème fraîche, le sucre glace et le sucre vanillé. Mettez-la au réfrigérateur. Lavez les fraises et équeutez-les. Coupez-les en 2 si elles sont grosses. Mettez-les au réfrigérateur avec le champagne.
2 Au moment de servir, fouettez vivement le coulis de fruits rouges avec 25 cl de champagne frappé. Répartissez-le dans des coupes givrées. Garnissez de fraises et de chantilly. Décorez avec les pétales de roses et servez avec le reste de champagne et les macarons roses.

→ **autres recettes de** chantilly **à l'index**

chaource

Fromage champenois au lait de vache à pâte molle et à croûte fleurie, le chaource est en forme de cylindre épais. Sa pâte onctueuse et bien blanche ne doit pas couler. Sa saveur est assez fruitée.

Choisissez-le en été ou en automne. Protégé par une appellation d'origine, il est vendu entouré d'une bande de papier.

chapelure

Mie de pain séchée et réduite en poudre fine, la chapelure s'achète toute prête et se conserve dans un récipient hermétique. En principe, on emploie la chapelure blanche pour les mets à frire ou à paner et à rissoler et la chapelure blonde pour les gratins. La « chapelure de pain » (mention portée sur l'étiquette) donne de meilleurs résultats que les chapelures industrielles, mais pour la cuisine courante celles-ci conviennent parfaitement.

Vous pouvez aussi préparer votre chapelure vous-même en écrasant des biscottes.

chapon

Jeune coq castré et engraissé, le chapon est une volaille d'une grande délicatesse, surtout disponible au moment des fêtes de fin d'année. Le landais nourri au maïs est jaune, le bressan est blanc, mais la couleur n'a pas d'effet sur la saveur de la viande. En principe, on ne farcit pas le chapon : on le fait rôtir avec beaucoup de soin pour le servir entier, accompagné par exemple de pommes de terre sautées ou d'une purée de marrons. La salade de mâche est également excellente avec le chapon.

Chapon rôti

Pour **6 personnes**
Préparation **20 min, 24 h à l'avance**
Cuisson **1 h environ**

1 truffe (facultatif) ◆ 1 chapon de 2 kg environ ◆ 60 g de beurre ◆ sel ◆ poivre

1 Si vous disposez d'une truffe fraîche, glissez-la à l'intérieur du chapon vidé et paré et laissez la volaille reposer 24 h pour qu'elle absorbe le parfum.
2 Retirez la truffe. Cousez toutes les ouvertures de la volaille et bridez-la ou ficelez-la. Pesez-la pour calculer le temps de cuisson : comptez 15 min par livre.
3 Le jour du service, malaxez 25 g de beurre avec du sel et du poivre et beurrez l'intérieur du chapon avec ce mélange.
4 Placez-le sur la lèchefrite et faites-le rôtir au four à 230 °C en le retournant plusieurs fois.
5 Quand il est bien doré, baissez le feu (180 °C) et finissez la cuisson. Éteignez le four et laissez-le en attente 5 à 6 min.
6 Faites couler le jus qu'il contient dans la lèchefrite et découpez-le. Tenez les morceaux au chaud. Ajoutez le jus du découpage dans la lèchefrite avec le beurre restant et 1 c. à café d'eau. Déglacez en remuant et servez en saucière. Servez avec des haricots verts au beurre et des lamelles de truffe si vous l'avez utilisée.

Boisson **côte-de-beaune**

Fraises à la chantilly ►

Rien de plus simple que des fraises fraîches à la crème fouettée, cependant les pétales de roses, les macarons roses et le coulis de fruits rouges au champagne en font un dessert d'exception.

charcuterie

On distingue en charcuterie six grandes catégories : les salaisons crues (jambon de Bayonne par exemple), les salaisons cuites (jambon de Paris), les saucisses, les saucissons, les charcuteries traditionnelles (rillettes, pâtés, grattons) et les conserves.

Certains produits – saucisson sec, jambon cru par exemple – peuvent se conserver assez longtemps dans un endroit frais et aéré ; d'autres – boudin, rillettes – doivent être consommés rapidement.

La charcuterie est toujours bien développée et renommée dans les régions ou les pays où l'élevage du porc relève d'une longue tradition : Alsace, Auvergne, Italie et Allemagne notamment, mais aussi Corse ou Pays basque.

Diététique. Contre-indiqués en cas de régime sans sel ou de surveillance du poids, ces produits apportent jusqu'à 600 à 700 kcal par 100 g, mais le jambon et l'andouille deviennent maigres quand on retire le gras. Pour les charcuteries allégées, lisez la composition mentionnée sur l'étiquette.

charlotte

Cet entremets aux recettes variées se sert chaud, froid ou glacé. Il faut d'abord tapisser un moule spécial, rond et évasé, de biscuits ou de pain de mie, puis le remplir d'une purée, d'une mousse, d'une compote, d'une crème, etc. La charlotte est ensuite cuite ou prise au froid.

Par analogie, on prépare aussi avec des légumes, parfois du poisson, des charlottes salées : terrines cuites au bain-marie dans un moule à charlotte.

Charlotte au chocolat

Pour **6 personnes**
Préparation **30 min, 24 h à l'avance**
Cuisson **8 min environ**

150 g de chocolat noir ◆ 50 g de beurre ◆ 30 g de sucre semoule ◆ 4 œufs ◆ 30 biscuits à la cuiller ◆ 1 verre de café noir très fort ◆ 3 c. à soupe de vermicelle au chocolat ◆ huile d'amandes douces

1 Cassez le chocolat en petits morceaux et mettez-les dans une casserole. Ajoutez le beurre, le sucre semoule et 2 c. à soupe d'eau. Faites fondre doucement au bain-marie. Séparez les jaunes des blancs d'œufs.

2 Lorsque le mélange forme une crème lisse, ajoutez les jaunes d'œufs en tenant toujours la préparation au bain-marie. Retirez du feu.

3 Battez les blancs en neige ferme. Incorporez-les à la crème hors du feu et mettez au frais.

4 Huilez légèrement un moule à charlotte. Tapissez le fond et les parois avec les biscuits à la cuiller, côté bombé contre le moule.

5 Trempez le reste des biscuits 1 par 1 dans le café. Remplissez le moule chemisé en alternant la mousse au chocolat et les biscuits imbibés. Réservez à part 1 grosse c. à soupe de mousse au chocolat.

6 Mettez au réfrigérateur pendant une nuit. Démoulez la charlotte sur un plat rond et étalez sur le dessus le reste de la mousse, puis ajoutez en décor le vermicelle saupoudré régulièrement.

Charlotte de légumes

Pour **4 personnes**
Préparation **25 min**
Cuisson **30 min**

RECETTE LÉGÈRE – 1 portion 220 kcal

2 poireaux ◆ 200 g de carottes ◆ 7 ou 8 belles feuilles de chou vert ◆ 1 grosse poignée de feuilles d'épinards ◆ 20 g de beurre ◆ 2 œufs ◆ 100 g de gruyère râpé ◆ 2 c. à soupe de ciboulette hachée ◆ 1 bol de petits pois égouttés ◆ sel ◆ poivre

1 Épluchez et lavez les légumes. Émincez les poireaux, taillez les carottes en petits dés. Parez les feuilles de chou, plongez-les pendant 3 à 4 min dans une grande casserole d'eau portée à ébullition. Rafraîchissez-les et épongez-les.

2 Faites cuire à la vapeur pendant 3 ou 4 min les carottes et les poireaux. Faites cuire les épinards dans 2 c. à soupe d'eau.

3 Beurrez un moule à charlotte et tapissez-le avec les feuilles de chou en les laissant dépasser. Battez les œufs en omelette avec le fromage râpé, sel, poivre et ciboulette.

4 Incorporez les petits pois, les carottes et les poireaux. Versez la moitié de cette préparation dans le moule. Ajoutez les épinards bien égouttés et recouvrez avec le reste de mélange de légumes aux œufs. Rabattez les feuilles de chou.

5 Couvrez la terrine d'une feuille d'aluminium et faites cuire au bain-marie pendant 30 min environ à 160 °C. Démoulez et servez en parts.

Charlotte aux poires

Pour **6 personnes**
Préparation **1 h**
Cuisson **30 min**
Repos au froid **4 h**

8 feuilles de gélatine ◆ 50 cl de lait ◆ 1 gousse de vanille ◆ 150 g de sucre semoule ◆ 8 jaunes d'œufs ◆ 50 cl de crème fraîche ◆ 175 g de sucre glace ◆ 1 kg de poires ◆ 250 g de sucre semoule ◆ 24 biscuits à la cuiller ◆ 500 g de framboises ◆ 1 citron ◆ liqueur de poire

1 Faites tremper les feuilles de gélatine dans un bol d'eau froide. Essorez-les et réservez-les. Préparez une crème anglaise : faites bouillir le lait avec la vanille, mettez les jaunes d'œufs dans une terrine et travaillez-les avec les 150 g de sucre, puis versez le lait et faites cuire sur feu modéré sans laisser bouillir. Hors du feu, ajoutez la gélatine à la crème anglaise.

2 Lorsque la préparation est complètement refroidie, incorporez-lui 1 petit verre de liqueur de poire. Par ailleurs, fouettez la crème fraîche en chantilly avec 50 g de sucre glace. Ajoutez-la également à la crème.

3 Pelez les poires et faites-les pocher dans un sirop préparé avec 25 cl d'eau et les 250 g de sucre. Égouttez-les quand elles sont bien tendres et coupez-les en tranches d'épaisseur moyenne.

4 Tapissez un moule à charlotte avec les biscuits à la cuiller.

5 Remplissez le moule de couches alternées de crème et de tranches de poires pochées. Recouvrez de biscuits. Mettez au réfrigérateur pendant 4 h.

Pour servir, préparez un coulis de framboises : passez les fruits au mixer en leur ajoutant le jus du citron et 125 g de sucre glace. Sortez la charlotte du réfrigérateur et démoulez-la sur un plat rond.

Nappez le dessus de coulis de framboises et versez le reste tout autour. Vous pouvez aussi utiliser pour le coulis des fraises ou des mangues.

Les biscuits à la cuiller doivent être bien bombés. Inutile de les imbiber avant d'en tapisser le moule. Taillez-les en biseau pour bien les imbriquer sur le dessus.

Vous pouvez garder quelques framboises entières pour décorer le sommet de la charlotte.

◄ Charlotte chaude aux pommes

Les tranches de pain de mie qui servent à tapisser le moule doivent être taillées très soigneusement pour bien s'imbriquer dans le fond et le long de ses parois.

5 Versez la compote de pommes au milieu et recouvrez avec le reste des triangles de pain.
6 Faites cuire au four à 210 °C pendant 30 à 40 min. Le pain doit être bien doré. Sortez le moule du four. Laissez tiédir et démoulez au moment de servir.

→ **autres recettes de charlotte à l'index**

Chartreuse

Née d'une très ancienne recette élaborée par des moines de l'ordre des Chartreux, la Chartreuse est une liqueur de plantes (mélisse, hysope, angélique, cannelle, etc.) qui existe en deux versions : la verte (55 % Vol), moins douce que la jaune (40 % Vol). Elles se boivent en digestif, nature, dans des petits verres et servent de parfum en pâtisserie.

Charlotte chaude aux pommes

Pour **6 personnes**
Préparation **30 min**
Cuisson **30 min**

1 kg de pommes reinettes ◆ 100 g de sucre semoule ◆ 80 g de beurre ◆ 600 g environ de pain de mie rassis

1 Pelez les pommes, retirez le cœur et les pépins. Coupez les quartiers en tranches et mettez-les dans une casserole avec 2 c. à soupe d'eau. Portez à ébullition, couvrez et laissez cuire sur feu moyen pendant 10 min.
2 Retirez du feu, ajoutez le sucre et mélangez.
3 Beurrez largement un moule à charlotte. Écroûtez le pain de mie. Coupez-le en tranches : 1/3 en triangles et les 2/3 en rectangles. Beurrez-les.
4 Garnissez le fond du moule avec les triangles (côté beurré à l'intérieur) en les faisant se chevaucher. Garnissez les parois avec les rectangles de la même façon.

châtaigne

→ **voir aussi marron**

Le fruit du châtaignier, comestible une fois cuit, porte couramment le nom de « marron », alors que le vrai marron (fruit du marronnier d'Inde) ne se mange jamais. L'enveloppe épineuse contient soit un seul gros fruit (le marron, réservé pour la préparation des marrons glacés), soit deux ou trois plus petits, séparés par une cloison. Les châtaignes fraîches s'achètent en automne et en début d'hiver. Elles se font griller, bouillir ou s'emploient dans des farces.
Diététique. 100 g de châtaignes cuites = 310 kcal.

Purée de châtaignes

Pour **6 ou 8 personnes**
Préparation **10 min**
Cuisson **40 min environ**

1 kg de châtaignes fraîches ◆ 50 cl de bouillon de volaille ◆ 3 branches de céleri tendres ◆ 60 g de beurre ◆ 10 cl de crème fraîche ◆ sel ◆ poivre

Pour éplucher plus facilement les châtaignes, cernez-les en les incisant sur le pourtour à mi-hauteur avec un couteau pointu.

chataîgnes

1 Incisez les châtaignes avec la lame d'un couteau pointu sur la face plate. Faites-les cuire au four 10 min à 200 °C.
2 Épluchez-les quand elles sont encore très chaudes en retirant l'écorce et la peau.
3 Faites chauffer le bouillon dans une casserole et ajoutez les châtaignes. Portez à ébullition, couvrez, baissez le feu et faites cuire pendant 20 min. Égouttez-les.
4 Lavez et hachez le céleri. Faites-le étuver pendant 10 min avec 20 g de beurre.
5 Passez les châtaignes au moulin à légumes et versez la purée dans une casserole avec le beurre restant. Faites chauffer en ajoutant le céleri. Incorporez la crème. Salez et poivrez.

Cette purée accompagne le gibier ou la volaille.

chateaubriand

→ voir aussi bœuf

Cette épaisse tranche de viande de bœuf (3 cm en général) est taillée dans la partie large du filet. Si elle provient du faux-filet ou du rumsteck, elle est un peu moins tendre.

Chateau grillé

Pour 2 personnes
Préparation 2 min
Cuisson 10 min

2 chateaubriands de 200 g chacun ◆ huile de pépins de raisin ◆ sel ◆ poivre

1 Huilez les chateaubriands des 2 côtés et poivrez-les. Faites-les griller vivement, de 3 à 5 min par face selon le goût.
2 Salez et poivrez. Servez aussitôt les chateaubriands très chauds. Accompagnez-les de pommes frites et de tomates grillées.

Le gril vertical est parfait pour la cuisson : saisi à l'extérieur et saignant à l'intérieur.

Boisson pomerol

Chateaubriand maître d'hôtel

Pour 2 personnes
Préparation 15 min
Beurre maître d'hôtel 5 min
Cuisson 30 min environ

400 g de toutes petites pommes de terre nouvelles ◆ 50 g de beurre ◆ 2 chateaubriands de 200 g chacun ◆ 50 g de beurre maître d'hôtel ◆ sel ◆ poivre

1 Brossez les petites pommes de terre, lavez-les et épongez-les.
2 Faites chauffer 25 g de beurre dans une sauteuse. Ajoutez les pommes de terre et faites-les cuire doucement à couvert pendant 20 min. Salez, poivrez.
3 Pendant ce temps, préparez le beurre maître d'hôtel *(voir page 66)*. Faites fondre le reste de beurre dans une poêle. Quand il est bien chaud, faites sauter les chateaubriands vivement pendant 4 min sur chaque face. L'extérieur doit être saisi et l'intérieur saignant.
4 Égouttez-les et disposez-les sur des assiettes de service chaudes. Entourez de pommes de terre et ajoutez en garniture le beurre maître d'hôtel.

Boisson bourgueil

chaud-froid

Morceau ou pièce entière de viande, de volaille, de poisson ou de gibier préparé « à chaud » et servi froid. Lorsqu'il est cuit et refroidi, on le nappe d'une sauce blanche qui, en refroidissant, se solidifie et l'enrobe. On ajoute ensuite un décor : truffe, estragon, tomate.

Chaud-froid de poulet à l'estragon

Pour **4 personnes**
Préparation **1 h 10, 4 ou 5 h à l'avance**
Cuisson **45 min**

1 oignon ◆ 1 poireau ◆ 4 beaux blancs de poulet ou 4 suprêmes ◆ 1 bouquet garni ◆ 35 cl de vin blanc ◆ 1 petit bouquet d'estragon ◆ 1/2 c. à café de poivre concassé ◆ 40 cl de bouillon de volaille ◆ 50 g de beurre ◆ 50 g de farine ◆ 20 cl de crème fraîche épaisse ◆ 20 cl de gelée préparée avec 1 sachet ◆ sel ◆ poivre

1 Pelez l'oignon et émincez-le. Lavez le poireau et émincez-le. Mettez dans une grande casserole les blancs de poulet, l'oignon et le poireau, le bouquet garni, salez et poivrez. Recouvrez d'eau à hauteur et ajoutez 20 cl de vin blanc.

2 Portez lentement à ébullition, écumez et couvrez. Faites cuire doucement pendant 30 min environ. Égouttez les blancs de poulet et réservez-les. Lavez et épongez le bouquet d'estragon. Réservez 12 belles feuilles. Hachez le reste et mettez-le dans une casserole avec le poivre concassé et le reste de vin blanc. Faites réduire de moitié sur feu doux.

3 Par ailleurs, faites chauffer d'une part le bouillon de volaille ; d'autre part faites fondre le beurre sans le laisser colorer. Ajoutez la farine et mélangez. Délayez avec le bouillon chaud en fouettant. Passez la réduction de vin blanc à l'estragon et ajoutez-la dans la sauce blanche. Laissez cuire doucement pendant 15 min.

4 Ajoutez la crème, remuez 2 min, puis retirez du feu. Incorporez la gelée et mélangez intimement. Goûtez pour rectifiez l'assaisonnement. Laissez refroidir. Égouttez les blancs de poulet et essuyez-les.

5 Posez les blancs de poulet sur une grille dans un plat et nappez-les d'une épaisse couche de sauce chaud-froid en les enrobant le plus régulièrement possible. Disposez-les sur un plat de service et placez les feuilles d'estragon en décor. Mettez au réfrigérateur jusqu'au moment de servir.

On peut également glacer les chauds-froids de gelée, après avoir placé les feuilles d'estragon, avec quelques cuillerées de gelée instantanée préparée selon le mode d'emploi.

Boisson graves blanc ou chinon rouge

chausson

Le plus souvent préparé avec une pâte feuilletée, le chausson est soit une pâtisserie fourrée de pomme (ou d'un autre fruit), soit une petite entrée chaude farcie de viande ou de volaille.

Chausson aux pommes

Pour **10 à 12 petits chaussons**
Préparation **30 min**
Cuisson **45 min**

5 pommes reinettes ◆ 1 citron ◆ 500 g de pâte feuilletée ◆ 150 g de sucre ◆ 1 c. à soupe de crème fraîche très épaisse ◆ 1 œuf ◆ 30 g de beurre

1 Pelez les pommes, retirez le cœur et les pépins. Taillez-les en tout petits dés, citronnez-les. Abaissez la pâte sur 4 mm d'épaisseur environ. Découpez-y une dizaine de ronds de 12 cm de diamètre.
2 Égouttez les dés de pommes et mélangez-les dans une jatte avec le sucre et la crème.
3 Battez l'œuf. Avec un pinceau, badigeonnez le pourtour de chaque rond de pâte. Répartissez les pommes sur la moitié de chaque rond. Ajoutez le beurre en petites parcelles.
4 Rabattez les ronds de pâte sur la garniture et soudez les bords en les humectant avec un peu d'eau. Dorez le dessus avec le reste d'œuf battu. Laissez sécher.
5 Faites cuire sur la tôle du four après avoir tracé des croisillons sur le dessus : 45 min à 250 °C. Dégustez chaud ou tiède.

Petits chaussons à la viande

Pour **12 à 15 pièces**
Préparation **30 min**
Cuisson **25 min**

500 g de restes de viande braisée ou bouillie ◆ 2 œufs durs ◆ 1 oignon ◆ 1 petit bouquet de ciboulette ◆ 30 g de beurre ◆ 300 g de pâte feuilletée ◆ 1 œuf ◆ sel ◆ poivre

1 Dégraissez la viande, dénervez-la éventuellement et hachez-la finement. Écalez les œufs et hachez-les également.
2 Pelez et hachez menu l'oignon et la ciboulette. Faites chauffer le beurre dans un poêlon et faites-y revenir ce hachis pendant 5 à 6 min.
3 Mélangez la viande, les œufs, le hachis d'oignon et de ciboulette puis le beurre de cuisson. Salez et poivrez.
4 Abaissez la pâte feuilletée sur 4 mm d'épaisseur. Découpez-y des ronds de 8 cm de diamètre. Répartissez la farce sur la moitié de chaque rond, puis repliez les ronds en chaussons. Soudez soigneusement les bords en les humectant avec un peu d'eau.
5 Dorez les chaussons avec l'œuf battu et rayez le dessus avec la pointe d'un couteau.
6 Faites cuire au four sur la tôle légèrement mouillée pendant 20 à 25 min à 200 °C. Servez chaud en amuse-gueule, en entrée chaude ou pour accompagner une soupe de légumes.

Ces petits chaussons permettent d'utiliser un reste de pot-au-feu, de ragoût ou de daube.

Boisson **bière brune**

chayote

Cultivée dans les pays tropicaux, la chayote fournit un fruit, des pousses tendres et un tubercule. C'est surtout le fruit, disponible toute l'année, qui se cuisine en légume : grosse comme une poire, verdâtre et rugueuse, avec des côtes profondes dans le sens de la longueur, elle offre une chair blanche, ferme et douce. L'amande centrale a un goût délicieux : ne la retirez pas. On peut manger la chayote crue finement émincée, la cuisiner farcie, en gratin, en purée, comme la courgette ou l'aubergine.

Diététique. Très peu calorique, surtout si vous la préparez en salade assaisonnée d'un jus de citron (100 g = 12 kcal).

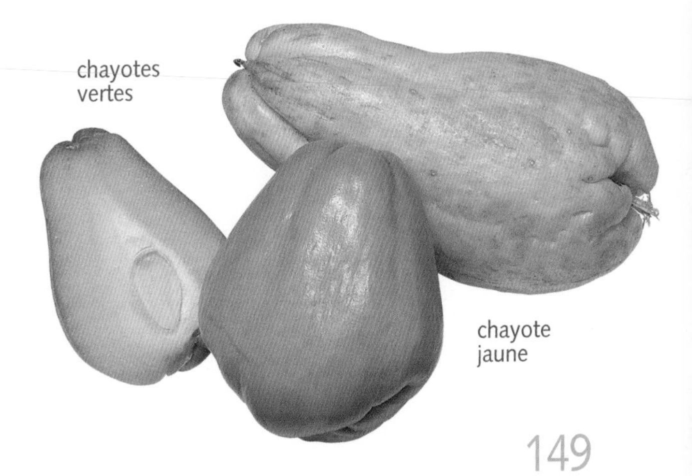

Gratin de chayotes aux foies de volaille

Pour 4 personnes
Préparation 10 min
Cuisson 55 min

4 belles chayotes ◆ 1 échalote ◆ 100 g de foies de volaille ◆ 40 g de beurre ◆ 1 c. à soupe d'huile ◆ noix de muscade ◆ 2 c. à soupe de crème fraîche ◆ 100 g de gruyère râpé ◆ sel ◆ poivre

1 Lavez les chayotes et faites-les cuire à la vapeur pendant 20 min. Laissez-les refroidir.
2 Pelez et hachez l'échalote. Nettoyez les foies de volaille et coupez-les en morceaux réguliers.
3 Faites chauffer 20 g de beurre et l'huile dans une poêle. Faites-y revenir l'échalote, puis ajoutez les foies de volaille. Faites-les sauter sur feu vif pendant 8 min.
4 Salez et poivrez. Muscadez et incorporez la crème. Faites réduire 3 ou 4 min pour bien lier. Retirez du feu.
5 Beurrez un plat à gratin. Pelez les chayotes, coupez-les en quatre et débitez ces quartiers en tranches fines, en conservant l'amande centrale.
6 Rangez une couche de chayotes dans le plat, ajoutez les foies de volaille sautés à la crème. Recouvrez avec le reste de chayotes.
7 Salez et muscadez. Saupoudrez de gruyère râpé. Faites cuire au four à 180 °C pendant 20 min. Servez directement dans le plat.

Boisson **rosé de Provence**

Petites galettes au cheddar

Pour 40 pièces environ
Préparation 30 min, 2 h à l'avance
Cuisson 15 min environ

100 g de farine ◆ 100 g de cheddar ◆ 100 g de beurre ◆ 4 jaunes d'œufs ◆ sel ◆ poivre de Cayenne

1 Disposez la farine tamisée dans une terrine. Râpez le cheddar. Ramollissez vigoureusement le beurre à la spatule.
2 Faites un puits dans la farine. Ajoutez le beurre ramolli en parcelles, le fromage et 3 jaunes d'œufs, 1 pincée de sel et 2 ou 3 pincées de cayenne.
3 Pétrissez ces ingrédients pour obtenir une pâte ferme et homogène. Mettez-la en boule et réservez au frais 2 h.
4 Abaissez la pâte au cheddar sur une épaisseur de 5 mm et découpez-y des petits disques de 3 cm de diamètre.
5 Rangez les galettes sur la tôle du four légèrement beurrée. Dorez avec le dernier jaune d'œuf battu avec un peu d'eau.
6 Faites cuire pendant 15 min à 200 °C. Servez tiède, à la sortie du four, en amuse-gueule ou avec le fromage.

On peut ajouter à la préparation un peu de paprika ou de moutarde douce.

cheddar

→ **voir aussi** fromage, welsh rarebit

Fromage anglais de lait de vache à pâte pressée et à croûte naturelle sous toile graissée, le cheddar est ferme mais souple, blanc ou jaune crème avec un aspect un peu granuleux, comme le cantal.

Le cheddar est fabriqué industriellement dans tous les pays anglo-saxons. Sa saveur est assez relevée et noisetée.

Il est largement utilisé en cuisine (croûtes au fromage, salades composées, canapés). Servez-le aussi en fin de repas avec un bordeaux, du raisin frais et des crackers.

Diététique. Une portion de cheddar de 30 g = 115 kcal.

chester

Tous les fromages britanniques du genre cheddar ou cheshire, ou les fromages français du même type fabriqués industriellement, portent en France le nom générique de chester. Utilisez-les surtout pour des croûtes, canapés ou hamburgers, et réservez le vrai cheddar pour un plateau de fromages.

Diététique. Fromage gras : 100 g = 390 kcal.

cheval

Vendue uniquement en boucherie chevaline, la viande de cheval est relativement rare et assez coûteuse. Elle possède une odeur assez forte et un goût parfois fade, qui ne plaisent pas à tout le monde. Elle est fort peu consommée.

On consomme surtout du poulain, dont la chair est plus ou moins colorée et qui se découpe pratiquement comme le bœuf (rôtis, biftecks et viande hachée surtout). La viande de cheval s'altère assez vite et doit se consommer rapidement.

Le véritable steak tartare se prépare traditionnellement avec du cheval : assurez-vous toujours de la parfaite fraîcheur du hachis.

Pour le cuisiner, n'hésitez pas à faire usage de condiments bien relevés.

Diététique. Avec moins de 2 % de lipides pour 100 g, la viande de cheval est très intéressante dans les régimes minceur ou de remise en forme. Intégrez-la régulièrement dans vos menus.

Biftecks de cheval sautés au céleri

Pour **4 personnes**
Préparation **15 min**
Cuisson **25 min environ**

1 petit oignon ◆ 1 citron ◆ 100 g de beurre ◆ 4 biftecks de cheval de 200 g chacun ◆ 2 c. à soupe de cognac ◆ Worcestershire sauce ◆ sel au céleri ◆ sel ◆ poivre

1 Pelez et hachez l'oignon finement. Râpez le zeste du citron et pressez le jus. Faites fondre 50 g de beurre dans une poêle. Mettez-y à revenir l'oignon.

2 Au bout de 5 min, égouttez-le. Rajoutez un peu de beurre en le surveillant pour qu'il ne brûle pas. Posez les biftecks dans la poêle, faites-les cuire pendant 3 min, retournez-les et laissez cuire encore 3 min.

3 Lorsque les biftecks sont bien saisis, ôtez-les puis remettez l'oignon dans la poêle, ajoutez le zeste de citron, le jus et quelques gouttes de Worcestershire sauce.

4 Salez et poivrez. Ajoutez quelques pincées de sel au céleri et remuez pendant 5 min.

5 Remettez les biftecks dans la poêle. Faites chauffer le cognac et versez-le sur la viande. Flambez. Servez aussitôt, en plaçant les biftecks sur un plat chaud, nappés de la sauce à l'oignon.

Garniture : purée de céleri-rave ou de brocoli.

Boisson **saint-émilion**

Rôti de cheval en chevreuil

Pour **6 personnes**
Préparation **15 min, 24 h à l'avance**
Cuisson **40 min**

1 carotte ◆ 1 oignon ◆ 2 gousses d'ail ◆ 2 clous de girofle ◆ 1,5 kg de rôti de cheval dans le rumsteck ◆ 50 cl de vin blanc sec ◆ 15 cl de vinaigre de vin ◆ 3 c. à soupe d'huile de tournesol ◆ 1 brin de thym ◆ 1 feuille de laurier ◆ 10 grains de poivre noir ◆ 50 g de beurre ◆ sel

1 Pelez et émincez la carotte et l'oignon. Écrasez l'ail et les clous de girofle. Ficelez le rôti.

2 Réunissez tous les autres ingrédients dans une terrine et mettez-y la viande. Laissez reposer ainsi pendant au moins 24 h en retournant le rôti plusieurs fois.

3 Égouttez le rôti et épongez-le. Badigeonnez-le de beurre fondu. Salez. Faites-le cuire au four à 275 °C, en comptant 25 min par kg.

4 Tenez le rôti cuit au chaud et déglacez le plat de cuisson avec un peu de marinade passée. Découpez le rôti. Servez le jus en saucière.

Boisson **bourgogne rouge**

chèvre

→ **voir aussi** chabichou, pouligny, sainte-maure, selles-sur-cher, valençay

On appelle « chèvre » tout fromage préparé uniquement avec du lait de chèvre. La mention sur l'emballage peut même préciser « pur chèvre ». En revanche, un fromage fait avec un mélange de lait de vache et de lait de chèvre (25 % au moins) n'a droit qu'à l'appellation de « mi-chèvre ».

La meilleure saison pour les chèvres est l'été. Ils se consomment frais, demi-affinés ou secs. Certains sont cendrés (affinés dans de la cendre de bois). Les fromages vendus en hiver sont fabriqués avec du lait congelé, qui efface la saveur caprine caractéristique des « vrais » chèvres. Pour savoir si un vrai chèvre est assez sec, coupez-le en deux : s'il s'effrite au lieu de casser net, il est fabriqué avec du lait en poudre et de moins bonne qualité. Un bon chèvre bien affiné est toujours relativement cher.

Diététique. Les chèvres sont d'autant plus caloriques qu'ils sont secs : 280 à 380 kcal pour 100 g. Ils sont pauvres en calcium.

Petits chèvres marinés à l'huile

Pour **un bocal de 1 litre**
Préparation **15 min, 1 mois à l'avance**
Pas de cuisson

1 gousse d'ail ◆ 3 échalotes ◆ 8 petits fromages de chèvre très secs (picodons ou pélardons) ◆ 1 branche de thym ◆ 1 branche de fenouil frais ◆ 3 feuilles de laurier ◆ 1 c. à soupe de baies de genièvre ◆ 1 petit piment rouge ◆ 75 cl d'huile d'olive extra-vierge

1 Pelez l'ail et les échalotes. Mettez-les dans le fond d'un bocal en verre à col large. Placez par-dessus les fromages de chèvre en intercalant le thym et le fenouil en tronçons.
2 Glissez le laurier le long des parois. Ajoutez les baies de genièvre et le piment coupé en 2. Versez l'huile d'olive par-dessus et bouchez le bocal.
3 Laissez mariner au moins 1 mois dans un endroit frais, à l'abri de la lumière.

Boisson **blanc sec ou rosé**

Quenelles de chèvre frais à la menthe

Pour **6 personnes**
Préparation **10 min**
Repos **1 h**
Pas de cuisson

1 petit bouquet de menthe fraîche ◆ 400 g de fromage de chèvre frais ◆ 200 g de fromage blanc ◆ 40 g de sucre semoule ◆ 70 cl de coulis de cassis

1 Lavez le bouquet de menthe, essuyez-le et effeuillez-le. Réservez 12 belles feuilles et ciselez le reste très finement.
2 Mélangez dans un saladier le fromage de chèvre frais et le fromage blanc. Écrasez le tout avec une fourchette, puis mélangez intimement en incorporant le sucre et les feuilles de menthe.
3 Lorsque la préparation est bien homogène, couvrez et mettez le saladier dans la partie la plus froide du réfrigérateur pendant 1 h.
4 Pour servir, nappez les assiettes de service de coulis de cassis bien froid. Prélevez le mélange au fromage de chèvre frais avec une cuiller à soupe.
5 Posez-le sur le coulis en le faisant glisser avec une autre cuiller de manière à former des quenelles. Comptez 3 ou 4 belles quenelles par assiette. Décorez avec les feuilles de menthe. Servez le reste de coulis de cassis en saucière.

chevreau

Le petit mâle de la chèvre, appelé chevreau, ou cabri, est sacrifié pour la boucherie entre 6 semaines et 4 mois (de la mi-mars au début de mai). Il donne une viande très tendre mais un peu fade. Faites-le rôtir enrobé de moutarde comme du lapin ou avec des gousses d'ail en chemise ou encore mijoter en cocotte avec une fondue d'oseille à la crème.
Diététique. Viande peu grasse : 100 g = 165 kcal.

chevreuil

En cuisine, on ne fait pas de distinction entre le chevreuil et le cerf, deux gibiers qui ont une saveur différente, mais qui se traitent d'une façon identique. Les bêtes jeunes sont les meilleures : la chair très tendre est rouge sombre. On consomme ce gibier de septembre à décembre ou à janvier, selon les dates de chasse.

La chair d'un jeune chevreuil ne se fait pas mariner. Cuisinez-la aussitôt achetée ; si elle doit attendre 2 ou 3 jours, badigeonnez-la d'huile et mettez-la à couvert au réfrigérateur. Côtelettes et noisettes se font griller à feu vif : servez-les saignantes ou rosées. Le cuissot (ou gigue) et la selle se font piquer de lardons et rôtir à four chaud. L'épaule est souvent meilleure que la gigue chez le jeune animal, mais elle se tranche moins facilement. Faites mariner 24 ou 48 heures les morceaux un peu plus durs pour les cuisiner en civet.
Diététique. Parmi les gibiers, c'est le chevreuil qui fournit la viande la plus maigre : 100 g = 96 kcal. Mais la sauce au vin peut en faire un plat difficile à digérer.

Quenelles de chèvre frais à la menthe ►
Bien moulées à l'aide d'une grosse cuiller, ces quenelles de chèvre frais relevées de menthe hachée sont servies sur des assiettes largement nappées de coulis de cassis.

Chevreuil grand veneur

Pour **4 personnes**
Préparation **30 min, 48 h à l'avance**
Cuisson **35 min environ**

1 carotte • 1 oignon • 1 kg de filet de chevreuil • 1 bouquet garni • 60 cl de vin rouge • 3 c. à soupe d'huile • 3 échalotes • 100 g de beurre • 1 c. à soupe de farine • 200 g de champignons de couche • 1 grande boîte de marrons au naturel • 10 cl de vin blanc sec • 2 c. à soupe d'airelles au naturel • sel • poivre au moulin

1 Pelez et émincez la carotte et l'oignon. Mettez-les dans une terrine. Ajoutez le filet de chevreuil et le bouquet garni. Arrosez avec l'huile et le vin rouge. Laissez mariner au frais pendant 48 h en retournant la viande 2 ou 3 fois.
2 Égouttez le filet et filtrez la marinade. Pelez les échalotes et hachez-les. Faites revenir les échalottes avec 25 g de beurre dans une casserole.
3 Lorsqu'elles sont transparentes, poudrez de farine et remuez à la spatule. Mouillez avec la marinade. Salez et poivrez. Laissez mijoter à découvert 20 min. Nettoyez les champignons et émincez-les. Faites-les étuver avec 30 g de beurre pendant 10 min environ. Salez et poivrez.
4 Égouttez les marrons. Faites-les chauffer doucement dans une casserole avec le vin blanc.
5 Découpez le filet de chevreuil en 8 tranches égales. Faites-les sauter à la poêle dans le reste de beurre pendant 2 min par face environ.
6 Ajoutez les airelles dans la sauce et délayez sur feu doux. Servez les tranches de filet sur un plat chaud avec les marrons et les champignons en garniture, la sauce à part.

Boisson **côte-de-nuits**

Côtelettes de chevreuil à l'aigre-doux

Pour **4 personnes**
Préparation **5 min, 1 h à l'avance**
Cuisson **15 min environ**

16 pruneaux • 8 figues sèches • 1 petit verre de porto • 2 petites boîtes de maïs en grains au naturel • 100 g de beurre • 8 côtelettes de chevreuil • 1 c. à café de sucre semoule • 10 cl de vinaigre de vin vieux • 10 cl de bouillon de volaille • sel • poivre

1 Dénoyautez les pruneaux, mettez-les dans une jatte avec les figues, arrosez-les de porto et d'eau chaude, laissez-les gonfler pendant au moins 1 h.
2 Égouttez les grains de maïs et faites-les chauffer doucement avec 30 g de beurre. Salez et poivrez.
3 Faites chauffer le reste du beurre dans une poêle et faites-y cuire les côtelettes de chevreuil pendant 3 min de chaque côté. Égouttez-les et tenez-les au chaud.
4 Ajoutez le sucre dans la poêle de cuisson et faites caraméliser en remuant, puis déglacez avec le vinaigre et le bouillon. Faites réduire d'un quart puis ajoutez les fruits secs bien égouttés. Laissez chauffer 5 à 6 min.
5 Disposez les côtelettes sur un plat de service. Entourez de maïs et nappez de sauce.

Boisson **côte-rôtie**

Gigue de chevreuil à l'ancienne

Pour **8 personnes environ**
Préparation **10 min**
Repos **2 h**
Cuisson **1 h à 1 h 10**

1 gigue de chevreuil de 2 kg • huile • laurier • thym • 3 échalotes • 3 branches de céleri • 50 g de beurre • 1 bouquet garni • 70 cl de bordeaux rouge • fécule • cognac • 2 c. à soupe de gelée de groseille • sel • poivre

1 Parez la gigue et mettez les parures de côté. Mélangez 3 c. à soupe d'huile, 1 feuille de laurier émiettée, 1 c. à soupe de thym séché, du sel et du poivre. Mettez la gigue dans un plat creux, arrosez-la de ce mélange, retournez-la et enduisez-la bien. Laissez reposer pendant 2 h.
2 Égouttez la gigue et posez-la sur la grille de la lèchefrite dans le four. Faites rôtir pendant 1 h en retournant à mi-cuisson et en ajoutant à ce moment-là quelques cuillerées à soupe d'eau dans la lèchefrite.
3 Pendant la cuisson de la gigue, pelez et hachez finement les échalotes et le céleri. Faites chauffer le beurre dans une casserole, mettez-y les légumes et faites fondre en ajoutant les parures du chevreuil et le bouquet garni.
4 Mouillez avec le vin et laissez cuire sur feu moyen à découvert en remuant de temps en

temps. Lorsque le liquide a réduit de moitié, passez le contenu de la casserole au tamis en pressant bien.
5 Remettez sur le feu. Salez et poivrez. Délayez 1 c. à soupe de fécule dans un petit verre de cognac et versez-le dans la sauce.
6 Remuez pour faire épaissir. Incorporez la gelée de groseille en fouettant. La sauce doit être épaisse. Découpez la gigue. Servez avec la sauce à part.

Boisson saint-émilion

Selle de chevreuil rôtie

Pour 6 personnes
Préparation 15 min
Cuisson 1 h environ

100 g de lard gras • 1 selle de chevreuil de 1,3 kg • 10 cl d'huile • 2 oignons • 2 branches de céleri • 15 cl de vin rouge • 10 cl de crème fraîche • paprika • 1 c. à soupe de kirsch • sel • poivre

1 Préchauffez le four à 220 °C. Taillez le lard en fines languettes. Incisez la selle en plusieurs endroits dans le sens des fibres et glissez-y les languettes de lard à l'aide d'un couteau. Pesez la selle. Badigeonnez-la d'huile
2 Posez-la sur un plat à four. Pelez et émincez les oignons. Nettoyez et hachez le céleri. Ajoutez ces légumes autour de la viande.
3 Salez et poivrez. Faites rôtir en comptant 15 min par livre.
4 Lorsque la pièce de chevreuil est cuite, égouttez-la, tenez-la au chaud. Déglacez le plat avec le vin rouge en ajoutant 2 c. à soupe d'eau chaude.
5 Faites réduire de moitié, puis passez au mixer pour réduire en purée les légumes restants.
6 Ajoutez la crème fraîche et remuez sur le feu pendant 10 min. Goûtez et rectifiez l'assaisonnement. Incorporez 2 ou 3 pincées de paprika et le kirsch.
7 Découpez la selle en tranches, nappez-les de sauce brûlante et servez aussitôt.

Garniture : pommes reinettes sautées au beurre, petites pommes noisettes ou purée de céleri.

Boisson châteauneuf-du-pape

→ **autres recettes de chevreuil à l'index**

chiche-kebab

Brochette de cubes de mouton intercalés avec des légumes, grillée et servie avec des quartiers de citron et une sauce au yaourt, une garniture de riz pilaf et des crudités. Il existe de nombreuses variantes de ce plat d'origine turque, courant dans tous les pays méditerranéens, le plus souvent à base de mouton, mais aussi de bœuf ou de foie de veau.

Chiche-kebab

Pour 4 personnes
Préparation 25 min
Marinade 12 à 24 h
Cuisson 12 min

Pour la marinade **6 c. à soupe d'huile d'olive • 4 c. à soupe de xérès • 2 gousses d'ail • 2 échalotes • 2 c. à soupe de persil plat haché • 1 c. à café d'origan séché • sel • poivre noir**
Pour les brochettes **1 kg de viande d'agneau (gigot) • 2 poivrons verts • 8 petits oignons • 4 petites tomates • 8 petits champignons de couche**

1 Mélangez dans une terrine l'huile d'olive, le xérès, l'ail et l'échalote hachés, le persil et l'origan. Salez et poivrez.
2 Coupez la viande en cubes de 2,5 cm de côté. Mettez-les dans la marinade en vous assurant qu'ils sont bien recouverts. Couvrez et mettez au frais pendant au moins 12 h (24 h si possible), en retournant la viande plusieurs fois.
3 Si vous faites cuire les brochettes sur un barbecue, préparez le feu 1 h avant la cuisson. Si vous les faites cuire sous le gril, préchauffez-le.
4 Lavez les poivrons, coupez-les en quartiers et retirez les graines. Pelez les oignons. Lavez les tomates et nettoyez les champignons.
5 Égouttez les morceaux de viande et réservez la marinade. Répartissez les éléments sur 8 brochettes en les alternant.
6 Badigeonnez d'huile le gril ou la grille du barbecue.
7 Enduisez les brochettes de marinade. Faites-les griller sur les braises chaudes ou sous le gril pendant 10 à 12 min en les faisant tourner souvent et en les arrosant à intervalles réguliers.
8 Servez-les très chaudes avec du riz pilaf et une salade de laitue à la vinaigrette.

Boisson corbières

chicorée

→ voir aussi endive, mesclun, scarole, trévise

Toutes les variétés de cette plante potagère, utilisée surtout comme salade, se distinguent par une saveur plus ou moins amère.

La chicorée sauvage entre dans la composition du mesclun niçois. La variété améliorée comme la « barbe-de-capucin », tendre et blanche, est moins amère.

La chicorée frisée a un cœur blanc et jaune, des feuilles très minces et dentelées de plus en plus vertes vers l'extérieur. Lavez-la très soigneusement car la terre se glisse facilement jusqu'au cœur. Elle demande une vinaigrette bien relevée, à la moutarde, à l'ail ou à l'échalote. Les lardons ou les croûtons à l'ail sont sa garniture classique. Mais vous pouvez également cuisiner la chicorée au gratin (à la béchamel), étuvée ou braisée.

La chicorée utilisée comme succédané de café provient d'une racine de chicorée torréfiée, concassée et tamisée.

Diététique. Peu calorique comme toutes les salades (100 g = 22 kcal), mais riche en calcium et en potassium.

Frisée aux lardons

Pour **4 personnes**
Préparation **20 min**
Cuisson **4 à 5 min**

1 chicorée frisée ◆ 250 g de poitrine fumée ◆ 20 g de beurre ◆ 2 tranches de pain de mie un peu rassis ◆ 2 gousses d'ail ◆ 6 c. à soupe d'huile d'olive ◆ 2 c. à soupe de vinaigre de vin vieux ◆ 1 c. à café de moutarde ◆ sel ◆ poivre

1 Épluchez la salade, lavez-la et essorez-la. Divisez-la en petites bouchées. Réservez-la dans un torchon.

2 Coupez le lard fumé en bâtonnets et faites-les dorer au beurre dans une poêle.

3 Frottez d'ail les tranches de pain, coupez-les en petits carrés et faites-les revenir à la poêle. Égouttez-les.

4 Préparez la vinaigrette avec la moutarde. Émulsionnez-la bien. Mettez la salade dans un saladier et arrosez-la de vinaigrette. Remuez.

5 Ajoutez les lardons chauds et croustillants. Remuez encore. Garnissez avec les croûtons et servez aussitôt.

Évitez d'ajouter la graisse de cuisson des lardons dans la salade.

chicorée sauvage améliorée

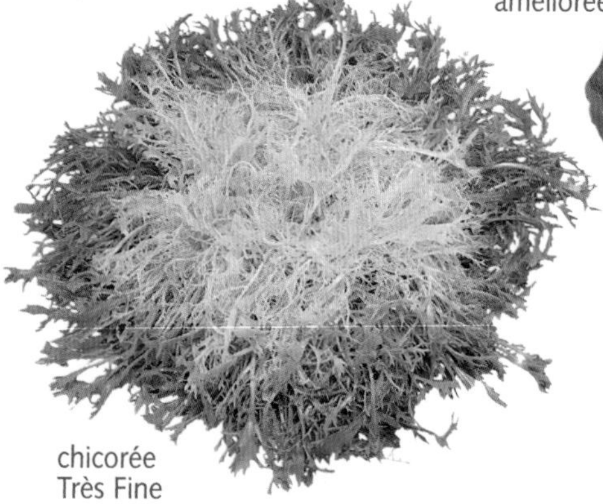

chicorée Très Fine Maraîchère

chicorée de Trévise

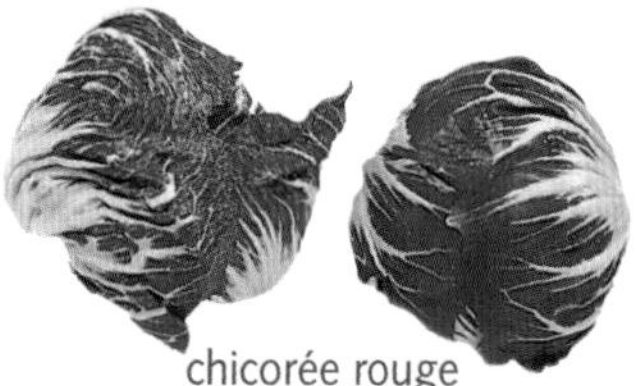

chicorée rouge de Vérone

chicorée frisée

chicorée pain-de-sucre

chicorée scarole

Choisissez toujours la chicorée avec des feuilles bien saines, fermes et cassantes, signe de sa fraîcheur.

Salade de chicorée aux anchois

Pour **4 personnes**
Préparation **20 min**
Pas de cuisson

1 petite chicorée frisée ◆ 4 branches de céleri ◆ 150 g de champignons de couche ◆ 1 citron ◆ 12 filets d'anchois à l'huile ◆ 1 gousse d'ail ◆ 3 c. à soupe d'huile d'olive ◆ 1 c. à soupe de vinaigre de vin blanc ◆ 50 g de cerneaux de noix ◆ poivre

1 Épluchez la chicorée, éliminez les feuilles trop dures et ciselez le reste, lavez-le et égouttez-le, ainsi que le céleri. Émincez-le finement.
2 Coupez le pied des champignons, lavez-les. Émincez-les et citronnez-les. Épongez les anchois.
3 Dans 4 assiettes, répartissez la chicorée, le céleri et les champignons, en ajoutant 2 filets d'anchois par personne. Pilez dans un mortier les 4 filets d'anchois restants, l'ail pelé et quelques gouttes d'huile.
4 Lorsque cette pâte est bien lisse, délayez-la avec le reste d'huile et le vinaigre. Poivrez. Nappez le contenu des assiettes de sauce. Ajoutez les cerneaux de noix. Servez aussitôt.

chili con carne

→ **voir aussi** tex-mex

Ragoût de bœuf mijoté avec des haricots rouges, typique de la cuisine « tex-mex. Préparé la veille, il est toujours meilleur. Son épice typique, le chili, est une variété de piment réduit en poudre fine.

Chili con carne ▲

Copieusement garni de haricots rouges, relevé de piment, d'ail, de cumin et d'origan, le chili con carne est un plat texan dont le nom veut dire simplement « piment avec viande ».

Chili con carne

Pour **8 personnes**
Préparation **15 min**
Cuisson **2 h environ**

2 gros oignons ◆ 3 gousses d'ail ◆ 1,5 kg de bœuf maigre (gîte à la noix ou tranche) ◆ 4 c. à soupe d'huile de maïs ◆ 3 c. à café de chili en poudre (piment) ◆ 1 c. à café de graines de cumin ◆ 1 c. à café d'origan séché ◆ 50 cl de bouillon de bœuf ◆ 1 boîte de tomates au naturel ◆ 2 boîtes de haricots rouges au naturel (800 g environ) ◆ Tabasco ◆ sel ◆ poivre

1 Pelez et hachez finement les oignons et l'ail. Coupez la viande en très petits dés ou hachez-la grossièrement.
2 Faites chauffer l'huile dans une grande cocotte et faites revenir l'oignon et l'ail. Au bout de 10 min, ajoutez la viande. Faites cuire en remuant à découvert pendant 5 à 6 min.
3 Ajoutez le chili, le cumin, l'origan, quelques gouttes de Tabasco. Salez et poivrez. Remuez et réglez sur feu doux.
4 Mouillez avec le bouillon et ajoutez les tomates égouttées. Faites mijoter à couvert pendant 1 h à 1 h 10.
5 Ajoutez ensuite les haricots rouges égouttés et poursuivez la cuisson pendant encore 1 h. Servez brûlant avec, au goût, de l'oignon cru haché et du cheddar râpé.

Boisson **bière mexicaine (bohemia ou carta bianca)**

cuisine **chinoise**

Réputée mystérieuse, la cuisine chinoise est en réalité facile à préparer avec des produits disponibles en Occident. Sachez qu'en Chine le « plat unique » est inconnu : servez toujours plusieurs mets variés à la fois.

Pâté impérial ou nems ?

Vendu déjà frit (à réchauffer 20 min au four à 180 °C), ce mets se sert par tradition lors du Nouvel An lunaire, au début du printemps. La version vietnamienne, plus petite, s'appelle nem.

Garniture recommandée : laitue ou germes de soja, menthe fraîche ou persil, sauce soja à l'ail ou à l'échalote. Vous pouvez aussi servir des rouleaux de printemps *(voir page 641)*.

Le potage aux asperges

▸ **Pour 4 personnes**

Faites pocher 5 min dans 1 l de bouillon de volaille une poignée de vermicelles de soja. Ajoutez 300 g de miettes de crabe revenues 3 min à l'huile avec 300 g de pointes d'asperges, 1 gousse d'ail écrasée et 1 oignon haché. Assaisonnez avec 1 c. à soupe de xérès et 1 c. à soupe de sauce de soja. Liez avec 1 c. à soupe de farine délayée dans 1 c. à soupe de bouillon, puis avec 2 blancs d'œufs crus.

Les baguettes les plus simples sont aussi les plus esthétiques.

Le riz aux cinq parfums

▶ **Pour 4 personnes**
Faites cuire 250 g de riz nature et laissez-le refroidir complètement. Séparez les grains à la fourchette. Par ailleurs, faites sauter 100 g de crevettes décortiquées dans une poêle avec 2 c. à soupe d'huile (ou de saindoux). Ajoutez 4 échalotes hachées, 2 tranches de jambon cru émincé, 100 g de raisins secs et 80 g d'amandes effilées. Incorporez le riz et 1 c. à soupe de sauce soja. Mélangez sur feu doux pendant 3 min. Servez aussitôt.

Les boissons chinoises

La principale boisson des Chinois est le thé, noir ou vert (il est alors plus fort). Il se boit toujours très chaud, nature, sans lui ajouter de sucre, de lait ou de citron. En revanche, il est souvent parfumé au jasmin, à la rose, au camélia, au litchi, au narcisse, etc. Mais, dans un repas familial, en général on ne boit pas à table. Vous pouvez néanmoins servir du vin blanc ou rosé. Dans un repas de fête, par contre, on boit de l'alcool de riz, *chao xing* (de 14 à 19 % Vol), servi tiède.
D'autres boissons typiquement chinoises sont vendues dans les épiceries asiatiques : la bière chinoise Tsin-tao, le lait de soja légèrement sucré, la boisson de sésame (à base de graines de sésame et de sucre, de couleur noire, très nourrissante), le soda de racine, ou *root beer* (une sorte de tonic agrémenté d'extraits de racines), ou la poudre de ginseng diluée dans l'eau.

Les travers de porc laqués

Le porc laqué, *char siou,* se prépare avec de l'épaule ou des travers de porc.
▶ **Pour 4 personnes**
Comptez 1 kg de travers de porc. Préparez d'abord la sauce à laquer : mélangez intimement 3 gousses d'ail pilées, 40 g de gingembre frais râpé, 5 c. à soupe de sauce soja, 1 c. à soupe de miel, 1 c. à café d'huile, 1 c. à soupe de vinaigre, 1 c. à soupe de farine et 1 c. à soupe de xérès. Salez et poivrez. Faites mariner la viande pendant au moins 5 h (une nuit de préférence) dans cette sauce qui sert aussi pour le canard ou le poulet.
Faites griller les morceaux dans le four ou au barbecue 50 min : retournez-les très souvent en les badigeonnant à chaque fois de sauce.

Les desserts

La cuisine chinoise ne connaît pas de vraie pâtisserie. Servez en dessert des fruits frais (litchis, mangue), du gingembre confit, du riz au lait, des biscuits aux amandes ou au sésame.

Friandises en pâte de soja et lamelles de gingembre confit.

chipolata

→ voir aussi **barbecue**

Petite saucisse longue en chair à saucisse de 2 cm de diamètre, à faire poêler ou à griller.

Attention : ne les brisez pas pendant la cuisson et servez-les toujours bien croustillantes et très chaudes, avec des œufs sur le plat ou un risotto ; pour compléter une volaille rôtie ou braisée, etc.

Diététique. Produit gras (100 g = 280 kcal), de préférence à griller pour que la graisse s'échappe à la cuisson.

Brochettes de chipolatas

Pour **4 personnes**
Préparation **15 min**
Cuisson **15 min**

12 petits oignons blancs ◆ 12 chipolatas ◆ 150 g de lardons fumés ◆ quelques feuilles de laurier ◆ huile de tournesol ◆ sel ◆ poivre

1 Pelez les oignons et faites-les blanchir 10 min à l'eau bouillante. Égouttez-les.
2 Garnissez 4 grandes brochettes en enfilant les saucisses repliées en 2, les petits oignons et les lardons alternés. Répartissez çà et là des feuilles de laurier coupées en 2.
3 Huilez les brochettes. Salez et poivrez. Faites griller pendant environ 15 min en les retournant souvent.

Crêpes aux chipolatas

Pour **4 personnes**
Préparation **15 min**, crêpes **20 min**
Cuisson **15 min environ**

8 chipolatas ◆ 50 g de beurre ◆ 8 crêpes fines ◆ moutarde douce ◆ 50 g de gruyère râpé ◆ sel ◆ poivre

1 Piquez les chipolatas avec une fourchette. Faites-les pocher 10 min environ dans une casserole d'eau bouillante. Égouttez-les très soigneusement.
2 Faites fondre 20 g de beurre dans une poêle et mettez-y les chipolatas à dorer sans excès. Égouttez-les sur du papier absorbant.
3 Pendant ce temps, réchauffez les crêpes empilées sur une assiette posée sur une casserole d'eau portée à ébullition.
4 Tartinez légèrement les crêpes de moutarde. Salez et poivrez. Enroulez une saucisse dans chaque crêpe. Rangez-les dans un plat. Clarifiez le reste du beurre.
5 Poudrez de fromage râpé et arrosez de beurre clarifié. Faites gratiner au four pendant 4 ou 5 min. Servez brûlant avec une salade verte pour un dîner rapide.

Boisson **muscadet**

Œufs Bercy

Pour **2 personnes**
Préparation **5 min**
Cuisson **15 min**

4 chipolatas ◆ 50 g de beurre ◆ 4 œufs ◆ sel ◆ poivre

1 Piquez les saucisses. Faites fondre 25 g de beurre dans une poêle et mettez-y à dorer doucement les saucisses en les surveillant pour qu'elles n'éclatent pas.
2 Répartissez le reste de beurre dans 2 plats à œufs individuels. Cassez-y 2 œufs par plat et posez sur feu doux.
3 Avant que le blanc ne commence à prendre, placez 2 saucisses par plat.
4 Continuez à faire cuire jusqu'à ce que le blanc soit pris et le jaune bien luisant. Salez et poivrez. Servez aussitôt.

Vous accompagnerez ces œufs Bercy d'un coulis de tomates bien chaud poudré de persil et de tartines de pain grillées.

Boisson **beaujolais**

→ autres recettes de chipolata à l'index

chocolat

→ voir aussi **cacao**

Le chocolat est un mélange de pâte de cacao, de beurre de cacao et de sucre. Plus un chocolat est riche en cacao, plus il est cher. Le chocolat s'achète en tablette, sous différentes dénominations, avec l'indication obligatoire sur l'emballage de la teneur en cacao.

Un bon chocolat en tablette se reconnaît à sa couleur brun luisant, à sa cassure nette et mate, sans bord friable, sans grumeaux, points blancs ou

petites bulles éclatées ; il fond comme du beurre sur la langue, il n'est ni pâteux ni collant, éventuellement amer mais sans âcreté. Conservé à l'abri de l'humidité à une température de 18 °C (évitez de le mettre au réfrigérateur), il se conserve plusieurs mois. En pâtisserie, quand on utilise le chocolat comme parfum, comme glaçage ou comme ingrédient, il faut le choisir riche en cacao (plus de 50 % si possible) : chocolat noir, bitter, amer ou « pâtissier ».

N'hésitez pas à utiliser le chocolat de couverture qu'emploient les professionnels, notamment pour les glaçages. Réservez les tablettes au lait, aux noisettes, aux amandes, au riz, etc., pour la pure gourmandise ou le goûter. Quant aux bouchées et chocolats fourrés, ils font partie des « mignardises » que l'on présente avec le café.

Le chocolat destiné à aromatiser un liquide doit cuire dans celui-ci (125 g pour 1 litre). Pour aromatiser un entremets sans liquide (mousse par exemple), faites ramollir le chocolat dans une casserole au bain-marie ou à l'entrée du four, ou bien au micro-ondes (3 minutes pour 50 g à la puissance maximale). Attention aux pics de chaleur, qui rendent le chocolat fondu granuleux et amer.

En général, faites toujours ramollir le chocolat à la température la plus basse possible, pour qu'il conserve tout son arôme et son brillant. Si vous y ajoutez du beurre, posez-le à la surface du chocolat lorsque les morceaux sont tendres et remuez à la spatule jusqu'à ce que le mélange devienne lisse.

Élément de base de toute pâtisserie, le chocolat fait quelques incursions en cuisine : ajoutez par exemple un ou deux carrés de chocolat noir dans la liaison d'un civet ou d'une matelote pour la couleur et l'amertume.

Diététique. Aliment dynamisant, car il contient du fer, du magnésium et de la théobromine, le chocolat est excellent s'il est consommé en quantité raisonnable (1 barre de 20 g par jour). La solution idéale avec un morceau de pain pour le goûter des enfants. Contrairement à certaines idées reçues, il n'est la cause ni de crise de foie, ni de constipation. En revanche, le chocolat noir a des propriétés anti-dépressives et anti-stress.

Carrés au chocolat et aux noix

Pour **20 carrés**
Préparation **45 min**
Cuisson **20 min**

180 g de sucre semoule ◆ 150 g de chocolat noir ◆ 2 œufs ◆ 80 g de beurre ◆ 100 g de farine ◆ 1 sachet de sucre vanillé ◆ 80 g de cerneaux de noix hachés ◆ 2 c. à soupe de cacao ◆ 1 c. à soupe de sucre glace

1 Mélangez dans une terrine le sucre semoule et les œufs. Faites fondre le chocolat.
2 Incorporez 50 g de beurre puis la farine. Ajoutez le sucre vanillé, le chocolat et les noix hachées.
3 Versez la pâte dans un moule rectangulaire beurré. Faites cuire dans le four 20 min à 240 °C.
4 Laissez refroidir la pâte, puis découpez-la en petits pavés.
5 Ramollissez le reste de beurre à la spatule, ajoutez-lui le cacao et le sucre glace.
6 Étalez ce glaçage sur les carrés avec la lame d'un couteau. Laissez refroidir complètement.

Servez ces mignardises avec le café.

Chocolat chaud à l'ancienne

Pour **4 personnes**
Préparation **5 min**
Cuisson **10 min environ**

220 g de chocolat noir ◆ 1 l de lait ◆ 1 sachet de sucre vanillé ◆ 1 ou 2 pincées de cannelle

1 Cassez le chocolat en petits morceaux et mettez-les dans une casserole à fond épais. Laissez fondre doucement. Faites chauffer le lait.
2 Lorsque le chocolat est ramolli, ajoutez le sucre vanillé et la cannelle. Versez une tasse de lait bouillant.
3 Fouettez le mélange sur feu doux. Incorporez le reste de lait très chaud, sans cesser de fouetter.
4 Servez le chocolat, bien mousseux, dans une chocolatière.

On peut ajouter à cette boisson 10 cl de crème liquide et fouetter avant de servir.

Crème mexicaine

Pour **4 personnes**
Préparation **10 min, 1 h à l'avance**
Cuisson **20 min**

120 g de chocolat noir ◆ 50 g de beurre ◆ 70 cl de lait ◆ 4 c. à café de café soluble ◆ 1 bâton de cannelle ◆ 1 œuf ◆ 20 g de fécule ◆ 100 g de miel ◆ cacao en poudre

1 Râpez le chocolat. Mélangez-le avec le beurre ramolli. Faites chauffer le lait dans une casserole.
2 Ajoutez le café et la cannelle dans le lait. Remuez puis ajoutez le chocolat mélangé avec le beurre. Faites cuire en remuant sur feu doux pendant 10 min environ.
3 Mélangez dans une terrine l'œuf, la fécule et le miel. La préparation doit être bien lisse. Ôtez la cannelle et versez le contenu de la casserole sur ce mélange en fouettant sans arrêt.
4 Remettez la préparation sur le feu, dans la casserole, et faites cuire en remuant, sans laisser bouillir, jusqu'à consistance épaisse.
5 Retirez la casserole du feu et versez son contenu dans 4 coupes. Mettez au réfrigérateur. Poudrez de cacao juste au moment de servir.

Vous pouvez aussi décorer ces coupes de crème mexicaine de petits macarons de chantilly.

Quelques grains de liqueur au café peuvent aussi accompagner cette crème avec des biscuits secs.

Délice au chocolat

Pour **6 personnes**
Préparation **20 min**
Cuisson **25 min**

4 œufs ◆ 150 g de sucre semoule ◆ 200 g de chocolat noir amer ◆ 1 c. à soupe de café très fort ◆ 2 c. à soupe de farine ◆ 100 g d'amandes en poudre ◆ 150 g de beurre

1 Cassez les œufs en séparant les blancs des jaunes. Fouettez vivement les jaunes avec le sucre dans une terrine jusqu'à consistance mousseuse.
2 Faites fondre le chocolat en morceaux avec le café dans une casserole au bain-marie. Versez-le une fois fondu sur le mélange précédent.
3 Ajoutez la farine, les amandes et le beurre ramolli. Fouettez les blancs en neige.
4 Lorsque la pâte est homogène, incorporez les blancs battus sans trop travailler la pâte.
5 Préchauffez le four à 220 °C. Beurrez un moule à manqué et versez-y la pâte. Faites cuire 20 min environ. La pointe d'une aiguille, à la différence du test classique, ne doit pas ressortir complètement sèche.
6 Laissez refroidir le gâteau hors du four avant de le démouler. Servez froid avec de la marmelade d'abricots.

Une crème anglaise à la vanille peut accompagner ce délice, mais vous pouvez aussi le servir avec une boule de glace à la menthe verte ou à la pistache.

Fondant au chocolat

Pour **8 à 10 personnes**
Préparation **20 min, 24 h à l'avance**
Cuisson **1 h**

250 g de chocolat noir ◆ 280 g de beurre ◆ 250 g de sucre semoule ◆ 75 g de farine ◆ 3 œufs ◆ sucre glace

1 Cassez le chocolat. Coupez 250 g de beurre en morceaux. Versez 1/2 verre d'eau dans une casserole. Ajoutez le sucre et mélangez. Faites chauffer en délayant à la spatule.
2 Lorsque le sirop de sucre est à ébullition, ajoutez le chocolat puis le beurre. Baissez le feu et mélangez bien. Éteignez le feu.
3 Versez la farine dans une terrine, incorporez 1 œuf entier puis les 2 autres œufs, 1 par 1, en mélangeant bien. Versez ce mélange sur le chocolat au beurre et remuez vigoureusement.
4 Découpez un rond de papier sulfurisé de la taille du fond d'un moule à manqué de 26-28 cm de diamètre. Beurrez ce papier et le moule. Posez le papier dans le moule, face beurrée dessus. Versez la pâte dans le moule.
5 Posez le moule rempli dans un récipient plus grand à demi plein d'eau chaude. Faites cuire au four au bain-marie pendant 1 h à 170 °C. Laissez refroidir puis démoulez et poudrez à volonté de sucre glace.

Délice au chocolat ►
Saupoudré de cacao et ourlé de sucre glace tamisé, le délice au chocolat est servi froid avec une marmelade d'abricot.

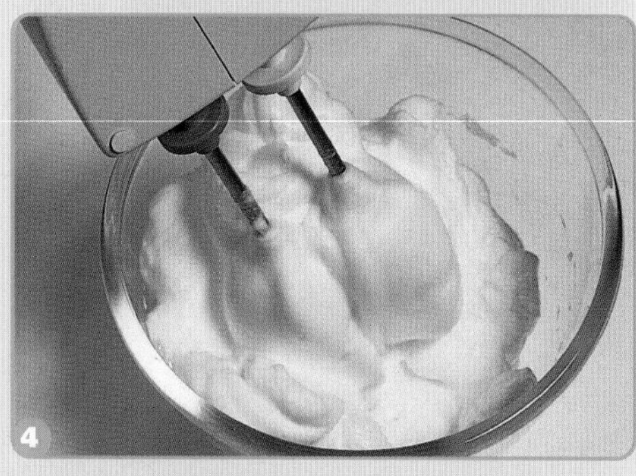

Mousse au chocolat

Pour 4 à 6 personnes
Préparation 20 min, 5 ou 6 h à l'avance
Pas de cuisson

3 œufs ◆ 100 g de chocolat noir ◆ 30 g de beurre ◆ 2 c. à soupe de sucre glace

1 Cassez les œufs et séparez les blancs des jaunes. Cassez le chocolat en petits morceaux.

2 Faites fondre le chocolat au bain-marie. Quand il est bien mou, ajoutez le beurre.

3 Incorporez ensuite les jaunes d'œufs, mélangez intimement et laissez refroidir.

4 Avec un batteur électrique, fouettez les blancs d'œufs en neige ferme. Incorporez le sucre pour les raffermir.

5 Incorporez-les délicatement au mélange au chocolat. Versez la mousse dans une jatte ou des coupes individuelles et tenez au frais jusqu'au moment de servir.

Autre formule, plus riche : 250 g de chocolat noir fondu dans un sirop de sucre (150 g de sucre semoule), additionné de 200 g de beurre et de 4 jaunes d'œufs, puis des blancs battus en neige. À laisser reposer toute la nuit au réfrigérateur.

Si vous souhaitez parfumer votre mousse : chocolat fondu au bain-marie, additionné de beurre fondu, des jaunes, puis de 2 c. à soupe de Cointreau avec 50 g d'écorces d'orange confite, avant d'incorporer les blancs. Vous pouvez aussi faire fondre le chocolat dans 2 c. à soupe de café noir très fort.

Pour obtenir une mousse plus légère, supprimez le beurre : 200 g de chocolat fondu au bain-marie, 5 jaunes d'œufs et 5 blancs en neige très ferme.

Si vous ne craignez pas un dessert un peu riche, faites fondre 400 g de chocolat en petits morceaux dans 2 c. à soupe de crème fraîche portée à ébullition. Ajoutez 125 g de beurre et 2 jaunes d'œufs puis 3 blancs montés en neige avec 1 c. à soupe de sucre glace.

Une mousse au chocolat se prépare toujours à l'avance pour lui donner le temps de prendre au réfrigérateur. Servez-la bien froide avec des tranches de brioche tièdes. Vous pouvez aussi, au dernier moment, parsemer le dessus de la mousse de noisettes, de pistaches ou d'amandes caramélisées et concassées.

Pavé au chocolat et au rhum

Pour **6 personnes**
Préparation **30 min**
Cuisson **30 min**

4 œufs ◆ 200 g de sucre semoule ◆ 200 g de chocolat noir ◆ 20 cl de crème fraîche ◆ 200 g de farine ◆ 1 verre à liqueur de rhum ◆ 20 g de beurre

1 Cassez les œufs entiers dans une terrine. Ajoutez le sucre. Placez ce récipient au bain-marie (l'eau ne doit pas bouillir).
2 Fouettez pendant 10 min jusqu'à ce que le mélange soit onctueux. Retirez du bain-marie. Râpez le chocolat et incorporez-le.
3 Ajoutez ensuite la crème fraîche puis la farine, peu à peu, et enfin le rhum.
4 Chemisez un moule carré de papier sulfurisé. Beurrez-le. Versez-y la pâte et faites cuire dans le four 30 min à 210 °C. Vérifiez la cuisson en piquant une aiguille au centre du gâteau : elle doit ressortir sèche. Démoulez et servez refroidi.

Sauce au chocolat

Pour **6 personnes**
Préparation **5 min**
Cuisson **10 min**

60 g de sucre semoule ◆ 150 g de chocolat de couverture ◆ 15 g de beurre

1 Versez 1 petite tasse d'eau dans une casserole, ajoutez le sucre et faites chauffer sur feu doux pour faire réduire de moitié.
2 Cassez le chocolat en petits morceaux et ajoutez-les dans le sirop.
3 Faites fondre en remuant pour obtenir une pâte bien lisse.
4 Incorporez le beurre et faites-le fondre en remuant.

Variante : faites fondre simplement 150 g de chocolat amer en petits morceaux dans 1/2 verre de lait, en ajoutant une noix de beurre jusqu'à consistance bien onctueuse. Cette sauce convient à la fois pour les profiteroles ou les poires Belle-Hélène.

➜ autres recettes de chocolat à l'index

chop suey

Popularisé par les restaurants chinois, ce mélange de légumes au vermicelle, cuit dans un bouillon aromatisé, se sert en entrée chaude. Le plus souvent, le chop suey est complété par une garniture de blanc de poulet émincé ou de lanières de porc : la viande est alors cuite à part dans un peu de bouillon.

Chop suey de légumes

Pour **4 personnes**
Préparation **20 min**
Cuisson **20 min**

2 carottes ◆ 2 navets ◆ 1 poireau ◆ 1 poivron ◆ 1 courgette ◆ 2 c. à soupe d'huile ◆ 200 g de germes de soja ◆ 1 gousse d'ail ◆ 1 tomate ◆ 2 c. à soupe de sauce soja ◆ 10 cl de bouillon de volaille ◆ sel ◆ poivre

1 Nettoyez et lavez les carottes, les navets, le poireau, le poivron et la courgette. Taillez-les en fine julienne.
2 Faites chauffer l'huile dans une poêle et mettez-y ces légumes ; mélangez. Remuez à la spatule et couvrez. Faites étuver sur feu doux pendant 8 min.
3 Pendant ce temps, lavez et ébouillantez les germes de soja. Pelez et hachez l'ail. Taillez la tomate pelée en dés.
4 Ajoutez les germes de soja dans la poêle et remuez. Laissez chauffer 2 min. Ajoutez l'ail et la tomate. Salez et poivrez. Ajoutez enfin la sauce soja et le bouillon de volaille. Faites mijoter 10 min et servez. Le chop suey se sert avec peu de liquide.

chorizo

➜ voir aussi paella

Relevé de piment rouge et d'ail, le chorizo est une saucisse sèche d'origine espagnole qui existe en 2 versions : le doux et le piquant. Sa couleur rouge est parfois renforcée par un colorant. Il existe différentes variétés de chorizos, de formes et de calibres variés.

Servez le chorizo en amuse-gueule, en tronçons piqués sur un bâtonnet avec une olive. Il agrémente aussi des plats de riz et des salades composées.

Diététique. Pour 100 g, comptez 300 kcal environ.

Riz à la catalane

Pour **4 personnes**
Préparation **20 min**
Cuisson **1 h environ**

3 tomates ◆ 1 gousse d'ail ◆ 2 c. à soupe de persil haché ◆ 1 feuille de laurier ◆ 1 morceau de sucre ◆ 1 c. à café de thym séché ◆ 1 oignon ◆ 1 poivron ◆ 400 g de chorizo ◆ 30 cl de bouillon de volaille ◆ 250 g de riz à grains longs ◆ huile d'olive ◆ sel ◆ poivre

1 Mettez dans une casserole les tomates en quartiers, l'ail haché avec le persil, le laurier émietté, le sucre, le thym et 1 c. à soupe d'huile. Couvrez et faites cuire 25 min. Pelez et hachez l'oignon. Lavez le poivron, épépinez-le et émincez-le.
2 Découvrez et poursuivez la cuisson sur feu un peu plus vif pendant 10 min. Passez à la moulinette et réservez au chaud.
3 Versez 2 c. à soupe d'huile dans une cocotte. Ajoutez l'oignon et le poivron. Faites revenir 5 min et ajoutez le chorizo en rondelles.
4 Ajoutez le coulis de tomates et mélangez sur feu doux pendant 4 min. Ajoutez le riz, mélangez et mouillez avec le bouillon. Salez et poivrez. Faites cuire 20 min.

chou (gâteau)

→ **voir aussi** beignet, gougère

Cette boulette de pâte à choux se déguste froide : nature, au sucre (chouquette) ou fourrée. Avec une crème et un glaçage, le chou donne toute la gamme des petits fours frais. Garni de béchamel au fromage, de mousse de saumon ou de foie gras, c'est un amuse-gueule. Les choux nature s'achètent au poids chez le pâtissier.

Diététique. Cette pâte très légère gonfle beaucoup. 100 g de choux nature = 85 kcal.

Choux à la crème

Pour **12 choux**
Préparation **10 min**, crème pâtissière **20 min**
Cuisson **20 min**

25 cl de lait ◆ 3 jaunes d'œufs ◆ 50 g de sucre ◆ 100 g de farine ◆ 5 cl de rhum ou de kirsch ◆ 12 choux ◆ sucre glace

1 Préparez une crème pâtissière parfumée au rhum ou au kirsch. Laissez-la tiédir.
2 Fendez les choux aux 2/3 de la hauteur. Fourrez-les de crème à la petite cuiller.
3 Poudrez-les de sucre glace et servez aussitôt.

Autres garnitures : crème pâtissière au café et glaçage au fondant (200 g de fondant, 1 c. à soupe de café, 2 c. à soupe d'eau) ; crème de marrons fouettée et crème fraîche.

Choux au foie gras

Pour **20 choux**
Préparation **15 min**
Pas de cuisson

20 cl de crème fraîche épaisse ◆ 140 g de mousse de foie gras ◆ 20 choux ◆ sel ◆ poivre blanc

1 Fouettez la crème avec du sel et du poivre au goût. Incorporez la mousse de foie gras en vous servant d'un fouet métallique, sans trop travailler le mélange. Il doit être néanmoins bien homogène.
2 Fendez les choux aux 2/3 de la hauteur. Remplissez une poche à douille de la farce et garnissez les choux.
3 Empilez les choux sur une assiette garnie d'une serviette et servez à l'apéritif.

Choux aux groseilles

Pour **6 personnes**
Préparation **15 min**
Pas de cuisson

25 cl de crème fraîche ◆ 80 g de sucre glace ◆ 1 sachet de sucre vanillé ◆ 300 g de groseilles rouges ◆ 24 choux ◆ 2 c. à soupe de sucre glace

1 Versez la crème fraîche dans une terrine bien froide. Ajoutez-lui 2 glaçons pilés pour la liquéfier.
2 Incorporez le sucre glace et le sucre vanillé. Battez au fouet, à main ou électrique, jusqu'à ce qu'un bec se forme à la pointe du fouet.
3 Incorporez délicatement les groseilles lavées, séchées et égrappées.
4 Avec des ciseaux, fendez les choux aux 2/3 de la hauteur. Remplissez de crème. Refermez le couvercle. Poudrez de sucre glace. Servez aussitôt.

Boisson champagne

Pâte à choux

Pour **20 choux environ**
Préparation **15 min**
Cuisson **30 min**

75 g de beurre ◆ 1 c. à soupe de sucre semoule ◆ 150 g de farine ◆ 4 œufs moyens (55 g) ◆ 1/2 c. à café de sel

1 Versez dans une casserole 25 cl d'eau, 60 g de beurre coupé en morceaux, le sel et le sucre. Portez à ébullition.

2 Lorsque l'eau bout, versez toute la farine tamisée d'un seul coup et remuez aussitôt énergiquement avec une spatule. La farine gonfle et une boule de pâte se forme en se détachant de la casserole. Si cela ne se produit pas spontanément, remuez sur feu très doux, pour sécher la pâte jusqu'à ce qu'elle se détache des parois de la casserole.

3 Hors du feu, incorporez les œufs entiers, l'un après l'autre. Mélangez parfaitement chaque œuf à la pâte avant d'ajouter le suivant.

4 La pâte doit être ferme et souple : si elle est trop sèche, ajoutez 1/2 œuf en plus.

5 Beurrez légèrement la tôle du four. Prélevez 1 c. à soupe de pâte et faites-la glisser sur la tôle avec une autre cuiller. Espacez bien les boulettes de pâte. On peut aussi disposer les choux avec une poche à douille. Faites cuire 15 à 20 min à four assez chaud (210 °C) en plaçant la tôle à mi-hauteur. Les choux doivent être gonflés et bien dorés.

Pour réussir la pâte à choux, tamisez la farine et respectez bien les proportions. Ne sortez pas les choux du four avant cuisson complète, sinon ils retomberaient. Laissez-les refroidir complètement avant de les farcir ou des les glacer.

L'emploi le plus classique de la pâte à choux en cuisine est la gougère. En pâtisserie, elle est la base des éclairs et des religieuses, du paris-brest et du saint-honoré.

Petits choux : 1 c. à café de pâte (10 g), en comptant 15 à 20 min de cuisson ; **choux moyens :** 1 c. à entremets de pâte (15 g), et 30 à 35 min de cuisson ; **gros choux :** 1 c. à soupe de pâte (35 g), et 40 à 45 min de cuisson.

Si vous utilisez une douille, choisissez le n° 11 pour les petits choux, le n° 14 pour les moyens, le n° 20 pour les gros.

chou

→ voir aussi **brocoli, chou de Bruxelles, chou chinois, chou-fleur, choucroute**

Il existe deux grands groupes de cette plante potagère cultivée dans toutes les régions : le pommé, ou cabus, avec des feuilles lisses et bien serrées (blanc, vert pâle à jaune ou rouge), et le frisé, à feuillage vert et cloqué (chou de Milan et chou de Pontoise).

Un chou, à l'achat, doit être bien lourd par rapport à sa taille. La couleur, quelle qu'elle soit, doit être très franche. Froissez les feuilles entre vos doigts : elles doivent crisser légèrement (pour le chou lisse, elles sont bien brillantes) ; cassez une feuille : une goutte d'eau doit perler. Le chou se conserve mal : cuisinez-le sans tarder. Sachez aussi que le chou diminue pratiquement de moitié à la cuisson. Pour le préparer, supprimez le trognon et les grosses feuilles de l'extérieur. Coupez le chou en quartiers et lavez-les toujours à grande eau, pour le frisé surtout. Le chou de printemps cuit plus vite que celui d'été, d'automne et surtout d'hiver, mais il « fond » beaucoup à la cuisson. Bien tendre, finement émincé, il peut cuire simplement au beurre sans avoir besoin d'être blanchi. Ajoutez un petit quignon de pain à l'eau de cuisson d'un chou d'hiver ; son odeur sera moins forte.

choux de Bruxelles

chou-fleur

Toutes les variétés de choux (sauf le chou de Bruxelles) se consomment crues ou cuites. N'hésitez pas à retirer les grosses feuilles extérieures et ajoutez un peu de vinaigre à l'eau de lavage.

Diététique. Tous les choux sont riches en fibres, en vitamine C et en fer. Certains joueraient un rôle anticancérigène. Son goût parfois fort est lié à la présence de soufre. 100 g = 30 à 35 kcal.

Chou blanc et vert sauce avocat

RECETTE LÉGÈRE – 1 portion 190 kcal

Pour **4 personnes**
Préparation **20 min**
Cuisson **20 min**

400 g de chou vert frisé • 400 g de chou blanc • 2 tomates • 2 petits oignons • 20 cl de bouillon de légumes • vin blanc • 2 avocats mûrs • 1 citron • 1 carré demi-sel • 2 yaourts nature • 1 petit bouquet de persil plat • menthe fraîche • sel • poivre

1 Parez les quartiers de chou et émincez-les. Éliminez les grosses côtes. Ébouillantez, pelez et concassez les tomates. Pelez et émincez finement les oignons.

chou vert frisé

chou rouge

chou blanc

chou chinois

2 Réunissez ces ingrédients dans une casserole, ajoutez le bouillon et 2 c. à soupe de vin blanc, salez et poivrez.
3 Couvrez la casserole et faites cuire sans ébullition pendant 20 min jusqu'à évaporation complète du liquide.
4 Pelez les avocats et retirez le noyau. Réduisez la chair en purée lisse et ajoutez le jus de citron. Incorporez à cette purée le fromage demi-sel et les yaourts. Salez et poivrez. Lavez, épongez et ciselez le persil, incorporez-en la moitié à la sauce à l'avocat.
5 Versez le mélange de choux dans un plat creux et nappez de sauce à l'avocat. Parsemez du reste de persil et ajoutez quelques feuilles de menthe. Servez aussitôt.

Chou farci ▲
Une bonne recette pour utiliser un reste de viande rôtie ou braisée. Vous pouvez aussi enfermer la farce dans des feuilles de chou blanchies, les ficeler et les faire cuire dans du bouillon.

Chou farci

Pour **6 personnes**
Préparation **50 min**
Cuisson **2 h**

1 gros chou vert ◆ 100 g de jambon blanc ◆ 200 g de lard de poitrine ◆ 200 g de chair à saucisse ◆ 200 g de veau haché ◆ 3 oignons ◆ 3 échalotes ◆ 40 g de beurre ◆ 1 tranche de pain de mie ◆ 1 œuf ◆ 250 g de bardes de lard ◆ 2 carottes ◆ 1 poireau ◆ 1 clou de girofle ◆ 1 bouquet garni ◆ lait ◆ sel ◆ poivre

1 Lavez le chou. Faites-le cuire 15 min environ dans une grande marmite d'eau portée à ébullition. Plongez-le ensuite dans de l'eau froide pour stopper la cuisson. Égouttez-le à fond.
2 Détachez les grandes feuilles 1 par 1 sans les déchirer. Extrayez les petites feuilles du cœur et hachez-les.
3 Hachez le jambon et le lard. Mélangez-les à la chair à saucisse et ajoutez le veau.
4 Pelez et hachez 2 oignons et les échalotes. Faites chauffer le beurre dans une cocotte, ajoutez les hachis précédent et faites revenir pendant 3 à 4 min.
5 Ajoutez les viandes et remuez encore pendant 10 min. Retirez du feu et laissez refroidir. Imbibez le pain de lait.
6 Ajoutez à la farce le pain essoré et l'œuf entier. Mélangez. Tapissez un saladier avec un torchon propre.
7 Étalez par-dessus les bardes de lard, puis rangez ensuite les feuilles de chou en une première couche. Tapissez de farce.
8 Reconstituez le chou en intercalant les feuilles et la farce.
9 Lorsque le chou est reconstitué, refermez le torchon, nouez-le et ficelez le tout.
10 Pelez les carottes et nettoyez le poireau. Coupez-les en tronçons et mettez-les dans une grande marmite avec 1 oignon piqué du clou de girofle et le bouquet garni. Versez 2 l d'eau et portez à ébullition.
11 Introduisez le chou farci et laissez cuire sur feu doux pendant 2 h. Sortez le chou et défaites le torchon.
12 Placez le chou sans les bardes dans un plat creux. Arrosez avec un peu de bouillon bien réduit, salé et poivré.
13 Servez très chaud.

Boisson **côtes-du-rhône**

Chou rouge à l'aigre-doux

Pour **4 personnes**
Préparation **20 min**
Cuisson **17 min**

1 oignon ◆ 2 échalotes ◆ 100 g de céleri-branche ◆ 500 g de chou rouge ◆ 1 c. à soupe d'huile ◆ 1 c. à soupe de cumin ◆ 2 c. à soupe de vinaigre de cidre ◆ 1 c. à soupe de miel ◆ sel ◆ poivre

1 Pelez et hachez l'oignon, les échalotes et le céleri. Taillez le chou en fines lanières.
2 Versez l'huile dans un plat et faites chauffer 1 min à puissance maximale. Ajoutez l'oignon et les échalotes, remettez dans le four 2 min à même puissance.
3 Ajoutez le céleri, le cumin et 1 c. à soupe d'eau. Remettez dans le four pendant 4 min à couvert, en remuant 1 fois à mi-cuisson.
4 Ajoutez le chou, remuez, arrosez avec le vinaigre et le miel. Mélangez et poursuivez la cuisson pendant 10 min, en remuant 3 fois.
5 Laissez reposer pendant 3 min, salez et poivrez. Servez chaud.

Chou en terrine à la charcutière

Pour **8 personnes**
Préparation **30 min, 12 h à l'avance**
Cuisson **2 h**

1 petit chou vert ◆ 4 ou 5 grandes feuilles de chou ◆ 4 échalotes ◆ 200 g de champignons de couche ◆ 2 tranches de jambon blanc ◆ 500 g de chair à saucisse ◆ 3 œufs ◆ 300 g de tranches de lard de poitrine fumée ◆ sel ◆ poivre

1 Nettoyez le chou, coupez-le en quartiers et faites-le blanchir à l'eau bouillante salée pendant 5 min. Égouttez-le. Faites blanchir les feuilles de chou destinées à chemiser le moule.
2 Pelez et hachez les échalotes. Nettoyez les champignons et hachez-les ainsi que le jambon.
3 Mélangez la chair à saucisse et les ingrédients précédents (sauf le chou). Salez et poivrez. Liez avec les œufs battus.
4 Garnissez le fond et les parois d'un moule à cake en alternant les tranches de poitrine fumée et les feuilles de chou.
5 Remplissez en alternant avec la farce et le chou grossièrement haché. Tassez bien. Recouvrez le tout avec une feuille de chou.
6 Faites cuire au bain-marie dans le four à 200 °C, pendant 2 h. Retirez du four et laissez refroidir en posant un poids sur une planchette à la surface de la terrine. Servez froid après avoir fait reposer pendant au moins 12 h.

Accompagnée d'une salade de pissenlits, cette terrine constitue un repas froid idéal.

Boisson **beaujolais**

Embeurrée de chou

Pour **4 personnes**
Préparation **15 min**
Cuisson **30 min**

1 petit chou vert frisé ◆ 100 g de beurre demi-sel ◆ 1 bouquet de ciboulette ◆ sel ◆ poivre

1 Nettoyez, parez et lavez le chou. Coupez-le en quartiers. Portez à ébullition une grande marmite pleine d'eau.
2 Plongez les quartiers de chou dans l'eau et laissez cuire 8 min. Égouttez-les aussitôt et passez-les sous l'eau froide. Égouttez-les à nouveau bien à fond. Taillez-les en lanières régulières. Éliminez les grosses côtes.
3 Faites fondre 60 g de beurre dans une grande poêle à rebord. Ajoutez les lanières de chou et faites-les étuver en remuant. Salez très légèrement et poivrez.
4 Au bout de 20 à 30 min, ajoutez la ciboulette hachée puis le reste de beurre en parcelles. Remuez à la fourchette et servez aussitôt.

Salade de chou blanc

RECETTE LÉGÈRE – 1 portion 165 kcal

Pour **6 personnes**
Préparation **20 min, 1 h à l'avance**
Pas de cuisson

20 cl de crème fraîche ◆ 1 citron ◆ 1 c. à café de curry ◆ 1 pomme ◆ 600 g de chou blanc ◆ 2 c. à soupe de raisins secs ◆ sel ◆ poivre noir au moulin

1 Mélangez la crème, la moitié du jus de citron et le curry. Salez et poivrez. Pelez la pomme, coupez-la en 4 et retirez le cœur et les pépins. Émincez les quartiers. Citronnez-les.

2 Taillez le chou blanc en fine julienne. Mettez-le dans un saladier avec la pomme et les raisins.
3 Arrosez de sauce à la crème et mélangez. Laissez reposer au frais pendant 1 h.

→ **autres recettes de chou à l'index**

chou de Bruxelles

Frais de septembre à mars, ces petits bourgeons verts doivent être bien pommés, bien fermes et plutôt petits, si possible de grosseur égale pour cuire uniformément. Retirez les feuilles jaunes s'il y en a et coupez la queue ou le trognon pas trop à ras, pour que les feuilles restent bien attachées. On les fait généralement blanchir avant de les faire cuire à l'eau salée, pas plus de 15 à 20 minutes pour qu'ils ne se réduisent pas en bouillie. Ne les laissez pas séjourner dans l'eau de cuisson, sinon ils jaunissent. On les trouve aussi en conserve au naturel ou mi-cuits en sachets.

Diététique. 100 g de choux de Bruxelles = 27 kcal.

Choux de Bruxelles aux amandes ▲

Doucement gratinés sous un mélange de crème fraîche et de parmesan, les choux de Bruxelles sont parsemés d'amandes effilées bien dorées.

Choux de Bruxelles aux amandes

Pour **4 personnes**
Préparation **25 min**
Cuisson **30 min environ**

800 g de choux de Bruxelles ◆ 25 g de beurre ◆ 3 c. à soupe d'amandes effilées ◆ 2 tomates ◆ 2 c. à soupe de ciboulette hachée ◆ 25 cl de crème liquide ◆ 4 c. à soupe de parmesan râpé ◆ noix de muscade ◆ sel ◆ poivre

1 Parez les choux de Bruxelles, entaillez-les en croix à la base. Faites-les cuire 10 min à l'eau bouillante salée. Égouttez-les.
2 Beurrez un plat à gratin. Faites griller rapidement les amandes effilées dans le four pendant 3 min. Coupez les tomates en rondelles.
3 Versez les choux de Bruxelles dans le plat. Recouvrez-les avec les tomates et la ciboulette.
4 Mélangez dans un bol la crème, le parmesan, salez modérément, poivrez et muscadez. Versez ce mélange sur le contenu du plat.
5 Parsemez le tout avec les amandes effilées et passez au four à 180 °C pendant 20 min. Servez bien chaud.

Choux de Bruxelles au beurre

Pour **4 personnes**
Préparation **15 min**
Cuisson **25 min environ**

1 kg de choux de Bruxelles ◆ 80 g de beurre ◆ persil plat ◆ sel ◆ poivre

1 Lavez les choux de Bruxelles. Coupez le trognon à ras. Entaillez-les en croix à la base. Plongez-les dans de l'eau bouillante salée. Laissez l'ébullition reprendre. Égouttez-les.
2 Remplissez la casserole d'eau légèrement salée. Portez à ébullition et ajoutez les choux. Faites cuire sur feu doux 18 min environ.
3 Faites fondre doucement le beurre dans une petite casserole. Écumez la mousse.
4 Égouttez très soigneusement les choux. Parsemez-les de persil fraîchement ciselé. Arrosez-les de beurre fondu et servez aussitôt.

Choux de Bruxelles aux lardons

Pour **4 personnes**
Préparation **25 min**
Cuisson **30 min environ**

1 kg de choux de Bruxelles ◆ 20 g de beurre ◆ 150 g de lardons ◆ 1 gousse d'ail ◆ 1 échalote ◆ sel ◆ poivre

1 Parez les choux de Bruxelles et lavez-les. Entaillez-les en croix à la base. Faites-les blanchir 5 min. Égouttez-les.
2 Faites-les cuire une deuxième fois à l'eau bouillante, salée, pendant 10 min. Égouttez-les.
3 Faites chauffer le beurre dans une cocotte et ajoutez-y les lardons. Laissez-les rissoler pendant 3 à 4 min puis ajoutez les choux de Bruxelles. Ajoutez l'ail puis l'échalote pelés et hachés. Mélangez. Faites cuire sur feu doux pendant 8 min. Salez et poivrez. Servez chaud.

chou chinois

Il existe plusieurs variétés de ce légume disponible en Europe, vendu frais, dans les magasins de produits exotiques. C'est le pé-tsai le plus courant : il ressemble à une grosse laitue romaine. Il est délicieux émincé en crudité. Cuisinez-le aussi braisé ou en paupiettes.

Diététique. C'est le moins calorique des choux : 100 g = 12 kcal.

Salade de chou chinois au jambon

RECETTE LÉGÈRE — 1 portion 90 kcal

Pour **4 personnes**
Préparation **20 min**
Pas de cuisson

1 demi-chou chinois bien serré ◆ 2 carottes ◆ 100 g de haricots mungo ◆ 2 poires ◆ 1 citron ◆ 2 tranches de jambon cuit ◆ vinaigre balsamique ◆ vinaigre de vin blanc ◆ huile d'olive ◆ persil plat ◆ sel ◆ poivre

1 Retirez les feuilles extérieures épaisses du chou chinois et débitez-le en filaments dans le sens transversal. Mettez-le dans un saladier.
2 Pelez les carottes et râpez-les. Lavez soigneusement les haricots et épongez-les. Ajoutez-les dans le saladier.
3 Pelez les poires, coupez-les en 2, retirez le cœur et les pépins, citronnez-les et taillez-les en petits dés. Retirez la couenne du jambon et coupez-le en languettes.
4 Préparez une vinaigrette avec 1 c. à soupe de chacun des vinaigres, 2 c. à soupe d'huile et 1 c. à soupe d'eau. Salez et poivrez.
5 Ciselez le persil. Mélangez les ingrédients du saladier en leur ajoutant la sauce vinaigrette. Répartissez ces crudités dans des assiettes, ajoutez en garniture les dés de poires et les languettes de jambon. Poivrez et parsemez de persil.

Salade de chou chinois aux moules

Pour **4 personnes**
Préparation **25 min**
Cuisson **15 min**

4 ou 5 petites pommes de terre nouvelles ◆ 2 c. à soupe de vin blanc ◆ 500 g de moules ◆ 1 c. à soupe de vinaigre de xérès ◆ 1 c. à café de moutarde douce ◆ 500 g de chou chinois ◆ 2 échalotes ◆ 5 petites tomates cerises ◆ 4 c. à soupe d'huile d'olive ◆ basilic frais ◆ sel ◆ poivre

1 Faites cuire les pommes de terre à l'eau dans leur peau pendant 15 min. Pelez-les, coupez-les en rondelles et arrosez-les aussitôt de vin blanc. Laissez tiédir.
2 Faites ouvrir les moules sur feu vif. Décoquillez-les. Mettez-les dans une jatte. Arrosez de vinaigre avec la moutarde.
3 Émincez finement le chou. Pelez et hachez finement les échalotes. Lavez les tomates et coupez-les en 2.
4 Mélangez le chou chinois et les échalotes. Salez et poivrez, arrosez d'huile et remuez bien. Étalez ce mélange dans un plat creux.
5 Mettez ensemble les moules et les pommes de terre avec leur macération. Versez-les sur le lit de chou.
6 Ajoutez les 1/2 tomates cerises par-dessus en garniture et décorez avec les feuilles de basilic ciselées. Servez aussitôt.

Boisson vin blanc sec

chou-fleur

→ voir aussi brocoli, chou

Choisissez ce légume toujours très blanc et sans petites taches, avec des bouquets serrés et fermes sur des tiges courtes. Le chou-fleur se cuit soit entier, soit en petits bouquets, dans de l'eau bouillante salée. Pour diminuer l'odeur, ajoutez un morceau de pain sec à la cuisson. Évitez l'autocuiseur pour qu'il reste blanc.

Le chou-fleur s'accommode en potage, en purée, en salade froide, en soufflé, en gratin, ou encore poêlé, sauté et frit. Il se mange aussi cru, à la croque-au-sel.

Diététique. Le chou-fleur est le plus riche en protides de tous les choux. 100 g = 30 kcal.

Chou-fleur au fromage frais

Pour **4 personnes**
Préparation **25 min**
Cuisson **8 min**

1 petit chou-fleur bien blanc ◆ 50 g de feuille de chêne ◆ 400 g de fromage frais ferme à 20 % de matières grasses ◆ 1 bouquet de ciboulette ◆ paprika ◆ huile d'olive ◆ vinaigre de vin blanc à l'estragon ◆ sel ◆ poivre

1 Défaites le chou-fleur en petits bouquets en coupant la base des queues. Lavez-les à l'eau légèrement vinaigrée et faites-les cuire rapidement à la vapeur pendant 7 ou 8 min : ils doivent rester très croquants. Égouttez-les et laissez-les refroidir complètement.

2 Lavez et essorez la salade. Dans une jatte, écrasez le fromage avec une fourchette en ajoutant du sel et du poivre ainsi que la moitié de la ciboulette finement ciselée.

3 Façonnez la préparation en petites boulettes. Roulez-en une moitié dans du paprika et l'autre moitié dans le reste de la ciboulette pour bien les enrober.

4 Préparez la vinaigrette avec 3 c. à soupe d'huile, 1 c. à soupe d'eau et 2 c. à soupe de vinaigre. Salez et poivrez.

5 Répartissez la salade sur des assiettes de service, disposez par-dessus les bouquets de chou-fleur égouttés et arrosez de sauce vinaigrette. Garnissez ensuite de boulettes de fromage frais et servez aussitôt.

Chou-fleur à la vinaigrette

Pour **6 personnes**
Préparation **20 min**
Cuisson **25 min**

1 beau chou-fleur ◆ 1/2 citron ◆ 2 œufs durs ◆ 3 c. à soupe de vinaigre de vin blanc ◆ 6 c. à soupe d'huile d'olive ◆ persil plat ◆ sel ◆ poivre

1 Parez le chou, séparez les bouquets et raccourcissez les tiges. Portez à ébullition 4 l d'eau légèrement salée et ajoutez le jus de citron.

2 Introduisez les bouquets de chou-fleur et établissez une légère ébullition. Laissez cuire pendant 25 min environ. Égouttez le chou-fleur et videz l'eau. Gardez-le au chaud à couvert.

3 Écalez les œufs durs et hachez-les. Préparez la vinaigrette à l'huile d'olive.

4 Disposez les bouquets de chou-fleur tièdes sur un plat rond. Parsemez d'œuf dur haché et arrosez de vinaigrette, ajoutez le persil haché.

Pain de chou-fleur aurore

Pour **4 personnes**
Préparation **10 min**
Cuisson **1 h environ**

1 chou-fleur ◆ 4 œufs ◆ 50 g de beurre ◆ 1 c. à soupe de farine ◆ 25 cl de lait ◆ 1 c. à soupe de concentré de tomates ◆ 100 g de gruyère râpé ◆ sel ◆ poivre

1 Faites blanchir le chou-fleur 2 min à l'eau bouillante salée en le séparant en gros morceaux. Égouttez-le, puis faites-le cuire une deuxième fois dans de l'eau bouillante, pendant 20 min. Égouttez-le et écrasez-le en purée.

2 Battez les œufs en omelette. Salez et poivrez. Ajoutez-les à la purée de chou-fleur refroidie. Beurrez un moule à charlotte et versez-y la préparation. Faites cuire 40 min au bain-marie.

3 Faites un roux blond avec le reste de beurre et la farine. Mouillez de lait, faites cuire 10 min sur feu doux en remuant. Incorporez le concentré de tomates et le gruyère râpé. Mélangez bien et tenez au chaud. Démoulez le pain de chou-fleur. Nappez-le de sauce. Servez aussitôt.

Choucroute alsacienne ▲

La qualité de la choucroute garnie tient autant à la cuisson du chou qu'à la qualité des viandes et des charcuteries. Ajoutez une ou deux pommes de terre cuites à l'eau par personne.

Salade de chou-fleur

Pour **6 personnes**
Préparation **25 min**
Cuisson **5 min environ**

1 chou-fleur ◆ 1 botte de radis ◆ quelques poignées de cresson ◆ 6 c. à soupe d'huile d'olive ◆ jus de citron ◆ ciboulette ◆ sel ◆ poivre noir

1 Nettoyez le chou-fleur et séparez-le en petits bouquets réguliers. Faites-les cuire 3 à 4 min à l'eau bouillante. Égouttez-les.

2 Parez et lavez les radis. Taillez-les en éventails ou en fleurs. Lavez et essorez le cresson.

3 Préparez la vinaigrette avec l'huile d'olive et 3 c. à soupe de jus de citron. Versez les bouquets de chou-fleur dans une jatte, arrosez de sauce et remuez.

4 Versez-les dans un plat creux. Entourez de cresson et ajoutez les radis et la ciboulette ciselée. Servez.

→ **autres recettes de chou-fleur à l'index**

choucroute

La choucroute, c'est avant tout du chou blanc finement émincé, salé et fermenté selon une technique d'origine alsacienne, vendue cuite ou crue chez un charcutier ou un traiteur. Évitez de l'acheter en boîte, car le vin blanc qui l'aromatise, ajouté à l'acidité du produit, peut attaquer le fer-blanc.

La viande est mieux mise en valeur si le chou est un peu croquant. Réchauffée à la vapeur avec une garniture de poisson ou de volaille, la choucroute est un plat « léger ».

Diététique. Plus digeste que le chou cru, elle est peu calorique lorsqu'elle est consommée en légume d'accompagnement (27 kcal/100 g). Elle est interdite dans les régimes sans sel.

Choucroute alsacienne

Pour **8 à 10 personnes**
Préparation **20 min, 12 h à l'avance**
Cuisson **4 h environ**

700 g de poitrine fumée ◆ 1 palette de porc fumée ◆ 1 jambonneau demi-sel ◆ 2 kg de choucroute crue ◆ 3 c. à soupe de saindoux ◆ 2 oignons ◆ 2 c. à soupe de baies de genièvre ◆ 1 bouteille de riesling ◆ 1 saucisse de Morteau ◆ 8 saucisses de Francfort ◆ poivre

1 Faites tremper les viandes fumées et salées pendant 12 h dans de l'eau froide.

2 Lavez la choucroute à l'eau froide. Portez à ébullition une grande casserole pleine d'eau. Versez la choucroute dedans. Égouttez-la aussitôt. Effilochez-la.

3 Faites chauffer le saindoux dans une très grande cocotte et ajoutez les oignons pelés et hachés. Remuez.

4 Quand les oignons sont transparents, ajoutez la choucroute et les baies de genièvre.

5 Faites chauffer doucement la choucroute en la soulevant avec une fourchette de temps en temps. Versez la moitié du vin blanc. Mélangez bien et poivrez.

6 Introduisez la palette, le jambonneau et la poitrine fumée, en les enfouissant bien au milieu. Couvrez et laissez mijoter doucement pendant 3 h. Ajoutez le reste de vin blanc peu à peu.
7 Au bout de 3 h, ajoutez la saucisse de Morteau. Environ 15 min avant de servir, ajoutez les saucisses de Francfort.
8 Retirez les viandes et découpez-les. Disposez la choucroute sur un grand plat tenu chaud. Ajoutez les viandes et les saucisses en garniture. Servez chaud.

Boisson **riesling**

Choucroute aux poissons

Pour **6 personnes**
Préparation **20 min**
Cuisson **2 h 30 environ**

1,5 kg de choucroute crue ◆ 2 c. à soupe d'huile de maïs ◆ 2 oignons ◆ 1 c. à soupe de baies de genièvre ◆ 1 bouteille de riesling ◆ 300 g de saumon fumé ◆ 600 g de lotte ◆ 50 g de beurre ◆ 800 g de haddock ◆ 20 cl de lait ◆ sel ◆ poivre
pour la sauce **4 échalotes ◆ 10 cl de vinaigre de vin blanc ◆ 4 jaunes d'œufs ◆ 20 cl de crème fraîche ◆ sel ◆ poivre**

1 Lavez la choucroute, essorez-la et effilochez-la. Faites chauffer l'huile et mettez-y à revenir les oignons pelés et hachés. Salez et poivrez.
2 Ajoutez la choucroute et les baies de genièvre. Mouillez avec 50 cl de vin.
3 Faites cuire à couvert pendant 2 h 30. Environ 10 min avant de servir, vous poserez le saumon fumé sur le dessus.
4 Mettez la lotte dans un plat à four, salez et poivrez. Ajoutez le beurre en parcelles et faites cuire au four 20 min à 230 °C.
5 Faites pocher le haddock dans le lait.
6 Pelez et hachez les échalotes. Mettez-les dans une casserole avec le vinaigre, 20 cl de vin blanc et portez à ébullition. Faites réduire de moitié.
7 Mélangez dans un bol les jaunes d'œufs et la crème, salez et poivrez. Retirez la casserole du feu et mettez-y ce mélange. Fouettez et faites épaissir à feu doux.
8 Étalez la choucroute sur un plat chaud. Ajoutez les poissons, servez la sauce à part.

Boisson **riesling**

chutney

Ce condiment anglais d'origine indienne est une sorte de marmelade épaisse à base de fruits (frais ou secs) et de légumes, cuits dans du vinaigre et de la cassonade avec des épices.

Les fruits et les légumes utilisés dans les chutneys doivent être choisis fermes et jeunes. Les épices pouvant troubler la préparation si elles sont en poudre, il est recommandé de les employer entières.

Les chutneys existent sous des formules plus ou moins *hot* (fortes). Pomme, raisin, mangue et tomate en sont les ingrédients les plus courants. C'est un condiment idéal pour les viandes froides, le gibier et les fromages à pâte ferme.

Les chutneys sont vendus en pots en verre, au rayon d'épicerie fine des grandes surfaces.

Chutney à l'ananas

Pour **4 personnes**
Préparation **10 min, 24 h à l'avance**
Cuisson **18 min**

1 pomme ◆ 100 g d'oignons ◆ 200 g d'ananas en boîte ◆ 100 g de raisins secs ◆ 8 cl de vinaigre de cidre ◆ 1 c. à café de gingembre râpé ◆ 2 c. à café de graines de coriandre ◆ 2 pincées de sel ◆ 1 pincée de poivre de Cayenne

1 Pelez la pomme et taillez-la en petits dés. Pelez et hachez finement l'oignon. Égouttez l'ananas, hachez-le.
2 Mettez ces ingrédients dans une jatte, ajoutez les raisins secs et le vinaigre. Couvrez.
3 Faites chauffer pendant 6 min à puissance maximale et en remuant 1 fois.
4 Ajoutez le gingembre, la coriandre. Salez et poivrez. Remettez pendant 12 min dans le four à même puissance en remuant 2 fois. Laissez reposer pendant 24 h au moins.

ciboule

Voisine de l'oignon et de la ciboulette, la ciboule est un condiment dont on utilise à la fois le bulbe et la jeune pousse verte. Plus fine et plus discrète que l'oignon, moins délicate que la ciboulette, la ciboule s'emploie crue ou cuite, comme l'échalote.

Émincé de bœuf aux ciboules

Pour **4 personnes**
Préparation **30 min**
Cuisson **15 min**

400 g de rumsteck ◆ 300 g de ciboules ◆ 1 branche de céleri ◆ 1 gousse d'ail ◆ 6 c. à soupe d'huile ◆ 1 c. à soupe de fécule ◆ 2 c. à soupe de sauce soja ◆ 1 c. à soupe de vin blanc ◆ 1 c. à café de sucre ◆ 1 c. à café de vinaigre ◆ 3 pincées de chili en poudre ◆ sel ◆ poivre

1 Découpez le bœuf en très fines languettes. Émincez les ciboules. Lavez et hachez le céleri. Pelez et hachez l'ail.
2 Mélangez dans une terrine la viande avec 1 c. à soupe d'huile mélangée à la fécule. Laissez reposer 15 min.
3 Mélangez dans une autre terrine les autres ingrédients : légumes et condiments.
4 Faites chauffer 5 c. à soupe d'huile dans une grande poêle.
5 Quand elle est bouillante, ajoutez les lamelles de viande et remuez aussitôt à la spatule. Dès qu'elles sont dorées, égouttez-les.
6 Videz l'huile pour ne laisser que 2 c. à soupe dans le fond du récipient. Ajoutez-y les légumes égouttés et faites sauter 2 à 3 min sur feu vif. Ajoutez les légumes d'assaisonnement et remuez encore pendant 1 min.
7 Réincorporez la viande et faites sauter le tout quelques instants. Servez aussitôt.

ciboulette

Cette plante aromatique fait traditionnellement partie des « fines herbes ». Indispensable dans les vinaigrettes et les sauces de salades, pour les omelettes et le fromage frais, la ciboulette est très délicate et supporte mal la cuisson. Ciselez-la au dernier moment. La ciboulette est vendue toute l'année, proposée en petits bouquets. Ses tiges doivent être bien fermes et droites.

Diététique. Comme toutes les fines herbes, la ciboulette est riche en vitamine C.

ciboulette

Sauce verdurette

Pour **6 personnes**
Préparation **15 min**
Cuisson **10 min**

4 œufs ◆ 1 bouquet de ciboulette ◆ 2 c. à soupe de persil ◆ 1 c. à café de moutarde douce ◆ 20 cl d'huile ◆ 2 c. à soupe de vinaigre de vin blanc ◆ quelques feuilles d'oseille ◆ quelques feuilles d'estragon et de basilic ◆ sel ◆ poivre

1 Faites cuire les œufs durs, rafraîchissez-les, écalez-les et coupez-les en 2. Lavez et épongez toutes les herbes. Hachez-les finement.
2 Extrayez les jaunes des œufs et écrasez-les dans un bol avec la moutarde. Salez et poivrez. Incorporez l'huile en fouettant.
3 Mélangez les herbes hachées avec le vinaigre. Ajoutez-les à la préparation précédente.
4 Hachez très finement 2 blancs d'œufs. Versez la sauce dans une jatte et ajoutez le hachis de blancs d'œufs durs dessus.

cidre

La qualité de cette boisson alcoolisée tient à la variété des pommes, douces, acidulées ou amères, dont on fait fermenter le jus, sans adjonction de sucre ni de ferment.

La législation distingue les cidres doux, bruts et secs (de 3 à 5 % d'alcool). Le « cidre bouché », très pétillant, est d'une qualité sélectionnée.

Le cidre se boit toujours frais (10 °C). Il accompagne les crêpes, mais sert aussi, comme le vin, à cuisiner viandes ou poissons.

Jambon au cidre

Pour **2 personnes**
Préparation **3 min**
Cuisson **5 min**

1 petit bouquet de cerfeuil et de persil mélangés ◆ 1 verre de cidre brut ◆ 2 tranches de jambon de pays ◆ 60 g de beurre ◆ sel ◆ poivre

1 Lavez les fines herbes et épongez-les. Ciselez-les finement.
2 Versez le cidre dans une grande sauteuse et portez à ébullition. Mettez-y les tranches de jambon et laissez cuire vivement 2 ou 3 min.

3 Pendant ce temps, faites chauffer la moitié du beurre dans une grande poêle. Égouttez le jambon et mettez-le aussitôt dans la poêle.
4 Tenez prêtes des assiettes bien chaudes. Placez le jambon dessus, parsemez de fines herbes et ajoutez une noix de beurre frais. Salez légèrement et poivrez. Servez.

cigale de mer

→ **voir aussi** langouste

Ce crustacé des fonds rocheux n'atteint une grande taille qu'en Méditerranée (jusqu'à 2 kg, alors que la petite ne dépasse pas 10 cm). La cigale de mer se cuisine comme la langouste, dont elle a la délicatesse. Elle est, hélas, assez rare.

citron

→ **voir aussi** fruits de mer, jus de fruits, lime

C'est le nom de plusieurs agrumes importés d'Espagne, des États-Unis et de Grèce. Le citron jaune connaît plusieurs variétés se différenciant par la taille, l'épaisseur de l'écorce et le nombre de pépins. Choisissez-le bien lourd, avec une écorce au grain serré et parfumée. Le citron vert, plus petit que le jaune, avec une pulpe souvent plus juteuse et plus acide, a pratiquement les mêmes emplois. On l'utilise surtout dans les assaisonnements, marinades, cocktails et punchs, etc.

citron jaune d'Espagne

Le jus de citron évite le noircissement des légumes et des fruits coupés ou pelés ; il intervient dans les marinades, courts-bouillons et liaisons, dans les sauces de salades et de crudités ; il sert aussi à préparer sorbets et rafraîchissements. Le zeste s'obtient en râpant l'écorce, en la pelant avec un couteau zesteur ou en la frottant avec un sucre.

Diététique. Plus le citron est mûr, plus il est riche en vitamine C. Il est peu calorique (100 g = 30 kcal), antiseptique et fortifiant. S'il remplace le vinaigre d'une vinaigrette, on emploiera moins d'huile, car son jus prend plus de volume.

Citrons farcis

Pour 6 personnes
Préparation 25 min, 1 à 2 h à l'avance, mayonnaise 10 min
Pas de cuisson

30 olives noires ◆ 1 boîte de thon au naturel ◆ 6 gros citrons ◆ 4 œufs durs ◆ 4 c. à soupe de persil haché ◆ 1 gousse d'ail ◆ 6 c. à soupe de mayonnaise

1 Dénoyautez les olives. Mettez-en 6 de côté et hachez grossièrement les autres. Ouvrez la boîte de thon, égouttez-le et émiettez-le.
2 Décalottez les citrons et évidez-les soigneusement sans percer l'écorce. Mélangez la pulpe des citrons taillée en petits dés et leur jus avec le thon.
3 Coupez les œufs durs en 2 et extrayez les jaunes. Ajoutez-les au mélange précédent, ainsi que les olives hachées et le persil. Gardez les blancs pour agrémenter une salade composée.
4 Pelez et hachez l'ail. Ajoutez-le à la mayonnaise. Liez la farce de citron au thon et aux olives avec cette sauce.
5 Goûtez et rectifiez l'assaisonnement. Remplissez les écorces de citron avec cette préparation. Servez frais.

Lemon curd

Pour 3 pots de 500 g
Préparation 10 min
Cuisson 40 min environ

400 g de beurre fin ◆ 6 gros citrons non traités bien juteux ◆ 8 œufs ◆ 1 kg de sucre semoule

1 Coupez le beurre en petits morceaux. Pelez le zeste des citrons et pressez leur jus. Battez les œufs en omelette dans une grande jatte et placez-la au bain-marie sur le feu. Ajoutez le beurre, les zestes, le jus des citrons et le sucre. Laissez fondre en battant doucement.
2 Retirez les zestes et continuez à faire cuire au bain-marie en remuant régulièrement, jusqu'à ce que la pâte épaississe (un peu plus de 30 min).
3 Répartissez le mélange dans des bocaux ébouillantés et bien essuyés. Couvrez les bocaux et étiquetez-les. Conservez au frais.

Consommez le lemon curd dans les 3 mois. Utilisez-le pour garnir des tartelettes et fourrer des gâteaux.

Tarte au citron meringuée ▲

Pour être répartis au mieux dans la crème, les zestes de citron doivent être râpés aussi finement que possible.

Mousse au citron

Pour **6 personnes**
Préparation **20 min, 24 h à l'avance**
Cuisson **10 min environ**

3 œufs ◆ 150 g de sucre semoule ◆ 1 c. à soupe de fécule de maïs ◆ 3 beaux citrons non traités ◆ 20 g de beurre

1 Séparez les blancs des jaunes d'œufs. Mettez les jaunes dans une casserole inoxydable avec le sucre. Incorporez la fécule et 20 cl d'eau. Lavez les citrons, râpez finement le zeste de 2 citrons et pressez le jus des 3 citrons. Ajoutez le jus et le zeste dans la casserole.
2 Faites chauffer sur feu doux pour laisser épaissir. Lorsque la préparation se met à bouillir, retirez du feu.
3 Incorporez le beurre hors du feu. Laissez refroidir. Incorporez les blancs battus en neige.
4 Répartissez la préparation dans des coupes. Mettez au réfrigérateur jusqu'au service.

Tarte au citron meringuée

Pour **6 personnes**
Préparation **30 min**
Cuisson **40 min environ**

350 g de pâte brisée fraîche ou surgelée préétalée ou non ◆ 3 citrons ◆ 50 g de beurre ◆ 1 c. à soupe de fécule de maïs ◆ 1 c. à soupe d'eau ◆ 4 œufs ◆ 200 g de sucre semoule ◆ 4 blancs d'œufs ◆ 100 g de sucre glace

1 Préchauffez le four à 200 °C. Beurrez un moule à tarte. Garnissez-le de papier sulfurisé (utilisez celui fourni avec une pâte préétalée).
2 Brossez les citrons sous l'eau tiède puis essuyez-les. Râpez le zeste. Coupez les citrons en 2, pressez-les. Faites fondre doucement le beurre dans une petite casserole. Délayez la fécule de maïs dans l'eau.
3 Cassez les œufs dans un saladier, ajoutez le sucre et fouettez énergiquement jusqu'à ce que le mélange blanchisse et devienne mousseux. Incorporez la fécule, le beurre, le jus et le zeste des citrons. Mélangez bien.
4 Sur le plan de travail légèrement fariné, abaissez la pâte au rouleau à pâtisserie sur 3 ou 4 mm d'épaisseur. Donnez-lui la forme d'un disque un peu plus grand que le moule. Garnissez le moule avec la pâte sur le fond et les parois en appuyant du bout des doigts, puis coupez l'excédent en passant le rouleau sur le bord du moule.
5 Versez la crème sur le fond de tarte. Enfournez et faites cuire pendant 35 à 40 min, jusqu'à ce que les bords de la pâte soient dorés et que la crème soit prise. Sortez la tarte du four, démoulez-la aussitôt, posez-la sur une grille et laissez-la refroidir.
6 Préchauffez le gril du four. À l'aide d'un fouet, montez les blancs d'œufs en neige ferme puis incorporez le sucre glace au dernier moment, en soulevant délicatement les blancs en neige pour ne pas les briser.
7 Étalez la meringue sur la tarte froide en lissant la surface avec une spatule, puis dessinez un décor avec les dents d'une fourchette. Glissez la tarte 2 ou 3 min sous le gril incandescent en surveillant attentivement, jusqu'à ce qu'elle prenne une belle coloration. Servez tiède.

→ **autres recettes de citron à l'index**

citronnelle

Plusieurs plantes aromatiques portent le nom de citronnelle, du fait de leur arôme pénétrant de citron. Fraîche ou séchée, la citronnelle s'accorde très bien avec le poisson, les crustacés et les viandes blanches.

tronnelle

Saumon à la citronnelle

RECETTE LÉGÈRE 1 portion 360 kcal

Pour 4 personnes
Préparation 25 min, au moins 10 h à l'avance
Pas de cuisson

600 g de filet de saumon frais ◆ 200 g de crevettes décortiquées ◆ 1 citron ◆ 2 échalotes ◆ 1 poignée de citronnelle fraîche ◆ 2 c. à soupe de vert de fenouil haché ◆ 10 cl d'huile d'olive ◆ sel ◆ poivre noir au moulin

1 Demandez au poissonnier d'escaloper le filet de saumon en fines tranches. Citronnez les crevettes. Poivrez et laissez mariner.
2 Pelez et hachez les échalotes. Ciselez la citronnelle et mélangez-la au vert de fenouil.
3 Parsemez le saumon de ces aromates. Salez et poivrez. Arrosez d'huile. Laissez mariner en le retournant 3 fois. Égouttez le saumon, garnissez avec les crevettes au jus de citron.

civelles

Ces minuscules alevins d'anguilles, fins et transparents, portent aussi le nom de pibales. Lorsque les anguilles commencent à remonter les estuaires, en avril ou en mai, on trouve des civelles dans le Sud-Ouest et parfois à Paris. Elles se font surtout frire.

Friture de civelles

Pour 4 personnes
Préparation 10 min
Cuisson 3 min

20 cl d'huile d'olive ◆ 2 gousses d'ail ◆ 1 petit piment vert entier ◆ 500 g de civelles ◆ sel ◆ poivre

1 Faites chauffer l'huile dans un poêlon en terre. Ajoutez l'ail non pelé et le piment.
2 Quand l'huile est chaude, plongez-y une poignée de civelles lavées et essuyées. Laissez frire 2 ou 3 min, servez-les croustillantes, salées et poivrées. Faites frire le reste au fur et à mesure.

civet

Ce ragoût de gibier, mijoté au vin rouge, est toujours lié en fin de cuisson avec le sang de l'animal, parfois remplacé par du simple sang de porc. Certains poissons se préparent aussi en civet.

Civet de lièvre

Pour 6 personnes
Préparation 25 min, 24 h à l'avance
Cuisson 2 h 15 environ

1 lièvre (avec le foie et le sang) ◆ 1 c. à soupe de vinaigre ◆ 1 bouteille de vin rouge ◆ 2 c. à soupe d'huile ◆ 2 oignons ◆ 2 clous de girofle ◆ 1 carotte ◆ 2 gousses d'ail ◆ 1 bouquet garni ◆ 1 c. à café de poivre concassé ◆ farine ◆ 25 g de saindoux ◆ 150 g de lardons ◆ 10 cl de crème fraîche ◆ sel ◆ poivre

1 Versez le sang du lièvre dans un bol, ajoutez le vinaigre, mettez aussi le foie et réservez à couvert.
2 Mettez le lièvre en morceaux dans une terrine. Ajoutez le vin et l'huile, 1 oignon pelé et émincé, 1 oignon pelé et piqué de clous de girofle, la carotte pelée et tronçonnée, l'ail pelé et haché, le bouquet garni et le poivre concassé. Laissez reposer au frais pendant la nuit.
3 Égouttez les morceaux de lièvre, épongez-les et farinez-les. Versez la marinade dans une casserole et faites-la bouillir pendant 10 min.
4 Dans une cocotte, faites rissoler les lardons dans le saindoux. Ajoutez les morceaux de lièvre. Faites-les dorer en les retournant souvent.
5 Ajoutez la marinade avec ses ingrédients, couvrez et faites cuire sur feu doux pendant 2 h.
6 Passez au mixer le foie du lièvre avec le sang et ajoutez la crème. Égouttez les morceaux de lièvre et rangez-les dans un plat creux.
7 Versez la liaison au sang dans la cocotte en tournant sans arrêt et faites cuire pendant 6 à 7 min en évitant de laisser bouillir. Passez cette sauce au chinois et nappez-en le lièvre. Servez.

→ autres recettes de civet à l'index

clafoutis

Cet entremets se prépare en principe avec des cerises noires non dénoyautées. Vous pouvez réaliser sur le même principe des clafoutis aux mirabelles, aux pruneaux, aux poires ou aux pommes.

Dans le clafoutis « à la Simone », variante rustique de ce gâteau, les proportions de farine et de cerises sont inversées, ce qui le rend fort peu digeste.

Clafoutis

Pour **6 personnes**
Préparation **20 min**
Cuisson **45 min**

500 g de cerises noires ◆ 4 œufs ◆ 125 g de sucre semoule ◆ 80 g de farine ◆ 80 g de beurre ◆ 25 cl de lait ◆ 1 sachet de sucre vanillé ◆ sel

1 Lavez et équeutez soigneusement les cerises. Ne les dénoyautez pas.
2 Battez les œufs en omelette dans une jatte ; ajoutez 1 pincée de sel et le sucre semoule. Mélangez bien.
3 Tamisez la farine et versez-la en pluie sur les œufs. Mélangez jusqu'à consistance lisse.
4 Faites fondre 60 g de beurre et ajoutez-le à la pâte quand il est un peu refroidi. Ajoutez le lait pour délayer.
5 Beurrez un plat en porcelaine à feu et rangez-y les cerises.
6 Versez la pâte sur les fruits et parsemez sur le dessus quelques noisettes de beurre.
7 Faites cuire au four à 210 °C jusqu'à ce que le dessus commence à dorer. Saupoudrez-le de sucre vanillé et servez.

◄ Clafoutis
En principe, les cerises du clafoutis ne sont pas dénoyautées, car les noyaux ajoutent du parfum à la pâte. Prévenez vos convives au moment de servir.

clam

Ce gros coquillage d'origine américaine s'est acclimaté en Bretagne. Sa coquille est lisse, marquée de fines stries circulaires. Il figure sur le plateau de fruits de mer ; on peut aussi le griller ou en préparer un potage.

Soupe aux clams

Pour **4 personnes**
Préparation **25 min**
Cuisson **20 min**

1 kg de clams ◆ 2 oignons ◆ 4 pommes de terre ◆ 40 g de beurre ◆ 1 bouquet de persil ◆ 1 brin de thym ◆ 1 petite boîte de tomates au naturel ◆ 4 crackers ◆ poivre

1 Ouvrez les clams, conservez l'eau rendue et filtrez-la. Hachez la chair des coquillages. Pelez et hachez les oignons. Pelez les pommes de terre et coupez-les en dés.
2 Faites fondre le beurre dans une casserole. Faites-y revenir les oignons. Ajoutez le persil haché et le thym.
3 Ajoutez les tomates avec la moitié de leur jus et l'eau des clams. Portez à ébullition.
4 Ajoutez les clams et les dés de pommes de terre. Laissez cuire 20 min. Goûtez et rectifiez l'assaisonnement.
5 Versez la soupe de clams dans une soupière très chaude ou dans des bols. Émiettez rapidement les crackers sur le dessus et servez.

clémentine

→ voir aussi mandarine

Ce petit agrume vient surtout d'Espagne (octobre à février). Le Maroc en fournit aussi dès septembre. La clémentine de Corse (novembre à janvier), douce et parfumée, est vendue avec ses feuilles et ne possède aucun pépin. Elle a supplanté, pour cette raison, la mandarine. Elle se consomme crue ou peut être confite à l'eau-de-vie. Son jus sert à confectionner des sorbets et des boissons. Juteuses et sucrées, les clémentines s'emploient comme l'orange.

émentines

La clémentine se garde plusieurs jours au frais ou à température ambiante.

Diététique. 100 g de clémentine = 40 kcal.

clou de girofle

Brun et dur, séché au soleil, ce bouton de fleur du giroflier est une épice à la saveur piquante et chaude. Enfoncez-le (cloutez-le) dans un oignon pour parfumer une cuisson. Entier ou écrasé, il parfume marinades, pickles, pâtisseries au miel, etc.

Pour vérifier la qualité des clous de girofle, il suffit de les mettre dans de l'eau : s'ils ne flottent pas ou s'ils flottent à l'horizontale, c'est qu'ils ont perdu leur parfum.

cochon de lait

Sacrifié à l'âge de 2 mois environ, quand il pèse 15 kg, le cochon de lait fournit un rôti magnifique pour 10 à 12 personnes, enrobé de sa couenne croustillante. Faites-le cuire 15 min par livre à 180 °C.

cocktail

→ voir aussi alcool, jus de fruits

Le mot désigne d'abord un mélange d'alcools plaisant au regard. C'est aussi un hors-d'œuvre froid, à base de fruits de mer ou de crustacés et de crudités ou de fruits, servi dans une coupe.

Cocktail de crabe

Pour **4 personnes**
Préparation **25 min**
Pas de cuisson

15 cl de crème fraîche ◆ 2 c. à soupe de ketchup ◆ 2 c. à soupe de persil haché ◆ 1 c. à soupe de jus de citron ◆ 1 oignon ◆ 1/2 poivron vert ◆ 8 olives vertes ◆ 450 g de chair de crabe ◆ 4 tomates ◆ 1 œuf dur ◆ feuilles de laitue ◆ sel ◆ poivre de Cayenne

1 Mélangez la crème fraîche, le ketchup, le persil haché et le jus de citron. Pelez et hachez finement l'oignon. Lavez le poivron et taillez la pulpe en très petits dés. Dénoyautez les olives et hachez-les.

2 Versez ces ingrédients dans une jatte, ajoutez la chair de crabe émiettée et la sauce à la crème. Salez et poivrez. Goûtez pour rectifier l'assaisonnement, qui doit être bien relevé.

3 Garnissez les coupes de service de feuilles de laitue. Répartissez la salade de crabe. Décorez avec des rondelles de tomates et les quartiers de l'œuf dur. Servez très frais.

Boisson sancerre

Cocktail de légumes au sel de céleri

RECETTE LÉGÈRE — 1 portion 30 kcal

Pour **4 personnes**
Préparation **15 min**
Pas de cuisson

4 tomates juteuses ◆ 1/2 radis noir ◆ 2 branches de céleri avec les feuilles ◆ 1/2 concombre ◆ 1 citron non traité ◆ sel de céleri

1 Lavez les tomates et coupez-les en quartiers. Triez, parez et lavez le radis. Effilez le céleri et tronçonnez-le. Gardez les feuilles tendres.

2 Pelez le concombre et coupez-le en grosses rondelles.

3 Lavez le citron et râpez finement le zeste. Retirez ensuite la peau blanche et coupez la pulpe en dés en éliminant les pépins.

4 Réunissez tous les ingrédients dans une centrifugeuse (sauf le zeste), en procédant en plusieurs fois.

5 Servez très frais dans de grands verres à cocktail, assaisonnez avec du sel de céleri et le zeste de citron.

cocktails

Est-ce parce que le cocktail présente des couleurs bigarrées qu'il s'appelle « queue de coq », traduction du mot anglais ? Toujours est-il que la gamme des saveurs est, elle aussi, très riche. Voici comment réussir quelques grands classiques.

Quelques ustensiles

Un shaker de 50 cl, un seau à glace, une râpe à muscade et une poudreuse à sucre, un presse-citron, une cuiller à mélange à long manche (le diablotin), un décapsuleur, un tire-bouchon et un perce-boîte.

Le bar de base

Le barman amateur n'a pas besoin d'avoir à sa disposition tous les alcools, apéritifs et liqueurs qui peuvent entrer dans la composition des cocktails. Voici un minimum : vermouth (sec de préférence), whisky (ou bourbon), vodka, gin, rhum, porto, cognac, curaçao ou Cointreau, une ou deux liqueurs de fruits (cassis, crème de banane). Ingrédients complémentaires : jus de fruits assortis, eau plate et eau gazeuse, bitter et tonic, Tabasco, angostura, oranges et citrons non traités, feuilles de menthe fraîche, olives vertes, cerises confites.
Les formules de cocktails sont généralement données en « mesures » : la solution la plus simple est de choisir pour 1 mesure le bouchon du shaker (4 cl environ). Évaluez a priori combien de mesures peut contenir le verre de service. N'oubliez pas que la glace en occupe souvent un tiers. Ne laissez jamais reposer un cocktail : il doit être dégusté sitôt préparé. Ne confondez pas « secouer » (dans un shaker) et « mélanger » (avec une cuiller). Un « trait » correspond à une petite giclée versée directement au goulot.

Blue Orchid
Quelques glaçons dans un grand verre + 1 mesure de curaçao bleu + 3 mesures de Cointreau. Ne remuez pas. Décor : écorce d'orange roulée dans du sucre.

Alexandra
1/3 de cognac + 1/3 de crème de cacao + 1/3 de crème liquide. Agitez le mélange dans un shaker avec de la glace pilée jusqu'à consistance mousseuse. Versez dans un verre assez haut. Vous pouvez poudrer le dessus de muscade râpée.

Bloody Mary
1 petite bouteille de jus de tomate bien froide + 1 petit verre de vodka + 2 c. à soupe de jus de citron + 1 trait de Worcestershire sauce + 1 trait de Tabasco + sel de céleri. Mélangez.

Bronx
3 mesures de gin + 2 mesures de vermouth sec + 1 mesure de jus d'orange non sucr Mélangez dans le verre de servic et ajoutez des glaçons.

Cocktails sans alcool

Largement moins caloriques que les « vrais » cocktails, ils sont à base de jus de fruits, mais aussi de lait ou de jus de légumes.

▶ **Le Granny pour 2**

Passez à la centrifugeuse 1 pomme verte, 1 petit piment vert et 2 courgettes. Mélangez avec le jus de 2 oranges. Servez.

▶ **Le Passion à la vanille pour 2**

Passez au mixer 4 fruits de la Passion pelés et 1 demi-gousse de vanille. Ajoutez le jus de 4 mandarines et de 1 pamplemousse rose. Sucrez au goût. Versez sur de la glace pilée. Servez.

▶ **Le Cockabricot pour 4**

Mélangez au mixer 50 cl de lait, 250 g d'abricots dénoyautés et 2 c. à soupe de sucre. Ajoutez le jus de 1 orange sanguine et 3 c. à soupe de glace pilée. Servez.

Givrer un verre

Versez du sucre semoule dans une soucoupe. Frottez le pourtour du verre avec du jus de citron, du blanc d'œuf ou du sirop de grenadine. Retournez le verre dans le sucre. Versez ensuite le cocktail dans le verre sans toucher le « givre ».

Manhattan
Versez dans un verre 2 mesures de bourbon, 1 mesure de vermouth (pour un Manhattan dry, prenez du vermouth très sec) et 1 trait d'angostura. Mélangez à la cuiller. Servez avec une cerise confite ou une olive verte sur un bâtonnet.

Bacardi
Versez dans un shaker sur de la glace pilée 3 mesures de rhum, 1 mesure de sirop de grenadine et 1 mesure de jus de citron (jaune ou vert, selon votre goût). Agitez vigoureusement. Servez dans un verre givré à la grenadine.

Porto Flip
Versez 1 petit verre de porto dans un shaker sur de la glace pilée. Ajoutez 1 œuf cru extra-frais (ou seulement le jaune) et 1 c. à café bombée de sucre. Secouez vigoureusement et versez dans un petit verre à travers une passoire. Vous pouvez ajouter dans le shaker un trait de marasquin.

Champagne Cocktail
Placez 1 morceau de sucre dans une flûte. Ajoutez trait d'angostura et remuez pour faire dissoudre. Versez du champagne brut bien frappé jusqu'en haut de la flûte. Ne remuez pas.

Cocktail sans alcool

Pour **4 personnes**
Préparation **15 min**
Pas de cuisson

1 mangue mûre ◆ 1 banane ◆ 1 citron ◆ 20 framboises ◆ jus d'ananas ou de pamplemousse

1 Pelez la mangue, coupez-la en 2 et retirez le noyau. Taillez la pulpe en cubes. Pelez la banane, tronçonnez-la et citronnez-la.
2 Mixez la mangue, la banane et les framboises. Versez le mélange dans des verres bien froids.
3 Complétez à volonté avec du jus d'ananas ou de pamplemousse. Ajoutez des glaçons. Servez aussitôt.

Cocktail vitaminé

RECETTE LÉGÈRE 1 portion 70 kcal

Pour **2 personnes**
Préparation **15 min**
Pas de cuisson

1 carotte bien rouge ◆ 1 branche de céleri ◆ 1 pomme ◆ 1 citron ◆ 2 tomates moyennes ◆ 100 g de groseilles rouges

1 Pelez la carotte ou, mieux, lavez-la en la brossant pour conserver le maximum de vitamines. Lavez le céleri et ôtez les fils si nécessaire. Tronçonnez ces 2 légumes.
2 Pelez la pomme, coupez-la en 4, ôtez les pépins et citronnez-la. Coupez les tomates en quartiers et égrappez les groseilles.
3 Passez les fruits et les légumes à la centrifugeuse, en plusieurs fois. Versez le jus obtenu dans 2 grands verres, allongez avec un peu d'eau bien froide. Mélangez et dégustez très frais.

Préparez ce cocktail au dernier moment, juste avant de servir.

→ **autres recettes de cocktail à l'index**

cœur de palmier

Bourgeon terminal de plusieurs variétés de palmiers, le cœur, une fois débarrassé des feuilles qui l'entourent, donne un cylindre blanc et tendre. On ne le trouve en Europe qu'en boîte au naturel. Utilisez-le dans des salades composées, avec des crustacés ou des crudités. Essayez-le aussi en gratin à la béchamel avec du jambon.

Cœurs de palmier aux langoustines

Pour **6 personnes**
Préparation **20 min,** mayonnaise **10 min**
Cuisson **6 min**

12 langoustines ◆ 12 cœurs de palmier ◆ 1 filet d'anchois ◆ 2 c. à soupe d'huile d'olive ◆ 1 citron ◆ 2 c. à soupe de mayonnaise ◆ sel ◆ poivre

1 Faites cuire les langoustines 6 min à l'eau bouillante salée. Rafraîchissez-les et décortiquez les queues. Coupez-les en 2.
2 Égouttez les cœurs de palmier et coupez-les en rondelles. Écrasez le filet d'anchois dans un bol, délayez avec l'huile d'olive et le jus de citron. Ajoutez la mayonnaise et fouettez.
3 Réunissez dans une coupe les langoustines et les cœurs de palmier. Ajoutez la sauce, remuez délicatement et servez.

Salade de cœurs de palmier

Pour **4 personnes**
Préparation **20 min**
Cuisson **3 à 5 min**

8 cœurs de palmier ◆ 200 g de moules au naturel ◆ 5 cornichons ◆ 4 tomates ◆ 5 c. à soupe d'huile ◆ 2 c. à soupe de vinaigre ◆ 1 c. à soupe de moutarde douce ◆ 4 tranches de bacon ◆ sel ◆ poivre

1 Égouttez les cœurs de palmier. Coupez-les en tronçons réguliers. Égouttez les moules et les cornichons.
2 Coupez les cornichons en rondelles. Émincez les tomates. Préparez une vinaigrette moutardée.
3 Faites revenir dans une poêle les tranches de bacon. Égouttez-les.
4 Mélangez dans une jatte les cœurs de palmier, les moules, les cornichons et les tomates. Arrosez de vinaigrette et remuez.
5 Répartissez cette salade dans des assiettes et ajoutez le bacon rissolé dessus. Poivrez au moulin.

cognac

La plus célèbre des eaux-de-vie de vin françaises doit la richesse de ses nuances à quatre facteurs : son terroir des Charentes, la distillation, le vieillissement et les assemblages. L'appellation régionale Cognac comprend six niveaux de qualité. La Grande Champagne produit les eaux-de-vie les plus fines, délicates et parfumées. La Petite Champagne donne des alcools un peu moins subtils, qui vieillissent plus vite. La production des Borderies est plus « ronde », et bouquetée. Autour de ces zones, les Fins Bois, les Bons Bois et les Bois ordinaires donnent des cognacs plus rustiques.

Obligatoirement distillé deux fois, le cognac doit sa personnalité aux chênes du Limousin dont sont faites les barriques où il mature. En ce qui concerne l'âge, «trois étoiles» = 2 ans au moins, VSOP ou «réserve» = 4 ans. Au-delà de 5 ans, c'est le prestige de la marque qui prime.

Pour déguster un cognac, servez-le dans un verre tulipe à pied court, que vous tenez dans la paume de la main en le faisant tourner pour qu'il développe ses arômes.

Le cognac est très utilisé en cuisine, en pâtisserie et en confiserie : plats en sauce, apprêts flambés et macérations.

Fruits au cognac

Pour **4 personnes**
Préparation **30 min, 2 h à l'avance**
Pas de cuisson

4 pêches blanches ◆ 120 g de groseilles blanches ◆ 120 g de groseilles rouges ◆ 400 g de fraises ◆ 100 g de sucre semoule ◆ 2 ou 3 pincées de cannelle en poudre ◆ 6 c. à soupe de cognac

1 Ébouillantez les pêches et pelez-les. Coupez-les en 2 et retirez les noyaux. Taillez chaque 1/2 pêche en tranches.

2 Égrappez les groseilles, lavez-les et épongez-les. Lavez les fraises et équeutez-les.

3 Réunissez tous les fruits dans un plat en verre creux. Poudrez de sucre et de cannelle. Arrosez de cognac. Laissez macérer au moins 2 h avant de servir dans des coupes froides.

Pour changer de cet assortiment de fruits d'été, vous pouvez réaliser la même recette avec des fruits d'automne ou d'hiver: quetsches, poires, pommes ou mûres.

Terrine de foies de volaille au cognac

Pour **4 personnes**
Préparation **30 min, 24 h à l'avance**
Cuisson **1 h 30**

500 g de foies de volaille ◆ 150 g de foie de porc ◆ 250 g d'échine de porc ◆ 2 œufs ◆ 1 verre de cognac ◆ 1/2 sachet de gelée ◆ 1 barde de lard ◆ mélange quatre-épices ◆ laurier ◆ thym ◆ farine ◆ sel ◆ poivre

1 Hachez finement les foies de volaille, le foie de porc et l'échine en les passant au mixer. Réservez quelques morceaux de foie. Versez la farce dans un plat creux, ajoutez les œufs entiers, le cognac et le quatre-épices. Salez, poivrez.

2 Préparez la gelée selon le mode d'emploi. Tapissez le fond d'une terrine de 500 g de contenance avec la moitié de la barde.

3 Remplissez la terrine avec la farce en intercalant de temps en temps les morceaux de foie réservés. Recouvrez avec le reste de barde. Déposez 6 feuilles de laurier sur le dessus. Poudrez de thym. Versez la gelée jusqu'à ras bord.

4 Préparez un cordon de pâte en pétrissant un peu de farine avec de l'eau. Disposez ce cordon sur le rebord de la terrine et appliquez le couvercle en appuyant fortement.

5 Placez la terrine dans un grand plat avec 1 cm d'eau dans le fond. Faites cuire au bain-marie 1 h 30 à 210 °C. Laissez la terrine dans le four éteint pendant 30 min. Servez la terrine froide 24 h après sa cuisson.

Non entamée, cette terrine se conserve au frais pendant 3 semaines.

Boisson **meursault**

coing

→ **voir aussi** pâte de fruit

Ce fruit d'automne arrondi ou piriforme, jaune verdâtre, dégage un parfum soutenu. Sa chair dure, âpre et immangeable crue, sert à préparer de la pâte de fruit, des confitures et des gelées. Appréciez le coing également en quartiers mijotés avec un ragoût de poulet.

Diététique. Fruit peu calorique, mais généralement cuit avec du sucre, et très riche en fibres.

Il existe 2 variétés de ce fruit : la pomme-coing ronde, assez rare, et la poire-coing, de forme allongée.

Gelée de coing

Pour **1 kg de gelée**
Préparation **20 min**
Repos **12 h**
Cuisson **1 h environ**

1,5 kg de coings mûrs ◆ 4 grains de poivre ◆ sucre semoule ◆ jus de citron

1 Coupez les coings pelés en tranches et mettez-les dans une grande casserole avec 50 cl d'eau et le poivre.
2 Portez à ébullition et laissez mijoter 45 min. Les fruits doivent être très tendres. Versez la pulpe obtenue dans un torchon ébouillanté et essoré, suspendu au-dessus d'un saladier. Laissez le jus s'égoutter pendant au moins 12 h. Jetez la pulpe. Mesurez le jus obtenu.
3 Versez-le dans une bassine à confiture en ajoutant 350 g de sucre et 1 c. à soupe de jus de citron pour 50 cl de jus. Faites chauffer sur feu doux en mélangeant.
4 Portez à ébullition sans remuer pendant 10 min. Écumez. Remplissez les pots de gelée, jusqu'à 2 cm du haut. Couvrez et conservez au frais.

Cette gelée peut accompagner un rôti de porc.

Sauté de poulet aux coings

Pour **4 ou 5 personnes**
Préparation **25 min**
Cuisson **1 h 30 environ**

1 poulet de 1,8 kg ◆ 50 g de beurre ◆ 4 oignons ◆ 1 bouquet de persil plat ◆ 1 c. à café de paprika ◆ 1 c. à café de gingembre en poudre ◆ 1 pincée de safran ◆ 700 g de coings ◆ sel ◆ poivre

1 Coupez le poulet en morceaux. Faites-les dorer dans une cocotte sur feu doux avec 25 g de beurre.
2 Pelez et émincez finement les oignons. Retirez les morceaux de poulet de la cocotte et mettez les oignons à la place. Faites fondre en remuant à la spatule pendant 10 min environ. Remettez les morceaux de poulet.
3 Ajoutez le persil grossièrement ciselé, le paprika, le gingembre et le safran. Remuez, salez et poivrez. Mouillez d'eau à peine à hauteur et laissez mijoter à couvert pendant 30 min.
4 Essuyez les coings, coupez-les en quartiers et retirez le cœur et les pépins. Faites-les revenir dans une poêle avec 25 g de beurre.
5 Placez un plat en terre sur feu doux (en intercalant une plaque isolante). Versez-y les morceaux de poulet et ajoutez les coings.
6 Arrosez avec la cuisson et couvrez. Faites mijoter doucement pendant 30 min. Servez dans le plat.

Boisson rosé de Provence

➔ autres recettes de coing à l'index

colin

C'est le nom que l'on donne sur le marché au merlu ainsi qu'à d'autres poissons ronds à chair blanche, comme le lieu. Le colin se pêche dans toutes les mers. En mer du Nord, on le nomme « merluche » et en Provence « bardot ».

Le colin est sans grande saveur, mais apprécié parce qu'il a peu d'arêtes ; il connaît de nombreuses recettes chaudes ou froides. Surveillez la cuisson, surtout au court-bouillon, car la chair est fragile.

Dans le commerce, ce poisson est vendu entier (s'il est petit ou moyen), en tronçons ou en tranches : la proportion de déchets est alors moins importante. Le colin désigne aussi des préparations industrielles du lieu : colin au naturel en conserve ; filets de colin surgelés ; portions panées.

Diététique. Ce poisson maigre a sa place dans tous les régimes minceur : 100 g = 86 kcal.

Sauté de poulet aux coings ►

Les quartiers de coings doucement mijotés avec des morceaux de poulet donnent à ce plat une saveur orientale, relevée de gingembre et de safran.

Colin froid mayonnaise

Pour **6 personnes**
Préparation **30 min, 2 h à l'avance,**
mayonnaise **10 min**
Cuisson **25 min**

1 colin de 2 kg environ ◆ 1 sachet de court-bouillon ◆ 2 c. à soupe de gelée en poudre ◆ 1 petite boîte de macédoine de légumes ◆ 1 bol de mayonnaise ◆ 6 petites tomates rondes ◆ quelques feuilles de laitue ◆ 2 citrons

1 Emballez le colin vidé et paré dans une mousseline et placez-le dans une grande cocotte ovale, à défaut de poissonnière. Poudrez de court-bouillon et couvrez d'eau froide.
2 Portez lentement à ébullition, puis baissez le feu et laissez frémir environ 20 min. Sortez le colin, déballez-le et posez-le sur un grand plat long. Dépouillez-le soigneusement.
3 Filtrez le court-bouillon. Utilisez-en 30 cl pour faire fondre la gelée. Quand elle est refroidie, nappez-en le colin 3 fois de suite au moins, pour bien l'enrober.
4 Rincez la macédoine à l'eau froide et égouttez-la à fond. Liez-la avec un peu de mayonnaise.
5 Décalottez les tomates lavées et évidez-les. Remplissez-les de macédoine et disposez-les autour du colin sur des feuilles de laitue, en intercalant des quartiers de citron. Présentez le reste de mayonnaise à part.

Boisson **côtes-de-provence**

Colin à la crème de poivrons

MICRO ONDES — RECETTE LÉGÈRE 1 portion 160 kcal

Pour **4 personnes**
Préparation **10 min**
Cuisson **11 min**

4 tranches de colin de 150 g chacune ◆ 2 c. à soupe de vin blanc sec ◆ 3 poivrons ◆ 1 jaune d'œuf ◆ 1 c. à soupe de crème fraîche ◆ 1 c. à café de curry ◆ sel ◆ poivre

1 Rincez et épongez les tranches de colin. Mettez-les en rond dans un plat. Ajoutez le vin blanc.
2 Couvrez avec du film alimentaire et percez celui-ci à la fourchette. Faites cuire à pleine puissance pendant 4 min.
3 Lavez les poivrons et coupez-les en 2, retirez les graines. Taillez la pulpe en lanières.
4 Égouttez le poisson et versez le jus dans un saladier. Ajoutez les poivrons, couvrez et faites cuire à pleine puissance pendant 5 min.
5 Passez le contenu du saladier au mixer, ajoutez le jaune d'œuf et la crème fraîche. Ajoutez aussi le curry. Salez et poivrez.
6 Repassez la crème de poivrons dans le four à micro-ondes, à découvert, pendant 2 min.
7 Disposez les tranches de colin sur les assiettes de service. Salez et poivrez. Nappez de crème de poivrons et servez aussitôt.

Boisson **saumur**

Darnes de colin meunière

Pour **4 personnes**
Préparation **5 min**
Cuisson **10 min**

50 g de farine ◆ 4 darnes de colin de 150 g chacune ◆ 50 g de beurre ◆ 4 c. à soupe d'huile ◆ sel ◆ poivre

1 Rincez et épongez les darnes de colin. Farinez-les, puis secouez-les légèrement pour faire tomber l'excédent de farine avant de les mettre dans la friture.
2 Faites chauffer le beurre et l'huile dans une grande poêle et mettez les darnes farinées à dorer des 2 côtés.
3 Baissez le feu pour terminer la cuisson. Servez sur des assiettes bien chaudes, avec de la ratatouille en garniture.

collier

→ **voir aussi** agneau, bœuf, veau

Morceau de viande de deuxième ou de troisième catégorie, à cuisson lente et d'un prix économique. Le collier de bœuf comprend veine grasse et veine maigre, pour le pot-au-feu, la carbonade ou les braisés. Le collier (ou collet) de veau fournit le braisé, la blanquette, le sauté ou le marengo. Le collier de mouton se cuisine en ragoût, en navarin ou en haricot.

Diététique. Le collier est un morceau riche en graisses et en cartilage.

Sauté d'agneau au vert d'oignon

Pour **6 personnes**
Préparation **20 min**
Cuisson **45 min**

1 c. à soupe d'huile d'olive ◆ 1,2 kg de collier d'agneau ◆ 10 cl de vin blanc sec ◆ 10 petits oignons avec le vert ◆ 50 g de beurre ◆ sel ◆ poivre

1 Faites chauffer l'huile dans une poêle. Mettez-y à dorer les morceaux d'agneau. Transférez-les au fur et à mesure dans un plat à gratin. Salez et poivrez. Réservez.
2 Mouillez avec le vin blanc et mettez à four chaud (200 °C) pendant 30 min, en retournant les morceaux plusieurs fois.
3 Parez et émincez les oignons avec le vert. Faites chauffer le beurre dans la poêle et faites-les revenir doucement pendant 10 min.
4 Sortez le plat du four et versez le contenu de la poêle dessus. Servez aussitôt.

Accompagnez ce plat de pommes de terre cuites au four dans leur peau, fendues et garnies de 1 c. à soupe de crème fraîche.

Boisson **rosé d'Anjou**

Colombo de thon ▲

Moins piquant que le curry, le colombo est un mélange d'épices qui permet de cuisiner un ragoût coloré et chaleureux, notamment avec du poisson.

colombo

Ce mélange d'épices d'origine indienne comprend généralement de la coriandre, de l'ail, du piment, du curcuma, de la pulpe de mangue séchée et de la cannelle. Variante douce du curry, la poudre de colombo sert à cuisiner un ragoût épicé, à base de poulet, de porc, de crabe ou de poisson.

Colombo de thon

Pour **6 personnes**
Préparation **15 min**
Cuisson **1 h 10**

100 g d'oignons ◆ 60 g de beurre ◆ 250 g de tomates ◆ 2 c. à soupe de colombo ◆ 1 kg de thon frais ◆ 2 c. à soupe de lait de coco ◆ 1 brin de thym ◆ 1 c. à soupe de gingembre frais râpé ◆ huile d'olive

1 Pelez et hachez finement les oignons. Faites-les revenir dans une cocotte avec le beurre.
2 Ébouillantez les tomates, pelez-les et coupez-les en morceaux. Ajoutez-les dans la cocotte avec le colombo. Mélangez.
3 Mouillez avec 10 cl d'eau et remuez. Ajoutez le morceau de thon. Retournez-le plusieurs fois dans la sauce et couvrez la cocotte. Laissez cuire pendant 30 min.
4 Ajoutez encore 10 cl d'eau, le lait de coco, le thym et le gingembre. Arrosez avec 2 c. à soupe d'huile et poursuivez la cuisson à couvert sur feu doux pendant 40 min.
5 Servez très chaud avec, à part, du riz créole ou des haricots rouges.

Vous pouvez interpréter cette recette avec un autre poisson ferme comme la lotte (diminuez alors le temps de cuisson) ou une viande, du filet de porc par exemple.

Boisson **rouge de Provence**

compote

Préparée avec des fruits frais ou secs, cuits entiers ou en morceaux dans un peu d'eau et de sucre, la compote n'a pas la durée de conservation d'une confiture. La cuisson peut être parfumée avec de la vanille, de la cannelle ou un zeste d'agrumes. N'hésitez pas à mélanger plusieurs fruits et servez la compote, tiède ou frappée, avec de la chantilly, de la noix de coco râpée ou du sucre vanillé. Pour garnir une pâtisserie, elle doit être épaisse. Pour les compotes de fruits secs, le micro-ondes est très efficace : il évite les trempages prolongés.

On appelle également compote, en cuisine, une préparation longuement mijotée.

Compote de lapereau aux poivrons

Pour **5 personnes**
Préparation **10 min**
Cuisson **45 min**

2 kg de poivrons verts ◆ 4 c. à soupe d'huile d'olive ◆ 1 jeune lapin de 1,2 kg en morceaux ◆ 15 cl de vin blanc sec ◆ sel ◆ poivre

1 Lavez les poivrons et coupez-les en 2. Retirez-en les graines et émincez-les. Faites chauffer 2 c. à soupe d'huile dans une casserole et versez-y les poivrons.
2 Faites fondre doucement, en remuant souvent, pendant 30 min. Salez et poivrez.
3 Faites chauffer le reste de l'huile dans une cocotte et faites-y dorer les morceaux de lapin sur feu doux, en les retournant souvent.
4 Ajoutez les poivrons en compote dans la cocotte, mouillez avec le vin et portez à la limite de l'ébullition. Baissez le feu, couvrez et laissez mijoter 15 min. Servez dans la cocotte.

Boisson **bourgueil**

Compote d'oignons

Pour **4 personnes**
Préparation **20 min**
Cuisson **40 min environ**

500 g de petits oignons ◆ 20 g de beurre ◆ 1 c. à soupe d'huile ◆ 3 c. à soupe de sucre semoule ◆ 10 cl de vin rouge ◆ 5 cl de vinaigre ◆ sel ◆ poivre

1 Pelez les oignons. Portez à ébullition une casserole d'eau et plongez-y les oignons. Faites reprendre l'ébullition, égouttez-les aussitôt.
2 Faites chauffer le beurre et l'huile dans une casserole à fond épais. Mettez-y les oignons égouttés et laissez-les dorer.
3 Poudrez de sucre, mélangez bien et laissez caraméliser quelques instants. Mouillez de vin et ajoutez le vinaigre. Salez et poivrez.
4 Laissez cuire doucement à couvert pendant 30 min environ. Poivrez de nouveau. Le liquide de cuisson doit être sirupeux. Laissez refroidir.

Cette compote d'oignons se conserve quelques jours au réfrigérateur. Servez-la avec des côtes de porc.

Compote aux quatre fruits

Pour **6 personnes**
Préparation **20 min, 4 h à l'avance**
Cuisson **1 h environ**

3 pommes ◆ 3 poires ◆ 1 citron ◆ 500 g de mirabelles ◆ 12 abricots ◆ 75 cl de jus de pomme ◆ 60 g de sucre semoule ◆ 1 bâton de cannelle ◆ 120 g de marmelade d'abricots

1 Pelez les pommes et les poires. Coupez-les en quartiers et retirez le cœur et les pépins. Citronnez-les.
2 Lavez les mirabelles, coupez-les en deux et dénoyautez-les. Ébouillantez les abricots, pelez-les, coupez-les en deux, retirez les noyaux.
3 Versez le jus de pomme et le sucre semoule dans une grande casserole. Portez à la limite de l'ébullition sur feu moyen.
4 Faites-y pocher les abricots 10 min. Égouttez-les. Ajoutez les poires dans le sirop et faites-les cuire également 10 min. Faites ensuite cuire les mirabelles 10 min.
5 Égouttez-les et réservez-les avec les autres fruits. Faites cuire les pommes 20 min avec la cannelle toujours dans le sirop.
6 Réunissez tous les fruits dans un compotier et mélangez-les. Retirez le bâton de cannelle du sirop et ajoutez la marmelade d'abricots. Faites réduire sur feu un peu plus vif et nappez-en la compote. Mettez au frais jusqu'au service.

→ autres recettes de compote à l'index

comté

→ voir aussi gruyère

Fromage du Jura au lait de vache, à pâte pressée cuite, affiné de 3 à 6 mois, le comté présente quelques petits trous ronds dans une pâte ivoire très fruitée. Plus savoureux que l'emmental, le comté se sert en fin de repas avec un vin jaune du Jura. On l'utilise souvent en cuisine dans les gratins, soufflés, fondues, salades composées, croûtes ou canapés.

Diététique. Comme toutes les pâtes cuites, ce fromage est gras : 100 g = 391 kcal.

Salade de comté

Pour **4 personnes**
Préparation **25 min**
Repos **2 h**
Pas de cuisson

2 carottes ◆ 250 g de comté ◆ 100 g de jambon blanc ◆ 3 c. à soupe d'huile de maïs ◆ 1 c. à soupe de vinaigre ◆ 1 laitue ◆ 1 œuf dur ◆ sel ◆ poivre blanc

1 Pelez les carottes, lavez-les et taillez-les en très petits dés. Taillez le fromage en bâtonnets. Retirez la couenne du jambon et coupez-le en languettes.
2 Mélangez l'huile, le vinaigre, sel et poivre. Réunissez les ingrédients (les carottes, le jambon et le fromage) dans une terrine. Arrosez de vinaigrette et laissez reposer 2 h.
3 Lavez et effeuillez la salade. Tapissez-en un saladier. Versez le mélange de comté par-dessus. Décorez avec l'œuf coupé en rondelles.

concombre

→ voir aussi cornichon

Ce légume disponible toute l'année connaît différentes variétés, mais leur goût est pratiquement identique. Achetez-le toujours bien frais et ferme, pas trop gros, avec une peau tendue et une couleur brillante. Pelez-le toujours, qu'il soit servi cru ou cuit. La cuisson du concombre, à la vapeur, à l'eau ou en sauté à la poêle, doit être rapide. S'il est consommé cru, il est souvent préférable de le faire d'abord dégorger 20 minutes en le poudrant de sel.

Diététique. C'est l'un des légumes les plus légers : 100 g = 12 kcal. Avec une sauce au fromage blanc, c'est un plat minceur idéal.

Concombre farci

RECETTE LÉGÈRE
1 portion
120 kcal

Pour **4 personnes**
Préparation **30 min**
Pas de cuisson

1 gros concombre ◆ 1 boîte de saumon ◆ 1 bouquet de ciboulette ◆ 1 carré demi-sel ◆ 1 laitue ◆ 12 olives noires ◆ paprika ◆ jus de citron ◆ sel ◆ poivre

1 Pelez le concombre et coupez les 2 extrémités. Divisez-le en 4 tronçons égaux. Fendez ceux-ci en 2, ôtez les graines et évidez légèrement la pulpe avec une petite cuiller.
2 Versez le saumon égoutté dans une jatte, éliminez arêtes, peau et cartilages. Écrasez-le à la fourchette. Hachez la ciboulette et ajoutez-la.
3 Incorporez ensuite le carré demi-sel, le paprika et le jus de citron. Salez et poivrez.
4 Remplissez de farce les tronçons de concombre en formant un dôme. Garnissez un plat de service de laitue. Disposez-y les tronçons et décorez avec les olives.

Les concombres sont meilleurs en été. Évitez les trop gros calibres : ils sont beaucoup plus fournis en pépins. Éliminez la partie terminale qui a souvent un goût amer.

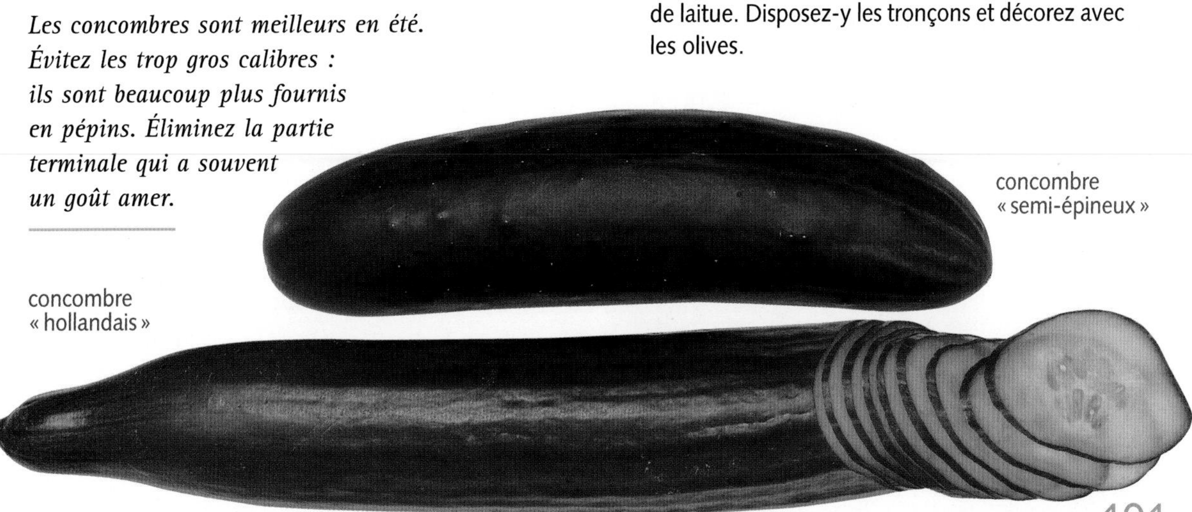

concombre « semi-épineux »

concombre « hollandais »

Darnes de saumon au concombre

Pour **4 personnes**
Préparation **15 min**
Cuisson **18 à 20 min**

1 petit concombre ◆ 4 darnes de saumon frais de 150 g chacune ◆ 10 cl de vin blanc ◆ 1 sachet de court-bouillon ◆ 20 cl de crème fraîche ◆ 100 g de beurre ◆ sel ◆ poivre

1 Pelez le concombre et coupez-le en 2 dans la longueur. Taillez la pulpe en bâtonnets.
2 Mettez les darnes de saumon dans une grande casserole basse. Versez le vin blanc et le court-bouillon. Portez à ébullition et laissez pocher pendant 8 min.
3 Égouttez les darnes et rangez-les sur un plat de service. Couvrez d'une feuille d'aluminium.
4 Faites réduire la cuisson jusqu'à 3 ou 4 c. à soupe et incorporez-lui la crème. Mélangez bien puis ajoutez les bâtonnets de concombre. Salez et poivrez. Faites cuire pendant 5 min.
5 Incorporez le beurre en parcelles en fouettant légèrement. Versez cette préparation sur les darnes de saumon. Servez aussitôt.

Salade de concombre à la crème

Pour **4 personnes**
Préparation **15 min**
Repos **1 h**
Pas de cuisson

2 petits concombres ◆ 15 cl de crème liquide ◆ 1 c. à soupe de jus de citron ◆ 1 c. à café de moutarde ◆ 4 branches de menthe fraîche ◆ sel ◆ poivre blanc

1 Pelez les concombres, taillez-les en fines rondelles et salez-les. Laissez reposer 20 min au frais. Dans un bol, fouettez légèrement la crème, le jus de citron, la moutarde. Poivrez.
2 Lavez les feuilles de menthe. Ciselez les 3/4 finement. Incorporez-les à la sauce.
3 Rincez le concombre, égouttez-le et pressez-le dans vos mains pour en éliminer le maximum d'eau. Versez-le dans un plat creux. Ajoutez la sauce à la crème et mélangez délicatement. Mettez au réfrigérateur pendant 30 min.
4 Ciselez le reste de la menthe et parsemez-la sur le dessus. Servez en hors-d'œuvre.

Variante : remplacez la menthe par de l'aneth ou de l'estragon et la moitié de la crème par la même proportion de yaourt nature.

Pour accompagner un poisson froid ou fumé, cette salade de concombre se prépare avec du raifort à la place de la moutarde.

→ **autres recettes de concombre à l'index**

confit

Quartier de volaille (oie ou canard) cuit dans sa graisse et mis en pot, le confit se conserve plusieurs mois. Lorsque vous entamez un bocal sans le terminer, recouvrez bien le restant avec de la graisse. On prépare aussi des confits de porc – au saindoux – et de dinde. La cuisse est un morceau plus charnu et plus savoureux que l'aile, mais celle-ci est plus

◄ Darnes de saumon au concombre
L'alliance du saumon et du concombre est à la fois fraîche et légère : servez ce plat en été, en proposant comme garniture un gratin de courgettes.

tendre et plus avantageuse (moins d'os). On compte 1 portion de confit pour 2 personnes.

Les confits peuvent se servir chauds ou froids, débarrassés de la graisse. Ne la jetez pas : utilisez-la rapidement comme corps gras de cuisson.

On emploie le confit dans la soupe au chou ou le cassoulet ; en ragoût mijoté aux petits pois frais ; en plat garni de cèpes, de haricots blancs, de chou ou de lentilles ; en salade froide, finement émincé, avec du pissenlit, de la chicorée ou du chou blanc.

Diététique. L'oie et le canard sont des viandes grasses. Conservés dans la graisse, les morceaux deviennent très riches en lipides.

Confit landais

Pour **6 personnes**
Préparation **20 min**
Cuisson **40 min environ**

3 portions de confit d'oie ◆ 8 petits oignons blancs ◆ 75 g de jambon ◆ 1 kg de petits pois frais ◆ 1 c. à soupe de farine ◆ 1 c. à café de sucre semoule ◆ 1 bouquet garni ◆ poivre

1 Dégraissez les confits. Pelez les oignons. Émincez le jambon. Écossez les petits pois. Faites chauffer 2 c. à soupe de la graisse du confit dans une cocotte.

2 Ajoutez les oignons et le jambon. Faites revenir en remuant à la spatule pendant 5 à 6 min. Versez les petits pois et mélangez pendant 3 min.

3 Poudrez de farine, poivrez et sucrez. Remuez. Ajoutez 4 c. à soupe d'eau et le bouquet garni. Couvrez et laissez mijoter 30 min.

4 Faites dorer doucement les morceaux de confit sur la grille de la lèchefrite, à four chaud.

5 Versez le ragoût de petits pois dans un plat creux très chaud, posez dessus les parts de confit coupées en 2. Servez.

Boisson **madiran**

Confit sarladais

Pour **6 personnes**
Préparation **20 min**
Cuisson **30 min**

3 portions de confit de canard ◆ 800 g de pommes de terre ◆ 4 gousses d'ail ◆ 1 bouquet de persil plat ◆ sel ◆ poivre

1 Ouvrez un bocal de confit et placez-le au bain-marie dans une casserole. Laissez-le jusqu'à ce que la graisse soit fondue. Pelez les pommes de terre, lavez-les et coupez-les en dés.

2 Pelez l'ail et hachez-le. Mélangez-le avec la moitié du persil haché. Lorsque la graisse du confit est fondue, sortez les portions du bocal et égouttez-les dans une passoire sur une assiette.

3 Versez 4 c. à soupe de cette graisse dans une cocotte. Faites chauffer et versez-y les pommes de terre. Faites revenir sur feu vif 10 min.

4 Salez et poivrez. Mouillez avec un verre d'eau, couvrez. Faites cuire 10 min. Ajoutez la persillade. Laissez cuire à découvert pendant 10 min.

5 Faites chauffer une poêle et déposez-y le confit. Faites-le revenir doucement jusqu'à ce qu'il soit doré, en le retournant plusieurs fois.

6 Égouttez les parts de confit et découpez-les chacune en 2. Répartissez les pommes de terre dans des assiettes très chaudes, garnissez avec le confit, parsemez de persil frais et servez.

confiture

→ **voir aussi** gelée, marmelade, sucre

Préparation ménagère ou industrielle faite de fruits cuits dans du sucre. Pour réussir des confitures maison, deux conditions sont indispensables : la propreté rigoureuse de tout ce qui sert à la préparation (spatule en bois réservée à cet usage ; instruments inoxydables ; pots lavés et ébouillantés, séchés sur un linge propre et sec) et le choix d'un récipient de cuisson d'un volume double de celui des fruits à cuire, avec un fond épais.

La cuisson doit être menée à grand feu et constamment surveillée. C'est le sucre qui conserve la confiture : choisissez le plus pur (avec la mention « raffiné »). Le sucre gélifiant, « spécial confiture », permet de réussir sans problème les confitures, il diminue le temps de cuisson et préserve le goût du fruit cru. Utilisez-le pour les fruits riches en jus et pauvres en pectine (fraise, cerise, melon, poire, pêche), mais il est inutile pour la groseille ou le cassis, qui « prennent » facilement.

Il y a dans le commerce 2 catégories de confitures : l'extra (45 % au moins de fruits) et l'ordinaire (35 %). Tous les ingrédients et additifs doivent figurer sur l'étiquette.

Diététique. Très nutritive (3 c. à soupe apportent 290 kcal), la confiture est à consommer modérément. Elle est interdite aux diabétiques.

confitures

Les confitures vous permettent de jouer sur toute la gamme de fruits européens ou exotiques, rehaussés d'épices et d'aromates. Découvrez aussi des « confitures » qui n'en sont pas...

confiture de Vieux Garçon

Confiture de Vieux Garçon

Il s'agit de fruits mis à macérer dans de l'eau-de-vie au fil des saisons : commencez par les fruits rouges, puis ajoutez pêches, abricots, prunes, poires, figues, raisin...

▶ **Pour 1 kg de fruits environ**

Versez 75 cl d'eau-de-vie de fruits dans un grand bocal. Ajoutez 1 kg de sucre semoule et remuez. Lavez les fruits, dénoyautez-les ou épépinez-les sans les peler. Superposez les fruits au fur et à mesure de leur apparition dans le jardin. Ajoutez 1 citron non traité en fines rondelles. Fermez le bocal. Laissez reposer 2 mois. La tradition veut que l'on ouvre le bocal à la veillée de Noël.

Confiture de fruits exotiques

▶ **Pour 8 pots de 500 g environ**

Brossez 2 pamplemousses sous l'eau, puis hachez-les finement. Mettez les pépins dans un sachet de mousseline. Réunissez-les dans une bassine avec la pulpe, le jus et le zeste. Ajoutez 1 litre d'eau. Faites bouillir pendant 20 min. Ajoutez 2 kg de sucre spécial pour confitures, le jus d'un citron vert, la pulpe hachée d'un petit ananas, la chair taillée en cubes de 3 mangues pelées et dénoyautées et de 6 kiwis pelés. Poursuivez la cuisson pendant 40 min environ. Retirez du feu, ôtez le sachet de mousseline et mettez en pots.

Confiture de fruits exotiques

Le pèse-sirop

Plongez cet instrument gradué dans un sirop où sont en train de cuire vos confitures, afin de mesurer la densité : entre 1,296 *(petit perlé)* et 1,357 *(grand boulé)*. Le pèse-sirop évite d'évaluer manuellement la cuisson du sucre, opération qui demande une certaine dextérité.

S.O.S. confitures

La confiture de fruits reste liquide : elle n'est pas assez cuite. Faites-la recuire, en ajoutant 1 ou 2 c. à soupe de gelée de pomme ou de groseille.
La confiture cristallise : la concentration en sucre est trop forte. Quand vous ouvrez le pot, ajoutez un peu d'eau bouillante et remuez le contenu pour répartir le sirop.
La confiture a fermenté au point que des bulles de gaz font déborder le pot : la cuisson a été insuffisante ou le pot était mal lavé. La confiture est malheureusement inconsommable, jetez-la.
La confiture est moisie : enlevez tout le moisi et consommez la confiture aussitôt.

Conseils pratiques

Étiquetez toujours les pots en indiquant la nature de la confiture (surtout s'il s'agit d'un mélange) et l'année. Conservez vos confitures dans un endroit frais et sec. Tout ce qui sert à la préparation des confitures doit être d'une propreté rigoureuse.

Les saveurs subtiles des épices et des aromates

- *Pour 1,5 kg de pêches*
1 pomme ◆ 2 zestes de citron ◆ 3 clous de girofle ◆ 1 c. à café de mélange quatre- épices ◆ 1,5 kg de sucre
- *Pour 1,7 kg de rhubarbe*
1 citron ◆ 5 cm de racine de gingembre ◆ 100 g de gingembre confit ◆ 1,3 kg de sucre semoule
- *Pour 1,5 kg de nectarines*
500 g de fraises ◆ 500 g de framboises ◆ 500 g de poires ◆ 2,5 kg de sucre en morceaux ◆ 1 gousse de vanille ◆ 1 citron
- *Pour 500 g de pruneaux*
1 c. à café de cannelle ◆ 1 grosse orange ◆ 600 g de sucre ◆ 100 g de cerneaux de noix ◆ 50 g de raisins secs
- *Pour 1 kg de potiron*
1 kg de sucre ◆ 1 citron ◆ 3 étoiles de badiane
- *Pour 1 kg de figues*
1 kg de sucre ◆ 1/2 gousse de vanille ◆ 1 c. à café de cardamome ◆ 200 g de raisin frais

Confiture d'oignons à l'échalote

Cette marmelade aigre-douce se conserve comme un chutney et sert à relever une sauce ou un ragoût. Proposez-la aussi en condiment comme la moutarde.

- **Pour 1 pot de 350 g environ**

Pelez et hachez grossièrement 500 g d'échalotes et 2 oignons doux. Ajoutez 1 tomate verte pelée et coupée en tranches, 50 g de sucre semoule, 1/2 c. à café de moutarde et 2 c. à soupe de vinaigre de vin rouge. Salez et poivrez. Mélangez et faites cuire doucement en remuant pendant 50 min environ sans couvrir. Mettez en pots.

Confiture de tomates vertes

Confiture d'oignons à l'échalote

Confiture d'abricots

Pour **8 pots de 500 g**
Préparation **15 min**
Cuisson **30 min**

2,5 kg d'abricots ◆ 2,5 kg de sucre semoule

1 Lavez les abricots, égouttez-les bien et essuyez-les. Coupez-les en 2. Retirez les noyaux. Mettez les fruits dans une bassine à confiture.

2 Cassez une dizaine de noyaux avec un marteau. Extrayez les amandes. Blanchissez-les quelques min dans une casserole d'eau portée à ébullition. Égouttez-les et mondez-les. Fendez-les en 2 et ajoutez-les dans la bassine. Versez 50 cl d'eau sur les fruits et faites cuire doucement en remuant jusqu'à ce que les abricots soient bien attendris.

3 Ajoutez alors le sucre et mélangez. Poursuivez la cuisson en remuant avec une spatule en bois jusqu'à ce que le sucre soit dissous.

4 Portez à ébullition et laissez cuire environ 15 min. Juste avant de retirer la confiture du feu, donnez un gros bouillon et écumez. Vérifiez si la confiture est prise : versez 1 c. à café de confiture dans une soucoupe et mettez-la au freezer ; au bout de 2 à 3 min, quand elle est froide, poussez-la du bout du doigt ; elle doit se plisser légèrement. Si elle est encore coulante, prolongez la cuisson de quelques secondes.

5 Ne laissez jamais refroidir la confiture dans le récipient de cuisson : versez-la immédiatement à la louche, par petites quantités, dans les pots. Ceux-ci doivent être parfaitement propres, ébouillantés et essuyés.

Pour couvrir les pots, 2 techniques au choix : soit vous trempez une rondelle de papier sulfurisé dans de l'alcool à 90° et vous la posez sur la confiture encore chaude, côté alcoolisé en contact avec la confiture, puis vous couvrez le pot avec du papier Cellophane bien tendu, maintenu à l'aide d'un élastique ; soit vous laissez refroidir la confiture dans les pots, vous faites fondre doucement de la paraffine et vous la versez sur 3 mm d'épaisseur à la surface de la confiture froide, puis vous couvrez le pot de Cellophane.

Étiquetez les pots en précisant la variété du fruit, sa provenance et l'année de préparation. Conservez les pots non entamés au sec et les pots entamés dans le réfrigérateur.

Confiture de fraises

Pour **4 pots de 400 g environ**
Préparation **20 min**
Cuisson **30 min**

1 kg de fraises bien mûres ◆ 1 kg de sucre « spécial confiture » ◆ 1 citron

1 Lavez les fraises rapidement sans les laisser tremper et égouttez-les. Équeutez-les. Mettez-les dans une terrine avec tout le sucre et laissez macérer toute la nuit.
2 Versez les fraises au sucre dans une bassine à confiture en ajoutant le jus du citron.
3 Portez à ébullition et maintenez celle-ci pendant 5 min. Retirez les fraises avec une écumoire.
4 Faites bouillir le sirop pour le faire réduire pendant 5 min. Remettez les fraises dedans. Recommencez cette opération 2 fois de suite.
5 Retirez la bassine du feu et remplissez les pots, parfaitement propres et ébouillantés. Étiquetez et couvrez *(voir page 196)*.

Confiture de framboises

Pour **6 ou 7 pots de 500 g**
Préparation **5 min**
Cuisson **8 à 10 min**

2 kg de framboises ◆ 2 kg de sucre semoule

1 Triez les framboises en les choisissant très mûres. Broyez-les au mixer juste quelques instants (en procédant en plusieurs fois).
2 Versez la purée obtenue dans une bassine à confiture et portez à ébullition.
3 Ajoutez le sucre semoule et remuez. Faites bouillir à nouveau et maintenez l'ébullition pendant 5 à 7 min.
4 Mettez en pots et couvrez *(voir page 196)*.

Confiture de tomates

Pour **8 ou 9 pots de 500 g**
Préparation **10 min**
Cuisson **1 h**

2 kg de tomates à peine mûres ◆ 2 kg de sucre semoule ◆ 1 citron ◆ 500 g de pommes

1 Lavez les tomates, essuyez-les et coupez-les en quartiers. Mettez-les dans une bassine à confiture avec le sucre.
2 Râpez le zeste du citron et pressez le jus, ajoutez-les dans la bassine. Faites chauffer et laissez cuire à petits bouillons jusqu'à ce que la préparation commence à épaissir (pendant 30 min environ).
3 Pendant ce temps, pelez et émincez les pommes. Ajoutez-les dans la bassine et poursuivez la cuisson 30 min.
4 Mettez en pots et couvrez *(voir page 196)*.

→ **autres recettes de confiture à l'index**

congre

Surnommé anguille de mer à cause de sa forme, ce poisson à chair ferme, mais assez fade, convient pour les soupes et les ragoûts. Il est courant dans la Manche et l'Atlantique.

Les tranches taillées dans le milieu du corps et vers la tête (moins d'arêtes que dans la queue) se font rôtir ou mijoter avec des légumes.

Ragoût de congre aux petits pois

Pour **4 ou 5 personnes**
Préparation **15 min**
Cuisson **50 min**

1 kg de congre ◆ 2 oignons ◆ ail ◆ 3 échalotes ◆ 150 g de beurre ◆ 1 c. à soupe de cognac ◆ 1 kg de petits pois frais ◆ sel ◆ poivre

1 Coupez délicatement le filet de congre en tronçons. Pelez et hachez finement les oignons, les échalotes et 4 gousses d'ail.
2 Faites chauffer le beurre en morceaux dans une grande cocotte et faites-y revenir doucement les tronçons de congre en les retournant.
3 Ajoutez les oignons, l'ail et les échalotes. Continuez à faire revenir en remuant jusqu'à ce que le tout soit coloré.
4 Mouillez avec un petit verre d'eau et ajoutez le cognac. Couvrez et faites mijoter 10 min.
5 Écossez les petits pois et ajoutez-les dans la cocotte. Poursuivez la cuisson pendant 30 min. Servez très chaud.

Vous pouvez proposer avec ce ragoût de congre des croûtons de pain à l'ail.

consommé

Servi en début de repas, généralement au dîner, le consommé est préparé avec un bouillon de viande, de volaille, de poisson voire de gibier. Celui-ci, toujours clarifié, est servi garni d'un ingrédient : viande émincée, julienne de champignons, œuf poché, chiffonnade d'oseille, tapioca, vermicelle, etc. Il se sert volontiers froid, ce qui renforce sa saveur.

Consommé madrilène

Pour **6 personnes**
Préparation **15 min**
Cuisson **25 min**

1 poivron rouge ◆ 1 poivron jaune ◆ 3 tomates fermes ◆ 3 c. à soupe de riz ◆ 1,5 l de bouillon de bœuf clarifié ◆ sel ◆ poivre

1 Faites griller les poivrons dans le four jusqu'à ce que la peau se mette à noircir. Retirez-les et passez-les aussitôt sous l'eau froide pour les peler. Coupez-les en 2, retirez les graines et coupez la pulpe en dés.
2 Ébouillantez les tomates et pelez-les. Coupez-les en 2, épépinez-les et coupez la pulpe en dés.
3 Lavez le riz soigneusement. Versez le bouillon dans une casserole et faites-le chauffer. Lorsqu'il atteint l'ébullition, ajoutez les dés de poivron et de tomate, puis le riz.
4 Poursuivez la cuisson doucement pendant 15 min, à petits frémissements. Goûtez et rectifiez l'assaisonnement. Servez chaud.

Consommé au porto

Pour **6 personnes**
Préparation **15 min**
Cuisson **30 min**

2 l de bouillon de volaille ◆ 25 g de beurre ◆ 80 g d'amandes effilées ◆ 2 jaunes d'œufs ◆ 3 c. à soupe de crème fraîche ◆ 8 cl de porto ◆ poivre de Cayenne ◆ cerfeuil frais ciselé ◆ sel ◆ poivre

1 Versez le bouillon dans une grande casserole et faites chauffer sur feu doux. Laissez réduire jusqu'à 1,5 l environ.
2 Faites chauffer le beurre dans une poêle et faites-y dorer les amandes doucement. Tenez-les au chaud.
3 Délayez les jaunes d'œufs avec la crème et le porto dans un bol. Fouettez le mélange quelques instants en ajoutant 3 c. à soupe de bouillon.
4 Versez ce mélange dans le bouillon et faites cuire pendant 4 min en évitant de laisser bouillir et en remuant continuellement.
5 Retirez du feu, fouettez encore et rectifiez l'assaisonnement : peu de sel, poivre et poivre de Cayenne au goût. Ajoutez les amandes dorées et remuez.
6 Versez aussitôt dans des tasses à consommé et parsemez de pluches de cerfeuil. Servez le plus chaud possible.

cookie

Ce mot désigne, en américain, ce que nous appelons soit biscuit, soit galette. Les plus connus des cookies sont truffés de pépites de chocolat ou de noix de pécan, enrichis de flocons d'avoine ou de beurre de cacahuète. Ils sont souvent d'une consistance plus moelleuse que les biscuits secs.

Cookies au chocolat

Pour **40 biscuits environ**
Préparation **30 min**
Cuisson **10 min environ**

140 g de beurre ◆ 180 g de chocolat noir ◆ 100 g de sucre brun ◆ 100 g de sucre semoule ◆ 1 œuf ◆ 225 g de farine ◆ 1 c. à café rase de levure ◆ quelques gouttes d'extrait de vanille ◆ sel

1 Préchauffez le four à 180 °C. Graissez la tôle avec 30 g de beurre. Concassez le chocolat en petits morceaux.
2 Ramollissez le reste de beurre dans une terrine et ajoutez le sucre brun et le sucre blanc. Battez le mélange jusqu'à ce qu'il soit mousseux.
3 Ajoutez ensuite la vanille et l'œuf. Tamisez la farine avec la levure et 1 pincée de sel. Incorporez-la petit à petit.
4 Incorporez ensuite le chocolat concassé sans trop travailler la pâte.
5 Prélevez des portions de pâte avec une cuiller à soupe et posez-les sur la tôle. Aplatissez-les avec la paume de la main mouillée pour former des disques de 4 à 5 cm de diamètre.
6 Enfournez à mi-hauteur et faites cuire pendant 10 min environ. Sortez les biscuits du four

et laissez-les refroidir sur la tôle pendant 5 min. Décollez-les et laissez-les refroidir complètement sur une grille.

Vous pouvez aussi réaliser des cookies géants de 10 cm de diamètre : la cuisson est alors de 15 min environ à 160 °C.

Coq au vin ▲

Cuisiné avec un vin blanc, riesling ou pouilly-fumé, ce grand classique est aussi très savoureux. Il ne sera encore plus si vous utilisez des champignons sauvages : girolles ou mousserons.

coq

Le mâle de la poule est devenu une volaille rare et les recettes traditionnelles de coq (au vin, en pâte ou à la bière) sont généralement réalisées avec une poule assez âgée ou même un poulet. C'est en regardant les écailles des pattes qu'on reconnaît l'âge : si elles sont épaisses et cornées, la volaille est vieille. On trouve parfois des « coqs à rôtir » qui sont des poulets de 1,6 kg à 2 kg.

Coq au vin

Pour **6 personnes**
Préparation **20 min**
Cuisson **1 h 40 environ**

1 coq ou 1 poule de 2 kg en morceaux ◆ 12 petits oignons blancs ◆ 125 g de lardons maigres ◆ 1 c. à soupe d'huile ◆ 120 g de beurre ◆ 1 c. à soupe de cognac ◆ 1 bouteille de vin rouge ◆ 1 bouquet garni ◆ 2 gousses d'ail ◆ 200 g de champignons de couche ◆ 1 c. à soupe de farine ◆ 3 c. à soupe de sang de volaille ou de porc ◆ sel ◆ poivre

1 Salez et poivrez les morceaux de volaille. Pelez les oignons. Faites blanchir les lardons.
2 Faites chauffer l'huile et 60 g de beurre dans une cocotte. Mettez-y à revenir les lardons et les oignons. Remuez pour faire dorer sans roussir. Égouttez-les.
3 À leur place, mettez à dorer les morceaux de coq en les retournant plusieurs fois. Remettez les oignons et les lardons. Remuez.
4 Faites chauffer le cognac dans une cuiller, versez-le sur le contenu de la cocotte et flambez. Versez ensuite le vin doucement, ajoutez le bouquet garni et les gousses d'ail pelées et écrasées.
5 Portez lentement à ébullition, couvrez, baissez le feu et laissez mijoter une bonne heure. Remuez de temps en temps pour éviter que les morceaux n'attachent.
6 Nettoyez les champignons et émincez-les. Faites-les sauter dans 30 g de beurre et ajoutez-les dans la cocotte au bout d'une heure. Poursuivez la cuisson pendant 20 à 25 min.
7 Environ 10 min avant de servir, mélangez dans un bol le reste de beurre et la farine. Délayez ce mélange avec un peu de sauce chaude, puis versez-le petit à petit dans la cocotte. Remuez à découvert pendant 5 min, puis ajoutez le sang et poursuivez la cuisson très doucement pendant 4 à 5 min pour que la sauce épaississe. Servez très chaud avec des pommes vapeur.

Le coq au vin peut facilement se préparer le matin pour le soir.

Boisson **bourgogne, madiran ou cahors**

coque

Ce petit coquillage qui présente extérieurement des côtes bien marquées existe sous différentes espèces, toutes comestibles : sourdons, bucardes et coques grises (ou hénons), ces dernières étant les plus fines. On les déguste crues ou cuites, en salade, farcies, à la marinière, etc. Lavez-les en les brossant bien et faites-les ouvrir sur feu vif : ajoutez-les décoquillées dans un plat de pâtes fraîches, liées de crème liquide.

coques

coquelet

Jeune coq de 500 à 600 g environ, le coquelet n'a pas une chair très savoureuse. On le fait rôtir, griller ou paner et frire. Accompagnez-le d'une sauce assez relevée, au citron ou au poivre vert. Pour le servir, fendez-le en deux dans le sens de la longueur (comptez-en un pour 2 personnes).

Coquelets à l'estragon

Pour **6 personnes**
Préparation **30 min**
Cuisson **40 min**

3 coquelets de 500 à 600 g ◆ 2 carottes ◆ 4 échalotes ◆ 45 g de beurre ◆ 3 c. à soupe d'huile de maïs ◆ 10 cl de cognac ◆ 60 cl de vin blanc ◆ 1 bouquet d'estragon ◆ 10 cl de crème fraîche épaisse ◆ 1 c. à café de fécule ◆ sel ◆ poivre

1 Coupez les coquelets en 2. Pelez les carottes et tronçonnez-les. Pelez les échalotes et laissez-les entières.
2 Faites chauffer 30 g de beurre et 2 c. à soupe d'huile dans une cocotte. Faites blondir doucement les coquelets en les retournant plusieurs fois. Retirez-les et jetez la matière grasse fondue.
3 Ajoutez le reste de beurre et d'huile. Faites revenir les échalotes et les carottes. Remettez les moitiés de coquelets dans la cocotte et arrosez avec le cognac. Laissez infuser à couvert 3 min, puis mouillez avec le vin blanc. Salez, poivrez et laissez mijoter doucement pendant 10 min.
4 Ajoutez l'estragon finement ciselé et poursuivez la cuisson sur feu doux pendant 10 min.
5 Égouttez les coquelets et tenez-les au chaud. Dégraissez la cuisson puis ajoutez la crème fraîche et la fécule délayée dans un peu d'eau. Portez à la limite de l'ébullition et remuez pour bien mélanger.
6 Mettez les coquelets dans un plat creux et nappez de sauce. Servez aussitôt avec, en garniture, des petits pois à la française ou des pommes de terre sautées.

Boisson **graves**

Coquelets grillés

Pour **4 personnes**
Préparation **10 min**
Marinade **2 h**
Cuisson **30 min environ**

2 coquelets ◆ 4 c. à soupe d'huile d'olive ◆ thym en poudre ◆ paprika ◆ sel ◆ poivre de Cayenne

1 Coupez chaque coquelet en 2 dans la longueur. Badigeonnez-les d'huile salée et poivrée. Laissez-les mariner pendant 2 h à température ambiante.
2 Toutes les 15 min environ, enduisez-les à nouveau d'huile mélangée avec du thym en poudre et du paprika (environ 1 c. à soupe en tout).
3 Préchauffez le gril du four pendant 20 min. Rangez les moitiés de coquelets sur la grille, peau dessous, et enfournez à mi-hauteur.
4 Environ 15 min plus tard, retournez-les et poursuivez la cuisson. Si les coquelets pèsent 600 g environ, ils sont prêts à servir. S'ils sont plus gros, prolongez la cuisson de 5 à 6 min. Servez avec des pommes gaufrettes et une salade verte.

Boisson **beaujolais**

coquillages

→ **voir aussi** **fruits de mer, huître, moule**

Le terme désigne les petits mollusques à coquilles, autres que les moules, les huîtres et les coquilles Saint-Jacques : bivalves (coques, palourdes, clams, amandes de mer, pétoncles, vanneaux, etc.) ou gastéropodes (bigorneaux, ormeaux, bulots).

bulots

palourde

amande

prairie

Leur vente est interdite au-dessous de dimensions minimales : 3 cm pour la coque et la praire, 4,5 cm pour le clam, 8 cm pour l'ormeau par exemple. Ils doivent être impérativement achetés vivants, c'est-à-dire fermés. S'ils sont entrouverts, ils doivent se refermer quand vous tapez la coquille. Faites-les ouvrir sur feu vif et ne consommez jamais des coquillages qui restent fermés après cuisson.

Diététique. Riches en vitamines et en sels minéraux, les coquillages possèdent des protéines de très bonne qualité et peu ou pas de lipides.

coquilles Saint-Jacques

coquille Saint-Jacques

→ voir aussi nage

Ces gros coquillages sont vendus frais de fin septembre à mai, mais on les trouve toute l'année sur le marché, décoquillés, frais ou surgelés. Il en existe deux variétés, l'une dans l'Atlantique, l'autre dans la Méditerranée. La coquille Saint-Jacques bretonne, plus charnue, ne réduit pas à la cuisson.

La taille marchande d'une coquille est de 10 à 15 cm ; elle renferme environ 90 g de chair blanche et ferme, très fine de saveur, avec un corail rose pâle ou rouge orangé si le moment de la ponte est proche.

Si vous les achetez fraîches, brossez-les bien. Faites-les ouvrir en les posant côté bombé dans une poêle épaisse, sur le feu. Elles se servent souvent cuites : à l'américaine, au beurre blanc, à la provençale, à la vapeur d'algues, en brochettes, à la nage. C'est un mets délicat qui ne supporte pas la surcuisson. Appréciez-les également crues : marinées dans de l'huile d'olive, avec jus de citron et cerfeuil.

Diététique. La coquille Saint-Jacques est riche en iode, en vitamines A et B. 100 g = 80 kcal.

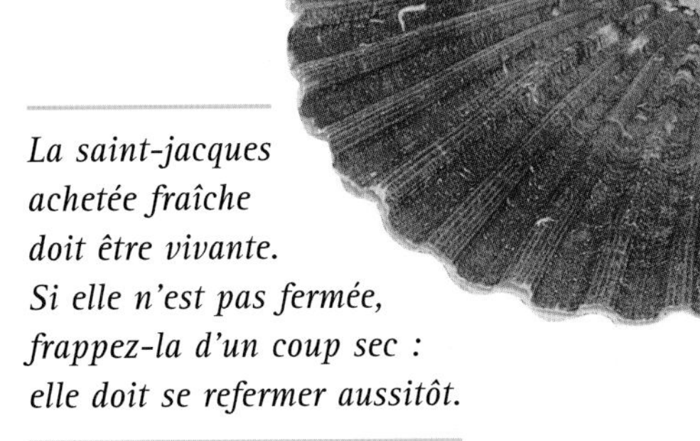

La saint-jacques achetée fraîche doit être vivante. Si elle n'est pas fermée, frappez-la d'un coup sec : elle doit se refermer aussitôt.

Noix de saint-jacques aux poireaux

RECETTE LÉGÈRE — 1 portion 320 kcal

Pour **2 personnes**
Préparation **25 min**
Cuisson **30 min**

400 g de blancs de poireaux ◆ 40 g de beurre ◆ 30 g d'échalotes ◆ 1 citron ◆ 6 c. à soupe de vin blanc ◆ 6 noix de saint-jacques ◆ 2 c. à soupe de crème fraîche ◆ sel ◆ poivre

1 Nettoyez les poireaux et émincez-les finement. Faites fondre 30 g de beurre dans une grande casserole, ajoutez les poireaux et laissez cuire à découvert.
2 Faites fondre 10 g de beurre dans une poêle. Hachez les échalotes et ajoutez-les, salez. Faites cuire doucement. Mouillez avec 1 c. à café de jus de citron et 4 c. à soupe de vin blanc. Poivrez au goût.
3 Épongez les noix de saint-jacques. Mettez-les dans la poêle et laissez-les étuver 1 min de chaque côté. Retirez-les de la poêle.
4 Faites fondre la crème dans la poêle en remuant, rajoutez les noix de saint-jacques. Couvrez et laissez cuire pendant 2 min.
5 Égouttez les noix et répartissez-les sur des assiettes chaudes avec le poireau en garniture.
6 Passez le jus de cuisson au chinois dans une casserole et ajoutez le reste de vin. Fouettez vivement et nappez-en les assiettes.

Les noix de saint-jacques surgelées se décongèlent 30 min dans du lait.

Boisson sancerre blanc

Noix de saint-Jacques à la trévise

RECETTE LÉGÈRE 1 portion 170 kcal

Pour **4 personnes**
Préparation **25 min**
Cuisson **25 min**

12 noix de saint-jacques avec le corail ◆ 1 sachet de court-bouillon ◆ 1 citron ◆ 200 g de trévise rouge ◆ 100 g de mesclun ◆ huile d'olive ◆ sel ◆ poivre

1 Rincez les noix de saint-jacques. Délayez le court-bouillon avec 50 cl d'eau froide dans une casserole. Faites chauffer.
2 Quand l'eau commence à frémir, ajoutez les noix de saint-jacques et comptez 1 min. Retirez la casserole du feu et couvrez-la. Laissez en attente.
3 Pressez le jus de citron. Effeuillez la trévise et mélangez-la avec le mesclun. Lavez-les. Préparez une sauce avec 3 c. à soupe d'huile et le jus de citron. Salez et poivrez.
4 Répartissez les feuilles de trévise et le mesclun sur des assiettes de service. Égouttez les noix de saint-jacques et épongez-les. Coupez-les chacune en 2 dans l'épaisseur et disposez-les sur la salade.
5 Arrosez de sauce et donnez encore un tour de moulin à poivre.
6 Servez aussitôt, les noix de saint-jacques doivent être encore tièdes.

Quelques feuilles de roquette supplémentaires relèveront la saveur de la salade.

Saint-jacques à la provençale

Pour **4 personnes**
Préparation **10 min**
Cuisson **8 à 10 min**

12 noix de saint-jacques ◆ 30 cl de vin blanc sec ◆ 1 oignon ◆ 1 bouquet garni ◆ 2 c. à soupe d'huile d'olive ◆ 2 c. à soupe de beurre ◆ 1 gousse d'ail ◆ 2 c. à soupe de persil plat haché ◆ 2 c. à soupe de chapelure ◆ sel ◆ poivre du moulin

1 Mettez les noix de saint-jacques dans une casserole. Mouillez avec le vin blanc.
2 Ajoutez l'oignon pelé et haché, le bouquet garni, salez et poivrez.
3 Portez lentement à ébullition, puis réduisez la chaleur et laissez frémir 5 min. Retirez les noix de saint-jacques et égouttez-les.
4 Préchauffez le gril du four. Sur feu moyen, faites chauffer l'huile et le beurre dans un plat creux allant au four.
5 Recoupez les noix de saint-jacques en 2 dans l'épaisseur. Pelez et pressez l'ail. Disposez-les dans le plat avec l'ail pressé, le persil et la chapelure.
6 Glissez le plat sous le gril du four et faites dorer quelques minutes. Servez aussitôt.

Servez les saint-jacques à la provençale avec une compote de tomates tiède.

Salade de saint-jacques

MICRO ONDES
RECETTE LÉGÈRE 1 portion 200 kcal

Pour **4 personnes**
Préparation **20 min**
Cuisson **3 min**

200 g de courgettes ◆ 12 noix de saint-jacques ◆ 2 c. à soupe de jus de citron ◆ 3 c. à soupe d'huile d'olive ◆ 1 c. à soupe de persil haché ◆ 1 c. à soupe de vinaigre ◆ 2 cœurs de laitue ◆ sel ◆ poivre

1 Émincez les courgettes. Lavez et escalopez les noix de saint-jacques. Réunissez ces 2 ingrédients dans un plat creux. Salez et poivrez. Arrosez de jus de citron et remuez.
2 Laissez mariner 10 min. Faites cuire 3 min à chaleur maximale en remuant 1 fois.
3 Versez le jus de cuisson dans un bol, ajoutez l'huile, le persil et le vinaigre. Salez et poivrez. Fouettez pour émulsionner.
4 Effeuillez les cœurs de laitue dans un plat. Disposez dessus les noix de saint-jacques et les courgettes refroidies. Nappez de vinaigrette. Servez aussitôt.

Boisson **saumur blanc**

Noix de saint-jacques à la trévise ►
Délicate et raffinée, cette salade tiède de coquilles Saint-Jacques ne demande qu'un assaisonnement léger pour préserver toute sa saveur.

Saint-jacques à la vapeur d'algues ▲

À peine cuites, sans autre sauce que leur propre jus, les saint-jacques de toute première fraîcheur sont servies sur un lit iodé de salicornes bien vertes, croquantes et finement salées.

Saint-jacques à la vapeur d'algues

RECETTE LÉGÈRE – 1 portion 365 kcal

Pour **6 personnes**
Préparation **20 min**
Cuisson **10 min**

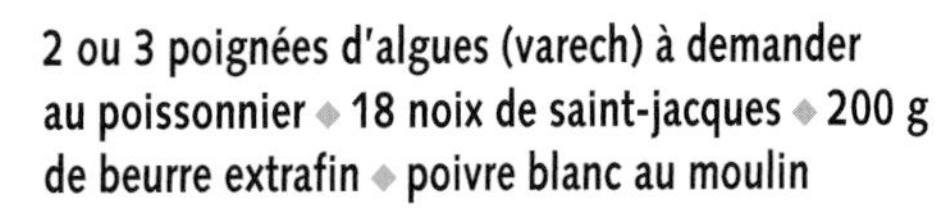

2 ou 3 poignées d'algues (varech) à demander au poissonnier ◆ 18 noix de saint-jacques ◆ 200 g de beurre extrafin ◆ poivre blanc au moulin

1 Lavez les algues très soigneusement. Découpez 6 carrés de feuille d'aluminium.
2 Répartissez les algues sur chaque carré et posez dessus les noix de saint-jacques. Poivrez légèrement. Ajoutez le beurre en parcelles.
3 Refermez les papillotes. Faites cuire 10 min au four à 220 °C.
4 Sortez les papillotes du four. Ouvrez-les et disposez les saint-jacques dans des assiettes chaudes.
5 Arrosez-les avec le jus des papillotes. Poivrez et servez aussitôt.

Boisson **graves blanc bien frais**

→ **autres recettes de coquille Saint-Jacques à l'index**

coriandre

Cette plante aromatique orientale s'achète fraîche dans les magasins de produits exotiques. Son parfum de citron salé sied au poisson et aux crudités. Ses graines séchées parfument les champignons à la grecque et les conserves au vinaigre.

Poisson à la coriandre

RECETTE LÉGÈRE – 1 portion 245 kcal

Pour **4 personnes**
Préparation **20 min**
Marinade **30 min**
Cuisson **25 min environ**

4 tranches de lieu ◆ 2 c. à soupe de jus de citron vert ◆ 15 grains de poivre noir ◆ 2 c. à café de coriandre en grains ◆ 3 petits oignons ◆ 4 tomates ◆ 4 c. à soupe d'huile ◆ 1 c. à soupe de moutarde ◆ 3 pincées de curcuma ◆ 5 c. à soupe de coriandre fraîche ciselée ◆ sel ◆ poivre noir

1 Arrosez les tranches de poisson de jus de citron, salez et poivrez. Laissez mariner 30 min.
2 Écrasez dans un mortier les grains de poivre et de coriandre. Pelez et hachez menu les oignons. Pelez les tomates et coupez la pulpe en dés.
3 Faites chauffer 2 c. à soupe d'huile dans un poêlon et versez-y les oignons. Remuez pendant 3 à 4 min puis ajoutez le mélange de poivre et de coriandre, la moutarde et le curcuma. Mélangez pendant 3 min.
4 Ajoutez les tomates et la moitié de la coriandre fraîche. Faites mijoter 3 à 4 min et transvasez le tout dans une jatte.
5 Versez le reste d'huile dans le poêlon et mettez-y le poisson. Ajoutez le mélange à la tomate, couvrez et laissez mijoter 10 min environ. Disposez dans un plat et parsemez de coriandre fraîche.

coriandre

cornichon

Ces concombres miniatures, conservés dans un vinaigre aromatisé, accompagnent viandes froides et bouillis (pot-au-feu, bœuf gros sel), pâtés, terrines, etc. Les cornichons relèvent aussi bon nombre de sauces : ravigote, gribiche, piquante ou charcutière.

Généralement pasteurisés, les cornichons industriels sont plus croquants que ceux que l'on prépare soi-même et se conservent plus longtemps, mais ils ont moins d'arôme. La mise en bocal personnelle des cornichons que l'on achète frais (de juin à septembre) demande du temps, mais donne d'excellents résultats. Les gros cornichons malossol ou à l'aigre-doux sont moins acides que les petits mais plus mous.

Diététique. 100 g = 13 kcal. À éviter en cas de gastrite ou d'ulcère.

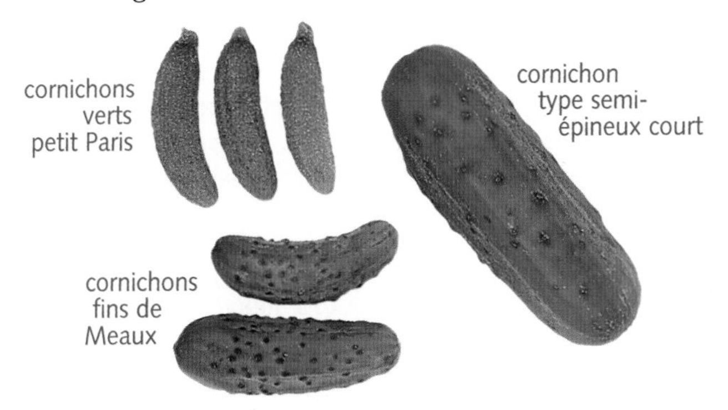

Cornichons au vinaigre

Pour **1 kg de cornichons**
Préparation **1 h, 1 mois à l'avance**
Pas de cuisson

1 kg de petits cornichons frais ◆ 250 g de gros sel ◆ 1,5 l de vinaigre de vin blanc ◆ 150 g de petits oignons blancs ◆ 3 petits piments ◆ 3 ou 4 petits brins de thym ◆ 2 feuilles de laurier émiettées ◆ 3 ou 4 clous de girofle ◆ quelques brins d'estragon ◆ grains de poivre noir et blanc ◆ grains de coriandre

1 Triez les cornichons, éliminez ceux qui sont mous ou abîmés. Lavez les autres dans une grande bassine d'eau froide et essuyez-les 1 par 1.
2 Versez une couche de gros sel dans une grande terrine et mettez-y les cornichons, puis versez une deuxième couche de gros sel et mélangez le tout. Laissez dégorger 24 h.
3 Rincez abondamment les cornichons dans une terrine d'eau froide légèrement vinaigrée. Séchez-les soigneusement en les épongeant par petites quantités dans un torchon propre.
4 Répartissez les cornichons dans des bocaux ébouillantés (munis d'une attache métallique et d'un anneau de caoutchouc). Ajoutez au fur et à mesure tous les aromates en intercalant au milieu les piments et les petits oignons.
5 Versez le vinaigre par-dessus pour les recouvrir complètement.
6 Fermez les bocaux et rangez-les dans un endroit frais et sombre.

Les cornichons sont prêts à être consommés 1 mois après la préparation.

côte de bœuf

La côte « à l'os » est une viande de premier choix, à rôtir au four ou à griller. Persillée et très savoureuse, elle doit être bien saisie. On compte 1 kg pour cinq personnes. Si vous êtes plus nombreux, demandez une des premières côtes du train de côtes, plus large. Le T-bone steak à l'américaine présente un os en forme de T. Si vous faites griller la côte sur la braise, dégraissez-la bien, sinon le gras, en fondant, enflamme les braises.

Diététique. Viande grasse : 100 g = 260 kcal.

Côte de bœuf à l'os

Pour **4 personnes**
Préparation **5 min**
Cuisson **18 min**

1 côte de bœuf de 1 kg ◆ huile ◆ sel ◆ poivre

1 Préchauffez le four à 240 °C. Huilez la côte de bœuf sur les 2 faces.
2 Posez la côte de bœuf dans le plat de cuisson sur la tranche, pour que l'os soit en contact avec le plat, partie grasse en l'air : en fondant, la graisse pourra arroser la viande.
3 Enfournez à four chaud pour saisir la viande, puis baissez à 210 °C, pour que l'intérieur ait le temps de cuire. Comptez en tout 18 min de cuisson.
4 Servez la côte sur une planche de bois avec des couteaux bien tranchants. Salez et poivrez.

Garniture : sauce barbecue ou beurre d'échalote et frites ou jardinière de légumes.

Boisson chinon

côte de porc

→ voir aussi carré, porc, travers

Les côtes premières et secondes ont une viande maigre et un peu sèche. Taillées dans la pointe du filet, elles sont plus charnues et plus tendres. Plus grasses dans l'échine, vous pouvez les fendre en deux et les farcir.

Diététique. 1 côte de porc de 150 g = 440 kcal.

Côtes de porc charcutières

Pour **4 personnes**
Préparation **15 min**
Cuisson **25 min**

1 oignon ◆ 2 échalotes ◆ 30 cl de bouillon ◆ 60 g de beurre ◆ 40 g de farine ◆ 15 cl de vin blanc ◆ vinaigre ◆ 8 cornichons ◆ 4 côtes de porc ◆ concentré de tomates ◆ huile ◆ persil haché ◆ sel ◆ poivre

1 Pelez et hachez finement l'oignon et les échalotes. Faites chauffer le bouillon.
2 Faites fondre 40 g de beurre dans une casserole. Ajoutez les échalotes et l'oignon. Remuez avec une spatule pendant 5 min.
3 Poudrez de farine et remuez pendant 3 min. Mouillez ce roux avec le bouillon chaud en remuant vivement.
4 Délayez 1 c. à soupe de concentré de tomates dans le vin et ajoutez-le dans la casserole avec 1 c. à soupe de vinaigre.
5 Laissez mijoter sur feu très doux pendant 20 min environ en mélangeant régulièrement. En fin de cuisson, incorporez les cornichons émincés et 1 c. à soupe de persil haché.
6 Pendant ce temps, salez et poivrez les côtes de porc. Faites-les cuire dans une grande poêle dans le reste de beurre avec de l'huile pendant 6 à 8 min de chaque côté.
7 Égouttez les côtes de porc poêlées et mettez-les sur un plat. Nappez-les de sauce charcutière et servez brûlant, avec des choux de Bruxelles à la vapeur ou une purée de pommes de terre.

Ajoutez à la sauce des lardons finement taillés, blanchis puis revenus sans matière grasse.

Boisson **beaujolais ou chinon**

→ autres recettes de côte de porc à l'index

côte de veau

→ voir aussi carré, veau

Les côtes premières ou secondes (maigres et tendres au centre, plus grasses au bord) sont à poêler ou à griller. Les côtes découvertes, plus fermes et nerveuses, se font plutôt poêler. Les côtes-filet, assez larges et charnues, se cuisinent farcies ou panées.

Diététique. 1 côte de veau de 150 g = 260 kcal.

Côtes de veau en casserole

Pour **2 personnes**
Préparation **10 min**
Cuisson **30 min**

2 côtes de veau ◆ 60 g de beurre ◆ 3 c. à soupe d'huile ◆ 10 petits oignons ◆ 12 petites pommes de terre ◆ 8 lardons maigres ◆ 2 c. à soupe de vin blanc ◆ 2 c. à soupe de bouillon ◆ sel ◆ poivre

1 Salez et poivrez les côtes de veau. Faites fondre 20 g de beurre et 2 c. à soupe d'huile dans une sauteuse. Mettez-y à cuire les côtes de veau à découvert.
2 Pelez oignons et pommes de terre, faites-les sauter vivement dans le reste de beurre et d'huile avec les lardons.
3 Ajoutez cette garniture bien rissolée dans la sauteuse avec les côtes de veau, qui doivent être bien dorées. Mouillez avec le vin blanc et le bouillon.
4 Couvrez la sauteuse et glissez-la dans le four à 200 °C pour finir de cuire.

On peut remplacer les pommes de terre par des navets.

Côtes de veau à la milanaise

Pour **4 personnes**
Préparation **20 min**
Cuisson **25 min**

4 côtes de veau de 1 cm d'épaisseur ◆ 1 œuf ◆ chapelure blonde ◆ 100 g de beurre ◆ 1 citron ◆ sel

1 Ciselez les bords des côtes pour les empêcher de s'enrouler à la cuisson. Aplatissez-les légèrement. Battez l'œuf entier dans une assiette et passez dedans chaque côte l'une après l'autre.
2 Passez les côtes dans la chapelure en appuyant bien avec la paume pour que celle-ci adhère à la viande.
3 Faites chauffer le beurre dans une grande poêle. Placez-y les côtes panées et laissez-les cuire environ 10 min. Ne les déplacez pas pendant la cuisson pour ne pas briser la croûte qui s'est formée.
4 Retournez délicatement les côtes et faites-les cuire de l'autre côté. Baissez le feu et poursuivez la cuisson pendant 5 min. Salez à ce moment-là (plus tôt, le sel fait sortir le jus de la viande et celui-ci ramollit la croûte de chapelure).
5 Servez aussitôt avec des quartiers de citron.

Boisson **bordeaux léger**

Côtes de veau à la normande

Pour **4 personnes**
Préparation **25 min**
Cuisson **20 min**

4 côtes de veau ◆ 80 g de beurre ◆ 5 cl de calvados ◆ 15 cl de crème fraîche ◆ 2 pommes ◆ sel ◆ poivre blanc au moulin

1 Salez et poivrez les côtes de veau. Faites fondre 40 g de beurre dans une grande poêle à fond épais.
2 Faites dorer les côtes de veau sur feu assez vif, en les laissant colorer des 2 côtés. Baissez le feu et laissez cuire doucement pendant 10 min.
3 Chauffez le calvados et versez-le dans la poêle. Flambez. Lorsque les flammes sont éteintes, retirez les côtes et tenez-les au chaud.
4 Versez la crème dans la poêle et remuez à la spatule pour faire épaissir. Tenez au chaud.
5 Pelez les pommes et coupez-les en lamelles. Faites-les sauter dans le reste de beurre.
6 Remettez les côtes de veau dans la crème pour bien les réchauffer. Disposez-les dans un plat avec la sauce. Entourez de lamelles de pommes et servez aussitôt.

Boisson **cidre bouché**

→ **autres recettes de côte de veau à l'index**

Côtes de veau à la normande ▲
Dorées à la poêle, flambées au calvados, puis nappées de crème fraîche, les côtes de veau à la normande sont traditionnellement garnies de lamelles de pommes reinettes sautées au beurre.

côtelette d'agneau ou de mouton

→ **voir aussi** agneau, mixed-grill

Les côtelettes premières et secondes ont une chair maigre qui forme une noix savoureuse, entourée de gras. Pour une décoration soignée, garnissez le long manche de chaque côtelette d'une papillote en papier blanc plissé. Les côtelettes découvertes, plus grasses, ont une chair qui s'étend le long du manche.

Les côtelettes-filet n'ont pas de manche : la noix est prolongée par une bande de chair entrelardée enroulée sur elle-même.

Les mutton-chops sont des côtelettes très épaisses à griller, en fixant la partie ronde avec une brochette. Les lamb-chops, côtelettes d'agneau taillées par le travers de la selle, comprennent deux côtelettes accolées. On compte 2 côtelettes de 80 g par personne (sauf les mutton et lamb-chops).

Diététique. La côtelette d'agneau est un morceau toujours très riche en matières grasses saturées : 100 g = 250 kcal environ.

Côtelettes d'agneau au thym

Pour **6 personnes**
Préparation **5 min**
Marinade **1 h**
Cuisson **7 à 8 min**

20 cl d'huile d'olive ◆ 1 c. à soupe de thym séché ◆ 12 petites côtelettes d'agneau ◆ sel ◆ poivre

1 Versez l'huile d'olive dans un bol avec le thym, remuez et laissez mariner à température ambiante pendant 1 h.
2 Badigeonnez chaque côtelette d'agneau avec cette huile, sur les 2 faces.
3 Juste avant de servir, faites griller les côtelettes pendant 3 à 4 min de chaque côté. Salez et poivrez. Servez aussitôt.

Les légumes méditerranéens accompagnent bien les côtelettes d'agneau (aubergines sautées, tomates grillées, beignets de courgettes), mais aussi le gratin de pommes de terre ou les haricots verts au beurre.

Côtelettes d'agneau vert-pré

Pour **4 personnes**
Préparation **10 min**
Cuisson **8 min environ**

100 g de beurre ◆ 1 c. à soupe de persil haché ◆ 1 botte de cresson ◆ 4 belles côtelettes d'agneau ◆ sel ◆ poivre au moulin

1 Travaillez le beurre en pommade, ajoutez 1 pincée de sel, du poivre au moulin et le persil haché. Malaxez et réservez ce beurre composé au réfrigérateur.
2 Lavez le cresson et égouttez-le. Séparez-le en bouquets.
3 Faites chauffer un gril en fonte. Quand il est bien chaud, déposez-y les côtelettes d'agneau et faites-les saisir. Modérez la chaleur et retournez plusieurs fois la viande, sans piquer la partie maigre. Comptez en tout 4 min par face.
4 Salez et poivrez les côtelettes. Placez-les sur un plat bien chaud et ajoutez sur chacune le quart du beurre composé bien froid.
5 Entourez de bouquets de cresson. Servez aussitôt. Complétez la garniture avec des pommes paille.

Boisson saint-émilion

cotriade

Soupe d'origine bretonne préparée avec un assortiment de poissons : sardine, grondin, maquereau, merlan, surmulet, daurade. Pour plus de finesse, évitez que le poids des poissons gras ne dépasse le quart du poids total.

Diététique. Avec des pommes de terre bouillies, la cotriade constitue un repas parfaitement équilibré, si vous le complétez par un fruit.

Cotriade

Pour **6 personnes**
Préparation **30 min**
Cuisson **50 min environ**

400 g de congre ◆ 300 g de merlu ◆ 500 g de daurade ◆ 6 sardines fraîches ◆ 3 grondins ◆ 3 oignons ◆ 2 branches de céleri ◆ 1 bouquet garni ◆ 6 pommes de terre ◆ 50 g de beurre ◆ 2 poireaux ◆ 1 gousse d'ail ◆ 10 cl d'huile ◆ 2 c. à soupe de vinaigre ◆ 3 échalotes ◆ 3 c. à soupe de cerfeuil ciselé ◆ sel ◆ poivre

1 Nettoyez les poissons. Mettez les têtes, les arêtes et le morceau de congre dans une marmite, avec les oignons pelés hachés, le céleri tronçonné et le bouquet garni.
2 Ajoutez 3,5 l d'eau, salez et poivrez. Couvrez et portez à ébullition. Laissez cuire à petits bouillons pendant 20 min.
3 Pelez les pommes de terre et coupez-les en rondelles. Émincez les poireaux. Faites fondre le beurre dans une marmite et faites-y revenir doucement les poireaux et l'ail haché.
4 Ajoutez les pommes de terre et remuez sur le feu pendant quelques minutes. Passez le bouillon de cuisson du congre avec les aromates et versez-le sur les pommes de terre. Faites cuire 10 min en rajoutant le congre dans le bouillon.

5 Ajoutez la daurade et le merlu en morceaux. Faites cuire 10 min. Ajoutez enfin les sardines et les grondins. Poursuivez la cuisson pendant encore 10 min. La cuisson des poissons doit être menée à petits frémissements.
6 Pendant ce temps, préparez une vinaigrette à l'échalote et au cerfeuil. Servez le bouillon à part après avoir égoutté les poissons. Présentez ceux-ci avec les pommes de terre et la vinaigrette.

Boisson **muscadet**

cottage cheese

Ce fromage blanc anglo-saxon offre une consistance granuleuse avec un goût un peu plus salé que le fromage frais traditionnel.

Servez le cottage cheese avec des crudités (concombre et menthe hachée, pour farcir des tomates), avec des œufs de saumon ou du jambon cru. Il s'utilise également en pâtisserie (cheese-cake).

Diététique. 100 g = 140 kcal environ.

Hors-d'œuvre de concombre au saumon

Pour **4 personnes**
Préparation **25 min**
Repos **1 h**
Pas de cuisson

1 concombre bien ferme pas trop gros ◆ 200 g de saumon fumé ◆ 1 petit bouquet de ciboulette ◆ 250 g de cottage cheese ◆ sel ◆ poivre

1 Pelez le concombre et coupez-le en 2. Retirez les graines s'il y en a trop. Taillez la pulpe en morceaux réguliers, poudrez-les de sel et laissez dégorger au frais au moins 30 min.
2 Hachez menu le saumon, réduisez-le en purée. Ciselez la ciboulette, ajoutez-la au saumon et poivrez légèrement.
3 Rincez le concombre plusieurs fois sous l'eau fraîche pour le dessaler, égouttez-le et essorez-le bien à fond en le pressant entre vos mains.
4 Mélangez le concombre et le saumon, ajoutez le cottage cheese et mêlez. Rectifiez l'assaisonnement. Remettez la préparation au réfrigérateur pendant 30 min et servez très frais.

Décorez le dessus du plat avec des tomates cerises.

coulibiac

Ce pâté en croûte d'origine russe est cuit sans moule. Il est farci de poisson, de volaille ou de viande, avec du riz, des champignons et des œufs durs. Le vrai coulibiac au saumon (ou koulibiak) demande du *vesiga* : moelle épinière d'esturgeon.

Coulibiac de saumon

Pour **10 personnes**
Préparation **1 h environ**
Cuisson **40 min**

1 sachet de court-bouillon ◆ 500 g de darnes de saumon ◆ 100 g de riz ◆ 300 g d'épinards surgelés ◆ 5 œufs ◆ 300 g de champignons ◆ 3 échalotes ◆ 30 g de beurre ◆ 1/2 citron ◆ 800 g de pâte feuilletée ◆ 1 bouquet de persil plat ◆ 1 bouquet de ciboulette ◆ sel ◆ poivre

1 Délayez le court-bouillon avec 1 l d'eau dans une casserole. Mettez-y le saumon et portez à ébullition. Laissez pocher 10 min.
2 Passez 2 verres de bouillon dans une casserole et faites-y cuire le riz pendant 20 min. Faites cuire les épinards à l'eau bouillante salée. Faites cuire 4 œufs durs.
3 Nettoyez et émincez les champignons. Hachez les échalotes. Faites-les sauter au beurre pendant 12 min. Salez, poivrez et citronnez.
4 Essorez les épinards, égouttez le riz. Retirez la peau et les arêtes du saumon et émiettez-le. Écalez les œufs, coupez-les en 2.
5 Abaissez les 2/3 de la pâte sur le plan de travail fariné en formant un rectangle sur 3 mm d'épaisseur.
6 Étalez une couche de riz, recouvrez avec les champignons et les fines herbes hachées. Continuez avec le saumon, les épinards, les œufs durs et le reste de riz, sans aller jusqu'aux bords de la pâte.
7 Repliez les bords de la pâte sur la farce. Abaissez le reste de pâte et posez-la en couvercle sur la farce. Soudez les bords en les mouillant. Faites 2 cheminées.
8 Dorez le coulibiac avec le jaune de l'œuf restant. Faites cuire sur la tôle du four légèrement beurrée pendant 40 min à 220 °C. Baissez la chaleur à 200 °C aux 3/4 de la cuisson. Servez chaud ou tiède.

Boisson **vin blanc sec ou champagne brut**

Coupes glacées aux griottes ▲

C'est l'accord des parfums et des couleurs qui fait la réussite d'une coupe glacée. Pour façonner les boules, procurez-vous une cuiller spéciale. N'oubliez pas de mettre à refroidir les coupes de service.

1 Ébouillantez les tomates, pelez-les et taillez-les en petits dés. Pelez et hachez finement l'oignon, l'ail et l'échalote.
2 Faites chauffer dans une casserole sur feu doux le beurre et l'huile. Faites-y revenir l'oignon et l'échalote puis ajoutez les tomates concassées. Remuez, ajoutez l'ail et le bouquet garni. Salez et poivrez.
3 Laissez mijoter à découvert 15 à 20 min. Passez au tamis. Rectifiez l'assaisonnement.

coulommiers

Fromage de lait de vache d'Île-de-France, à pâte molle et à croûte fleurie. Il possède les mêmes caractéristiques que le brie.

Diététique. 100 g de coulommiers = 280 kcal.

coupe glacée

Ce sont surtout le décor et la présentation qui caractérisent cette glace servie en coupe. Utilisez fruits frais, au sirop ou confits, amandes effilées, crème Chantilly, marrons glacés, coulis de fruits, sauce au chocolat, pralines broyées, noix de coco, etc.

Coupes glacées aux griottes

Pour **6 personnes**
Préparation **15 min, 1 h à l'avance**
Chantilly **10 min**
Pas de cuisson

24 griottes ◆ 5 cl de kirsch ◆ 4 c. à soupe de marmelade d'abricots ◆ 1/2 l de sorbet à la cerise ◆ 1/2 l de glace plombière ◆ crème Chantilly (facultatif) ◆ vermicelles en chocolat

1 Faites macérer les griottes dénoyautées dans le kirsch pendant 1 h.
2 Répartissez la marmelade dans le fond de 6 coupes en verre bien froides.
3 Placez ensuite dans chaque coupe 2 boules de sorbet à la cerise et 1 boule de glace plombière. Ajoutez les griottes.
4 Décorez avec la crème Chantilly et parsemez de vermicelles en chocolat.

coulis

→ voir aussi sauce

Purée liquide de légumes ou de fruits servant de sauce. Il s'agit essentiellement du coulis de tomates, plus ou moins épais, et des différents coulis de fruits, qui peuvent accompagner glaces, entremets ou fruits pochés. Très faciles à réaliser, à cru avec un mixer ou en quelques minutes de cuisson, ils doivent surtout être bien parfumés.

Coulis de tomates

Pour **4 personnes**
Préparation **15 min**
Cuisson **30 min**

500 g de tomates ◆ 1 petit oignon ◆ 1 gousse d'ail ◆ 1 échalote ◆ 20 g de beurre ◆ 1 c. à soupe d'huile ◆ 1 bouquet garni ◆ sel ◆ poivre

courgette

→ voir aussi **fleurs, ratatouille**

Variété de courge, de forme allongée, à peau brillante, qui se consomme jeune. Sa chair est ferme et aqueuse. Ses fleurs sont comestibles.

Légume d'été, la courgette est cultivée toute l'année dans le Midi, d'où elle est acheminée vers le Nord. Elle est maintenant cultivée en région parisienne. Elle est importée également d'Espagne, d'Italie et du Maroc.

À l'achat, ce légume doit être assez lourd dans la main avec une peau sans tache ni éraflure. Si la courgette est bien nette, fine et de petite taille, cuisinez-la sans la peler. Si elle est cuite à l'eau ou à la vapeur, relevez son goût un peu fade avec une béchamel au fromage, une sauce au curry ou, si vous la servez en salade, une vinaigrette aux fines herbes. La farce et le gratin lui conviennent bien. Poêlées, frites ou en beignets, les courgettes accompagnent le poisson, le veau ou l'agneau.

Diététique. Légume très peu calorique (30 kcal pour 100 g) ; plus la courgette est petite, plus elle est digeste.

courgette

courgette avec fleur

rondelles de courgette

Courgettes farcies

Pour **4 personnes**
Préparation **25 min**
Cuisson **35 min**

2 belles courgettes ◆ 1 oignon ◆ 2 branches de céleri ◆ 100 g de lentilles ◆ 1 c. à soupe d'huile de maïs ou de tournesol ◆ 100 g de champignons de couche ◆ 1 c. à soupe de curry doux ◆ 1 c. à soupe de persil haché ◆ sel ◆ poivre

1 Coupez les courgettes, lavées et essuyées, dans la longueur, ôtez les graines et évidez-les légèrement. Hachez cette pulpe et réservez-la. Pelez et hachez l'oignon. Effilez et hachez le céleri. Portez à ébullition 1 l d'eau.

2 Versez les lentilles dans un plat creux, recouvrez-les d'eau bouillante, couvrez et faites cuire 15 min à puissance maximale, en remuant plusieurs fois. Laissez reposer 5 min. Égouttez. Nettoyez et hachez les champignons.

3 Versez l'huile dans un plat de taille moyenne. Faites chauffer 1 min. Ajoutez l'oignon, remuez et faites cuire 1 min.

4 Ajoutez le céleri, les champignons, la chair des courgettes et les lentilles. Mélangez et faites cuire 2 min. Remuez, couvrez et faites cuire encore 6 min en remuant 1 fois en cours de cuisson.

5 Ajoutez le curry, salez et poivrez. Remplissez les 1/2 courgettes de cette farce, poudrez de persil et placez-les dans un grand plat. Couvrez. Faites cuire 8 min en changeant de place les courgettes à mi-cuisson.

6 Servez très chaud avec un coulis de tomates.

Boisson **vin rosé fruité**

courgette ronde

Les courgettes sont disponibles sur le marché pendant toute l'année. Pour une présentation soignée, pelez-les avec un couteau économe en retirant une bande sur deux.

Courgettes aux pommes

Pour **4 personnes**
Préparation **20 min**
Cuisson **8 min**

300 g de petites courgettes à peau fine ◆ 2 pommes granny smith ◆ 1 citron ◆ 1 poignée de noix de coco râpée non sucrée ◆ huile de noix ◆ huile de maïs ◆ vinaigre de cidre ◆ fleur de thym ◆ sel ◆ poivre

1 Lavez les courgettes, ne les pelez pas, coupez le pédoncule et détaillez-les en fines rondelles régulières. Faites-les cuire à la vapeur pendant 5 min. Rafraîchissez-les et égouttez-les. Lavez les pommes, ne les pelez pas, retirez le cœur et les pépins. Émincez-les finement et citronnez-les.
2 Étalez la noix de coco sur la plaque du four tapissée de papier d'aluminium. Faites-la dorer dans le four en remuant pendant 7 ou 8 min.
3 Mélangez dans un bol 2 c. à soupe d'huile de noix et autant d'huile de maïs, ajoutez 1 c. à soupe de vinaigre, salez et poivrez.
4 Réunissez dans un plat creux les pommes et les courgettes. Nappez de sauce et mélangez. Poudrez de noix de coco et de quelques fleurs de thym hachées. Servez en entrée.

Flan de courgettes à la tomate

Pour **6 personnes**
Préparation **25 min**
Cuisson **20 min**

250 g de pâte feuilletée toute prête ◆ 2 tomates ◆ 3 courgettes ◆ 1 c. à café d'origan séché ◆ 2 œufs ◆ 15 cl de crème fraîche ◆ sel ◆ poivre

1 Abaissez le feuilletage sur 5 mm d'épaisseur. Garnissez-en un moule de 24 cm de diamètre.
2 Lavez les tomates et les courgettes, essuyez-les et émincez-les. Rangez-les en couches régulières dans le moule, en mettant les tomates au milieu, poudrées d'une pincée d'origan.
3 Battez les œufs en omelette dans une jatte, ajoutez la crème. Salez et poivrez. Ajoutez le reste d'origan.
4 Versez cette préparation sur les courgettes. Faites cuire au four à 200 °C à mi-hauteur pendant environ 20 min. Laissez tiédir. Servez en parts avec une salade de cresson.

Salade de courgettes marinées

Recette légère — 1 portion 50 kcal

Pour **4 personnes**
Préparation **25 min, 2 h à l'avance**
Cuisson **3 à 5 min**

4 ou 5 petites courgettes à peau fine ◆ 1 citron ◆ 1 c. à café de coriandre en grains ◆ 30 g de sucre semoule ◆ 4 c. à soupe de vinaigre à l'estragon ◆ sel ◆ poivre

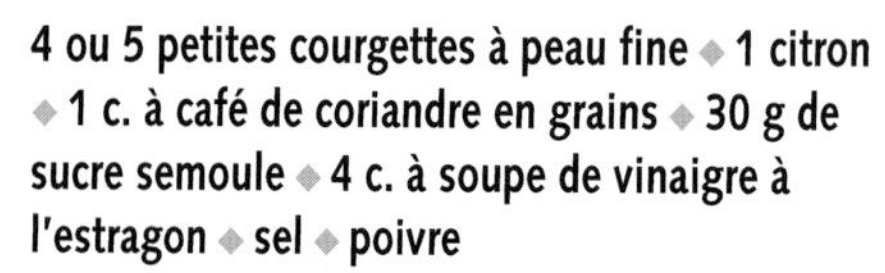

1 Lavez les courgettes, ne les pelez pas et coupez-les en rondelles fines. Râpez le zeste du citron, pressez et filtrez le jus.
2 Ébouillantez rapidement les rondelles de courgettes, égouttez-les et épongez-les. Mettez-les dans un plat creux avec la coriandre, sel, poivre et le zeste de citron. Arrosez de jus de citron.
3 Faites chauffer le sucre dans une petite casserole avec quelques gouttes d'eau. Quand il commence à caraméliser, mouillez-le de vinaigre et remuez. Versez le mélange encore brûlant sur les courgettes. Remuez et laissez mariner 2 h.
4 Servez en ravier, bien refroidi avec, par exemple, de fines tranches de jambon de Parme.

Le caramel a tendance à prendre quand on le verse sur les légumes, mais il se dissout rapidement dans le jus de citron.

Les courgettes seront plus parfumées si vous les laissez mariner une journée.

→ **autres recettes de courgette à l'index**

court-bouillon

→ **voir aussi** crabe, nage

Liquide assaisonné utilisé pour faire cuire poissons, crustacés, abats et même volailles. La recette la plus simple consiste à faire bouillir de l'eau avec du gros sel (15 g par litre). On ne l'emploie que pour les crustacés. Le court-bouillon aromatisé, au vinaigre ou au vin blanc, demande environ 1 h de cuisson. Il faut toujours le faire refroidir avant d'y plonger un poisson ou une viande.

Courgettes aux pommes ►
Cette recette fruits et légumes sait allier la fermeté de la pomme au moelleux de la courgette.

Les sachets de court-bouillon instantané vendus dans le commerce permettent de gagner du temps. Ne jetez pas le court-bouillon : filtré, il sert de base pour un potage ou une sauce.

Court-bouillon au vin blanc

Pour **2 litres environ**
Préparation **15 min**
Cuisson **1 h**

150 g de carottes ◆ 6 échalotes ◆ 2 oignons ◆ 100 g de champignons ◆ 30 g de beurre ◆ 1 l de vin blanc sec ◆ 1 bouquet garni ◆ 30 g de gros sel ◆ 6 à 7 grains de poivre concassés

1 Pelez et émincez carottes, échalotes et oignons. Nettoyez et hachez les champignons.
2 Faites fondre le beurre sur feu doux dans une grande casserole. Ajoutez les légumes et laissez étuver 3 min.
3 Mouillez avec 1 l d'eau bouillante et le vin blanc. Ajoutez le bouquet garni, salez et faites cuire doucement pendant 50 à 60 min. Ajoutez le poivre en fin de cuisson.
4 Laissez refroidir complètement le court-bouillon avant de l'utiliser pour des poissons délicats (turbot, saint-pierre, sole, etc.).
5 Filtrez ensuite l'eau de cuisson pour préparer une sauce.

couscous

→ **voir aussi céréales, ras al-hanout, semoule**

Semoule et bouillon sont les composantes de base de ce plat originaire du Maghreb, mais la garniture et les légumes sont très variables : mouton, bœuf, poulet, boulettes de viande, saucisses grillées, avec courgettes, pois chiches, fenouil, fèves, etc.

Un bon couscous exige deux conditions. Tout d'abord la qualité de la graine : elle est importante dans l'art de cuire la semoule. Ensuite la saveur des viandes, qui doit tout au choix des légumes et des épices du bouillon.

La variante au poisson (mérou, daurade, mulet) est plus rare, et il existe aussi un couscous sucré aux fruits secs. Le couscous est un plat pour tablée nombreuse. Prévoyez plusieurs « fournées » de semoule.

Le couscoussier est très utile pour toutes les cuissons à la vapeur.

Diététique. Un plat équilibré par excellence, à condition de ne pas prendre comme dessert des pâtisseries orientales.

Couscous aux dattes et aux raisins secs

Pour **4 à 5 personnes**
Préparation **30 min**
Cuisson **30 min**

500 g de couscous ◆ 3 c. à soupe d'huile d'olive ◆ 125 g de raisins secs ◆ 125 g de dattes séchées ◆ beurre ◆ sel

1 Mettez le couscous dans un grand saladier et passez-le quelques instants sous l'eau froide. Égouttez-le légèrement et laissez-le gonfler à couvert pendant 15 min.
2 Prenez la semoule entre vos mains et roulez-la avec les paumes en la versant au fur et à mesure dans la partie supérieure du couscoussier. Remplissez à moitié la partie inférieure d'eau bouillante.
3 Faites cuire le couscous pendant 20 min. Versez-le dans un grand plat creux et arrosez-le d'eau salée avec 2 c. à soupe d'huile. Laissez gonfler pendant 15 min.
4 Pendant ce temps, mettez dans une casserole les raisins secs et les dattes dénoyautées. Couvrez d'eau et portez à ébullition pendant 5 à 6 min. Égouttez-les.
5 Ajoutez les raisins secs et les dattes à la semoule et arrosez avec le reste d'huile d'olive. Remettez le tout dans la partie haute du couscoussier et poursuivez la cuisson pendant 10 min à la vapeur.
6 Servez dans un grand plat creux en terre avec quelques noisettes de beurre à la surface.

Présentez ce couscous sucré avec un reste de viande bouillie réchauffé dans un peu de bouillon ou des boulettes de viande rissolées nappées de sauce tomate.

Variante : ajoutez aussi quelques figues sèches coupées en quartiers en prenant soin de supprimer la queue un peu dure.

Boisson vin rosé

Couscous au mouton

Pour 4 ou 5 personnes
Préparation 1 h
Cuisson 1 h 30

3 oignons ◆ 4 c. à soupe d'huile d'olive ◆ 800 g de viande de mouton (collier, épaule) en morceaux ◆ 3 carottes ◆ 5 navets ◆ 3 gousses d'ail ◆ 4 tomates ◆ 1 poivron vert ◆ 4 courgettes ◆ 1 piment de Cayenne ◆ 500 g de couscous ◆ 60 g de beurre

1 Pelez et émincez les oignons. Faites chauffer 3 c. à soupe d'huile d'olive dans la partie basse d'un couscoussier. Mettez-y à revenir doucement les morceaux de viande en les retournant régulièrement. Ajoutez les oignons émincés et remuez.

2 Pelez et coupez en gros morceaux les carottes et les navets. Pelez et écrasez les gousses d'ail. Pelez les tomates et coupez-les en morceaux. Ajoutez les carottes, les navets, l'ail et les tomates au contenu du couscoussier.

3 Détaillez le poivron en fines lamelles. Incorporez-les au mélange puis couvrez d'eau légèrement salée. Faites cuire sur feu moyen pendant 1 h. Après 40 min de cuisson, ajoutez les courgettes en rondelles et le piment de Cayenne. Mélangez bien.

4 Pendant la cuisson de la viande et des légumes, préparez la semoule. Rincez la graine rapidement sous l'eau froide et laissez-la gonfler pendant 15 min à couvert.

5 Mettez la semoule dans le haut du couscoussier en la roulant entre les paumes des mains. Laissez cuire 20 min.

6 Quand la semoule se met à fumer, versez-la dans un grand plat, arrosez-la d'eau salée et ajoutez 1 c. à soupe d'huile d'olive. Laissez gonfler pendant 10 min. Remettez-la dans la partie haute du couscoussier et faites-la cuire 15 min.

7 Versez la semoule dans un plat creux vernissé et ajoutez quelques noix de beurre. Retirez la viande et les légumes ; mettez-les dans un plat creux et arrosez-les de bouillon. Servez aussitôt.

Servez en condiment 1 c. à soupe de harissa délayée dans du bouillon chaud et des pois chiches au naturel pour compléter la garniture. Si vous désirez corser la sauce, vous pouvez aussi y incorporer un peu de harissa.

Boisson vin rouge corsé

Couscous au mouton ▲

Considéré par les amateurs comme le plus classique, le couscous au mouton est un repas complet à lui seul, avec bouillon, légumes et viande, que relève la saveur piquante de la harissa.

crabe

→ **voir aussi** araignée, étrille, tourteau

Les quatre grandes espèces de ce crustacé sont l'araignée de mer, l'étrille, le crabe vert, ou enragé, et le tourteau, ou dormeur. Quand on parle de « crabe » sans préciser, il s'agit du tourteau. Ne le choisissez pas trop gros, mais bien lourd. Achetez de préférence les femelles : leur queue est plus large et elles contiennent du corail. Un crabe bien plein acheté vivant porte en général des algues sur sa carapace ; la queue, repliée sous la carapace, est légèrement soulevée.

Appréciez ce crustacé de choix cuit simplement au court-bouillon : la chair est délicate ; le foie et la substance crémeuse, entre chair et carapace, sont très appréciés. Pour toutes les recettes de soufflé, cocktails, salade composée, feuilleté, aspic, etc., n'hésitez pas à prendre des miettes ou, mieux, des morceaux de crabe en conserve au naturel. Il existe

◄ Crabes farcis

Garnis de leur chair mélangée avec une sauce à la crème et aux champignons, relevée de curry et de paprika, les tourteaux gratinés au parmesan sont à servir tout chauds à la sortie du four.

aussi des «bâtonnets au crabe» (surimi), pratiques pour les hors-d'œuvre.

Les petits crabes se cuisinent surtout en soupes ou en bisques.

Diététique. Aliment riche en protéines et en sels minéraux, 100 g = 120 kcal, mais attention à la mayonnaise qui l'accompagne facilement.

Crabes à la bretonne

Pour **4 personnes**
Préparation **15 min**
Cuisson **25 min**

RECETTE LÉGÈRE 1 portion 130 kcal

2 citrons ◆ 250 g de carottes ◆ 3 oignons ◆ 1 brin de thym ◆ 1/2 feuille de laurier ◆ 2 tiges de persil ◆ 4 gros crabes (500 g environ) ◆ 1 laitue ◆ 30 g de gros sel ◆ 10 g de poivre en grains

1 Préparez un court-bouillon au citron avec les carottes pelées et émincées, les oignons pelés et grossièrement hachés, le thym, le laurier, le persil, le gros sel et tout le jus des citrons.

2 Ajoutez 3 l d'eau et portez à ébullition. Laissez bouillonner 15 min et ajoutez le poivre. Faites cuire les crabes dans le court-bouillon de 8 à 10 min.

3 Égouttez les crabes et laissez-les refroidir. Détachez les pattes et les pinces. Retirez tout l'intérieur de la carapace. Nettoyez-la.

4 Tapissez les assiettes de service de feuilles de laitue. Placez sur chacune d'elles un crabe avec l'intérieur remis dans la carapace. Disposez les pattes et les pinces autour.

Crabes farcis

Pour **4 personnes**
Préparation **40 min**
Cuisson **1 h**

1 carotte ◆ 1 oignon ◆ 4 échalotes ◆ 1 bouquet de persil ◆ 3 feuilles de laurier ◆ 3 dl de vin blanc ◆ 4 tourteaux de 500 à 600 g environ ◆ 250 g de champignons de couche ◆ 80 g de beurre ◆ 20 cl de crème fraîche ◆ 3 jaunes d'œufs ◆ 1 c. à café de curry ◆ 1 c. à café de paprika ◆ 50 g de parmesan râpé ◆ sel ◆ poivre

1 Préparez un court-bouillon avec la carotte, l'oignon, 2 échalotes, les queues du bouquet de persil, le laurier, le vin blanc et 3 l d'eau. Salez et poivrez.

2 Portez cette cuisson à ébullition pendant 10 min. Plongez-y les crabes et faites cuire 10 min. Laissez-les refroidir.

3 Pelez et hachez les échalotes restantes, nettoyez les champignons et coupez-les en très petits dés. Faites fondre les échalotes dans la moitié du beurre pendant 10 min. Mouillez avec 20 cl de court-bouillon et faites réduire.

4 Fouettez la crème vigoureusement, ajoutez-lui les jaunes d'œufs et la réduction aux échalotes. Mettez de côté au frais.

5 Décortiquez les crabes, récupérez la chair, éliminez les cartilages et nettoyez les carapaces.

6 Faites fondre le reste de beurre dans une casserole et ajoutez les champignons. Laissez mijoter 10 min. Ajoutez le curry et le paprika,

1 c. à soupe de persil haché puis la chair des tourteaux. Incorporez la moitié de la crème.
7 Farcissez-en les carapaces, puis nappez le dessus avec le reste de crème. Lissez à la spatule et poudrez de parmesan. Gratinez au four à 210 °C pendant 10 min. Servez brûlant.

Pamplemousses garnis

Pour **4 personnes**
Préparation **25 min**, mayonnaise **10 min**
Pas de cuisson

1 boîte de crabe au naturel ◆ 1/2 citron ◆ 2 pamplemousses roses ◆ quelques feuilles de laitue ◆ mayonnaise relevée ◆ paprika

1 Ouvrez la boîte de crabe, égouttez la chair et retirez les cartilages. Arrosez de jus de citron.
2 Coupez les pamplemousses en 2, évidez-les et pelez les quartiers de chair retirée. Taillez la laitue en chiffonnade.
3 Mélangez les quartiers de pamplemousse, la chair de crabe, 4 c. à soupe de mayonnaise, 2 ou 3 pincées de paprika et les lanières de laitue.
4 Remplissez-en les 1/2 pamplemousses et mettez au frais.

cramique

Sorte de pain brioché truffé de raisins secs, le cramique se sert de préférence tiède, avec du beurre. Proposez-le au petit déjeuner.

crème (dessert)

→ **voir aussi** chantilly, diplomate, frangipane, île flottante

Entremets familial, généralement vite fait grâce à des ingrédients simples – œufs, lait, sucre – toujours disponibles, la crème est une solution idéale pour terminer un repas ou accompagner un gâteau. Jamais monotone, elle se transforme au gré des parfums. Les crèmes ne sont pas difficiles à réaliser, à condition de bien respecter les proportions et de les surveiller pendant la cuisson.

Apprenez le tour de main de deux recettes de base : la crème renversée, qui sert aussi à préparer les crèmes moulées, les œufs au lait et les ramequins ; et la crème anglaise, indispensable pour les desserts, où ses emplois sont nombreux.

Diététique. Formule allégée : avec du lait écrémé et un édulcorant.

Crème brûlée

Pour **4 personnes**
Préparation **20 min**
Cuisson **35 min**
Repos **30 min**

1 gousse de vanille ◆ 4 jaunes d'œufs ◆ 130 g de sucre semoule ◆ 20 cl de lait ◆ 250 g de crème fraîche ◆ 1 c. à soupe de liqueur à l'orange

1 Fendez la gousse de vanille en 2 et récupérez les graines. Versez les jaunes d'œufs dans un saladier, ajoutez 100 g de sucre et fouettez.
2 Ajoutez les graines de vanille puis le lait. Fouettez puis incorporez la crème et la liqueur.
3 Répartissez la crème dans des plats à œufs. Faites cuire 30 min au four à 150 °C.
4 Laissez refroidir et mettez au frais pendant 30 min. Saupoudrez le dessus avec le reste de sucre et passez sous le gril du four pour caraméliser le dessus. Servez tiède ou froid.

Crème péruvienne

Pour **6 personnes**
Préparation **20 min, 2 h à l'avance**
Cuisson **10 min**

1 l de lait ◆ 1 gousse de vanille ◆ 50 g de grains de café ◆ 100 g de sucre en morceaux ◆ 120 g de chocolat noir ◆ 4 jaunes d'œufs ◆ 100 g de sucre semoule

1 Faites bouillir le lait avec la vanille. Faites chauffer les grains de café dans une petite poêle. Versez-les dans le lait, retirez du feu et laissez infuser 15 min.
2 Préparez un caramel roux avec le sucre en morceaux. Dès qu'il est prêt, arrêtez la cuisson en versant avec précaution 1/2 verre d'eau chaude.
3 Ajoutez, hors du feu, le chocolat en morceaux. Remuez pour qu'il fonde. Ajoutez le lait à travers une passoire pour éliminer les grains de café.
4 Travaillez les jaunes d'œufs et le sucre semoule. Versez le lait chaud peu à peu, puis faites épaissir sur feu doux, sans laisser bouillir. Versez dans une coupe. Servez froid ou glacé.

◄ Crèmes renversées au caramel

Servie bien froide, largement nappée de caramel liquide, la crème renversée se sert avec des petits biscuits secs, langues-de-chat ou cigarettes russes.

Crèmes renversées au caramel

Pour **6 personnes**
Préparation **10 min**
Cuisson **40 à 45 min**

3 œufs entiers ◆ 2 jaunes d'œufs ◆ 1 gousse de vanille ◆ 50 cl de lait ◆ 1 petit flacon de caramel liquide ◆ 80 g de sucre semoule

1 Fendez la gousse de vanille dans la longueur et mettez-la dans une casserole avec le lait. Portez à ébullition, puis arrêtez le feu. Couvrez et laissez infuser 30 min.
2 Sortez la gousse de vanille du lait et grattez l'intérieur avec la pointe d'un couteau pour récupérer les graines et les mettre dans le lait. Mélangez. Jetez la gousse.
3 Préchauffez le four à 150 °C et glissez la lèchefrite à mi-hauteur. Remplissez-la d'eau très chaude pour faire un bain-marie.
4 Enrobez de caramel l'intérieur de 6 moules à manqué individuels en les inclinant.
5 Cassez les œufs entiers dans un saladier, battez-les en omelette puis ajoutez les 2 jaunes d'œufs et le sucre. Fouettez vigoureusement le mélange jusqu'à ce qu'il soit bien mousseux. Si le lait a beaucoup refroidi, réchauffez-le sans le faire bouillir.
6 Versez très doucement le lait chaud sur le mélange œufs-sucre sans cesser de remuer pour obtenir une crème bien lisse.
7 Versez la préparation dans les moules. Placez ceux-ci dans la lèchefrite et faites cuire pendant 40 à 45 min.
8 Sortez les crèmes du four et laissez refroidir complètement avant de démouler. Posez chaque assiette à l'envers sur les moules et retournez le tout. Mettez au réfrigérateur jusqu'au moment de servir.

Petits pots de crème

Pour **6 personnes**
Préparation **10 min, 3 h à l'avance**
Cuisson **25 min**

50 cl de lait ◆ 200 g de sucre semoule ◆ 2 œufs entiers ◆ 6 jaunes d'œufs ◆ 50 cl de crème fraîche ◆ 1 sachet de sucre vanillé ◆ 125 g de chocolat noir ◆ 1 c. à soupe bombée de café soluble

1 Versez le lait dans une casserole et portez à ébullition. Pendant ce temps, travaillez le sucre avec les œufs dans une terrine.
2 Lorsque le sucre est bien dissous, versez le lait puis incorporez la crème fraîche. Versez à nouveau dans la casserole et faites épaissir sur feu doux sans laisser bouillir.
3 Lorsque la crème nappe la cuiller, ajoutez le sucre vanillé. Séparez cette crème en 2 et versez-la dans 2 jattes.
4 Faites fondre le chocolat concassé au bain-marie dans 2 c. à soupe d'eau. Incorporez-le dans une moitié de crème.
5 Diluez le café soluble dans un peu d'eau chaude et versez-le dans l'autre moitié. Répartissez ensuite ces crèmes dans des petits pots et mettez au frais jusqu'au service.

➔ **autres recettes de crème (dessert) à l'index**

crème (potage)

Pour porter le nom de « crème », un potage doit présenter une consistance lisse et onctueuse : liaison à la crème fraîche et au jaune d'œuf. Mixez la purée pour lui donner une texture fine et crémeuse.

Crème d'asperge

Pour **4 personnes**
Préparation **20 min**
Cuisson **50 min environ**

500 g de grosses asperges blanches ◆ 1 oignon ◆ 1 échalote ◆ 60 g de beurre ◆ 20 g de farine ◆ 10 cl de crème fraîche ◆ lait ◆ sel ◆ poivre au moulin

1 Faites cuire 20 min les asperges à l'eau bouillante salée. Égouttez-les. Réservez la cuisson.
2 Pelez et hachez l'oignon et l'échalote. Faites-les fondre doucement au beurre dans une casserole en remuant pendant 7 à 8 min.
3 Poudrez avec la farine et faites cuire en remuant pendant 2 min. Versez peu à peu la cuisson des asperges. Remettez les asperges tronçonnées. Faites cuire pendant 10 min.
4 Laissez tiédir et passez au mixer. Allongez cette purée avec 10 cl de lait. Salez et poivrez. Remettez sur feu très doux et incorporez la crème fraîche. Ne laissez pas bouillir.

Crème de céleri

Pour **2 personnes**
Préparation **20 min**
Cuisson **30 min**

400 g de céleri-rave ◆ 1 citron ◆ 400 g de pommes de terre ◆ 2 branches de céleri ◆ 50 cl de bouillon de volaille ◆ 25 cl de lait écrémé ◆ sel ◆ poivre

1 Pelez le céleri-rave, coupez-le. Citronnez-le. Pelez les pommes de terre, coupez-les. Parez les branches de céleri et tronçonnez-les. Ciselez les feuilles tendres et réservez-les.
2 Réunissez ces ingrédients dans une grande casserole, versez le bouillon et couvrez d'eau. Salez et poivrez. Faites cuire 30 min à couvert puis mixez. Faites chauffer avec le lait jusqu'à consistance veloutée. Parsemez le dessus de feuilles de céleri lavées et ciselées.

Crème de champignon

Pour **6 personnes**
Préparation **15 min**
Cuisson **25 min**

250 g de champignons de couche ◆ 1 citron ◆ 50 g de beurre ◆ 40 g de farine ◆ 1,5 l de bouillon de volaille ◆ 15 cl de crème fraîche épaisse ◆ sel ◆ poivre blanc au moulin

1 Nettoyez les champignons. Hachez-en la moitié, citronnez le reste. Faites fondre le beurre dans une casserole et ajoutez le hachis de champignons. Remuez sur feu vif pendant 5 min.
2 Poudrez de farine et mélangez. Mouillez avec le bouillon de volaille et laissez mijoter doucement 20 min.
3 Égouttez le reste de champignons et émincez-les très finement. Passez le contenu de la casserole au mixer et incorporez la crème fraîche. Ajoutez les champignons émincés et continuez la cuisson pendant 3 à 4 min. Salez et poivrez.

Crème de laitue

Pour **4 personnes**
Préparation **15 min**
Cuisson **11 min**

3 oignons nouveaux ◆ 1 gousse d'ail ◆ 1 laitue ◆ 50 cl de lait ◆ 2 feuilles de laurier ◆ 6 ou 7 grains de poivre noir ◆ 1 oignon doux ◆ 1 c. à soupe d'huile ◆ 1 c. à café de muscade râpée ◆ sel

1 Pelez et hachez finement les oignons nouveaux et la gousse d'ail. Nettoyez et lavez la laitue. Taillez-la en chiffonnade.
2 Versez le lait dans un grand récipient avec le laurier émietté, les grains de poivre et l'oignon doux. Faites cuire 4 min à puissance maximale. Laissez reposer 3 min puis filtrez.
3 Versez l'huile dans un plat moyen et faites chauffer 1 min à puissance maximale. Ajoutez l'oignon égoutté et les oignons nouveaux, l'ail et la muscade. Mélangez, couvrez et faites cuire 2 min à puissance maximale.
4 Ajoutez la laitue, couvrez et remettez 3 min à puissance maximale. Versez le mélange dans le lait, salez et mixez. Versez dans le plat, couvrez et réchauffez 1 min. Servez aussitôt.

→ **autres recettes de crème (potage) à l'index**

crème anglaise

➜ **voir aussi** **glace et crème glacée, île flottante, œufs à la neige**

Agréablement onctueuse et diversement parfumée, la crème anglaise se sert toujours froide, soit pour accompagner des œufs à la neige, un pudding, une île flottante ou une charlotte, soit pour napper un gâteau de riz ou un entremets. Elle sert aussi de base à la préparation de crèmes glacées.

Crème anglaise

Pour **6 personnes**
Préparation **10 min**
Cuisson **15 min**

1 gousse de vanille ◆ 1 l de lait ◆ 6 jaunes d'œufs ◆ 150 g de sucre semoule

1 Fendez la gousse de vanille dans le sens de la longueur sans laisser échapper les graines de l'intérieur. Versez le lait dans une casserole à fond épais et ajoutez la vanille. Portez lentement à ébullition et laissez bouillir 1 min. Baissez le feu et laissez infuser la vanille dans le lait pendant 3 min.

2 Versez le sucre en pluie sur les jaunes d'œufs. Travaillez le mélange avec une spatule jusqu'à ce qu'il devienne mousseux, lisse et homogène : il « fait ruban ».

3 Retirez la gousse de vanille du lait bouillant. Versez celui-ci peu à peu sur le mélange sucre-œufs. Procédez très doucement au début afin de ne pas coaguler les œufs.

4 Remettez le mélange dans la casserole et faites épaissir sur feu doux en remuant sans arrêt avec une cuiller en bois. Surtout ne laissez pas bouillir.

5 La crème est cuite lorsque la mousse en surface a disparu et que le mélange nappe la cuiller. Versez-la dans un récipient froid.

Si la crème se sépare en petits grumeaux dès qu'elle approche du point d'ébullition, elle tourne : transvasez-la dans une jatte, laissez-la tiédir et fouettez-la très vigoureusement.

Ajoutez 1 c. à café de fécule au mélange de sucre et de jaunes d'œufs, pour que la crème ne se désagrège pas si l'ébullition est trop importante.

Pour obtenir une crème anglaise plus fine, ajoutez 15 cl de crème liquide après refroidissement.

crème au beurre

→ voir aussi biscuit roulé, bûche de Noël, génoise, moka

Cette crème utilisée pour fourrer ou décorer une pâtisserie doit être préparée avec des œufs extra-frais et du beurre de première qualité. Il n'y a aucun risque à conserver un gâteau fourré de crème au beurre plusieurs jours au réfrigérateur, s'il est soigneusement emballé.

Crème au beurre

Pour **un gâteau de 6 à 8 personnes**
Préparation **25 min**
Cuisson **5 min**

8 jaunes d'œufs ◆ sel ◆ 250 g de sucre en morceaux ◆ 250 g de beurre ◆ parfum au choix : vanille, chocolat, café, etc.

1 Battez légèrement les jaunes d'œufs avec 1 pincée de sel.

2 Mettez le sucre dans une casserole et ajoutez 20 cl d'eau. Laissez fondre sur feu doux sans remuer, secouez la casserole d'avant en arrière pour égaliser la chaleur. Lorsque le sirop est limpide, laissez bouillir 2 à 3 min jusqu'au « filet ». Mouillez d'eau froide le pouce et l'index et prenez un peu de sirop entre vos doigts, au bout d'une cuiller en bois ; écartez-les : il se forme un filet.

3 Versez lentement le sirop bouillant sur les jaunes d'œufs en battant. Laissez refroidir.

4 Dans une jatte à part, réduisez le beurre ramolli en crème.

5 Incorporez le mélange œufs-sirop en tournant sans arrêt. Lorsque la crème est très brillante et assez ferme, ajoutez le parfum : 1 c. à soupe de vanille liquide ou d'extrait de café, 2 c. à soupe de cacao non sucré ou de praliné, d'alcool ou de liqueur (rhum, kirsch, Cointreau, etc.). Mélangez. Utilisez la crème au beurre aussitôt ou conservez-la au réfrigérateur dans un récipient bien couvert.

Voici une autre méthode plus simple mais un peu moins fine. Cassez 2 œufs entiers dans une casserole et ajoutez 150 g de sucre semoule. Travaillez sur feu doux à la spatule jusqu'à ce que le sucre soit fondu. Laissez refroidir en mélangeant fréquemment. Réduisez 250 g de beurre en pommade. Ajoutez le mélange d'œufs et de sucre refroidi en le versant en filet sans cesser de tourner. Lorsque la crème est lisse, ajoutez le parfum.

crème fraîche

Blanche et onctueuse, plus ou moins épaisse, grasse, liquide ou légère, la crème est la matière grasse du lait que l'on obtient par centrifugation. La crème fraîche se vend en pots de verre ou de plastique, en briques de carton ou à la demande.

La crème crue, qui n'a subi aucun traitement thermique, ne se garde que 7 jours : elle est très grasse et convient pour les sauces froides.

La crème double, enrichie en matières grasses, est bonne pour la pâtisserie ou les potages veloutés.

La crème fraîche épaisse, pasteurisée et maturée, résiste bien à la cuisson, tient bien à la réduction et reste homogène dans les liaisons.

La crème liquide (que les cuisiniers et les pâtissiers appellent «fleurette») présente les mêmes avantages, mais en outre elle est parfaite pour la chantilly. On la trouve sous forme stérilisée ou stérilisée UHT, à longue durée de conservation. La crème liquide réunit tous les avantages (cuisson, réduction, taux idéal de matières grasses).

La crème légère, ou allégée, s'emploie de préférence à froid.

Citons aussi la crème aigre, fermentée, qui s'emploie surtout froide. La crème d'Isigny est la seule à bénéficier d'une appellation d'origine contrôlée.

Diététique. La crème fraîche est constituée de 30 à 50 % de lipides du lait. Ils sont saturés, donc à prendre en compte si vous avez du cholestérol. La crème liquide, allégée (12 à 30 % de matières grasses), est à privilégier dans les régimes amincissants. De toute façon, à poids égal, la crème est le corps gras d'assaisonnement le moins gras : 12 g de beurre = 10 g d'huile = 30 g de crème fraîche = 90 kcal.

Harengs marinés à la crème

Pour **4 personnes**
Préparation **30 min**, mayonnaise **10 min**
Marinade **2 à 3 h**
Cuisson **3 à 5 min**

200 g d'oignons ◆ 200 g de gros cornichons ◆ 8 filets de harengs au vinaigre ◆ 1 petit bouquet de persil plat ◆ 2 pommes acides ◆ 1/2 citron ◆ 4 c. à soupe de mayonnaise ◆ 20 cl de crème fraîche épaisse ◆ 1 pincée de sucre semoule ◆ sel ◆ poivre

1 Pelez les oignons, coupez-les en 2 et tranchez-les en 1/2 anneaux très fins.
2 Égouttez les cornichons et réservez 4 c. à soupe de la marinade. Coupez les harengs en grosses bouchées. Lavez et hachez finement le persil. Pelez les pommes et coupez-les en lamelles. Citronnez-les.
3 Faites blanchir les oignons à l'eau bouillante pendant 2 min, rafraîchissez-les et égouttez-les.
4 Mélangez dans une terrine la mayonnaise et la crème. Ajoutez la marinade des cornichons et les oignons. Salez et poivrez.
5 Ajoutez ensuite les cornichons et les lamelles de pommes, la pincée de sucre semoule et le persil. Mélangez.
6 Disposez les morceaux de harengs dans un plat creux en grès ou en verre. Versez la sauce dessus et remuez pour bien enrober tous les morceaux. Couvrez et laissez mariner au frais. Servez avec des pommes de terre à l'eau.

Les harengs à la crème se conservent environ 1 semaine au réfrigérateur.

Pour alléger ce plat, vous pouvez employer de la crème fraîche à 15 % de matières grasses.

Boisson bière blonde

Sauce mousseline

Pour **4 personnes**
Préparation **10 min**
Cuisson **20 min**

1/2 citron ◆ 2 jaunes d'œufs ◆ 100 g de beurre frais ◆ 3 c. à soupe de crème fraîche ◆ sel ◆ poivre blanc au moulin

1 Pressez le jus du citron dans une casserole. Ajoutez les jaunes d'œufs, 1 pincée de sel et 1 ou 2 tours de moulin à poivre. Mélangez avec 1 c. à soupe d'eau froide.
2 Mettez la casserole sur feu doux et fouettez le mélange jusqu'à ce qu'il épaississe.
3 Incorporez le beurre par petits morceaux, toujours en fouettant sur feu doux.
4 Fouettez la crème fraîche à part et incorporez-la dans la sauce, hors du feu. Goûtez et rectifiez l'assaisonnement.

La sauce mousseline se sert avec les asperges, les légumes cuits à la vapeur et les poissons pochés.

crème pâtissière

→ voir aussi frangipane

Moelleuse et fondante, cette préparation est la crème par excellence. Dégustez-la telle quelle pour le plaisir, parfumée au chocolat ou au café. Elle est également très employée pour fourrer ou garnir des gâteaux.

Crème pâtissière

Pour 6 personnes
Préparation 15 min
Cuisson 20 min

1 l de lait ◆ 2 œufs entiers ◆ 4 jaunes d'œufs ◆ 150 g de sucre semoule ◆ 125 g de farine ◆ 50 g de beurre (facultatif) ◆ parfum au choix : vanille, café, chocolat, caramel, liqueur, etc.

1. Faites chauffer le lait dans une casserole, en y ajoutant éventuellement 1 gousse de vanille si c'est le parfum choisi.

2. Cassez les œufs entiers dans une terrine, ajoutez les jaunes et battez le tout en omelette. Ajoutez le sucre semoule et continuez à mélanger vivement jusqu'à ce que le mélange soit blanc, épais et mousseux.

3. Incorporez alors la farine tamisée, cuillerée par cuillerée. Versez le lait bouillant (après avoir retiré la gousse de vanille), tout doucement, sans cesser de remuer.

4. Versez toute la préparation dans une grande casserole et posez-la sur feu doux. Faites cuire sans cesser de remuer à la spatule d'un mouvement régulier jusqu'au premier bouillon.

5. Retirez la casserole du feu et laissez refroidir. Ajoutez le beurre par petits morceaux (mais cet ajout n'est pas indispensable), puis le parfum : 1 c. à café d'extrait de café, 1 c. à soupe de cacao non sucré, de caramel liquide ou de kirsch.

Pour éviter la formation d'une peau pendant le refroidissement de la crème, poudrez le dessus de sucre semoule lorsqu'elle est encore chaude. La crème pâtissière s'emploie froide pour fourrer des choux, des éclairs, un mille-feuille, garnir un fond de tarte aux fruits ou préparer un soufflé sucré.

Pour obtenir une crème pâtissière plus légère, vous pouvez lui incorporer, lorsqu'elle est bouillante, 2 blancs d'œufs battus en neige très ferme et légèrement sucrés.

crème de marron

→ voir aussi marron

Produit industriel de longue conservation, la crème de marron est une purée de châtaignes sucrée. Ne confondez pas avec la purée de marrons ou de châtaignes non sucrée, qui accompagne le gibier.

Utilisez-la pour préparer un bavarois, une charlotte glacée ou un vacherin ; pour fourrer un gâteau roulé, des crêpes ou des barquettes. Servez-la aussi nature, bien froide, avec de la chantilly et des gâteaux secs.

Diététique. 100 g de crème de marron = 300 kcal.

Biscuit ardéchois

Pour **6 personnes**
Préparation **20 min, 1 h à l'avance**
Cuisson **40 min**

2 œufs • 100 g de sucre semoule • 2 c. à soupe de rhum • 100 g de farine • 1 sachet de levure chimique • 125 g de beurre • 200 g de crème de marron vanillée • sel

1 Cassez les œufs dans une terrine. Battez-les légèrement. Ajoutez le sucre, le rhum et 1 pincée de sel. Mélangez pendant 1 min.
2 Ajoutez la farine en pluie et la levure. Mélangez cette pâte jusqu'à ce qu'elle soit bien lisse et homogène.
3 Mettez 100 g de beurre dans une jatte et travaillez-le à la spatule pour le ramollir. Incorporez la crème de marron et mélangez intimement. Lorsque le mélange est bien lisse, incorporez-le à la pâte précédente.
4 Beurrez un moule à manqué de 22 cm de diamètre. Versez la prépation dedans : elle doit le remplir à mi-hauteur.
5 Faites cuire 40 min dans le four à 200 °C. Lorsque le biscuit est doré, assurez-vous qu'il est cuit à cœur. Enfoncez la pointe d'un couteau au milieu : elle doit ressortir sèche et nette.
6 Démoulez le gâteau chaud sur une grille et laissez-le refroidir. Servez-le froid avec une crème anglaise à la vanille.

Proposez également ce biscuit nature aussi moelleux qu'une madeleine avec le thé ou du chocolat chaud.

Il se conserve dans un endroit sec pendant quelques jours.

Glace aux marrons

Pour **6 personnes**
Préparation **20 min**
Congélation **2 h environ**
Pas de cuisson

50 cl de lait • 1 gousse de vanille • 4 jaunes d'œufs • 50 g de sucre semoule • 10 cl de crème fraîche • 300 g de crème de marron • 1 c. à soupe de rhum

1 Portez lentement à ébullition le lait avec la vanille. Battez les jaunes d'œufs avec le sucre.
2 Ôtez la vanille et versez doucement le lait sur les œufs, puis faites épaissir la crème sur feu doux sans laisser bouillir. Retirez du feu et laissez refroidir complètement.
3 Incorporez la crème fraîche, la crème de marron et le rhum. Mélangez bien.
4 Si vous n'avez pas de sorbetière, battez la préparation au fouet 2 min pour la rendre mousseuse puis versez-la dans le bac à glace et placez-la dans le compartiment de congélation de votre réfrigérateur. Si vous avez une sorbetière, faites-y prendre la préparation au froid.
5 Servez en coupes en moulant la glace en boules. Nappez éventuellement de sauce au chocolat ou décorez de chantilly.

On peut aussi décorer la glace avec quelques brisures de marrons glacés.

→ autres recettes de crème de marron à l'index

crêpe

→ voir aussi galette, sarrasin

Cette fine galette à base de farine et de lait est sucrée ou salée. Servez les crêpes chaudes en dessert, au sucre ou à la confiture, fourrées de fruits ou flambées. Avec une farce salée, elles font des repas rapides.

Pour tenir les crêpes au chaud, empilez-les sur une assiette placée sur une casserole d'eau portée à légère ébullition (recouvrez d'une feuille d'aluminium). Les crêpes en paquet se réchauffent une par une dans une poêle sur feu doux avec une noisette de beurre. Pour les déplier, placez-les sur une assiette au-dessus d'une casserole d'eau bouillante.

Diététique. Une crêpe nature sans ajout de sucre = 38 kcal.

Crêpes en aumônières

Pour **6 personnes**
Préparation **20 min**, crêpes **2 h**
Cuisson **12 min**

2 pommes ◆ 2 poires ◆ 2 bananes ◆ 1 citron ◆ 2 c. à soupe de sucre semoule ◆ 200 g de framboises ◆ 6 crêpes

1 Pelez les pommes, les poires et les bananes. Coupez tous ces fruits en morceaux et arrosez-les de jus de citron.
2 Versez-les dans une casserole, ajoutez 1 c. à soupe de sucre et faites cuire sur feu doux pendant 10 min environ. Laissez tiédir.
3 Réduisez les framboises en coulis, en ajoutant le reste de jus de citron et de sucre.
4 Nappez les assiettes de service de coulis de framboise. Répartissez la compote de fruits au centre de chaque crêpe réchauffée. Remontez les bords pour enfermer la compote et maintenez les aumônières fermées en enfilant 1 ou 2 pique-olives en bois en travers. Placez les aumônières sur les assiettes.

Crêpes aux poires

Pour **6 personnes**
Préparation **25 min**, crêpes **2 h**
Cuisson **20 min**

200 g de sucre semoule ◆ 3 œufs ◆ 40 g de farine ◆ 50 cl de lait ◆ 1 petit verre de kirsch ◆ 4 poires ◆ 20 crêpes environ ◆ 120 g d'amandes effilées ◆ jus de citron ◆ sucre glace

1 Versez 100 g de sucre semoule dans une terrine, ajoutez 1 œuf entier et 2 jaunes. Travaillez le mélange 5 min puis incorporez la farine et mouillez avec le lait.
2 Versez le tout dans une casserole et faites épaissir sur feu doux. Laissez tiédir et incorporez le kirsch. Réservez.
3 Faites chauffer dans une casserole le reste de sucre avec 25 cl d'eau et le jus de citron.
4 Pelez et épépinez les poires, coupez-les en lamelles et faites-les pocher dans le sirop 10 min.
5 Égouttez les poires. Préparez des crêpes assez épaisses.
6 Étalez au centre de chaque crêpe 1 c. à soupe de crème. Ajoutez les poires et repliez les crêpes en paquet. Poudrez de sucre glace et décorez avec les amandes.

Crêpes salées au saumon

Pour **4 personnes**
Préparation **6 min**, crêpes **2 h**
Cuisson **25 min**

150 g de champignons ◆ 1/2 citron ◆ 60 g de beurre ◆ 40 g de farine ◆ 50 cl de lait ◆ 2 tranches de saumon fumé ◆ 8 crêpes ◆ 10 cl de crème fraîche ◆ 50 g de gruyère ◆ sel ◆ poivre

1 Nettoyez les champignons et émincez-les très finement. Citronnez-les. Faites-les étuver doucement dans 20 g de beurre. Salez.
2 Faites fondre le reste de beurre dans une petite casserole. Ajoutez la farine et remuez 2 min. Mouillez avec le lait et faites cuire 10 min. Poivrez. Réservez cette béchamel.
3 Coupez le saumon en petits dés. Mélangez les 2/3 de la béchamel avec les champignons égouttés et le saumon.
4 Répartissez cette farce sur les crêpes et roulez-les. Rangez-les les unes à côté des autres dans un plat à gratin. Ajoutez au reste de béchamel la crème fraîche et le fromage râpé.
5 Nappez les crêpes farcies de cette sauce et faites-les gratiner pendant 3 min sous le gril du four. Servez aussitôt.

Crêpes salées au thon

Pour **4 personnes**
Préparation **10 min**, crêpes **2 h**
Cuisson **15 min**

20 olives noires ◆ 1 boîte de miettes de thon à l'huile ◆ 8 c. à soupe de coulis de tomates assez épais ◆ 4 grandes crêpes assez épaisses ◆ 50 g de parmesan râpé ◆ 4 feuilles de basilic ◆ ciboulette

1 Dénoyautez les olives et hachez-les. Ouvrez la boîte de thon, égouttez les miettes et mélangez-les aux olives en ajoutant 3 c. à soupe de ciboulette hachée.
2 Faites réduire le coulis de tomates. Répartissez-le sur les crêpes. Ajoutez le thon aux olives et roulez les crêpes.
3 Rangez les crêpes dans un plat à four, poudrez de parmesan et passez au four 2 ou 3 min. Ajoutez le basilic ciselé et servez aussitôt.

Crêpes Suzette ▲

Pour souligner leur parfum, complétez la garniture avec des zestes de mandarine confits dans un sirop de sucre et des quartiers de mandarine. Il n'est pas nécessaire de les flamber.

Crêpes Suzette

Pour **6 personnes**
Préparation **30 min**
Repos **1 h**
Cuisson **15 min**

3 mandarines non traitées ◆ 250 g de farine ◆ 3 œufs ◆ 2 verres de lait ◆ 1 pincée de sel ◆ 2 c. à soupe de curaçao ◆ 1 c. à soupe d'huile de maïs ◆ 80 g de beurre ◆ 50 g de sucre semoule

1 Râpez le zeste de 2 mandarines, réservez-le et pressez le jus des fruits. Passez-le pour éliminer les pépins.
2 Préparez une pâte à crêpes avec la farine, les œufs entiers, le lait et une pincée de sel.
3 Ajoutez en fouettant la moitié du jus de mandarine, 1 c. à soupe de curaçao et l'huile. Laissez reposer pendant 1 h.
4 Pendant ce temps, malaxez dans une jatte le beurre, le jus de mandarine restant, le zeste, le reste de curaçao et le sucre.
5 Confectionnez 24 crêpes assez fines. Tartinez les crêpes avec un peu de beurre à la mandarine et repliez-les en 4. Remettez-les dans la poêle pour faire chauffer. Disposez-les dans un plat chaud et servez aussitôt.

Les vraies crêpes Suzette sont parfumées et fourrées à la mandarine. On peut néanmoins utiliser de l'orange et du Cointreau ou du Grand Marnier.

Pannequets salés

Pour **6 personnes**
Préparation **20 min**, crêpes **30 min**
Cuisson **20 min environ**

3 tranches de jambon ◆ 200 g de champignons de couche ◆ jus de citron ◆ 80 g de beurre ◆ farine ◆ 30 cl de crème fraîche ◆ 6 grandes crêpes en pâte non sucrée ◆ 50 g de gruyère râpé ◆ muscade ◆ sel ◆ poivre

1 Hachez le jambon grossièrement. Nettoyez les champignons de couche. Émincez-les finement et citronnez-les légèrement.
2 Faites fondre 25 g de beurre dans une casserole et faites-y chauffer le jambon en remuant. Égouttez-le.
3 Rajoutez 20 g de beurre et mettez les champignons. Faites-les cuire à découvert sur feu vif en remuant pendant 10 min.
4 Remettez le jambon et poudrez avec 1 c. à soupe de farine. Salez modérément, poivrez et muscadez.
5 Au bout de 2 min de cuisson, ajoutez la moitié de la crème, cuillerée par cuillerée. Laissez mijoter pour faire épaissir.
6 Répartissez la farce obtenue sur les crêpes et repliez-les en carrés. Rangez-les dans un plat à gratin beurré.
7 Arrosez de crème, salez et poivrez. Poudrez de gruyère et ajoutez quelques noisettes de beurre.
8 Faites gratiner dans le four à 200 °C pendant 10 min en arrosant de temps en temps les pannequets avec la crème. Servez dans le plat.

Si vous présentez les pannequets salés en entrée, prévoyez ensuite un plat léger.

Comptez 2 pannequets par personne s'ils constituent le plat de résistance.

Pâte à crêpes

Pour 24 crêpes minces
(poêle de 22 cm de fond)
Préparation 20 min, 1 ou 2 h à l'avance
Cuisson 3 à 5 min

250 g de farine ◆ 50 cl de lait (pour des crêpes salées : mi-eau, ou mi-bière, mi-lait) ◆ 3 œufs ◆ 2 c. à soupe de beurre fondu ou d'huile ◆ 1/2 c. à café de sel fin ◆ 2 c. à soupe de sucre semoule (sauf pour des crêpes salées) ◆ parfum au choix (pour les crêpes sucrées) : 1 c. à soupe de rhum ou de liqueur, sucre vanillé, zeste d'agrumes ◆ beurre ou huile pour la cuisson

1 Dans une terrine, faites un puits avec la farine et versez-y la moitié du liquide. Délayez à la spatule en partant du centre et en faisant tomber peu à peu la farine dans le liquide.

2 Battez les œufs en omelette et incorporez-les. Ajoutez la matière grasse, le sel, et le sucre s'il y a lieu.

3 Versez peu à peu le reste du liquide. La pâte doit être coulante mais non liquide. Ajoutez éventuellement le parfum choisi. Le robot de cuisine permet une préparation très rapide. Attention à ne pas dépasser le niveau limite du bol mélangeur. Laissez reposer 1 h ou 2 avant l'emploi, à couvert dans un endroit tempéré.

4 Dans une poêle graissée bien chaude, versez 1/2 louche de pâte. Inclinez la poêle pour napper régulièrement le fond. Après quelques secondes de cuisson, les bords se décollent tout seuls.

5 Retournez la crêpe avec une spatule souple et faites-la cuire de l'autre côté. Faites ensuite glisser la crêpe sur un plat.

Présentation rapide : sucrée, pliée en 4 ; arrosée de jus de citron ; tartinée de confiture et roulée ; fourrée de crème frangipane ou pâtissière ; arrosée de rhum et flambée.

Il est préférable de faire reposer la pâte, mais ce n'est pas impératif.

Pour personnaliser une pâte à crêpes toute prête (à préparer selon le mode d'emploi, avec de l'eau ou du lait) : avec 1 ou 2 c. à soupe de sucre semoule, elles sont plus croustillantes ; avec 1 ou 2 c. à soupe de beurre fondu, elles seront plus moelleuses ; pour parfumer : 1 c. à soupe de zeste râpé, de sucre vanillé ou d'un alcool.

→ **autres recettes de crêpe à l'index**

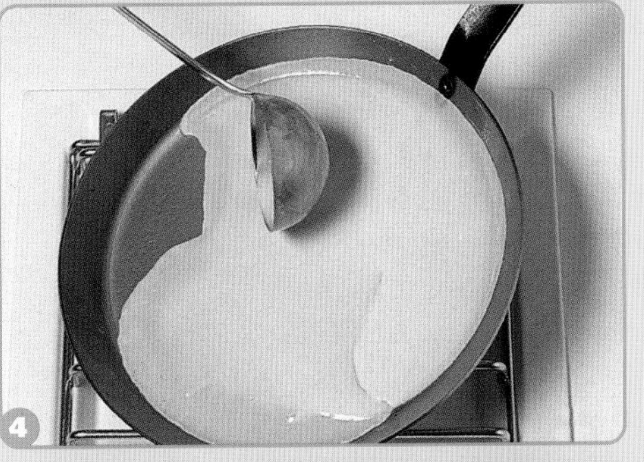

crépine

→ voir aussi **chair à saucisse, crépinette, terrine**

Fine membrane veinée de gras, provenant de l'estomac du porc. Elle s'achète chez le charcutier et sert à envelopper une farce, ou à protéger une viande délicate pendant sa cuisson. Faites-la tremper une heure avant l'emploi.

crépinette

Petites saucisses plates faites de chair à saucisse relevée de persil et enveloppée de crépine, les crépinettes se font poêler ou griller. Accompagnez-les de purée de pommes de terre ou de lentilles.

Diététique. Produit très riche en lipides et en cholestérol : 100 g = 450 kcal au moins.

Lentilles aux crépinettes

Pour **6 personnes**
Préparation **25 min**
Cuisson **1 h 40 environ**

200 g de petit salé cru ◆ 2 carottes ◆ 2 oignons ◆ 1 bouquet garni ◆ 500 g de lentilles ◆ 6 crépinettes ◆ 20 g de beurre ◆ 1 c. à soupe d'huile ◆ sel ◆ poivre

1 Coupez le petit salé en morceaux. Mettez-les dans une casserole d'eau froide. Portez à ébullition et écumez.
2 Pelez les carottes et les oignons, ajoutez-les dans la casserole avec le bouquet garni. Faites cuire 1 h. Ajoutez les lentilles triées et poursuivez la cuisson sur feu doux. Piquez les crépinettes. Faites fondre le beurre et l'huile dans une poêle. Mettez-y à dorer les crépinettes.
3 Égouttez les lentilles. Mettez-les dans une cocotte de service (sans les carottes, le jus et les oignons). Ajoutez le petit salé et les crépinettes.
4 Faites mijoter 5 min, rectifiez l'assaisonnement et servez très chaud.

Boisson **côtes-du-rhône**

cresson

Il existe différentes variétés de cette verdure : le cresson de fontaine est le plus courant (avril à octobre). Les tiges sont tendres et juteuses, les feuilles fines et charnues, avec un goût un peu piquant. On trouve aussi le cresson alénois, à petites feuilles rondes, et le cresson de terre de juillet à mars, à feuilles très luisantes.

Le cresson se sert en salade, en potage et surtout en garniture de viande ou de volaille.

Diététique. Ne le laissez pas sur le bord de l'assiette : 100 g = 21 kcal. Riche en fer et en calcium.

Côtes de veau à la fondue de cresson

Pour **4 personnes**
Préparation **25 min**
Cuisson **30 min environ**

1 botte de cresson ◆ 4 côtes de veau de 150 g chacune ◆ 50 g de beurre ◆ 2 échalotes ◆ 20 cl de crème fraîche ◆ 1/2 citron ◆ sel ◆ poivre

1 Lavez le cresson en éliminant les grosses tiges. Réservez quelques bouquets pour le décor final.
2 Salez et poivrez les côtes de veau. Faites-les cuire dans une poêle avec la moitié du beurre jusqu'à ce qu'elles soient dorées (15 à 20 min).

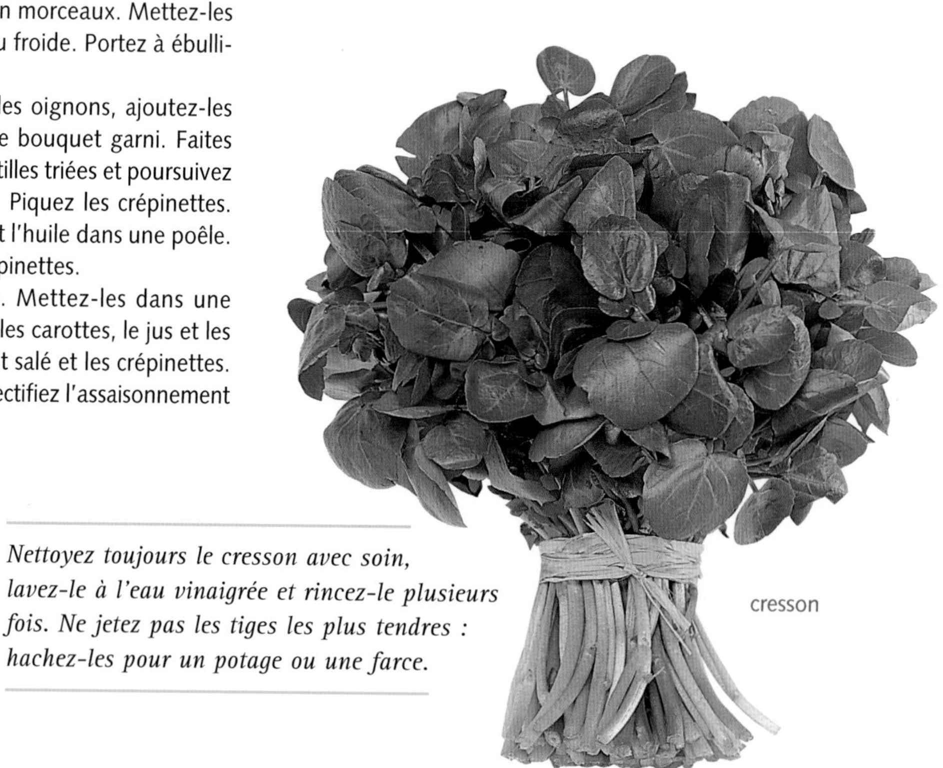
cresson

Nettoyez toujours le cresson avec soin, lavez-le à l'eau vinaigrée et rincez-le plusieurs fois. Ne jetez pas les tiges les plus tendres : hachez-les pour un potage ou une farce.

3 Pendant ce temps, pelez et hachez finement les échalotes. Faites-les fondre doucement dans une sauteuse avec le reste du beurre.
4 Ajoutez le cresson grossièrement haché et mélangez. Mouillez avec 3 c. à soupe d'eau et couvrez. Laissez fondre 5 min, ajoutez la crème, remuez et faites cuire à couvert encore 5 à 6 min.
5 Goûtez, rectifiez l'assaisonnement et ajoutez un filet de jus de citron. Placez les côtes de veau sur les assiettes de service chaudes ; entourez de fondue de cresson et servez aussitôt.

La fondue de cresson se sert aussi avec des œufs mollets.

Boisson **blanc d'Anjou**

Salade de cresson

Pour **4 personnes**
Préparation **20 min**
Pas de cuisson

1 botte de cresson ◆ 1 pomme ◆ 2 c. à soupe de jus de citron ◆ 100 g de gouda ◆ 2 œufs durs ◆ 1 c. à café de moutarde ◆ 3 c. à soupe d'huile ◆ 1 c. à soupe de vinaigre ◆ sel ◆ poivre

1 Triez le cresson, éliminez les grosses tiges et lavez-le soigneusement dans plusieurs bains d'eau. Épongez-le à fond.
2 Pelez la pomme, coupez-la en 2, ôtez le cœur et les pépins. Citronnez-la et taillez-la en tout petits dés. Coupez également le fromage en petits dés.
3 Écalez les œufs durs et coupez-les en rondelles. Préparez une vinaigrette à la moutarde avec le reste de jus de citron, l'huile et le vinaigre. Salez et poivrez.
4 Mettez dans un saladier le cresson, les dés de pomme et de fromage. Arrosez de vinaigrette et mélangez. Ajoutez les œufs durs et servez.

Salade de cresson ▲
Pour enrichir une salade de cresson assaisonnée d'une vinaigrette moutardée, les petits dés de gouda se marient aux rondelles d'œufs durs.

Velouté de cresson

Pour **6 personnes**
Préparation **20 min**
Cuisson **40 min**

1 botte de cresson ◆ 3 pommes de terre ◆ 1 oignon ◆ 1/2 feuille de laurier ◆ 40 g de beurre ◆ 70 cl de bouillon de volaille ◆ 10 cl de crème fraîche ◆ muscade ◆ sel ◆ poivre

1 Lavez soigneusement le cresson et hachez-le grossièrement. Pelez et émincez les pommes de terre et l'oignon.
2 Réunissez les pommes de terre, l'oignon, le cresson et le laurier dans une grande casserole. Salez et poivrez. Ajoutez le beurre en parcelles ; mouillez avec le bouillon.
3 Portez à ébullition, couvrez, réduisez le feu et laissez cuire doucement pendant 30 min. Retirez le laurier et passez le contenu de la casserole au mixer.
4 Remettez le potage dans la casserole et ajoutez la crème fraîche. Faites chauffer doucement en remuant sans laisser bouillir.
5 Goûtez et rectifiez l'assaisonnement et saupoudrez d'un peu de muscade râpée. Servez le velouté très chaud.

Vous pouvez aussi préparer ce velouté à l'avance et le servir glacé.

crevette

→ voir aussi crustacés, cuisine chinoise, gambas

Ce petit crustacé est disponible cru, cuit ou surgelé, entier ou décortiqué, mais aussi en boîte, au naturel, avec des différences importantes de taille, de qualité et de prix.

La crevette rose, dite « bouquet », est particulièrement appréciée, de même que la petite grise (boucaud). Les grosses crevettes roses sont meilleures si elles proviennent des eaux froides (Atlantique plutôt que Méditerranée). Les petites crevettes entières se servent en amuse-gueule. Les grosses, décortiquées, agrémentent les salades, les garnitures, les sauces, les coquilles, etc.

Diététique. Bonne ressource gastronomique dans un régime hypocalorique : 100 g = 95 kcal. Laissez la tête de côté : elle est particulièrement riche en cholestérol.

Canapés de crevettes aux œufs de caille

Pour **12 pièces**
Préparation **10 min**
Pas de cuisson

50 g de beurre • 12 tranches rondes de pain de mie • 1/2 concombre • 12 queues de crevettes roses décortiquées • 1 citron • 6 c. à soupe de fromage blanc épais • 2 c. à café d'aneth ciselé • 6 œufs de caille durs • 12 brins d'aneth frais • sel • poivre

1 Beurrez les tranches de pain de mie. Pelez le concombre et taillez-y 12 rondelles. Placez-les sur les tranches de pain. Arrosez les queues de crevettes de jus de citron. Laissez reposer au frais.
2 Mélangez le fromage blanc et l'aneth ciselé, salez légèrement et poivrez. Coupez chaque œuf de caille en 2.
3 Égouttez les queues de crevettes et placez-en 1 sur chaque canapé. Nappez de fromage blanc à l'aneth.
4 Placez 1/2 œuf de caille sur chaque canapé et garnissez d'aneth frais.

Crevettes grises sautées à l'huile

Pour **6 personnes**
Préparation **10 min**
Cuisson **5 min**

600 g de crevettes vivantes • 50 cl d'huile • pain de campagne • beurre demi-sel • sel fin

1 Lavez les crevettes et épongez-les. Faites chauffer l'huile dans une grande poêle à rebord. Lorsqu'elle est chaude (elle ne doit pas fumer), plongez-y les crevettes.
2 Remuez et couvrez aussitôt. Retirez le couvercle quand les projections d'huile ont cessé. Faites cuire 5 min.
3 Égouttez les crevettes avec une écumoire, versez-les sur du papier absorbant, puis dans un plat creux. Poudrez de sel fin.
4 Servez aussitôt avec du pain de campagne en tranches fines et le beurre demi-sel.

Boisson **cidre bouché ou vin blanc sec**

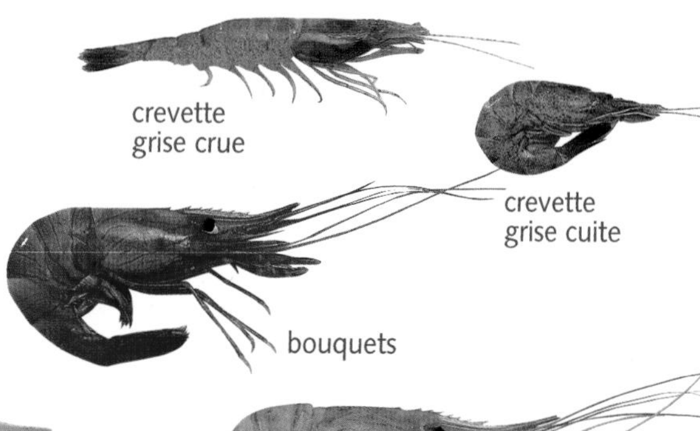

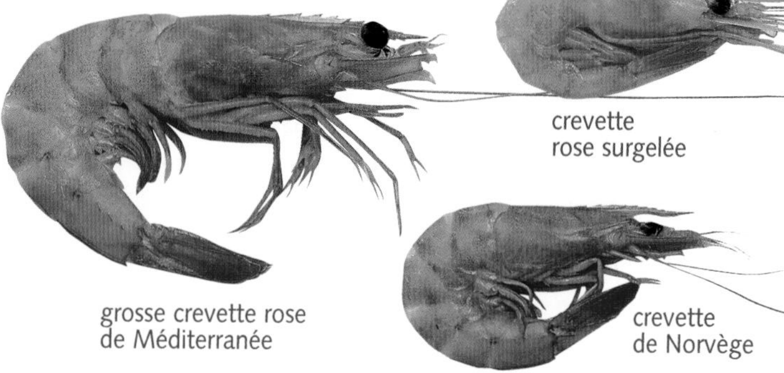

Vous reconnaîtrez une crevette fraîche à son aspect brillant. La queue est recourbée. Elle se décortique facilement. La congélation rend la chair fade et caoutchouteuse.

Fonds d'artichauts aux crevettes

Pour **4 personnes**
Préparation **15 min**
Cuisson **10 min**

8 fonds d'artichauts au naturel ◆ 1/2 citron ◆ 30 g de beurre ◆ 250 g de crevettes cuites décortiquées ◆ muscade ◆ 10 cl de crème fraîche épaisse ◆ 1 c. à soupe de porto ◆ 1 c. à café de poivre vert ◆ sel ◆ poivre

1 Faites chauffer très doucement les fonds d'artichauts égouttés et rincés dans un peu de jus de citron.
2 Faites fondre le beurre dans une sauteuse, ajoutez les crevettes, poivrez, salez et muscadez. Laissez chauffer 3 min en remuant.
3 Ajoutez la crème, le porto et le poivre vert. Laissez mijoter 3 min.
4 Égouttez les fonds d'artichauts et placez-en 2 par assiette. Garnissez avec le petit ragoût de crevettes à la crème. Servez.

Les fonds d'artichauts seront plus tendres si vous les plongez quelques minutes dans l'eau bouillante légèrement salée.

Salade aux crevettes

Pour **4 personnes**
Préparation **20 min, 5 h à l'avance**
Pas de cuisson

40 moules ◆ 36 grosses crevettes roses cuites ◆ 100 g de carottes ◆ 1 poivron ◆ 100 g de maïs en grains ◆ 4 c. à soupe d'huile d'olive ◆ 1 c. à soupe de vinaigre de vin blanc ◆ 1 gousse d'ail ◆ persil haché ◆ 100 g de petits pois cuits ◆ sel ◆ poivre

1 Grattez les moules et retirez les filaments. Lavez-les plusieurs fois sous l'eau froide en les frottant entre vos mains. Faites-les ouvrir sur feu vif, sans ajouter de liquide. Décoquillez-les et laissez-les refroidir.
2 Pelez et râpez grossièrement la carotte. Lavez le poivron et taillez-le en fines lanières. Rincez le maïs et égouttez-le soigneusement.
3 Décortiquez les crevettes. Préparez une vinaigrette à l'huile d'olive avec l'ail haché, le vinaigre et le persil.
4 Répartissez sur des assiettes de service, en rosace, le maïs égoutté, la carotte râpée, les lanières de poivron et les petits pois. Ajoutez les crevettes et les moules.
5 Arrosez de vinaigrette et réservez au frais jusqu'au moment de servir.

Ne préparez pas cette salade trop à l'avance, les moules se dessèchent vite.

croissant

→ **voir aussi pignon**

La qualité de cette pâtisserie typiquement française, mais d'origine viennoise, tient à celle du feuilletage utilisé pour la préparer. Le croissant « pur beurre » est habituellement droit. Préparé avec un autre corps gras, il est recourbé.

Les meilleurs croissants s'achètent chez le pâtissier et se dégustent nature. Les croissants surgelés ont une texture presque briochée. Les croissants fourrés ou glacés aux amandes se servent en dessert. Fourrés au jambon ou au fromage, ils peuvent aussi donner des entrées salées. Dans ce cas, la pâte peut être brisée ou demi-feuilletée, roulée en forme de croissant.

Diététique. Un croissant au beurre = 400 kcal.

Croissants fourrés

Pour **12 croissants environ**
Préparation **25 min**
Cuisson **20 min**

300 g de pâte feuilletée ◆ 1 pot de confiture de framboises ◆ 25 g de beurre ◆ 2 œufs ◆ sucre glace

1 Préchauffez le four à 240 °C. Abaissez la pâte sur 4 à 5 mm d'épaisseur en formant un rectangle de 30 cm de long. Coupez-le en 2 bandes.
2 Découpez chaque bande en 6 triangles à l'aide d'une roulette cannelée. Placez à la base de chaque triangle 1 c. à soupe bombée de confiture.
3 Formez les croissants en roulant la pâte de la base vers le sommet. Beurrez la tôle à pâtisserie. Rangez-y les croissants en les espaçant.
4 Badigeonnez les croissants avec les œufs battus. Faites-les cuire 20 min dans le four. Servez-les poudrés de sucre glace.

Croissants à la viande

Pour **12 croissants environ**
Préparation **30 min, 3 h à l'avance**
Cuisson **20 min**

400 g de farine ◆ 20 g de levure de boulanger ◆ 150 g de beurre ◆ 5 œufs ◆ 1 oignon ◆ 2 c. à soupe d'huile ◆ 300 g de viande hachée ◆ 10 cl de bouillon ◆ 1 c. à café de moutarde ◆ persil ◆ 1 c. à soupe de crème fraîche ◆ quelques olives dénoyautées ◆ sel ◆ poivre

1 Tamisez la farine. Incorporez 1 pincée de sel et la levure délayée dans un peu d'eau tiède. Mélangez.
2 Incorporez le beurre puis 3 œufs entiers. Pétrissez la pâte. Ramassez-la en boule et laissez reposer pendant 2 h.
3 Pelez l'oignon et hachez-le finement. Faites-le revenir à l'huile en ajoutant la viande hachée. Farinez, remuez, mouillez de bouillon.
4 Incorporez la moutarde, le persil haché, la crème et les olives concassées. Liez avec 1 œuf. Poivrez. Faites revenir le mélange pendant 10 min, puis retirez du feu.
5 Séparez la boule de pâte en 2. Abaissez chaque portion en 2 disques égaux. Partagez chaque disque en 6 triangles. Répartissez la farce en bas de chaque triangle de pâte. Roulez chacun d'eux en croissant.
6 Beurrez la plaque du four. Battez le dernier jaune d'œuf avec un peu d'eau et badigeonnez les croissants à l'aide d'un pinceau. Faites cuire au four à 220 °C pendant 20 min environ. Servez chaud ou froid.

Servez ces croissants avec une salade verte assaisonnée d'une vinaigrette bien relevée.

Croque-monsieur

Pour **4 personnes**
Préparation **15 min**
Cuisson **20 min**

150 g de beurre ◆ 8 tranches de pain de mie de 10 à 12 cm de côté ◆ 4 tranches de gruyère à la taille du pain ◆ 2 tranches de jambon de Paris

1 Beurrez légèrement chaque tranche de pain. Posez sur la moitié d'entre elles une tranche de fromage puis une de jambon. Recouvrez d'une autre tranche de pain beurrée.
2 Faites fondre un morceau de beurre dans une poêle et placez-y 2 croque-monsieur. Faites dorer d'un côté sur feu modéré.
3 Retournez les croque-monsieur à l'aide d'une fourchette et d'une spatule ; faites dorer aussi doucement de l'autre côté en rajoutant un peu de beurre.
4 Mettez les croque-monsieur cuits dans le four chaud et faites cuire les 2 autres à la poêle. Servez-les bien croustillants : le pain doit être doré, mais non brûlé et le fromage, juste fondu.

Pour réaliser des croque-madame, faites cuire un œuf sur le plat par croque-monsieur et posez-le à cheval sur celui-ci dès qu'il est cuit. Garnissez de bouquets de persil.

Variante : humectez légèrement 4 tranches de pain de mie d'huile d'olive. Tartinez-les avec 4 c. à soupe de brandade de morue. Ajoutez les rondelles d'une belle tomate puis 5 olives noires dénoyautées et hachées. Réunissez les tranches de pain 2 par 2. Humectez-les d'huile d'olive. Passez-les sous le gril du four 3 min de chaque côté.

Boisson **beaujolais**

croque-monsieur

La formule classique de cette entrée chaude consiste à enfermer des lamelles de gruyère et une tranche de jambon entre deux tranches de pain de mie beurrées. Vous faites dorer ce sandwich à la poêle ou sous le gril.

Ajoutez éventuellement de la béchamel au gruyère sur le dessus avant de faire gratiner. Pour changer, remplacez le jambon par des blancs de poulet émincés ou le gruyère par du gouda. Servez les croque-monsieur toujours brûlants.

croquette

Pour préparer cette entrée chaude, utilisez un hachis cuit de viande, de volaille ou de poisson, du riz ou du macaroni, cuits également. La préparation, parfois liée d'une sauce, est façonnée en boulettes, en palets ou en « bouchons ». Panées puis frites, les croquettes doivent être servies très chaudes, dorées et croustillantes.

Diététique. Attention à la quantité de matière grasse qu'elles absorbent à la cuisson !

Croquettes de poisson

Pour **6 personnes**
Préparation **20 min**
Cuisson **15 min**

300 g de morue cuite ◆ 300 g de cabillaud cuit ◆ 600 g de pommes de terre cuites ◆ 2 œufs ◆ muscade ◆ chapelure ◆ huile d'arachide ◆ poivre

1 Effeuillez la morue et passez-la au moulin à légumes avec le cabillaud.
2 Incorporez au mélange la purée de pommes de terre. Poivrez et muscadez. Travaillez le tout à la spatule pendant 10 min pour qu'il soit bien homogène.
3 Façonnez la farce en boulettes grosses comme des mandarines.
4 Passez les boulettes dans les œufs battus puis roulez-les dans la chapelure.
5 Faites-les frire dans un bain d'huile chauffée à 175 °C. Égouttez bien les croquettes et servez aussitôt.

Servez les croquettes de poisson avec une sauce tomate ou une sauce au curry, en les accompagnant d'une salade verte.

Avec du poisson surgelé et de la purée de pommes de terre (ou de céleri) en flocons, cette préparation est rapide et peu onéreuse.

Boisson vin blanc sec

Croquettes de poisson ▲

Préparées avec une purée de pommes de terre et un mélange de morue et de cabillaud, ces croquettes panées et frites demandent une garniture de salade verte et une sauce bien relevée.

Croquettes de riz au fromage

Pour **4 personnes**
Préparation **25 min**
Repos **1 h**
Cuisson **10 min environ**

350 g de riz cuit ◆ 60 g de gruyère râpé ◆ 60 g de parmesan râpé ◆ 30 g de beurre ◆ 2 œufs ◆ chapelure blonde ◆ huile de friture ◆ sel ◆ poivre

1 Versez le riz dans un saladier. Ajoutez le gruyère puis le parmesan et mélangez. Salez légèrement et poivrez.
2 Faites fondre le beurre doucement et versez-le sur le riz au fromage. Ajoutez 1 œuf battu et mélangez le tout pour former une farce bien homogène.
3 Versez la chapelure dans une assiette et battez le deuxième œuf dans une autre assiette.
4 Façonnez des croquettes en forme de bouchons avec le riz au fromage.
5 Passez les croquettes 1 par 1 dans la chapelure, dans l'œuf, puis à nouveau dans la chapelure pour qu'elles soient bien enrobées. Mettez-les au réfrigérateur pendant environ 1 h.
6 Faites chauffer l'huile dans une bassine. Lorsqu'elle est bien chaude (un croûton de pain doit y dorer en 30 secondes), plongez-y les croquettes en les plaçant dans un panier à friture. Procédez en plusieurs fois.
7 Les croquettes remontent à la surface en 4 min environ. Elles doivent être croustillantes. Égouttez-les sur du papier absorbant.

Servez ces croquettes avec le coulis de tomates brûlant.

Boisson chianti

Croquettes de volaille

Pour **4 personnes**
Préparation **20 min**
Cuisson **12 à 15 min**

600 g de blanc de poulet (ou dinde) cuit ◆ 3 tranches de pain de mie ◆ 5 c. à soupe de crème liquide ◆ 3 c. à soupe de persil haché ◆ 40 g de beurre ◆ 1 citron ◆ farine ◆ sel ◆ poivre

1 Hachez finement les blancs de volaille. Écroûtez le pain de mie, mettez-le dans un plat creux et arrosez-le de crème. Imbibez-le bien en le retournant dans la crème et écrasez-le avec une fourchette.
2 Mélangez ce pain imbibé avec le hachis de volaille, ajoutez le persil, salez et poivrez. La pâte doit être assez moelleuse, mais pas trop liquide ni trop sèche.
3 Façonnez avec cette pâte 8 boulettes légèrement aplaties. Farinez-les. Faites fondre le beurre dans une grande poêle.
4 Mettez les croquettes à dorer dans le beurre chaud pendant 2 min de chaque côté.
5 Baissez ensuite le feu et poursuivez la cuisson pendant environ 8 min en les retournant 1 ou 2 fois.
6 Disposez les croquettes sur un plat chaud, entourées de rondelles de citron.

Accompagnez ces croquettes de champignons sautés ou d'une purée de brocoli.

Pommes croquettes muscadées

Pour **4 personnes**
Préparation **1 h**
Cuisson **10 à 15 min**

1 kg de pommes de terre ◆ 3 jaunes d'œufs ◆ 1 œuf entier ◆ muscade ◆ farine ◆ chapelure ◆ huile de friture ◆ sel ◆ poivre

1 Pelez les pommes de terre, coupez-les en gros dés et faites-les cuire à l'eau. Égouttez-les et réduisez-les en purée. Celle-ci ne doit pas être trop molle.
2 Incorporez les jaunes d'œufs 1 par 1 dans la purée en mélangeant bien à chaque fois. Salez, poivrez et ajoutez 3 ou 4 pincées de muscade râpée. Réservez cette pâte.
3 Farinez une planche à pâtisserie. Prélevez 1/4 de la pâte, roulez-la en boudin et coupez-la en petits tronçons. Façonnez ainsi toute la purée en croquettes.
4 Passez chaque croquette d'abord dans l'œuf battu, puis dans la chapelure. Enrobez-les soigneusement et laissez-les sécher pendant 15 min au réfrigérateur.
5 Faites chauffer le bain de friture. Plongez-y les croquettes à l'aide du panier. Elles sont cuites en 5 min environ.
6 Procédez en plusieurs fois. Égouttez-les sur du papier absorbant et tenez-les au chaud dans le four, porte ouverte, à 200 °C, pour les garder bien croustillantes.

Servez ces pommes croquettes en garniture d'une viande ou d'une volaille rôtie.

crosne

Légume méconnu et pourtant délicieux, avec un goût légèrement sucré qui rappelle l'artichaut, les crosnes, s'ils sont très frais, ne demandent pas une préparation compliquée, car la peau est très fine. Ils se récoltent en automne.

Choisissez-les bien fermes, de couleur claire, ni foncés aux extrémités ni fripés. Consommez-les sans tarder, car ils se flétrissent vite. S'ils sont un peu vieux, frictionnez-les dans un torchon avec du gros sel pour les peler, puis rincez-les. Évitez de les cuire trop longtemps pour qu'ils restent tendres et fondants. C'est un bon accompagnement du gibier et du poisson. Ils s'apprêtent frits, sautés au beurre ou à la crème. Ils se servent aussi en vinaigrette.

Diététique. 100 g de crosnes = 75 kcal.

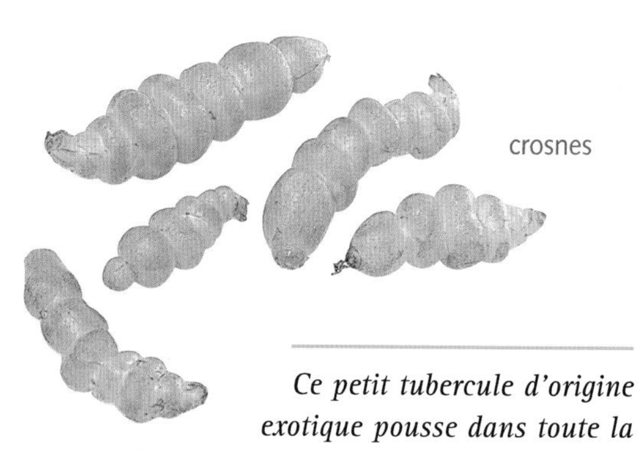

Ce petit tubercule d'origine exotique pousse dans toute la France. C'est un légume avantageux car sans déchets : comptez 100 g par personne.

Grenadins de veau aux crosnes

RECETTE LÉGÈRE 1 portion 390 kcal

Pour **4 personnes**
Préparation **5 min**
Cuisson **10 min environ**

20 g de beurre ◆ 700 g de crosnes ◆ 2 c. à soupe d'huile ◆ 4 grenadins de veau ◆ 3 c. à soupe de persil plat haché ◆ sel ◆ 30 cl de sauce tomate

1 Nettoyez les crosnes. Faites fondre le beurre dans une casserole et versez-y les crosnes. Faites-les revenir 4 min. Couvrez d'eau légèrement salée. Laissez-les cuire 6 min à découvert. L'eau doit être évaporée en fin de cuisson.
2 Huilez légèrement les grenadins et faites-les cuire à la poêle 4 à 5 min par face.
3 Disposez les grenadins sur un plat, entourez de crosnes, poudrez de persil et servez la sauce tomate bien chaude à part.

Boisson **vin d'Anjou**

crottin de Chavignol

Fromage de chèvre originaire de Chavignol (Sancerrois). Il est en forme de boulette aplatie, à pâte molle et à croûte naturelle, et s'achète soit frais, doux et presque blanc, soit plus ou moins affiné, parfois très sec.

Pour l'apprécier avec un sancerre, choisissez-le fermier, assez affiné. Réservez les crottins laitiers, plus fades, pour les servir chauds.

Diététique. Un crottin = 190 kcal environ.

Crottins de Chavignol rôtis

Pour **2 personnes**
Préparation **15 min**
Cuisson **6 min environ**

1 cœur de chicorée frisée ◆ 2 c. à soupe d'huile de noix ◆ 1 c. à soupe de vinaigre de vin blanc ◆ 2 crottins mi-secs ◆ 4 tranches de pain de mie ◆ 1 gousse d'ail ◆ sel ◆ poivre

1 Lavez la chicorée et effeuillez-la. Épongez-la et assaisonnez-la avec l'huile et le vinaigre. Salez et poivrez. Réservez.
2 Écroûtez légèrement les crottins et coupez-les en 2 dans l'épaisseur.
3 Faites griller les tranches de pain de mie sur une face et frottez délicatement le côté grillé avec la gousse d'ail pelée.
4 Placez chaque 1/2 crottin sur une tranche de pain de mie, sur la face non rôtie, et enfournez sous le gril du four.
5 Laissez fondre et dorer légèrement pendant 3 à 4 min. Servez aussitôt avec la salade.

Boisson **sancerre**

croustade

Ces entrées sont faciles à réaliser avec de la pâte feuilletée surgelée, à découper selon la forme voulue : rectangulaire, carrée, ronde ou ovale. Les croustades se font cuire au dernier moment, juste avant de les garnir d'un ragoût de champignons, de légumes ou

Crottins de Chavignol rôtis ▼

Posés sur un toast frotté d'ail et grillé, les demi-crottins dorés au four sont servis avec une salade de chicorée frisée assaisonnée à l'huile de noix.

de volaille. On peut aussi les réaliser dans des tranches de pain de mie très épaisses, un peu rassises, évidées et dorées au beurre.

Croustades aux champignons

Pour **6 personnes**
Préparation **30 min**
Cuisson **25 min**

500 g de champignons de couche ◆ 100 g de beurre ◆ 1 pain de mie de 30 cm de long ◆ 25 cl de sauce Béchamel ◆ 150 g de jambon blanc en une seule tranche ◆ 1 c. à soupe de persil haché ◆ 3 c. à soupe de crème fraîche ◆ 2 c. à soupe de parmesan râpé ◆ 1 œuf ◆ sel ◆ poivre

1 Nettoyez les champignons, émincez-les finement et faites-les cuire doucement à découvert dans 30 g de beurre pendant 10 min. Salez et poivrez. Réservez.
2 Coupez le pain de mie en 6 tranches épaisses de 5 cm. Évidez-les soigneusement sur 2 cm de profondeur, avec un couteau bien aiguisé. Le pain doit être un peu rassis.
3 Faites fondre le reste de beurre et badigeonnez-en les croustades ainsi formées, à l'intérieur et à l'extérieur. Mettez-les dans le four chauffé à 170 °C jusqu'à ce qu'elles soient bien dorées.
4 Préparez la béchamel, mélangez-la avec les champignons, le jambon coupé en petits dés, le persil et 2 c. à soupe de crème fraîche.
5 Garnissez les croustades avec cette préparation. Battez ensemble le reste de crème, le parmesan et l'œuf. Nappez-en chaque croustade. Passez-les 5 min dans le four à 220 °C pour les faire gratiner. Servez aussitôt.

Boisson **vin d'Arbois**

croûte

→ **voir aussi** pâté, rôti

Le mot sous-entend «de pâte» ou «de pain». Un fond de tarte ou un feuilletage, cuit, constitue une croûte à garnir, mais vous pouvez l'acheter toute faite chez un pâtissier ou un traiteur.

Certaines pièces de viande ou de poisson ainsi que des pâtés sont également cuits «en croûte», dans une enveloppe de pâte.

Les croûtes servies en entrée chaude sont des tranches de pain de mie garnies d'une préparation à base de fromage ou de jambon, généralement. Elles s'interprètent aussi en version sucrée, avec des fruits et du pain brioché.

Croûtes gratinées aux quetsches

Pour **6 personnes**
Préparation **10 min**
Cuisson **15 min**

9 quetsches bien mûres ◆ 40 g de beurre ◆ 6 tranches de pain de mie assez épaisses (ou de pain brioché) ◆ 150 g de sucre semoule

1 Dénoyautez les quetsches. Beurrez les tranches de pain de mie sur une face.
2 Placez les tranches de pain dans un plat à gratin beurré, face beurrée par-dessus.
3 Placez sur chaque tranche 3 oreillons de fruits. Soupoudrez abondamment de sucre.
4 Passez sous le gril pendant environ 15 min en surveillant la cuisson. Servez très chaud.

Vous pouvez aussi utiliser pour cette recette de grosses reines-claudes ou des abricots assez mûrs.

Médaillons de bœuf en croûte

Pour **6 personnes**
Préparation **30 min**
Cuisson **35 min**

60 g de beurre ◆ 6 tranches de bœuf dans le filet de 120 g chacune environ ◆ 170 g de pâte feuilletée toute prête ◆ 100 g de pâté de foie gras ◆ 1 œuf ◆ sel ◆ poivre

1 Faites chauffer le beurre dans une poêle et mettez-y à sauter les tranches de bœuf pendant 2 min de chaque côté, juste pour former une croûte qui retiendra le jus à l'intérieur. Égouttez-les à fond.
2 Abaissez la pâte feuilletée sur 3 mm d'épaisseur. Découpez-y 6 rectangles égaux assez grands pour envelopper chaque tranche de viande.

3 Tartinez chaque tranche refroidie avec un peu de pâté de foie gras. Placez-les sur les carrés de pâte, côté tartiné dessous. Salez et poivrez.
4 Rabattez les bords de la pâte pour enfermer la viande et soudez-les en les humectant d'eau froide et en les pressant entre vos doigts.
5 Badigeonnez les médaillons à l'œuf battu. Rangez-les sur la tôle du four humectée d'eau et pratiquez quelques fentes au couteau.
6 Faites cuire au four à 220 °C pendant 20 min. Servez aussitôt avec une sauce madère.

Boisson côte-de-nuits

→ autres recettes de croûte à l'index

croûton

Petite rondelle de pain séchée, souvent frottée d'ail et rissolée. Les croûtons garnissent soupes ou salades. Utilisez de la baguette ou de la ficelle. Taillés en très petits dés et rissolés au beurre, ils se servent avec une omelette ou un poisson à la meunière. Découpés en triangles, cœurs ou losanges, dans du pain de mie séché, puis dorés au beurre, ils complètent la matelote ou la blanquette.

crumble

Ce dessert familial typiquement anglo-saxon se compose de fruits cuits dans un plat creux, sur lesquels on verse un mélange de farine, de sucre et de beurre réduit en une sorte de chapelure grossière qui, après cuisson, forme une couche croustillante et dorée. Les recettes de crumble – le mot lui-même signifie « émietter » – utilisent généralement des pommes, de la rhubarbe ou des baies rouges.

Crumble aux myrtilles ▲

Vous pouvez faire cuire le crumble dans des ramequins. Servez-le chaud ou refroidi. Les gourmands le dégusteront accompagné de crème fraîche bien froide.

Crumble aux myrtilles

Pour **6 personnes**
Préparation **25 min**
Cuisson **25 à 30 min**

2 galettes sablées au beurre ◆ 200 g de farine ◆ 100 g de cassonade ◆ 1 pincée de levure chimique ◆ 125 g de beurre bien froid ◆ 4 c. à soupe de miel toutes fleurs ◆ 800 g de myrtilles fraîches

1 Mettez les galettes dans un sachet en papier et passez le rouleau à pâtisserie dessus pour les émietter très finement.
2 Versez la farine dans un saladier, ajoutez les biscuits réduits en poudre, la cassonade et la levure chimique. Mélangez.
3 Incorporez ensuite le beurre en parcelles, bien froid, en sablant la préparation entre vos doigts pour obtenir une chapelure grossière.
4 Faites chauffer le miel sur feu moyen dans une petite casserole, versez-le dans un plat à gratin, ajoutez les myrtilles et mélangez. Recouvrez-les avec la préparation précédente et lissez le dessus avec le dos d'une cuiller.
5 Faites cuire dans le four préchauffé à 180 °C pendant 25 à 30 min jusqu'à ce que la croûte du crumble soit bien dorée.

Essayez le crumble avec d'autres fruits : pommes et raisins secs, abricots et framboises ou rhubarbe et orange.

Crumble aux pommes

Pour **6 personnes**
Préparation **20 min**
Cuisson **30 min**

1 kg de pommes à cuire ◆ 1/2 citron ◆ 100 g de sucre semoule ◆ 1 c. à café de cannelle en poudre ◆ 150 g de beurre ◆ 150 g de cassonade ◆ 150 g de farine

1 Pelez les pommes, retirez le cœur et les pépins, coupez-les en tranches et citronnez-les.
2 Mettez-les dans une casserole et faites cuire 10 min sur feu modéré. Ajoutez le sucre semoule et la cannelle, remuez et retirez du feu.
3 Beurrez un plat à gratin avec 40 g de beurre. Versez-y les pommes. Mélangez dans une jatte le reste de beurre en petites parcelles et la cassonade, ajoutez la farine et émiettez ce mélange pour qu'il devienne sableux.
4 Versez-le en une seule couche sur la compote. Faites cuire 20 min au four à 210 °C. Servez tiède avec de la crème fraîche.

crustacés

→ voir aussi bisque, court-bouillon

Pour apprécier au mieux de leur saveur ces animaux à carapace, achetez-les vivants. Mais n'oubliez pas qu'après cuisson un séjour au réfrigérateur modifie leur goût délicat d'une manière irréversible. Pour les gros crustacés, préférez toujours la femelle.

Diététique. Riches en protéines (13 à 23 %) et en sels minéraux (fer, magnésium, calcium, phosphore), ce sont des aliments revitalisants dont il faut faire une cure en période de stress ou de fatigue. Attention, ils contiennent aussi du cholestérol (150 mg/100 g), mais essentiellement dans la tête : laissez-la de côté !

cumin

Oblongues, striées et hérissées de minuscules petits poils, les graines de cette épice ont une saveur chaude, piquante, un peu âcre. C'est un condiment privilégié du pain, de certaines charcuteries et de quelques fromages, comme le munster ou le gouda. Il ajoute aussi un goût original dans certaines préparations de légumes.

Aubergines au cumin

RECETTE LÉGÈRE — 1 portion 240 kcal

Pour **6 personnes**
Préparation **20 min, 3 à 5 h à l'avance**
Cuisson **15 min**

10 cl d'huile d'olive ◆ 1 gros citron ◆ 1 c. à café de graines de coriandre ◆ 1 c. à soupe de graines de cumin ◆ 12 grains de poivre ◆ 2 c. à soupe de concentré de tomates ◆ 1 bouquet garni ◆ 4 aubergines ◆ sel ◆ poivre

1 Préparez un court-bouillon en mélangeant dans 50 cl d'eau l'huile et le jus de citron, la coriandre, le cumin, le poivre, 1 pincée de sel et le concentré de tomates.
2 Poivrez, ajoutez le bouquet garni et portez à ébullition.
3 Pelez les aubergines et taillez la pulpe en petits cubes réguliers. Plongez-les dans le court-bouillon et faites bouillir 12 min.
4 Égouttez les cubes d'aubergines et jetez le bouquet garni. Filtrez le court-bouillon et faites-le réduire de moitié sur feu vif.
5 Versez les aubergines dans un plat creux. Arrosez-les avec la cuisson et laissez refroidir. Mettez au réfrigérateur jusqu'au moment de servir, en hors-d'œuvre, avec du thon ou des sardines à l'huile.

Bâtonnets au cumin

Pour **30 pièces**
Préparation **15 min**, pâte **20 min**
Cuisson **10 min**

200 g de pâte brisée ◆ 3 à 4 c. à soupe de cumin ◆ 30 g de beurre ◆ 1 œuf

1 Abaissez la pâte sur une épaisseur de 5 mm environ, en la parsemant au fur et à mesure de graines de cumin, pour qu'elles s'y incrustent.
2 Détaillez cette pâte en languettes de 1 cm de côté, puis roulez-les avec la paume de la main pour en faire des bâtonnets.
3 Beurrez la plaque du four et rangez les bâtonnets au cumin dessus. Dorez-les avec l'œuf battu. Faites cuire 10 min environ à 240 °C. Servez chaud à l'apéritif.

Présentez un assortiment en réalisant de la même façon des bâtonnets au carvi, au thym, au sésame ou au pavot.

curaçao

→ voir aussi cocktail

Cette liqueur d'orange d'origine hollandaise est en général incolore ou dorée. Utilisez-la pour parfumer un entremets. Pour un cocktail, prenez le curaçao bleu ou vert.

curcuma

→ voir aussi curry

Réduite en poudre, cette épice est aussi colorée que le safran, mais elle est nettement plus amère. Elle est aussi beaucoup moins chère.

Le curcuma apporte une note exotique dans les plats de riz, de légumes secs ou de poisson au four.

Concombres au curcuma

Pour **6 personnes**
Préparation **15 min, 1 h à l'avance**
Cuisson **7 à 8 min**

2 petits concombres ◆ 3 c. à soupe de vinaigre de vin blanc ◆ 2 gousses d'ail ◆ 1 oignon ◆ 6 c. à soupe d'huile de soja ◆ 1 c. à café bombée de curcuma ◆ 2 c. à soupe de graines de sésame ◆ sel

1 Pelez les concombres et coupez-les en fines rondelles. Faites bouillir une grande casserole d'eau, ajoutez 1 c. à soupe de vinaigre et plongez-y les rondelles de concombre.

2 Laissez reprendre l'ébullition, maintenez-la 2 min, puis égouttez le concombre et épongez-le à fond. Salez légèrement.

3 Pelez et hachez finement l'ail et l'oignon. Faites chauffer l'huile dans une poêle, pas trop fort, et versez-y le hachis ail-oignon. Remuez pendant 5 min pour faire fondre.

4 Ajoutez le curcuma et la moitié du sésame. Mélangez bien. Retirez du feu et ajoutez le reste de vinaigre. Laissez tiédir.

5 Mettez le concombre bien égoutté dans un plat creux. Versez dessus le contenu de la poêle et mélangez. Laissez refroidir complètement et servez en ajoutant sur le dessus le reste des graines de sésame.

Ce hors-d'œuvre peut aussi se servir en accompagnement avec un curry un peu relevé.

curry

Ce mélange d'épices très coloré, réduit en poudre fine et plus ou moins corsé, fut introduit d'Inde en Europe par les Anglais. En voici une formule classique, assez douce : curcuma, cardamome, girofle, cayenne, moutarde, cumin, coriandre, muscade. Le curry (ou cari) a donné son nom à un plat complet à base de viande, de poulet ou de poisson, garni de riz et agrémenté de condiments divers : raisins secs, rondelles de bananes, petits dés d'ananas. Il peut aussi épicer un plat de légumes secs.

Curry d'agneau

Pour **6 personnes**
Préparation **20 min**
Cuisson **1 h 30**

1,5 kg d'épaule d'agneau ◆ 3 oignons ◆ 2 gousses d'ail ◆ 4 c. à soupe d'huile de soja ◆ 4 tomates ◆ 1 feuille de laurier ◆ 3 c. à soupe de curry ◆ 1 pot de yaourt ◆ 3 c. à soupe de chutney à la mangue ◆ 400 g de riz à grains longs ◆ 2 dosettes de safran ◆ 10 cœurs de palmier ◆ sel ◆ poivre de Cayenne

1 Demandez au boucher de désosser et de couper la viande en morceaux.

2 Pelez et hachez les oignons et l'ail. Faites chauffer 2 c. à soupe d'huile dans une cocotte et faites-y revenir ce hachis.

3 Ajoutez les tomates en quartiers et la feuille de laurier émiettée. Laissez fondre doucement en remuant et ajoutez le curry. Laissez mijoter sur feu très doux.

4 Pendant ce temps, faites revenir la viande dans le reste d'huile sur feu assez vif. Ajoutez-la dans la cocotte avec le yaourt et 20 cl d'eau chaude. Salez, couvrez et faites mijoter doucement pendant 1 h 15.

5 Environ 5 min avant de servir, ajoutez le chutney et 2 pincées de poivre. Remuez et tenez au chaud dans un plat creux.

6 Préparez le riz : 2 tasses d'eau pour 1 de riz, avec le safran et 1 c. à café de sel. Versez le riz dans l'eau bouillante et laissez cuire environ 15 min après la reprise de l'ébullition.

7 Servez le curry avec le riz à part et, dans une coupe, les cœurs de palmier bien frais, en rondelles : ils servent à apaiser le « feu » des épices.

Boisson **rosé sec**

Curry de crevettes

Pour **4 personnes**
Préparation **10 min**
Cuisson **20 min**

300 g de grosses crevettes décortiquées ◆ 2 oignons ◆ 1 c. à soupe d'huile ◆ 2 c. à soupe de curry ◆ 1 c. à soupe de farine ◆ 20 cl de court-bouillon ◆ 1 c. à café de concentré de tomates ◆ 1 c. à soupe de chutney de mangue ◆ 1/2 citron ◆ 3 c. à soupe de crème fraîche ◆ 30 g de beurre ◆ 2 œufs durs

1 Rincez les crevettes et épongez-les soigneusement. Pelez et émincez finement 1 oignon. Faites chauffer l'huile dans une casserole et mettez-y à revenir l'oignon pendant 3 à 4 min.
2 Poudrez de curry et remuez encore pendant 2 min, puis poudrez de farine. Poursuivez la cuisson en remuant, pendant 2 min.
3 Mouillez peu à peu avec le court-bouillon en remuant jusqu'à la limite de l'ébullition. Incorporez alors le concentré de tomates, le chutney, le jus du 1/2 citron et la crème. Laissez mijoter à couvert pendant 5 min.
4 Pelez et hachez le second oignon. Faites fondre le beurre dans une sauteuse et mettez-y l'oignon à fondre.
5 Écalez les œufs durs et coupez-les en quartiers. Ajoutez les crevettes dans la fondue d'oignon avec les œufs durs et faites chauffer doucement.
6 Disposez la moitié de la sauce au curry dans un plat creux, versez par-dessus le ragoût de crevettes à l'oignon et les œufs durs. Nappez avec le reste de sauce.
7 Servez avec du riz créole à part, ou des courgettes cuites à la vapeur.

Curry de légumes

Pour **6 personnes**
Préparation **25 min**
Cuisson **30 min**

2 oignons rouges ◆ 3 gousses d'ail ◆ 2 échalotes ◆ 3 tomates ◆ 500 g de bouquets de chou-fleur ◆ 400 g de haricots verts ◆ 2 pommes de terre ◆ 4 carottes ◆ 150 g de petits pois surgelés ◆ 12 feuilles de menthe ◆ huile de maïs ◆ cumin en poudre ◆ curry doux ◆ curcuma en poudre ◆ sel ◆ poivre

1 Pelez et émincez les oignons, l'ail et les échalotes. Ébouillantez, pelez et concassez les tomates. Parez les bouquets de chou-fleur, effilez et tronçonnez les haricots verts. Pelez, lavez et taillez les pommes de terre en petits dés et les carottes en rondelles.
2 Huilez une sauteuse, ajoutez les oignons, l'ail et les échalotes. Faites revenir puis ajoutez 1 c. à café de chaque épice en poudre. Mélangez pendant 2 min et ajoutez les tomates, le chou-fleur, les pommes de terre et les carottes.
3 Mouillez avec un verre d'eau bouillante, couvrez et laissez mijoter pendant 15 min. Ajoutez les haricots verts, les petits pois et la menthe ciselée. Poursuivez la cuisson 15 min. Salez et poivrez. Servez aussitôt.

Curry de porc aux champignons

Pour **4 personnes**
Préparation **25 min**
Cuisson **40 min environ**

600 g de filet de porc désossé ◆ 1 oignon ◆ 200 g de champignons de couche ◆ 1 citron ◆ 20 g de beurre ◆ 2 c. à soupe d'huile de maïs ◆ 1 c. à soupe de curry ◆ 10 cl de vin blanc sec ◆ 15 cl de crème fraîche ◆ sel ◆ poivre

1 Émincez la viande de porc en fines tranches régulières. Pelez et hachez l'oignon. Nettoyez les champignons, émincez-les et arrosez-les avec la moitié du jus de citron.
2 Faites chauffer le beurre et l'huile dans une cocotte. Ajoutez les tranches de porc et faites sauter vivement.
3 Ajoutez l'oignon haché, les champignons et le jus de citron où ils ont macéré. Salez et poivrez. Saupoudrez la moitié du curry. Couvrez et laissez mijoter pendant 15 min.
4 Ajoutez le vin blanc, couvrez à nouveau et poursuivez la cuisson pendant 10 min. Mélangez la crème, 1 c. à soupe de jus de citron et le reste de curry. Versez dans la cocotte et faites réduire à découvert, en remuant, pendant 10 min environ. Servez très chaud avec du riz créole.

Curry de crevettes ►

Relevé de chutney et de concentré de tomates, adouci de crème fraîche, ce curry de crevettes est agrémenté d'œufs durs.

Curry de poulet

Pour **6 personnes**
Préparation **25 min**
Cuisson **50 min**

1 poulet de 1,8 kg environ ◆ 5 oignons ◆ 1 pomme ◆ 1 citron ◆ 10 cl d'huile ◆ 50 g de noix de coco râpée ◆ 2 c. à soupe de curry en poudre ◆ 1 yaourt ◆ 250 g de riz ◆ 2 bananes ◆ sel ◆ poivre

1 Coupez (ou faites couper) le poulet en 10 à 12 morceaux. Salez et poivrez. Pelez et hachez les oignons.
2 Pelez et coupez la pomme en quartiers, retirez le cœur et les pépins, hachez la pulpe en très petits dés. Citronnez-les.
3 Faites chauffer l'huile dans une cocotte. Ajoutez les oignons hachés et les morceaux de poulet. Faites-les dorer en les retournant plusieurs fois sur feu modéré.
4 Ajoutez la pomme et la noix de coco, poudrez avec le curry et mélangez à fond en remuant bien pendant 3 min hors du feu.
5 Mouillez avec 2 verres d'eau et remettez sur le feu.
6 Ajoutez le yaourt en le délayant dans la sauce et couvrez. Réglez sur feu doux et poursuivez la cuisson pendant 40 min environ.
7 Pendant la cuisson du curry de poulet, préparez du riz à la créole.
8 Versez le curry, avec la sauce qui doit être assez épaisse, dans un plat creux très chaud. Servez-le avec le riz et les bananes coupées en rondelles citronnées.

Curry de saint-jacques

Pour **6 personnes**
Préparation **15 min**
Cuisson **25 min environ**

20 noix de coquilles Saint-Jacques décoquillées ◆ 2 échalotes ◆ 25 g de beurre ◆ 25 cl de cidre brut ◆ 1 c. à soupe de curry doux en poudre ◆ 4 c. à soupe de crème fraîche épaisse ◆ 2 c. à soupe d'huile d'olive ◆ 2 verres de riz thaï ◆ 1 c. à café de gingembre en poudre ◆ 1 petit bouquet de coriandre fraîche ◆ sel ◆ poivre

1 Lavez les noix de saint-jacques, égouttez-les et épongez-les sur du papier absorbant. Réservez au réfrigérateur.
2 Pelez et émincez finement l'échalote. Faites fondre le beurre dans une casserole, ajoutez l'échalote et faites-la cuire doucement jusqu'à ce qu'elle soit transparente.
3 Versez le cidre et laissez réduire de moitié sur feu modéré puis ajoutez le curry. Mélangez. Salez et poivrez. Versez la crème et fouettez doucement sans faire bouillir. Retirez du feu.
4 Faites chauffer 1 c. à soupe d'huile dans une casserole, ajoutez le riz, remuez et faites chauffer pendant 3 min.
5 Versez une fois et demi la quantité d'eau. Ajoutez le gingembre en poudre, couvrez et laissez cuire tout doucement pendant 15 min.
6 Faites chauffer le reste d'huile dans une poêle. Salez et poivrez les noix de saint-jacques et poêlez-les rapidement sur les 2 faces. Faites réchauffer doucement la sauce.
7 Répartissez le riz dans des assiettes de service, faites un creux au milieu, ajoutez les noix de saint-jacques et nappez de sauce, décorez de pluches de coriandre. Servez aussitôt.

Vous pouvez agrémenter ce curry de dés de lotte rapidement sautés à la poêle. Décorez le plat avec quelques queues de crevettes décortiquées et chauffées à la vapeur.

→ **autres recettes de curry à l'index**

daïkon

La grosse racine blanche de ce radis du Japon est plus fade en hiver qu'en été. Émincée ou râpée, sa chair croquante accompagne les salades de poisson ou de crudités. Cuit, le daïkon peut avoir les mêmes emplois que le navet. Enveloppé dans un sac plastique, il se conserve au réfrigérateur une semaine.

dariole

Sorte de petit flan ou feuilleté au fromage cuit dans un moule conique un peu évasé et servi en entrée chaude. On utilise aussi les moules à dariole pour faire cuire des babas individuels, des petits cakes, pour des gâteaux de légumes ou du riz.

Darioles au fromage

Pour **4 personnes**
Préparation **20 min, 1 h à l'avance**
Cuisson **25 min**

250 g de pâte feuilletée ◆ 30 g de beurre ◆ 50 g de comté ◆ 100 g de parmesan ◆ 4 œufs ◆ 20 cl de crème fraîche épaisse ◆ muscade ◆ sel ◆ poivre

1 Abaissez la pâte feuilletée sur 3 mm d'épaisseur. Beurrez 4 moules à dariole et garnissez-les de pâte.
2 Râpez le comté et le parmesan. Cassez 2 œufs dans une terrine. Ajoutez 2 jaunes d'œufs. Incorporez la crème et les 2 fromages râpés. Mélangez bien et laissez reposer pendant 1 h.
3 Battez à nouveau le mélange pour l'homogénéiser. Salez et poivrez. Muscadez au goût. Répartissez la préparation dans les moules garnis de pâte feuilletée.
4 Faites cuire au four à 240 °C pendant 25 min. Servez très chaud.

Si la préparation à base de fromage est un peu trop épaisse, incorporez quelques gouttes de lait avant de la verser dans les moules à dariole.

Boisson **vin blanc sec**

darne

Le mot désigne surtout une tranche épaisse de poisson (saumon, thon ou colin) taillée transversalement. Ne confondez pas la darne avec l'escalope, qui est taillée en biais dans le sens de la longueur. Les darnes se préparent pochées, braisées ou grillées.

dartois

Formé de plusieurs couches de pâte feuilletée enfermant une garniture, le dartois est soit une pâtisserie (fourrée de crème aux amandes, de marmelade ou de crème pâtissière), soit une entrée chaude. Dans ce cas, la garniture fait appel aux mêmes recettes que les feuilletés : utilisez par exemple du roquefort ou du bleu, du saumon ou des sardines.

Dartois aux amandes

Pour **4 personnes**
Préparation **25 min**
Cuisson **1 h**

500 g de pâte feuilletée ◆ 100 g de beurre ◆ 100 g d'amandes en poudre ◆ 1 c. à soupe de rhum ou de kirsch ◆ 100 g de sucre semoule ◆ 1 sachet de sucre vanillé ◆ 3 œufs

1 Divisez la pâte feuilletée en 2 : une part un peu plus grosse que l'autre.
2 Dans une terrine, travaillez le beurre en pommade en ajoutant peu à peu les amandes, le rhum et les 2 sucres. Incorporez ensuite 2 œufs. Mélangez bien.
3 Abaissez le plus petit morceau de pâte sur 5 mm d'épaisseur en formant un rectangle de 10 cm de large sur 30 cm de long. Déposez au milieu la pâte aux amandes en boudin allongé.
4 Abaissez l'autre part de pâte aux mêmes dimensions sur 8 mm d'épaisseur. Placez-la sur la première et collez les bords en les mouillant.
5 Tracez des croisillons sur le dessus de la pâte avec la pointe d'un couteau. Dorez le dartois avec le dernier œuf battu. Faites-le glisser sur la tôle du four mouillée.
6 Faites cuire 20 min à 250 °C, puis baissez à 220 °C et poursuivez la cuisson 40 min. Sortez le dartois du four, laissez-le refroidir.

Dartois aux sardines

Pour **4 personnes**
Préparation **1 h**
Cuisson **1 h 10**

800 g d'épinards ◆ 300 g d'oseille ◆ 60 g de beurre ◆ 1 gousse d'ail ◆ 500 g de pâte feuilletée ◆ 24 sardines à l'huile ◆ 1 jaune d'œuf ◆ sel ◆ poivre

1 Triez les épinards et l'oseille. Coupez les queues et lavez les feuilles. Épongez-les.
2 Faites fondre le beurre dans une casserole et versez-y les feuilles. Remuez à découvert pendant 5 min.
3 Pelez et hachez la gousse d'ail. Ajoutez-la dans la casserole. Salez et poivrez. Retirez du feu au bout de 10 min. Pressez les feuilles dans une passoire pour éliminer l'excès de liquide.
4 Abaissez la pâte feuilletée sur 5 mm d'épaisseur et découpez-y 2 bandes de 30 cm de long sur 12 cm de large. Égouttez les sardines. Retirez bien toutes les arêtes.
5 Étalez la verdure cuite sur l'une des abaisses de feuilletage en formant une couche régulière. Rangez par-dessus les sardines dans le sens de la largeur, côte à côte et tête-bêche.
6 Mettez en place la seconde abaisse de pâte. Soudez les bords en les pinçant. Dorez le dessus avec le jaune d'œuf.
7 Faites cuire au four à 220 °C pendant 1 h. Servez chaud ou froid, en coupant le feuilleté avec un couteau-scie.

Boisson **vin blanc sec**

datte

→ **voir aussi** couscous

Il existe trois grandes variétés de ce fruit méditerranéen : la deglet-nour, molle, à peau fine ; la deglet-beida, à peau plus épaisse, bien sucrée, tenue pour la meilleure ; la ghar, plus ferme. Vendues en vrac au poids, sur les tiges du régime ou en boîtes, les meilleures dattes en provenance du Maghreb sont souples au toucher.

En France, les dattes se consomment surtout sous forme de friandise, nature, fourrée ou glacée. La cuisine du Maghreb en fait un emploi bien plus diversifié, notamment dans les tajines, les couscous, les ragoûts de volaille et les plats épicés au curry ; certains poissons en sont même farcis. En pâtisserie, son rôle est également important : beignets, nougats, dattes confites et confitures.

Diététique. Excellent fruit antifatigue à cause de sa concentration en sucre et en magnésium, la datte est aussi un bon aliment de l'effort physique, en raison de sa richesse en phosphore et en calcium (100 g = 300 kcal).

dattes

Cake aux dattes

Pour **4 personnes**
Préparation **15 min**
Cuisson **10 min**
Repos **6 à 8 min**

150 g de dattes dénoyautées ◆ 100 g de beurre ◆ 1 banane mûre ◆ 150 g de farine levante ◆ 2 c. à soupe de cacao non sucré ◆ 1 sachet de levure ◆ 2 c. à soupe de jus d'orange ◆ 50 g d'amandes effilées

1 Hachez les dattes et mettez-les dans un petit plat avec 20 cl d'eau bouillante. Couvrez. Passez 3 min au four à pleine puissance. Laissez refroidir et écrasez les dattes.

2 Versez cette pâte dans une terrine. Incorporez le beurre et travaillez le mélange jusqu'à ce qu'il mousse. Ajoutez la banane pelée et écrasée, la farine, le cacao et la levure.

3 Lorsque le mélange est bien lisse, ajoutez le jus d'orange et les amandes. Garnissez un plat creux de papier sulfurisé. Versez-y la pâte.

4 Faites cuire 7 min à pleine puissance, en faisant tourner le plat de 1/4 de tour toutes les 2 min. Sortez le plat du four, laissez reposer 6 min. Démoulez et retirez le papier.

Riz pilaf aux dattes ▲

Le chaleureux mélange de riz parfumé et de dattes, souligné par les épices orientales, offre un plat dépaysant qui peut accompagner aussi bien un poulet rôti que des brochettes d'agneau.

Riz pilaf aux dattes

Pour **4 personnes**
Préparation **20 min**
Cuisson **25 min environ**

300 g de riz basmati ◆ 1 gros oignon ◆ 3 c. à soupe d'huile ◆ 75 cl de bouillon de volaille (frais ou préparé avec une tablette de concentré) ◆ 1 c. à soupe de curry en poudre ◆ 150 g de dattes ◆ 1 pincée de harissa en poudre ◆ beurre ◆ sel ◆ poivre au moulin

1 Versez le riz dans une passoire et rincez-le abondamment sous le robinet jusqu'à ce que l'eau coule parfaitement claire. Laissez-le égoutter.

2 Pelez et hachez finement l'oignon. Faites chauffer l'huile sur feu moyen dans une sauteuse et ajoutez l'oignon. Laissez-le cuire en remuant jusqu'à ce qu'il commence à colorer.

3 Ajoutez le riz et mélangez bien. Après 2 ou 3 min, quand les grains de riz deviennent transparents, versez une louche de bouillon, remuez à nouveau et attendez que le riz ait tout absorbé.

4 Incorporez le curry en poudre puis à nouveau un peu de bouillon. Salez légèrement si le bouillon l'est déjà et poivrez.

5 Poursuivez ainsi la cuisson sur feu doux pendant environ 15 min, en ajoutant le bouillon au fur et à mesure par petite quantité et en remuant souvent, jusqu'à ce que les grains soient tout juste tendres.

6 Pendant la cuisson du riz, préchauffez le four à 120 °C. Beurrez un plat creux. Dénoyautez les dattes et coupez-les en petits dés. Saupoudrez-les de harissa et remuez bien.

7 Versez le riz dans le plat beurré et égrenez-le avec 2 fourchettes pour que les grains se détachent bien. Ajoutez les dattes et mélangez. Enfournez et laissez sécher pendant 6 à 8 min.

8 Servez à la sortie du four, dans le plat de cuisson, en plat unique ou en garniture d'une viande blanche ou d'une volaille rôtie.

daube

→ voir aussi bœuf, marinade

Ce braisé de bœuf au vin rouge est mijoté avec des aromates dans un récipient hermétiquement clos, la daubière (choisissez-la en fonte ou en terre à feu). Vous pouvez préparer l'oie, la dinde ou même le thon selon le même principe.

Daube de bœuf

Pour **8 ou 10 personnes**
Préparation **25 min**
Cuisson **5 h**

3 kg de gîte de bœuf ◆ 2 pieds de veau désossés ◆ 500 g de jambon de pays ◆ 2 kg d'oignons ◆ 2 kg de carottes ◆ 4 gousses d'ail ◆ 1 orange non traitée ◆ 50 g de beurre ◆ 2 c. à soupe d'huile de maïs ◆ 5 cl d'armagnac ◆ 1 bouquet garni ◆ 2 bouteilles de vin rouge (cahors ou madiran) ◆ 12 grains de poivre ◆ persil plat ◆ sel

1 Coupez la viande et les pieds de veau en gros morceaux. Détaillez le jambon en petits dés. Pelez et émincez les oignons. Pelez et coupez les carottes en rondelles.
2 Hachez un petit bol de persil. Pelez les gousses d'ail et écrasez-les. Lavez l'orange et prélevez finement le zeste.
3 Faites fondre le beurre avec l'huile dans une grande cocotte en fonte. Mettez-y à revenir les morceaux de viande, le jambon et les oignons. Lorsque le tout est bien chaud, flambez avec l'armagnac.
4 Ajoutez ensuite les pieds de veau, les carottes, le zeste, le bouquet garni haché et le poivre. Salez et versez le vin.
5 Couvrez hermétiquement la cocotte et faites cuire 2 h sur le feu à chaleur douce. Enfournez la cocotte et poursuivez la cuisson 3 h à 180 °C.

Plus les quantités de daube de bœuf sont importantes, meilleure elle est. Si vous avez des restes, stérilisez-les.

Vous pouvez aussi laisser refroidir la daube, la dégraisser et la verser dans une terrine. Servez-la en gelée, avec une salade.

Boisson vin rouge corsé

→ autres recettes de daube à l'index

daurade

Ce poisson de mer réputé existe sous trois variétés. La daurade royale ou « vraie » daurade (on écrit aussi dorade), à écailles argentées, se reconnaît à un croissant doré entre les yeux. Sa chair blanche, fine et serrée, est un régal, mais on la trouve rarement, car les restaurateurs se la réservent. La daurade grise, assez fine elle aussi, est meilleur marché, car son aspect est moins flatteur. La daurade rose, plus molle et plus sèche, est parfois un piège, car son prix est majoré en fonction de son aspect. Sur le marché, les daurades doivent être bien brillantes, avec une paroi abdominale intacte (si elles ne sont pas encore vidées).

Diététique. Ce poisson figure parmi les moins gras : ne vous en privez pas (100 g = 77 kcal).

Daurade en croûte de sel

RECETTE LÉGÈRE — 1 portion 190 kcal

Pour **4 personnes**
Préparation **10 min**
Cuisson **30 min**

1 daurade de 1,2 kg, vidée et parée ◆ 1 citron ◆ 2 brins de thym ◆ gros sel de mer ◆ huile d'olive ◆ poivre noir au moulin

1 Préchauffez le four à 220 °C. Rincez la daurade à l'eau courante et épongez-la avec du papier absorbant.
2 Lavez, essuyez le citron puis découpez-le en fines rondelles. Glissez les brins de thym dans la cavité ventrale du poisson et ajoutez quelques rondelles de citron.
3 Versez une couche épaisse de gros sel dans le fond d'un plat à gratin. Posez la daurade dessus, recouvrez-la entièrement de gros sel, sans laisser de vide (il vaut mieux en mettre trop que pas assez). Mettez le plat dans le four et laissez cuire pendant 30 min.
4 Sortez le plat du four et attendez quelques minutes avant de casser la croûte de sel avec un marteau, sur le dessus.
5 Dégagez les blocs de sel puis prélevez les filets de daurade et disposez-les sur des assiettes chaudes. Assaisonnez d'un filet d'huile, de poivre au moulin et de rondelles de citron.

Servez cette délicieuse daurade en croûte de sel avec de la ratatouille.

Daurade au vin blanc

Pour **6 personnes**
Préparation **30 min**
Cuisson **30 min**

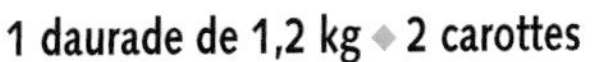

1 daurade de 1,2 kg ◆ 2 carottes ◆ 2 oignons ◆ 1 gousse d'ail ◆ 2 échalotes ◆ 2 branches de céleri ◆ 150 g de champignons de couche ◆ 60 g de beurre ◆ 1 brin de thym ◆ 1 feuille de laurier ◆ 40 cl de muscadet ◆ 1 citron ◆ sel ◆ poivre

1 Demandez au poissonnier de vider et d'écailler la daurade. Lavez-la, épongez-la, salez-la et poivrez-la à l'intérieur et à l'extérieur.
2 Pelez les carottes, les oignons, la gousse d'ail et les échalotes. Parez le céleri et les champignons. Hachez le tout.
3 Faites fondre le beurre dans une casserole. Ajoutez ce hachis et faites cuire pendant 15 min avec le thym et le laurier sur feu modéré, en remuant de temps en temps.
4 Étalez cette préparation dans le fond d'un plat à four et posez la daurade par-dessus. Mouillez avec le vin blanc. Ajoutez un peu d'eau pour que le poisson baigne à demi dans le liquide.
5 Coupez le citron en rondelles et posez-les sur le poisson. Faites cuire 15 min au four à 230 °C. Dès que la daurade commence à bien se colorer, arrosez-la fréquemment.
6 Environ 10 min avant de servir, éteignez le four et recouvrez le plat du papier aluminium. Servez dans le plat, très chaud.

Boisson **muscadet bien frais**

Filets de daurade aux courgettes

Pour **6 personnes**
Préparation **20 min**
Cuisson **18 min**

25 g de beurre ◆ 1 kg de filets de daurade ◆ 20 cl de vin blanc sec ◆ 350 g de petites courgettes à peau fine ◆ 1 c. à soupe d'huile ◆ 1 gousse d'ail ◆ 2 c. à soupe de persil haché ◆ 40 g de gruyère râpé ◆ 2 c. à soupe de chapelure ◆ sel ◆ poivre

1 Graissez un plat à four avec 10 g de beurre. Salez et poivrez les filets de daurade et rangez-les dans le plat. Arrosez-les avec le vin blanc.
2 Faites cuire dans le four pendant 12 min environ à 180 °C. Sortez le plat du four et laissez en attente.
3 Pendant la cuisson du poisson, lavez et essuyez les courgettes. Taillez-les en rondelles. Faites chauffer le reste de beurre et l'huile dans une sauteuse.
4 Faites sauter les courgettes sur feu assez vif en remuant avec une spatule. Pelez et hachez l'ail en retirant le germe. Ajoutez-le aux courgettes ainsi que le persil. Au bout de 10 à 12 min de cuisson, égouttez.
5 Versez les courgettes sautées autour des filets de daurade. Poudrez de fromage râpé mélangé avec la chapelure. Passez sous le gril du four ou au four à 250 °C pendant 5 min.

Boisson **entre-deux-mers**

Marinade de daurade au citron

Pour **6 personnes**
Préparation **20 min**
Marinade **6 h**
Pas de cuisson

1 belle daurade ◆ 3 citrons verts ◆ 3 citrons jaunes ◆ 1 laitue ◆ 3 tomates ◆ 20 cl de crème fraîche ◆ petits épis de maïs cocktail ◆ sel ◆ poivre

1 Demandez au poissonnier de lever les filets de la daurade. Rincez-les et épongez-les. Coupez-les en morceaux réguliers et mettez-les dans un plat creux.
2 Pressez le jus de 2 citrons de chaque variété. Versez-le sur les filets de poisson. Laissez mariner 6 h au frais en les retournant de temps en temps.
3 Épluchez et lavez la salade. Lavez les tomates et coupez-les en rondelles.
4 Lorsque les filets de poisson sont opaques et blancs, égouttez-les et disposez-les dans un plat sur les feuilles de laitue. Entourez de rondelles de tomates et de petits épis de maïs égouttés. Poivrez au moulin. Tenez au frais.
5 Râpez finement le zeste d'un citron vert. Pressez le jus des citrons restants. Ajoutez la crème fraîche et fouettez vivement. Salez et poivrez. Servez en saucière.

Boisson **muscadet**

→ **autres recettes de daurade à l'index**

demi-sel

Fromage frais de lait de vache pasteurisé, salé à moins de 2 %, le demi-sel se présente en petits carrés emballés d'une feuille aluminium. Sa saveur est douce, son odeur lactique. Utilisez-le tartiné sur des canapés, avec paprika, fines herbes, poivre noir, etc., ou pour farcir des crudités (concombre, tomate, poivron, champignon).

Diététique. 100 g de demi-sel = 180 kcal.

Poivron farci

Pour **2 personnes**
Préparation **25 min**
Pas de cuisson

1 beau poivron rouge ◆ 5 cornichons ◆ 80 g de crevettes décortiquées ◆ 1 bouquet de ciboulette ◆ 3 carrés demi-sel ◆ 1 échalote ◆ feuilles de laitue ◆ poivre noir au moulin

1 Lavez le poivron, essuyez-le et coupez-le en 2. Retirez soigneusement toutes les graines et les cloisons intérieures.
2 Hachez grossièrement les cornichons et les crevettes. Mettez-les dans une jatte avec la ciboulette ciselée.
3 Incorporez ensuite les carrés demi-sel en les malaxant avec une fourchette. Poivrez au goût. Pelez l'échalote et hachez-la très finement. Ajoutez-la au mélange. Goûtez pour rectifier l'assaisonnement.
4 Farcissez chaque 1/2 poivron de cette préparation en tassant bien et en la montant en dôme. Disposez-les sur une assiette tapissée de laitue. Servez très frais.

dinde

On appelle indifféremment dinde le mâle et la femelle de cette volaille, mais la chair du premier est plus sèche et il convient de la barder. La dinde traditionnelle pèse de 3 à 4 kg. Des races moyennes et petites ont été mises au point en fonction de la taille des fours modernes, plus petits que jadis. Parallèlement, il existe une variété plus grosse et plus fade, de production industrielle (escalopes, gigots, cuisses, rôtis, ballottines).

Une bonne dinde à rôtir doit être jeune, grasse et courte de cou, avec la trachée souple. Si la tête et les pattes sont rouge foncé, la bête est vieille, sa chair plus dure et filandreuse. Les meilleures dindes viennent de Bresse, des Landes ou du Gâtinais.

Outre la dinde farcie et rôtie, les apprêts de cette volaille sont nombreux : braisée ou en ragoût, en fricassée ou à la cocotte (comme le poulet, s'il s'agit d'un dindonneau), sans oublier les abattis, qui permettent de réaliser des plats très économiques. Les escalopes demandent un assaisonnement relevé, car elles sont toujours un peu neutres de goût. Parmi les morceaux tout prêts, le rôti bardé et ficelé est, parfois, trop salé et plus gras.

Diététique. Relativement pauvre en lipides, la dinde se prête à des modes de cuisson sans danger pour la ligne. 100 g = 110 kcal.

Aiguillettes de dinde en salade

Pour **4 personnes**
Préparation **20 min**
Cuisson **20 min**
Repos **30 min**

4 blancs de dinde de 120 g chacun ◆ 1 c. à café de thym séché ◆ 1 grappe de raisin noir ◆ 2 c. à soupe de cerneaux de noix ◆ 1 laitue ◆ jus de citron ◆ huile d'olive ◆ sel ◆ poivre noir au moulin

1 Placez les blancs de dinde dans un plat creux. Mélangez dans un bol 2 c. à soupe de jus de citron, 1 c. à soupe d'huile et le thym. Salez et poivrez. Versez cette sauce sur les blancs de dinde, mélangez et laissez mariner 20 min.
2 Faites cuire les blancs de dinde au four dans la marinade pendant 20 min à 190 °C en les retournant une seule fois. Laissez-les refroidir puis égouttez-les et taillez-les en aiguillettes, dans l'épaisseur du blanc, en biais.
3 Remettez les aiguillettes dans le jus de cuisson. Laissez reposer au frais 30 min.
4 Lavez le raisin, pelez et épépinez les grains. Concassez les cerneaux de noix. Lavez et essorez la laitue. Taillez-la en chiffonnade.
5 Préparez une vinaigrette en fouettant vivement 5 à 6 c. à soupe d'huile d'olive et 3 c. à soupe de jus de citron. Salez et poivrez.
6 Répartissez la chiffonnade dans les assiettes de service. Ajoutez par-dessus les aiguillettes de dinde. Arrosez de vinaigrette. Ajoutez en garniture le raisin et les noix. Servez.

Pour une saveur plus originale, remplacez les noix par des noix de pecan et le jus de citron par du jus d'orange non sucré.

Boisson **rosé de Touraine**

Blancs de dinde à la crème

Pour **4 personnes**
Préparation **15 min**
Cuisson **30 min**

100 g de champignons de couche ◆ 1/2 citron ◆ 50 g de beurre ◆ 4 escalopes de dinde ◆ 15 cl de vin blanc sec ◆ 1 c. à café de moutarde à l'estragon ◆ 15 cl de crème fraîche épaisse ◆ 1 œuf ◆ sel ◆ poivre

1 Nettoyez les champignons. Émincez-les et citronnez-les. Faites fondre 30 g de beurre dans une poêle. Faites-y saisir les escalopes sur les 2 faces, 15 à 20 min en tout. Égouttez-les et réservez-les au chaud.
2 Versez le vin blanc dans la poêle et faites-le bouillir, ajoutez la moutarde et délayez-la. Remettez les escalopes de dinde dans la poêle. Salez et poivrez.
3 Ajoutez les champignons et les 3/4 de la crème. Laissez cuire 10 min.
4 Placez les escalopes sur un plat de service. Délayez l'œuf à part dans un peu de sauce et versez cette liaison dans la poêle.
5 Ajoutez le reste de la crème et quelques gouttes de jus de citron pour obtenir une sauce onctueuse. Ne laissez pas bouillir. Nappez-en les escalopes et servez aussitôt.

Boisson **vin rouge léger ou rosé**

Blancs de dinde panés

Pour **4 personnes**
Préparation **5 min**
Cuisson **10 min environ**

2 œufs ◆ 100 g d'amandes effilées ◆ 4 escalopes de dinde de 150 g environ ◆ 2 c. à soupe de farine ◆ 40 g de beurre ◆ sel ◆ poivre blanc au moulin

1 Cassez les œufs dans une jatte. Battez-les en ajoutant les amandes. Versez le mélange dans une assiette creuse.
2 Salez et poivrez les escalopes. Passez-les 1 par 1 dans la farine puis dans le mélange d'œufs et d'amandes en les enrobant soigneusement sur les 2 faces.
3 Faites fondre le beurre dans une grande poêle sur feu doux.
4 Placez les escalopes de dinde préparées dans la poêle contenant le beurre chaud. Réglez le feu sur chaleur modérée et faites-les cuire 5 min d'un côté.
5 Retournez délicatement les escalopes et faites-les cuire 5 min de l'autre côté.
6 Servez aussitôt les escalopes panées avec une purée de céleri.

Pour la panure des blancs de dinde, choisissez des amandes effilées de toute première fraîcheur. Relevez la purée de céleri d'une bonne pincée de muscade.

Boisson **vin blanc fruité**

Blancs de dinde à la crème ▼
Dans la préparation de la sauce, vous pouvez remplacer la moutarde à l'estragon par une moutarde à l'ancienne ou même une petite cuillerée de pesto.

◄ Dinde farcie aux marrons

La chair de la dinde est plutôt sèche, parfois fade : la farce doit donc être assez grasse et bien relevée. Vous pouvez lui ajouter le foie et le cœur finement hachés et relever le tout d'un petit verre de cognac.

Dinde farcie aux marrons

Pour **10 personnes environ**
Préparation **30 min**
Cuisson **2 h 30 environ**

2 oignons ◆ 40 g de beurre ◆ 150 g de lardons maigres ◆ 200 g de maigre de porc ◆ 100 g de panne de porc ◆ 1 pomme ◆ 24 marrons au naturel bien égouttés ◆ 1 dinde de 4 kg vidée et troussée ◆ 1 fine barde de lard ◆ mélange quatre-épices ◆ huile ◆ sel ◆ poivre

1 Pelez les oignons et hachez-les. Faites chauffer le beurre dans une casserole. Mettez-y à revenir les lardons et l'oignon en remuant.
2 Ajoutez le maigre de porc et la panne de porc hachés, en émiettant le mélange. Continuez à faire cuire en remuant.
3 Pelez la pomme et épépinez-la. Hachez-la grossièrement et ajoutez-la dans le hachis. Salez, poivrez et ajoutez 1 pincée de quatre-épices.
4 Retirez le mélange du feu et incorporez les marrons bien égouttés. Mélangez la farce sans trop la travailler. Rectifiez l'assaisonnement.
5 Farcissez la dinde par le cou en tassant bien. Fermez l'ouverture en la cousant. Placez la barde fine sur la poitrine et maintenez-la avec un tour de ficelle. Huilez légèrement la dinde.
6 Mettez la dinde dans un grand plat à four chaud (170 °C). Comptez 20 min de cuisson par livre, en retournant la volaille plusieurs fois pour qu'elle dore sur toutes les faces.
7 Servez la dinde avec la farce à côté et le jus de cuisson dégraissé en saucière.

Garniture : des tranches de pommes sautées au beurre et des marrons au naturel.

Boisson **margaux ou chambolle-musigny**

Gratin de macaroni à la dinde

Pour **4 personnes**
Préparation **25 min**
Cuisson **30 min environ**

300 g de viande de dinde cuite ◆ 150 g de macaroni ◆ 50 g de champignons de couche ◆ 50 g de beurre ◆ 25 cl de crème fraîche épaisse ◆ 1 oignon ◆ 1 feuille de laurier ◆ 3 brins de persil ◆ 1 clou de girofle ◆ 2 c. à soupe de farine ◆ 4 c. à soupe de parmesan râpé ◆ 30 g de chapelure ◆ huile ◆ muscade ◆ sel ◆ poivre

1 Détaillez la viande de dinde en lanières. Faites cuire les macaroni 8 min à l'eau bouillante salée et égouttez-les. Nettoyez les champignons et émincez-les. Faites-les rapidement sauter avec 20 g de beurre et égouttez-les.
2 Versez la crème dans une casserole. Pelez et hachez finement l'oignon. Ajoutez-le dans la crème avec le laurier, le persil haché et le clou de girofle. Faites bouillir 5 min et passez la crème.
3 Faites fondre le reste de beurre dans une autre casserole. Ajoutez la farine. Remuez sur feu moyen pendant 3 min. Ajoutez la crème, faites cuire 10 min en remuant. Salez et poivrez. Muscadez.
4 Versez cette sauce dans un saladier. Ajoutez les macaroni, les lamelles de dinde et les champignons. Remuez délicatement pour bien mélanger.

5 Versez cette préparation dans un plat à gratin huilé. Poudrez de parmesan mélangé avec la chapelure et faites gratiner au four à 190 °C pendant environ 10 min. Servez aussitôt.

Rôti de dinde

Recette légère – 1 portion 375 kcal

Pour **6 personnes**
Préparation **30 min**
Cuisson **1 h 45**

2 poivrons rouges ◆ 4 tomates ◆ 2 c. à soupe d'huile d'olive ◆ 1 rôti de dinde de 1,2 kg ◆ 12 petits oignons blancs ◆ 1 bouquet garni ◆ sel ◆ poivre

1 Lavez et essuyez les poivrons. Passez-les dans le four chaud pendant 3 min. Pelez-les, coupez-les en 2 et épépinez-les. Détaillez-les en lanières.
2 Coupez les tomates en 2 et videz l'eau de végétation et les graines. Faites chauffer 1 c. à soupe d'huile dans une cocotte. Mettez-y à dorer le rôti de dinde sur toutes les faces, puis retirez-le.
3 Pelez les petits oignons. Faites-les blondir dans la cocotte avec le reste d'huile. Ajoutez les lanières de poivron. Remuez 2 ou 3 min puis ajoutez les tomates. Salez et poivrez.
4 Remettez le rôti dans la cocotte en l'enfouissant au milieu des légumes. Ajoutez le bouquet garni et 2 ou 3 c. à soupe d'eau chaude. Couvrez et laissez mijoter doucement pendant 1 h.
5 Retirez le couvercle et retournez le rôti. Couvrez à nouveau et poursuivez la cuisson pendant 30 min. Servez le rôti coupé en tranches régulières.

Les légumes de la cuisson, réduits en compote, forment une sauce épaisse : nappez-en le rôti de dinde.

Boisson **madiran**

Salade de dinde aux noix

Pour **4 personnes**
Préparation **15 min**, mayonnaise **10 min**
Cuisson **5 min**

60 g de cerneaux de noix ◆ 400 g de chair de dinde cuite refroidie ◆ 1 pomme ◆ jus de citron ◆ 1 c. à soupe de moutarde ◆ 25 cl de mayonnaise au citron ◆ 200 g de mâche ou de trévise

1 Faites griller les noix sur une plaque au four à 180 °C pendant 5 min. Laissez-les refroidir.
2 Pendant ce temps, détaillez la chair de dinde en cubes réguliers de 2 à 3 cm de côté.
3 Pelez la pomme et retirez-en le cœur et les pépins. Taillez la pulpe en lamelles fines et citronnez-les. Par ailleurs, incorporez la moutarde à la mayonnaise.
4 Mélangez dans un saladier les dés de dinde, la pomme et les noix. Ajoutez la mayonnaise et remuez délicatement.
5 Triez et lavez la salade. Épongez-la bien et garnissez-en les assiettes de service.
6 Répartissez la salade de dinde par-dessus et servez très frais.

Boisson **rosé d'Anjou**

Vinaigrette de dinde

Recette légère – 1 portion 370 kcal

Pour **6 personnes**
Préparation **30 min**
Cuisson **1 h 40**

1 dindonneau ◆ 1 bouquet garni ◆ 3 carottes ◆ 3 navets ◆ 2 blancs de poireaux ◆ 500 g de céleri-rave ◆ 500 g de chou-fleur ◆ 1 bouquet de cerfeuil ◆ huile ◆ vinaigre ◆ gros sel ◆ poivre ◆ sel

1 Parez et bridez la volaille. Mettez-la dans une grande cocotte avec le cou, les ailerons et les pattes. Mouillez d'eau à hauteur. Ajoutez 1 c. à soupe de gros sel et portez à ébullition.
2 Écumez, ajoutez le bouquet garni et faites cuire à petits frémissements pendant 1 h 10.
3 Pendant ce temps, pelez et lavez les carottes et les navets, coupez-les en morceaux. Nettoyez les poireaux et tronçonnez-les. Pelez le céleri-rave et coupez-le en tranches. Séparez le chou-fleur en bouquets.
4 Ajoutez dans la cocotte les carottes, les navets, les poireaux et le céleri. Laissez cuire encore 20 min.
5 Faites cuire le chou-fleur pendant 10 min dans un peu de bouillon à part.
6 Égouttez la volaille, débridez-la et coupez-la en morceaux. Mettez-la sur un plat, entourée des légumes. Laissez tiédir.
7 Préparez une vinaigrette avec 6 c. à soupe d'huile, 3 c. à soupe de vinaigre et le cerfeuil haché. Salez et poivrez. Servez en saucière.

Boisson **côtes-du-rhône rosé**

dip

Sauce froide de consistance assez épaisse et toujours bien relevée. Le mot vient de l'anglais *to dip*, tremper. Servez un ou plusieurs dips assortis avec des salades, des viandes froides, du poisson froid, mais surtout avec des crudités présentées à l'assiette ou en panier. Vous pouvez aussi en tartiner des sandwiches ou des canapés. La mayonnaise bien ferme et le fromage blanc sont des bases de dips très commodes à utiliser.

Dip au fromage frais, moutarde et fines herbes

Pour **6 personnes (50 cl environ)**
Préparation **10 min**
Pas de cuisson

RECETTE LÉGÈRE — 1 portion 105 kcal

400 g de fromage blanc lisse à 20 % de matières grasses ◆ 2 c. à soupe de moutarde à l'ancienne ◆ 1 c. à soupe de moutarde à l'estragon ◆ 1/2 c. à café de paprika doux en poudre ◆ 1/2 bouquet de ciboulette ◆ 2 branches d'estragon ◆ 4 brins de persil plat ◆ 6 brins de cerfeuil ◆ sel ◆ poivre

1 Versez le fromage blanc dans une terrine. Incorporez les moutardes et le paprika. Mélangez intimement. Salez et poivrez. Couvrez et réservez au réfrigérateur.
2 Lavez et épongez soigneusement les fines herbes. Ciselez la ciboulette dans un bol avec une paire de ciseaux.
3 Effeuillez l'estragon, le persil et le cerfeuil. Ciselez les feuilles dans un verre, puis ajoutez-les à la ciboulette et mélangez. Incorporez ces fines herbes au fromage frais moutardé. Goûtez et rectifiez l'assaisonnement.

Dip aux œufs de lump

Pour **4 personnes (25 cl environ)**
Préparation **10 min**
Pas de cuisson

10 cl de crème liquide ◆ 20 cl de crème fraîche épaisse ◆ 1 oignon ◆ 1 c. à soupe de jus de citron ◆ 1 c. à soupe bien bombée d'aneth frais ciselé ◆ 60 g d'œufs de lump rouges ◆ poivre noir au moulin

1 Mélangez intimement les 2 crèmes en les fouettant avec un mixer. Elles doivent être bien froides. Pelez et hachez l'oignon très finement.
2 Ajoutez rapidement le jus de citron, l'oignon, l'aneth et 2 bonnes pincées de poivre. Mélangez intimement.
3 Incorporez délicatement les œufs de lump avec une fourchette. Versez dans un bol et réservez au frais jusqu'au service.

Évitez les œufs de lump noirs qui laissent des traînées noirâtres dans la crème. Mais rien ne vous empêche d'utiliser du caviar ou des œufs de saumon !

Dip à l'orange

Pour **6 personnes (50 cl environ)**
Préparation **15 min**
Pas de cuisson

RECETTE LÉGÈRE — 1 portion 55 kcal

2 œufs ◆ 1 orange à peau fine ◆ 250 g de fromage blanc ◆ 1 c. à café de moutarde douce ◆ sel ◆ poivre

1 Faites durcir les œufs pendant 10 min. Rafraîchissez-les et écalez-les.
2 Prélevez le zeste de l'orange. Coupez-le en languettes et faites bouillir celles-ci quelques secondes dans une casserole d'eau. Égouttez-les et hachez-les. Pressez l'orange.
3 Mettez dans un mixer le fromage blanc, les jaunes des œufs durs et la moutarde. Salez et poivrez. Réduisez en purée.
4 Hachez menu les blancs des œufs durs. Incorporez-les à la sauce, avec le zeste blanchi et haché, et la moitié du jus d'orange.

Cette sauce est parfaite avec des bâtonnets de céleri, des pointes de petites asperges vertes ou même des croquettes de poisson panées.

→ **autres recettes de dip à l'index**

diplomate

Il s'agit d'un pudding aux fruits dont il existe différentes recettes. La formule classique consiste à faire cuire dans un moule au bain-marie des couches alternées de brioche rassise imbibée de lait, et de fruits avec une crème aux œufs.

Diplomate aux fruits confits

Pour **6 à 8 personnes**
Préparation **30 min**
Cuisson **1 h**

130 g de fruits confits ◆ 80 g de raisins secs ◆ 10 cl de rhum ◆ 1 pain brioché de 500 g ◆ 30 g de beurre ◆ 200 g de sucre semoule ◆ 1 l de lait ◆ 1 sachet de sucre vanillé ◆ 6 œufs

1 Réservez 30 g de fruits confits entiers pour le décor. Hachez grossièrement le reste. Mettez-le dans une tasse avec les raisins secs et laissez macérer dans le rhum tiédi.
2 Coupez le pain brioché en tranches. Écroûtez-les et faites-les juste dorer dans le four en les posant sur la tôle.
3 Beurrez un moule à charlotte de 1,5 l de contenance et poudrez-le de sucre.
4 Placez une couche de pain dans le fond et recouvrez-la de fruits macérés. Remplissez tout le moule de pain et de fruits en les alternant.
5 Mélangez dans une jatte le lait, le sucre et le sucre vanillé. Ajoutez les œufs battus à la fourchette et le rhum de macération. Versez cette préparation dans le moule, en laissant le pain absorber le liquide.
6 Faites cuire au bain-marie au four à 150 °C pendant 1 h, en évitant toute ébullition. Laissez refroidir complètement avant de démouler. Décorez avec le reste de fruits confits.

Diplomate aux fruits confits ▲

Vous pouvez servir le diplomate avec une crème anglaise bien froide. Parfumez-la au rhum, au porto ou même au sauternes. Dans ce cas, servez ce vin en accompagnement.

douillon

Cette pâtisserie individuelle d'origine normande est faite d'une poire, ou d'une pomme, évidée, farcie d'un mélange de beurre, sucre et cannelle puis enveloppée d'un carré de pâte dont on soude les bords.

Poires en douillon

Pour **4 personnes**
Préparation **20 min**
Cuisson **30 min environ**

500 g de pâte brisée ◆ 8 petites poires à cuire ◆ 60 g de beurre ◆ 1 c. à soupe de sucre semoule ◆ 1 jaune d'œuf ◆ 2 c. à soupe de lait

1 Préchauffez le four à 190 °C. Pelez les poires et évidez le cœur. Glissez une noix de beurre à la place et roulez-les dans le sucre.
2 Faites cuire les poires sur la plaque au four, pendant 10 min. Sortez-les et laissez-les refroidir, sans éteindre le four.
3 Abaissez la pâte au rouleau sur 3 mm d'épaisseur et découpez-y 8 carrés égaux. Placez une poire égouttée au milieu de chaque carré et ramenez les pointes vers le haut en étirant un peu la pâte.
4 Soudez les bords de la pâte en les pinçant entre vos doigts mouillés. Avec la pointe d'un couteau, tracez des raies sur la pâte.
5 Dorez les douillons avec le jaune d'œuf battu dans le lait. Faites cuire au four 25 à 30 min. Servez les douillons chauds, tièdes ou froids.

Pour réaliser ce dessert, choisissez de préférence des poires williams. Servez-le avec une compote de poires au gingembre.

dourian

Gros fruit ovale de 4 kg environ, vert olive, entièrement couvert de petites pointes, le dourian (ou durion) est importé d'Indonésie ou de Thaïlande, de novembre à février surtout. La pulpe jaunâtre, truffée de gros pépins, rappelle un peu la fraise. Très mûre, elle dégage une odeur nauséabonde.

Dégustez le dourian nature, à la petite cuiller ou en salade de fruits. Vous pouvez aussi préparer un sorbet avec la pulpe.

duxelles

Hachis de champignons à l'échalote ou à l'oignon sauté au beurre, la duxelles s'emploie comme farce, garniture ou élément complémentaire dans une sauce.

Simplement liée de crème fraîche, elle accompagne bien les côtes de veau ou les escalopes, le poisson ou les œufs pochés.

Duxelles de champignons

Pour **200 g de duxelles environ**
Préparation **15 min**
Cuisson **20 min environ**

300 g de champignons de couche ◆ 1 oignon ◆ 2 échalotes ◆ 30 g de beurre ◆ 1 c. à café de persil plat haché ◆ sel ◆ poivre

1 Nettoyez les champignons, coupez le pied terreux et lavez-les rapidement. Hachez-les, y compris les pieds. Pelez et hachez finement l'oignon et les échalotes.
2 Faites chauffer le beurre dans une casserole. Surveillez-le pour qu'il ne colore pas. Ajoutez l'oignon et les échalotes hachés. Faites cuire très doucement en remuant pendant 3 ou 4 min.
3 Ajoutez les champignons et laissez cuire, toujours sur feu doux, en remuant de temps en temps avec une spatule en bois, jusqu'à ce que toute l'eau de végétation soit évaporée. Salez et poivrez. Ajoutez le persil, remuez et retirez la casserole du feu.

Toutes les variétés de champignons peuvent s'accommoder en duxelles.

Œufs pochés à la duxelles

Pour **4 personnes**
Préparation **15 min**, duxelles **30 min**
Cuisson **5 min environ**

200 g de duxelles ◆ 2 c. à soupe de crème fraîche ◆ 4 œufs ◆ vinaigre ◆ 20 g de beurre ◆ 4 tranches de pain de mie rondes ◆ 4 tranches de bacon ◆ persil plat haché ◆ sel ◆ poivre

1 Préparez la duxelles et ajoutez la crème en fin de cuisson pour obtenir une sauce épaisse. Tenez-la au chaud.
2 Faites pocher les œufs dans une casserole d'eau vinaigrée juste frémissante. Égouttez-les et ébarbez-les.
3 Faites chauffer le beurre dans une poêle et faites-y dorer les croûtes de pain des 2 côtés. Égouttez-les. Dans le même beurre, faites revenir les tranches de bacon.
4 Posez sur chaque croûte une tranche de bacon, puis un œuf poché et nappé de duxelles. Poudrez de persil et servez en entrée.

Boisson **vin blanc doux**

eau-de-vie

→ **voir aussi** alcool, brandy, marinade

Cette boisson alcoolique est obtenue par distillation, mais la matière première est très variable : vin ou cidre, fruits (prune) ou grains fermentés (whisky, vodka), jus de canne (rhum) ou pomme de terre (certaines vodkas). Les grandes eaux-de-vie françaises sont connues sous le nom de leur région d'origine : cognac, calvados, armagnac, marcs de Bourgogne ou de Champagne. Vieillie en fût, une eau-de-vie gagne toujours en caractère. Son degré alcoolique se situe vers 40 ou 45 % Vol.

Fruits à l'eau-de vie

Pour **1 kg de fruits**
Préparation **30 min, 6 semaines à l'avance**
Pas de cuisson

fruits mûrs de saison (framboises, fraises, cerises, poires, pommes, prunes, pêches) ◆ 50 cl d'eau-de-vie ◆ 500 g de sucre semoule

1 Équeutez et triez les petits fruits. Pelez, épépinez ou dénoyautez les poires, pommes, prunes et pêches. Coupez-les en morceaux.
2 Prenez un grand pot en grès et versez-y l'eau-de-vie. Ajoutez les fruits et le sucre. Mélangez délicatement.
3 Fermez hermétiquement le pot et laissez macérer 6 semaines.
4 Vous pouvez continuer à ajouter fruits et sucre dans les mêmes proportions jusqu'à ce que le pot soit plein : remuez chaque fois avec une cuiller en bois à partir du fond.

Plus le mélange de fruits est varié, meilleur est le résultat. Vous pouvez aussi utiliser des rondelles de bananes ou d'ananas.

échalote

→ voir aussi **béarnaise, beurre blanc, fruits de mer**

Ce condiment disponible toute l'année fait partie de la même famille que l'ail et l'oignon ; son arôme est plus subtil que celui du second et plus doux que celui du premier. Choisissez-la bien ferme sous les doigts ; elle doit avoir gardé toutes ses pelures et surtout ne pas germer. Ne conservez pas des échalotes entamées, elles peuvent devenir nocives. Ne les mettez pas au réfrigérateur, leur odeur se communiquera aux autres aliments.

échalote type Jersey ou de Bretagne demi-longue

échalote type Jersey ou de Bretagne longue

échalote type Jersey ou de Bretagne ronde

échalote type grise griselle

Hachée à cru, l'échalote a sa place dans de nombreuses sauces froides. Elle est irremplaçable dans les cuissons, les marinades ou les daubes. Fondue au beurre, elle apporte sa saveur aux poissons pochés, aux viandes grillées ou aux sauces au vin.

Hachez deux échalotes par personne, faites-les fondre dans une poêle avec un peu de graisse et versez-les sur une entrecôte au feu de bois : la simplicité de cette préparation n'a d'égal que sa saveur. Quelques échalotes pelées confites dans la graisse d'un gigot, d'un rôti ou de rognons de veau donnent un accompagnement délicieux.

Diététique. Crue, elle n'est pas toujours facile à digérer.

Beurre d'échalote

Pour **125 g de beurre**
Préparation **8 min**
Cuisson **4 min**

50 g d'échalotes ◆ 4 cl de vin blanc sec ◆ 4 cl de vinaigre de vin blanc ◆ 80 g de beurre demi-sel ◆ 2 pincées de poivre concassé

1 Pelez et hachez finement les échalotes. Mettez-les dans une casserole. Versez par-dessus le vin et le vinaigre. Poivrez.
2 Faites chauffer en remuant, puis laissez réduire sur feu doux jusqu'à ce que le liquide soit pratiquement évaporé. Laissez refroidir complètement.
3 Coupez le beurre en petits morceaux et mettez-les dans le bol d'un mixer. Ajoutez la réduction d'échalotes. Mixez, puis décollez la préparation des parois et mixez à nouveau.
4 Lorsque la préparation est lisse, versez-la dans un bol et tenez-la au frais. Servez ce beurre composé avec du foie de veau sauté, une barbue grillée ou une entrecôte à la poêle.

Si le beurre d'échalote est bien raffermi, vous pouvez le couper en rondelles.

L'échalote se récolte en juillet. Elle apparaît sur le marché en été. La petite échalote grise, ovale et bien ferme, a un goût assez piquant mais très fin. L'échalote de Jersey ou de Bretagne, plus ronde, est plus douce et moins parfumée. Elle se conserve mieux.

Sauce Bercy

Pour **50 cl de sauce**
Préparation **15 min**
Cuisson **45 min**

125 g de beurre ◆ 40 g de farine ◆ 40 cl de court-bouillon filtré (ou de fumet de poisson) ◆ 5 échalotes grises ◆ 30 cl de vin blanc sec ◆ 1 c. à soupe de persil plat haché ◆ sel ◆ poivre

1 Faites fondre 50 g de beurre sur feu doux dans une casserole de 1 l. Ajoutez la farine et remuez avec une cuiller en bois.
2 Lorsque le mélange se met à mousser, versez le fumet ou le court-bouillon très chaud, en délayant puis en battant avec un fouet.
3 Réduisez le feu au minimum et laissez mijoter doucement pendant 30 min. Pendant ce temps, pelez les échalotes et hachez-les très finement.
4 Faites fondre 25 g de beurre dans une petite casserole et mettez-y à cuire doucement les échalotes sans coloration.
5 Versez le vin blanc sur les échalotes et ajoutez quelques pincées de poivre. Faites réduire de moitié. Lorsque la sauce est cuite, incorporez cette réduction en fouettant régulièrement. Laissez cuire doucement pendant 5 min puis retirez du feu.
6 Incorporez enfin le reste de beurre en parcelles, toujours en battant au fouet. Goûtez et rectifiez l'assaisonnement. Ajoutez le persil, mélangez et servez.

La sauce Bercy accompagne à la fois le poisson au four ou poché et les viandes poêlées. Pour une viande, utilisez du bouillon de bœuf à la place du court-bouillon.

Sauce aux échalotes

Pour **4 personnes**
Préparation **10 min**
Pas de cuisson

6 ou 7 échalotes grises ◆ 20 cl de très bon vinaigre de vin rouge ◆ sel ◆ poivre noir au moulin

1 Pelez les échalotes. Hachez-les finement avec un couteau. Surtout ne les passez pas au mixer : cela risque de les faire « tourner ». Dans ce cas, tout le parfum reste dans l'appareil, avec une partie de la pulpe.
2 Faites dissoudre 1/2 c. à café de sel dans le vinaigre en les mélangeant dans une coupe de service. Ajoutez les échalotes et poivrez au goût.
3 Servez cette sauce à température ambiante avec des huîtres ou de grosses moules crues.

Si la sauce aux échalotes accompagne un plateau de fruits de mer, servez un vin plus fruité qu'acide.

Cette sauce se conserve très bien quelques jours au réfrigérateur en recouvrant la coupe de film alimentaire.

→ **autres recettes d'échalote à l'index**

échine

→ **voir aussi porc**

Ce morceau de porc de deuxième catégorie donne une viande moelleuse. On y taille des côtes et des morceaux pour les brochettes, ainsi que des rôtis, qu'il est inutile de barder. Choisissez aussi l'échine comme ingrédient de base d'une potée.
Diététique. Viande grasse : 100 g = 330 kcal.

Échine de porc à la sauge

Pour **8 personnes**
Préparation **20 min**
Cuisson **1 h 30 environ**

3 gousses d'ail ◆ 1 rôti de porc dans l'échine de 1,5 kg ◆ 24 feuilles de sauge fraîches ◆ huile de maïs ◆ 10 cl de vin blanc sec ◆ sel ◆ poivre

1 Pelez les gousses d'ail et taillez-les en éclats dans le sens de la longueur. Incisez le dessus du rôti de porc à intervalles réguliers avec un couteau pointu pour y glisser les éclats d'ail.
2 Faites des entailles un peu plus grandes pour y introduire les feuilles de sauge en tassant bien.
3 Huilez un plat creux allant au four et placez-y le rôti, partie grasse dessus. Salez et poivrez. Enfournez le plat à mi-hauteur et laissez cuire 1 h 30 à 220 °C.
4 Enfoncez une aiguille dans la viande : le jus qui perle doit être juste rose. Mettez le rôti dans

un plat de service et laissez-le dans le four éteint, porte fermée, pendant 10 min.
5 Pendant ce temps, déglacez le plat de cuisson avec le vin blanc. Mélangez.
6 Découpez le rôti en tranches et servez-les arrosées de jus, avec, comme garniture, un gratin d'aubergines.

Boisson **vin blanc fruité**

éclair

Petit boudin de pâte à choux fourré de crème pâtissière et glacé au fondant, cette pâtisserie connaît deux parfums traditionnels : chocolat ou café, mais vous pouvez aussi aromatiser la crème et le fondant au rhum ou à la framboise.

Diététique. Un éclair au chocolat = 300 kcal.

Éclairs

Pour **12 éclairs**
Préparation **30 min, 2 h à l'avance**
Cuisson **30 min**

Pour la pâte à choux **15 g de sucre semoule ◆ 100 g de beurre ◆ 150 g de farine ◆ 5 œufs ◆ sel**
Pour la crème pâtissière **50 cl de lait ◆ 150 g de sucre semoule ◆ 5 jaunes d'œufs ◆ 50 g de farine ◆ 1 gousse de vanille ◆ 1 c. à soupe de café soluble ◆ 1 c. à soupe de cacao**
Pour le glaçage **500 g de fondant tout prêt ◆ 1 c. à soupe de café soluble ◆ 1 c. à soupe de cacao**

1 Préparez la pâte à choux. Dans une casserole, portez à ébullition 25 cl d'eau, le sucre, le beurre et 1/2 c. à café de sel. Versez la farine. Mélangez sur le feu jusqu'à ce que la pâte se détache des parois, puis incorporez les œufs.
2 Mettez la pâte dans une poche à douille n° 13 et poussez 12 boudins de pâte sur une tôle beurrée. Faites cuire au four *(voir page 167)*.
3 Pendant ce temps, préparez la crème pâtissière *(voir page 223)* et partagez-la en 2. Parfumez-en une moitié au café et l'autre au chocolat.
4 Lorsque les éclairs sont cuits et refroidis, fendez-les sur le côté tout du long et fourrez-les avec la crème (6 au chocolat et 6 au café) en utilisant une poche à douille n° 11.
5 Faites tiédir doucement 250 g de fondant avec le café dilué dans 1 c. à soupe d'eau. Faites la même chose avec le fondant restant et le cacao dilué dans 1 c. à soupe d'eau.
6 Nappez les éclairs avec ce glaçage en l'étalant avec une spatule pour qu'il soit bien lisse. Disposez les éclairs sur une assiette et laissez sécher. Servez-les bien froids.

Avec les mêmes proportions, vous obtenez 36 petits éclairs « cocktail » (utilisez dans ce cas une poche à douille n° 7).

Éclairs ►
Les éclairs doivent être préparés assez longtemps à l'avance, car ils sont toujours servis froids. Proposez-les au dessert après un repas léger ou à l'heure du thé.

écrevisse

Ce crustacé d'eau douce qui a la forme d'un petit homard se fait de plus en plus rare là où jadis il abondait, dans les ruisseaux de plaine ou de montagne. Les principales espèces sont : l'écrevisse à pattes rouges, la plus réputée pour sa finesse, sa saveur et son parfum ; celle à pattes blanches et l'écrevisse des torrents, également honorables, ainsi que l'écrevisse américaine, naturalisée dans de nombreuses rivières françaises. L'écrevisse turque à pattes grêles est un crustacé d'élevage importé, de moins bonne qualité. La grande majorité des écrevisses pêchées ou d'élevage sont destinées à la restauration. Pour en cuisiner soi-même, il est conseillé de les commander chez le poissonnier.

Avant toute préparation, les écrevisses doivent être châtrées (débarrassées de la partie centrale de la queue avec le petit boyau noir qui y est attaché) ; vous pouvez aussi les plonger dans un bain de lait pendant 2 h, puis les rincer abondamment.

Une fois cuites (10 min environ au court-bouillon ou en ragoût), les écrevisses sont servies entières, à demi ou entièrement décortiquées. Les parures, pinces et pattes servent à préparer une bisque ou un beurre composé. Une écrevisse moyenne pèse 60 g environ : comptez-en une douzaine par personne si elles sont servies entières.

Diététique. 100 g de chair d'écrevisse = 72 kcal.

Écrevisses à la bordelaise

Pour **4 personnes**
Préparation **20 min**
Cuisson **15 min**

4 douzaines d'écrevisses prêtes à cuire ◆ 3 carottes ◆ 2 oignons ◆ 4 échalotes grises ◆ 200 g de beurre ◆ 1 petit verre de cognac ◆ 20 cl de vin blanc ◆ 1 citron ◆ thym ◆ laurier ◆ persil haché ◆ estragon ciselé ◆ sel ◆ poivre ◆ poivre de Cayenne

1 Lavez et égouttez les écrevisses. Réservez-les. Pelez les carottes et émincez-les finement. Pelez et hachez menu les oignons et les échalotes.
2 Faites fondre 50 g de beurre dans une cocotte et ajoutez les carottes. Remuez à la spatule pour faire fondre sans colorer. Ajoutez oignons et échalotes, laissez revenir doucement. Ajoutez 1 brin de thym, 1 feuille de laurier, du sel, du poivre et 1 pincée de cayenne. Mélangez à fond.
3 Jetez les écrevisses dans la cocotte. Arrosez avec le cognac. Laissez chauffer, flambez, faites sauter 2 ou 3 fois. Couvrez pendant 3 min. Ajoutez le vin blanc et 1 verre d'eau bouillante.
4 Couvrez à nouveau et laissez cuire 5 min sur feu vif en remuant souvent. Retirez les écrevisses de la cocotte et mettez-les dans un plat de service creux. Couvrez-le d'une feuille d'aluminium pour le garder au chaud.
5 Retirez de la cocotte le thym et le laurier. Ajoutez 1 c. à soupe de persil haché et autant d'estragon. Mélangez et faites cuire 2 min à découvert. Incorporez le reste de beurre en parcelles en fouettant.
6 Arrosez avec le jus de citron et goûtez pour rectifier l'assaisonnement, qui doit être relevé. Versez cette sauce sur les écrevisses et servez aussitôt.

Boisson sauternes

Salade d'écrevisses à l'aneth

Pour **4 personnes**
Préparation **15 min**
Cuisson **20 min**

250 g de queues d'écrevisse cuites au naturel ◆ 1 citron ◆ 200 g de petites pommes de terre grenailles ◆ 1 bulbe de fenouil ◆ 1 bouquet d'aneth ◆ 2 c. à soupe de vin blanc ◆ 5 c. à soupe d'huile d'olive ◆ sel ◆ poivre au moulin

1 Rincez les queues d'écrevisse à l'eau froide, égouttez-les, épongez-les et mettez-les dans une jatte. Arrosez-les avec le jus de citron filtré. Poivrez au moulin, couvrez et réservez au réfrigérateur.
2 Brossez soigneusement les petites pommes de terre et faites-les cuire à l'eau ou à la vapeur.
3 Coupez les sommités vertes du fenouil, hachez-les finement et mélangez-les avec l'aneth finement ciselé. Parez le fenouil et émincez-le très finement. Faites-le cuire à la vapeur en le gardant croquant.
4 Dès que les pommes de terre sont cuites, égouttez-les et versez-les dans un saladier. Arrosez-les de vin blanc. Salez et poivrez. Ajoutez le fenouil et l'aneth.
5 Arrosez d'huile d'olive. Ajoutez ensuite les queues d'écrevisses au jus de citron et mélangez délicatement. Rectifiez l'assaisonnement.

Écrevisses à la bordelaise ►

C'est le flambage au cognac, puis la cuisson au vin blanc, sur un mélange de petits légumes hachés, qui donnent à ces écrevisses tout leur caractère.

édam

Fromage hollandais de lait de vache en forme de boule, l'édam possède une croûte paraffinée colorée en jaune ou en rouge. Sa pâte ferme mais élastique a une saveur douce lorsque le fromage est jeune (affiné 2 ou 3 mois). L'édam demi-étuvé (affiné 6 mois) a un goût plus prononcé ; s'il est « étuvé » (1 an), il devient piquant. C'est le premier que l'on utilise le plus souvent en cuisine pour des salades, croûtes, sandwiches, etc. Dégustez le plus affiné en fin de repas avec une bière blonde.

émincé

Ce terme désigne une mince tranche de viande, cuite ou crue, de forme généralement allongée, destinée à être sautée ou réchauffée. Les émincés de bœuf ou de veau sont toujours cuisinés en sauce. Servez-les avec du riz nature ou une purée de légumes.

Émincés de bœuf

Pour **4 personnes**
Préparation **15 min**
Cuisson **20 min**

800 g de pointe de rumsteck ◆ 50 g de beurre ◆ 4 échalotes ◆ 20 cl de crème fraîche épaisse ◆ moutarde forte ◆ sel ◆ poivre au moulin

1 Demandez au boucher de bien dégraisser le morceau de viande.
2 Coupez-le en tranches fines, puis retaillez-les en languettes. Faites chauffer 15 g de beurre dans une poêle.
3 Mettez-y la moitié de la viande et faites-la saisir rapidement en retournant les languettes avec une spatule. Elles doivent être bien saisies, mais rester saignantes. Égouttez-les en conservant leur jus. Faites cuire de même le reste de la viande en rajoutant un peu de beurre. Réservez.
4 Pelez et hachez les échalotes. Mettez-les dans la poêle et faites-les fondre doucement avec le reste de beurre. Remuez bien, puis ajoutez la crème. Faites réduire en remuant sur feu assez vif. Ajoutez 1 c. à café de moutarde, salez et poivrez. Portez à ébullition.
5 Remettez alors les languettes de viande dans la poêle avec tout leur jus et réchauffez en remuant délicatement. Servez aussitôt.

Émincés de veau

Pour **4 personnes**
Préparation **20 min**
Cuisson **15 min environ**

4 escalopes de veau bien aplaties de 120 g chacune ◆ farine ◆ 250 g de champignons de couche ◆ 1 oignon ◆ 25 g de beurre ◆ paprika doux ◆ 15 cl de vin blanc sec ◆ 20 cl de crème liquide ◆ huile ◆ persil plat haché ◆ sel ◆ poivre blanc

1 Taillez les escalopes en minces languettes. Salez-les, poivrez-les et farinez-les. Nettoyez les champignons et émincez-les. Pelez et hachez l'oignon.
2 Faites chauffer dans une sauteuse le beurre et 1 c. à soupe d'huile. Mettez-y les languettes de viande et retournez-les sur feu assez vif pour qu'elles dorent.
3 Au bout de 2 min, ajoutez les champignons et l'oignon mélangés.
4 Baissez le feu et remuez en laissant dorer doucement pendant environ 5 min. Poudrez le paprika et mouillez avec le vin blanc, remuez et portez à ébullition.
5 Incorporez alors la crème et mélangez bien. Faites chauffer pendant 3 à 4 min puis versez les émincés dans un plat chaud.
6 Saupoudrez de persil et servez aussitôt.

Servez en même temps des galettes de pommes de terre ou une purée de carottes gratinée.

Boisson **vin blanc sec**

emmental

Fromage de lait de vache à pâte cuite en forme de grosse meule, l'emmental se caractérise par ses trous plus ou moins gros. L'emmental suisse est né dans la vallée de l'Emme (canton de Berne), d'où son nom, parfois écrit « emmenthal » (*Tal* signifie « vallée » en allemand). Fruité sans piquant, l'emmental suisse ou savoyard peut figurer sur un plateau de fromages. Réservez l'emmental « français » pour le râpé. Mais évitez les portions préemballées sous plastique, de qualité médiocre.

L'emmental est très utilisé en cuisine, fondu (fondue savoyarde), râpé ou en lamelles.

Diététique. L'emmental est un fromage gras : 100 g = 410 kcal.

Macaroni à l'emmental

Pour **4 personnes**
Préparation **10 min**
Cuisson **15 min**

3 gousses d'ail ◆ 15 g de beurre ◆ huile ◆ 250 g de macaroni coupés ◆ 2 c. à soupe de vin blanc ◆ 130 g d'emmental râpé ◆ sel ◆ poivre

1 Pelez les gousses d'ail et émincez-les pas trop fin. Faites fondre le beurre avec 1 c. à soupe d'huile dans une sauteuse. Mettez-y l'ail et remuez sur feu modéré pour le faire dorer sans brûler.
2 Ajoutez les macaroni et remuez à la spatule pour les colorer régulièrement pendant 6 à 8 min.
3 Versez assez d'eau pour recouvrir les pâtes de 3 cm de liquide environ. Salez et poivrez. Faites cuire environ 10 min.
4 Égouttez soigneusement les macaroni et remettez-les dans la sauteuse. Mouillez avec le vin blanc et mélangez. Ajoutez alors l'emmental. Ne remuez plus, sinon le fromage risque d'attacher au fond de la sauteuse. Servez aussitôt.

Ces macaroni se servent en garniture de viande ou de volaille rôtie ou braisée.

endive

Ce légume d'hiver présente l'avantage d'être pratiquement sans déchets. L'endive se mange aussi bien crue que cuite. Choisissez-la bien ferme, brillante, renflée, sans taches ni feuilles verdâtres. Ôtez éventuellement les feuilles abîmées, passez-les rapidement sous l'eau et essuyez-les. Ne les laissez pas tremper dans l'eau, cela les rendrait amères. L'endive est un légume qu'il est déconseillé de congeler.

Notez que l'endive belge n'est pas meilleure que la française, mais généralement mieux triée et plus propre. Dans le nord de la France, l'endive s'appelle chicon.

Les salades d'hiver lui font une large place, avec des agrumes, des pommes ou des fruits secs. Braisées, étuvées, en chiffonnade, à la crème ou simplement cuites à la vapeur, les endives accompagnent parfaitement les viandes blanches, le gibier et même certains poissons. En gratin avec du jambon, elles font un plat principal savoureux.

Diététique. L'endive est un aliment « de régime » par excellence. Consommez-en aussi souvent que vous le voulez (100 g = 15 kcal seulement).

Coupe d'endives aux fruits

Pour **4 personnes**
Préparation **15 min**
Pas de cuisson

200 g de fromage blanc lisse à 0 % de matières grasses ◆ 1 c. à soupe de vinaigre de vin blanc ◆ moutarde douce ◆ 4 endives ◆ 1 citron ◆ 2 bananes ◆ 1 pomme ◆ sel ◆ poivre

1 Fouettez le fromage blanc avec le vinaigre et ajoutez 1 c. à café de moutarde. Salez et poivrez. Mettez au frais.
2 Parez les endives et émincez-les en fines rondelles. Citronnez-les. Pelez les bananes et coupez-les en rondelles. Citronnez-les. Pelez la pomme, coupez-la en fines lamelles que vous citronnerez aussi.
3 Réunissez ces ingrédients dans une coupe de service. Ajoutez la sauce et remuez délicatement. Servez très frais.

Vous pouvez ajouter en garniture des cerneaux de noix ou des noix de cajou.

Variante : remplacez les bananes par des cœurs de palmier et la pomme par une orange. Dans ce cas, préparez comme sauce une vinaigrette aux fines herbes.

endives

Pour ôter toute trace d'amertume à une endive, retirez le petit cône blanc à la base du trognon.

Effilochée d'endives à la crème

Pour **4 personnes**
Préparation **15 min**
Cuisson **10 min**

500 g d'endives bien blanches ◆ 1 citron ◆ 30 cl de crème liquide ◆ sel ◆ poivre

1 Retirez les feuilles extérieures des endives si elles ne sont pas bien nettes, ainsi que le cône amer à la base de chaque endive. Il est inutile de les laver.
2 Avec un couteau bien aiguisé, taillez-les en lamelles, en biais, le plus régulièrement possible. Arrosez-les de jus de citron, salez et poivrez.
3 Versez la crème liquide dans une casserole et faites-la chauffer sur feu doux. Quand elle est sur le point de bouillir, ajoutez les lamelles d'endives bien égouttées.
4 Remuez délicatement pour bien les enrober de crème. Faites cuire à découvert doucement pendant 10 min environ.

Servez l'effilochée en garniture de poisson blanc (médaillons de lotte ou filets de daurade à la poêle, filets de sole ou de merlan au court-bouillon), de coquilles Saint-Jacques ou de grenadins de veau.

Endives gratinées au jambon ▼

Lorsque les endives sont cuites, n'oubliez pas de les égoutter soigneusement avant de les enrouler dans les tranches de jambon. Sinon, la sauce du gratin risque d'être trop liquide.

Endives braisées

Pour **4 personnes**
Préparation **10 min**
Cuisson **30 min**

8 à 10 belles endives ◆ 80 g de beurre ◆ 1/2 citron ◆ huile ◆ sucre semoule ◆ sel ◆ poivre

1 Lavez les endives si nécessaire, sans les laisser tremper. Essuyez-les et coupez le trognon, évidez le cône amer à la base.
2 Faites chauffer 15 g de beurre et un filet d'huile dans une cocotte. Faites-y blondir 2 ou 3 endives en les retournant. Retirez-les et faites de même avec les autres, en rajoutant un peu de beurre et d'huile.
3 Réunissez toutes les endives bien dorées dans la cocotte. Salez et poivrez, arrosez de jus de citron. Couvrez et faites cuire doucement pendant 10 min.
4 Poudrez légèrement de sucre, retournez délicatement les endives et poursuivez la cuisson toujours à couvert sur feu doux.

Endives gratinées au jambon

Pour **6 personnes**
Préparation **20 min**
Cuisson **30 min**

6 belles endives bien blanches et régulières ◆ 25 cl de vin blanc sec ◆ 6 tranches de jambon blanc ◆ 30 g de beurre ◆ fécule ◆ 30 cl de lait ◆ sucre semoule ◆ 1 jaune d'œuf ◆ 100 g de gruyère râpé ◆ muscade ◆ sel ◆ poivre blanc

1 Retirez le cône dur à la base de chaque endive en les conservant entières. Versez le vin blanc et 25 cl d'eau dans une grande casserole. Portez à ébullition sur feu moyen.

2 Mettez les endives dans la casserole, salez et faites bouillir. Baissez le feu, couvrez et laissez cuire pendant 10 min.
3 Égouttez très soigneusement les endives et conservez la cuisson. Enroulez chaque endive dans une tranche de jambon. Beurrez un plat à gratin et rangez-y les endives.
4 Versez la cuisson des endives dans une casserole et faites réduire de moitié. Délayez à part 2 c. à soupe de fécule dans le lait et versez cette liaison dans la casserole, petit à petit. Mélangez, salez, poivrez, muscadez et ajoutez 1 pincée de sucre semoule.
5 Fouettez en laissant épaissir. Retirez du feu et incorporez le jaune d'œuf. Nappez les endives de cette sauce.
6 Poudrez de gruyère râpé et ajoutez quelques parcelles de beurre. Passez au four à 230 °C pendant 6 à 7 min. Servez aussitôt.

Boisson **vin blanc fruité**

→ **autres recettes d'endive à l'index**

entrecôte

→ **voir aussi** bœuf

Cette tranche de bœuf de première catégorie, prise sur le train de côtes, entre deux os, offre une viande grasse aux extrémités, persillée, tendre et savoureuse, à griller ou à poêler. Comptez 150 à 200 g par personne. Elle doit avoir au moins 1,5 cm d'épaisseur pour garder une bonne tenue à la cuisson. Taillée dans les basses-côtes, elle est un peu plus ferme. On appelle aussi entrecôte une tranche de viande coupée dans le faux-filet. Avant de la faire cuire, dégraissez-la partiellement et entaillez-la sur le pourtour.

Diététique. À condition de retirer le gras, c'est une viande idéale pour la ligne et la santé.

Entrecôtes aux anchois

Pour **4 personnes**
Préparation **15 min**
Cuisson **5 à 6 min**

12 olives vertes ◆ 12 filets d'anchois à l'huile ◆ 12 feuilles d'estragon ◆ 2 entrecôtes assez fines ◆ 1 c. à soupe de beurre d'anchois ◆ huile ◆ sel ◆ poivre

1 Dénoyautez les olives et plongez-les 2 min dans une casserole d'eau portée à ébullition. Égouttez-les et épongez-les.
2 Épongez les filets d'anchois sur du papier absorbant et recoupez-les en 2 dans la longueur. Lavez et épongez les feuilles d'estragon.
3 Huilez légèrement les entrecôtes et faites-les griller ou poêler de 2 à 3 min de chaque côté. Salez et poivrez.
4 Posez-les sur un plat de service chaud. Placez en quadrillage les filets d'anchois et les feuilles d'estragon.
5 Garnissez les intervalles avec les olives et le beurre d'anchois en petits macarons. Servez aussitôt avec une salade de tomates.

Boisson **vin rouge bouqueté**

Entrecôte beurre frais

Pour **2 personnes**
Préparation **5 min, 30 min à l'avance**
Cuisson **4 à 8 min**

1 belle entrecôte de 300 g environ ◆ huile de pépins de raisin ◆ beurre frais ◆ persil plat ◆ sel ◆ poivre

1 Demandez au boucher de parer l'entrecôte pour éliminer au maximum le gras et les déchets. Vous pouvez l'entailler sur le pourtour pour l'empêcher de se recourber à la cuisson.
2 Environ 30 min avant de servir, enduisez légèrement l'entrecôte avec un peu d'huile sur les 2 faces. Salez et poivrez.
3 Faites chauffer le gril au maximum. Si vous utilisez un barbecue, attendez que la braise soit bien rouge.
4 Appliquez l'entrecôte d'un seul coup sur le gril très chaud et faites-la saisir de 2 à 4 min selon votre goût.
5 Retournez l'entrecôte et faites cuire l'autre côté. La cuisson dépend du goût et de l'épaisseur de la tranche de viande : lorsque la face visible devient luisante d'humidité, elle est « à point ». Servez-la avec quelques parcelles de beurre frais et du persil haché à part.

Pour accompagner cette entrecôte beurre frais, vous pouvez aussi prévoir une sauce béarnaise ou barbecue, des frites et des bouquets de cresson.

Boisson **côtes-du-rhône**

◄ Entrecôte à la bordelaise

L'échalote est le condiment favori de l'entrecôte. Les amateurs de plats bien relevés y ajouteront de la moutarde forte.

Entrecôtes à la bordelaise

Pour **4 personnes**
Préparation **10 min, 1 h à l'avance**
Cuisson **15 min environ**

2 entrecôtes de 400 g environ chacune ◆ 4 ou 5 échalotes grises ◆ 125 g de beurre ◆ 50 cl de bordeaux rouge ◆ huile ◆ thym ◆ persil plat haché ◆ sel ◆ poivre concassé

1 Sortez la viande du réfrigérateur 1 h avant la cuisson. Pelez les échalotes et hachez-les finement. Faites chauffer 25 g de beurre et 1 c. à soupe d'huile dans une grande poêle.
2 Faites cuire les entrecôtes sur feu moyen pendant 4 à 5 min, retournez-les et poursuivez la cuisson pendant 3 à 4 min.
3 Égouttez les entrecôtes, réservez le jus rendu et mettez-les dans un plat au chaud dans le four tiède et éteint.
4 Jetez la graisse de cuisson de la poêle et remettez celle-ci sur le feu avec 20 g de beurre. Ajoutez les échalotes et faites-les fondre 2 min en remuant sans arrêt sur feu moyen. Salez, ajoutez 1 c. à café de poivre concassé, 1 pincée de thym et 1 c. à soupe de persil plat haché. Remuez à la spatule puis versez le vin rouge.
5 Faites réduire cette sauce sur feu vif pendant 5 min. Incorporez ensuite le jus des entrecôtes et mélangez bien.
6 Incorporez le reste de beurre en parcelles en fouettant. Retirez la sauce du feu et versez-la sur les entrecôtes à travers une passoire fine. Servez aussitôt. Prévoyez comme garniture des pommes noisettes.

Si vous aimez le goût de l'échalote confite dans le vin rouge, ne passez pas la sauce.

Boisson pauillac

épaule

→ **voir aussi agneau, blanquette, fricandeau, navarin, porc, veau**

Ce morceau de viande fournit en général des morceaux à braiser. Les épaules de veau ou d'agneau se cuisinent entières, braisées ou rôties, souvent farcies. L'épaule de veau est toujours désossée, celle d'agneau peut se cuisiner façon gigot, avec l'os.

Diététique. L'épaule d'agneau ou de porc est plus calorique (290 kcal pour 100 g) que celle de veau (168 kcal).

Épaule d'agneau farcie

Pour **6 personnes**
Préparation **30 min**
Cuisson **1 h 30**

1 épaule d'agneau ◆ 100 g de mie de pain ◆ 10 cl de lait ◆ 3 oignons ◆ 50 g de beurre ◆ 3 gousses d'ail ◆ 200 g de chair à saucisse ◆ 1 œuf ◆ 10 cl de bouillon de viande ◆ huile ◆ ciboulette ◆ persil ◆ sel ◆ poivre

1 Demandez au boucher de désosser l'épaule et de bien l'aplatir.
2 Mouillez la mie de pain avec le lait et laissez-la gonfler puis essorez-la. Pelez les oignons et hachez-en 1. Hachez 4 c. à soupe de ciboulette.

3 Faites fondre 25 g de beurre dans une petite casserole. Ajoutez l'oignon haché et faites-le cuire doucement pendant 5 min. Pelez et hachez l'ail. Ajoutez-le dans la casserole avec 3 c. à soupe de persil et la ciboulette. Réservez.
4 Mélangez à part la chair à saucisse et la mie de pain trempée de lait. Ajoutez le mélange d'oignons et de fines herbes en pétrissant le tout intimement.
5 Liez cette farce avec l'œuf. Salez et poivrez. Étalez le morceau de viande à plat sur une planche. Posez dessus la farce façonnée en gros boudin. Roulez l'épaule d'agneau pour enfermer la farce. Ficelez-la bien.
6 Huilez un plat à four. Posez la viande dedans et ajoutez les oignons restants finement émincés. Arrosez de bouillon. Ajoutez le reste de beurre en parcelles.
7 Faites cuire au four à 220 °C pendant 1 h. Baissez le feu à 200 °C et poursuivez la cuisson encore 30 min. Servez l'épaule déficelée, arrosée de son jus.

Boisson **côtes-du-rhône**

Épaule de veau braisée

Pour **8 personnes**
Préparation **30 min**
Cuisson **2 h 30**

1 épaule de veau de 2,5 kg ◆ 4 carottes ◆ 2 oignons ◆ 2 échalotes ◆ 4 tomates ◆ 2 poivrons ◆ 1 bouquet garni ◆ 25 cl de vin blanc sec ◆ huile ◆ sel ◆ poivre

1 Demandez au boucher de désosser l'épaule de veau, de la rouler et de vous donner les os.
2 Faites chauffer 2 c. à soupe d'huile dans une grande poêle et mettez-y à dorer l'épaule sur toutes les faces. Retirez-la et mettez-la dans une grande cocotte.
3 Pelez et émincez les carottes, les oignons et les échalotes. Coupez les tomates en 2 et taillez les poivrons en lanières. Faites revenir dans la poêle les oignons, les carottes, les échalotes et les poivrons pendant 10 min puis mettez-les dans la cocotte.
4 Ajoutez aussi les os de veau, les tomates et le bouquet garni. Salez et poivrez. Mouillez avec le vin blanc et couvrez.
5 Mettez dans le four à 180 °C et faites cuire 2 h en retournant la viande une fois. Égouttez l'épaule dans un plat. Tenez-la au chaud.
6 Retirez les os de veau et faites réduire la cuisson pendant 10 min. Retirez le bouquet garni et rectifiez l'assaisonnement. Servez la sauce en saucière.

Des pâtes fraîches accompagnent idéalement cette viande braisée.

Boisson **vin blanc sec**

éperlan

Petit poisson de mer à la chair délicate. On le trouve surtout au printemps, mais il est meilleur à la fin de l'été. L'éperlan se fait frire. Il se congèle très bien.

Friture d'éperlans

Pour **6 à 8 personnes**
Préparation **10 min**
Cuisson **2 ou 3 min**

1 kg d'éperlans ◆ 4 citrons ◆ lait ◆ farine ◆ huile de friture ◆ persil frisé ◆ sel ◆ poivre

1 Lavez et épongez les éperlans en les laissant entiers. Salez-les et poivrez-les. Trempez-les dans du lait, égouttez-les puis farinez-les.
2 Faites chauffer le bain de friture à 190 °C. Enfilez les éperlans par les yeux sur des brochettes, 10 par 10 environ.
3 Plongez les éperlans dans la friture. Égouttez-les lorsqu'ils sont bien dorés.
4 Servez-les aussitôt, avec des quartiers de citron et des bouquets de persil.

épices

→ **voir aussi** aromates, curry, pain d'épices, quatre-épices, ras al-hanout

Produit d'origine végétale, l'épice se caractérise par son goût toujours relevé, parfois piquant, chaud, âcre, voire violent, qui l'emporte toujours sur son parfum, à la différence de l'aromate. D'un emploi beaucoup plus répandu dans les cuisines indienne, chinoise ou antillaise, les épices connaissent une tradition plus mesurée en Europe.

À part le poivre et la muscade, devenus courants, leur utilisation est souvent liée à un rôle précis : clou de girofle piqué dans l'oignon, safran dans la bouillabaisse, baies de genièvre avec la choucroute ou le gibier, vanille dans les crèmes de dessert, etc. Les épices sont surtout vendues en graines ou en poudre. Ce sont des produits secs qui s'éventent et perdent rapidement leurs qualités ; achetez-les par petites quantités et conservez-les au sec et à l'ombre dans des pots bien bouchés, assez grands pour ménager une certaine aération.

Diététique. La cuisine très épicée est mal tolérée dans les cas d'acidité gastrique.

épigramme

Les épigrammes désignent une préparation de l'agneau à base de morceaux de poitrine désossée, panés et grillés ou sautés. Vous pouvez compléter ce plat avec des petites côtelettes d'agneau panées et sautées.

Épigrammes d'agneau

Pour **4 personnes**
Préparation **30 min**
Repos **2 h**
Cuisson **1 h 50**

1 kg de poitrine d'agneau ◆ 2 poireaux ◆ 2 branches de céleri ◆ 3 carottes ◆ 1 oignon ◆ 1 bouquet garni ◆ 1 œuf ◆ chapelure ◆ 60 g de beurre ◆ huile de maïs ◆ sel ◆ poivre en grains

1 Éliminez le plus de gras possible de la poitrine d'agneau. Parez et lavez les poireaux et le céleri. Pelez les carottes et l'oignon. Hachez grossièrement tous ces légumes.

2 Mettez dans une casserole la viande, les légumes, le bouquet garni, 1 c. à café de sel et 10 grains de poivre. Couvrez d'eau, portez à ébullition et écumez soigneusement.

3 Couvrez, réduisez le feu et faites cuire à petits frémissements pendant 1 h 30. Égouttez la viande et laissez-la tiédir puis désossez-la.

4 Filtrez le bouillon de cuisson et réservez-le pour un potage. Placez la viande entre deux planchettes avec un poids dessus. Laissez refroidir pendant 2 h.

5 Éliminez le gras restant sur la viande, puis taillez-la en morceaux réguliers de 4 ou 5 cm de côté. Battez l'œuf dans une assiette et versez la chapelure dans une autre.

6 Passez les morceaux de viande dans l'œuf, puis dans la chapelure. Laissez-les reposer jusqu'à ce que la panure soit bien sèche.

7 Faites chauffer le beurre dans une grande poêle avec 2 c. à soupe d'huile. Mettez-y à dorer les morceaux d'agneau panés (10 min de chaque côté environ) : ils doivent être croustillants. Égouttez-les sur du papier absorbant et servez aussitôt.

Toute la préparation jusqu'à la cuisson à la poêle peut se faire la veille. Mettez les épigrammes panés prêts à cuire à couvert au réfrigérateur.

Boisson **vin rosé fruité**

épinard

Ce légume vert s'achète de préférence jeune et bien frais, avec des feuilles luisantes d'une couleur très franche. Il est disponible pratiquement toute l'année, mais il souffre des grosses chaleurs : évitez-le en plein été. La surgélation donne d'excellents résultats, qu'il s'agisse des épinards hachés, en branches ou en purée. En revanche, les conserves d'épinards sont d'un goût médiocre.

Les feuilles épaisses conviennent mieux pour les préparations cuites. Réservez les petites feuilles tendres pour les salades. L'épinard est un légume fragile : s'il est cru ou frais cueilli, dégustez-le dans la journée ; s'il est cuit, ne le gardez pas plus de 24 h. Comptez 100 g par personne s'il s'agit d'une salade,

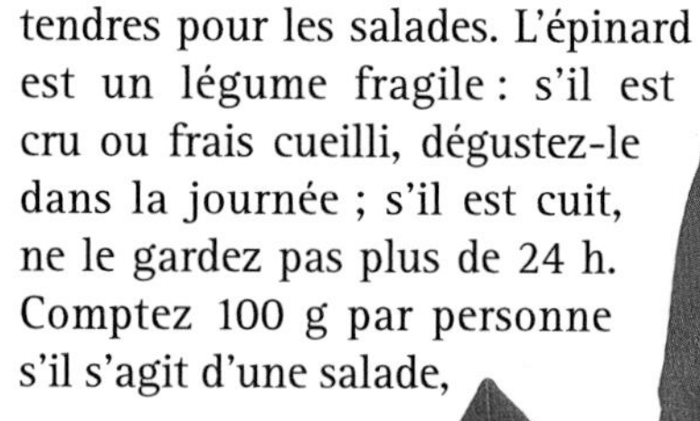

épinards

Selon la variété d'épinard, la feuille est plus ou moins foncée. En France, l'épinard est surtout cultivé en Bretagne, en Île-de-France, en Picardie et en Provence.

Épinards au poisson fumé en salade ►

Si les feuilles d'épinards sont très tendres, inutile de les faire blanchir : utilisez-les crues, bien lavées. Vous pouvez relever la vinaigrette d'une échalote hachée.

mais, pour une garniture, prévoyez 400 à 500 g, car les déchets à l'épluchage sont importants et les feuilles diminuent beaucoup de volume à la cuisson. Épluchez toujours les épinards avec soin, feuille par feuille, en éliminant les queues. Lavez-les à l'eau froide dans deux ou trois bains successifs. La cuisson ne doit pas être trop prolongée pour que les feuilles gardent une certaine consistance. Les épinards sont l'accompagnement idéal des viandes rôties servies avec leur jus, des escalopes et du jambon, mais aussi des poissons blancs et des œufs.

Diététique. L'épinard contient une proportion assez importante d'éléments minéraux : du fer notamment, mais celui-ci n'est pas bien absorbé par l'organisme. N'en faites pas une cure, même si 100 g = 25 kcal !

Épinards au beurre

Pour **4 personnes**
Préparation **6 min**
Cuisson **10 min environ**

1,5 kg d'épinards bien frais ◆ 100 g de beurre ◆ muscade ◆ sel ◆ poivre blanc

1 Triez les épinards en éliminant les queues et les feuilles abîmées. Lavez-les et égouttez-les.
2 Faites bouillir 2,5 l d'eau salée dans une grande marmite. Jetez-y les épinards. Comptez 5 min de cuisson à partir de la reprise de l'ébullition. Si les épinards sont très tendres, faites-les blanchir 2 min seulement. S'ils sont un peu durs, prolongez cette cuisson jusqu'à 8 min.
3 Rafraîchissez les épinards à l'eau froide. Égouttez-les en les pressant par petites quantités dans vos mains.
4 Faites chauffer 60 g de beurre dans une sauteuse. Ajoutez les épinards. Salez et poivrez. Muscadez. Remuez sur feu modéré pendant 2 min. Rajoutez le reste de beurre en parcelles et faites encore cuire 2 min. Servez chaud.

Vous pouvez lier les épinards avec 10 cl de crème fraîche. Dans ce cas, faites-les cuire avec 50 g de beurre seulement.

Épinards au poisson fumé en salade

RECETTE LÉGÈRE — 1 portion 215 kcal

Pour **4 personnes**
Préparation **15 min**
Cuisson **2 min**

500 g d'épinards ◆ 200 g de poisson fumé (saumon, flétan, truite) ◆ huile d'arachide ◆ huile de noisette ◆ vinaigre de vin blanc ◆ vinaigre de xérès ◆ moutarde ◆ sel ◆ poivre

1 Triez les épinards, lavez-les et faites-les blanchir 3 min. Rafraîchissez-les et épongez-les.
2 Taillez les filets de poisson en lanières. Faites chauffer 1 c. à soupe d'huile d'arachide dans une poêle et faites-y revenir les morceaux de poisson.
3 Préparez une vinaigrette avec 3 c. à soupe d'huile d'arachide, 1 c. à soupe d'huile de noisette, 1 c. à soupe de vinaigre de vin blanc et autant de vinaigre de xérès et 1 c. à café de moutarde. Salez et poivrez.
4 Versez les épinards et la vinaigrette dans un saladier. Mélangez cette salade et répartissez-la sur 4 assiettes de service. Ajoutez les morceaux de poisson encore chauds. Servez aussitôt.

Flans à l'épinard

Pour **4 personnes**
Préparation **15 min**
Cuisson **30 min**

1 kg d'épinards ◆ 50 g de beurre ◆ 20 cl de crème fraîche épaisse ◆ 1 œuf entier ◆ 2 jaunes d'œufs ◆ sel ◆ poivre blanc

1 Triez les épinards, lavez-les et faites-les cuire 5 min à l'eau bouillante salée. Rafraîchissez-les et pressez-les dans vos mains pour les essorer.
2 Faites fondre 20 g de beurre dans une casserole et versez-y les épinards. Remuez sur feu assez vif, à découvert, pendant 4 à 5 min.
3 Pendant ce temps, versez la crème dans une petite casserole et faites-la réduire sur feu moyen.
4 Passez les épinards à la moulinette et ajoutez-leur la crème. Salez et poivrez. Incorporez l'œuf entier et les jaunes.
5 Beurrez 8 moules à dariole et répartissez-y la préparation. Faites cuire au four au bain-marie à 180 °C pendant 20 min. Démoulez et servez.

Comptez 2 flans par personne, en garniture de suprêmes de volaille, de filets de poisson ou de grenadins de veau sautés.

Gratin de chou-fleur aux épinards

Pour **4 personnes**
Préparation **30 min**
Cuisson **25 min**

1 petit chou-fleur très blanc ◆ 1 citron ◆ 600 g d'épinards en branches ◆ 150 g de lentilles vertes du Puy ◆ 2 gousses d'ail ◆ 1 bouquet garni ◆ 1 bouquet de ciboulette ◆ 10 feuilles d'oseille ◆ 15 cl de crème liquide ◆ sel ◆ poivre

1 Parez le chou-fleur, retirez le trognon et les feuilles et détachez les petits bouquets. Mettez-les dans une grande casserole, ajoutez le jus du citron et couvrez largement d'eau froide. Portez à ébullition et laissez cuire 25 min.
2 Pendant ce temps, triez et équeutez les épinards, faites-les cuire à la vapeur pendant 15 min. Faites également cuire les lentilles à l'eau pendant 20 min avec les gousses d'ail pelées et émincées et le bouquet garni.
3 Égouttez le chou-fleur, les épinards et les lentilles. Jetez le bouquet garni.
4 Ciselez la ciboulette et les feuilles d'oseille. Mélangez-les dans une petite casserole avec les épinards cuits et la crème liquide. Salez et poivrez. Faites chauffer en remuant.
5 Mélangez dans un plat creux les lentilles et les bouquets de chou-fleur, versez la crème aux épinards dessus et mélangez délicatement avant de servir.

Boisson **côtes-du-rhône**

→ autres recettes d'épinard à l'index

époisses

Ce fromage bourguignon de lait de vache, à pâte molle et à croûte lavée, possède une saveur très relevée. S'il est bien affiné, dégustez-le tout seul avec un petit verre de marc.

Diététique. 100 g d'époisses = 360 kcal.

érable

La sève de l'érable donne un sirop limpide et doré, riche en sucre et d'une saveur herbacée. Utilisez-le à la place du miel, comme aux États-Unis ou au Canada. Il est vendu en flacon, parfois sous le nom de *maple syrup*.

Diététique. Le sirop d'érable contient 63 % de sucre.

Côtes de porc au sirop d'érable

Pour **4 personnes**
Préparation **5 min**
Cuisson **25 min**

20 g de beurre ◆ huile ◆ 4 côtes de porc ◆ 2 pommes reinettes ◆ 2 c. à soupe de sirop d'érable ◆ 2 c. à soupe de crème fraîche épaisse ◆ sel ◆ poivre

1 Faites chauffer le beurre et 1 c. à soupe d'huile dans une grande poêle. Faites-y saisir les côtes de porc 2 min par côté. Égouttez-les et mettez-les dans un plat allant au four.

2 Coupez les pommes en 2, pelez-les, évidez-les et émincez-les. Rangez-les sur les côtes, salez et poivrez. Nappez de sirop d'érable.
3 Arrosez avec la crème fraîche et faites cuire au four à 200 °C pendant 20 min. Servez très chaud.

Garni de quartiers de pommes, ce plat d'hiver plaira aux amateurs de cuisine aigre-douce. Vous pouvez ajouter une pointe de moutarde dans la crème fraîche.

Boisson **bière blonde**

Sorbet au sirop d'érable

Pour **2 personnes**
Préparation **10 min**
Congélation **4 h**
Pas de cuisson

25 cl de sirop d'érable ◆ 25 g de beurre ◆ 3 ou 4 c. à soupe de crème fraîche ◆ extrait de vanille liquide ◆ 1 c. à soupe de noix de pecan hachées

1 Versez le sirop d'érable dans une casserole. Ajoutez 2 c. à soupe d'eau et faites bouillir.
2 Retirez la casserole du feu et ajoutez le beurre. Battez vivement le mélange.
3 Ajoutez 1 c. à soupe de crème fraîche et battez encore. Incorporez ensuite 2 ou 3 c. à soupe de crème pour obtenir un mélange onctueux et assez ferme.
4 Ajoutez en dernier 3 gouttes d'extrait de vanille et les noix de pecan. Versez le tout dans une jatte. Faites prendre au freezer pendant au moins 4 h.

Riche de multiples saveurs, ce sorbet peut accompagner aussi bien une compote de fruits d'hiver qu'une tarte aux pommes tiède.

escabèche

Marinade froide très corsée, destinée à conserver les aliments cuits. Cette préparation s'applique essentiellement aux petits poissons : sardines, rougets, maquereaux, anchois. Ils sont frits ou rissolés puis mis à mariner dans un bouillon aromatique et servis froids. L'escabèche peut se conserver une semaine au réfrigérateur. Elle sert aussi à cuisiner la volaille et le gibier à plume.

Escabèche de sardines

Pour **6 personnes**
Préparation **30 min, 24 h à l'avance**
Cuisson **10 min**

1 kg de petites sardines fraîches ◆ 20 cl d'huile d'olive ◆ 3 poivrons de couleurs différentes ◆ 100 g de petits oignons ◆ 20 cl de fumet de poisson ◆ farine ◆ vinaigre de vin blanc ◆ sel ◆ poivre en grains

1 Videz, lavez et essuyez les sardines. Passez-les dans la farine et secouez-les. Faites chauffer 3 c. à soupe d'huile dans une grande poêle et faites-y sauter rapidement les sardines.
2 Égouttez-les et rangez-les dans un grand plat creux en porcelaine ou en verre à feu. Lavez et essuyez les poivrons, coupez-les en 2, épépinez-les et taillez-les en lanières. Pelez les oignons.
3 Faites chauffer 6 c. à soupe d'huile dans une sauteuse et versez-y poivrons et oignons. Faites-les rissoler en remuant pendant 2 ou 3 min. Versez ce mélange sur les sardines.
4 Par ailleurs, faites bouillir le fumet de poisson avec 2 c. à soupe de vinaigre. Salez et ajoutez 10 grains de poivre. Versez ce liquide bouillant sur les poissons et les légumes.
5 Laissez refroidir complètement, puis mettez au réfrigérateur pendant au moins 24 h. Servez en entrée froide.

Boisson **rosé de Provence**

escalope

→ **voir aussi** paupiette

Tranche de viande taillée dans la noix ou la noix pâtissière, l'escalope de veau est tendre et maigre ; dans la sous-noix, l'épaule ou le quasi, elle est plus ferme et plus nerveuse. Aplatie, parfois ciselée sur un côté pour empêcher la chair de se rétracter, on la servira poêlée ou sautée. C'est une viande un peu sèche qui peut être fade : cuisinez-la à la crème, avec des champignons ou un légume relevé. Les escalopes de dinde, constituées par le blanc, connaissent les mêmes recettes.

Le mot escalope désigne aussi une tranche taillée dans un filet de saumon ou de thon, dans la chair du homard ou dans un foie gras.

Diététique. L'escalope de dinde est encore plus maigre que celle de veau : pour 100 g, la première apporte 110 kcal et la seconde, 160.

Escalopes de dinde au curry

Pour **4 personnes**
Préparation **20 min**
Marinade **30 min**
Cuisson **6 à 8 min**

2 c. à soupe de curry en poudre ◆ 3 c. à soupe d'huile d'olive ◆ 1/2 citron vert ◆ 4 escalopes de dinde assez épaisses de 150 g chacune ◆ 1 oignon moyen ◆ 1 c. à café de fécule de maïs ◆ 1 yaourt nature ◆ sel ◆ poivre du moulin

1 Mélangez 1 c. à soupe de curry et 2 c. à soupe d'huile d'olive. Enduisez les escalopes de dinde de ce mélange, arrosez-les avec le jus du 1/2 citron. Salez et poivrez. Laissez mariner au réfrigérateur pendant 30 min.
2 Pelez et hachez finement l'oignon. Faites chauffer le reste d'huile d'olive dans une petite casserole, ajoutez le hachis d'oignon et laissez cuire à feu très doux 5 à 10 min jusqu'à ce qu'il soit transparent. Retirez du feu.
3 Faites chauffer une poêle à revêtement anti-adhésif à feu modéré. Sortez les escalopes de la

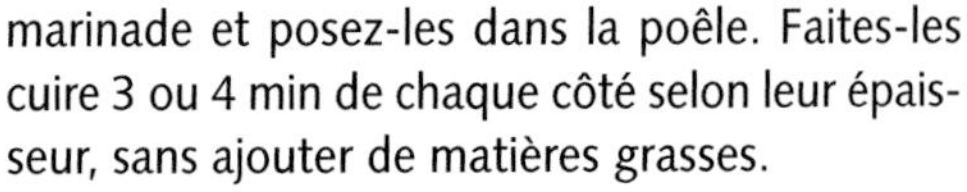

marinade et posez-les dans la poêle. Faites-les cuire 3 ou 4 min de chaque côté selon leur épaisseur, sans ajouter de matières grasses.
4 Pendant ce temps, délayez la fécule de maïs avec 1 c. à soupe d'eau froide, ajoutez le yaourt et versez le tout dans la casserole.
5 Incorporez le reste de curry, mélangez bien et faites chauffer sur feu doux jusqu'à ce que le mélange épaississe.
6 Goûtez et rectifiez l'assaisonnement. Retirez les escalopes de la poêle, posez-les sur le plat bien chaud.
7 Versez la sauce dans la poêle, mélangez-la au jus de cuisson, puis nappez-en les escalopes. Servez très chaud avec du riz blanc.

Boisson **minervois blanc**

Escalopes normandes

Pour **4 personnes**
Préparation **20 min**
Cuisson **30 min**

400 g de champignons de couche ◆ 1 citron ◆ 60 g de beurre ◆ farine ◆ 4 escalopes de veau ◆ 25 cl de crème fraîche ◆ sel ◆ poivre

1 Lavez les champignons et coupez le pied terreux. Laissez-les entiers et citronnez-les. Faites chauffer 25 g de beurre.
2 Ajoutez les champignons avec le jus de citron et faites cuire 10 min à couvert. Salez et poivrez. Retirez le couvercle et faites bouillir pendant 7 min. Retirez du feu.
3 Farinez les escalopes de veau. Faites chauffer le reste de beurre dans une poêle. Faites-y dorer les escalopes sur les 2 faces pendant 6 à 7 min. Retirez-les de la poêle.
4 Déglacez la poêle avec la crème. Salez et poivrez. Faites bouillonner 3 min. Ajoutez les champignons, remettez les escalopes.
5 Faites chauffer doucement la sauce pendant 5 min et servez aussitôt.

Boisson **vin blanc moelleux**

◄ Escalopes de dinde au curry

L'escalope de dinde étant naturellement un peu sèche, la sauce curry au yaourt constitue un accompagnement plus moelleux, souligné de citron vert.

Escalopes viennoises

Pour **4 personnes**
Préparation **15 min**
Cuisson **12 min**

4 escalopes de veau de 150 g chacune ◆ 2 œufs ◆ 100 g de mie de pain rassis ◆ 40 g de beurre ◆ huile ◆ 1 citron ◆ 4 filets d'anchois à l'huile ◆ 1 c. à soupe de câpres ◆ farine ◆ sel ◆ poivre

1 Aplatissez les escalopes, salez-les et poivrez-les. Farinez-les.

2 Cassez les œufs dans une assiette creuse et battez-les. Trempez chaque escalope dans les œufs, sur les 2 côtés puis posez-les dans la mie de pain émiettée. Appuyez dessus, retournez-les et appuyez aussi de l'autre côté.

3 Faites chauffer le beurre avec 2 c. à soupe d'huile dans une poêle. Faites cuire les escalopes sur feu vif 5 ou 6 min de chaque côté.

4 Coupez le citron en rondelles, épongez les filets d'anchois et égouttez les câpres. Mettez les escalopes cuites sur un plat.

5 Disposez sur chaque escalope 1 filet d'anchois enroulé et 1 ou 2 rondelles de citron. Parsemez de câpres et servez aussitôt.

Pour obtenir des escalopes plus croustillantes, laissez-les reposer une fois panées pendant 15 min au réfrigérateur.

Boisson vin blanc sec

escargot

Ce mollusque terrestre connaît en France deux espèces particulièrement recherchées : l'escargot de Bourgogne, le plus gros et le plus réputé, se ramasse dans l'est de la France (son élevage est aléatoire) ; l'escargot petit gris (appelé « cagouille » en Charente), moins charnu mais au goût fruité, s'élève très bien. On trouve aussi dans le commerce l'escargot turc et l'escargot achatine, importé de Chine.

Excepté les escargots en conserve au naturel ou cuisinés (achetés chez le traiteur ou surgelés), les escargots frais sont disponibles en fonction des périodes de ramassage, soumises à une réglementation. C'est en hiver, lorsqu'ils sont operculés (leur coquille est close), qu'ils sont le plus fins.

Préparer soi-même des escargots demande du soin et de la patience : jeûne d'une bonne semaine, lavages à l'eau vinaigrée, cuisson à l'eau bouillante, décoquillage pour retirer l'extrémité noire du tortillon et deuxième cuisson dans un court-bouillon aromatique, avant de les cuisiner.

Les escargots de conserve doivent simplement être égouttés et rafraîchis avant d'être cuisinés. Quant aux escargots surgelés, plongez-les pendant quelques minutes dans un mélange bouillant d'eau et de vin blanc.

Les quantités à servir sont en général deux fois plus importantes pour les petits-gris que pour des escargots de Bourgogne. La plupart des recettes d'escargots s'accordent parfaitement avec un vin blanc sec bien corsé.

Diététique. Consommer 100 g d'escargots nature, c'est l'assurance de couvrir ses besoins en protéines sans aucun effet sur le poids (77 kcal). Malheureusement, les escargots ne sont bons qu'en sauce, ce qui multiplie l'apport calorique.

Cassolettes d'escargots

Pour **6 personnes**
Préparation **15 min**
Cuisson **20 min**

6 douzaines d'escargots de Bourgogne en conserve ◆ 500 g de petits champignons de couche ◆ 1 gousse d'ail ◆ 2 échalotes ◆ 100 g de beurre ◆ 25 cl de vin blanc sec ◆ 20 cl de crème fraîche ◆ 6 tranches rondes de pain de mie ◆ persil plat haché ◆ muscade ◆ sel ◆ poivre

1 Égouttez les escargots. Nettoyez les champignons, ôtez le pied terreux et émincez-les. Pelez et hachez menu l'ail et les échalotes, ajoutez 3 c. à soupe de persil haché.

2 Incorporez ensuite 80 g de beurre ramolli. Salez et poivrez. Muscadez.

3 Faites fondre ce beurre aromatisé dans une sauteuse, ajoutez les champignons et faites-les cuire 4 à 5 min. Ajoutez les escargots et mélangez.

4 Versez le vin blanc dans la sauteuse, remuez et faites mijoter à découvert pendant 8 à 10 min. Ajoutez alors la crème fraîche et faites réduire sur feu assez vif pendant 8 min.

5 Pendant ce temps, faites dorer les tranches de pain dans le reste de beurre. Égouttez-les et placez-en une au fond de chaque cassolette. Répartissez le ragoût d'escargots aux champignons par-dessus et servez très chaud.

Boisson riesling

Escargots à la bourguignonne ▲

Les plats à escargots, appelés escargotières, avec 6 ou 12 alvéoles, sont indispensables pour servir cette spécialité, ainsi que des pinces à escargots et des petites fourchettes à deux dents.

Escargots à la bourguignonne

Pour **6 personnes**
Préparation **45 min**
Cuisson **10 min**

60 g d'échalotes grises ◆ 40 g d'ail ◆ 1 bouquet de persil plat ◆ 400 g de beurre demi-sel ◆ 6 douzaines d'escargots de Bourgogne en boîte, avec les coquilles ◆ poivre concassé

1 Pelez et hachez finement les échalotes et l'ail. Lavez le persil, épongez-le et hachez les feuilles grossièrement. Réunissez tous ces ingrédients dans une jatte en ajoutant le beurre en petits morceaux.
2 Passez le tout au mixer en arrêtant plusieurs fois l'appareil pour bien mélanger en raclant les bords du récipient. Ajoutez 1 c. à café de poivre concassé et mélangez encore 1 fois. Mettez ce beurre d'escargot au réfrigérateur.
3 Rincez les escargots et épongez-les. Remplissez à demi les coquilles avec le beurre composé. Ajoutez ensuite un escargot par coquille en l'enfonçant légèrement et finissez de remplir avec le beurre en recouvrant complètement l'escargot.
4 Placez les coquilles remplies dans les alvéoles des plats à escargots, ouverture vers le haut. Faites cuire 10 min sous le gril du four. Lorsque le beurre grésille, servez.

Boisson **chablis**

espadon

Ce grand poisson de mer impressionnant, à la mâchoire prolongée en « épée », n'est vendu sur le marché que débité en darnes ou en tronçons. Il est rare frais et se cuisine comme le thon rouge. Il en existe des conserves à l'huile et on le trouve en tranches fumées.

Diététique. 100 g d'espadon frais = 120 kcal.

Steaks d'espadon à la basquaise

Pour **4 personnes**
Préparation **20 min**
Marinade **1 h**
Cuisson **12 min environ**

4 steaks d'espadon ◆ 2 c. à soupe de vinaigre de xérès ◆ 1 c. à soupe de câpres ◆ 3 poivrons rouges ◆ 1 poivron vert ◆ 2 oignons doux ◆ 1 tomate ◆ huile d'olive ◆ sel ◆ poivre

1 Rincez et épongez les steaks d'espadon, rangez-les dans un plat creux en les faisant se chevaucher légèrement. Salez et poivrez. Ajoutez le vinaigre et 4 c. à soupe d'huile. Retournez les steaks plusieurs fois, ajoutez les câpres, couvrez et laissez mariner pendant 1 h.
2 Pendant ce temps, épépinez les poivrons et taillez-les en languettes régulières. Pelez et émincez les oignons. Ébouillantez la tomate, pelez-la et taillez-la en gros dés. Faites chauffer un filet d'huile dans un poêlon.
3 Ajoutez les oignons et laissez-les revenir sans coloration en remuant pendant 5 min. Ajoutez les poivrons et poursuivez la cuisson doucement pendant 10 min en remuant. Salez et poivrez, ajoutez la tomate. Couvrez et laissez cuire sur

feu doux pendant 15 min jusqu'à ce que les légumes soient bien fondus.
4 Égouttez les steaks d'espadon et faites-les griller dans un poêlon en comptant 5 à 6 min de cuisson de chaque côté. Arrosez à mi-cuisson avec un peu de marinade. Ajoutez les câpres de la marinade dans le mélange de légumes.
5 Servez les steaks d'espadon bien chauds avec la fondue de légumes aux câpres.

essence

→ **voir aussi** vanille

Substance aromatique concentrée, utilisée pour corser le goût d'une préparation ou la parfumer. C'est par infusion, réduction ou macération d'un produit très parfumé dans un liquide que l'on obtient des essences de cerfeuil, de tomate, de truffe.

Essence de tomate

Pour **25 cl environ**
Préparation **10 min**
Cuisson **1 h environ**

500 g de grosses tomates bien charnues et très parfumées ◆ sucre semoule ◆ sel ◆ poivre

1 Ébouillantez les tomates et pelez-les. Coupez-les en 2 et passez-les au tamis. Versez la pulpe dans une casserole et faites réduire de moitié sur feu vif.
2 Passez à nouveau cette purée au tamis et versez-la dans la casserole. Faites réduire encore de moitié sur feu modéré, en remuant. Salez, poivrez et ajoutez 1 c. à café de sucre.

Vous pouvez aromatiser cette essence de tomate avec du basilic.

Estouffade de bœuf aux olives

Pour **6 personnes**
Préparation **20 min**
Cuisson **4 h environ**

500 g de paleron ◆ 700 g de plat de côtes ◆ 200 g de lard demi-sel ◆ 4 oignons ◆ 3 gousses d'ail ◆ 70 cl de vin rouge corsé ◆ 1 bouquet garni ◆ 1 bulbe de fenouil ◆ concentré de tomates ◆ 100 g d'olives noires ◆ huile d'olive ◆ farine ◆ thym ◆ sel ◆ poivre

1 Coupez la viande en morceaux de 80 g environ. Taillez le lard en lardons, faites-les blanchir 5 min. Pelez les oignons et coupez-les en quartiers. Pelez l'ail et hachez-le.
2 Faites chauffer 1 c. à soupe d'huile dans une cocotte, mettez-y à dorer les lardons pendant 5 min. Retirez-les, jetez l'huile.
3 Farinez les morceaux de viande et faites-les dorer dans la cocotte. Ajoutez les oignons, mélangez et faites dorer 3 min. Salez et poivrez. Mouillez avec le vin.
4 Portez à ébullition pendant 4 à 5 min. Ajoutez le bouquet garni, l'ail et 1 pincée de thym. Couvrez et faites cuire au four dans la cocotte à 160 °C pendant 3 h.
5 Parez le fenouil et émincez-le. Faites-le revenir dans un poêlon avec 1 c. à soupe d'huile. Égouttez-le bien.
6 Lorsque l'estouffade est cuite, égouttez les morceaux et versez la cuisson dans une casserole. Retirez le bouquet garni. Nettoyez la cocotte et posez-la sur le feu. Remettez dedans la viande, ajoutez le fenouil et les lardons.
7 Dégraissez la sauce dans la casserole avec 2 c. à soupe de concentré de tomates et les olives. Faites chauffer 2 min. Versez cette sauce dans la cocotte et couvrez. Laissez mijoter 40 min. Servez.

Boisson **vin rouge corsé**

estouffade

→ **voir aussi** daube

Cette préparation typique de la cuisine du Midi ou du Sud-Ouest se caractérise par une cuisson lente et à couvert. C'est généralement un ragoût de bœuf en sauce au vin avec des carottes et des aromates. Les haricots blancs à la tomate et à l'ail ou la perdrix aux lentilles se cuisinent aussi en estouffade.

estragon

Les minces feuilles vertes de cet aromate possèdent une saveur fine qui résiste bien à la cuisson. C'est avec le poulet et les œufs que son parfum s'associe le mieux, mais de nombreuses sauces l'utilisent.

estragon

Poulet à l'estragon

Pour **6 personnes**
Préparation **30 min**
Cuisson **1 h 15**

1 poulet de 1,8 kg ◆ 40 g de beurre ◆ 1 bouquet d'estragon ◆ 25 cl de vin blanc ◆ farine ◆ 15 cl de bouillon de volaille ◆ 15 cl de crème fraîche ◆ 1/2 citron ◆ sel ◆ poivre concassé

1 Découpez le poulet en 12 morceaux. Faites fondre le beurre dans une cocotte. Faites-y revenir les morceaux de poulet. Salez et poivrez.
2 Effeuillez l'estragon. Mettez dans une petite casserole 2 c. à soupe de feuilles, le vin blanc et 1/2 c. à café de poivre concassé. Mélangez. Faites réduire de moitié.
3 Farinez les morceaux de poulet et remuez 2 min. Ajoutez la réduction à l'estragon et le bouillon. Couvrez et faites cuire 1 h.
4 Ciselez le reste de l'estragon. Mélangez-en la moitié avec la crème et 1 c. à soupe de jus de citron. Versez cette liaison sur le poulet et faites mijoter 7 à 8 min. Disposez les morceaux de poulet dans un plat creux. Nappez de sauce et ajoutez le reste d'estragon frais.

Boisson **vin blanc fruité**

→ **autres recettes d'estragon à l'index**

esturgeon

→ **voir aussi caviar, coulibiac**

Poisson de mer migrateur qui remonte dans les estuaires, l'esturgeon se rencontre surtout dans la mer Noire et la mer Caspienne. Il est essentiellement recherché pour ses œufs : le caviar. En France, on le trouve surtout fumé, en tranches fines. Frais, il se cuisine comme le thon ou le veau, mijoté en sauce avec des oignons et des aromates.

étrille

Petit crabe brun courant sur les côtes de l'Atlantique et de la Manche, l'étrille est difficile à décortiquer, mais sa chair est très savoureuse. On en fait surtout une soupe.

La cuisson du crabe lui-même ne dure que 5 min. Comptez 400 ou 500 g d'étrilles par personne.

L'étrille ne mesure pas plus de 10 cm. Les pattes arrière sont spatulées.

étrille cuite

étrille crue

Soupe d'étrilles

Pour **4 personnes**
Préparation **40 min**
Cuisson **30 min environ**

1 carotte ◆ 2 oignons ◆ 25 cl de vin blanc ◆ 1 bouquet garni ◆ 80 g de riz à grains longs ◆ 1,5 kg d'étrilles ◆ sel ◆ poivre

1 Pelez la carotte et les oignons. Émincez-les finement. Mettez-les dans une casserole avec le vin, le bouquet garni, sel, poivre et 1 l d'eau. Portez à ébullition et laissez bouillir 20 min.
2 Pendant ce temps, faites cuire le riz 15 min à l'eau bouillante. Lavez les étrilles dans plusieurs bains d'eau froide. Plongez-les dans le court-bouillon et comptez 5 min de cuisson après la reprise de l'ébullition.
3 Égouttez les étrilles et passez-les au mixer pour les broyer. Passez cette purée au chinois en la pilant et remettez-la dans la casserole avec le bouillon passé.
4 Ajoutez le riz et portez à nouveau à ébullition. Rectifiez l'assaisonnement. Servez brûlant dans des assiettes creuses avec des petits croûtons.

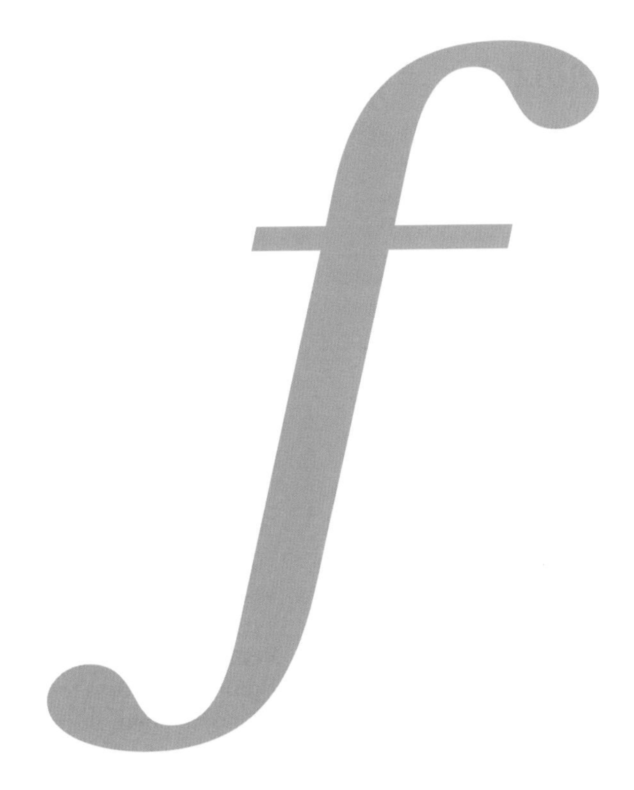

faisan

→ voir aussi gibier, salmis

Ce gibier à plume est disponible d'octobre à janvier. Le faisan « prêt à tuer », lâché sur le terrain au moment de la chasse, est beaucoup moins savoureux qu'un oiseau vraiment sauvage. On distingue un faisan sauvage d'un faisan d'élevage à la longueur des plumes de la queue, plus courtes chez le faisan d'élevage (car usées par la volière), et à la peau, sèche et presque violette chez l'oiseau sauvage, grasse et jaune chez l'oiseau captif.

Préférez la faisane au faisan : son plumage est moins beau, mais sa chair est plus fine. Choisissez un animal jeune, un peu gras avec un bec et des pattes souples. Jeune et tendre, le faisan est bardé et rôti. Plus âgé, il est braisé, parfumé au cognac, arrosé de crème ou mijoté avec de la choucroute. La carcasse permet de préparer un fumet.

Le faisan est généralement commercialisé avec ses plumes, il l'est aussi plumé, bardé et prêt à cuire. Vous reconnaîtrez un faisan surgelé vendu décongelé en passant les doigts sous les plumes : la peau doit être légèrement humide. S'il est frais, les plumes sont sèches et bien attachées.

Diététique. Maigre surtout s'il est simplement rôti, le faisan (100 g = 110 kcal) devient un plat très calorique s'il est cuisiné au vin.

Faisan à l'alsacienne

Pour 4 personnes
Préparation 20 min
Cuisson 1 h 10

1 poule faisane ◆ 3 petits-suisses ◆ 15 brins de ciboulette ◆ 60 g de beurre ◆ 25 cl de riesling ◆ 300 g de girolles ◆ extrait de viande ◆ farine ◆ sel ◆ poivre concassé

1 Videz la poule faisane. Malaxez les petits-suisses, la ciboulette hachée, salez et poivrez. Farcissez-en la faisane, bridez-la.

2 Faites chauffer 30 g de beurre dans une cocotte et mettez-y à revenir la faisane sur toutes ses faces. Mouillez avec 10 cl de riesling, couvrez et laissez cuire pendant 1 h.

3 Nettoyez les champignons et faites-les sauter dans 10 g de beurre, salez et poivrez.

4 Égouttez la poule faisane et posez-la sur un plat de service, ajoutez les champignons autour.

5 Déglacez la cocotte avec 15 cl de riesling et 1 c. à soupe d'extrait de viande. Incorporez en fouettant le reste de beurre malaxé avec 15 g de farine. Nappez la faisane découpée avec cette sauce. Servez aussitôt.

Boisson riesling

Faisan aux noix

Pour **4 personnes**
Préparation **30 min**
Cuisson **45 min**

1 poule faisane vidée, bardée et bridée ◆ 150 g de cerneaux de noix ◆ 3 oranges ◆ 600 g de grains de raisin ◆ 1 petit verre de madère ◆ 1 tasse de thé très fort ◆ 40 g de beurre ◆ sel ◆ poivre

1 Mettez la poule faisane dans une casserole avec les cerneaux de noix entiers. Arrosez avec le jus des oranges.
2 Pressez et tamisez les grains de raisin, ajoutez le jus dans la casserole avec le madère et le thé. Ajoutez le beurre en parcelles. Salez et poivrez.
3 Posez sur feu doux et couvrez. Laissez cuire doucement pendant 40 min. Égouttez la faisane et débridez-la. Débardez-la. Mettez-la dans un plat à rôtir. Faites-la colorer 5 min dans le four.
4 Récupérez les noix. Passez le jus de cuisson et faites-le réduire 5 min sur feu vif. Servez le gibier entouré de noix et le jus en saucière.

Pour rester dans une tonalité orientale, servez en garniture un riz pilaf aux raisins secs et des petits ramequins de caviar d'aubergines.

Boisson **sauternes**

Faisans rôtis

Pour **4 personnes**
Préparation **5 min**
Repos **12 h**
Cuisson **14 min au maximum**

2 jeunes faisans de 800 g plumés et vidés ◆ 2 échalotes ◆ beurre salé ◆ huile de pépins de raisin ◆ sel ◆ poivre

1 Salez et poivrez les faisans à l'intérieur et à l'extérieur. Enduisez-les d'huile de pépins de raisin et massez la chair quelques minutes. Enveloppez-les dans du papier aluminium et mettez-les au réfrigérateur pendant 12 h.
2 Sortez les faisans du réfrigérateur 1 h avant de les cuire pour qu'ils soient à température ambiante au moment où vous les enfournerez.
3 Mettez-les dans un plat à rôtir et faites cuire de 12 à 14 min en les retournant plusieurs fois pour qu'ils soient dorés uniformément. Pelez et hachez très finement les échalotes.
4 Retirez les faisans du four. Tenez-les au chaud couverts de papier aluminium.
5 Faites réduire le jus de cuisson sur feu vif en ajoutant de 15 à 20 g de beurre en parcelles et les échalotes.
6 Découpez les faisans et servez le jus en saucière à part.

Plusieurs garnitures peuvent accompagner les faisans rôtis : petites pommes de terre noisettes, épinards au beurre ou bien bananes plantains en rondelles.

Boisson **pommard**

faisselle

→ **voir aussi** fontainebleau

Récipient à parois perforées dans lequel on fait égoutter du fromage frais. Cylindrique, carrée ou en forme de cœur, la faisselle est en faïence, en grès, en osier, en fer-blanc ou en matière plastique. Le fromage blanc égoutté en faisselle est toujours servi démoulé.

On peut agrémenter le fromage blanc en faisselle selon son choix et le déguster sucré ou salé : avec un fin hachis de ciboulette et de petits oignons nouveaux, une pincée de paprika et du poivre au moulin ; ou bien avec des petits fruits rouges ou encore une marmelade de fruits de saison.

far

Le far breton est une sorte de flan aux pruneaux ou aux raisins secs cuit au four dans un plat à gratin. Cet entremets très populaire se mange tiède ou refroidi, coupé en tranches.

Le far du Poitou est une préparation à base de verdures (laitue, épinards, bettes, chou) liée avec de la crème et des œufs. On le fait cuire dans un bouillon, enfermé dans des feuilles de chou, ou comme un gratin.

Faisan aux noix ►
Le fruité des noix et du raisin, le goût de l'orange et l'arôme du madère, unis dans ce plat d'automne, en font une préparation aussi originale que savoureuse.

Far breton

Pour **6 à 8 personnes**
Préparation **15 min**
Macération **2 h**
Cuisson **1 h environ**

100 g de raisins de Corinthe ◆ 400 g de pruneaux ◆ 250 g de farine ◆ 1 pincée de sel ◆ 30 g de sucre semoule ◆ 4 œufs ◆ 40 cl de lait ◆ 20 g de beurre ◆ thé léger ◆ sucre glace

1 Mettez les fruits secs dans une jatte, arrosez-les de thé chaud et laissez gonfler pendant 2 h. Égouttez-les et dénoyautez les pruneaux.
2 Mélangez la farine avec le sel et le sucre. Versez-la en fontaine dans une terrine. Cassez les œufs dans une assiette creuse et battez-les en omelette. Versez-les dans la fontaine et incorporez-les à la farine.
3 Délayez ensuite avec le lait jusqu'à ce que la pâte soit homogène, puis ajoutez les raisins et les pruneaux. Beurrez un plat à gratin.
4 Versez la pâte dans le plat et enfournez à 200 °C. Laissez cuire 1 h. Le dessus doit être bruni. Poudrez de sucre glace à la sortie du four.

Boisson **cidre doux**

farce

→ voir aussi **ballottine, chair à saucisse, chou, daurade, paupiette, poivron, tomate**

La composition d'une farce varie selon la viande, la volaille, le poisson ou le légume qu'elle est destinée à remplir. La base est faite de chair hachée (viande ou poisson), que l'on complète avec de la mie de pain : n'en abusez pas et préférez les fines herbes, les champignons, voire les fruits secs. Si la farce d'une préparation doit bouillir, assaisonnez-la davantage que si elle doit rôtir.

Lorsque vous ficelez une préparation farcie, ne serrez pas trop : elle va gonfler. N'oubliez jamais de bien recoudre toutes les extrémités de l'apprêt avant de le faire cuire.

Farcissez la viande de porc – ou de veau – de poivron, jambon cru, chorizo, œuf dur, oignon, ail ; de filets d'anchois, fines herbes et lardons ; ou de chair à saucisse, olives farcies et cornichons.

Farcissez de préférence l'agneau ou le mouton avec fromage de chèvre frais, menthe fraîche et persil ; lardons, champignons et jambon cuit ; ou épinards, oseille, jambon cuit et échalotes.

Farce aux champignons

Pour **500 g de farce environ**
Préparation **10 min**
Cuisson **15 min**

2 échalotes ◆ 200 g de champignons de couche ou de cueillette ◆ 40 g de beurre ◆ 1 tranche de pain de mie ◆ 1 bouquet de persil ◆ 3 jaunes d'œufs ◆ lait ◆ muscade ◆ sel ◆ poivre

1 Pelez et hachez les échalotes. Nettoyez les champignons et hachez-les menu. Faites chauffer le beurre dans une casserole.
2 Ajoutez champignons et échalotes, faites-les sauter sur feu assez vif, puis baissez le feu et laissez cuire à découvert jusqu'à ce que les champignons aient rendu l'eau de végétation.
3 Salez, poivrez et muscadez. Retirez du feu et laissez refroidir. Pendant ce temps, humectez le pain avec le lait et écrasez-le. Hachez le persil.
4 Ajoutez aux champignons le persil et le pain. Incorporez ensuite les jaunes d'œufs et mélangez bien. Vous pouvez passer cette farce au mixer ou la laisser telle. Utilisez-la pour farcir des légumes, une volaille ou un poisson.

Farce au crabe et aux crevettes

Pour **1 poisson ou 6 filets**
Préparation **15 min**
Pas de cuisson

200 g de chair de crabe ◆ 200 g de crevettes décortiquées ◆ 3 œufs ◆ 2 c. à soupe de vin blanc sec ◆ 10 cl de crème fraîche ◆ concentré de tomates ◆ ciboulette ◆ sel ◆ poivre

1 Égouttez la chair de crabe et éliminez tous les cartilages. Hachez grossièrement les crevettes décortiquées. Cassez les œufs et séparez les blancs des jaunes.
2 Mélangez dans une terrine le crabe, les crevettes, 1 jaune d'œuf et 3 blancs. Versez le vin blanc et la crème fraîche. Salez modérément et poivrez. Remuez intimement.
3 Ajouter 1 c. à soupe de concentré de tomates et la ciboulette hachée. Remuez encore. Goûtez pour rectifier l'assaisonnement. Ne salez pas trop à cause des crustacés en boîte. Utilisez cette farce pour un poisson blanc ou des filets à rouler en paupiettes.

Farce aux fruits

Pour **1 petite volaille**
Préparation **10 min**
Pas de cuisson

150 g de raisins secs ◆ 3 abricots secs ◆ 100 g de pignons de pin ◆ 3 c. à soupe de riz cuit ◆ 2 œufs ◆ cannelle ◆ sel ◆ poivre de Cayenne

1 Versez les raisins secs dans une terrine. Hachez grossièrement les abricots et ajoutez-les aux raisins. Mélangez bien.
2 Incorporez les pignons de pin et le riz : celui-ci doit être assez souple. Salez et poivrez.
3 Ajoutez les œufs un par un en mélangeant bien pour lier la farce. Goûtez et rectifiez l'assaisonnement. Ajoutez 1 pincée de cannelle ou plus selon le goût.

Cette farce convient pour un petit poulet, une pintade, un faisan, ou même un poisson à chair ferme comme la daurade ou le cabillaud.

Petits farcis provençaux

Pour **6 personnes**
Préparation **30 min**
Cuisson **40 min environ**

4 tranches de pain de campagne un peu rassis ◆ 50 cl de lait ◆ 3 poivrons rouges ou jaunes de forme carrée ◆ 4 petites aubergines pas trop longues ◆ 4 petites courgettes (de préférence rondes) ◆ 4 tomates rondes ◆ 1 oignon ◆ 4 gousses d'ail ◆ 700 g de chair à saucisse fine ◆ 3 œufs ◆ persil plat ◆ thym frais ◆ huile d'olive ◆ sel ◆ poivre noir au moulin

1 Écroûtez le pain et coupez la mie en petits dés, mettez-les dans une jatte, arrosez de lait et laissez tremper pendant la préparation des légumes.
2 Coupez les poivrons en 2 dans la longueur, retirez le pédoncule, épépinez-les et ôtez les cloisons intérieures.
3 Coupez les aubergines en 2 et évidez la pulpe avec une cuiller. Si ce sont des aubergines rondes, coupez un chapeau sur le dessus et évidez-les par en haut. Faites de même avec les courgettes. Coupez les tomates en 2 et retirez délicatement 1 c. à soupe de pulpe dans chaque moitié de tomate.

Petits farcis provençaux ▲

Typiques de la cuisine provençale, les petits farcis se servent en plat principal, avec une salade verte, ou bien en même temps qu'une viande ou une volaille rôtie.

4 Hachez grossièrement la pulpe des aubergines, des courgettes et des tomates. Mélangez-la dans un saladier. Pelez et hachez l'oignon et les gousses d'ail, ajoutez-les dans le saladier, ainsi que la chair à saucisse, 4 c. à soupe de persil ciselé et 1 c. à soupe de thym frais haché. Salez et poivrez. Mélangez intimement.
5 Essorez le pain trempé. Cassez les œufs et battez-les en omelette. Incorporez ces 2 ingrédients à la farce précédente. Goûtez et rectifiez l'assaisonnement.
6 Préchauffez le four à 180 °C. Farcissez tous les légumes en montant la farce en dôme. Arrosez d'un filet d'huile d'olive. Rangez les légumes farcis dans un plat à gratin huilé. Faites cuire dans le four pendant 40 à 45 min.
7 Servez les farcis chauds à la sortie du four, avec des pâtes ou pour accompagner une viande ou une volaille rôtie.

Poisson farci

RECETTE LÉGÈRE 1 portion 370 kcal

Pour **4 personnes**
Préparation **20 min**
Cuisson **15 min environ**

2 daurades écaillées et vidées ◆ 3 échalotes ◆ 10 g de beurre ◆ 100 g de champignons de couche ◆ 1 orange ◆ 100 g de pain de campagne ◆ 1 œuf ◆ 30 cl de vin blanc ◆ 10 cl de court-bouillon bien corsé ◆ lait ◆ persil ◆ estragon ◆ sel ◆ poivre

1 Demandez au poissonnier d'ôter les arêtes des daurades en les ouvrant par le dos.
2 Pelez et hachez les échalotes. Faites-les fondre dans une casserole 3 min sur feu doux avec 5 g de beurre en mélangeant.
3 Nettoyez et hachez grossièrement les champignons. Ajoutez-les dans la casserole avec 2 c. à soupe de jus d'orange. Laissez cuire à couvert pendant 3 min.
4 Humectez le pain avec le lait, puis essorez-le. Amalgamez-le avec 3 c. à soupe de persil et d'estragon mélangés. Retirez la casserole du feu, ajoutez le pain et les fines herbes puis l'œuf. Salez et poivrez.
5 Farcissez les daurades. Recousez-les ou ficelez-les sans trop serrer.
6 Posez les daurades dans un plat beurré. Arrosez de vin et de court-bouillon.
7 Faites cuire à chaleur moyenne (180 °C) pendant 15 min environ.
8 Parsemez le dessus des poissons avec quelques pincées de zeste d'orange râpé. Servez aussitôt dans le plat.

Boisson **petit bourgogne blanc**

farine

→ **voir aussi** pain, pâte, pâtes alimentaires, sarrasin

Poudre obtenue par broyage des grains de céréales (blé essentiellement).

La farine ordinaire (type 55 : mentionné sur l'emballage) s'emploie couramment en cuisine pour les roux, fariner les préparations, lier une sauce, etc. Vous pouvez également l'utiliser en pâtisserie en prenant la précaution de la tamiser : vous éviterez ainsi les grumeaux et la pâte sera plus facile à réussir. Le tamisage est indispensable quand la farine est ajoutée d'un seul coup, comme dans la pâte à choux. La farine « à pâtisserie » (type 45), plus riche en gluten, est un peu plus chère, mais elle n'apporte pas une différence sensible pour la pâtisserie courante. Réservez-la pour la pâte feuilletée ou la brioche. Pour les pâtes levées, il existe en outre une farine spéciale déjà additionnée de levure (farine levante). La farine complète (type 110) résulte de la mouture du blé avec le son et le germe : elle permet notamment de préparer soi-même du pain complet.

Achetez la farine par petites quantités : elle ne conserve sa fraîcheur que quelques semaines et craint l'humidité.

Pain complet

Pour **2 pains de 450 g environ**
Préparation **20 min**
Repos **1 h**
Cuisson **14 min**

700 g de farine de blé complète ◆ 25 g de levure de boulanger ◆ 1 c. à soupe de miel épais ◆ 2 c. à soupe de farine de soja ◆ sel

1 Mélangez la farine complète et 1 c. à soupe de sel dans un grand saladier. Mélangez par ailleurs la levure et le miel avec 20 cl d'eau. Délayez, incorporez-y la farine de soja et laissez reposer 5 min au chaud.
2 Incorporez ce levain à la farine complète et ajoutez 30 cl d'eau. Pétrissez la pâte jusqu'à consistance homogène. Lorsqu'elle est souple et élastique, mettez-la dans une terrine propre, couvrez d'un linge et laissez reposer 30 min.
3 Pétrissez à nouveau la pâte pendant 5 min. Séparez-la en 2 portions égales et façonnez-les en boules. Mettez-les chacune dans un plat creux. Laissez lever à nouveau pendant 30 min à couvert.
4 Faites cuire chaque pain, l'un après l'autre, dans le four à puissance maximale pendant 7 min en faisant tourner le plat d'un demi-tour toutes les 3 min. Laissez reposer puis démoulez. Ne coupez pas le pain à la sortie du four : il continue de cuire jusqu'à ce qu'il soit froid.

La cuisson au micro-ondes ne permet pas d'obtenir une croûte dorée, mais l'emploi d'une farine complète donne au pain une couleur brune appétissante. Vous pouvez enrichir la pâte avec des graines de citrouille, de tournesol ou de lin.

faux-filet

→ voir aussi bœuf

Ce morceau de bœuf de première catégorie fait partie de l'aloyau. Il est moins tendre que le filet, mais plus goûteux. Le faux-filet (ou contre-filet) fournit, une fois désossé et paré, des rôtis qu'il n'est pas nécessaire de barder. Vous pouvez aussi larder le faux-filet et le faire braiser. On y taille enfin des tranches à griller ou à poêler.

Diététique. C'est une viande maigre, bonne source de fer, mais laissez le gras sur le bord de l'assiette.

Faux-filet au vin

Pour **4 personnes**
Préparation **30 min**
Cuisson **20 min environ**

2 tranches de faux-filet de 150 g ◆ 125 g de beurre ◆ 3 échalotes ◆ 40 cl de beaujolais ◆ thym ◆ persil ◆ laurier ◆ cognac ◆ 1 gousse d'ail ◆ sel ◆ poivre en grains

1 Salez et poivrez la viande. Faites chauffer 25 g de beurre dans une poêle. Mettez à cuire les tranches de viande sur feu assez vif pendant 8 à 10 min. Disposez-les sur le plat de service, couvertes de papier aluminium.

2 Pelez et émincez finement les échalotes. Mettez-les dans la poêle en rajoutant un peu de beurre. Faites fondre en remuant puis mouillez avec le vin. Faites mijoter 3 min.

3 Ajoutez 6 grains de poivre concassés, 2 pincées de thym, 3 c. à soupe de persil haché et 1/2 feuille de laurier. Faites réduire le mélange des 2/3 sur feu vif.

4 Ajoutez 1 c. à soupe de cognac et la gousse d'ail écrasée. Incorporez le reste de beurre.

5 Nappez les tranches de viande de sauce et servez aussitôt.

fécule

Poudre blanche tirée de toutes les parties (racines, tubercules, tiges, fruits, graines et feuilles) de certains végétaux. Vendue sous le nom de crème de maïs, crème de riz, fécule de pommes de terre ou encore sous la marque Maïzena (fécule de maïs), cette poudre est plus fine et plus blanche que la farine. Elle sert à lier une sauce, une crème, un potage, un coulis ou à confectionner certaines pâtes à biscuit très légères.

fenouil

Ce légume d'hiver et de printemps cultivé dans les pays méditerranéens possède un goût anisé qui se marie bien avec les poissons, le poulet ou le veau. Si vous le servez en crudité, choisissez-le bien tendre et clair, sans trace de verdure ou de meurtrissure. Si vous le faites cuire entier, prenez plutôt des petits bulbes. S'il est gros, retirez les feuilles extérieures et faites-le blanchir 5 min. Les graines de fenouil sont une épice d'un goût assez fort : utilisez-les avec modération dans un ragoût de mouton. Vous pouvez aussi préparer une tisane avec 1 c. à café de graines de fenouil et 25 cl d'eau bouillante.

Diététique. Pour 20 kcal aux 100 g, le fenouil apporte des vitamines C et A, et du calcium.

bulbes de fenouil

Le fenouil doit être bien blanc, ferme, arrondi, sans taches jaunâtres. Les petits bulbes sont plus tendres. Supprimez les feuilles vertes au ras du bulbe, mais ne les jetez pas : fraîches ou séchées, elles aromatiseront un court-bouillon.

Daurade au fenouil ▲

La saveur anisée du fenouil se marie bien avec les poissons méditerranéens. Son accord avec la daurade, un poisson maigre, en fait un plat très diététique.

Daurade au fenouil

RECETTE LÉGÈRE — 1 portion 255 kcal

Pour **6 personnes**
Préparation **20 min**
Cuisson **20 min**

2 daurades de 600 g environ ◆ 1 c. à soupe de graines de fenouil ◆ 2 bulbes de fenouil ◆ 10 cl d'huile d'olive ◆ 1 citron ◆ sel ◆ poivre

1 Faites écailler et vider les daurades par le poissonnier. Lavez-les et essuyez-les. Salez et poivrez l'intérieur, mettez-y le fenouil en graines. Faites 2 incisions obliques de chaque côté des poissons. Préchauffez le four à 180 °C.
2 Parez les fenouils, lavez-les et émincez-les. Étalez-les dans le fond d'un plat. Posez les poissons dessus et arrosez-les avec l'huile. Couvrez de rondelles de citron. Salez et poivrez.
3 Faites cuire au four pendant 20 min en retournant les poissons 1 fois. Servez dans le plat.

Boisson **vin blanc sec**

Fenouil en salade

Pour **4 personnes**
Préparation **25 min**
Cuisson **20 min**

2 œufs ◆ 100 g de riz à grains longs ◆ 12 petits oignons blancs ◆ 1 gros bulbe de fenouil ◆ 4 petites tomates ◆ 12 olives noires ◆ huile d'olive ◆ vinaigre à l'estragon ◆ ciboulette ◆ sel ◆ poivre

1 Faites durcir les œufs, rafraîchissez-les et écalez-les. Faites cuire le riz à l'eau bouillante salée, égouttez-le et laissez-le refroidir.
2 Pelez les oignons et émincez-les. Parez soigneusement le bulbe de fenouil, lavez-le et épongez-le, coupez-le en fines lamelles. Coupez les tomates en quartiers.
3 Préparez une vinaigrette bien relevée à l'huile d'olive et au vinaigre à l'estragon.
4 Mélangez le riz avec 2 c. à soupe de vinaigrette dans un saladier. Ajoutez tous les autres ingrédients et les olives noires dénoyautées.
5 Remuez délicatement la salade et ajoutez la ciboulette ciselée. Servez à température ambiante.

Fenouil au vin blanc

Pour **4 personnes**
Préparation **10 min**
Cuisson **15 min**

3 bulbes de fenouil ◆ 15 cl de vin blanc sec ◆ 5 cl d'huile d'olive ◆ 2 brins de thym ◆ 1 feuille de laurier ◆ 1 c. à café de graines de coriandre ◆ 1 citron ◆ sel ◆ poivre

1 Éliminez les feuilles extérieures des fenouils et coupez le feuillage vert au ras des bulbes. Lavez, épongez, coupez les bulbes en 2.
2 Faites-les blanchir de 3 à 4 min dans une grande casserole d'eau salée. Égouttez-les et épongez-les.
3 Versez dans un plat creux assez profond le vin et l'huile, 1 petit verre d'eau, le thym, le laurier et la coriandre. Ajoutez les moitiés de bulbes de fenouil. Salez et poivrez.
4 Faites cuire à couvert, puissance maximale, pendant 10 min. Laissez refroidir dans la cuisson. Servez les fenouils en hors-d'œuvre arrosés de jus de citron, avec des champignons à la grecque ou des rondelles de saucisson à l'ail.

Purée de fèves au fenouil

Pour **4 personnes**
Préparation **15 min**
Cuisson **30 min**

600 g de fèves fraîches écossées ◆ 1 fenouil ◆ 8 petits artichauts poivrades ◆ 120 g d'olives vertes dénoyautées ◆ 1 citron ◆ graines de fenouil ◆ huile d'olive ◆ sel ◆ poivre

1 Enlevez la peau des fèves en les pinçant 1 par 1 entre le pouce et l'index. Rincez-les et mettez-les dans une casserole, couvrez d'eau froide et laissez cuire 30 min en ajoutant à mi-cuisson 1 c. à café de graines de fenouil.
2 Parez le fenouil et émincez-le finement. Parez les artichauts et coupez-les en 2 ou en 4.
3 Faites chauffer 2 c. à soupe d'huile dans une cocotte, ajoutez le fenouil, les artichauts et les olives hachées. Salez modérément et poivrez. Arrosez de jus de citron et couvrez. Faites mijoter 25 min.
4 Passez les fèves au moulin à légumes et versez la purée dans un plat creux. Garnissez le dessus du mélange de fenouil et d'artichauts aux olives. Parsemez de fenouil ciselé et servez.

Ragoût de fenouil à la tomate

Pour **4 personnes**
Préparation **30 min**
Cuisson **45 min**

1 grosse aubergine ◆ 500 g de tomates ◆ 2 oignons ◆ 500 g de fenouil ◆ 20 cl d'huile d'olive ◆ 3 gousses d'ail ◆ 1 bouquet de persil plat ◆ 4 anchois à l'huile ◆ sel ◆ poivre

1 Pelez l'aubergine et coupez-la en dés. Salez-les et laissez dégorger 20 min. Pelez les tomates et coupez-les en quartiers.
2 Faites chauffer l'huile dans une cocotte. Ajoutez les oignons émincés et les fenouils en branches. Laissez fondre 10 min. Salez et poivrez.
3 Épongez les dés d'aubergine et ajoutez-les dans la cocotte avec les tomates et les gousses d'ail pelées, laissées entières. Faites cuire doucement à découvert pendant 30 min en remuant de temps en temps.
4 Hachez le persil et écrasez les anchois avec un peu d'huile. Ajoutez ce mélange aux légumes et remuez. Faites mijoter encore 5 min et servez.

→ **autres recettes de fenouil à l'index**

féra

Ce poisson d'eau douce, à la chair blanche et particulièrement délicate, devient de plus en plus rare. On le pêche encore dans le lac Léman, mais il supporte mal le transport. La féra a peu d'arêtes, ce qui est rare pour un poisson de rivière. Cuisinez-la en filets, à la meunière, braisée au vin rouge ou pochée.

Féra meunière

Pour **4 personnes**
Préparation **10 min**
Cuisson **15 min**

4 féras de 250 à 300 g écaillées et vidées ◆ 80 g de beurre ◆ lait ◆ farine ◆ 1/2 citron ◆ persil ◆ sel ◆ poivre

1 Lavez les poissons et essuyez-les. Salez-les et poivrez-les à l'intérieur et à l'extérieur. Passez-les 1 par 1 dans du lait, puis dans de la farine.
2 Faites chauffer le beurre dans une grande poêle. Posez les féras dans le beurre très chaud et laissez cuire sur feu modéré sans les remuer pendant 7 à 8 min.
3 Retournez-les délicatement et faites cuire encore 7 min. Arrosez assez souvent avec le beurre fondu pendant la cuisson.
4 Égouttez les féras et posez-les dans un plat de service. Pressez le jus de citron dessus et arrosez avec un peu du beurre de cuisson. Ajoutez 2 noix de beurre frais. Saupoudrez de persil haché et servez aussitôt.

feta

C'est le plus connu des fromages grecs, à base de lait de brebis, parfois de chèvre. Vendue en tranches ou en cubes bien blancs, parfois dans un bain de saumure, la feta agrémente salades composées et gratins. Servez-la aussi en amuse-gueule, en petits cubes avec des olives.

Salade grecque

Pour **6 personnes**
Préparation **20 min**
Pas de cuisson

1 petite boîte de cœurs d'artichauts ◆ 2 citrons ◆ 2 gousses d'ail ◆ 4 petites courgettes ◆ 200 g de champignons de couche ◆ 250 g de feta ◆ huile d'olive ◆ thym ◆ romarin ◆ graines de fenouil ◆ sel ◆ poivre

1 Égouttez les cœurs d'artichauts et arrosez-les de jus de citron. Ajoutez l'ail haché et remuez. Mettez au frais.
2 Lavez les courgettes et émincez-les très finement sans les peler. Nettoyez les champignons, émincez-les et citronnez-les. Mélangez les courgettes et les champignons.
3 Coupez la feta en petits cubes. Préparez une vinaigrette à l'huile d'olive avec le reste de jus de citron et 2 c. à soupe de thym, romarin et fenouil mélangés. Salez, poivrez.
4 Réunissez tous les ingrédients dans un saladier, arrosez de vinaigrette, remuez et servez à température ambiante.

feuille de vigne

Les feuilles de vigne fraîches, bien propres et équeutées, s'emploient pour parfumer les petits oiseaux à rôtir : enveloppez chaque oiseau d'une feuille, puis bardez-le. Elles sont aussi vendues en conserve au naturel : épongez-les avant de les utiliser.

Feuilles de vigne farcies

Pour **4 personnes**
Préparation **45 min**
Cuisson **1 h 10**

24 feuilles de vigne ◆ 15 cl de vinaigre blanc ◆ 100 g de riz ◆ 4 oignons ◆ 1 gousse d'ail ◆ 4 feuilles de menthe fraîche ◆ 4 branches de fenouil frais ◆ 50 g de raisins secs de Corinthe ◆ 1 citron ◆ 8 graines de coriandre ◆ 2 feuilles de laurier ◆ huile d'olive ◆ sel ◆ poivre

1 Faites blanchir les feuilles de vigne à l'eau bouillante vinaigrée pendant 3 min. Rafraîchissez-les puis séchez-les à plat sur un torchon. Faites cuire le riz à l'eau bouillante salée pendant 10 min environ puis égouttez-le.
2 Pelez et hachez les oignons et l'ail. Lavez et hachez la menthe et le fenouil. Faites tremper les raisins de Corinthe dans un peu d'eau tiède et égouttez-les. Pressez le citron, réservez le jus.
3 Faites chauffer un peu d'huile dans une poêle. Faites-y revenir le hachis d'ail et d'oignon jusqu'à ce qu'il blondisse.
4 Ajoutez le hachis d'herbes, les raisins, la moitié du jus de citron et le riz. Salez et poivrez. Mélangez soigneusement. Prolongez la cuisson quelques minutes puis laissez refroidir.
5 Avec cette farce, formez 24 petites quenelles en les pressant bien entre vos mains. Coupez la queue des feuilles de vigne et posez les feuilles à plat sur un plan de travail.
6 Du côté de la queue de chaque feuille, déposez une quenelle de farce. Rabattez les côtés de la feuille par-dessus et enroulez la feuille sur elle-même en partant de la farce.
7 Faites chauffer 10 cl d'huile dans une sauteuse. Rangez les feuilles de vigne dans le fond.

◄ Feuilles de vigne farcies

C'est l'une des spécialités les plus connues de la cuisine grecque, qui porte dans son pays d'origine le nom de dolmadhakia.

Disposez celles qui ne tiendraient pas au fond par-dessus. Ajoutez le reste de jus de citron et mouillez d'eau à hauteur. Ajoutez la coriandre et le laurier. Couvrez et laissez cuire pendant 1 h à feu doux.

8 Sortez les feuilles de vigne de la sauteuse à l'aide d'une écumoire. Déposez-les sur un plat de service et laissez refroidir. Vous pouvez les arroser d'un filet de citron au moment de déguster.

Boisson ouzo

feuilleté

→ **voir aussi bouchée, croûte, dartois, pâte feuilletée, vol-au-vent**

Entrée chaude faite de pâte feuilletée garnie d'une farce au fromage, au poisson, aux fruits de mer, à la volaille. Garnissez aussi des feuilletés de fruits ou de compote, pour des pâtisseries originales. Les pâtons de feuilletage surgelés sont tout indiqués pour ces préparations.

Diététique. 100 g de pâte feuilletée = 190 kcal.

Feuilletés au crabe

Pour **4 personnes**
Préparation **40 min**
Cuisson **25 min**

2 blancs de poireaux ◆ 8 champignons de couche ◆ 1 citron ◆ 1 échalote ◆ 30 g de beurre ◆ 280 g de chair de crabe ◆ farine ◆ 10 cl de crème fraîche ◆ persil haché ◆ vin blanc sec ◆ 300 g de pâte feuilletée ◆ 2 œufs ◆ sel ◆ poivre

1 Lavez les poireaux et ciselez-les. Nettoyez les champignons, émincez-les et citronnez-les. Pelez et hachez l'échalote.

2 Faites fondre le beurre dans une poêle. Ajoutez l'échalote et remuez 2 min. Ajoutez les poireaux, remuez encore 3 min puis mettez les champignons et le crabe émietté. Remuez sur feu doux pendant 3 min.

3 Poudrez de farine et mélangez bien. Ajoutez la crème fraîche et le persil puis remuez sur feu doux pendant 5 min et ajoutez 1 c. à soupe de vin blanc. Salez et poivrez. Citronnez. Mélangez et réservez.

4 Abaissez le feuilletage sur 5 mm d'épaisseur pour obtenir un rectangle de 20 cm sur 40. Découpez-y 8 carrés. Versez au centre de chacun 2 c. à soupe de farce au crabe. Badigeonnez les bords à l'œuf battu et repliez chaque carré en 2. Soudez bien.

5 Fendez les feuilletés en 2 ou 3 endroits et rangez-les sur la tôle du four humidifiée. Faites cuire de 10 à 12 min au four à 220 °C.

6 Servez les feuilletés chauds, bien gonflés, avec des bouquets de cresson. Comptez 2 feuilletés par personne.

→ **autres recettes de feuilleté à l'index**

fève

Les fèves fraîches, ou févettes, sont un légume d'été que l'on peut déguster à la croque au sel. Les fèves plus mûres dont la cosse est passée du vert au jaune se font cuire à l'eau une fois mondées : il faut retirer la pellicule blanche qui recouvre les grains. Les fèves sèches sont un légume d'hiver qui convient pour les soupes et les potées.

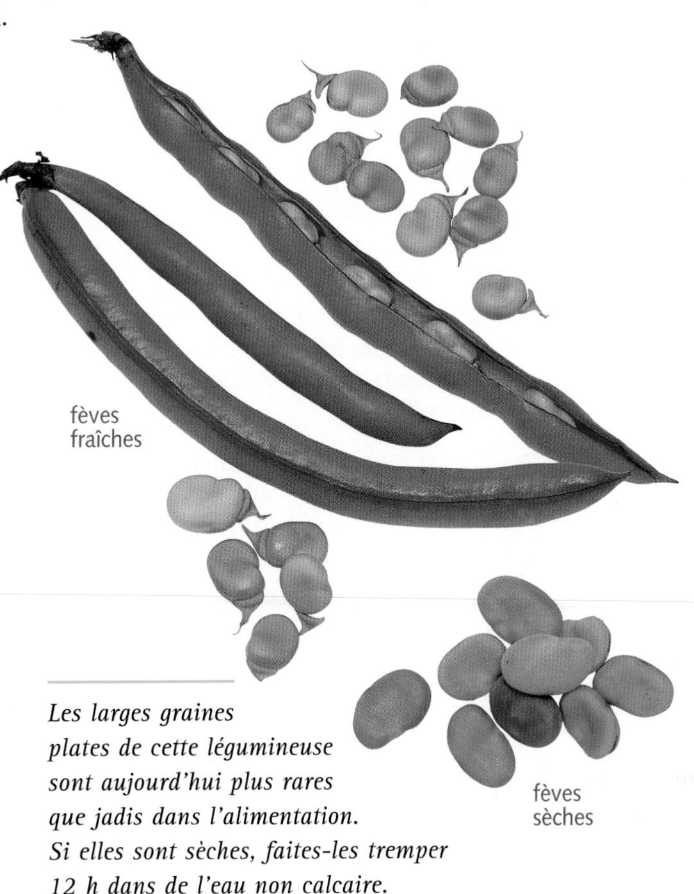

Les larges graines plates de cette légumineuse sont aujourd'hui plus rares que jadis dans l'alimentation. Si elles sont sèches, faites-les tremper 12 h dans de l'eau non calcaire.

◄ Fèves au lard

Dans cette délicieuse préparation rustique, vous pouvez ajouter quelques rondelles de chorizo. Servez-la en plat principal pour un dîner d'été.

Fèves au lard

Pour **4 personnes**
Préparation **25 min**
Cuisson **15 min**

800 g de très jeunes fèves fraîches ◆ 2 oignons moyens ◆ 150 g de lard de poitrine maigre ◆ 40 g de beurre ◆ huile de maïs ◆ sarriette fraîche ◆ sel ◆ poivre

1 Écossez les fèves. Retirez la fine peau qui recouvre les graines. Pelez et hachez finement les oignons. Taillez le lard en languettes.
2 Chauffez le beurre et l'huile dans une sauteuse. Faites-y revenir doucement les oignons, ajoutez le lard. Mélangez 2 min sur le feu.
3 Ajoutez les fèves et 1 c. à soupe de sarriette. Mélangez, salez et poivrez. Ajoutez 2 c. à soupe d'eau, mélangez et laissez mijoter doucement 10 min environ jusqu'à ce que les fèves soient bien tendres. Servez très chaud en garniture d'agneau rôti ou grillé.

Boisson **vin d'Anjou**

→ autres recettes de fève à l'index

figue

figue fraîche Fruit de dessert automnal par excellence, la figue se déguste nature. Pour un accompagnement de porc, de lapin, de canard ou de pintade, choisissez des figues violettes à peau épaisse. Faites-en aussi des confitures.

Parmi les différentes variétés de figues fraîches, la petite violette et la blanche sont les meilleures : juteuses et sucrées, mais fragiles. Les grosses violettes, les vertes et les noires ont tendance à être plus granuleuses. La fermeté de la queue est un bon indice de fraîcheur.

figue sèche Les figues sèches proviennent surtout de Turquie. Brunes, gonflées et bien parfumées en début de saison (octobre), elles se dessèchent progressivement et deviennent plus claires. Celles qui sont vendues en vrac sont en général les meilleures. Les italiennes sont moins fines et les grecques sont parfois dures. Utilisez-les en cuisine comme les pruneaux. Cuites au vin ou réduites en compote, servez-les en dessert avec une crème à la vanille ou du riz au lait.

figue blanche

figues violettes

Les figues violettes sont en général moins juteuses et moins sucrées que les blanches. Les meilleures figues sèches sont présentées liées avec un brin de raphia.

figues sèches

Diététique. La figue fraîche est un des fruits les plus riches en sucre : 1 petite figue (40 kcal) = 1 grosse pomme en quantité de glucides. Attention aux figues sèches, qui sont laxatives.

Figues blanches à la mousse de fraises

RECETTE LÉGÈRE 1 portion 230 kcal

Pour **4 personnes**
Préparation **20 min,**
chantilly **20 min**
Pas de cuisson

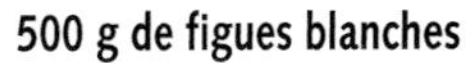

500 g de figues blanches ◆ 10 cl de crème Chantilly ◆ 300 g de fraises ◆ 50 g de sucre glace

1 Choisissez des figues bien mûres mais un peu fermes. Pelez-les et coupez-les en quartiers.
2 Préparez la crème Chantilly *(voir page 141)*.
3 Lavez les fraises et équeutez-les. Passez-les au mixer en ajoutant le sucre glace. Versez cette purée dans une jatte bien froide et incorporez la crème Chantilly. La mousse doit être légère et bien homogène.
4 Répartissez les quartiers de figues dans des coupes de service. Recouvrez entièrement de mousse de fraises et mettez au frais jusqu'au moment de servir.

Variante : remplacez les fraises par des framboises et parsemez de noisettes en poudre.

Figues fraîches au jambon cru

Pour **4 personnes**
Préparation **10 min**
Pas de cuisson

12 figues blanches ou violettes ◆ 8 fines tranches de jambon de Bayonne ou de Parme ◆ poivre au moulin

1 Choisissez des figues bien fraîches et mûres à point, mais un peu fermes. Fendez-les chacune en 4, sans séparer les quartiers. Ils sont retenus par la queue.
2 Décollez légèrement la peau au niveau du pédoncule. Disposez les figues 3 par 3, bien écartées, dans des assiettes de service.
3 Roulez les tranches de jambon en cornets. Placez-les au milieu de chaque assiette. Servez en entrée à température ambiante, en proposant à part le moulin à poivre.

Ne mettez surtout pas les figues fraîches préparées en attente au réfrigérateur, les arômes seraient tués.

Vous pouvez compléter la garniture de cette délicieuse entrée à l'italienne par une petite salade, de la trévise rouge ou du mesclun à l'huile d'olive.

Boisson **frontignan, bordeaux rouge ou porto**

Pintade aux figues sèches

Pour **3 personnes**
Préparation **20 min**
Cuisson **45 min**

300 g de figues sèches ◆ 150 g de pignons de pin ◆ 2 tranches de pain de mie ◆ 1 œuf ◆ 1 pintade ◆ 4 échalotes ◆ 200 g de céleri-rave ◆ 50 g de beurre ◆ cannelle ◆ huile de maïs ◆ 10 cl de porto ◆ sel ◆ poivre

1 Hachez grossièrement 150 g de figues sèches. Mélangez-les avec 60 g de pignons, le pain de mie émietté, l'œuf entier et 1 pincée de cannelle. Salez et poivrez.
2 Farcissez la pintade de ce mélange, recousez l'ouverture et ficelez-la, sans trop serrer. Pelez et émincez finement les échalotes et le céleri.
3 Faites chauffer le beurre et l'huile dans une cocotte. Mettez-y à dorer la pintade farcie sur toutes les faces.
4 Ajoutez les échalotes, le céleri et le reste des figues et des pignons. Salez et poivrez. Arrosez avec le porto et couvrez.
5 Faites cuire doucement dans la cocotte pendant 40 min en retournant la pintade de temps en temps. Si le jus de cuisson est un peu court, rajoutez un peu de porto et d'eau. Servez bien chaud.

Si vous n'aimez pas le goût de la cannelle, vous pouvez la supprimer ou la remplacer par une pincée de paprika ou de piment d'Espelette.

Boisson **côtes-du-jura blanc**

Salade de foies de volaille aux figues

Recette légère – 1 portion 300 kcal

Pour **4 personnes**
Préparation **30 min**
Cuisson **20 min**

400 g de foies de volaille ◆ 300 g de mesclun ◆ 4 figues violettes ◆ 2 échalotes ◆ 1 citron ◆ huile de maïs ◆ moutarde à l'ancienne ◆ sel ◆ poivre

1 Nettoyez les foies. Rincez-les et épongez-les. Coupez-les en 2 s'ils sont gros. Lavez le mesclun.
2 Lavez et essuyez les figues et coupez-les en 4. Pelez et émincez finement les échalotes.
3 Chauffez l'huile dans une grande poêle à revêtement antiadhésif. Ajoutez les échalotes et faites-les fondre doucement en les remuant avec une spatule. Ajoutez les foies de volaille et continuez à faire revenir jusqu'à ce qu'ils soient colorés. Salez et poivrez. Retirez-les et réservez.
4 Ajoutez dans la poêle les morceaux de figues. Faites chauffer rapidement puis réservez. Ajoutez la moutarde délayée dans le jus de citron. Laissez cuire 8 à 10 min, en remuant.
5 Remettez les foies dans la poêle et mélangez juste pour chauffer. Répartissez le mesclun dans les assiettes. Ajoutez les foies tièdes, les quartiers de figues et le jus de cuisson. Servez aussitôt.

→ **autres recettes de figue à l'index**

Salade de foies de volaille aux figues ▼
Les mélanges aigre-doux sont toujours en harmonie avec les saveurs de l'automne.

figue de Barbarie

→ **voir aussi figue**

Rouge orangé, ovale et couvert d'une peau épaisse hérissée d'épines, ce fruit méditerranéen possède une chair orangée, acidulée et semée de pépins. Il se déguste nature, en compote, et sert à préparer des sorbets, des confitures ou des coulis de fruits.

Pour le peler facilement, frottez-le dans un torchon épais et rugueux pour éliminer les piquants.

Coupes de Barbarie

Pour **4 personnes**
Préparation **20 min**
Pas de cuisson

8 belles figues de Barbarie bien mûres ◆ 2 poires ◆ 2 c. à soupe de miel ◆ 1 petit verre de rhum ◆ jus de citron ◆ 1/2 l de glace à la noix de coco

1 Piquez chaque figue au bout d'une fourchette et fendez-la avec un couteau pointu puis extrayez toute la pulpe à la petite cuiller.
2 Pelez les poires, coupez-les en 4, retirez le cœur et les pépins, émincez la chair et citronnez-la. Ajoutez-la à la pulpe de figues avec le miel et le rhum. Passez le tout au mixer jusqu'à consistance mousseuse et homogène.
3 Répartissez la glace dans des coupes bien froides et nappez-la aussitôt avec la mousse de figues aux poires.

La figue de Barbarie, qui est en réalité le fruit d'un cactus, doit être pelée : la chair très juteuse a un parfum de fleurs.

figue de Barbarie

filet

→ voir aussi bœuf

Le filet de bœuf entier est un rôti de premier choix (lardé ou clouté et bardé). Il se fait aussi braiser ou cuire en croûte. On y taille également des chateaubriands et des tournedos, des morceaux pour les brochettes ou la fondue bourguignonne. Le filet de veau fournit grenadins et côtes de filet assez larges. Le filet d'agneau donne des côtes de filet (sans manche) et des mutton-chops bien épais. Dans le porc, les côtes dans le milieu ou la pointe du filet sont très tendres. Le rôti de porc dans le filet est assez maigre mais un peu sec. Le filet de volaille ou de gibier à plume est le morceau qui correspond au blanc

Les filets de poisson sont constitués de la chair prélevée le long de l'arête dorsale. On compte quatre filets sur un poisson plat et deux sur un poisson rond. On les lève à cru.

Filet d'agneau à la provençale

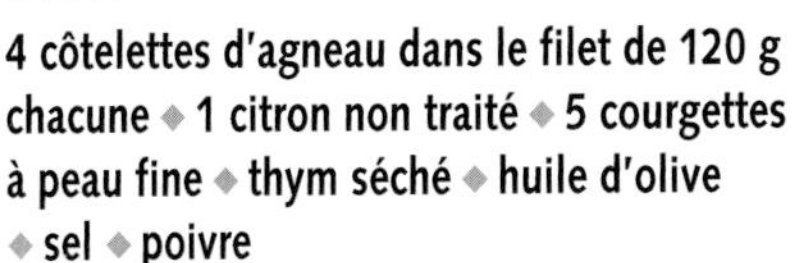

Pour **4 personnes**
Préparation **12 min**
Cuisson **5 min**

4 côtelettes d'agneau dans le filet de 120 g chacune ◆ 1 citron non traité ◆ 5 courgettes à peau fine ◆ thym séché ◆ huile d'olive ◆ sel ◆ poivre

1 Salez et poivrez la viande sur les 2 faces. Écrasez un peu de thym dans vos mains et poudrez-en les tranches de viande. Réservez au frais. Râpez le zeste du citron et pressez son jus.
2 Lavez les courgettes sans les peler, coupez le pédoncule. Coupez-les dans le sens de la longueur, puis retaillez-les en fines languettes pour obtenir des sortes de tagliatelle. Faites-les cuire 5 min dans une casserole d'eau bouillante citronnée. Égouttez-les bien.
3 Faites cuire les côtelettes dans une poêle bien chaude, en comptant 2 min de chaque côté.
4 Servez les côtelettes très chaudes avec les courgettes salées et poudrées de zeste de citron, arrosées d'un filet d'huile d'olive.

Vous pouvez remplacer les tagliatelle de courgettes par de la courge-spaghetti, dont la pulpe s'effiloche comme de véritables spaghetti.

Filet de bœuf à l'ail

Pour **4 personnes**
Préparation **15 min**
Cuisson **40 min**

4 tranches de filet de bœuf de 130 g ◆ 6 baies de genièvre ◆ 12 grains de poivre ◆ 12 gousses d'ail ◆ 20 cl de vin rouge ◆ 2 échalotes ◆ 25 cl de bouillon de volaille ◆ huile d'olive ◆ sel fin

1 Concassez le genièvre et le poivre dans une assiette et roulez les tranches de viande dedans. Réservez au frais.
2 Mettez les gousses d'ail non pelées dans un plat huilé et faites-les rôtir 25 min à 180° C.
3 Versez le vin dans une casserole, ajoutez les échalotes pelées et hachées. Faites bouillir jusqu'à évaporation. Ajoutez le bouillon et faites frémir 5 min.
4 Fendez les gousses d'ail pour extraire la pulpe. Ajoutez-la dans la casserole. Faites chauffer en fouettant quelques minutes. Salez et poivrez.
5 Faites griller les filets de bœuf pour les servir saignants et nappez-les de sauce à l'ail.

Filet de bœuf à la moutarde

Pour **6 personnes**
Préparation **15 min**
Cuisson **30 min environ**

1 rôti de filet de bœuf de 1,2 kg ◆ 2 c. à soupe de poivre concassé ◆ 40 g de beurre ◆ 1 petit verre d'armagnac ◆ 2 c. à soupe de moutarde ◆ 10 cl de crème fraîche ◆ huile ◆ sel ◆ poivre

1 Badigeonnez le rôti d'huile, salez-le et roulez-le dans le poivre concassé en appuyant bien. Posez-le dans une poêle sur feu vif, sans matière grasse, et faites-le colorer 10 min. Retirez-le et mettez-le dans un plat à four beurré. Enfournez-le 20 min à 230 °C. Retirez-le et posez-le dans un plat, couvert de papier aluminium.
2 Versez l'armagnac dans le plat à four et déglacez en remuant à la spatule. Ajoutez la moutarde et la crème fraîche. Délayez en faisant chauffer. Rectifiez l'assaisonnement.
3 Découpez le rôti en tranches. Ajoutez le jus de viande dans la sauce. Mélangez bien et servez-la à part.

filet mignon

→ voir aussi bœuf, porc, veau

Chez le bœuf et le veau, ce petit muscle constitue un morceau très fin, à griller ou à poêler. Chez le porc, c'est également un morceau très tendre. Soit il est poêlé d'une seule pièce, soit on le fait ouvrir en deux pour le farcir. On y taille aussi des morceaux à brochettes ou des petites tranches rondes à faire sauter (tournedos, médaillons).

Filet mignon de porc poêlé

Pour **6 personnes**
Préparation **15 min**
Cuisson **30 min**

1 filet mignon de 900 g environ ◆ 2 oignons ◆ 1 gousse d'ail ◆ 4 tranches de bacon ◆ 15 g de beurre ◆ 35 cl de vin blanc sec ◆ huile ◆ sel ◆ poivre

1 Détaillez le filet en 12 médaillons. Salez et poivrez. Pelez et hachez les oignons et l'ail. Taillez le bacon en languettes.
2 Faites chauffer le beurre avec 1 c. à soupe d'huile dans une poêle. Mettez-y à revenir les médaillons de porc en les retournant pendant 20 min environ. Égouttez-les et tenez-les au chaud dans un plat.
3 Ajoutez dans la poêle les oignons, l'ail et le bacon. Remuez pour faire fondre, puis versez le vin. Faites réduire en remuant pendant 10 min. Nappez la viande avec cette sauce sans la passer.

Boisson **riesling**

Médaillons de porc aux kiwis

Pour **4 personnes**
Préparation **15 min**
Cuisson **20 min environ**

3 échalotes ◆ 6 kiwis ◆ 30 g de beurre ◆ 4 tranches de filet mignon de 150 g chacune ◆ 10 cl de crème liquide ◆ sel ◆ poivre au moulin

1 Pelez et hachez les échalotes. Pelez les kiwis. Coupez un fruit en rondelles épaisses et les autres en dés.
2 Faites fondre 15 g de beurre dans une casserole avec les échalotes. Faites cuire doucement 3 min. Ajoutez les dés de kiwis et laissez mijoter 15 min. Versez la crème. Mixez.
3 Faites fondre 15 g de beurre dans une poêle et mettez-y les tranches de porc salées et poivrées. Faites cuire sur feu vif 8 min de chaque côté.
4 Égouttez les médaillons de porc, rangez-les sur une assiette et nappez de crème de kiwi. Ajoutez les rondelles de kiwis crues et poivrez.

filo (pâte à)

→ voir phyllo (pâte à)

financier

Petit gâteau rectangulaire fait d'une pâte à biscuit enrichie d'amandes en poudre et de blancs d'œufs, le financier bien frais est délicieux avec le thé.

Financiers

Pour **20 gâteaux environ**
Préparation **10 min**
Cuisson **20 min**

200 g de farine ◆ 200 g de sucre glace ◆ 100 g d'amandes en poudre ◆ 150 g de beurre ◆ 4 blancs d'œufs ◆ sel fin

1 Versez la farine dans une terrine. Incorporez le sucre, les amandes et 1 pincée de sel.
2 Faites fondre 130 g de beurre doucement. Faites une fontaine avec la farine. Incorporez les blancs d'œufs et le beurre fondu.
3 Beurrez 20 petits moules. Remplissez-les de pâte aux 3/4. Enfournez 15 min dans le haut du four à 200 °C. Poursuivez la cuisson à 180 °C pendant 5 min.
4 Éteignez le four et laissez les financiers 2 min dedans. Sortez-les et démoulez-les.

Médaillons de porc aux kiwis ►

Ferme, fruité et acidulé, le kiwi se prête très bien à la cuisine aigre-douce : la même sauce et la même garniture conviendraient aussi pour des côtes de veau.

fines herbes

L'expression désigne couramment les herbes aromatiques vertes que l'on emploie fraîchement hachées ou ciselées. Il s'agit en général d'un mélange de persil plat, de cerfeuil, d'estragon et de ciboulette.

Omelette aux fines herbes

Pour **4 personnes**
Préparation **10 min**
Cuisson **4 à 5 min**

6 œufs ◆ 60 g de beurre ◆ persil plat ◆ cerfeuil ◆ ciboulette ◆ sel ◆ poivre noir

1 Hachez menu séparément du persil, du cerfeuil et de la ciboulette. Mélangez-les. Il faut obtenir 6 c. à soupe d'herbes hachées.
2 Cassez les œufs dans une grande assiette creuse. Ajoutez 15 g de beurre en parcelles et les fines herbes. Salez et poivrez. Battez le tout rapidement à la fourchette.
3 Faites fondre 30 g de beurre dans une poêle à fond épais. Penchez-la pour que le beurre le recouvre entièrement.
4 Versez les œufs dans la poêle et passez 2 ou 3 fois le dos de la fourchette à travers le mélange. Lorsque l'omelette commence à prendre, penchez la poêle pour faire passer du liquide sous la partie cuite.
5 Roulez l'omelette quand elle est juste cuite, en inclinant la poêle. Tenez-la encore quelques secondes pliée dans la poêle, puis faites-la glisser dans le plat de service. Faites fondre le reste de beurre frais sur le dessus et servez aussitôt.

➔ **autres recettes de fines herbes à l'index**

flageolet

➔ **voir aussi** gigot, haricot

Cette variété de haricots à écosser très fins et peu farineux se reconnaît à sa teinte vert pâle. Cueillis à la fin de l'été, les flageolets sont rarement vendus frais, mais le plus souvent séchés ou mis en conserve.

Diététique. Les flageolets secs sont 3 fois plus riches que les frais.

Haricots panachés

Pour **6 personnes**
Préparation **10 min**
Cuisson **2 h**

400 g de flageolets secs ◆ 1 bouquet garni ◆ 1 oignon ◆ 1 clou de girofle ◆ 1 gousse d'ail ◆ 2 petites carottes ◆ 300 g de haricots mange-tout ◆ 80 g de beurre demi-sel ◆ sel ◆ poivre

1 Lavez les flageolets et mettez-les dans un faitout. Couvrez largement d'eau froide, posez un couvercle et portez lentement à ébullition, 30 min.
2 À ébullition, retirez du feu et laissez tiédir. Égouttez les flageolets et jetez l'eau. Remettez-les dans le faitout, couvrez d'eau bouillante et ajoutez le bouquet garni, l'oignon pelé piqué d'un clou de girofle, l'ail et les carottes pelés. Salez, poivrez, couvrez et laissez cuire à petits bouillons 1 h 30.
3 Épluchez les mange-tout et faites-les cuire à l'eau bouillante salée pendant 25 min.
4 Faites fondre le beurre dans une casserole. Égouttez les flageolets, jetez l'oignon et le bouquet garni. Versez flageolets et carottes dans la casserole. Ajoutez les mange-tout égouttés. Laissez mijoter 5 min doucement en remuant.

flamiche

➔ **voir aussi** goyère

Tarte salée d'origine picarde, servie en entrée chaude, la flamiche (ou flamique) se prépare couramment avec des poireaux étuvés liés avec des œufs. Autres garnitures possibles : oignons, citrouille, ou même maroilles, avec de la crème et du beurre.

Flamiche aux poireaux

Pour **4 personnes**
Préparation **40 min**
Cuisson **30 min**

250 g de pâte brisée ◆ 12 poireaux ◆ 80 g de beurre ◆ 4 œufs ◆ 15 cl de crème fraîche épaisse ◆ muscade ◆ sel ◆ poivre

1 Abaissez la pâte sur 3 mm d'épaisseur. Beurrez une tourtière et garnissez-la de pâte. Piquez le fond et réservez au frais.

2 Lavez les poireaux, retirez le vert et coupez les blancs en petits tronçons. Faites-les cuire 5 min à l'eau bouillante salée. Égouttez-les et rafraîchissez-les. Épongez-les.
3 Faites fondre 60 g de beurre dans une sauteuse. Mettez-y les poireaux et laissez-les fondre doucement sans prendre couleur en remuant pendant 10 min.
4 Mélangez dans une jatte les œufs battus et la crème. Salez et poivrez. Muscadez. Retirez les poireaux du feu, ajoutez le mélange et remuez intimement.
5 Versez sur le fond de tarte. Étalez-la jusqu'aux bords. Enfournez à mi-hauteur à 180 °C et laissez cuire 30 min. Servez chaud.

Boisson **gros-plant**

flan

En principe, le flan est une tarte sucrée ou salée garnie d'une crème aux œufs à laquelle on ajoute soit un parfum de vanille (flan parisien), des fruits frais ou secs, soit des asperges, des foies de volaille, des crevettes, etc. Dans le langage courant, le flan est une crème caramel, renversée ou moulée.

Flan à la vanille

Pour **6 personnes**
Préparation **10 min**
Cuisson **45 min**

200 g de farine ◆ 150 g de sucre semoule ◆ 4 œufs ◆ 1 l de lait ◆ 30 g de beurre ◆ extrait de vanille ◆ sel fin

1 Tamisez la farine dans une terrine. Creusez une fontaine et versez au milieu le sucre et 1 pincée de sel. Ajoutez les œufs légèrement battus en omelette.
2 Incorporez ces ingrédients puis délayez soigneusement en ajoutant le lait. Travaillez la pâte jusqu'à consistance homogène.
3 Allumez le four à 220 °C. Ajoutez à la pâte 1 c. à café d'extrait de vanille.
4 Beurrez un moule à manqué et farinez-le. Versez la pâte dedans et enfournez à mi-hauteur. Faites cuire 45 min. Laissez refroidir complètement avant de démouler.

→ **autres recettes de flan à l'index**

flanchet

Ce morceau de viande de troisième catégorie sert à cuisiner des ragoûts, des braisés ou des bouillis. Chez le bœuf, il fait partie des morceaux du pot-au-feu. Chez le veau, le flanchet sert à préparer une blanquette ou un sauté.
Diététique. 100 g de flanchet = 176 kcal.

flétan

Ce grand poisson de mer plat des eaux froides se cuisine comme la barbue, mais il est rare en France. Sa chair est très fine. On le trouve aussi surgelé ou en tranches fumées.
Diététique. Poisson maigre ; 100 g = 120 kcal.

Flétan à la crème

Pour **4 personnes**
Préparation **5 min**
Cuisson **20 min**

800 g de filets de flétan ◆ 20 g de beurre ◆ 1 oignon ◆ 1 citron ◆ 25 cl de crème fraîche épaisse ◆ cerfeuil frais ◆ sel ◆ poivre noir au moulin

1 Salez et poivrez les filets de flétan. Beurrez un plat à four et rangez-y les filets.
2 Pelez l'oignon et hachez-le menu. Râpez le zeste du citron et pressez le jus. Mélangez la crème, l'oignon, 1 c. à soupe de zeste et 2 c. à soupe de jus de citron.
3 Versez ce mélange sur le poisson. Poivrez. Faites cuire au four à découvert à 200 °C pendant 15 à 20 min. Servez dans le plat, en parsemant abondamment le dessus de cerfeuil ciselé.

fleur

→ **voir aussi câpre, clou de girofle, fleur d'oranger**

Les fleurs auxquelles on a recours en cuisine (acacia, souci, violette, jasmin, thym, pissenlit) ne s'achètent pas chez le fleuriste. Cueillez-les dans la nature en ne prenant que des fleurs non traitées.

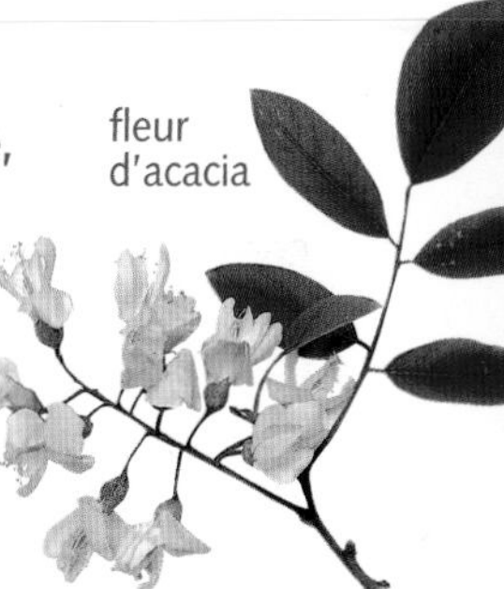
fleur d'acacia

Fleurs de courgette farcies

Pour **4 personnes**
Préparation **30 min**
Pas de cuisson

1 petit concombre ◆ 1 orange non traitée ◆ 8 fleurs de courgette pas trop grosses bien fraîches ◆ 200 g de tarama ◆ 150 g de crevettes décortiquées ◆ sel ◆ poivre

1 Pelez le concombre, émincez-le finement. Poudrez de sel, réservez au frais. Râpez le zeste de l'orange et pressez le jus.
2 Coupez les tiges des fleurs. Hachez les queues de crevettes et mélangez-les avec le tarama. Poivrez. Farcissez les fleurs de ce mélange.
3 Rincez le concombre et essorez-le à fond en le pressant dans vos mains. Disposez-le en bordure dans un plat rond. Rangez les fleurs de courgette farcies au milieu.
4 Fouettez vivement le jus d'orange avec le zeste. Salez et poivrez. Arrosez le plat et servez.

fleur d'oranger

C'est avec les fleurs d'une variété d'oranger, macérées et distillées, que l'on obtient l'eau de fleur d'oranger. Son parfum délicat aromatise crèmes, omelettes sucrées, pâtisseries, pâte à crêpes ou à beignets et tisanes.

Utilisez l'eau de fleur d'oranger en petites quantités, car elle est concentrée.

Flans à l'ancienne

Pour **6 personnes**
Préparation **25 min**
Cuisson **45 min**

1 orange non traitée ◆ 50 cl de lait entier ◆ 1 gousse de vanille ◆ 80 g de sucre semoule ◆ eau de fleur d'oranger ◆ 3 œufs

1 Préchauffez le four à 200 °C. Râpez finement le zeste de l'orange. Versez le lait dans une casserole et portez-le lentement à ébullition en ajoutant le zeste d'orange et la gousse de vanille.
2 Ajoutez le sucre et remuez pour faire fondre. Retirez du feu et ajoutez 1 c. à café d'eau de fleur d'oranger. Laissez tiédir 10 min. Retirez la gousse de vanille.
3 Battez les œufs en omelette dans une jatte. Versez le lait aromatisé par-dessus en fouettant régulièrement. Répartissez ensuite cette crème dans 6 ramequins.
4 Rangez les ramequins dans un plat avec un peu d'eau et faites cuire au bain-marie pendant 45 min. Servez tiède ou froid.

foie

→ **voir aussi** bacon

C'est le plus important des abats rouges. Le foie de veau est le plus moelleux et le plus savoureux. Par ordre décroissant de finesse (et de prix) viennent ensuite les foies de génisse et d'agneau, de bœuf et de mouton – souvent fibreux –, puis de porc, le plus souvent pour des pâtés et terrines. La tranche de foie poêlée se sert rosée (5 min en tout) et non cuite à point. Le foie se fait également cuire entier, braisé ou rôti ; on peut aussi en faire des boulettes hachées relevées d'épices, à pocher à l'eau bouillante.

Diététique. C'est le plus intéressant des abats sur le plan nutritionnel, quel que soit l'animal, à cause du fer qu'il contient. Consommez-en régulièrement. Pour compenser sa richesse en cholestérol (300 mg), il suffit de choisir du poisson au repas suivant.

Foie de veau à la vénitienne

Pour **4 personnes**
Préparation **5 min**
Cuisson **25 min**

3 oignons ◆ 4 tranches de foie de veau de 100 g chacune ◆ 100 g de beurre ◆ 1 citron ◆ vin blanc ◆ huile d'olive ◆ cognac ◆ persil haché ◆ sel ◆ poivre

1 Pelez les oignons et émincez-les très finement. Coupez les tranches de foie en petites escalopes ou en dés.
2 Faites chauffer 50 g de beurre dans une sauteuse et mettez-y les oignons. Laissez fondre doucement à couvert. Lorsqu'ils ont blondi, ajoutez 2 ou 3 c. à soupe de vin blanc. Laissez réduire 5 min en remuant de temps en temps.

3 Faites fondre le reste de beurre dans une poêle avec 1 c. à soupe d'huile. Lorsque la matière grasse est bien chaude, mettez-y les petites tranches de foie. Salez et poivrez. Faites-les sauter vivement.
4 Ajoutez les oignons au vin blanc dans la poêle et mélangez-les avec le foie. Réduisez le feu. Ajoutez 1 c. à soupe de cognac, quelques gouttes de jus de citron et 2 c. à soupe de persil haché. Salez et poivrez. Servez aussitôt.

Boisson **bourgueil**

Pâté de foie maison

Pour **6 personnes**
Préparation **30 min**
Cuisson **45 min, 24 h à l'avance**

300 g de foie de génisse ◆ 300 g de foie de porc ◆ 1 œuf ◆ 120 g de barde de lard ◆ thym ◆ marjolaine ◆ sauge ◆ cognac ◆ madère ◆ laurier ◆ sel ◆ poivre

1 Coupez les foies en morceaux, puis hachez-les finement. Ajoutez l'œuf entier et 2 c. à soupe de thym, marjolaine et sauge séchés. Mélangez, salez et poivrez.
2 Incorporez ensuite 1 c. à soupe de cognac et autant de madère. Mélangez.
3 Versez cette préparation dans une terrine de 80 cl environ. Détaillez la barde en languettes et disposez celles-ci dessus en croisillons. Ajoutez le laurier.
4 Placez la terrine dans un grand plat à gratin rempli d'eau bouillante à mi-hauteur. Faites cuire 45 min à 200 °C.
5 Laissez refroidir, couvrez et mettez au réfrigérateur pendant 24 h. Servez en entrée froide.

Boisson **bergerac**

Tranches de foie aux pêches

Pour **4 personnes**
Préparation **10 min**
Cuisson **8 min**

3 échalotes ◆ 2 tranches de jambon cru ◆ 8 oreillons de pêches au sirop ◆ 60 g de beurre ◆ 4 fines tranches de foie de veau ◆ persil haché ◆ sel ◆ poivre

Tranches de foie aux pêches ▲
Choisissez pour cette recette des échalotes grises d'une saveur très fine pour ne pas « écraser » la délicatesse du foie de veau et des fruits.

1 Pelez et hachez les échalotes. Taillez le jambon en languettes. Égouttez les pêches.
2 Faites chauffer le beurre dans une grande poêle et mettez-y les tranches de foie. Laissez saisir 2 min puis ajoutez échalotes et jambon. Remuez et laissez cuire 2 min.
3 Retournez les tranches de foie. Salez et poivrez. Faites cuire encore 2 min. Égouttez les tranches de foie et mettez-les sur des assiettes de service.
4 Mettez les pêches dans la poêle et faites-les chauffer 2 ou 3 min.
5 Disposez 2 oreillons de pêches par assiette de service avec le mélange d'échalotes et de jambon. Saupoudrez de persil haché et servez aussitôt.

Boisson **arbois blanc**

→ autres recettes de foie à l'index

foie gras

Voici l'un des plus nobles produits de la gastronomie mis à portée de votre gourmandise : apprenez à préparer une terrine de foie gras et découvrez aussi plusieurs accords majeurs qui lui donnent le beau rôle.

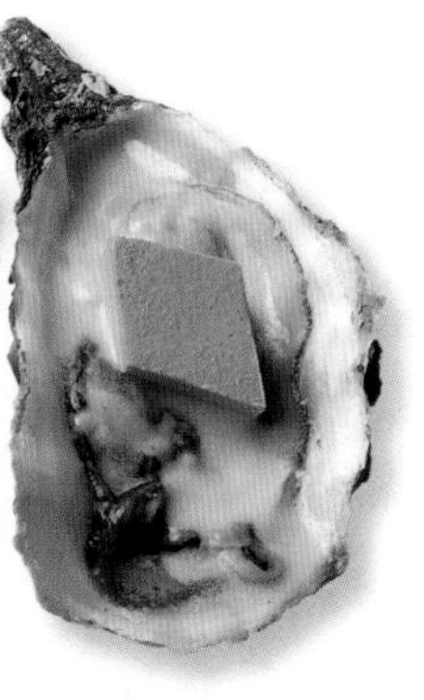

Avec quel vin ?

À mets raffiné, vin racé. Si l'accord du foie gras et du sauternes est un parfait classique, d'autres vins liquoreux peuvent lui faire la même escorte : jurançon doux, monbazillac ou pacherenc-du-vic-bilh. Ne les choisissez pas trop jeunes : le mélange de sucre et d'alcool dans un vin moelleux, bien fait pour s'accorder à la saveur douce du foie gras, n'est harmonieux qu'après plusieurs années de vieillissement. Le champagne brut, en apéritif avec des feuilletés, des brioches, des chaussons ou des toasts au foie gras, est toujours une excellente solution. Mais le foie gras cuisiné, en entrée ou en plat, s'accommode d'un vin blanc (gewurztraminer). Si le foie est truffé, un grand vin rouge (bordeaux, volnay) peut lui faire honneur. Pour les amateurs de contrastes, un meursault ou un grand bourgogne est une trouvaille.

La terrine de foie gras frais

Cette terrine se prépare 3 ou 4 jours avant d'être consommée. Le foie gras d'oie, doux, crémeux et satiné, a un petit goût plus sucré que celui de canard, plus charnu, moins clair, un peu plus rustique.
Un bon foie est ferme, mais ni dur ni cassant. Il faut qu'il soit lisse, rose ou un peu jaune, mais jamais grisâtre.

▸ **Pour un foie de 600 g**
Comptez de 8 à 10 g de sel, 1 à 2 g de poivre gris et 1 g de sucre. Laissez le foie en attente pendant 1 h à température ambiante (ou plongé dans un bain d'eau ou de lait) afin qu'il s'assouplisse légèrement : pour le parer et le dénerver, le foie ne doit pas être trop froid.

Huîtres chaudes au foie gras

▸ **Pour 4 personnes**
Prévoyez 24 huîtres creuses bien charnues et 4 tranches de foie gras mi-cuit. Coupez chaque tranche de foie en 6 dés réguliers. Ouvrez les huîtres et récupérez leur eau. Filtrez-la. Pelez et hachez 2 échalotes. Faites-les chauffer dans une casserole avec l'eau des huîtres et 12 cl de crème fraîche. Poivrez, ne salez pas. Incorporez en fouettant 80 g de beurre frais en parcelles. Calez 6 huîtres par personne sur des assiettes allant au four. Disposez-les sur du gros sel pour qu'elles restent droites. Répartissez la sauce sur les huîtres et passez-les 1 min sous le gril du four. Posez un dé de foie gras sur chaque huître, donnez un tour de moulin à poivre et servez aussitôt. Comme vin, proposez du champagne brut.

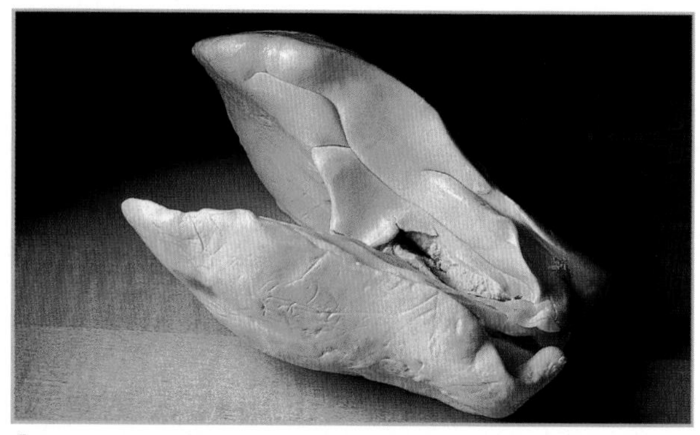

1 *Avec un couteau pointu, enlevez la fine peau qui entoure le foie et la partie verdâtre qui a pu être touchée par le fiel. Séparez les 2 lobes à la main. L'un est plus gros que l'autre.*

4 *Préchauffez le four à 120 °C. Assaisonnez les 2 lobes de foie avec le sel, le poivre et le sucre. Laissez-les macérer au frais. Faites fondre 30 g de graisse d'oie avec 3 c. à soupe d'armagnac.*

Œufs en gelée au foie gras

▶ **Pour 4 personnes**

Faites cuire 4 œufs mollets, rafraîchissez-les et écalez-les délicatement. Préparez de la gelée à l'aide d'un sachet de poudre instantanée et parfumez-la avec 5 cl de sauternes. Versez-en une fine couche dans des ramequins et posez dessus quelques losanges découpés dans des lamelles de truffe. Faites prendre au réfrigérateur. Garnissez les moules avec 25 g de foie gras par ramequin. Ajoutez l'œuf mollet puis versez doucement le reste de gelée, liquéfiée sur feu doux. Faites prendre 2 h au réfrigérateur. Servez les ramequins démoulés, avec des toasts de pain de mie ou de pain de campagne légèrement grillés.

Les petites brioches fourrées

▶ **Pour 4 personnes**

Achetez 4 petites brioches à tête chez un bon pâtissier. Retirez le chapeau en le coupant au ras de la brioche. Évidez l'intérieur avec une petite cuiller sans crever la croûte. Mettez les miettes de brioche dans une soucoupe et mouillez-les avec un peu de jurançon (avec du foie gras d'oie, prenez du sauternes.) Ajoutez 150 g de foie gras de canard en conserve coupé en petits dés. Garnissez les brioches de ce mélange. Remettez les chapeaux en place. Passez-les 2 min au four à 150 °C. Servez aussitôt en entrée avec le vin utilisé pour la recette.

Variantes : petite tête de champignon et chou fourrés au foie gras

2 *Ouvrez chaque lobe en 2 à la main : à la base vous trouvez un nerf. Dégagez-le avec la pointe du couteau, puis tirez doucement dessus, ce qui permet de faire venir les autres ramifications.*

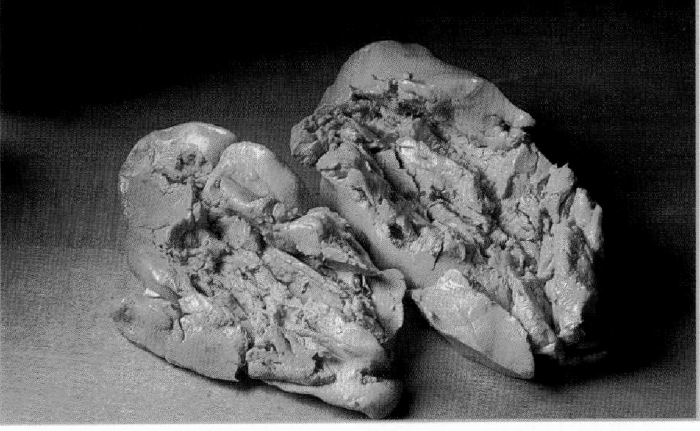

3 *Dénervez complètement le foie, éliminez les petits points de sang et grattez les parties tachées de vert qui donneraient de l'amertume au foie. Lavez celui-ci rapidement et essuyez-le aussitôt.*

5 *Tassez le gros lobe dans une terrine, placez l'autre par-dessus. Faites pression sur le tout. Arrosez de graisse fondue. Faites cuire dans le four au bain-marie pendant 25 min.*

6 *Laissez refroidir la terrine, puis mettez-la au réfrigérateur. Elle se conserve ainsi pendant une dizaine de jours. Servez-la froide avec du pain de campagne toasté.*

foie gras

Le foie du canard ou de l'oie prend des proportions, une texture et un goût particuliers lorsque l'animal est soumis à une technique de gavage artisanal comme on le pratique surtout dans le Sud-Ouest, mais aussi en Alsace et en Bretagne.

Le foie gras cru s'achète chez un fermier éleveur, sur un « marché au gras » ou chez un détaillant spécialisé. Sa couleur est beige ou gris rosé ; évitez un foie très ocre. Poids idéal pour l'oie : 650 à 900 g ; pour le canard : 400 à 600 g. La texture doit être ferme, non cassante, souple et non huileuse. Dégustez-le ou préparez-le le jour de l'achat ou le lendemain. Le foie gras mi-cuit est prêt à être consommé ; il ne se conserve que 3 à 4 semaines au frais, mais le foie gras mi-cuit étuvé et emballé sous vide se conserve 2 mois au réfrigérateur.

Le foie gras en conserve se bonifie comme le vin : mettez-le simplement au réfrigérateur avant la dégustation, pour le servir frais. La semi-conserve (foie gras pasteurisé) se garde au réfrigérateur jusqu'à 6 mois.

L'étiquetage est très précis en ce qui concerne le foie gras. Même si elles sont fastidieuses à décrypter, soyez attentifs à ces appellations : 100 % foie gras = foie gras d'oie entier, foie gras de canard entier, foie gras d'oie, foie gras de canard, bloc de foie gras, d'oie ou de canard ; 75 % de foie gras = parfait de foie gras (d'oie ou de canard), parfait de foie gras d'oie et de canard, ou vice versa ; 50 % de foie gras = purée de foie (d'oie ou de canard), mousse de foie (d'oie ou de canard), galantine de foie (d'oie ou de canard). En outre, sachez que seuls les termes « entier », « bloc » et « parfait » peuvent être accompagnés des mots « foie gras ».

Servez le foie gras nature sur des tranches de pain de campagne et dégustez-le avec du champagne brut, un vin liquoreux (sauternes, frontignan, jurançon), un vin rouge du Sud-Ouest (cahors, monbazillac) ou un vin d'Alsace. Pour démouler facilement un foie gras en boîte, plongez celle-ci quelques instants dans de l'eau chaude.

Cru, il se cuisine (après avoir été dénervé) et se sert chaud (escalopes sautées, aux raisins, au madère, etc. ; en mousse, en pâté, etc.) ou froid (aspic, en gelée, en terrine, dans des farces fines). La plupart des préparations « à la périgourdine » et celles dites « Rossini » comportent du foie gras.

Diététique. Le foie gras ne présente aucune des qualités nutritionnelles du foie, mais ne vous privez pas de ce grand moment gastronomique. Sachez que 30 g de foie gras = 200 kcal.

Brioches au foie gras

Pour **4 personnes**
Préparation **10 min**
Cuisson **2 min**

4 brioches pur beurre à tête ◆ 125 g de foie gras en boîte ◆ porto ◆ poivre au moulin

1 Ôtez les chapeaux des brioches. Réservez-les. Évidez l'intérieur. Disposez la mie des brioches dans une assiette creuse et arrosez-la avec 3 c. à soupe de porto. Préchauffez le four à 140 °C.
2 Coupez le foie gras en très petits dés et mélangez-les avec la mie des brioches. Garnissez les brioches, remettez les chapeaux en place. Passez-les au four 2 min. Poivrez. Servez.

Escalopes de foie gras au raisin

Pour **4 personnes**
Macération **24 h**
Préparation **30 min**
Cuisson **4 à 5 min**

3 grappes de raisin blanc ◆ 1 foie gras cru de canard de 500 à 600 g ◆ 1 c. à soupe de graisse d'oie ◆ 4 tranches de pain de mie ◆ frontignan ◆ farine ◆ sel ◆ poivre

1 Lavez le raisin. Pelez et épépinez les grains. Faites-les macérer dans 1 verre de frontignan.
2 Le lendemain, coupez le foie gras en 4 belles tranches. Salez et poivrez. Farinez légèrement.
3 Faites chauffer la graisse d'oie dans une poêle. Quand elle est bien chaude, mettez-y les tranches de foie. Laissez blondir chaque face 30 secondes sur feu modéré. Égouttez-les. Jetez la plus grande partie de la graisse et remettez la poêle sur le feu. Faites-y dorer les tranches de pain.
4 Jetez la graisse. Versez dans la poêle le vin de macération du raisin. Faites réduire 3 min sur feu vif puis ajoutez les grains de raisin. Baissez le feu.
5 Lorsque la sauce est sirupeuse, rajoutez les tranches de foie et réchauffez 1 min. Servez le foie sur les croûtes dans des assiettes chaudes. Nappez de sauce avec les grains de raisin.

Escalopes de foie gras au raisin ►

Pour la cuisson du foie gras, veillez à avoir une poêle très chaude et éliminez soigneusement toute la graisse rendue. Pour le raisin, choisissez du muscat.

Salade folle ▲

Vous pouvez enrichir cette salade de petites pointes d'asperges vertes et d'une truffe émincée : servez cette entrée raffinée avec un gewurztraminer.

Pommes de terre au foie gras

Pour **4 personnes**
Préparation **10 min**
Cuisson **25 min environ**

36 petites pommes de terre nouvelles ◆ 4 tranches de foie gras mi-cuit ◆ graisse d'oie ◆ ciboulette ◆ sel ◆ poivre au moulin

1 Pelez les pommes de terre et lavez-les. Mettez-les dans une casserole, couvrez d'eau, salez et portez à ébullition. Au bout de 10 min, égouttez-les. Tenez le foie gras au frais.
2 Faites chauffer 2 c. à soupe de graisse d'oie dans une grande cocotte. Mettez-y les pommes de terre et faites-les sauter vivement. Faites chauffer les assiettes de service. Ciselez 3 c. à soupe de ciboulette.
3 Lorsque les pommes de terre sont dorées, salez-les et répartissez-les dans les assiettes. Posez par-dessus la tranche de foie gras froide. Poivrez au moulin. Parsemez de ciboulette.

Boisson **hermitage**

Salade folle

Pour **4 personnes**
Préparation **25 min**
Cuisson **10 min**

250 g de haricots verts extra-fins ◆ 100 g de trévise ◆ 2 tomates ◆ 4 tranches de foie gras truffé ◆ huile d'olive ◆ vinaigre de xérès ◆ sel ◆ poivre au moulin

1 Effilez les haricots verts, lavez-les et faites-les cuire 8 à 10 min à gros bouillons dans une grande casserole d'eau salée. Égouttez-les et rafraîchissez-les. Ils doivent être croquants.
2 Lavez la trévise et effeuillez-la. Épongez-la à fond. Ébouillantez les tomates et pelez-les, coupez-les en 2, videz les graines et taillez la pulpe en petits dés.
3 Préparez une vinaigrette avec 3 c. à soupe d'huile et 1 c. à soupe de vinaigre. Salez et poivrez. Garnissez les assiettes de service avec la salade trévise.
4 Mélangez dans un saladier les haricots verts et les tomates, arrosez de vinaigrette et remuez. Répartissez ce mélange dans les assiettes. Ajoutez par-dessus 1 tranche de foie gras truffé. Poivrez et servez aussitôt.

→ **autres recettes de foie gras à l'index**

foie de volaille

→ **voir aussi lapin**

Cet abat est surtout fourni par le poulet. Achetez ces foies au poids et utilisez-les pour agrémenter des brochettes, pour garnir du risotto, une omelette, des œufs brouillés, une salade composée, pour cuisiner une terrine ou une mousse, comme le fameux « gâteau de foies blonds » préparé avec les foies délicats des volailles de Bresse.

Le foie de canard, même lorsque l'animal n'est pas engraissé, est très fin (poêlé à l'armagnac, garni de raisin).

Diététique. 100 g = 134 kcal.

Gâteau bressan

Pour **4 personnes**
Préparation **20 min**
Cuisson **1 h**

1 gousse d'ail ◆ 1 à 2 c. à soupe de persil haché ◆ 6 à 8 foies de volaille de Bresse ◆ 50 g de farine ◆ 8 œufs ◆ 8 cl de crème fraîche ◆ 70 cl de lait ◆ 20 g de beurre ◆ 30 cl de sauce tomate ◆ muscade ◆ sel ◆ poivre

1 Pelez l'ail et hachez-le. Mélangez-le avec le persil. Nettoyez les foies en vérifiant qu'il ne reste pas de fiel. Passez-les au moulin à légumes.
2 Incorporez la farine tamisée, puis 4 œufs. Séparez les blancs des jaunes des 4 derniers œufs. Incorporez les jaunes puis l'ail et le persil.
3 Ajoutez enfin 2 c. à soupe de crème et le lait. Salez et poivrez. Muscadez. Beurrez un moule à charlotte et versez-y la préparation. Faites cuire 1 h au four au bain-marie à 150 °C.
4 Faites réchauffer la sauce tomate avec le reste de crème fraîche. Démoulez le gâteau sur un plat. Servez nappé de sauce.

Salade périgourdine

Pour **4 personnes**
Préparation **20 min**
Cuisson **5 min**

200 g d'épinards jeunes ◆ 100 g de laitue feuille-de-chêne ◆ 1 pomme ◆ 1 citron ◆ 1 oignon rouge ◆ 15 g de beurre ◆ 300 g de foies de volaille ◆ 100 g de lard maigre ◆ 8 cerneaux de noix ◆ huile de noix ◆ vinaigre de framboise ◆ sel ◆ poivre

1 Lavez et épongez les épinards et la laitue. Pelez la pomme, émincez-la et citronnez-la. Pelez l'oignon et détaillez-le en anneaux.
2 Faites chauffer le beurre dans une poêle et faites-y sauter les foies de volaille taillés en petits morceaux. Ajoutez le lard taillé en languettes. Mélangez et faites rissoler 5 min.
3 Préparez une vinaigrette avec 4 c. à soupe d'huile, 2 c. à soupe de vinaigre. Salez et poivrez. Tapissez les assiettes de verdure. Ajoutez les lamelles de pommes puis les foies de volaille aux lardons. Arrosez de vinaigrette et garnissez avec les anneaux d'oignon et les noix.

→ **autres recettes de foie de volaille à l'index**

fond

→ **voir aussi bouillon, fumet, roux**

Il s'agit d'un bouillon aromatisé, à base de bœuf, de veau, de volaille ou de légumes, avec lequel on prépare les sauces et qui sert à mouiller les ragoûts et les braisés.

En principe, le fond (ou « jus ») est aromatisé mais non salé, car il doit rester neutre jusqu'à la mise au point finale. Néanmoins un soupçon de sel favorise l'osmose entre les ingrédients. Il se conserve 1 semaine au réfrigérateur. Le fond de sauce ou de cuisine demande un certain temps de préparation mais ne présente aucune difficulté.

Fond de bœuf

Pour **1 l environ**
Préparation **30 min, 24 h à l'avance**
Cuisson **2 h environ**

1 kg de queue de bœuf ◆ 3 carottes ◆ 1 oignon ◆ 2 gousses d'ail ◆ 1 bouquet garni ◆ persil ◆ cerfeuil ◆ estragon

1 Coupez la queue de bœuf en petits morceaux. Pelez et émincez grossièrement les carottes, l'oignon et l'ail. Lavez et épongez un petit bouquet de persil, cerfeuil et estragon.
2 Étalez les morceaux de queue de bœuf sur la plaque à rôtir du four et faites-les colorer sans matière grasse à 250 °C pendant 10 min. Mettez ensuite les morceaux de queue de bœuf dans un faitout avec 1,5 l d'eau.
3 Ajoutez les légumes, l'ail et le bouquet garni. Portez à ébullition et laissez cuire doucement à petits bouillons réguliers pendant 1 h 30 environ. Écumez plusieurs fois, puis passez le liquide.
4 Remettez le bouillon sur le feu avec du persil, du cerfeuil et de l'estragon. Faites frémir encore 20 min et passez à nouveau. Laissez refroidir et mettez au réfrigérateur.
5 Lorsque la graisse est remontée à la surface, retirez-la. Faites bouillir à nouveau puis laissez refroidir. Conservez au réfrigérateur et ôtez la pellicule de graisse qui se forme avant d'utiliser le fond de cuisson.

Pour préparer un fond de veau, remplacez la queue de bœuf par 1 kg d'os et de viande de veau (bas morceaux) et ajoutez au bouillon 1 c. à soupe de concentré de tomates et 100 g de champignons émincés.

Fond de volaille

Pour **1 l environ**
Préparation **20 min**
Cuisson **45 min environ**

1 carcasse de volaille ◆ 2 carottes ◆ 1 oignon ◆ clou de girofle ◆ 2 branches de céleri ◆ 1 poireau ◆ poivre concassé ◆ 1 bouquet garni ◆ sel

1 Concassez grossièrement la carcasse de volaille avec les abattis. Pelez les carottes et tronçonnez-les. Pelez l'oignon et piquez-y le clou de girofle. Émincez le céleri et le poireau lavés. Conservez le vert du poireau.
2 Versez 1,5 l d'eau dans un faitout. Portez à ébullition. Ajoutez la carcasse et tous les autres ingrédients, avec quelques pincées de poivre.
3 Laissez cuire doucement pendant 45 min. Lorsque le fond est cuit, passez-le au chinois et laissez refroidir. Mettez-le au réfrigérateur.

Avant toute utilisation du fond, éliminez soigneusement la graisse figée à la surface.

fond (de pâtisserie)

→ voir aussi **biscuit, progrès, vacherin**

En pâtisserie, un fond est une croûte, une pâte, une abaisse : une base qui sert à la confection d'un gâteau. La forme, la taille et la consistance d'un fond sont très variables. Certains produits prêts à l'emploi vous permettent de gagner du temps : croûtes à tartes ou à tartelettes précuites, génoises (en épicerie) et surtout fonds de tartes surgelés.

fondue

Ce terme désigne en cuisine un mode de préparation qui consiste à faire cuire et à déguster des aliments directement sur la table dans un poêlon maintenu au chaud sur un réchaud.

fondue bourguignonne La fondue bourguignonne est composée de viande de bœuf taillée en cubes que l'on pique sur de longues fourchettes et que l'on plonge dans un bain d'huile bouillante. Choisissez les morceaux dans le filet, le faux-filet ou le rumsteck. La viande doit être très fraîche, sans gras ni nerf. Proposez toujours un assortiment de sauces variées (au moins quatre).

fondue chinoise La fondue chinoise se cuisine comme la bourguignonne, mais l'huile est remplacée par un bouillon de viande ou de volaille. Les ingrédients sont plus variés : fines lamelles de bœuf ou de porc, boulettes de poisson, languettes de blanc de volaille, etc. Présentez en même temps légumes émincés, salade et condiments exotiques.

fondue piémontaise La fondue piémontaise est quant à elle à base de légumes crus assortis que l'on trempe dans une sauce à base d'huile d'olive, d'ail et d'anchois, appelée « bagna cauda ».

fondue savoyarde La fondue savoyarde consiste à déguster des morceaux de pain trempés dans un mélange de fromages fondus dans un poêlon. Choisissez des pâtes cuites bien fruitées. Ne les râpez pas, mais taillez-les en fines lamelles. Tous les vins blancs de Savoie, de Suisse ou du Jura peuvent l'accompagner.

Diététique. Parmi ces plats, la fondue chinoise et la piémontaise présentent un réel intérêt diététique. La bourguignonne est un plat à éviter dans un régime hypocalorique. Quant à la savoyarde, elle est particulièrement calorique : au moins 800 kcal par personne.

Fondue bourguignonne

Pour **4 personnes**
Préparation **20 min**
Cuisson **quelques secondes par bouchée**

800 g de viande de bœuf de première catégorie ◆ huile d'arachide ◆ 1 gousse d'ail ◆ sauces et condiments assortis ◆ sel ◆ poivre au moulin

1 Taillez la viande en cubes de 2 cm de côté. Pelez la gousse d'ail et frottez-en l'intérieur du poêlon (de préférence en fonte). Ajoutez 1 pincée de sel : l'huile bouillante sautera moins.
2 Préparez les sauces et les condiments : sauces béarnaise, barbecue ou tomate, aïoli, tapenade, mayonnaise, moutardes aromatisées, beurre d'anchois, cornichons, petits oignons au vinaigre et chutneys.
3 Faites chauffer l'huile dans une casserole et versez-la dans le poêlon. Posez le poêlon sur un réchaud de table allumé pour la maintenir frémissante.
4 Chacun pique une bouchée de viande au bout d'une fourchette et la trempe dans l'huile, juste le temps de la saisir en la retournant 1 ou 2 fois.

Boisson côtes-du-rhône

Fondue chinoise

Pour **4 personnes**
Préparation **30 min**
Cuisson **quelques secondes**

300 g de faux-filet ◆ 2 blancs de poulet ◆ 200 g de lard de poitrine fumé ◆ 100 g de crevettes décortiquées ◆ 1 cœur de romaine ◆ 150 g de champignons de couche ◆ 1 botte de cresson ◆ 100 g de pousses de bambou ◆ 3 gousses d'ail ◆ 4 ciboules ◆ 50 g de gingembre frais ◆ 1 l de bouillon de volaille ◆ 4 œufs ◆ noix de saint-jacques ◆ jus de citron ◆ sauce soja ◆ sauce aux huîtres

1 Disposez dans chaque coupelle le bœuf, le poulet et le lard en fines lamelles, les saint-jacques en tranches, les crevettes en tronçons.
2 Effeuillez la romaine, lavez-la et ciselez-la. Nettoyez et émincez les champignons. Triez le cresson, lavez-le et mettez-le dans un saladier.
3 Répartissez dans des coupes la romaine, les pousses de bambou égouttées, les champignons émincés et citronnés. Préparez les condiments : ail pelé et haché, ciboules émincées, gingembre pelé et râpé, sauces.
4 Faites chauffer le bouillon et versez-le dans un poêlon tenu chaud sur un réchaud. Chacun trempe la viande, les crevettes ou les saint-jacques dans le bouillon puis les assaisonne avec les condiments et les déguste avec les crudités.
5 En fin de repas, versez dans le poêlon le reste des ingrédients pour les saisir rapidement. Chaque convive casse 1 œuf dans son bol avant d'y verser une louche de bouillon brûlant condimenté par la cuisson successive des ingrédients.

Fondue piémontaise aux légumes

Pour **6 personnes**
Préparation **25 min**
Cuisson **quelques minutes**

6 branches de céleri ◆ 6 pousses de cardon ◆ 1 poivron jaune ◆ 1 poivron rouge ◆ 1 citron ◆ 8 gousses d'ail ◆ 80 g de beurre ◆ 6 à 8 filets d'anchois à l'huile ◆ 40 cl d'huile d'olive ◆ 200 g de petits bouquets de chou-fleur ◆ 200 g de petits bouquets de brocoli ◆ sel ◆ poivre au moulin

1 Retirez les filandres et les côtes du céleri et du cardon. Taillez-les en bâtonnets de 8 cm de long. Épépinez les poivrons et taillez-les en lanières.
2 Faites blanchir tous les légumes pendant 2 min, rafraîchissez-les et épongez-les. Mettez-les dans un plat en les rangeant par variété et arrosez-les de jus de citron. Salez et poivrez.
3 Pelez et hachez les gousses d'ail. Égouttez les filets d'anchois. Conservez leur huile. Faites chauffer le beurre dans un petit poêlon sur feu doux, ajoutez l'huile d'olive et mélangez.
4 Lorsque le mélange est chaud et homogène, ajoutez les anchois et remuez sur feu très doux avec une cuiller en bois pour les réduire en purée. Ajoutez leur huile et l'ail haché. Mélangez en remuant pendant quelques minutes.
5 Posez le poêlon sur un réchaud de table et maintenez la sauce frémissante. Placez le plat de légumes à côté. Les convives choisissent un bâtonnet, une languette ou un bouquet de légume et le trempent dans la sauce.

Fondue savoyarde

Pour **4 personnes**
Préparation **15 min**
Cuisson **10 min avant la dégustation**

400 g de beaufort fruité ◆ 400 g de gruyère ◆ 1 gousse d'ail ◆ 50 cl de vin blanc sec (apremont) ◆ fécule de maïs ◆ 400 g de pain de campagne ◆ 2 cl de kirsch ◆ muscade ◆ sel ◆ poivre

1 Écroûtez les fromages et taillez-les en minces lamelles régulières. Pelez l'ail et frottez-en l'intérieur d'un poêlon en terre ou en fonte. Versez le vin dans le poêlon et posez-le sur feu doux, ajoutez 2 pincées de fécule de maïs et délayez.
2 Ajoutez ensuite le fromage et faites fondre en remuant régulièrement sans arrêt avec une cuiller en bois. Maintenez une petite ébullition pendant 3 min pour que la pâte soit bien homogène. Taillez le pain en bouchées régulières.
3 Placez le poêlon rempli de fondue sur un réchaud de table allumé. Juste avant de commencer la dégustation, versez le kirsch dans la fondue. Rectifiez l'assaisonnement : peu de sel, poivre et muscade râpée au goût.

Les amateurs de fromages peuvent essayer d'autres combinaisons : comté, emmental suisse, appenzell, cantal, gouda, vacherin.

fontainebleau

Fromage frais de lait de vache, ni affiné ni salé, enveloppé dans une mousseline et vendu dans un petit récipient. Ce mélange onctueux de crème fouettée et de caillé constitue un dessert délicat. Servez-le avec des fruits rouges ou de la confiture.

Fontainebleau aux framboises

Pour **4 personnes**
Préparation **10 min**
Pas de cuisson

4 c. à soupe de crème fraîche ◆ 4 petits pots de fontainebleau en mousseline ◆ 500 g de framboises ◆ sucre semoule

1 Fouettez vivement la crème fraîche bien froide. Déballez les pots de fontainebleau et versez-les dans des assiettes de service.
2 Entourez-les de framboises fraîches. Déposez sur le dessus 1 c. à soupe de crème fraîche et poudrez de sucre à volonté.

Vous pouvez mélanger les framboises avec des fraises des bois ou proposer la confiture de fruits rouges. Essayez aussi avec des litchis décortiqués ou des kiwis.

fontina

Ce fromage italien de lait de vache, à pâte pressée et cuite, semée de petits trous, est souple sous le doigt, avec un goût de noisette.

On le fabrique aussi en France sous le nom de « fontal », mais le vrai fontina vient du Val d'Aoste. Jeune, il se sert en fin de repas. Affiné, il se râpe comme le parmesan. On en fait aussi une fondue.

Fondue valdôtaine

Pour **4 personnes**
Préparation **20 min, 24 h à l'avance**
Cuisson **45 min**

400 g de fontina affiné ◆ 20 cl de lait ◆ 70 g de beurre ◆ 2 jaunes d'œufs ◆ sel ◆ poivre

1 Écroûtez le fromage et coupez-le en lamelles. Mettez-le dans une jatte et versez le lait par-dessus. Laissez reposer toute la nuit au frais.
2 Environ 45 min avant de servir, versez le mélange fromage-lait dans une casserole et placez celle-ci au bain-marie. Salez et poivrez.
3 Ajoutez le beurre en parcelles et les jaunes d'œufs. Faites cuire en remuant sans arrêt sans jamais faire bouillir.
4 Servez brûlant dans des petits plats creux individuels bien chauds. Proposez en même temps du pain grillé.

Cette spécialité est encore plus savoureuse si vous disposez d'une truffe blanche fraîche. Émincez-la et répartissez les lamelles sur le dessus, poivrez et servez.

Boisson **vin blanc sec**

fourme

→ **voir aussi** cantal, roquefort

Plusieurs fromages « bleus » du centre de la France portent le nom de fourme. La fourme d'Ambert est la plus connue : c'est un haut cylindre massif que l'on entame horizontalement. La pâte persillée possède une saveur prononcée ; si elle devient granuleuse et que la croûte soit humide, elle est trop affinée et sera amère. La fourme de Montbrison lui est apparentée.

fraise

→ **voir aussi** chantilly, confiture, coulis, fruits rouges, mousse

Ce petit fruit rouge existe sous de nombreuses variétés qui apparaissent sur le marché entre le début d'avril et octobre, en provenance du Sud-Ouest, de Bretagne, de la Loire ou de la vallée du Rhône. On en importe aussi d'Espagne.

Des plus précoces aux plus tardives, les variétés les plus répandues sont : la gariguette rouge groseille, de taille moyenne, juteuse et ferme ; l'elsanta, rouge passion, grosse, parfumée, sucrée ; la chandler, rouge pourpre, assez grosse ; la selva, rouge brique, moyenne à grosse, bien parfumée, sucrée ; la pajaro, rouge profond, assez grosse, bien sucrée. Les fruits trop gros et de bel aspect se révèlent souvent insipides : préférez un fruit moyen bien

Fruits fragiles à consommer rapidement, les fraises mûres peuvent attendre une journée au réfrigérateur. Elles ne supportent pas le temps orageux : c'est le moment d'en acheter à bas prix pour faire des confitures, des sirops ou des glaces.

rouge et parfumé. Évitez si possible les fraises de serre, hors saison, en général dures et fades. Une belle fraise se reconnaît à son aspect franc, sans tache, avec un « teint » brillant (pas trop) et une consistance ferme. La taille n'est jamais un critère de choix. La pointe doit être elle aussi bien colorée, signe que le fruit entier est bien mûr. Le pédoncule doit être bien vert.

La fraise ne se conserve pas longtemps (elle peut « tourner » en quelques heures surtout si le temps est à l'orage) : pas plus de deux jours dans le bas du réfrigérateur. Mais elle se congèle très bien : utilisez-la ensuite pour un coulis, une purée.

Lavez soigneusement les fraises, mais au dernier moment, avant de les équeuter, sinon elles se gorgeraient d'eau et perdraient leur parfum. Ne les faites pas tremper.

Diététique. Les fraises sont très peu caloriques, les fraises des bois encore moins : 100 g = 20 kcal. Elles sont très riches en vitamine C. Mais attention à la chantilly !

fraises des bois

Dessert glacé aux fraises

Pour **4 personnes**
Préparation **15 min, chantilly 10 min**
Pas de cuisson

1/2 l de glace aux fraises ◆ 8 c. à soupe de sirop de fraise ◆ 35 cl environ de lait très froid ◆ 15 cl de chantilly très froide ◆ 4 grosses fraises fraîches

1 Coupez la glace en gros cubes et répartissez ceux-ci dans le fond de 4 grands verres. Arrosez avec 2 c. à soupe de sirop de fraise par verre.
2 Versez ensuite du lait froid par-dessus (plus ou moins selon le goût). Complétez par un dôme de crème Chantilly.
3 Juste avant de servir, ajoutez une fraise en décor. Dégustez avec une cuiller à long manche.

Fraises à la menthe

RECETTE LÉGÈRE – 1 portion 275 kcal

Pour **6 personnes**
Préparation **10 min**
Macération **4 h**
Pas de cuisson

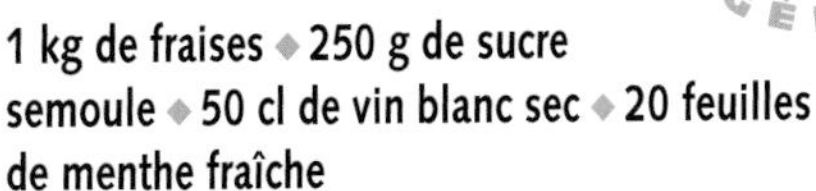

1 kg de fraises ◆ 250 g de sucre semoule ◆ 50 cl de vin blanc sec ◆ 20 feuilles de menthe fraîche

1 Lavez et égouttez les fraises. Équeutez-les et coupez-les en 2 si elles sont grosses.
2 Mettez-les dans une jatte en verre avec le sucre. Remuez et versez le vin. Mélangez et ajoutez 10 feuilles de menthe.
3 Laissez macérer 4 h dans le réfrigérateur. Au moment de servir, retirez les feuilles de menthe flétries et remplacez-les par des feuilles de menthe fraîches.
4 Servez les fraises dans des assiettes creuses ou dans un bol à punch.

Choisissez de la menthe verte ou douce, mais évitez la menthe poivrée dont l'arôme est trop fort pour la délicatesse des fraises.

Gâteau fraisier

Pour **6 personnes**
Préparation **30 min, 1 h à l'avance**
Cuisson **15 min environ**

25 cl de lait ◆ 150 g de sucre semoule ◆ 1 œuf ◆ 40 g de farine ◆ 125 g de beurre ◆ 1 génoise de 22 cm de diamètre achetée toute faite ◆ 500 g de fraises ◆ kirsch ◆ sucre glace

1 Versez le lait dans une casserole avec 60 g de sucre et portez à ébullition. Travaillez dans une terrine 60 g de sucre, l'œuf entier et la farine.
2 Délayez ce mélange avec le lait chaud puis reversez-le dans la casserole et faites chauffer sur le feu en remuant sans arrêt jusqu'à ce que la crème épaississe. Retirez du feu, ajoutez la moitié du beurre en morceaux et remuez jusqu'à refroidissement complet du mélange.
3 Travaillez en crème le reste de beurre, puis ajoutez-le à la crème refroidie avec 1 c. à soupe de kirsch. Faites raffermir cette crème en la mettant au réfrigérateur pendant 15 min environ.
4 Préparez un sirop en mélangeant 30 g de sucre semoule, 10 cl d'eau et 5 cl de kirsch. Coupez la génoise horizontalement et imbibez chaque abaisse avec le sirop au kirsch. Lavez et équeutez les fraises.
5 Posez une abaisse de génoise dans un plat rond, face coupée dessus. Rangez-y les fraises, debout, bien serrées les unes contre les autres. Réservez 1 grosse fraise bien rouge. Recouvrez-les d'une épaisse couche de crème mais sans masquer les fraises du pourtour.
6 Couvrez avec la seconde abaisse de génoise imbibée, face coupée dessous. Poudrez de sucre glace, placez au centre la fraise réservée et gardez au frais jusqu'au service.

Mousse glacée à la fraise

Pour **4 personnes**
Préparation **25 min**
Pas de cuisson
Prise au froid **3 h**

4 feuilles de gélatine ◆ 400 g de fraises mûres ◆ 1 citron ◆ 3 c. à soupe d'édulcorant en poudre ◆ 400 g de fromage blanc à 0 % ◆ 2 blancs d'œufs ◆ feuilles de menthe fraîche

1 Mettez la gélatine à ramollir dans un grand bol d'eau froide. Lavez rapidement les fraises, équeutez-les et réduisez-les en purée au mixer avec 2 ou 3 c. à soupe de jus de citron puis l'édulcorant en poudre.
2 Égouttez la gélatine, mettez-la dans une petite casserole et ajoutez 3 c. à soupe de purée de fraise. Faites chauffer en remuant pour dissoudre complètement la gélatine. Réservez.
3 Mélangez dans une terrine la gélatine fondue, toute la purée de fraise et le fromage blanc.
4 Battez les blancs d'œufs en neige ferme et incorporez-les à la mousse de fraises. Versez le tout dans une coupe en verre et mettez-la dans le réfrigérateur pendant 3 heures.
5 Servez les portions moulées en quenelles décorées d'un petit bouquet de menthe.

Vous pouvez remplacer pour le décor, les feuilles de menthe par du basilic bien frais et compléter la garniture par quelques lamelles de pêches jaunes pelées disposées en éventail.

Tarte aux fraises

Pour **6 personnes**
Préparation **10 min**
Repos **30 min**
Cuisson **10 min**

200 g de farine ◆ 100 g de beurre ◆ 100 g de sucre semoule ◆ 800 g de fraises ◆ sel fin

1 Versez la farine dans une terrine avec 1/2 c. à café de sel fin. Mélangez et faites une fontaine. Ajoutez le beurre en parcelles et en effritant celles-ci du bout des doigts avec la farine pour former une pâte sablée.
2 Incorporez 75 g de sucre puis assez d'eau pour obtenir une boule de pâte souple. Laissez reposer 30 min.
3 Lavez et équeutez les fraises. Prélevez-en 12. Réduisez-les en purée en y ajoutant le reste de sucre et réservez.
4 Abaissez la pâte et garnissez-en un moule à tarte de 26-28 cm de diamètre. Piquez le fond à la fourchette. Faites cuire ce fond de tarte dans le four à 200 °C pendant 10 min.
5 Pendant ce temps, faites tiédir doucement la purée de fraises.
6 Sortez le fond de tarte du four et garnissez-le avec les fraises fraîches. Nappez avec la purée de fraises tiède et servez.

Avec des fraises très parfumées, la tarte n'a pas besoin d'autre garniture, mais vous pouvez aussi napper la croûte sablée de crème pâtissière avant d'y ranger les fruits.

→ **autres recettes de** fraise **à l'index**

fraise des bois

→ **voir aussi** fraise, fruits rouges

Très parfumées, juteuses, mais très chères, les fraises des bois sauvages surpassent en saveur les variétés cultivées, souvent plus grosses. Elles se prêtent à toutes les préparations de la fraise de culture, mais elles sont incomparables servies nature, de juillet à septembre.

framboise

→ **voir aussi** fontainebleau, fruits rouges, soufflé

Rouge plus ou moins foncé, ce fruit apparaît sur le marché à la mi-avril sans avoir encore sa pleine saveur. Fruit de dessert par excellence, elle se mange nature, avec du sucre ou de la crème fraîche.

La framboise qui se vend de la mi-juin à octobre, cultivée en pleine terre, est délicieuse quand elle est bien mûre et odorante. Celle d'automne, très grosse et rouge foncé, risque d'être fade malgré son bel aspect. Il existe aussi des framboises « blanches » très rares. La framboise est un fruit très fragile qui se conserve mal. Elle doit être consommée immédiatement. Elle se congèle bien, mais plutôt réduite en purée, car elle devient molle une fois décongelée. Réservez-la alors à la préparation de mousses, de coulis, de bavarois, etc.

Diététique. Fruit peu calorique (100 g = 40 kcal) et riche en fibres.

Meringues glacées

Pour **6 personnes**
Préparation **15 min**
Pas de cuisson
Congélation **4 h**

400 g de framboises ◆ 200 g de petites fraises des bois ◆ 150 g de sucre glace ◆ 100 g de crème fraîche ◆ 12 coques de meringue allongées

1 Réduisez en purée au mixer 300 g de framboises et toutes les fraises. Ajoutez le sucre glace et la crème fraîche sans la fouetter.
2 Mettez cette préparation à congeler dans le compartiment à glace du réfrigérateur.
3 Lorsque la glace est prise, découpez-la en 6 portions. Placez chaque portion de glace entre 2 coques de meringue et pressez légèrement celles-ci pour les faire adhérer.
4 Disposez les meringues glacées dans des caissettes en papier plissé.
5 Décorez la tranche avec le restant de framboises et servez aussitôt.

Commandez à l'avance chez votre pâtissier des coques en meringue rectangulaires à fond plat qui seront faciles à garnir. Prenez-les de préférence blanches, mais vous pouvez aussi les choisir roses.

Meringues glacées ▼

À la saison des fraises des bois, n'hésitez pas à choisir ces délicieux petits fruits rouges dont le parfum se marie parfaitement à celui des framboises. Vous pouvez aussi varier avec des groseilles.

Parfait aux framboises

RECETTE LÉGÈRE 1 portion 290 kcal

Pour **6 personnes**
Préparation **20 min, 2 h à l'avance**
Pas de cuisson

800 g de framboises ◆ 10 cl de crème fraîche ◆ 120 g de fromage blanc épais ◆ 250 g de sucre glace

1 Écrasez en purée 600 g de framboises dans une jatte. Ajoutez la crème et le fromage blanc. Mélangez puis incorporez le sucre glace.
2 Battez le mélange au fouet pendant 2 min pour le rendre mousseux. Versez-le dans 2 bacs à glaçons et placez-les dans le compartiment à glace du réfrigérateur.
3 Laissez prendre au froid pendant environ 2 h en évitant d'ouvrir trop souvent la porte.
4 Pour démouler, plongez les bacs 20 secondes dans de l'eau froide et renversez-les l'un sur l'autre sur un plat de service long, bien froid. Décorez avec le reste des framboises entières.

➜ **autres recettes de framboise à l'index**

frangipane

Crème pâtissière à laquelle on incorpore en général des amandes en poudre, la frangipane sert surtout à garnir des fonds de tarte, à fourrer des gâteaux feuilletés : galette des rois, pithiviers, dartois. Utilisez-la aussi pour fourrer des crêpes. Elle est plus légère si l'on remplace les amandes en poudre par des macarons finement écrasés.

Crème frangipane

Pour **1 l de crème**
Préparation **10 min**
Cuisson **15 min environ**

1 l de lait ◆ 1 sachet de sucre vanillé ◆ 120 g d'amandes mondées ◆ 50 g de beurre ◆ 2 œufs entiers ◆ 3 jaunes d'œufs ◆ 150 g de sucre semoule ◆ 125 g de farine ◆ sel

1 Versez le lait dans une casserole avec le sucre vanillé. Faites chauffer. Par ailleurs, pilez finement les amandes.
2 Faites ramollir le beurre. Battez les œufs entiers avec les jaunes d'œufs dans une terrine. Ajoutez le sucre et 1 pincée de sel. Fouettez bien jusqu'à ce que le mélange blanchisse.
3 Incorporez la farine au mélange œufs-sucre, puis versez le lait bouillant sans cesser de remuer.
4 Reversez cette préparation dans la casserole et faites cuire sur feu doux jusqu'aux premiers bouillons. Retirez du feu. Incorporez alors le beurre ramolli et les amandes pilées. Mélangez intimement.
5 Poudrez la crème encore chaude d'un peu de sucre semoule pour éviter la formation d'une peau pendant qu'elle refroidit.

friand

Servi en hors-d'œuvre chaud, le friand est un petit pâté feuilleté fourré de viande hachée, de chair à saucisse, d'une chipolata ou de jambon et de fromage râpé. Servez-le à la sortie du four.

Le friand est aussi un petit gâteau aux amandes et aux blancs d'œufs en forme de barquette ou de rectangle arrondi.

Friand à la viande

Pour **4 ou 5 personnes**
Préparation **20 min**
Cuisson **40 min**

1 échalote ◆ 250 g d'échine de porc désossée ◆ 250 g d'épaule de veau ◆ 150 g de jambon cuit ◆ 100 g de lard gras ◆ persil haché ◆ thym ◆ laurier ◆ cognac ◆ 250 g de pâte feuilletée ◆ 1 œuf ◆ sel ◆ poivre

1 Pelez et hachez l'échalote. Hachez finement toutes les viandes et mélangez-les intimement dans une terrine. Ajoutez l'échalote, 2 c. à soupe de persil haché, 1 c. à café de thym séché, 1/2 feuille de laurier émiettée, 1 petit verre de cognac, du sel et du poivre. Laissez reposer.
2 Abaissez la pâte feuilletée en forme de rectangle sur 4 mm d'épaisseur. Façonnez ensuite la farce en un gros boudin et posez celui-ci sur le rectangle de pâte.
3 Cassez l'œuf dans un bol et fouettez-le à la fourchette. Badigeonnez d'œuf battu le pourtour de la pâte. Remontez-la pour envelopper la farce comme un paquet, aux 2 extrémités et sur

le dessus, en rabattant les bords. Soudez en pinçant et dorez à l'œuf.
4 Fendez le dessus en 4 ou 5 endroits avec la lame d'un couteau pour laisser échapper la vapeur. Posez le friand sur la tôle du four légèrement humidifiée.
5 Faites cuire 30 min à 250 °C puis baissez la température du four à 190 °C et poursuivez la cuisson pendant 10 min. Servez chaud, en coupant le friand en parts égales.

Vous pouvez aussi confectionner des petits friands individuels, mais la préparation est un peu plus longue.

Si vous avez un reste de jambon ou de blanc de volaille, n'hésitez pas à l'incorporer à la farce.

fribourg

Ce fromage suisse compte parmi les meilleurs gruyères. Sa pâte cuite jaune doré ne présente pas de trous. Sa saveur est fine, fruitée et noisetée. Dégustez-le avec un vin blanc suisse. En cuisine, il apporte davantage de saveur que l'emmental. Utilisez-le notamment pour la fondue au fromage.
Diététique. Fromage riche : 100 g = 390 kcal.

Fricadelles aux tomates ▲
Recette idéale pour utiliser un reste de viande, les fricadelles permettent même de mélanger du bœuf et du veau rôtis ou bouillis, du bœuf et du porc ou encore du porc et de la volaille.

fricadelle

→ voir aussi **boulette**

Les fricadelles sont des boulettes de viande hachée (bœuf, porc ou veau), à faire poêler ou à cuire en ragoût, par exemple mijotées à la bière et garnies de pâtes fraîches. Servez-les avec une sauce tomate ou au paprika, du riz ou une purée de légumes.

Fricadelles aux tomates

Pour **4 personnes**
Préparation **30 min**
Cuisson **10 min environ**

1 petit pain ◆ 1 oignon ◆ 1 bouquet de ciboulette ◆ 500 g de viande hachée (bœuf, ou bœuf et porc) ◆ 1 œuf ◆ 5 tomates mûres ◆ 8 feuilles de menthe fraîche ◆ huile ◆ vinaigre ◆ moutarde ◆ 25 g de margarine ◆ ketchup ◆ sel ◆ poivre

1 Faites tremper le petit pain 5 à 6 min dans 25 cl d'eau tiède. Égouttez-le et essorez-le. Pelez et hachez l'oignon. Hachez la ciboulette.
2 Réunissez dans une terrine la viande hachée et l'oignon. Incorporez l'œuf, puis le pain émietté et la ciboulette. Salez et poivrez.
3 Malaxez la farce 2 min. Mouillez vos mains et façonnez 8 boulettes égales. Aplatissez-les légèrement et laissez-les reposer 10 min.
4 Pendant ce temps, lavez les tomates, essuyez-les et coupez-les en rondelles. Préparez une vinaigrette bien relevée avec 4 c. à soupe d'huile, 2 de vinaigre et 1 c. à café de moutarde. Salez et poivrez. Assaisonnez les tomates.
5 Faites fondre la margarine dans une poêle et mettez-y à rissoler les fricadelles 4 à 5 min de chaque côté. Répartissez la salade de tomates dans les assiettes, ajoutez aussitôt les fricadelles en comptant 2 par personne. Nappez-les d'un peu de ketchup et ajoutez les feuilles de menthe fraîchement ciselées.

fricandeau

Cette épaisse tranche de veau est taillée dans le quasi, l'épaule ou la sous-noix. Le fricandeau se fait cuire très longtemps et très doucement dans un mélange de vin blanc et d'eau avec des aromates. Demandez à votre boucher de le larder.

Vous pouvez aussi le déguster froid : faites-le cuire dans ce cas avec un pied de veau pour que la sauce prenne en gelée.

Fricandeau de veau au jus

Pour **4 personnes**
Préparation **25 min**
Cuisson **2 h environ**

1 tranche de noix de veau de 4 cm d'épaisseur ◆ 2 carottes ◆ 2 oignons ◆ 35 g de beurre ◆ 1/2 pied de veau désossé et blanchi ◆ 1 bouquet garni ◆ 50 cl de vin blanc ◆ 30 cl de bouillon de viande ◆ huile ◆ concentré de tomates ◆ sel ◆ poivre

1 Demandez au boucher de piquer le fricandeau avec des petits dés de lard gras. Pelez et émincez les carottes et les oignons.
2 Faites fondre 15 g de beurre avec 1 c. à soupe d'huile dans une grande poêle. Mettez-y à dorer le fricandeau 2 min sur chaque face. Égouttez-le.
3 Faites fondre le reste de beurre dans une cocotte. Mettez-y les oignons et les carottes à revenir. Posez le fricandeau, ajoutez le demi-pied de veau en morceaux et le bouquet garni.
4 Mouillez avec le vin blanc. Salez et poivrez. Couvrez et portez à ébullition. Faites cuire au four à 180 °C pendant 1 h.
5 Sortez la cocotte du four et ajoutez le bouillon additionné de 1 c. à soupe de concentré de tomates. Portez à ébullition puis couvrez et remettez dans le four à 180 °C pendant 1 h.
6 Égouttez le fricandeau et mettez-le dans un plat de service allant au four. Jetez le bouquet garni et faites réduire la cuisson sur feu vif jusqu'à ce qu'elle soit sirupeuse. Nappez-en le fricandeau et remettez dans le four 5 min. Servez le reste de jus en saucière.

Garniture : servez une fondue d'oseille ou des épinards en branche cuits au beurre.

Boisson chablis

fricassée

Ce sont surtout l'agneau, le veau et la volaille que l'on fait cuire en fricassée : la viande est coupée en morceaux qui sont d'abord sautés au beurre, poudrés de farine, puis mijotés dans un liquide avec des aromates.

La crème, les petits oignons et les champignons complètent généralement la fricassée. Servez-la de préférence dans son plat de cuisson.

Le terme de fricassée s'emploie aussi pour toutes sortes de préparations rapidement sautées à la poêle et cuisinées avec des aromates : champignons sauvages, petits poissons, cailles ou même coquillages ou crustacés.

Fricassée de veau au citron

Pour **4 personnes**
Préparation **5 min**
Cuisson **1 h 15 environ**

300 g de flanchet ◆ 400 g d'épaule de veau ◆ 1 citron ◆ 50 g de beurre ◆ 2 jaunes d'œufs ◆ 3 c. à soupe de crème fraîche ◆ persil plat haché ◆ sel ◆ poivre

1 Coupez les viandes en morceaux de 4 cm de côté environ. Râpez finement le zeste du citron et pressez le jus. Faites fondre le beurre dans une casserole à fond épais.
2 Ajoutez les morceaux de viande et faites-les revenir sur feu doux sans les laisser trop colorer. Poudrez avec 1 c. à soupe de zeste de citron. Salez, poivrez et mélangez.
3 Couvrez d'eau chaude à hauteur et posez un couvercle sur la casserole. Faites cuire doucement pendant 1 h. La viande doit être bien tendre. Rajoutez un peu d'eau chaude pendant la cuisson si elle s'évapore trop vite.
4 Égouttez les morceaux de viande et versez-les dans un plat creux bien chaud.
5 Faites réduire la sauce sur feu vif. Battez les jaunes d'œufs dans un bol avec la crème fraîche, 2 c. à soupe de jus de citron et 1 c. à soupe de persil haché. Salez et poivrez.
6 Versez ce mélange dans la cocotte et faites cuire sur feu doux en mélangeant pendant 2 min sans laisser bouillir.
7 Lorsque la sauce est bien onctueuse, versez-la sur la viande, remuez et servez aussitôt.

Cette fricassée se sert avec du riz à la créole, une purée de carottes gratinée ou des endives braisées.

Boisson côtes-du-rhône

Fricassée de volaille à l'oignon

Pour 4 personnes
Préparation 15 min
Cuisson 30 min environ

1 poulet de grain de 1,5 kg ◆ 4 oignons rouges ou jaunes ◆ 1 tranche de jambon de Bayonne de 100 g ◆ 15 g de beurre ◆ 2 c. à soupe de cognac ou d'armagnac ◆ 20 cl de vin blanc sec ◆ huile ◆ sel ◆ poivre

1 Coupez le poulet en morceaux, salez et poivrez. Pelez et émincez les oignons. Taillez le jambon en languettes.
2 Faites chauffer le beurre et 1 c. à soupe d'huile dans une cocotte. Mettez-y à dorer les morceaux de poulet en les retournant plusieurs fois puis repoussez-les sur les côtés. Ajoutez les oignons émincés et remuez-les dans la matière grasse pendant 2 min. Préchauffez le four à 220 °C.
3 Ajoutez les languettes de jambon et arrosez avec le cognac ou l'armagnac. Mélangez doucement avec une cuiller en bois pendant 2 min, salez très modérément et poivrez.
4 Versez le vin blanc, couvrez et faites chauffer sur feu moyen pendant 15 min.
5 Glissez la cocotte dans le four pendant encore 10 à 12 min. Servez directement dans la cocotte.

Pour bien parfumer cette fricassée de volaille, ajoutez à volonté ciboulette ou persil haché.

Servez avec des courgettes sautées ou des champignons rissolés.

frite

→ voir aussi pomme de terre

La « vraie » frite est un bâtonnet de pomme de terre de 1 cm de section saisi dans un bain d'huile. Les frites classiques portent le nom de pommes Pont-Neuf. Les pommes soufflées, en rondelles, sont une variante délicieuse.

Pour réussir des frites dorées et croustillantes, lavez-les et épongez-les à fond, puis faites-les cuire en deux fois, d'abord pour les saisir, ensuite pour les colorer. Procédez par petites quantités pour que la température de la friture ne baisse pas quand vous y plongez les frites.

Diététique. Attention : 100 g de frites = 400 kcal. Elles prennent 10 % de leur poids en graisse.

Pommes Pont-Neuf

Pour 2 personnes
Préparation 15 min
Cuisson 10 min

500 g de pommes de terre bintje ◆ huile d'arachide ou graisse végétale ◆ sel

1 Pelez les pommes de terre et coupez-les dans la longueur en tranches de 1 cm d'épaisseur. Recoupez chaque tranche en bâtonnets de 1 cm. Lavez-les en les frottant entre vos mains, épongez-les à fond dans un torchon. Vous éviterez ainsi les projections d'huile.
2 Faites chauffer suffisamment d'huile d'arachide (ou faites fondre de la graisse végétale) dans une bassine ou une grande casserole à fond épais pour recouvrir largement une bonne vingtaine de frites.
3 La température de l'huile doit être de 180 °C : trempez une frite crue dans le bain et, si elle grésille aussitôt, il est à bonne température.
4 Plongez un panier à friture dans le bain pour le chauffer pendant quelques secondes, sortez-le et mettez-y une poignée de frites. Remettez dans la friture. Laissez 6 ou 7 min en laissant grésiller légèrement.
5 Retirez le panier à friture du bain puis faites frire ainsi toutes les frites par petites quantités.
6 Faites cuire les frites une seconde fois pendant 3 à 4 min. Égouttez-les sur du papier absorbant. Salez-les et servez-les aussitôt.

Une garniture classique pour l'entrecôte, le steak ou le tournedos, mais aussi les andouillettes et les moules marinière.

Variante : pour réaliser des pommes paille, coupez très finement les pommes de terre (comme des allumettes) à l'aide d'un couteau bien aiguisé ou d'un robot. Faites-les frire pendant 2 ou 3 min. Égouttez les pommes paille quand elles sont bien dorées.

Pommes soufflées

Pour **4 personnes**
Préparation **25 min**
Cuisson **15 min environ**

1 kg de grosses pommes de terre B.F. 15 ◆ huile d'arachide ◆ sel fin

1 Pelez et lavez les pommes de terre. Épongez-les. Taillez-les en tranches de 3 mm. Lavez-les et épongez-les à nouveau.
2 Faites chauffer un bain d'huile à 150 °C seulement. Plongez les rondelles de pommes de terre dedans et laissez-les cuire pendant 8 min. Égouttez-les sur du papier absorbant et laissez-les refroidir.
3 Faites chauffer à nouveau le bain d'huile à 175 °C et plongez-y les pommes de terre. Laissez-les bien gonfler et dorer pendant 3 à 4 min, puis égouttez-les sur du papier absorbant. Servez-les poudrées de sel fin.

Cette sorte de frites en forme de petits coussinets accompagne parfaitement les rôtis, la volaille et le gibier.

fromages de chèvre

« Pur chèvre » ou « mi-chèvre », ces fromages sont à pâte molle ou à croûte fleurie ou naturelle. Sous une croûte dure et sèche, les pâtes cuites sont fermes et compactes avec des trous plus ou moins gros. Les pâtes pressées, à la fois fermes et souples, ont une saveur douce qui gagne en fruité si les fromages sont bien affinés.

fromage

➜ voir aussi aligot, allumette, amuse-gueule, chèvre, demi-sel, fondue, fromage blanc, gougère, lait, soufflé

Fabriqué avec du lait caillé, égoutté, salé (parfois cuit) et affiné, le fromage se consomme nature en fin de repas ; il s'utilise aussi en cuisine et même en pâtisserie. Selon la méthode de fabrication, les fromages sont classés en 7 familles : pâtes molles à croûte fleurie (camembert, brie) ou à croûte lavée (munster, livarot) ; pâtes persillées, ou bleus (roquefort, fourmes) ; pâtes pressées non cuites (cantal, gouda, saint-paulin) ou cuites (gruyère, comté, emmental) ; fromages de chèvre et de brebis ; fromages fondus (crème de gruyère).

Un fromage fermier de bonne fabrication artisanale est en général meilleur qu'un fromage laitier industriel. Si vous choisissez ce dernier, préférez un fromage au lait cru plutôt que pasteurisé. Il existe en France au moins 37 fromages protégés par une appellation d'origine, dont le chaource, le camembert de Normandie, le brie de Meaux, le reblochon, le maroilles, le saint-nectaire, le beaufort, le roquefort, le crottin de Chavignol, etc.

Demandez conseil à votre fromager pour choisir le fromage en fonction du calendrier : sauf le vacherin, fromage d'hiver, et la majorité des chèvres à savourer en été, il existe pour chaque mois de quoi composer un plateau équilibré. C'est en général en automne et au début de l'hiver que l'assortiment est le plus satisfaisant.

N'achetez jamais trop de fromages à l'avance. Choisissez-les à point, ou presque, et consommez-les dans les deux ou trois jours. Ce sont les bleus et

pâtes cuites

le roquefort qui craignent le plus le grand froid. Les pâtes cuites peuvent se conserver dans le bac à légumes du réfrigérateur, emballées séparément et hermétiquement. Sortez-les 1 h avant de les consommer. Les pâtes molles et les chèvres gagnent à être tenus au frais.

Les fromages se consomment après ou avec la salade ; ils se servent sur un plateau dont la matière ne risque pas de leur donner un goût, éventuellement avec du beurre et un assortiment de pains (de campagne, de seigle, voire des crackers). Le vin reste le meilleur accompagnement du fromage (vins rouges et légers avec les pâtes molles à croûte fleurie, les chèvres et les pâtes pressées ; vins corsés avec les pâtes molles à croûte lavée et les pâtes persillées ; vin blanc sec et fruité avec les chèvres, etc.).

Diététique. Excellents aliments à consommer en alternance avec des fromages frais et du yaourt, les fromages sont néanmoins interdits dans les régimes sans sel. La valeur nutritionnelle varie selon la famille : 30 g de pâte molle = 110 kcal ; de pâte persillée = 160 à 200 kcal ; de pâte pressée = 200 à 250 kcal ; de fromage fondu = 90 kcal. Attention au taux de matière grasse porté sur l'étiquette : il est calculé par rapport à l'extrait sec. Plus un fromage est dense, plus il est gras ; plus il est riche en eau, moins il est gras. Dans 100 g de camembert à 45 %, il y a en réalité 20 g de lipides ; il y en a 30 dans 100 g de gruyère, 15 à 25 dans 100 g de chèvre, 33 dans 100 g de bleu. La teneur en calcium, quant à elle, varie de 140 à 1 100 mg pour 100 g de fromage : les pâtes pressées cuites en contiennent le plus (150 mg dans le camembert et 1 090 mg dans le gruyère).

pâtes pressées

fromage blanc

→ voir aussi **broccio, cottage cheese, dip, faisselle, feta, fontainebleau, fromage, ricotta**

Le lait caillé simplement égoutté donne une pâte blanche plus ou moins ferme : le fromage blanc. Il présente une texture molle, onctueuse, mousseuse ou granuleuse selon sa fabrication. Le fromage blanc, classique ou allégé, vendu en pot, en barquette ou en faisselle, se sert surtout en dessert, avec des fruits frais, au sirop ou en compote. On l'utilise aussi en cuisine comme le yaourt, dans des sauces, des gratins, pour des hors-d'œuvre froids, etc.

Ne confondez pas le fromage blanc et le fromage « frais », dont la tenue est toujours plus ferme, car il est égoutté plus longtemps. Il est aussi souvent aromatisé (ail et fines herbes, poivre...). Choisissez du fromage frais nature pour les recettes de gâteau. Il peut aussi accompagner des pommes de terre en robe des champs.

Le fromage blanc permet d'alléger la cuisine en matières grasses en remplaçant partiellement la crème fraîche dans des plats, des farces de légumes et de poissons, ou l'huile dans des sauces de salade.

Diététique. Pensez au fromage blanc à 0 % de matières grasses en cas de « petit creux » : avec une portion de 100 g, vous serez rassasié, tout en absorbant des protéines de bonne qualité.

Fromage blanc aux poires

Pour **4 personnes**
Préparation **15 min, 1 h à l'avance**
Pas de cuisson

1 grande boîte de poires au sirop ◆ 1/2 citron ◆ 250 g de fromage blanc ◆ 100 g de sucre semoule ◆ 60 g de fruits confits hachés ◆ 2 c. à soupe de crème liquide ◆ cannelle en poudre

1 Ouvrez la boîte et égouttez les poires à fond. Arrosez-les de jus de citron et passez-les au mixer rapidement. Réservez au frais.

2 Battez au fouet dans une jatte le fromage blanc, le sucre semoule et les fruits confits. Fouettez rapidement la crème liquide bien froide en chantilly et incorporez-la au mélange.

3 Répartissez la purée de poires dans des coupes de service, ajoutez par-dessus le fromage blanc aux fruits confits, poudrez de cannelle au goût et remettez au frais jusqu'au moment de servir.

Gâteau au fromage blanc

Pour 8 personnes
Préparation 35 min, 2 h à l'avance
Cuisson 40 min

500 g de fromage blanc en faisselle ◆ 1 citron ◆ 350 g de farine ◆ 200 g de sucre semoule ◆ 1 sachet de levure ◆ 180 g de beurre ◆ 5 œufs ◆ 10 cl de vin blanc ◆ 1 sachet de sucre vanillé ◆ 150 g d'abricots secs ◆ sel

1 Versez le fromage blanc dans une passoire tapissée d'une mousseline et laissez-le s'égoutter au moins 2 h. Râpez finement le zeste du citron.
2 Versez la farine en tas sur le plan de travail et faites-y une fontaine. Ajoutez 160 g de sucre, 1 pincée de sel, la levure, le zeste râpé, 150 g de beurre et 2 jaunes d'œufs.
3 Incorporez les ingrédients et travaillez la pâte jusqu'à ce que toute la farine soit absorbée. Ajoutez alors le vin blanc pour assouplir la pâte.
4 Abaissez-la sur 3 mm d'épaisseur et partagez-la en 2. Garnissez un moule à manqué beurré et fariné avec la moitié de la pâte.
5 Mélangez dans une jatte le fromage blanc bien égoutté, le reste de sucre semoule, le sucre vanillé, 3 œufs entiers et les abricots secs hachés.
6 Versez ce mélange sur le fond de pâte et lissez le dessus. Placez sur l'ensemble le reste de la pâte après avoir humecté les bords que vous souderez en retirant l'excédent de pâte.
7 Faites cuire pendant 40 min environ à 160 °C. Retirez du four et laissez tiédir. Démoulez le gâteau et servez-le refroidi.

Sauce au fromage blanc

Pour 4 personnes
Préparation 10 min
Pas de cuisson

2 petits-suisses ◆ 5 c. à soupe de fromage blanc lisse ◆ 50 g de roquefort ◆ cognac ◆ vinaigre de vin blanc ◆ sel ◆ poivre ◆ poivre de Cayenne

1 Écrasez les petits-suisses et ajoutez-leur le fromage blanc. Mélangez.
2 Émiettez le roquefort en lui ajoutant 1 c. à soupe de cognac et quelques gouttes de vinaigre. Salez modérément et poivrez. Ajoutez 1 pincée de cayenne.
3 Mélangez les 2 préparations et passez rapidement au mixer. Cette sauce se marie bien avec des pommes de terre en robe des champs ou un assortiment de crudités.

Si vous n'aimez pas le goût du fromage, voici une autre formule : mélangez 2 petits-suisses, 6 c. à soupe de fromage blanc lisse, 3 c. à soupe de ketchup, 1 trait de tabasco et 1 c. à café de Worcestershire sauce. Salez et poivrez. Servez comme la sauce au fromage blanc, avec des grosses crevettes, par exemple.

Tarte au fromage blanc

Pour 6 personnes
Préparation 25 min
Cuisson 30 min

RECETTE LÉGÈRE — 1 portion 210 kcal

100 g de farine ◆ 50 g de beurre ◆ 1 feuille de gélatine ◆ 1 orange non traitée ◆ 2 petits œufs ◆ 200 g de fromage blanc à 20 % ◆ édulcorant en poudre ◆ sel fin

1 Mélangez la farine et le beurre en parcelles. Ajoutez 1 pincée de sel et juste assez d'eau froide pour amalgamer le tout. Réservez la boule de pâte au frais dans du film alimentaire. Faites ramollir la gélatine dans un bol d'eau tiède.
2 Râpez le zeste de l'orange. Pressez son jus dans une casserole en éliminant les pépins, ajoutez la gélatine essorée et faites chauffer.
3 Cassez les œufs en séparant les jaunes des blancs. Fouettez les jaunes avec 2 c. à soupe d'édulcorant puis incorporez le fromage blanc et le zeste d'orange. Mélangez en ajoutant enfin la gélatine fondue dans le jus d'orange.
4 Étalez la pâte et garnissez-en un moule. Piquez le fond et remplissez-le de légumes secs. Faites-la cuire à blanc 12 min dans le four préchauffé à 200 °C.
5 Montez les blancs en neige ferme et ajoutez-les à la préparation au fromage blanc. Garnissez le fond de tarte et enfournez pour 15 min à 180 °C. Servez froid.

→ **autres recettes de fromage blanc à l'index**

Gâteau au fromage blanc ►
À la fois moelleux et fruité, ce gâteau au fromage blanc peut aussi se réaliser avec un mélange de fruits confits ou des raisins secs.

fromage de tête

Ce produit de charcuterie est composé de morceaux de tête de porc (sauf la cervelle) désossés, avec parfois ajout de morceaux riches en matière tendineuse (jambonneau, par exemple), additionnés de gelée et cuits avec des aromates et des fines herbes. Moulé dans une terrine, le fromage de tête se coupe en tranches épaisses et se sert en entrée froide. On l'appelle aussi « pâté de tête » ou « fromage de cochon ».

Salade de fromage de tête

Pour **4 personnes**
Préparation **25 min**
Cuisson **2 min**

200 g de chicorée frisée • 4 échalotes • 1 bouquet de fines herbes mélangées (cerfeuil, persil et ciboulette) • 12 tomates cerises • 150 g de fromage de tête • 120 g de lard de poitrine fumée • huile de tournesol • moutarde • vinaigre de vin blanc • sel • poivre au moulin

1 Lavez la chicorée et effeuillez-la en petites bouchées. Pelez et hachez les échalotes le plus finement possible. Ciselez toutes les fines herbes. Lavez et essuyez les tomates.
2 Coupez le fromage de tête en petits cubes. Taillez le lard maigre en languettes et faites-les rissoler dans une poêle sans matière grasse. Épongez-les.
3 Préparez une vinaigrette relevée avec 4 c. à soupe d'huile, 2 c. à café de moutarde et 2 c. à soupe de vinaigre. Salez et poivrez.
4 Assaisonnez la chicorée avec cette vinaigrette et répartissez-la dans des assiettes de service. Mélangez bien.
5 Ajoutez par-dessus les cubes de fromage de tête et les lardons encore chauds. Ajoutez les tomates en garniture et parsemez de fines herbes et d'échalotes. Servez aussitôt.

Si vous n'aimez pas le goût des échalotes crues, faites-les revenir dans la poêle sans matière grasse avec les lardons. On peut également les supprimer et ajouter en revanche un petit œuf poché juste tiède.

Boisson **bière ou vin blanc sec**

fruits

→ voir aussi **chutney, confiture, gelée, glace, gratin, macédoine, marmelade, pâte de fruits, sauce, sorbet, tarte**

fruits frais Produits par de nombreux végétaux dans le monde entier, les fruits se différencient par la forme, le goût et la saison : agrumes en hiver, petits fruits rouges en été, figues et raisin en automne, etc. Certains très courants sont disponibles toute l'année (pomme, orange, banane). La plupart des fruits sont normalisés : catégorie extra (étiquette rouge), 1 (verte), 2 (jaune) et 3 (grise). C'est à pleine maturité qu'un fruit offre les meilleures qualités gustatives et nutritives. Pour peler, couper ou cuire des fruits, utilisez des ustensiles non oxydables.

fruits secs Les fruits secs n'ont pas de pulpe et sont enveloppés d'une coque : amandes, noix, noisettes, cacahuètes, pistaches, pignons de pin et noix de coco. Leurs emplois sont très variés en pâtisserie et en cuisine.

On qualifie également de « secs » des fruits qui en réalité sont séchés, c'est-à-dire déshydratés : raisins secs, dattes, pruneaux, abricots, bananes et figues, pommes ou poires en rondelles. Le four à micro-ondes est idéal pour les réhydrater, en évitant les longues heures de trempage : de 5 à 10 min avec 25 à 50 cl d'eau selon la taille et la quantité de fruits, puis un temps de repos de 15 à 30 min.

Diététique. La valeur nutritionnelle des fruits diffère d'une variété à l'autre : tous ne sont pas riches en vitamine C et certains sont très sucrés : 150 g de fruits (tous confondus) = 75 kcal ; 75 g de raisin, figue, banane = 300 g de melon, pastèque, fraises, framboises. Les fruits secs sont des oléagineux très riches en lipides. Les fruits séchés sont surtout des réserves de glucides.

Coupe de fruits frais

Pour **4 personnes**
Préparation **30 min**
Repos **3 h**
Pas de cuisson

2 pêches • 8 mirabelles • 200 g de fraises • 20 cerises juteuses • 100 g de groseilles • 100 g de cassis • cannelle en poudre • sucre semoule • cognac

1 Pelez les pêches, coupez-les en 2, retirez le noyau et coupez-les en grosses tranches. Mettez-les dans un saladier.

2 Dénoyautez les mirabelles et ajoutez-les aux pêches.
3 Lavez les fraises et équeutez-les. Lavez et équeutez les cerises, dénoyautez-les. Lavez et épongez les groseilles et le cassis.
4 Réunissez tous les fruits dans une coupe de service et poudrez-les de 2 ou 3 pincées de cannelle et de 80 à 100 g de sucre. Arrosez avec 6 ou 7 c. à soupe de cognac.
5 Mélangez délicatement et laissez macérer au frais pendant au moins 2 h. Mélangez à nouveau. Servez très frais.

Flaugnarde

Pour **6 personnes**
Préparation **20 min**
Cuisson **30 min**

8 pruneaux ◆ 100 g de raisins secs ◆ 4 abricots secs ◆ 4 œufs ◆ 100 g de sucre semoule ◆ 100 g de farine ◆ 1,5 l de lait ◆ 40 g de beurre ◆ rhum ◆ sel

1 Dénoyautez les pruneaux. Mettez-les dans une jatte avec les raisins secs et les abricots coupés en petits morceaux. Arrosez avec 10 cl de rhum. Laissez macérer.
2 Pendant ce temps, battez dans une terrine les œufs entiers et le sucre jusqu'à ce que le mélange soit bien mousseux.
3 Ajoutez la farine et 1 pincée de sel en mélangeant bien. Délayez avec le lait, toujours en remuant.
4 Incorporez les fruits secs avec le rhum. Beurrez généreusement un grand plat à gratin. Versez-y la pâte et parsemez le dessus de quelques noisettes de beurre.
5 Enfournez à mi-hauteur à 220 °C et laissez cuire 30 min. Servez tiède dans le plat de cuisson.

Fruits en papillotes

Pour **4 personnes**
Préparation **20 min, 30 min à l'avance**
Cuisson **15 min**

3 bananes ◆ 1 citron ◆ 2 oranges à peau fine ◆ 2 pommes ◆ 2 poires ◆ 4 abricots ◆ sucre semoule ◆ curaçao ou Grand Marnier

Fruits en papillotes ▲
Cet entremets peut se faire cuire très rapidement dans un four à micro-ondes (de 5 à 7 min), à condition d'utiliser du papier sulfurisé et des brochettes en bois.

1 Pelez les bananes et coupez-les en rondelles épaisses, mettez-les dans un saladier et citronnez-les. Pelez les oranges à vif et coupez les quartiers en morceaux réguliers. Ajoutez-les aux bananes.
2 Pelez les pommes et les poires, coupez-les en cubes et citronnez-les, ouvrez les abricots en 2 et retirez les noyaux. Ajoutez-les aux autres fruits. Mélangez délicatement, poudrez avec 3 à 4 c. à soupe de sucre et arrosez avec 4 c. à soupe d'alcool. Laissez macérer 30 min.
3 Confectionnez les brochettes en enfilant les fruits égouttés. Préchauffez le four à 250 °C. Posez chaque brochette sur une feuille d'aluminium et parsemez les morceaux de fruits de quelques parcelles de beurre.
4 Fermez les papillotes en tordant le papier aux 2 bouts. Disposez-les dans la lèchefrite du four et faites cuire 15 min. Servez.

Servez cet entremets avec des tranches de brioche tiède.

Gratin de pommes aux fruits secs

Pour **4 personnes**
Préparation **15 min**
Cuisson **10 min**

50 g de raisins secs ◆ 1 c. à soupe de pistaches ◆ 4 figues sèches ◆ 3 pommes ◆ 1 citron ◆ chapelure ◆ 20 g de beurre ◆ 2 c. à soupe d'amandes en poudre ◆ rhum ◆ cannelle en poudre

1 Mettez les raisins secs avec les pistaches et les figues grossièrement hachées dans une jatte. Arrosez avec un petit verre de rhum et laissez macérer.
2 Pelez les pommes et râpez-les grossièrement tout en les arrosant de jus de citron.
3 Mélangez dans une terrine la pulpe de pomme citronnée, les fruits secs égouttés et 4 c. à soupe de chapelure. Beurrez 4 petits plats à four en porcelaine à feu.
4 Répartissez la préparation dans les plats beurrés, saupoudrez d'une pincée de cannelle et parsemez d'amandes en poudre. Faites gratiner pendant 10 min dans le four à 200 °C. Servez tiède ou refroidi.

Riz aux fruits secs

Pour **4 personnes**
Préparation **15 min**
Cuisson **15 min**

250 g de riz basmati ou thaï ◆ 2 échalotes ◆ 60 g d'amandes mondées ◆ 60 g de pistaches ◆ 60 g de raisins secs ◆ 250 g de petits pois surgelés ◆ 2 œufs ◆ huile d'olive ◆ sel ◆ poivre ◆ paprika

1 Faites chauffer 1 c. à soupe d'huile dans une casserole. Pelez et émincez les échalotes et ajoutez-les dans la casserole, faites revenir en remuant, ajoutez le riz et remuez-le avec une cuiller en bois pendant 1 min.
2 Versez sur le riz 1 fois 1/2 son volume d'eau. Couvrez, réglez sur feu doux et mettez à cuire pour 10 à 15 min.
3 Après 5 min de cuisson, ajoutez les petits pois et les raisins secs. Poursuivez la cuisson à couvert. Lorsque l'eau est presque absorbée, incorporez les amandes mondées et les pistaches. Mélangez, salez et poivrez.
4 Battez rapidement les œufs en omelette avec une pincée de paprika et faites une omelette plate. Faites-la glisser sur une assiette et découpez-la en languettes.
5 Versez le riz aux fruits secs dans un plat, garnissez le dessus de languettes d'omelette au paprika et poivrez. Servez aussitôt.

fruits confits

→ **voir aussi** baba, cake, pudding

Conservés par cuisson dans du sucre, les fruits confits, entiers ou en morceaux, comprennent aussi l'angélique et les écorces d'agrumes. Gardez-les dans un bocal en verre ou une boîte en plastique à fermeture hermétique (jusqu'à 4 ou 5 mois à l'abri de la chaleur).

Les fruits confits se dégustent en friandises et s'utilisent en pâtisserie, incorporés à la pâte de certains gâteaux ou à des glaces.

◄ Gratin de pommes aux fruits secs

Pour ce dessert d'hiver rapide à préparer, n'hésitez pas à varier les ingrédients en prenant par exemple des abricots séchés et des noix de cajou.

Riz à l'impératrice

Pour **6 à 8 personnes**
Préparation **10 min, 24 h à l'avance**
Cuisson **45 min**

100 g de riz à grains ronds ◆ 70 cl de lait ◆ 100 g de sucre semoule ◆ 180 g de fruits confits ◆ 2 c. à soupe de kirsch ◆ 2 jaunes d'œufs ◆ 2 feuilles de gélatine ◆ 10 cl de crème fraîche

1 Lavez le riz, égouttez-le et plongez-le 3 min dans une casserole d'eau bouillante. Égouttez-le à nouveau.
2 Faites bouillir 50 cl de lait et jetez-y le riz. Baissez le feu, couvrez à demi et faites cuire sur feu très doux pendant 45 min.
3 Ajoutez 50 g de sucre en fin de cuisson, remuez et retirez du feu. Laissez refroidir.
4 Pendant la cuisson du riz, faites macérer les fruits confits en petits morceaux dans le kirsch. Préparez une crème anglaise avec 20 cl de lait, 2 jaunes d'œufs et 50 g de sucre *(voir page 220).*
5 Faites tremper la gélatine dans un peu d'eau froide puis ajoutez-la à la crème anglaise. Faites fondre sur feu doux et laissez refroidir.
6 Fouettez la crème fraîche. Mélangez le riz et la crème anglaise refroidie, incorporez les fruits confits macérés puis la crème fouettée.
7 Passez sous l'eau un moule à brioche côtelé et ne l'essuyez pas. Versez la préparation dedans. Tassez bien et mettez au réfrigérateur jusqu'au lendemain.
8 Mettez un plat de service au réfrigérateur 1 h avant de servir. Démoulez le riz à l'impératrice au milieu et servez froid.

Décorez ce délicieux entremets avec des cerises confites ou un assortiment de fruits rouges.

→ **autres recettes de fruits confits à l'index**

Bigarreaux déguisés

Pour **24 pièces**
Préparation **15 min**
Séchage **24 h**
Pas de cuisson

24 gros bigarreaux confits ◆ 200 g de pâte d'amandes jaune ◆ 150 g de sucre semoule ◆ 5 gouttes de jus de citron

1 Coupez les cerises en 2. Partagez la pâte d'amandes en 2, roulez-la en 2 boudins de 24 cm de long et coupez-les en tronçons de 2 cm. Pressez une moitié de cerise de chaque côté d'un tronçon. Laissez sécher pendant 12 h.
2 Versez 5 cl d'eau dans une casserole, ajoutez le sucre et faites bouillir pendant 3 min. Ajoutez le jus de citron et faites bouillir pendant 3 min. Trempez chaque fruit rapidement dans le sirop et laissez sécher 12 h dans des caissettes en papier.

Fraises déguisées

Pour **500 g de fraises**
Préparation **30 min**
Cuisson **3 min**

500 g de fraises mûres pas trop grosses ◆ 250 g de fondant tout prêt ◆ sucre glace ◆ colorant alimentaire rouge ◆ kirsch

1 Épongez les fraises si elles sont humides, laissez les queues. Poudrez un plateau en Inox de sucre glace. Mettez le fondant dans une casserole à fond épais et faites chauffer sur feu moyen en remuant.
2 Lorsque le fondant est tiède, ajoutez quelques gouttes de colorant et remuez. Incorporez ensuite 3 c. à café de kirsch.
3 Retirez la casserole du feu. Trempez chaque fraise l'une après l'autre dans le fondant. Laissez-les sécher au fur et à mesure sur le plateau. Servez sans tarder dans des caissettes en papier.

fruits déguisés

Ces friandises se confectionnent soit en enrobant de caramel des morceaux de fruits confits, des cerises à l'eau-de-vie ou des fruits entiers (grains de raisin, quartiers d'agrumes, etc.) ; soit en trempant dans du fondant des fruits à l'eau-de-vie, des fraises, des quartiers d'ananas ; soit en fourrant des fruits de pâte d'amandes (noix, dattes, pruneaux). Variez les couleurs et les parfums.

fruits de mer

On appelle ainsi certains coquillages et crustacés, présentés sur un plateau pour être dégustés crus ou utilisés dans une recette (salades, quiches, pâtes).

Diététique. Excellents aliments « minceur » riches en protéines et pauvres en lipides.

plateau de fruits de mer

Un trésor gourmand pour le plaisir de l'œil et des papilles. Repas entier à lui tout seul, complété par un dessert, le plateau de fruits de mer demande du faste. Il exige la diversité dans le choix et la qualité de la plus grande fraîcheur.

La composition du plateau

Quantités pour 1 personne
La reine du plateau est l'huître : 6 plates (belons) et 6 creuses (marennes). Disposez tout autour les autres coquillages : clams (3), praires (3) et palourdes (3), éventuellement moules et pétoncles. Bigorneaux (6) et bulots (4) leur font escorte, ainsi que les crevettes roses (4) ou grises (10), et les langoustines (2).

Vous pouvez aussi prévoir un demi-tourteau par personne. Le véritable amateur ne manquera pas d'apprécier quelques oursins. Faites cuire et refroidir les crustacés, ouvrez les coquillages en dernier. Disposez le tout sur un plateau garni de glace pilée avec un peu d'algues.

Ouvrir une huître

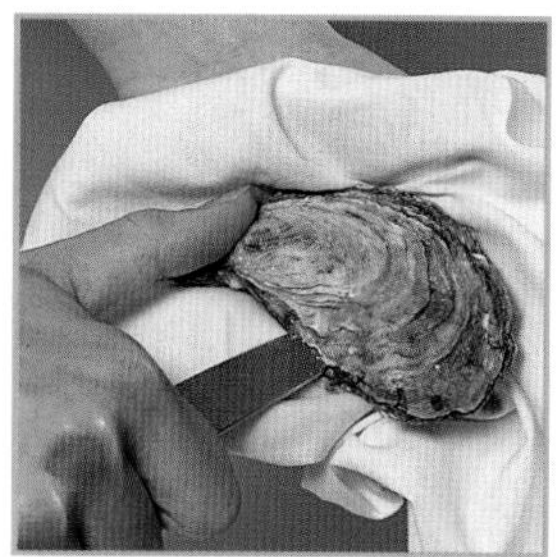

1 *Tenez l'huître côté plat dessus et glissez la lame entre les deux coquilles près de la charnière.*

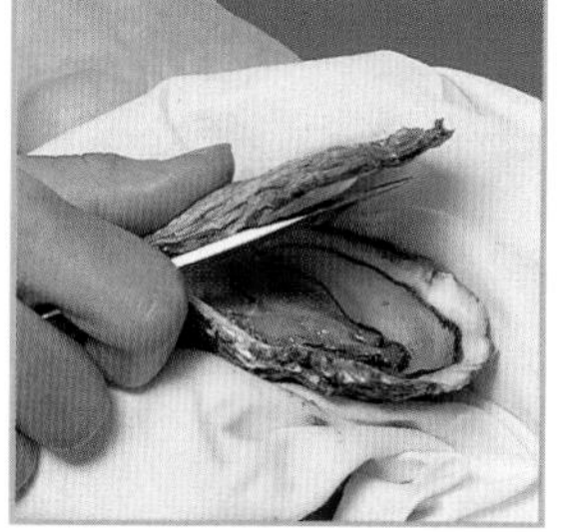

2 *Écartez les coquilles en faisant basculer la lame du couteau.*

Ouvrir un oursin

1 *Décalottez l'oursin en faisant une incision circulaire sur le dessus avec des ciseaux.*

2 *Détachez les langues de corail à l'aide d'une petite cuiller.*

Matériel et accessoires

Le plateau de fruits de mer ne demande aucune cuisine véritable, mais, pour sa préparation et sa dégustation, plusieurs petits outils sont indispensables. Choisissez un couteau à huîtres à lame d'acier pointue, courte et épaisse, protégée par une garde. La fourchette à huîtres à bord large permet de détacher la noix de chair. Avec la pince à crustacés, vous pourrez casser pinces et carapaces sans les écraser ; utilisez des fourchettes à crustacés et des curettes pour extirper la chair. Le presse-tranche est utile pour citronner les coquillages. Prévoyez des épingles pour les bigorneaux et les bulots. N'oubliez pas les rince-doigts.

Sauces et condiments

Le beurrier doit être très frais (beurre doux ou demi-sel). Prévoyez de la mayonnaise (bulots et crustacés), un petit bol de vinaigre de vin rouge additionné de quelques échalotes grises finement hachées (pour les moules et les huîtres) et plusieurs citrons.

Le pain

Le pain de seigle très légèrement rassis, coupé en tranches fines, est traditionnel avec les fruits de mer. Il se beurre facilement, comme le pumpernickel, très compact, dont la saveur est plus marquée. Le pain de campagne au froment, bien frais, est délicieux avec les crevettes et les bulots.

Cassolettes de fruits de mer

Pour **6 personnes**
Préparation **20 min**
Cuisson **20 min**

1 kg de coques ◆ 1 kg de moules ◆ 500 g d'épinards ◆ 1 verre de vin blanc sec ◆ 30 cl de crème liquide ◆ 1 c. à soupe de moutarde ◆ sel ◆ poivre

1 Brossez et lavez les coquillages. Faites-les ouvrir séparément dans 2 casseroles sur feu vif pendant 5 min. Décoquillez-les, filtrez l'eau de cuisson et réservez-en 1 verre.
2 Équeutez les épinards et plongez-les 5 min dans une grande casserole d'eau salée. Égouttez-les et hachez-les grossièrement.
3 Versez dans une casserole le vin blanc et la cuisson filtrée des coquillages, la crème liquide et la moutarde. Faites cuire en remuant pendant 10 min.
4 Ajoutez les épinards et les coquillages. Remuez et laissez les coquillages s'imprégner de la sauce pendant 1 min à couvert. Goûtez et rectifiez l'assaisonnement. Répartissez dans des cassolettes chaudes et servez.

Fruits de mer aux poireaux

Pour **4 personnes**
Préparation **25 min**
Cuisson **15 min**

24 grosses crevettes roses cuites ◆ 24 moules de bouchot ◆ 24 clams ◆ 8 poireaux ◆ 2 échalotes ◆ 2 grosses tomates ◆ 10 cl de jus de tomate ◆ ciboulette ◆ sel ◆ poivre

1 Décortiquez les crevettes et réservez-les. Brossez et lavez les moules et les clams. Nettoyez les poireaux, gardez un peu de vert et taillez-les en tronçons, puis en languettes dans le sens de la longueur. Réservez. Pelez et émincez les échalotes. Ébouillantez, pelez, épépinez et concassez les tomates. Ciselez la ciboulette.
2 Mettez les moules et les clams dans une cocotte sur feu vif, couvrez et faites-les ouvrir. Jetez les coquillages fermés. Décoquillez les autres, réservez.
3 Filtrez l'eau qu'ils ont rendue. Versez-la dans une casserole, avec le jus de tomate et les échalotes. Poivrez et faites cuire 5 min, puis ajoutez la concassée de tomates et continuez la cuisson. Faites cuire les poireaux à la vapeur. Faites réchauffer les crevettes à la vapeur.
4 Répartissez les poireaux dans des assiettes, ajoutez les crevettes, les moules et les clams. Nappez de sauce et parsemez de ciboulette.

fruit de la Passion

De la taille d'un gros œuf, le fruit de la passiflore s'appelle aussi maracuja ou grenadille. Choisissez-le souple au toucher. À maturité, la peau est fripée. La pulpe est légèrement gélatineuse, semée de petites graines. Sa saveur est exceptionnelle, à la fois acide et sucrée, douce et épicée avec un parfum de fleurs. Faites-en un sorbet ou une mousse en tamisant la pulpe si les pépins vous gênent.

Diététique. 100 g = 100 kcal. C'est un fruit particulièrement riche en sucre.

Importé des pays chauds, ce fruit est disponible toute l'année. Dégustez-le nature « à la coque » : coupez-le en 2 et retirez la pulpe à la petite cuiller.

fruit de la Passio

Mousse de la Passion

Pour **2 personnes**
Préparation **20 min, 2 h à l'avance**
Cuisson **1 min**

200 g de fruits de la Passion ◆ 80 g de sucre semoule ◆ 15 cl de crème fraîche ◆ 2 c. à soupe de sucre glace ◆ 5 cm d'angélique confite ◆ kirsch

1 Coupez les fruits en 2 et retirez toute la pulpe. Passez-la dans un tamis pour éliminer les graines.
2 Versez la pulpe dans une casserole avec le sucre semoule. Portez doucement à ébullition et remuez pendant 1 min. Retirez du feu et ajoutez 1 c. à café de kirsch. Laissez reposer 5 min.
3 Fouettez vivement la crème très froide avec le sucre glace.

4 Incorporez le sirop de fruit à la crème en mélangeant intimement. Répartissez dans 2 coupes et mettez au frais pendant 2 h. Pour servir, ajoutez l'angélique en petits bâtonnets.

fruits rouges

→ **voir aussi** **cassis, cerise, fraise, framboise, groseille, mûre, myrtille**

Cette expression désigne les petits fruits rouges de l'été : framboises et fraises, groseilles, myrtilles, cassis et même cerises. Utilisez-les dans des salades de fruits frais, des confitures, des sorbets ou des entremets glacés. Ils se prêtent bien à la congélation : profitez-en à la saison.

Diététique. Peu caloriques, les fruits rouges sont assez riches en vitamine C.

Confiture aux quatre fruits rouges

Pour **10 à 12 pots de 500 g**
Préparation **20 min**
Cuisson **40 min**

1 kg de cerises acides ◆ 1 kg de fraises ◆ 1 kg de groseilles ◆ 1 kg de framboises ◆ 3,5 kg de sucre en morceaux

1 Lavez et équeutez tous les fruits séparément. Dénoyautez les cerises et égrenez les groseilles.
2 Versez 50 cl d'eau dans une bassine à confiture et ajoutez le sucre en morceaux (il donne un sirop bien concentré).
3 Laissez chauffer sur feu moyen en secouant de temps en temps la bassine.
4 Laissez le sirop se concentrer jusqu'à ce que quelques gouttes versées dans de l'eau froide forment une boule molle.
5 Versez les cerises dans le sirop. Laissez cuire sur feu vif pendant 20 min. Ajoutez les fraises, comptez 15 min. Ajoutez les groseilles et les framboises et comptez 5 min.
6 Écumez et mettez en pots *(voir page 196)*.

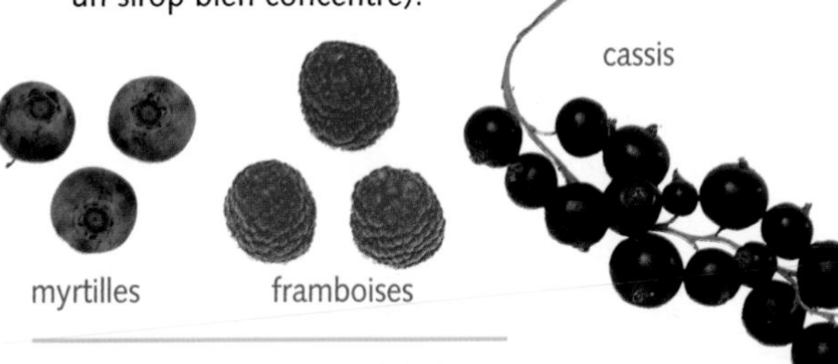

Ce quatuor de fruits d'été, baies rouges ou violacées, fait merveille dans les gelées, les salades de fruits, les sorbets et les desserts colorés. Autre formule courante de quatre-fruits : fraise, cerise, groseille et framboise.

groseille

fumet

Bouillon très corsé, obtenu par cuisson et réduction d'un liquide aromatisé, le fumet sert à renforcer le goût d'une sauce ou s'emploie comme un fond de cuisson. On parle surtout du fumet de poisson (à base de parures, d'aromates et de vin) et du fumet de champignon. Pour la viande, la volaille et le gibier, on utilise le mot « fond ».

Fumet de poisson

Pour **50 cl de fumet environ**
Préparation **15 min**
Cuisson **1 h**

1 kg de parures, arêtes et têtes de poissons blancs à demander au poissonnier ◆ 1 oignon ◆ 2 échalotes ◆ 1 bouquet garni ◆ 1/2 citron ◆ 25 cl de vin blanc sec ◆ gros sel ◆ poivre en grains

1 Lavez les têtes, arêtes et parures à l'eau froide et égouttez-les. Pelez et hachez finement l'oignon et les échalotes.
2 Mettez-les dans une casserole avec le bouquet garni. Placez par-dessus les parures, têtes et arêtes. Arrosez avec le jus de citron, mouillez avec le vin blanc et complétez avec 1,5 l d'eau.
3 Ajoutez 1 c. à café de gros sel et 5 ou 6 grains de poivre. Portez lentement à ébullition, réglez sur feu doux et laissez cuire doucement pendant 1 h. En fin de cuisson, après réduction, il ne doit rester que 50 cl de liquide.
4 Versez-le dans une passoire tapissée d'une mousseline pour le filtrer avant de l'utiliser.

Vous pouvez ajouter aux ingrédients de ce fumet 100 g de champignons hachés et quelques feuilles de céleri.

galantine

→ voir aussi ballottine

La galantine est une préparation à base de volaille additionnée d'une farce ; elle est généralement moulée avec de la gelée dans une terrine rectangulaire et se sert froide, en entrée. On réalise aussi des galantines avec du porc, du veau ou du foie gras.

Diététique. Préparation généralement riche en lipides. Une tranche de 100 g = 410 kcal.

Galantine de poulet bonne-femme

Pour 6 personnes
Préparation 2 h, 12 h à l'avance
Cuisson 1 h 30

1 poulet de 1,7 kg avec foie et cœur ◆ 200 g d'épaule de veau hachée ◆ 200 g de chair à saucisse ◆ 2 oignons ◆ 1 citron ◆ 1 petite boîte de champignons de couche ◆ 1 œuf ◆ 1 tranche épaisse de jambon cuit ◆ 20 olives vertes dénoyautées ◆ 2 l de bouillon de volaille ◆ thym ◆ marjolaine ◆ sel ◆ poivre

1 Demandez au boucher de vider et de désosser le poulet. Hachez le foie et le cœur, mélangez-les avec le veau haché et la chair à saucisse.

2 Pelez et hachez les oignons. Mélangez-y 2 c. à soupe d'herbes aromatiques. Râpez le zeste du citron et pressez le jus. Égouttez les champignons et hachez-les. Incorporez ces ingrédients aux viandes et mélangez intimement en ajoutant l'œuf entier pour lier. Salez et poivrez.

3 Taillez le jambon en languettes. Placez le poulet désossé sur le plan de travail, peau dessous. Étalez la moitié de la farce sans aller jusqu'aux bords de la peau, ajoutez les languettes de jambon et les olives en les répartissant, recouvrez avec le reste de farce.

4 Rabattez la peau du poulet et cousez-la pour enfermer la farce. Enveloppez le poulet farci dans un torchon fin plié en 2 et ficelez-le.

5 Posez la galantine dans une grande casserole, couvrez de bouillon et portez lentement à ébullition. Couvrez et faites cuire à petite ébullition pendant 1 h 30.

6 Égouttez la galantine et posez-la dans un plat, couvrez d'un autre plat à l'envers et posez un poids dessus. La galantine doit refroidir en étant bien tassée. Déballez-la et déficelez-la. Remettez sous presse jusqu'à refroidissement complet. Servez froid, avec une mayonnaise à l'estragon. Vous pouvez aussi napper la galantine de gelée.

galette

→ voir aussi biscuit, sablé

Ce gâteau rond et plat peut être d'un diamètre très variable : de la grande galette des Rois feuilletée jusqu'au petit sablé au beurre, et tous les gâteaux secs diversement parfumés, parfois dentelés.

Les crêpes à la farine de sarrasin, sucrées ou salées, portent aussi le nom de galettes.

Galette des Rois ►

Ce délicieux gâteau est traditionnel durant tout le mois de janvier, surtout à Paris et au nord de la Loire. Dans le Sud, on préfère souvent une couronne briochée.

Galette bretonne

Pour **6 personnes**
Préparation **20 min**
Cuisson **50 min**

250 g de farine ◆ 1 œuf entier ◆ 2 jaunes d'œufs ◆ 125 g de sucre semoule ◆ 150 g de beurre demi-sel

1 Versez la farine en fontaine sur une planche à pâtisserie. Séparez le jaune du blanc d'œuf. Mettez dans le puits le sucre et les 3 jaunes d'œufs. Coupez le beurre en morceaux.
2 Mélangez les œufs et le sucre avec les doigts en incorporant la farine peu à peu. Ajoutez ensuite le beurre coupé en morceaux.
3 Pétrissez la pâte pendant 2 ou 3 min puis ramassez-la en boule. Étalez-la ensuite à la main dans un moule beurré de 22 cm.
4 Lissez et rayez le dessus avec la lame d'un couteau. Badigeonnez la galette avec un peu de blanc d'œuf. Faites cuire 50 min au four à 200 °C.

Galette des Rois

Pour **6 personnes**
Préparation **20 min**
Cuisson **45 min**

800 g de pâte feuilletée ◆ 1 fève ◆ 1 œuf ◆ farine

1 Placez le pâton de feuilletage sur le plan de travail fariné et abaissez-le en carré sur 1,5 cm d'épaisseur.
2 Rabattez les coins sur le dessus et aplatissez au rouleau pour obtenir un disque bien régulier sur 8 mm d'épaisseur.
3 Faites des incisions régulières en biais sur le pourtour de la galette avec la pointe d'un couteau, sur quelques mm de profondeur. Introduisez la fève dans l'épaisseur de la galette.
4 Retournez la galette sur la tôle du four légèrement mouillée : ainsi la fève se trouvera dissimulée en dessous. Rayez le dessus de la galette d'un dessin régulier. Battez l'œuf dans une tasse et badigeonnez la galette.
5 Faites cuire au four à 250 °C pendant 20 min, puis baissez la chaleur à 200 °C et poursuivez la cuisson pendant 25 min. Servez chaud ou tiède.

Vous pouvez aussi fourrer la galette avec 300 g de crème frangipane. Dans ce cas, partagez le pâton en 2 moitiés, abaissez-les en disques et étalez la frangipane sur l'un d'entre eux, couvrez avec le second et soudez les bords. Faites cuire 50 min au four.

→ **autres recettes de galette à l'index**

gamba

Cette grosse crevette rouge est importée congelée. Elle est en général assez sèche et difficile à décortiquer. Grillée en brochette, elle donne cependant de bons résultats. Elle entre souvent dans la préparation des salades de légumes et de crustacés.

Diététique. Comme tous les crustacés, les gambas sont un aliment de remise en forme. Évitez de manger la tête, riche en cholestérol.

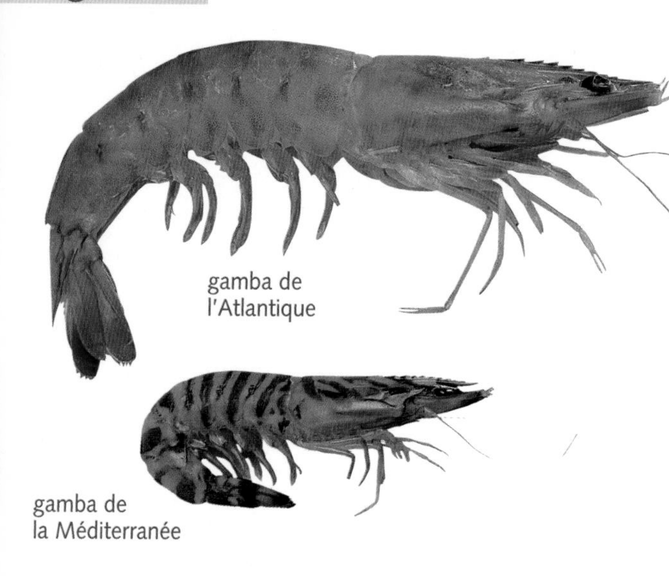

Ces grosses crevettes, généralement roses, se pêchent dans l'Atlantique ou en Méditerranée. Elles mesurent de 15 à 20 cm. Si vous achetez des gambas surgelées, le four à micro-ondes permet de les décongeler rapidement : 4 min à demi-puissance.

Gambas en salade

Pour **4 personnes**
Préparation **25 min**
Cuisson **5 min**

12 gambas ◆ 2 courgettes à peau fine ◆ 1 petit bouquet de cerfeuil ◆ 200 g de trévise ◆ 20 olives noires ◆ huile d'olive ◆ jus de citron ◆ sel ◆ poivre noir au moulin

1 Remplissez une casserole d'eau salée, portez-la à ébullition et plongez-y les gambas. Laissez-les 2 min puis égouttez-les et décortiquez-les.
2 Lavez les courgettes. Taillez-les en fines rondelles sans les peler. Faites chauffer 1 c. à soupe d'huile dans une poêle et faites-y revenir vivement les courgettes pendant 3 min. Égouttez-les et épongez-les. Ciselez finement le cerfeuil.
3 Lavez la salade et épongez-la. Dénoyautez les olives. Fouettez 4 c. à soupe d'huile d'olive et 3 c. à soupe de jus de citron. Salez et poivrez.
4 Répartissez les courgettes dans des assiettes de service. Assaisonnez séparément la salade et les gambas. Ajoutez-les dans les assiettes avec les olives noires. Garnissez avec le cerfeuil.

Crème ganache

Pour **200 g de crème environ**
Préparation **6 min**
Cuisson **6 à 7 min**

150 g de crème fraîche ◆ 80 g de chocolat noir

1 Versez la crème dans une casserole à fond épais. Cassez le chocolat en très petits morceaux.
2 Posez la casserole sur feu doux et portez lentement à ébullition.
3 Ajoutez alors le chocolat peu à peu et remuez avec une spatule jusqu'à ce qu'il soit entièrement fondu. La crème doit napper la cuiller en formant une couche épaisse.
4 Laissez tiédir puis fouettez vigoureusement le mélange avec un fouet à main ou électrique pour qu'il double de volume. Ainsi préparée, la ganache est à la fois épaisse et mousseuse.

Vous pouvez réaliser une ganache de consistance différente. Pour une ganache moelleuse, on verse la crème chaude sur le chocolat haché puis on fouette vivement. Pour une texture plus ferme, on ajoute le chocolat râpé dans la crème fraîche.

On peut aussi faire fondre le chocolat avec une noix de beurre puis lui incorporer la crème fraîche en fouettant.

ganache

Ce mélange de chocolat et de crème fraîche, fondu jusqu'à consistance épaisse, s'utilise pour fourrer, napper ou glacer un gâteau. Employez la ganache dès qu'elle est prête avant qu'elle ne durcisse. Vous pouvez l'aromatiser avec un alcool, une liqueur, du café ou de la cannelle.

gaperon

Fromage auvergnat à base de lait de vache écrémé, en forme de boule aplatie d'un côté. Aromatisée au poivre et à l'ail, sa pâte pressée possède une saveur prononcée, mais elle ne doit pas sentir trop fort.

Diététique. C'est un fromage maigre : 100 g = 220 kcal.

gaspacho

Ce potage de légumes espagnol se sert glacé. Ses ingrédients sont le concombre, le poivron, la tomate et l'oignon taillés en menus morceaux. L'ail et l'huile d'olive lui ajoutent le parfum nécessaire. Originaire de Séville, le gaspacho compte de nombreuses variantes. À Jerez, on le garnit de rondelles d'oignon cru. À Ségovie, il est parfumé de cumin et de basilic et monté sur un fond de mayonnaise.

Diététique. Le gaspacho est une excellente façon de consommer des crudités. Pensez-y pour vos dîners d'été. C'est un plat minceur idéal.

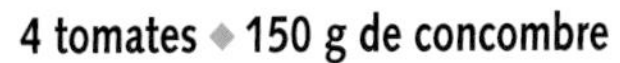

Gaspacho andalou

RECETTE LÉGÈRE – 1 portion 130 kcal

Pour **4 personnes**
Préparation **25 min, 2 h à l'avance**
Pas de cuisson

4 tomates • 150 g de concombre • 1 poivron rouge • 1 poivron vert • 2 gousses d'ail • 1 oignon • 1 c. à soupe de câpres • thym frais • vinaigre • 10 feuilles d'estragon frais • 1 citron • huile d'olive • concentré de tomates

1 Ébouillantez les tomates, pelez-les et taillez-les en petits dés. Pelez le concombre et taillez-le en cubes.

2 Ébouillantez les poivrons, pelez-les, éliminez les graines et hachez-les. Pelez et hachez l'ail et l'oignon.

3 Réunissez tous ces ingrédients dans un grand saladier, ajoutez 1 c. à soupe de concentré de tomates, les câpres égouttées, 1 c. à soupe de thym haché et 2 c. à soupe de vinaigre.

4 Versez 1 l d'eau froide dans le saladier et passez au mixer. Incorporez alors l'estragon ciselé, le jus du citron pressé et 3 c. à soupe d'huile d'olive.

5 Mélangez et mettez au réfrigérateur pendant au moins 2 h avant de servir dans des assiettes creuses bien froides.

Vous pouvez présenter avec le gaspacho un assortiment des crudités qui ont servi à le préparer, taillées en tout petits cubes.

N'hésitez pas à agrémenter le gaspacho de queues de crevettes, de basilic ou de filets de poisson marinés au jus de citron.

gâteau

→ voir aussi **baba, biscuit, brioche, cake, chocolat, foie de volaille, pain de cuisine, tarte**

Pâtisserie sucrée, le gâteau porte souvent un nom particulier qui correspond à une recette : Paris-Brest, mille-feuille, savarin, etc. Sinon, c'est un ingrédient qui le définit : gâteau au chocolat, fondant à l'orange, etc. Chaque gâteau a ses caractéristiques propres et peut, en outre, être diversement façonné ou moulé. Les pâtes et appareils sont relativement peu nombreux, mais les gâteaux peuvent varier à l'infini par la forme, la taille, la nature des ingrédients et le décor.

L'emploi de la génoise, fourrée, parfumée et décorée, permet de réaliser toute une gamme de « gâteaux » de fête. Le mot gâteau désigne également un « pain » de cuisine.

Diététique. Autorisez-vous un gâteau uniquement si le repas est léger : crudités + poisson garni d'un légume + 1 produit laitier écrémé.

Gaspacho andalou ▼

Pour un dîner d'été tardif à l'espagnole, après le gaspacho, servez un assortiment de poissons frits, avec du riz au safran puis du touron.

Forêt-Noire ▲

Pour réaliser ce grand classique de la pâtisserie, choisissez une variété de chocolat noir riche en cacao.

Forêt-Noire

Pour **8 personnes**
Préparation **50 min**
Cuisson **15 min**

165 g de beurre ◆ 6 œufs ◆ 1 c. à café d'extrait de vanille ◆ 420 g de sucre semoule ◆ 60 g de farine ◆ 80 g de cacao non sucré ◆ 3 c. à soupe de kirsch ◆ 75 cl de crème fraîche ◆ 80 g de sucre glace ◆ 500 g de cerises dénoyautées ◆ 240 g de chocolat

1 Préchauffez le four à 190 °C. Faites fondre 150 g de beurre.
2 Versez dans un mixer les œufs entiers, la vanille et 240 g de sucre. Battez à grande vitesse pendant 10 min, pour obtenir un mélange épais et mousseux.
3 Mélangez dans un tamis la farine et le cacao. Tamisez ce mélange par petites quantités au-dessus du récipient contenant les œufs. Mélangez à la spatule et incorporez le beurre fondu à raison de 2 c. à soupe à la fois. Ne remuez pas trop.
4 Répartissez cette pâte dans 3 moules ronds beurrés et farinés de 15 cm de diamètre. Faites cuire 15 min au four à 190 °C. Laissez reposer 5 min avant de démouler.
5 Pendant ce temps, portez à ébullition le reste du sucre et 25 cl d'eau. Faites-y pocher les cerises pendant 5 min. Égouttez-les. Ajoutez au sirop 2 c. à soupe de kirsch.
6 Piquez la surface des gâteaux et arrosez-les de sirop au kirsch. Par ailleurs, battez la crème bien froide dans une terrine. Quand elle a épaissi, ajoutez le sucre glace et continuez de battre en ajoutant le reste de kirsch.
7 Placez un premier gâteau sur un plat rond. Recouvrez-le de crème sur 1 cm, puis garnissez-le de cerises. Posez dessus un deuxième gâteau et garnissez-le de même. Renouvelez l'opération avec le dernier gâteau et nappez le dessus et les côtés avec le reste de crème.
8 Faites fondre le chocolat noir au bain-marie avec une noix de beurre. Versez-le ensuite sur une tôle à pâtisserie. Laissez refroidir.
9 À l'aide d'un couteau à large lame plongée dans de l'eau chaude et essuyée, raclez la surface, comme pour faire des coquilles. Vous obtenez ainsi des copeaux de chocolat. Attention, ils sont très fragiles. Disposez-les en garniture sur le dessus du gâteau. Servez frais.

Gâteau d'anniversaire

Pour **6 personnes**
Préparation **30 min**
Repos **2 h**
Génoises **1 h**
Cuisson **10 min**

2 génoises carrées de 25 et 18 cm de côté *(voir page 333)* **◆ 3 blancs d'œufs ◆ 180 g de sucre semoule ◆ 2 sachets de sucre vanillé ◆ 250 g de beurre ◆ 120 g de cerises confites ◆ 200 g de fondant tout prêt ◆ colorant alimentaire rouge ◆ kirsch ◆ fleurs en pâte d'amandes**

1 Écroûtez légèrement le dessus et le pourtour des génoises. Battez les blancs d'œufs en neige ferme. Versez les sucres dans une casserole et mouillez-les juste avec un peu d'eau. Faites-les fondre en sirop épais.
2 Versez le sirop en filet sur les blancs d'œufs en fouettant continuellement jusqu'à ce que le

mélange refroidisse complètement. Travaillez le beurre en pommade et incorporez-le, toujours en fouettant. Ajoutez 1 c. à soupe de kirsch. Mélangez bien.
3 Humectez légèrement de kirsch la plus grande des génoises dans un plat de service. Étalez la crème au beurre en une couche épaisse et régulière. Enfoncez dedans les cerises confites. Posez l'autre génoise dessus et appuyez légèrement. Mettez le gâteau au réfrigérateur pendant 2 h.
4 Faites dissoudre le fondant dans une casserole en ajoutant 1 c. à soupe d'eau et 4 ou 5 gouttes de colorant alimentaire. Lorsque le fondant s'étale facilement, versez-le sur le gâteau, au milieu, et étalez-le à la spatule pour glacer entièrement le gâteau.
5 Décorez le dessus avec des fleurs en pâte d'amandes.

Gâteau basque

Pour **8 personnes**
Préparation **30 min, 1 h à l'avance**
Cuisson **45 min**

275 g de farine ◆ 200 g de sucre semoule ◆ 1 œuf entier ◆ 2 jaunes d'œufs ◆ 200 g de beurre ◆ 1 c. à café de zeste de citron râpé ◆ 3/4 d'un pot de confiture de cerises noires entières ◆ sel

1 Versez la farine tamisée en tas dans une terrine. Faites une fontaine et ajoutez le sucre, 1 pincée de sel, l'œuf entier et 1 jaune.
2 Commencez à amalgamer les ingrédients en partant du centre puis pétrissez à la main en ajoutant le beurre en morceaux. Ajoutez le zeste de citron. Mélangez bien.
3 Ramassez la pâte en boule et mettez-la au réfrigérateur pendant 1 h.
4 Séparez la pâte en 2 portions inégales. Étalez la plus grosse partie dans un moule à manqué beurré de 22 cm de diamètre, en faisant largement remonter la pâte sur les côtés.
5 Versez la confiture de cerises noires en une couche régulière. Étalez le reste de pâte pour former le couvercle. Mettez-le en place et soudez-le en mouillant les bords.
6 Percez le couvercle avec la pointe d'un couteau pour l'échappement de la vapeur. Dorez le dessus au jaune d'œuf.
7 Faites cuire dans le four à 190 °C pendant 45 min. Servez de préférence froid.

Gâteau au chocolat

Pour **6 personnes**
Préparation **30 min**
Cuisson **18 min**

300 g de chocolat ◆ 100 g de beurre ◆ 3 œufs ◆ 80 g de sucre semoule ◆ 50 g de farine ◆ rhum ◆ levure chimique ◆ sel

1 Faites fondre au bain-marie 150 g de chocolat cassé en petits morceaux et 35 g de beurre jusqu'à ce que le mélange soit lisse.
2 Cassez les œufs et mettez les jaunes dans une terrine. Travaillez-les avec le sucre puis ajoutez la farine, le chocolat fondu avec le beurre, 1 c. à soupe de rhum et 1 c. à café de levure.
3 Fouettez les blancs en neige avec 1 pincée de sel et incorporez-les à la pâte.
4 Beurrez largement un moule à cake ou à savarin. Versez-y la pâte. Faites cuire 10 min à 220 °C puis 8 min à 180 °C. Retirez du four.
5 Démoulez le gâteau froid dans un plat. Faites fondre au bain-marie le reste de chocolat avec le reste de beurre et 2 c. à soupe d'eau. Ajoutez 2 c. à soupe de rhum. Nappez le gâteau avec cette préparation. Laissez refroidir.

Gâteau léger

RECETTE LÉGÈRE — 1 portion 265 kcal

Pour **6 à 8 personnes**
Préparation **25 min**
Cuisson **25 min**

120 g de beurre ◆ 200 g de sucre semoule ◆ 100 g de farine ◆ 6 blancs d'œufs ◆ 1 citron

1 Beurrez un moule à manqué avec 20 g de beurre et farinez-le légèrement. Faites fondre 100 g de beurre doucement dans une casserole et versez-le dans une terrine.
2 Ajoutez le sucre et travaillez le mélange jusqu'à ce qu'il soit mousseux. Incorporez la farine versée en pluie et mélangez intimement.
3 Par ailleurs, battez les blancs d'œufs en neige très ferme et râpez finement le zeste du citron. Incorporez le tout à la pâte avec précaution.
4 Versez la pâte dans le moule et mettez dans le four à 210 °C. Laissez cuire 10 min, puis baissez le four à 180 °C et poursuivez la cuisson pendant encore 15 min. Enfoncez une lame au centre du gâteau : si elle ressort sèche, le gâteau est cuit. Démoulez et laissez refroidir.

Gâteau manqué

Pour **1 moule de 26 cm de diamètre**
Préparation **20 min**
Cuisson **1 h environ**

6 œufs ◆ 200 g de sucre semoule ◆ 1 sachet de sucre vanillé ◆ 200 g de farine ◆ 70 g de beurre ◆ sel

1 Cassez 5 œufs et séparez les blancs des jaunes. Versez les jaunes dans une terrine avec l'œuf entier restant, 100 g de sucre et le sucre vanillé. Battez le mélange jusqu'à ce qu'il devienne onctueux.
2 Ajoutez alors la farine tamisée et mélangez. Faites fondre 50 g de beurre et laissez-le refroidir.
3 Fouettez en neige ferme les blancs d'œufs avec 1 pincée de sel. Lorsqu'ils sont bien montés, incorporez le sucre restant.
4 Incorporez ensuite les blancs en neige à la pâte, puis le beurre fondu, en soulevant le mélange à plusieurs reprises.
5 Beurrez le moule à manqué et remplissez-le aux 3/4. Faites cuire dans le four à 190 °C pendant 15 min puis baissez la chaleur à 150 °C et poursuivez la cuisson pendant 45 à 50 min. Enfoncez une lame de couteau au centre du gâteau : si elle ressort propre, il est cuit.
6 Démoulez le gâteau sur une grille et laissez-le refroidir avant de le déguster.

Gâteau marbré

Pour **8 personnes**
Préparation **30 min**
Cuisson **45 min environ**

280 g de beurre ◆ 250 g de sucre semoule ◆ 5 œufs ◆ 250 g de farine ◆ 1 sachet de levure chimique ◆ 1 sachet de sucre vanillé ◆ 2 c. à soupe de cacao pur

1 Ramollissez 250 g de beurre à la spatule dans une terrine et ajoutez le sucre. Battez le mélange en incorporant les œufs. Travaillez la pâte jusqu'à ce qu'elle soit lisse.
2 Tamisez la farine avec la levure et ajoutez-la d'un seul coup à la pâte. Travaillez celle-ci à nouveau jusqu'à ce qu'elle soit homogène.
3 Versez la moitié de la pâte dans une jatte et ajoutez le sucre vanillé. Incorporez le cacao à l'autre moitié.
4 Beurrez un moule à manqué, à cake ou à savarin. Versez-y 1/3 de pâte à la vanille, puis 1/3 de pâte au chocolat et remplissez ainsi le moule en alternant les 2 pâtes sans les mélanger.
5 Faites cuire au four à 200 °C pendant 45 min environ. Vérifiez la cuisson en enfonçant au centre du gâteau une lame de couteau qui doit en ressortir sèche. Démoulez et servez froid.

→ **autres recettes de gâteau à l'index**

gaufre

Cette pâtisserie légère, croustillante et alvéolée est faite avec une pâte identique à celle des crêpes. Vous pouvez la parfumer à votre goût : vanille, fleur d'oranger ou eau-de-vie. Le gaufrier doit être très chaud quand vous y versez la pâte. S'il est doté d'un revêtement antiadhésif, inutile de l'huiler. Servez les gaufres poudrées de sucre, avec de la chantilly ou un coulis de fruits.

Diététique. Une gaufre nature = 80 kcal environ.

Gaufres au sucre

Pour **6 personnes**
Préparation **10 min**
Repos **1 h**
Cuisson **3 min par gaufre**

200 g de farine ◆ 30 g de sucre semoule ◆ 3 œufs ◆ 25 cl de lait ◆ huile d'arachide ◆ eau de fleur d'oranger ◆ beurre ◆ sucre glace ◆ sel fin

1 Tamisez la farine et versez-la dans une terrine. Faites un puits au milieu et ajoutez une pincée de sel, 1 c. à soupe d'huile, 2 c. à soupe d'eau de fleurs d'oranger et le sucre. Mélangez.
2 Cassez les œufs et séparez les blancs des jaunes. Incorporez les jaunes à la pâte et délayez avec le lait pour obtenir une pâte bien lisse et sans grumeaux. Laissez reposer 1 h.
3 Fouettez les blancs d'œufs en neige très ferme et incorporez-les à la pâte.
4 Faites chauffer le gaufrier. Beurrez-le s'il n'est pas doté d'un revêtement antiadhésif et versez 1 bonne c. à soupe de pâte.
5 Faites cuire toutes les gaufres en comptant 3 min pour chacune environ et servez-les chaudes, saupoudrées de sucre glace.

gélatine

→ voir aussi bavarois

Substance incolore, inodore et sans saveur, extraite des os, des cartilages ou de certaines algues. La gélatine se présente sous forme de poudre ou de feuilles translucides et sert à préparer gelées, entremets, etc. Elle doit être dosée avec précision : si on dépasse la dose indiquée, la préparation risque d'être caoutchouteuse. Il faut toujours la faire ramollir à l'eau froide avant de l'incorporer à la préparation. Pour les plats salés, il faut tenir compte de la gélatine naturelle contenue dans les ingrédients utilisés.

Bon à savoir : 10 g de gélatine = 5 feuilles.

Diététique. Un produit très intéressant pour des desserts minceur.

Crème aux deux fruits

Pour **4 personnes**
Préparation **20 min**
Cuisson **3 min**
Repos **2 h**

Recette légère – 1 portion 120 kcal

500 g de myrtilles surgelées ◆ 4 feuilles de gélatine ◆ 150 g de fromage blanc à 0 % de matières grasses ◆ édulcorant en poudre ◆ 4 tranches d'ananas au sirop

1 Faites chauffer les myrtilles dans une casserole sur feu doux. Mettez la gélatine à ramollir dans de l'eau froide pendant 5 min.
2 Égouttez la gélatine, ajoutez-la aux myrtilles hors du feu et remuez. Fouettez le fromage blanc et incorporez-le. Ajoutez 1 ou 2 c. à café d'édulcorant en poudre.
3 Égouttez les tranches d'ananas et disposez-les dans le fond de 4 ramequins. Versez par-dessus le mélange aux myrtilles. Mettez 2 h au réfrigérateur. Démoulez pour servir.

gelée

→ voir aussi bouillon

Les gelées en poudre prêtes à être délayées dans du bouillon ou de l'eau permettent de réaliser facilement aspics et préparations en gelée. Parfumez-les avec un vin ou un alcool.

En ajoutant à un ragoût du jarret ou du pied de veau, on obtient une cuisson riche en gélatine qui prend naturellement en gelée.

Aspic de légumes aux crevettes

Pour **6 ou 8 personnes**
Préparation **30 min, 24 h à l'avance**
Cuisson **12 min environ**

500 g de petites carottes nouvelles ◆ 4 ou 5 blancs de petits poireaux ◆ 600 g d'asperges vertes ◆ 2 sachets de gelée ◆ 300 g de crevettes décortiquées ◆ persil plat ◆ sel

1 Pelez et émincez finement les carottes. Faites-les cuire 8 min à l'eau bouillante salée. Égouttez-les. Émincez finement les poireaux et faites-les cuire 3 à 4 min dans la même eau. Égouttez-les.
2 Pelez les asperges, coupez-les en tronçons de 2 à 3 cm. Faites-les cuire 3 min dans la même eau. Égouttez-les et laissez-les refroidir.
3 Délayez les sachets de gelée dans 1 l d'eau et faites chauffer. Retirez du feu au premier bouillon et plongez le fond de la casserole dans de l'eau froide. Lorsque la gelée commence à prendre, versez-en une fine couche dans un moule à charlotte.
4 Disposez en décor quelques feuilles de persil. Rangez par-dessus les rondelles de carottes en une couche régulière.
5 Versez un peu de gelée. Ajoutez ensuite le poireau puis les crevettes et enfin les asperges, en versant un peu de gelée entre chaque couche. Couvrez du reste de gelée.
6 Mettez au réfrigérateur une nuit. Démoulez sur un plat rond et servez avec une mayonnaise aux fines herbes.

Boisson **riesling**

gelée de fruits

→ voir aussi confiture

Mélange cuit de sucre et de jus extrait d'un fruit. Seuls les fruits riches en pectine, qui favorise la prise, se prêtent bien à la préparation des gelées : coings, pommes, groseilles, baies sauvages, agrumes. Leur acidité et leur concentration en sucre jouent aussi un rôle. Pour utiliser un fruit parfumé mais pauvre en pectine, il faut le mélanger avec un autre, riche en pectine (cassis, framboises) et de goût plus neutre (pomme, par exemple), ou utiliser du sucre « spécial confitures ».

Pour extraire le jus des fruits, servez-vous d'une centrifugeuse qui donne des résultats rapides et excellents. Sinon, faites cuire les fruits juste couverts d'eau jusqu'à ce qu'ils soient bien tendres (si ce sont des baies, la peau doit éclater), puis filtrez le jus à travers un tamis très fin. Mesurez le jus pour lui ajouter son poids en sucre.

La préparation des gelées industrielles est proche de la préparation ménagère. Les gelées sont soumises à la même réglementation que les confitures et ont les mêmes valeurs nutritionnelles.

Gelée de groseilles

Pour **4 pots de 500 g environ**
Préparation **10 min**
Cuisson **6 min environ**

1,5 kg de groseilles ◆ 1 kg de sucre semoule

1 Lavez soigneusement les groseilles et égrappez-les. Égouttez-les et mettez-les dans une bassine à confiture.
2 Ajoutez 10 cl d'eau et faites chauffer sur feu moyen. Laissez les groseilles éclater pour en extraire le jus. Pressez les baies avec le dos d'une écumoire.
3 Portez à ébullition. Le jus doit être très abondant. Ajoutez le sucre et remuez. Laissez bouillir pendant 3 min environ, puis retirez du feu.
4 Filtrez le contenu de la bassine à travers une passoire très fine. Évitez de presser la pulpe pour obtenir une gelée bien claire.
5 Mettez en pots en versant la gelée à l'aide d'un ustensile à bec verseur. Laissez refroidir et couvrez les pots.

→ autres recettes de gelée de fruits à l'index

genièvre

→ voir aussi gin, grive

Les baies du genévrier séchées, de couleur noirâtre, possèdent une saveur poivrée qui relève les marinades et les courts-bouillons, ainsi que la choucroute. Entières ou concassées, elles interviennent aussi dans la cuisine du gibier ou du porc.

Le genièvre est également une eau-de-vie aromatique traditionnelle dans le nord de l'Europe.

Diététique. Les baies de genièvre ont une action digestive et diurétique.

génoise

La pâte à génoise est faite d'œufs battus à chaud avec du sucre auxquels on ajoute de la farine et du beurre fondu. Le mélange doit être fait avec des gestes précis et légers pour que la pâte conserve son velouté initial. Vous pouvez incorporer à la pâte un parfum : zeste d'agrume, vanille, liqueur, amandes en poudre. Moulée en rond, en carré, en rectangle, la génoise est la base de nombreux gâteaux fourrés, nappés, glacés, etc. Laissez-la toujours refroidir complètement avant de l'utiliser. On trouve aussi des fonds de génoise tout faits.

Diététique. 1 portion nature = 135 kcal, mais le fourrage augmente la valeur calorique.

Génoise à l'ananas

Pour **6 personnes**
Préparation **20 min**
Génoise **1 h**
Cuisson **10 min**

1 génoise de 22 cm de diamètre environ ◆ 2 œufs ◆ 70 g de sucre semoule ◆ 50 cl de lait ◆ 60 g de farine ◆ 30 g de beurre ◆ 1 petite boîte d'ananas au sirop ◆ 24 cerises confites ◆ kirsch ◆ marmelade d'ananas

1 Coupez la génoise en 2 dans l'épaisseur et imbibez les 2 parties avec un peu de kirsch. Cassez les œufs dans une terrine et ajoutez le sucre semoule. Travaillez le mélange jusqu'à ce qu'il blanchisse.
2 Pendant ce temps, faites chauffer le lait sur feu doux. Incorporez la farine au sucre. Travaillez le mélange œufs-sucre-farine puis ajoutez le lait bouillant progressivement, sans cesser de remuer.
3 Versez dans une casserole et faites cuire en remuant sur feu doux jusqu'au premier bouillon. Incorporez le beurre en morceaux et 1 c. à soupe de kirsch.
4 Égouttez l'ananas en boîte et coupez-le en petits morceaux. Ajoutez-les à la crème pâtissière. Lorsqu'elle est refroidie et bien épaisse, étalez-la sur une partie de la génoise. Remettez l'autre moitié par-dessus.
5 Nappez de marmelade d'ananas et décorez avec les cerises confites. Servez très froid.

Vous pouvez aussi décorer la génoise avec des amandes caramélisées et concassées.

Pâte à génoise

Pour **1 moule de 22 cm de diamètre**
Préparation **30 min**
Cuisson **30 min**

4 œufs entiers ◆ 125 g de sucre semoule ◆ 140 g de farine ◆ 80 g de beurre ◆ sel fin

1 Cassez les œufs dans une terrine. Ajoutez 1 pincée de sel fin et le sucre. Tamisez la farine. Vous pouvez lui ajouter 1/2 sachet de sucre vanillé ou 1 c. à soupe de zeste de citron ou d'orange finement râpé.

2 Placez la terrine contenant les œufs et le sucre dans une casserole remplie d'eau maintenue au chaud sur feu assez doux. Battez le mélange au fouet. Ne laissez jamais bouillir l'eau du bain-marie : la pâte doit rester tiède. Retirez la terrine du bain-marie quand elle a triplé de volume.

3 Faites fondre 60 g de beurre dans une petite casserole et laissez-le tiédir. Versez en pluie 125 g de farine tamisée sur la surface de la pâte, puis mélangez à l'aide d'une spatule en bois.

4 Lorsqu'une partie de la farine est incorporée, versez doucement le beurre fondu et mélangez. Il est important de faire ce mélange avec des gestes précis et légers, car la pâte doit conserver le velouté apporté par le battage prolongé des ingrédients.

5 Préchauffez le four à 180 °C (150 °C si vous faites des gâteaux individuels dans des moules à dariole ou à tartelette). Beurrez et farinez un moule de 22 cm, rond, carré ou en forme de cœur, profond de 5 à 6 cm environ. Versez-y la pâte : le moule ne doit être rempli qu'aux 2/3 au plus. Faites cuire dans le four à 180 °C. Placez le moule sur la grille située à peu près au milieu du four, pour que la chaleur soit la plus régulière possible. Laissez cuire pendant 30 min en évitant d'ouvrir la porte.

Pour vérifier la cuisson, piquez au centre du gâteau une aiguille en acier : elle doit ressortir complètement sèche. Démoulez le gâteau à la sortie du four en le retournant sur une grille. Couvrez-le d'un torchon propre et sec : la génoise perdra toute l'humidité accumulée pendant la cuisson et restera moelleuse et aérienne, prête à être garnie ou fourrée d'une crème ou de confiture. Attendez qu'elle soit froide pour la couper horizontalement en 2.

1

2

3

4

5

gésier

Cet abat est un muscle épais qui constitue la dernière poche de l'estomac d'une volaille. Lorsque vous la videz pour la rôtir, fendez le gésier en deux pour le débarrasser des petits cailloux et de la peau épaisse qui les contient. Enlevez la poche de grains et la membrane qui le tapisse. Lavez le gésier à l'eau. Hachez-le dans la farce ou remettez-le à l'intérieur de la volaille.

Les gésiers de canard ou d'oie confits à la graisse se font poêler ou agrémentent des salades ou du chou étuvé.

Diététique. Le gésier confit est un produit intéressant comme complément protidique, à condition d'être débarrassé de sa graisse.

Pâtes fraîches aux gésiers confits

Pour **4 personnes**
Préparation **20 min**
Cuisson **12 à 15 min**

250 g de gésiers d'oie confits ◆ 1 gousse d'ail ◆ 150 g de céleri-rave ◆ 2 petits oignons ◆ 1 petite boîte d'asperges ◆ 300 g de pâtes fraîches ◆ 1 petit bouquet de cerfeuil ◆ sel ◆ poivre noir au moulin

1 Débarrassez les gésiers confits de leur graisse. Coupez-les en lamelles. Réservez la graisse. Pelez et hachez l'ail. Émincez le céleri en bâtonnets. Pelez et émincez finement les oignons. Égouttez les asperges.

2 Faites chauffer 1 c. à soupe de graisse d'oie dans une poêle. Mettez-y le céleri, les oignons et l'ail. Faites sauter le mélange pendant environ 12 min. Retirez du feu. Ajoutez les petites asperges et remuez délicatement. Couvrez.

3 Mettez les gésiers en lamelles dans une casserole et laissez-les tiédir avec 1 c. à café de graisse.

4 Pendant la cuisson des légumes, faites cuire les pâtes dans une grande quantité d'eau salée en suivant les indications portées sur le paquet. Égouttez-les et mettez-les dans un plat creux très chaud.

5 Ajoutez les légumes et les gésiers. Salez et poivrez, ajoutez le cerfeuil ciselé. Mélangez. Remuez et servez aussitôt.

Boisson **vin rouge fruité**

Salade gasconne aux gésiers

Pour **4 personnes**
Préparation **20 min**
Cuisson **25 min**

8 petits poireaux ◆ 300 g de pommes de terre nouvelles ◆ 8 fines tranches de lard de poitrine fumée ◆ 8 gésiers confits ◆ huile de noix ◆ vinaigre de vin blanc ◆ sel ◆ poivre

1 Lavez les poireaux et coupez le vert. Faites-les cuire à l'eau bouillante salée pendant 5 min.

2 Pelez les pommes de terre et faites-les cuire à l'eau ou à la vapeur pendant 20 min. Égouttez-les et coupez-les en fines rondelles.

3 Faites chauffer les tranches de lard dans une poêle sans matière grasse sur feu doux. Dégraissez les gésiers et émincez-les. Faites-les également chauffer dans une poêle.

4 Préparez une vinaigrette avec 3 c. à soupe d'huile et 1 c. à soupe de vinaigre. Salez et poivrez.

5 Effilochez les poireaux dans les assiettes de service. Recouvrez en alternance de rondelles de pommes de terre et de lamelles de gésiers.

6 Arrosez de vinaigrette et garnissez avec les tranches de lard croustillantes. Servez.

Vous pouvez agrémenter la vinaigrette d'une pointe d'échalote hachée ou de moutarde.

Boisson **bordeaux rouge jeune**

gibelotte

Ce ragoût se prépare avec des morceaux de lapin – en principe de garenne –, rissolés avec des lardons, des petits oignons et des aromates. Vous pouvez cuisiner la gibelotte au vin rouge ou au vin blanc. Si vous disposez de champignons sauvages, le ragoût sera encore meilleur.

Diététique. Pour en faire un plat plus léger, supprimez les lardons.

Salade gasconne aux gésiers ►

Cette recette typique du Sud-Ouest met en valeur un délicieux mélange de textures et de saveurs, relevé par le goût marqué de l'huile de noix.

Gibelotte de lapin

Pour **4 personnes**
Préparation **20 min**
Cuisson **1 h 10 environ**

12 petits oignons blancs ◆ 100 g de lard maigre ◆ 60 g de beurre ◆ 1 c. à soupe d'huile ◆ 1 lapin de 1,5 kg environ coupé en morceaux ◆ 50 cl de vin rouge ◆ 1 bouquet garni ◆ 1 gousse d'ail ◆ 20 cl de bouillon de volaille ◆ 300 g de champignons ◆ 300 g de petites pommes de terre ◆ farine ◆ persil plat ◆ sel ◆ poivre

1 Pelez les petits oignons et coupez le lard en petits dés. Faites chauffer 25 g de beurre et l'huile dans une grande cocotte à fond épais. Mettez-y à rissoler les oignons et les lardons.
2 Retirez les oignons et les lardons bien dorés et mettez à la place les morceaux de lapin. Faites-les colorer en les retournant plusieurs fois, salez et poivrez. Retirez-les.
3 Versez 1 c. à soupe de farine dans la cocotte et remuez à la spatule pendant 2 min, versez le vin et portez à ébullition en remuant.
4 Remettez les morceaux de lapin dans la cocotte avec le bouquet garni, l'ail pelé et écrasé, les oignons et les lardons puis complétez le mouillement avec le bouillon. Salez et poivrez.
5 Couvrez et faites cuire au four à 150 °C pendant 30 min.
6 Pendant ce temps, nettoyez les champignons et pelez les pommes de terre. Faites-les colorer rapidement à la poêle dans le reste de beurre. Ajoutez-les dans la cocotte, remuez délicatement et poursuivez la cuisson dans le four pendant 30 min environ.
7 Servez la gibelotte poudrée de persil haché.

gibier

→ voir aussi marinade

La chasse est autorisée en France de la fin août à la fin décembre : les animaux tués, en principe sauvages et non protégés, sont donc vendus en automne et au début de l'hiver. On distingue le gibier à plume : caille, canard, faisan, grive, perdrix, pigeon, etc., et le gibier à poil : petit (lapin de garenne et lièvre) ou gros (cerf, chevreuil, sanglier).

Le mode de vie et d'alimentation de l'animal chassé, ainsi que son âge, déterminent naturellement la texture et la saveur de sa chair. Le faisandage du gibier, quand il est prolongé (une semaine), est déconseillé à causes des toxines qui se développent et rendent la viande indigeste. Cependant une certaine maturation est nécessaire pour attendrir la chair de certains gibiers à poil et développer un goût particulier : une fois vidé, l'animal est suspendu par les pattes arrière dans un endroit frais et obscur pendant 48 h.

Le gibier se cuisine de différentes façons selon qu'il est à plume ou à poil. Jeune, il a une chair tendre et savoureuse qui peut se faire rôtir au four ou en cocotte (biche, chevreuil, marcassin, perdreau). S'il est plus âgé, il convient de le faire mariner avant de le cuisiner en civet (avec une liaison finale faite avec le sang de l'animal) ou en ragoût. Que servir avec le gibier ? Les fruits l'accompagnent à merveille : pommes, poires, raisins, cerises, airelles ou marrons. Parmi les légumes, choisissez entre le céleri-rave et les champignons sauvages, le chou, l'endive ou les pâtes fraîches.

Diététique. Considéré comme une viande maigre, riche en fer et en protides, le gibier peut être difficile à digérer, surtout si la recette est riche en matière grasse ou en alcool.

Sauce pour gibier

Pour **50 cl de sauce**
Préparation **15 min**
Cuisson **40 min**

1 oignon ◆ 1 carotte ◆ 50 g de beurre ◆ 1 bouquet garni ◆ 30 g de farine ◆ 35 cl de bouillon de bœuf ◆ 1 orange non traitée ◆ vinaigre ◆ 1 c. à soupe de sucre semoule ◆ 10 cl de porto ◆ sel ◆ poivre

1 Pelez l'oignon et la carotte. Coupez-les en petits dés. Faites-les revenir au beurre dans une casserole avec le bouquet garni pendant 10 min.
2 Poudrez de farine et remuez pendant 3 min. Versez le bouillon en délayant. Laissez cuire 20 min sur feu très doux.
3 Pendant ce temps, prélevez le zeste de l'orange et pressez son jus. Taillez le zeste en fine julienne et faites blanchir celle-ci 2 min à l'eau bouillante. Rafraîchissez-la et épongez-la.
4 Versez dans une petite casserole le vinaigre et le sucre. Faites chauffer en remuant jusqu'au caramel. Ajoutez le porto et mélangez.
5 Retirez le bouquet garni de la sauce, passez-la et remettez-la sur feu doux en ajoutant le caramel au porto, le jus d'orange et le zeste.

Terrine de gibier

Pour **8 personnes**
Préparation **40 min**
Marinade **24 h**
Cuisson **2 h, 24 h à l'avance**

2 kg de viande de gibier (chevreuil ou marcassin) désossée ◆ 2 échalotes ◆ 1 carotte ◆ baies de genièvre ◆ 1 l de vin blanc sec ◆ armagnac ◆ 1 bouquet garni ◆ 2 bardes de lard ◆ 350 g de chair à saucisse ◆ 200 g de veau haché ◆ sel ◆ poivre

1 Découpez la viande de gibier en lanières fines. Pelez et hachez les échalotes. Pelez la carotte et coupez-la en rondelles. Concassez 12 baies de genièvre.
2 Mettez la viande dans une terrine avec les aromates. Ajoutez le vin blanc, 3 c. à soupe d'armagnac et le bouquet garni, remuez et laissez mariner pendant 24 h dans un endroit frais.
3 Le lendemain, préchauffez le four à 180 °C. Égouttez les morceaux de viande et épongez-les.
4 Étalez une barde de lard dans le fond d'une terrine en porcelaine à feu. Recouvrez-la de lanières de gibier, puis d'une couche de chair à saucisse et de veau. Salez et poivrez.
5 Remplissez la terrine en alternant les viandes et la chair à saucisse. Salez et poivrez. Tassez bien et mettez en place la seconde barde.
6 Couvrez la terrine et placez-la dans un bain-marie. Faites cuire 2 h au four.
7 Au terme de la cuisson, retirez le couvercle et laissez refroidir. Servez la terrine le lendemain, en entrée froide.

Terrine de gibier ▲
Servez cette terrine avec une salade de mâche aux betteraves ou une salade de chicorée frisée à l'huile de noix et du pain de campagne.

Velouté de gibier

Pour **4 personnes**
Préparation **20 min**
Cuisson **1 h 30**

50 g de beurre ◆ 25 g de farine ◆ 1,5 l de bouillon de bœuf très corsé ◆ 300 g de rôti de biche ficelé ◆ 10 baies de genièvre ◆ 1 bouquet garni ◆ 3 jaunes d'œufs ◆ 10 cl de crème fraîche ◆ pluches de cerfeuil ◆ sel ◆ poivre

1 Préparez un roux blanc dans une grande casserole avec 25 g de beurre et la farine. Versez le bouillon de bœuf chaud dessus en fouettant puis ajoutez le rôti de biche, les baies de genièvre et le bouquet garni.
2 Laissez cuire sur feu doux pendant 1 h 30 jusqu'à ce que la viande se défasse. Sortez-la et retirez la ficelle. Effilochez la viande et réduisez-la en purée assez liquide au mixer en ajoutant un peu de cuisson.
3 Remettez le tout dans la casserole. Passez au chinois en versant la préparation dans une autre casserole. Rectifiez l'assaisonnement.
4 Portez à la limite de l'ébullition puis liez avec les jaunes d'œufs et la crème fraîche sans laisser bouillir. Hors du feu, incorporez le reste de beurre frais en fouettant. Parsemez de pluches de cerfeuil et servez.

Vous pouvez aussi ajouter en garniture une poignée de petits mousserons ou de lamelles de cèpes juste passés à l'huile et bien égouttés.

→ autres recettes de gibier à l'index

cuisine du gibier

Si la chasse est un sport, la cuisine du gibier, de poil ou de plume, est un art gourmand qui a ses règles : préparation, marinade, découpe et garnitures hautes en saveurs.

Préparer un oiseau *(faisan, perdrix, pigeon...)*

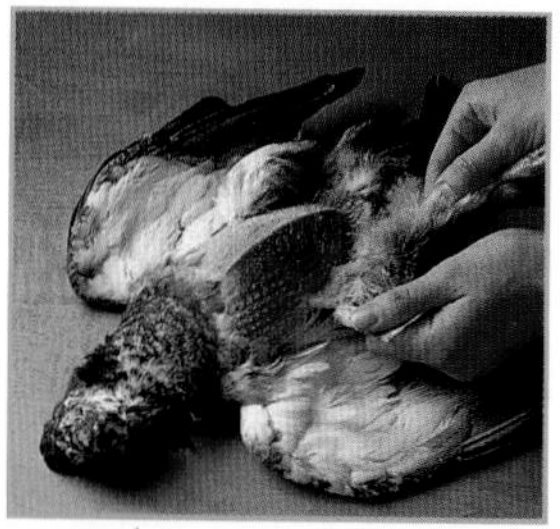

1 *Posez l'oiseau sur le dos. Plumez la poitrine, les côtés, le dos et enfin les pattes. Tendez la peau pour arracher les plumes facilement.*

2 *Déployez une aile en l'ouvrant largement : plumez l'intérieur. Faites la même chose de l'autre côté. Retirez les plumes du cou et de la queue.*

3 *Flambez l'oiseau sur la flamme du gaz. Coupez les ergots et rognez les griffes. Tranchez les ailerons à l'articulation pour les retirer.*

4 *Coupez la tête en haut du cou. Fendez la peau du cou, côté dos, puis dénudez le et coupez-le. Retirez le gésier, la trachée et le jabot : jetez-les.*

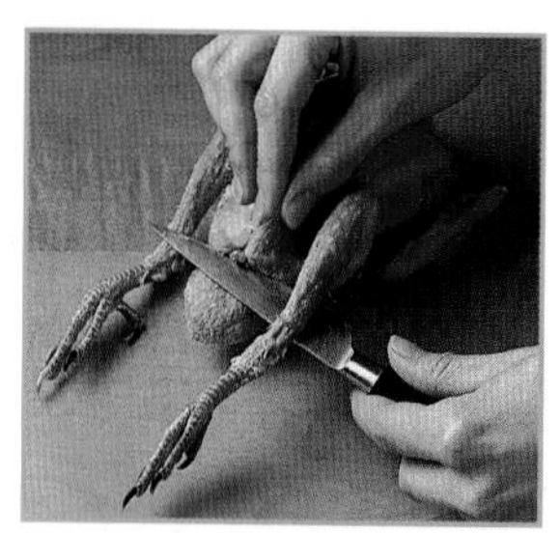

5 *Décollez la peau de la carcasse à l'endroit du bréchet en la pinçant entre vos doigts : fendez-la au-dessus de l'anus puis élargissez l'ouverture.*

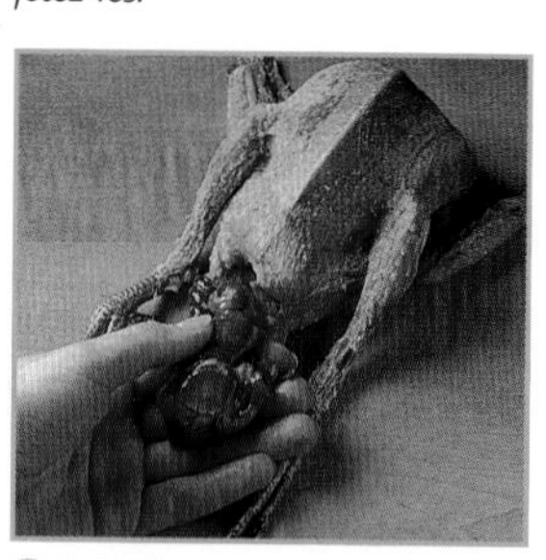

6 *Introduisez votre index dans ce trou et extrayez les viscères en les détachant de la cavité abdominale : ils doivent tous venir d'un seul tenant.*

Préparer un lièvre

Pour dépouiller un lièvre, suspendez-le en nouant une ficelle autour d'une des pattes arrière.

1 *Avec un couteau, incisez la peau autour du talon, puis fendez la peau des pattes jusqu'à l'intérieur de la cuisse.*

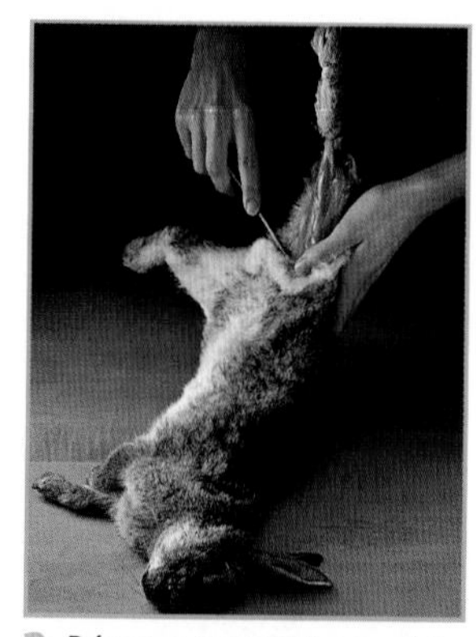

2 *Dégagez progressivement les pattes et les cuisses de l'animal en rabattant délicatement la peau vers son corps.*

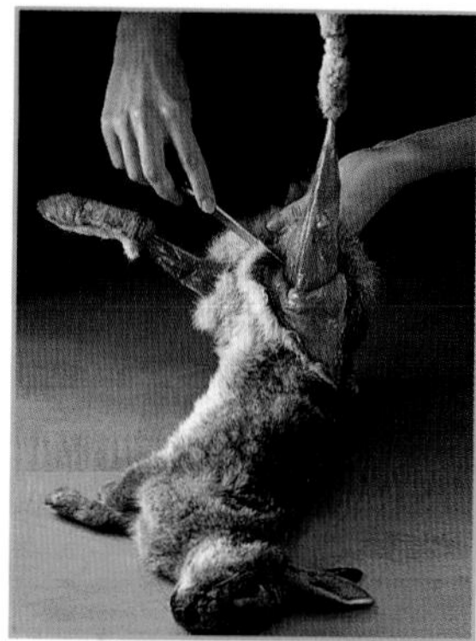

3 *Faites une incision à la base de la queue, puis continuez à rabattre la peau en la retournant à l'envers.*

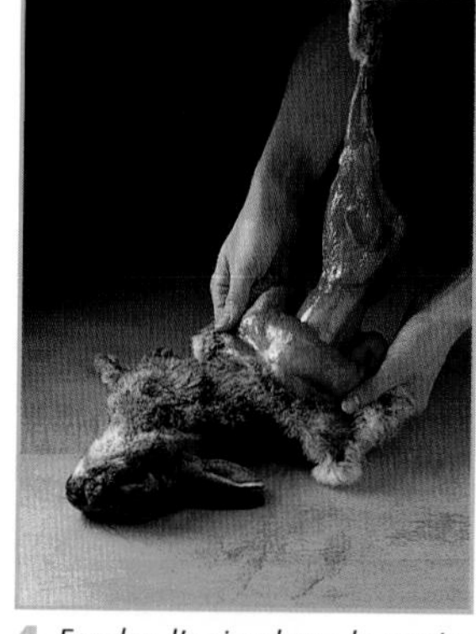

4 *Fendez l'animal sur le ventre et dépouillez-le en tirant à deux mains sur la peau. Elle doit se décoller facilement.*

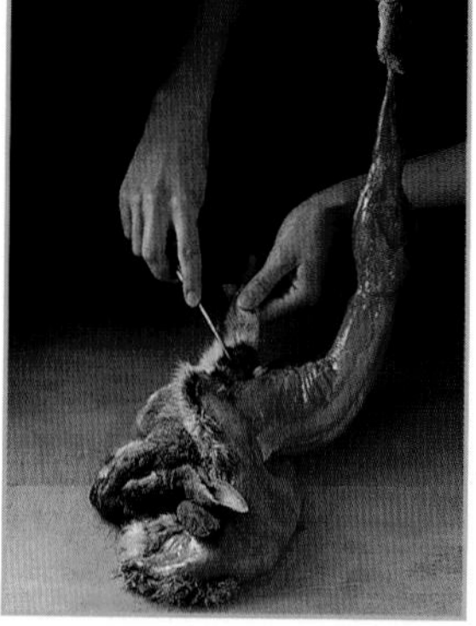

5 *Dépouillez les deux pattes avant puis la tête, en incisant la peau pour contourner les yeux et la bouche. Retirez la peau en la retournant comme un gant.*

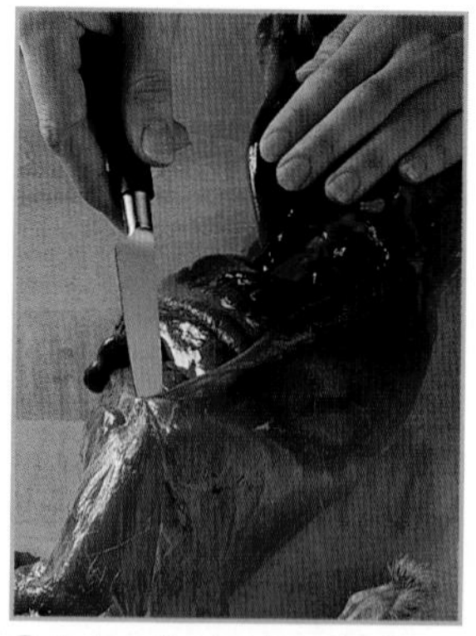

6 *Incisez l'animal sur le dessus du ventre. Retirez les viscères et jetez-les sauf le foie et les rognons. Fendez la poitrine et recueillez le sang.*

Aplatir un petit oiseau *(caille, grive...)*

Pour faire griller un petit gibier à plume, fendez-le et aplatissez-le au lieu de le brider : c'est la préparation à la crapaudine.

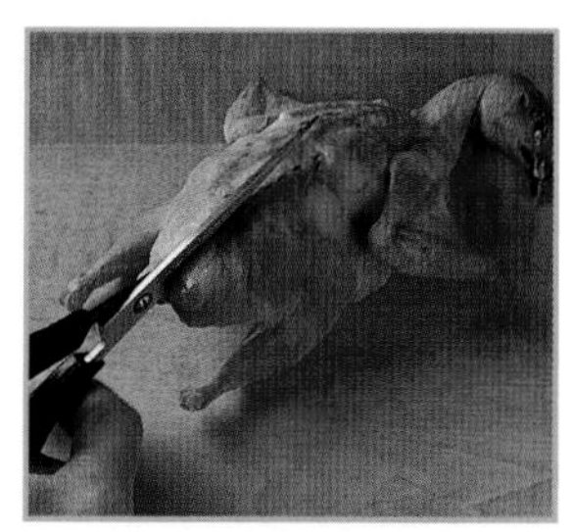

1 *Plumez l'oiseau, coupez les pattes, les ailerons et la tête. Fendez-le ensuite dans le sens de la longueur avec une paire de ciseaux de cuisine, depuis le croupion jusqu'au cou en suivant la colonne vertébrale. Retirez les viscères et coupez le cou.*

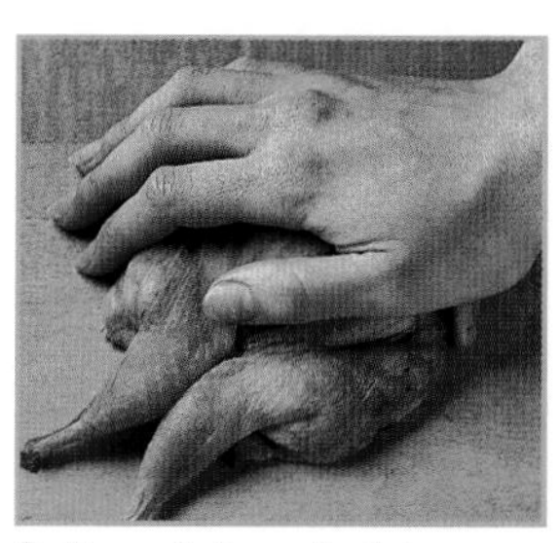

2 *Posez l'oiseau à plat sur une planche, poitrine vers le haut. Posez votre paume dessus et appuyez fortement pour briser le bréchet. Fendez la peau horizontalement en dessous du bréchet et glissez les cuisses de l'oiseau dans cette ouverture.*

Des garnitures qui ont du relief

Le gibier accepte une très grande variété de garnitures, croquantes ou onctueuses, souvent à base de fruits dont le goût acidulé ou moelleux est un contraste bienvenu. Les marrons au naturel passés au beurre ou en purée, les airelles ou les griottes au naturel, la purée de céleri ou de lentilles, ainsi que les pommes paille ou les champignons sautés, comptent parmi les classiques, sans oublier les pâtes fraîches. Les petits croûtons frits au beurre sont délicieux avec un plat en sauce.

Pour un accompagnement plus original, pensez aux patates douces cuites à l'eau, coupées en rondelles et revenues au beurre avec un peu de cannelle et de muscade.

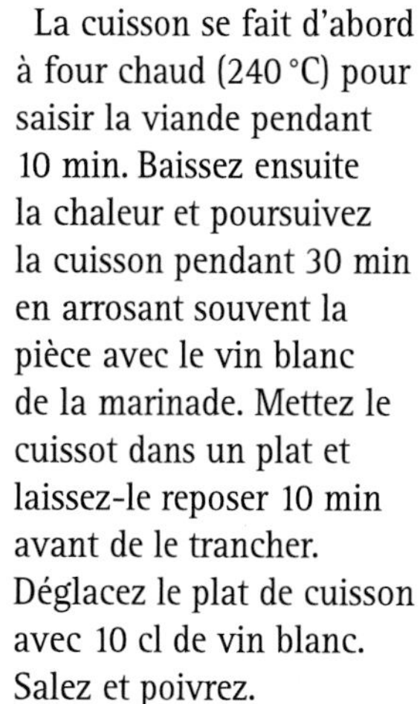

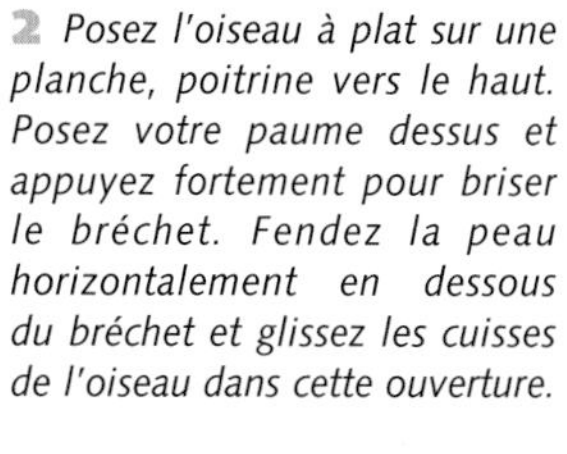

La pièce de venaison

Le cuissot ou gigue de chevreuil constitue une belle pièce à rôtir pour 8 personnes. Faites-la dénerver et piquer de lardons par le boucher. Laissez-la reposer une nuit au frais après l'avoir badigeonnée d'huile d'olive et arrosée de 25 cl de vin blanc. Sciez l'os du manche pour pouvoir ensuite y adapter un manche à gigot pour le découpage.

La cuisson se fait d'abord à four chaud (240 °C) pour saisir la viande pendant 10 min. Baissez ensuite la chaleur et poursuivez la cuisson pendant 30 min en arrosant souvent la pièce avec le vin blanc de la marinade. Mettez le cuissot dans un plat et laissez-le reposer 10 min avant de le trancher. Déglacez le plat de cuisson avec 10 cl de vin blanc. Salez et poivrez.

◄ Gigot d'agneau aux flageolets

Laissez toujours reposer le gigot rôti dans le four éteint pendant 15 min avant de le découper. Vous pouvez panacher la garniture en prévoyant également des haricots verts.

gigot

→ voir aussi agneau

Il s'agit de la cuisse arrière du mouton ou de l'agneau. Un gigot entier comprend deux parties : le gigot raccourci et la selle, située dans son prolongement. Comptez 200 g par personne avec l'os. Le gigot doit être bien rond et charnu, avec un manche fin et une graisse bien blanche. Incisez-la par endroits : elle fondra mieux. Si vous piquez le gigot de gousses d'ail, n'oubliez pas d'en glisser une entre l'os et la « souris ».

Un gigot rôti doit cuire à feu vif (15 min par livre) : protégez-le à mi-cuisson avec du papier d'aluminium pour que le cœur ait le temps de cuire. Ne salez les tranches qu'au moment de la découpe. Traditionnellement servi avec des flageolets, il peut aussi s'apprêter au vin blanc avec du lard et des oignons ou encore avec une sauce à la menthe.

On appelle aussi gigot le pilon et la cuisse d'une dinde réunis et ficelés.

Diététique. C'est une viande goûteuse et peu calorique à condition de laisser le gras sur le bord de l'assiette. 100 g = 230 kcal.

Gigot d'agneau aux flageolets

Pour **6 à 8 personnes**
Préparation **15 min**
Repos **1 h**
Cuisson **1 h 30 environ**

750 g de flageolets ◆ 4 gousses d'ail ◆ 1 gigot paré de 2 kg environ ◆ 2 oignons ◆ 5 ou 6 tomates mûres ◆ 80 g de beurre ◆ huile d'arachide ◆ thym ◆ sel ◆ poivre

1 Versez les flageolets dans un saladier, recouvrez-les largement d'eau bouillante et laissez reposer 1 h. Égouttez-les et mettez-les dans une casserole sur feu doux, couverts d'eau froide. Portez à ébullition et laissez cuire à petits frémissements, de 1 h à 1 h 30 selon que les flageolets sont plus ou moins secs. Écumez au début et salez à mi-cuisson.

2 Allumez le four à chaleur maximale. Pelez 2 gousses d'ail et taillez-les en lamelles. Piquez le gigot avec la pointe d'un couteau en autant d'endroits qu'il y a d'éclats d'ail. Glissez un éclat dans chaque fente.

3 Badigeonnez légèrement le gigot d'huile et posez-le sur la grille de la lèchefrite, côté bombé vers le bas. Enfournez à four chaud et faites saisir pendant 15 à 20 min.

4 Baissez le feu à chaleur moyenne et versez 1/2 verre d'eau dans la lèchefrite. Retournez le gigot et faites cuire pendant encore 20 à 25 min.

5 Lorsque le gigot est cuit (une aiguille à brider enfoncée jusqu'à l'os doit ressortir avec le bout bien chaud), éteignez le four, retournez encore le gigot et laissez-le reposer dans le four pendant 10 min au moins.

6 Pendant la fin de la cuisson du gigot, pelez les oignons et émincez-les. Pelez les tomates et concassez-les grossièrement. Pelez et hachez le reste d'ail.

7 Faites fondre 30 g de beurre dans une cocotte et ajoutez les oignons. Laissez juste blondir, ajoutez l'ail, 1 brin de thym puis les tomates. Faites mijoter doucement 15 min.

8 Ajoutez dans la cocotte les flageolets cuits bien égouttés et laissez mijoter jusqu'au moment de servir. Ajoutez 20 g de beurre en parcelles et mélangez avant de verser dans un légumier.
9 Versez le jus de la lèchefrite dans une saucière. Découpez le gigot et ajoutez le jus écoulé, ainsi que le reste de beurre dans la saucière. Rectifiez l'assaisonnement. Prévoyez des assiettes bien chaudes.

Avec ce plat complet, prévoyez simplement une salade et un dessert aux fruits.

Boisson saint-émilion

Gigot bouilli à l'anglaise

Pour **6 personnes**
Préparation **20 min**
Cuisson **45 min**

1 gigot de 1,5 kg environ ◆ 60 g de beurre ◆ farine ◆ 2 carottes ◆ 2 oignons ◆ 1 clou de girofle ◆ 1 gousse d'ail ◆ 1 bouquet garni ◆ 50 g de feuilles de menthe fraîche ◆ 15 cl de vinaigre ◆ 25 g de cassonade ◆ sel ◆ poivre

1 Salez et poivrez le gigot. Enveloppez-le dans un linge beurré et légèrement fariné. Pelez les carottes et tronçonnez-les, pelez les oignons, coupez-en un en quartiers, piquez l'autre du clou de girofle. Pelez l'ail.
2 Remplissez une grande marmite d'eau, salez à raison de 1/2 c. à café de sel par litre. Portez à ébullition et plongez-y le gigot emballé avec les légumes et les aromates.
3 Faites cuire le gigot à pleine ébullition en comptant 15 min par livre. Pendant la cuisson, ciselez les feuilles de menthe et mettez-les dans un bol avec le vinaigre, 4 c. à soupe d'eau et la cassonade. Salez et poivrez. Remuez et laissez macérer.
4 Déballez le gigot et coupez-le en tranches. Servez-le avec les légumes bouillis et la sauce à la menthe. Complétez avec une purée de céleri-rave. Servez bien chaud.

Choisissez pour cette recette un gigot d'agneau pré-salé, dont la chair est naturellement parfumée.

Boisson madiran

Gigot de pré-salé à la normande

Pour **8 personnes**
Préparation **5 min**
Cuisson **12 min par livre**

1 gigot d'agneau pré-salé bien charnu ◆ beurre ◆ sel ◆ poivre

1 Ciselez légèrement la graisse qui entoure le gigot. Pesez-le. Frottez-le avec un peu de beurre. Posez-le sur une grille au-dessus du plat de cuisson. Préchauffez le four à 220 °C.
2 Faites rôtir au four en comptant de 12 à 15 min par livre. Ne l'arrosez pas en cours de cuisson. Retournez-le de temps en temps.
3 Sortez le gigot du four et posez-le sur un plat de service. Dégraissez le jus de cuisson et servez-le en saucière.
4 Découpez le gigot et servez les tranches sur des assiettes très chaudes.

Le gigot à la normande ne se pique pas d'ail, mais vous pouvez en glisser une demi-gousse le long du manche.

gin

Cette eau-de-vie de grain fabriquée dans les pays anglo-saxons est parfumée avec des arômes végétaux, dont des baies de genièvre. Le gin se boit pur, frappé ou sur des glaçons, et s'emploie dans de nombreux cocktails.
Diététique. 1 petit verre de gin = 50 kcal.

Gin-fizz

Pour **1 personne**
Préparation **5 min**

1 mesure de gin ◆ 1 c. à café de sucre semoule ◆ 1 citron ◆ eau gazeuse

1 Garnissez à moitié un shaker avec de la glace concassée. Versez ensuite dans le shaker la mesure de gin et le sucre.
2 Pressez le jus d'un citron et ajoutez-le en le filtrant. Secouez vigoureusement le shaker et versez le contenu dans un verre. Allongez avec un peu d'eau gazeuse.

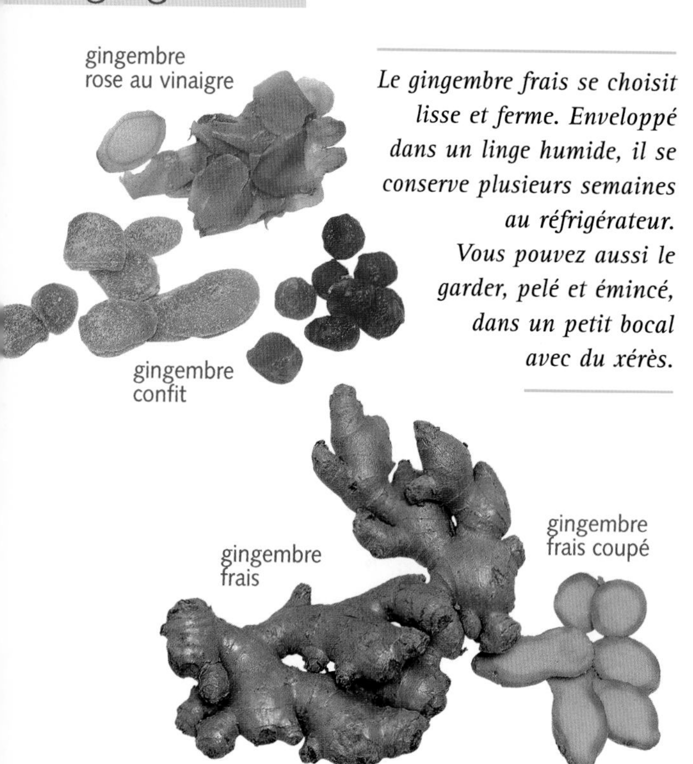

Le gingembre frais se choisit lisse et ferme. Enveloppé dans un linge humide, il se conserve plusieurs semaines au réfrigérateur. Vous pouvez aussi le garder, pelé et émincé, dans un petit bocal avec du xérès.

gingembre

→ voir aussi curry

Ce tubercule aromatique au goût piquant très particulier s'utilise frais (pelé et râpé), confit dans du sucre, comme friandise, ou en poudre. C'est surtout dans les cuisines indienne ou asiatique qu'il joue un rôle important. Il apporte aussi une note exotique dans les recettes européennes à condition d'en apprécier la saveur : ragoûts de viande ou de volaille, poisson en sauce, mélanges ou purées de légumes.

Diététique. Le gingembre a des propriétés apéritives et antiseptiques. Il facilite la digestion et serait un calmant efficace contre le mal des transports. Il parfume agréablement le poisson et la volaille dans un régime sans sel.

Légumes confits au gingembre

Pour **4 personnes**
Préparation **15 min**
Cuisson **30 min**

5 carottes ◆ 5 navets ◆ 60 g de beurre ◆ 4 c. à soupe de sucre roux ◆ 2 c. à café de gingembre en poudre ◆ sel ◆ poivre

1 Pelez les carottes et les navets, coupez-les en petits tronçons réguliers. Mettez-les dans une casserole, salez et poivrez. Couvrez d'eau et faites cuire pendant 20 min environ.
2 Égouttez les légumes à fond. Faites fondre le beurre dans une casserole. Ajoutez le sucre et le gingembre, remuez intimement.
3 Ajoutez alors les carottes et les navets, remuez pour bien les enrober et faites mijoter doucement pendant 10 min environ en remuant de temps en temps.
4 Servez très chaud, comme garniture de rôti de veau ou de côtes de porc.

Mousse de potiron au gingembre

MICRO ONDES

Pour **4 personnes**
Préparation **20 min, 5 h à l'avance**
Cuisson **6 min**

800 g de potiron ◆ 4 œufs extra-frais ◆ 100 g de sucre semoule ◆ 1 c. à soupe de gélatine en poudre ◆ 1 c. à soupe de gingembre frais râpé ◆ 20 cl de crème fraîche épaisse ◆ 40 g de gingembre confit ◆ cannelle ◆ muscade

1 Pelez le potiron, ôtez les fibres et les graines. Coupez-le en gros morceaux et mettez ceux-ci dans un plat. Couvrez de papier sulfurisé et faites cuire 6 min à pleine puissance. Laissez reposer 2 min puis écrasez la pulpe en purée fine. Réservez.
2 Cassez les œufs dans une terrine et battez-les. Ajoutez le sucre et battez encore vivement jusqu'à ce que le mélange soit mousseux. Incorporez la gélatine et remuez à fond.
3 Ajoutez la purée de potiron, le gingembre râpé, une pincée de cannelle et de muscade. Mettez au réfrigérateur.
4 Pendant ce temps, fouettez la crème en chantilly. Sortez la mousse de potiron du réfrigérateur et incorporez-y la crème.
5 Répartissez dans des coupes de service et remettez au réfrigérateur pour faire prendre pendant au moins 5 h.
6 Juste avant de servir, ajoutez en garniture sur le dessus le gingembre confit en fines lamelles.

Boisson **jurançon doux**

→ **autres recettes de gingembre à l'index**

girolle

Ce champignon de cueillette est facilement identifiable grâce à sa couleur orangée et son chapeau en entonnoir. Les girolles (ou chanterelles) sont meilleures de mai à juillet qu'en automne.
Une chair ferme et fruitée, une saveur un peu poivrée : les girolles sautées font merveille avec le veau ou le lapin, avec les œufs et du poisson poêlé.

chanterelles ou girolles

Les girolles à pied fin sont plus parfumées et savoureuses que celles à pied court. Choisissez-les plutôt petites et bien propres pour ne pas devoir les laver.

Cocotte de girolles aux olives

Pour **4 personnes**
Préparation **20 min**
Cuisson **35 min**

500 g de girolles ◆ 2 carottes ◆ 12 petits oignons blancs ◆ 12 grosses olives noires ◆ 1 gousse d'ail ◆ 1 brin de thym ◆ 3 c. à soupe d'huile d'olive ◆ 10 cl de vin blanc sec ◆ 10 cl de bouillon de volaille ◆ poivre au moulin

1 Nettoyez les girolles sans les laver. Pelez les carottes et coupez-les en rondelles. Pelez les petits oignons. Dénoyautez les olives. Pelez la gousse d'ail et écrasez-la.
2 Faites chauffer l'huile d'olive, ajoutez les oignons, l'ail, les carottes et le thym. Mélangez avec une spatule et faites revenir jusqu'à ce que les oignons soient légèrement colorés.
3 Versez le vin blanc et faites cuire pendant 5 min puis ajoutez les olives et les girolles. Faites revenir pendant 5 min. Poivrez et ajoutez le bouillon de volaille.
4 Poursuivez la cuisson jusqu'à ce que le liquide soit presque entièrement absorbé. Servez les girolles en garniture d'escalopes de veau ou d'un poulet rôti.

Omelette aux girolles

Pour **2 personnes**
Préparation **10 min**
Cuisson **7 ou 8 min**

200 g de petites girolles bien fermes ◆ 4 œufs ◆ persil plat ◆ ciboulette ◆ huile d'olive ◆ sel ◆ poivre

1 Nettoyez les girolles avec un torchon fin et propre sans les laver.
2 Cassez les œufs dans une jatte. Battez-les en ajoutant 1 grosse c. à soupe de persil et de ciboulette hachés. Salez et poivrez.
3 Faites chauffer 3 c. à soupe d'huile dans une grande poêle. Mettez-y les girolles et faites-les sauter 3 min.
4 Versez les œufs par-dessus et mélangez aussitôt avec le dos d'une fourchette.
5 Lorsque l'omelette est prise, faites-la glisser sur une assiette, retournez-la sur une autre assiette et faites-la à nouveau glisser dans la poêle pour faire prendre l'autre côté pendant 1 min. Servez l'omelette sans la rouler.

Boisson **bergerac rosé**

Omelette aux girolles ►

Pour une omelette plus mousseuse, vous pouvez ajouter 1 c. à soupe de lait aux œufs avant de les battre. Surtout, dégustez l'omelette toute chaude, sitôt faite.

glaçage

→ voir aussi caramel

Préparation à base de sucre fondu, parfumée ou colorée, utilisée pour parfaire la présentation d'un gâteau (génoise ou quatre-quarts). Le glaçage forme en durcissant un enduit brillant et lisse. Couvrez le gâteau d'une fine couche de confiture pour qu'il n'absorbe pas tout le glaçage.

Glaçage blanc

Pour **1 gâteau de 6 personnes**
Préparation **10 min**
Pas de cuisson

200 g de sucre glace ◆ 1 blanc d'œuf ◆ jus de citron

1 Versez le sucre glace dans une jatte. Ajoutez le blanc d'œuf et quelques gouttes de jus de citron.
2 Battez le mélange au fouet jusqu'à l'obtention d'une crème blanche et bien lisse. Étalez ce glaçage sur le gâteau avec une spatule ou un couteau à large lame. Laissez sécher à température ambiante ou à l'entrée d'un four tiède.

Pour décorer à la poche à douille, préparez un glaçage plus consistant : 300 g de sucre glace pour 1 blanc d'œuf. Ce glaçage que l'on appelle aussi « glace royale » peut se colorer avec quelques gouttes de colorant alimentaire (rose ou vert pâle).

Glaçage à l'orange

Pour **1 gâteau de 6 personnes**
Préparation **15 min**
Pas de cuisson

1 orange juteuse ◆ 125 g de sucre glace

1 Pressez le jus de l'orange et filtrez-le pour éliminer les pépins. Tamisez le sucre glace pour éviter le moindre grumeau.
2 Mettez le sucre glace dans un bol. Faites une fontaine et délayez en versant progressivement le jus d'orange.
3 Mélangez jusqu'à l'obtention d'une pâte épaisse mais coulante.
4 Versez le glaçage au centre du gâteau refroidi en lissant avec une spatule. Le glaçage durcit au bout de 2 h.

Vous pouvez préparer le même glaçage avec un citron (s'il n'est pas assez juteux, ajoutez quelques gouttes d'eau) ou bien avec du café (2 c. à soupe d'extrait de café dilué dans 1 c. à soupe d'eau et mélangé avec 150 g de sucre glace).

Glaçage vanillé

Pour **1 gâteau de 6 personnes**
Préparation **3 min**
Cuisson **2 min**

150 g de sucre glace ◆ vanille en poudre

1 Tamisez le sucre glace et versez-le dans un bol très froid. Ajoutez 1/2 c. à café de vanille en poudre et mélangez.
2 Placez le bol dans une casserole d'eau chaude, au bain-marie. Versez peu à peu 2 c. à soupe d'eau en mélangeant continuellement jusqu'à l'obtention d'une pâte épaisse et coulante.
3 Nappez le gâteau avec ce glaçage et étalez-le à la spatule. Mettez ensuite au réfrigérateur jusqu'au moment de servir.

Si vous décorez le gâteau avec des violettes confites ou des dragées, disposez-les alors que le glaçage est encore mou mais froid.

Pour un glaçage à l'alcool (Cointreau, rhum, kirsch), procédez aussi au bain-marie, avec 4 c. à soupe d'alcool et 120 g de sucre glace.

glace et crème glacée

→ voir aussi café, cassate, charlotte, granité, omelette norvégienne, parfait, pêche, poire, profiterole, sabayon, sorbet, soufflé, vacherin

Obtenue par congélation d'une préparation parfumée, la glace est un dessert toujours bienvenu. Produit industriel de grande consommation, la glace est soumise à une réglementation précise. On distingue les « crèmes glacées » (lait, crème fraîche, sucre et arôme ou fruit), les glaces aux œufs (jaunes d'œufs, lait, sucre et parfum) et les glaces au sirop (sucre, parfum et eau ou lait).

Faciles à réaliser avec une sorbetière ou même un simple bac à glaçons, les glaces se conservent très bien au congélateur. Ayez en réserve des blocs de 50 cl ou 1 litre (vanille, chocolat ou fruits exotiques) pour vos desserts improvisés. Il suffit de les agrémenter au dernier moment avec un coulis ou une sauce, une compote tiède, des tranches de fruits roulées dans du sucre cristallisé, un hachis de fruits confits ou de fruits secs, des feuilles de menthe, de la crème Chantilly, etc.

Si la glace sort du congélateur, remplissez les verres (flûtes ou coupes à pied) avant le repas et placez-les dans le réfrigérateur. S'il s'agit d'une glace entière, placez-la dans le réfrigérateur 1 heure avant de servir.

Diététique. La glace est une excellente source de calcium : pensez-y notamment pour les enfants.

Glace à l'anis

Pour **6 personnes**
Préparation **20 min**
Réfrigération **10 h**
Pas de cuisson

1 c. à café de grains d'anis ◆ 200 g de sucre semoule ◆ 25 cl de lait ◆ 8 jaunes d'œufs ◆ 25 cl de crème liquide ◆ quelques brins de lavande fraîche

1 Versez les grains d'anis dans un mortier, ajoutez le sucre et pilez le tout en poudre fine.
2 Versez le lait dans une casserole, faites chauffer en ajoutant le mélange sucre-anis pour le faire fondre.
3 Mélangez les jaunes d'œufs et la crème liquide, ajoutez le lait, remuez et passez le tout dans une passoire fine.
4 Versez la préparation dans une sorbetière et faites prendre. Moulez des boules que vous servirez avec quelques brins de lavande en fleur.

Glace au chocolat

Pour **4 personnes**
Préparation **5 min**
Cuisson **15 min**
Congélation **2 h**

50 cl de lait ◆ 100 g de chocolat noir ◆ 30 g de tapioca ◆ 2 jaunes d'œufs ◆ 50 g de sucre semoule ◆ 100 g de crème liquide

1 Versez le lait dans une casserole. Ajoutez le chocolat cassé en morceaux et portez lentement à ébullition. Versez alors le tapioca en pluie et faites cuire exactement 3 min en remuant. Retirez du feu.
2 Mettez les jaunes dans une terrine avec le sucre. Mélangez pendant 5 min puis ajoutez-y le lait au tapioca. Versez le tout dans une casserole et faites épaissir sur feu doux sans cesser de remuer. Retirez du feu avant le premier bouillon.
3 Filtrez aussitôt à travers une passoire fine pour éliminer les grains de tapioca. Laissez refroidir.
4 Fouettez vivement la crème liquide et incorporez-la à la crème au chocolat. Versez dans les bacs à glaçons du réfrigérateur, réglez celui-ci au plus froid et faites congeler pendant 1 h.
5 Versez la glace, qui a commencé à prendre, dans un saladier et battez-la au fouet quelques instants. Remettez-la dans les bacs et faites congeler encore 1 h.

Glace mystère

Pour **6 personnes**
Préparation **30 min**
Congélation **2 h**
Cuisson **10 min**

4 œufs ◆ 60 g de sucre semoule ◆ 200 g de crème fraîche ◆ extrait de vanille ◆ 40 g de sucre glace ◆ 2 grosses meringues au caramel ou nature ◆ 6 morceaux de sucre ◆ 50 g de noisettes

1 Cassez les œufs et séparez les blancs des jaunes. Travaillez les jaunes avec le sucre semoule jusqu'à ce que le mélange blanchisse. Incorporez alors la crème fraîche et 1 c. à café d'extrait de vanille.
2 Battez les blancs en neige ferme et ajoutez le sucre glace. Mélangez ces 2 préparations. Versez-en la moitié dans un bac à glaçons profond. Émiettez grossièrement les meringues pardessus. Recouvrez avec le reste de pâte. Faites prendre au réfrigérateur réglé au plus froid.
3 Préparez le praliné : faites un caramel blond clair avec les morceaux de sucre juste mouillés d'eau. Lorsqu'il est à point, ajoutez les noisettes. Laissez foncer jusqu'au caramel brun puis versez le tout sur du papier aluminium étalé sur la tôle du four en double épaisseur.
4 Laissez refroidir complètement. Concassez en morceaux, puis broyez ceux-ci le plus finement possible. Pour servir la glace, démoulez-la et partagez-la en portions égales en saupoudrant entièrement de praliné moulu.

Glace à la vanille

Pour **1 l de glace (6 personnes)**
Préparation **20 min**
Cuisson **15 min**
Congélation **3 à 4 h**

1 gousse de vanille ◆ 75 cl de lait ◆ 6 jaunes d'œufs ◆ 175 g de sucre glace ◆ 10 cl de crème fraîche

1 Fendez la gousse de vanille en 2 et grattez soigneusement l'intérieur avec un couteau pour récupérer les graines aromatiques. Versez le lait dans une casserole. Ajoutez la gousse fendue et les graines. Portez à ébullition sur feu doux sans remuer puis retirez la casserole du feu, couvrez et laissez infuser 10 min.

2 Mettez les jaunes d'œufs dans une terrine et ajoutez le sucre glace. Vous pouvez aussi utiliser du sucre semoule, mais la glace sera plus fine avec du sucre glace. Travaillez le mélange à la spatule jusqu'à l'obtention d'une crème onctueuse.

3 Retirez la gousse de vanille du lait et versez peu à peu le lait chaud sur le mélange œufs-sucre en remuant régulièrement. Reversez le tout dans une casserole et faites épaissir sur feu doux en fouettant sans arrêt.

4 Ôtez du feu dès que la crème nappe la cuiller. Laissez refroidir. Incorporez la crème fraîche en utilisant un fouet à main jusqu'à consistance homogène.

5 Versez la préparation dans le bac d'une sorbetière en le remplissant aux 2/3 seulement. Mettez à glacer en suivant le mode d'emploi de l'appareil. Sans sorbetière, les glaces à base de crème anglaise se congèlent mal et produisent des paillettes.

Selon le même principe, vous pouvez préparer une glace plombières. Les proportions sont les suivantes : 125 g de fruits confits mis à macérer dans 3 c. à soupe de kirsch, 50 cl de lait, 1 gousse de vanille, 3 jaunes d'œufs, 100 g de sucre semoule, 30 g de fécule de maïs, 15 cl de crème fraîche, 2 blancs d'œufs fouettés avec 50 g de sucre glace. Préparez une crème anglaise à la vanille avec les 3 jaunes d'œufs et la fécule de maïs. Quand elle est refroidie, incorporez les fruits confits au kirsch, la crème puis les blancs en neige. Faites congeler 2 à 3 h.

La glace à la vanille peut être parfumée après cuisson de la crème avec 2 c. à soupe de liqueur, de rhum ou de kirsch.

→ autres recettes de glace et crème glacée à l'index

gnocchi

Cette entrée chaude gratinée se prépare classiquement avec de la pâte à choux : ce sont les gnocchi à la parisienne. Il en existe deux autres variantes, l'une à base de semoule de maïs qu'on fait cuire avec du parmesan, l'autre faite de boulettes de purée de pommes de terre à la crème.

Gnocchi à la parisienne

Pour **6 personnes**
Préparation **45 min**
Cuisson **40 min**

Pour la pâte à choux **150 g de farine** ◆ **100 g de beurre** ◆ **4 œufs** ◆ **muscade** ◆ **sel** ◆ **poivre**
Pour la sauce Mornay **30 g de beurre** ◆ **30 g de farine** ◆ **50 cl de lait** ◆ **40 g de beaufort râpé**
Pour le fond et le nappage **250 g de pâte brisée** ◆ **20 g de beurre** ◆ **30 g de beaufort râpé**

1 Préparez une pâte à choux *(voir page 167)* et mettez-la dans une poche à douille lisse de 10 mm. Faites bouillir 2 l d'eau salée.
2 Poussez la pâte au-dessus de la casserole en la coupant tous les 3 cm. Laissez pocher ces petits tronçons de pâte à choux le temps qu'ils remontent à la surface. Égouttez-les sur un torchon.
3 Abaissez la pâte brisée sur 3 mm d'épaisseur et garnissez-en 6 moules à tartelettes de 8 cm de diamètre. Piquez le fond et laissez en attente.
4 Préparez une sauce Béchamel *(voir page 58)* et incorporez-lui le fromage. Poivrez et muscadez, puis ajoutez les gnocchi dans la sauce et mélangez.
5 Garnissez les tartelettes de ce mélange, ajoutez quelques parcelles de beurre et poudrez de beaufort. Faites cuire au four à 200 °C pendant environ 30 min. Servez brûlant.

Vous pouvez préparer les gnocchi à l'avance jusqu'au moment de les faire cuire au four.

→ **autres recettes de gnocchi à l'index**

gombo

Ce légume en forme de gousse creusée de sillons est aussi vendu sous le nom de « bahmia » ou « okra ». S'il est frais, coupez le pédoncule et faites-le cuire à l'eau bouillante. On le trouve aussi en conserve au naturel ou séché. Dans les soupes de légumes ou les ragoûts, il permet une bonne liaison.
Diététique. 100 g = 40 kcal.

Il existe 2 variétés de gombos, l'une est longue, l'autre plus courte et trapue. On les trouve frais presque toute l'année dans les magasins de produits exotiques. Lavez-les soigneusement et retirez les queues.

gombos

Gombos à la créole

Pour **6 personnes**
Préparation **20 min**
Cuisson **35 min environ**

500 g de gombos frais ◆ **2 oignons** ◆ **3 grosses tomates** ◆ **2 gousses d'ail** ◆ **huile d'arachide** ◆ **poivre de Cayenne** ◆ **safran** ◆ **sel** ◆ **poivre**

1 Lavez les gombos à l'eau froide, égouttez-les et coupez le pédoncule. S'ils sont gros, coupez-les en 2 ou 3 tronçons. Faites-les cuire 3 min à l'eau bouillante légèrement salée. Égouttez-les bien à fond.
2 Pelez et hachez finement les oignons. Ébouillantez, pelez et concassez les tomates. Pelez et écrasez les gousses d'ail.
3 Faites chauffer 3 c. à soupe d'huile dans une cocotte. Ajoutez les oignons et faites fondre en remuant. Ajoutez les tomates et l'ail. Mélangez.
4 Salez, poivrez, ajoutez 1 pincée de cayenne et 1 mesure de safran. Mélangez et couvrez. Réglez sur feu doux et laissez mijoter 20 min puis rajoutez les gombos et faites réchauffer. Goûtez et rectifiez l'assaisonnement, qui doit être bien relevé. Servez les gombos avec du riz à la créole moulé en couronne.

Vous pouvez agrémenter le ragoût de crevettes décortiquées ou de petites languettes de jambon fumé.

gorgonzola

Fromage italien de lait de vache à pâte persillée, blanche et crémeuse, avec une saveur douce à piquante selon l'affinage, le gorgonzola est bon toute l'année. Appréciez-le en fin de repas avec un rouge bien charpenté. À l'apéritif, servez-le en petits cubes ou étalé sur des canapés. Vous pouvez aussi l'émietter dans une salade ou l'incorporer dans une sauce pour des pâtes fraîches. Farcissez-en des demi-poires et servez-les en dessert.

Diététique. Fromage gras. 100 g = 400 kcal.

Salade mélangée au gongorzola

Pour **4 personnes**
Préparation **20 min**
Cuisson **10 min**

200 g de gorgonzola ◆ 3 c. à soupe de crème fraîche ◆ 12 brins de ciboulette ◆ 3 c. à soupe d'huile d'olive ◆ 200 g de haricots verts extra-fins surgelés ◆ 2 poires williams ◆ poivre au moulin

1 Passez au mixer le gorgonzola et la crème fraîche. Incorporez ensuite en remuant la ciboulette ciselée et l'huile d'olive, poivrez à votre goût. Réservez au frais.
2 Faites cuire les haricots verts à l'eau bouillante en les tenant croquants. Rafraîchissez-les et égouttez-les.
3 Pelez les poires et coupez-les en lamelles. Mélangez les poires et les haricots verts dans un petit saladier.
4 Ajoutez la sauce au gorgonzola et remuez délicatement. Servez frais.

Boisson **brouilly**

gouda

Très proche de l'édam dont il connaît les emplois, ce fromage de Hollande est tendre, ferme ou très dur selon l'affinage : croûte incolore s'il est jeune, rouge s'il est demi-étuvé et jaune s'il est étuvé.

Il se présente en petite meule aplatie ou en pain rectangulaire. Le gouda au cumin est excellent avec de la bière.

Diététique. 100 g de gouda = 330 kcal.

gougère

Pâte à choux additionnée de fromage râpé, la gougère se fait cuire en boulettes ou en couronne. Servez-la à l'apéritif ou en entrée chaude. Choisissez un « bon » gruyère pour la préparer (comté ou emmental suisse).

Diététique. 1 portion de gougère = 410 kcal.

Gougère bourguignonne

Pour **6 personnes**
Préparation **30 min**
Cuisson **25 min**

100 g de beurre ◆ 150 g de farine ◆ 5 œufs ◆ 150 g de gruyère ◆ muscade ◆ sel ◆ poivre

1 Versez 25 cl d'eau dans une casserole, ajoutez le beurre en morceaux et 1 c. à café rase de sel. Faites bouillir. Par ailleurs, tamisez la farine.
2 Retirez du feu à ébullition et versez la farine d'un seul coup dans la casserole. Mélangez énergiquement pour détacher la pâte des bords.
3 Incorporez à la pâte 4 œufs entiers l'un après l'autre. Mélangez intimement. La pâte doit être ferme et souple. Poivrez et muscadez.
4 Émincez finement le fromage et incorporez-le à la pâte. À l'aide d'une cuiller mouillée d'eau, prélevez des boules de pâte et rangez-les côte à côte pour former une couronne sur la tôle du four, à 2 cm les unes des autres.
5 Battez le dernier œuf et badigeonnez-en les choux. Faites cuire 5 min à 210 °C, porte entrouverte, puis fermez la porte et poursuivez la cuisson 20 min.
6 Les choux ont gonflé et forment une couronne bien dorée. Servez chaud.

Variante : si vous faites cuire la gougère en petits choux séparés, réduisez le temps de cuisson.

Boisson **bourgogne rouge**

goujonnette

Taillées en biais dans des filets de sole (limande ou merlan), les goujonnettes sont des languettes de 12 cm de long sur 3 cm de large environ que l'on fait frire ou rissoler. Servez-les en entrée chaude avec une sauce relevée ou utilisez-les comme garniture de plat de poisson en sauce.

Goujonnettes au citron

Pour 4 personnes
Préparation 10 min
Cuisson 7 à 8 min

4 soles assez grosses ◆ 2 citrons ◆ lait ◆ farine ◆ huile de friture

1 Demandez au poissonnier de lever les filets des soles. Détaillez les filets en biais pour obtenir des lanières de 2 cm de large.
2 Versez du lait dans un plat creux, salez et passez les goujonnettes de soles dedans. Égouttez-les. Faites chauffer le bain de friture à 180 °C.
3 Passez les goujonnettes dans la farine pour les sécher. Plongez-les dans la friture chaude pour les faire cuire et dorer.
4 Coupez les citrons en quartiers. Égouttez les goujonnettes sur du papier absorbant et disposez-les en buisson dans un plat. Garnissez de quartiers de citrons et servez aussitôt.

Goulache de bœuf ▲
Si vous aimez les saveurs un peu relevées, vous pouvez renforcer la saveur du paprika, qui est plutôt douce, par une pointe de poivre de Cayenne.

goulache

Il existe de très nombreuses variantes de ce plat hongrois, un ragoût de viande à l'oignon et à la tomate qui doit son caractère au paprika qui le parfume.

Diététique. Sans trop de corps gras, c'est un bon plat d'hiver, parfaitement équilibré.

Goulache de bœuf

Pour 4 personnes
Préparation 30 min
Cuisson 2 h environ

800 g de bœuf (macreuse ou paleron) ◆ 4 oignons ◆ 40 cl de bouillon de bœuf ◆ 4 c. à soupe de concentré de tomates ◆ 10 cl de crème fraîche épaisse ◆ 1 citron ◆ paprika ◆ fécule ◆ huile d'arachide ◆ sel ◆ poivre

1 Taillez la viande en cubes réguliers de 4 cm de côté environ. Pelez et émincez finement les oignons. Faites chauffer 3 c. à soupe d'huile dans une cocotte.
2 Faites revenir les oignons sur feu modéré en remuant sans cesse. Ajoutez les cubes de viande au fur et à mesure en les enrobant de matière grasse et d'oignon. Lorsque le tout est bien doré, versez le bouillon, salez et poivrez. Portez lentement à ébullition.
3 Pendant ce temps, mélangez dans un bol le concentré de tomates, 4 c. à café de paprika et 2 c. à café de fécule. Délayez ce mélange avec 3 c. à soupe de bouillon prélevé dans la cocotte.
4 Versez cette liaison dans la cocotte, mélangez et portez à nouveau à ébullition. Couvrez et baissez le feu. Laissez mijoter doucement pendant 1 h 45. Remuez de temps en temps.
5 Environ 20 min avant de servir, mélangez dans un bol la crème fraîche et le jus du citron. Juste avant de servir, dégraissez au maximum la cuisson du goulache en écumant le dessus avec une petite louche. Versez la crème aigre, mélangez délicatement et servez dans la cocotte.

Le goulache se sert avec des pâtes fraîches, du riz nature ou des pommes vapeur.

Boisson bière brune ou vin rouge corsé

goûter d'enfants

Peu d'invités et beaucoup de place. Pas de bibelots fragiles à proximité, mais nappes et serviettes en papier. Que la fête commence !

La fondue au chocolat

Pour 4 personnes

Faites fondre 250 g de chocolat noir avec un peu d'eau dans un poêlon sur feu très doux. Placez le poêlon sur un réchaud de table et ajoutez 40 cl de lait et 40 cl de crème liquide. Mélangez bien.

Chaque invité trempe dans le poêlon un morceau de fruit épluché, piqué au bout d'une longue fourchette : banane, orange, pamplemousse, ananas, pomme, mangue, fruit confit, litchi, etc.

Les petits sablés découpés

Pour 20 sablés environ

Malaxez 250 g de farine, 125 g de beurre ramolli, 200 g de sucre et 2 c. à soupe de jus de citron. Laissez reposer 2 h au frais. Abaissez la pâte sur un plan de travail fariné. Munissez les enfants d'emporte-pièce en forme d'animaux. À chacun de découper son gâteau. Dorez les biscuits au jaune d'œuf. Faites-les cuire 25 min sur la tôle du four beurrée, à 200 °C.

Les milk-shakes

▶ **Pour 1 milk-shake**

Réduisez en purée 150 g de fruits (fraise, mangue, banane). Mélangez avec 25 cl de lait très froid en battant au mixer ou bien mixez le lait avec 1 boule de glace au chocolat. Servez avec une paille.

Un délicieux milk-shake au chocolat se prépare aussi avec 90 g de petits biscuits au chocolat noir. Mettez-les dans un mixer avec 2 c. à soupe de glace à la vanille et 15 cl de lait. Mixez pendant 1 min et versez dans un grand verre. Décorez le dessus avec du chocolat râpé. Servez avec une paille.

Les roudoudous

Coulez dans des coquilles très propres du caramel bien doré additionné de beurre et d'un colorant alimentaire.

▶ **Ingrédients : 60 morceaux de sucre, 6 c. à soupe d'eau et 60 g de beurre.**

Petits sujets en pain d'épices

▶ **Pour 30 sujets environ**

Préparez une pâte à pain d'épices *(voir page 509)*. Abaissez-la sur 7 ou 8 mm d'épaisseur. Découpez-y des cœurs, des bonshommes, des arbres. Badigeonnez-les avec un mélange de jaune d'œuf, de lait et de sucre. Faites-les cuire à 210 °C pendant 20 min environ. Décorez-les encore tièdes avec des raisins secs, des fruits confits, du fondant.

Pâte à guimauve

Achetez des rubans de guimauve et nouez-les pour en faire des bouquets à grignoter.

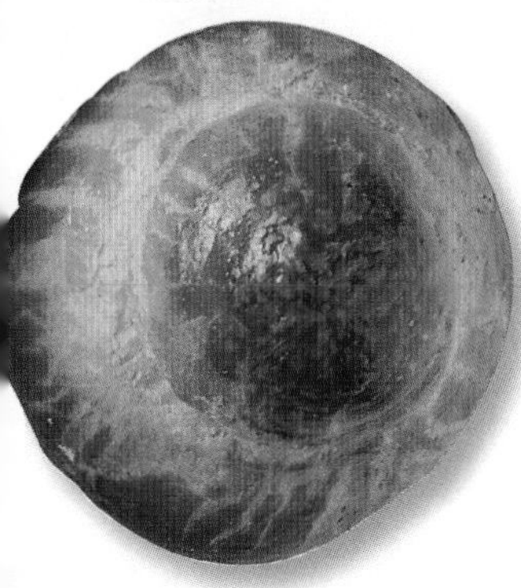

Prévoyez aussi des chouquettes, des brioches, des madeleines ou des morceaux de gâteau de Savoie.

Les tartines gourmandes

Sur pain de seigle légèrement rassis, couche de pâte de pruneaux bien lisse avec amandes effilées et grillées en décor.

Sur pain de campagne grillé, confiture de framboises et tronçons d'angélique, marmelade d'abricots et demi-cerises confites.

Sur pain brioché grillé légèrement beurré, fine couche de miel de thym, rondelles de banane citronnées et tranches de kiwis.

Les sucettes

Prévoyez un grand choix de sucettes multicolores : plantez-les dans des bocaux remplis de gravier.

goyave

Les meilleures provenances de ce fruit exotique de 5 à 10 cm de diamètre sont la Thaïlande et le Brésil. Achetez-la plutôt en automne et en hiver. La pulpe jaune ou rose, selon les variétés, est à la fois sucrée et acide : dégustez-la à la petite cuiller, une fois le fruit coupé en deux. Employez-la aussi dans des salades de fruits ou des sorbets.

Diététique. Une vraie « bombe » à vitamine C. Elle contient aussi du carotène, bon pour la peau et le bronzage. 100 g = 50 kcal.

La goyave mûre est souple au toucher. Retirez les pépins avant de la déguster. Si vous la mettez au réfrigérateur, enveloppez-la bien, car son parfum affirmé se communique facilement aux autres aliments.

goyaves

Dessert exotique

Pour **4 personnes**
Préparation **25 min**
Repos **2 h**
Pas de cuisson

25 cl de jus de mangue ◆ 4 feuilles de gélatine ◆ 6 c. à soupe de fromage blanc à 0 % de matières grasses ◆ 4 kiwis ◆ 1 papaye ◆ 1 goyave ◆ édulcorant en poudre

1 Faites chauffer le jus de mangue dans une casserole. Mettez par ailleurs la gélatine à tremper dans un bol d'eau froide pendant 5 min. Égouttez-la. Retirez le jus de mangue du feu et incorporez-lui la gélatine en fouettant. Laissez refroidir complètement.

2 Fouettez le fromage blanc, ajoutez de l'édulcorant au goût, puis ajoutez le mélange jus de mangue-gélatine.

3 Répartissez dans des ramequins et mettez au réfrigérateur pendant 2 h.

4 Pelez les kiwis et émincez-les. Pelez et émincez la papaye et la goyave. Démoulez les ramequins et entourez-les de fruits.

Goyaves au rhum

Pour **4 personnes**
Préparation **15 min**
Pas de cuisson

2 citrons ◆ 2 oranges ◆ 8 goyaves juste à point ◆ 20 cl de crème liquide ◆ rhum ◆ sucre semoule

1 Préparez 4 verres très froids et versez-y un doigt de rhum. Ajoutez 1 pincée de sucre, le jus des citrons et des oranges. Mélangez et ajoutez des glaçons. Mettez au frais.

2 Pelez les goyaves, coupez-les en 2 et retirez les pépins. Répartissez les moitiés des goyaves sur des assiettes.

3 Arrosez-les de quelques gouttes de rhum. Fouettez la crème liquide très froide en chantilly avec 1 c. à soupe de sucre.

4 Servez en même temps les goyaves décorées de crème Chantilly et le cocktail au rhum.

granité

Sorte de sorbet fait d'un simple sirop de fruits peu sucré ou d'un sirop parfumé à la liqueur ou au café. Le granité se caractérise par sa texture granuleuse, très rafraîchissante. Servez-le dans de hauts verres, en fin de repas ou en trou normand.

Granité au café

Pour **6 personnes**
Préparation **20 min**
Réfrigération **3 h environ**

250 g de sucre semoule ◆ 200 g de grains de café ◆ 1/2 citron ◆ 24 grains de café à la liqueur

1 Étalez les grains de café sur la tôle du four et faites-les légèrement griller pendant quelques minutes. Pilez-les au mortier.

2 Versez 25 cl d'eau dans une casserole, ajoutez le sucre semoule, mélangez et faites fondre sur feu moyen.
3 Dès les premiers bouillons, ajoutez 1,5 l d'eau et les grains de café pilés. Retirez du feu, couvrez et laissez infuser. Lorsque le mélange est froid, ajoutez le jus de citron et les grains de café à la liqueur.
4 Versez le tout dans un récipient et mettez au congélateur. Mélangez avec une fourchette toutes les 10 min jusqu'à ce que le mélange prenne en paillettes. Servez dans des verres à pied givrés.

Granité au citron

Pour **4 personnes**
Préparation **10 min**
Cuisson **3 min**
Congélation **4 h environ**

4 c. à soupe de sucre semoule ◆ 45 cl de jus de citron riche en pulpe ◆ 15 cl de crème fraîche ◆ sucre glace

1 Réglez le réfrigérateur au plus froid. Versez le sucre semoule dans une casserole avec 10 cl d'eau et portez à ébullition en remuant pour faire dissoudre. Faites bouillir 3 min et laissez refroidir.
2 Mélangez le jus de citron et le sirop froid. Versez la préparation dans 1 ou 2 bacs à glaçons et faites congeler pendant 3 h en remuant de temps en temps.
3 Versez le contenu des bacs dans une jatte très froide et écrasez la glace obtenue au pilon. Répartissez-la dans des verres épais. Remettez ceux-ci au réfrigérateur.
4 Fouettez la crème bien froide avec un peu de sucre glace. Sortez les verres du réfrigérateur et répartissez la crème fouettée sur le dessus. Servez aussitôt.

gras-double

Ces morceaux de panse de bœuf sont échaudés et cuits à l'eau. Moulé en gros pain rectangulaire, le gras-double s'achète cuit et coupé en tranches chez le tripier. Il se fait braiser doucement avec des tomates et des oignons. Découpé en lanières, il se fait aussi rissoler avec des oignons ou réchauffer dans une sauce poulette.

Diététique. Malgré son nom, ce n'est pas l'abat de bœuf le plus gras : 180 kcal pour 100 g, mais faites-le mijoter avec des tomates.

Gras-double à la lyonnaise

Pour **4 personnes**
Préparation **10 min**
Cuisson **15 min environ**

800 g de gras-double cuit ◆ 4 oignons ◆ 3 c. à soupe de persil haché ◆ 30 g de beurre ◆ huile de tournesol ◆ vinaigre de vin blanc

1 Détaillez le gras-double en lanières assez minces. Pelez les oignons et émincez-les.
2 Faites chauffer 15 g de beurre et 2 c. à soupe d'huile dans un poêlon. Versez-y les oignons et remuez sur feu moyen pour les faire colorer, pendant environ 5 min.
3 Faites chauffer le reste de beurre et 2 c. à soupe d'huile dans une poêle. Mettez-y les lanières de gras-double et remuez-les à la spatule sur feu assez vif pour les faire rissoler en les surveillant bien pour les empêcher de roussir.
4 Ajoutez les oignons au gras-double et mélangez en poursuivant la cuisson pendant 3 ou 4 min. Le tout doit être bien doré. Versez la préparation dans un plat creux bien chaud.
5 Versez 2 c. à soupe de vinaigre dans la poêle et remuez à la spatule. Arrosez-en le contenu du plat et poudrez de persil. Servez aussitôt.

gratin

Ce mot désigne d'abord la couche dorée et croustillante qui se forme à la surface d'une préparation cuite au four, quand on lui ajoute du fromage râpé, de la chapelure, une sauce blanche ou une liaison à la crème. Le gratin, c'est également la préparation elle-même. Les aliments qui peuvent être cuisinés de cette façon sont innombrables : restes de poisson, de volaille ou de viande, pâtes et légumes traditionnels dans la cuisine familiale, mais aussi recettes plus raffinées (coquilles Saint-Jacques ou ris de veau), sans oublier les fruits en dessert.

Diététique. Avec un fromage maigre et de la crème allégée, le gratin peut être un plat de régime.

Gratin dauphinois ▲

Le « vrai » gratin dauphinois ne comporte pas de fromage, à la différence du gratin savoyard, mais le râpé, beaufort ou comté surtout, lui apporte un parfum savoureux.

Gratin d'abricots

Pour **4 personnes**
Préparation **10 min**
Cuisson **8 à 10 min**

5 ou 6 abricots ◆ 4 jaunes d'œufs ◆ 15 cl de crème fraîche ◆ 1 c. à café de fécule de maïs ◆ 1 c. à café d'extrait de vanille ◆ sucre semoule

1 Coupez les abricots en 2, retirez les noyaux et recoupez-les en 2. Répartissez ces fruits dans 4 petits plats à gratin individuels.
2 Versez les jaunes d'œufs dans une petite casserole à fond épais. Ajoutez la crème fraîche, la fécule et la vanille. Fouettez vivement, ajoutez 2 c. à café de sucre et 2 c. à soupe d'eau.
3 Faites chauffer sur feu doux en fouettant sans arrêt pendant 4 à 5 min jusqu'à l'obtention d'une crème onctueuse.
4 Nappez le contenu des petits plats à gratin avec cette préparation, avec précaution pour ne pas bousculer l'arrangement des morceaux de fruits. Passez sous le gril du four pendant 2 min.
5 Poudrez légèrement de sucre, repassez au four pendant 2 min et servez aussitôt directement dans les plats de cuisson.

Gratin de croissants

Pour **6 personnes**
Préparation **25 min**
Cuisson **10 min**

6 croissants pur beurre bien gonflés ◆ 3 tranches de jambon ◆ 50 cl de lait ◆ 2 œufs ◆ 1 c. à café de paprika ◆ 150 g de gruyère finement râpé ◆ poivre blanc

1 Fendez les croissants dans l'épaisseur. Glissez 1/2 tranche de jambon dans chacun. Rangez-les dans un plat à gratin en les serrant bien. Faites tiédir le lait dans une casserole.
2 Cassez les œufs l'un après l'autre dans une jatte, battez-les à la fourchette en ajoutant le lait juste chaud, mais pas bouillant. Poivrez et ajoutez le paprika.
3 Versez lentement le mélange lait-œufs sur les croissants en leur laissant le temps de bien s'imbiber. Lorsqu'ils ont absorbé une grande partie du liquide, arrosez-les à nouveau.
4 Parsemez le tout avec le fromage en le répartissant régulièrement. Faites gratiner à four très chaud pendant 10 min. Servez très chaud.

Gratin dauphinois

Pour **6 personnes**
Préparation **20 min**
Cuisson **1 h 15**

1,5 kg de pommes de terre à chair ferme ◆ 1 gousse d'ail ◆ 20 g de beurre ◆ 20 cl de crème fraîche épaisse ◆ 120 g de fromage râpé ◆ 20 cl de lait ◆ 1 œuf ◆ sel ◆ poivre au moulin

1 Pelez et lavez les pommes de terre. Coupez-les en rondelles fines. Épongez-les. Pelez l'ail et hachez-le.
2 Beurrez un grand plat à gratin et étalez l'ail dedans. Rangez une couche de pommes de terre. Salez et poivrez.
3 Nappez avec 1 c. à soupe de crème et ajoutez 1 c. à soupe de fromage râpé. Remettez une couche de pommes de terre, crème et fromage.

Remplissez ainsi le plat en alternant les ingrédients et en terminant par le fromage. Réservez 1 c. à soupe de crème. Arrosez avec le lait.
4 Faites cuire pendant 1 h à 200 °C. Cassez l'œuf dans une jatte et battez-le avec le reste de crème, salez et poivrez. Sortez le gratin du four et versez le mélange à l'œuf dessus.
5 Remettez le gratin au four et poursuivez la cuisson pendant 15 min jusqu'à ce qu'il soit bien doré. Servez dans le plat de cuisson.

Gratin de poires épicé

RECETTE LÉGÈRE — 1 portion 190 kcal

Pour **4 personnes**
Préparation **10 min**
Cuisson **20 min**

4 poires passe-crassane ◆ 1 citron ◆ 1 sachet de sucre vanillé ◆ cannelle en poudre ◆ 4 grains de genièvre ◆ 25 cl de lait écrémé ◆ 2 gros œufs ◆ édulcorant en poudre

1 Préchauffez le four à 200° C. Pelez les poires, coupez-les en quartiers, retirez le cœur et les pépins. Citronnez-les. Rangez-les dans un plat à gratin juste assez grand pour les contenir côte à côte. Saupoudrez-les de sucre vanillé mélangé avec quelques pincées de cannelle.
2 Pilez très finement les baies de genièvre. Faites chauffer le lait dans une casserole.
3 Cassez les œufs dans une jatte et battez-les en omelette. Versez le lait bouillant sur les œufs et fouettez vivement. Ajoutez 3 c. à soupe d'édulcorant et mélangez intimement.
4 Versez doucement ce mélange sur les poires et mettez le plat dans le four. Faites cuire au four environ 20 min. Laissez ensuite tiédir avant de servir dans le plat de cuisson.

Gratin de reinettes

RECETTE LÉGÈRE — 1 portion 120 kcal

Pour **4 personnes**
Préparation **15 min**
Cuisson **30 min**

2 grosses pommes reinettes ◆ 1 citron ◆ 2 œufs ◆ 2 c. à soupe d'édulcorant en poudre ◆ 20 g de farine ◆ 15 cl de lait écrémé ◆ huile de tournesol

1 Préchauffez le four à 210° C. Pelez les pommes, coupez-les en 2, retirez le cœur et les pépins. Taillez-les en lamelles et citronnez-les.
2 Par ailleurs, mélangez au fouet dans un saladier les œufs et l'édulcorant. Incorporez la farine et délayez avec le lait jusqu'à l'obtention d'une consistance lisse.
3 Huilez légèrement quatre plats à crème brûlée ou à œufs. Répartissez dans le fond, en rosace, les lamelles de pommes.
4 Versez la pâte par-dessus et mettez les petits plats dans le four. Faites cuire environ 30 min. Sortez-les et laissez les pommes tiédir avant de déguster.

Gratin de volaille

Pour **4 personnes**
Préparation **10 min**
Cuisson **30 min environ**

300 g de restes de volaille cuite ◆ 300 g de macaroni ◆ 50 g de beurre ◆ 150 g de parmesan râpé ◆ 10 cl de crème fraîche ◆ muscade ◆ sel ◆ poivre

1 Débarrassez les restes de volaille de leur peau ou des petits os. Taillez-les en languettes.
2 Faites cuire les macaroni à l'eau pendant 10 min. Égouttez-les à fond. Mélangez-les avec le beurre.
3 Versez la moitié des macaroni dans un plat à gratin beurré, ajoutez la volaille, puis le reste de macaroni.
4 Mélangez la moitié du parmesan avec la crème. Salez modérément, poivrez et muscadez. Arrosez le gratin de cette préparation. Poudrez avec le reste de parmesan. Faites gratiner dans le four à 200 °C pendant environ 15 min.

Si vous n'avez pas de reste de volaille cuite, faites pocher 2 blancs de poulet 15 min dans un peu de bouillon.

→ **autres recettes de gratin à l'index**

gratinée

Cet adjectif désigne une soupe à l'oignon versée dans une soupière individuelle, garnie de pain et de fromage râpé, passée au four et servie gratinée, brûlante. En principe, le fromage est du gruyère, mais on peut imaginer la gratinée au bleu d'Auvergne ou au cantal.

Gratinée à l'oignon

Pour **6 personnes**
Préparation **10 min**
Cuisson **35 min**

1 kg d'oignons ◆ 50 g de beurre ◆ farine ◆ 1,5 l de bouillon de bœuf ou de volaille ◆ 1 bouquet garni ◆ 1 baguette de pain ◆ 250 g de gruyère râpé ◆ porto rouge ◆ muscade ◆ sel ◆ poivre

1 Pelez et émincez les oignons. Faites fondre le beurre dans une grande casserole. Ajoutez les oignons en remuant et laissez-les blondir sur feu modéré.

2 Ajoutez 2 c. à soupe de farine et remuez pendant 3 à 4 min puis versez 1 l de bouillon froid. Mélangez bien, ajoutez le bouquet garni et portez à ébullition en remuant.

3 Salez, poivrez et muscadez. Ajoutez le reste de bouillon et laissez bouillonner doucement pendant 10 min.

4 Pendant ce temps, coupez la baguette en fines rondelles et faites-les sécher dans le four à 150 °C jusqu'à ce qu'elles soient légèrement grillées.

5 Retirez la soupe à l'oignon du feu, éliminez le bouquet garni et ajoutez 3 c. à soupe de porto. Mélangez et répartissez cette soupe dans 6 bols en porcelaine à feu.

6 Garnissez les bols de rondelles de pain en les enfonçant légèrement dans le bouillon. Poudrez largement de gruyère râpé et faites gratiner doucement dans le four pendant 10 min environ. Servez brûlant.

On peut également mouiller les oignons en début de cuisson avec 20 cl de vin blanc sec avant d'ajouter 1 l de bouillon ou d'eau.

La grenade apparaît aux étals de produits exotiques en automne et au début de l'hiver. Elle est mûre lorsque la peau est rose sombre. Attention aux taches brunes et aux meurtrissures.

grenade

grattons

Résidus de graisse de porc ou d'oie fondue, additionnés de petits morceaux de viande, les grattons (ou fritons) se dégustent froids en entrée, poudrés de sel fin. Vous pouvez aussi les utiliser pour garnir des salades vertes ou une omelette.

Diététique. Du point de vue calorique, c'est le maximum à absorber en une bouchée !

grenade

La peau ferme et brillante de ce fruit méditerranéen d'automne cache une multitude de graines rouges. Dégustez cette pulpe désaltérante et légèrement acidulée telle quelle ou garnissez-en une salade de fruits. Avec le jus, faites un coulis, un sorbet ou une boisson fraîche.

Diététique. Attention : la grenade fait partie des fruits riches en sucre. 100 g = 65 kcal.

Salade californienne

RECETTE LÉGÈRE — 1 portion 255 kcal

Pour **2 personnes**
Préparation **25 min**
Pas de cuisson

2 grenades ◆ 1 petite boîte de grains de maïs doux ◆ 1 citron ◆ 2 tomates ◆ 1 petite boîte de thon au naturel ◆ 100 g de fromage blanc à 0 % de matières grasses ◆ paprika ◆ Tabasco ◆ sel ◆ poivre

1 Pelez les grenades et retirez-en les grains. Mettez-les au frais dans un bol.

2 Ouvrez la boîte de maïs, égouttez les grains dans un bol et arrosez de jus de citron. Ébouillantez les tomates, pelez-les et coupez-les en rondelles. Ouvrez la boîte de thon et égouttez-le. Fractionnez-le en bouchées.

3 Réunissez le maïs, le jus de citron, le thon et les tomates. Ajoutez le fromage blanc. Salez et poivrez. Ajoutez 1 c. à café de paprika et 1 trait de Tabasco. Mélangez délicatement.

4 Garnissez au dernier moment de graines de grenade et servez très frais.

Gratinée à l'oignon ►

Servie brûlante dans des petites soupières individuelles, la gratinée à l'oignon demande une cuisson sans hâte et un bon fromage à pâte cuite.

grenadin

→ voir aussi noisette, veau

Le grenadin est une tranche de veau de 6 ou 7 cm de diamètre sur 2 cm d'épaisseur entourée d'une barde. Il est taillé dans le filet ou la noix. On l'appelle aussi « médaillon », « mignon » ou « noisette ». Faites-le poêler 4 ou 5 minutes par face. Le grenadin se fait aussi braiser au vin blanc.

Grenadins de veau à l'orange

Pour **4 personnes**
Préparation **20 min**
Cuisson **35 min**

4 grenadins de veau ◆ farine ◆ 80 g de beurre ◆ 1 grosse orange non traitée ◆ 10 cl de vin blanc sec ◆ fécule ◆ 10 cl de crème fraîche ◆ sel ◆ poivre

1 Salez et poivrez les grenadins, farinez-les. Faites fondre le beurre dans une poêle et mettez-y les grenadins. Laissez-les dorer doucement 3 min sur chaque face et égouttez-les.
2 Râpez le zeste de l'orange et pressez le jus. Arrosez les grenadins de 2 c. à soupe de jus d'orange et laissez reposer. Déglacez la poêle avec le vin. Ajoutez le zeste et faites bouillir 5 min.
3 Délayez 1 c. à café de fécule dans la crème et versez-la dans la poêle. Mélangez. Remettez-y les grenadins avec 2 c. à soupe de jus d'orange. Laissez mijoter 25 min. Retournez-les 1 fois. Égouttez-les et servez-les nappés de sauce.

▼ Grenadins de veau à l'orange
Si vous garnissez les grenadins de zestes d'orange en fines languettes, faites-les blanchir auparavant pendant quelques minutes à l'eau bouillante.

grenouille

Ce batracien existe sous des dizaines de variétés, mais seule la grenouille verte est réellement estimée. On ne consomme que l'arrière-train : le râble et les cuisses. Sur le marché, elles sont vendues en brochettes fraîches chez le poissonnier, durant toute la belle saison pour les françaises, durant toute l'année pour celles d'importation (Europe centrale), moins fines. Coupez le bout des pattes avec des ciseaux et faites-les tremper 1 h dans de l'eau froide, puis épongez-les. Les grenouilles surgelées (Indonésie, Inde ou États-Unis) doivent décongeler dans un bain mi-eau, mi-lait, jusqu'à consistance souple, ce qui les rend bien moelleuses. Selon la taille, comptez 8 paires de cuisses par personne si elles sont grosses, 10 pour les moyennes et 12 pour les plus petites, qui sont les plus savoureuses.

Diététique. Riches en protéines, peu caloriques (100 g = 80 kcal) si la recette n'est pas trop grasse. La digestibilité des grenouilles est fonction de leur préparation.

Cuisses de grenouilles en brochettes

Pour **4 personnes**
Marinade **1 h**
Préparation **5 min**
Cuisson **5 min environ**

4 douzaines de cuisses de grenouilles ◆ 1 verre d'huile d'olive ◆ 3 citrons ◆ 1 gousse d'ail ◆ 2 c. à soupe de persil haché ◆ poivre de Cayenne ◆ laurier ◆ sel ◆ poivre au moulin

1 Mettez les cuisses de grenouilles dans un grand plat creux. Mélangez l'huile et le jus de 2 citrons. Ajoutez-leur l'ail pelé et haché, le persil, 1 pincée de cayenne, 1 feuille de laurier émiettée, du sel et du poivre.
2 Versez cette marinade sur les cuisses de grenouilles, mélangez et laissez reposer 1 h.
3 Égouttez les cuisses de grenouilles et épongez-les, enfilez-les sur des brochettes, dans le sens perpendiculaire.
4 Faites-les griller doucement au four ou sur les braises pendant 5 min environ en les retournant plusieurs fois. Servez-les aussitôt avec des quartiers de citron.

Grenouilles sautées

Pour 4 personnes
Préparation 5 min
Cuisson 10 min

3 gousses d'ail ◆ 1 bouquet de persil plat ◆ 4 douzaines de cuisses de grenouilles ◆ 300 g de beurre ◆ farine ◆ sel ◆ poivre

1 Pelez les gousses d'ail et hachez-les très finement. Lavez le persil, épongez-le et hachez-le finement. Mélangez l'ail et le persil. Réservez.
2 Épongez les cuisses de grenouilles et farinez-les légèrement. Faites fondre 100 g de beurre dans 2 grandes poêles.
3 Répartissez les cuisses de grenouilles dans les 2 poêles. Salez et poivrez.
4 Dès que les cuisses sont colorées d'un côté, retournez-les puis baissez le feu et poursuivez la cuisson pendant 2 ou 3 min.
5 Égouttez les cuisses et réunissez-les dans une seule poêle avec le reste de beurre frais. Remuez délicatement. Ajoutez le hachis d'ail et de persil. Mélangez et servez aussitôt.

Boisson sancerre blanc ou beaujolais

griotte

→ **voir aussi** cerise

Petite et rouge foncé, la griotte est une variété de cerise à la chair assez ferme, sucrée mais acidulée. Elle est surtout utilisée pour les conserves au sirop ou à l'eau-de-vie, les fruits confits et les confitures, les liqueurs comme le guignolet ou le cherry.

Coupes aux griottes

Pour 6 personnes
Préparation 5 min
Cuisson 3 min
Congélation 2 h 30

50 cl de jus de raisin ◆ 200 g de sucre spécial confitures ◆ 3 c. à soupe de pineau des Charentes ◆ 36 griottes à l'eau-de-vie

1 Versez le jus de raisin dans une casserole. Ajoutez le sucre et mélangez. Faites bouillir pendant 3 min.
2 Retirez du feu et laissez refroidir puis ajoutez le pineau. Versez la préparation dans 2 bacs à glaçons et faites congeler.
3 Remuez le sorbet au bout d'environ 1 h et remettez à congeler.
4 Répartissez le sorbet dans des coupes très froides. Garnissez le dessus avec les griottes égouttées et arrosez avec un peu d'eau-de-vie. Servez aussitôt.

Vous pouvez remplacer le jus de raisin par du jus de pomme ou du vin blanc et le pineau par du calvados ou du marc d'Alsace (dans ce dernier cas, augmentez la proportion de sucre à 300 g).

→ **autres recettes de griotte à l'index**

grillade

→ **voir aussi** barbecue, bifteck, onglet

Il s'agit couramment d'une tranche de bœuf saisie sur le gril. Mais le mot désigne plus particulièrement un morceau de porc tendre et savoureux, à griller ou à poêler. Il est rare, car il n'y a qu'une grillade de 400 à 500 g par demi-porc. Ciselez-la dans le sens contraire des fibres avant de la faire cuire.

grive

Ce petit oiseau est un gibier d'automne. Les meilleures grives sont celles de vigne que l'on trouve en automne, gorgées de raisin. Elles ne se vident pas, on retire simplement les yeux et le gésier. Comptez deux grives par personne. Faites-les rôtir au four, de 12 à 15 minutes, enveloppées d'une barde, en brochettes avec des lardons, ou braiser avec des baies de genièvre.

Grives à la liégeoise

Pour **4 personnes**
Préparation **20 min**
Cuisson **25 min**

4 grives ◆ 12 baies de genièvre ◆ 4 tranches minces de poitrine fumée ◆ 25 g de beurre ◆ 10 cl de bière blonde ◆ 4 fines tranches de pain de campagne ◆ huile ◆ sel ◆ poivre

1 Ne retirez que le gésier à l'intérieur des grives. Glissez-y 2 baies de genièvre par oiseau, salez et poivrez. Enveloppez-les chacune d'une tranche de lard fumé, ficelez. Faites chauffer dans une cocotte le beurre et 2 c. à soupe d'huile.
2 Mettez-y les grives à dorer doucement en les retournant. Couvrez et baissez le feu, laissez cuire ainsi 10 min.
3 Pilez grossièrement le reste des baies de genièvre. Ajoutez-les dans la cocotte et mouillez avec la bière. Mélangez. Poursuivez la cuisson pendant 10 min.
4 Pendant ce temps, faites rapidement griller les tranches de pain.
5 Égouttez les grives et déficelez-les. Posez-les chacune sur une tranche de pain, dans un plat de service, et arrosez avec le jus de cuisson passé. Servez aussitôt.

Boisson **pinot noir d'Alsace**

grog

Boisson traditionnelle en hiver, le grog se prépare avec du rhum, du sucre (ou du miel) et du citron : 5 cl d'alcool, sucre et citron à volonté, pour 1 grog. L'eau ou le thé qu'on ajoute sur ce mélange doit être bouillant. Remplacez à votre goût le rhum par du cognac ou du whisky.

grondin

Il existe plusieurs variétés de grondins, poissons courants sur les côtes européennes. Ils se différencient par la couleur : gris, roses ou rouges. Ces derniers sont les meilleurs, avec une chair maigre, blanche et ferme. Toutefois, ne confondez pas le rouget grondin et le vrai rouget. Les grondins se font pocher ou cuire au four.

Diététique. 100 g de grondin = 92 kcal.

Grondins au four

RECETTE LÉGÈRE — 1 portion 365 kcal

Pour **4 personnes**
Préparation **20 min**
Cuisson **25 min**

4 grondins de 250 g ◆ 2 citrons ◆ 2 oignons ◆ 3 échalotes ◆ 2 gousses d'ail ◆ 40 g de beurre ◆ 3 c. à soupe de persil haché ◆ 20 cl de vin blanc sec ◆ thym séché ◆ sel ◆ poivre au moulin

1 Videz et nettoyez les grondins. Incisez-les légèrement en biais sur le dos en 2 ou 3 endroits. Pressez 1 citron. Taillez l'autre en rondelles.
2 Pelez et hachez les oignons, les échalotes et l'ail. Beurrez un plat à four. Étalez dans le fond le hachis d'aromates en ajoutant le persil.
3 Rangez les grondins par-dessus et arrosez-les de jus de citron. Poudrez de thym. Versez le vin. Ajoutez le reste de beurre en parcelles. Salez et poivrez. Parsemez de rondelles de citron.
4 Faites cuire au four à 240 °C pendant 20 à 25 min. Arrosez plusieurs fois les poissons avec leur cuisson. Servez dans le plat.

groseille

→ **voir aussi** fruits rouges, gelée

Ces grappes de petites baies rouges ou blanches deviennent rares sur le marché et sont d'un prix élevé. Les meilleures proviennent du Val de Loire, en juillet. Les blanches, très rares, sont plus sucrées, les rouges plus riches en pectine. Une nouvelle variété, la groseille-raisin, présente de gros grains très appréciés pour des tartes (récolte en août).

Diététique. Elles se congèlent très bien. Faites vos provisions pour l'hiver, pour lutter contre la fatigue, car elles sont riches en vitamine C.

Groseilles panachées aux framboises

Pour **4 personnes**
Préparation **15 min, 2 h à l'avance**
Cuisson **6 à 7 min**

500 g de groseilles rouges et blanches ◆ 250 g de framboises ◆ 150 g de sucre semoule ◆ 20 cl de crème fraîche

1 Lavez et égrappez les groseilles. Mettez-les dans un saladier. Mettez par ailleurs les framboises dans une casserole et faites chauffer sur feu doux.
2 Écrasez les framboises avec le dos d'une cuiller. Lorsque l'ébullition est atteinte, retirez du feu. Filtrez la pulpe des framboises à travers une passoire fine en pressant soigneusement.
3 Ajoutez le sucre dans le jus de framboise. Nappez-en les groseilles alors qu'il est encore tiède. Mettez au frais jusqu'au moment de servir.
4 Quelques instants avant de servir, fouettez la crème très froide.
5 Répartissez les groseilles au jus de framboise dans des coupes en verre, nappez de crème et servez aussitôt.

➜ **autres recettes de groseille à l'index**

groseille à maquereau

Cette baie est soit rouge et légèrement duveteuse (Val de Loire), soit jaune-vert et plus lisse (Lorraine), mais elle n'est pratiquement pas commercialisée. Son goût assez âcre est peu apprécié : découvrez-la dans une sauce aigre-douce avec le poisson ou le canard ; utilisez-la aussi en sorbet ou en gelée.

Diététique. Mêmes avantages nutritionnels que ceux de la groseille.

Sauce aux groseilles à maquereau

Pour **4 personnes**
Préparation **10 min**
Cuisson **15 min**

500 g de groseilles à maquereau ◆ 80 g de sucre semoule ◆ jus de citron

1 Égrappez les groseilles, lavez-les et égouttez-les. Mettez-les dans un poêlon avec le sucre semoule. Mélangez.
2 Ajoutez 50 cl d'eau et remuez. Mettez sur feu moyen et faites cuire en remuant à la spatule.
3 Lorsque la pulpe est très ramollie et qu'elle se sépare de la peau, retirez du feu. Passez le contenu de la casserole dans un tamis fin.
4 Ajoutez quelques gouttes de jus de citron si les groseilles sont très mûres et ont perdu de leur acidité. Servez brûlant.

gruyère

➜ **voir aussi croque-monsieur, fondue, gratin, soufflé**

Cette grosse meule de pâte cuite présente des trous parfois gros comme des noisettes. Comme ce fromage ne bénéficie d'aucune appellation contrôlée, il a donné naissance à de nombreuses imitations du fromage suisse d'origine. Ses emplois sont nombreux en cuisine. Évitez le gruyère prétranché sous plastique et les sachets de gruyère râpé, de qualité médiocre par rapport au fromage à la coupe. Le terme de gruyère s'applique à de nombreux fromages du même type : appenzell, beaufort, comté, emmental, fribourg.

Conservez-le, s'il fait chaud, dans le bac à légumes du réfrigérateur, sinon dans du papier paraffiné à l'abri de la lumière.

Diététique. C'est un des fromages les plus riches en calcium. 100 g = 390 kcal.

Salade de gruyère

Pour **4 personnes**
Préparation **20 min**
Pas de cuisson

400 g de gruyère suisse ◆ 100 g de cervelas ou de saucisson à l'ail ◆ 1 oignon ◆ 1 tomate ◆ 2 c. à soupe de vinaigre de vin blanc ◆ 4 c. à soupe d'huile de tournesol ◆ moutarde ◆ sel ◆ poivre

1 Écroûtez le fromage et taillez-le en bâtonnets de 3 cm de long sur 0,5 cm d'épaisseur. Coupez le cervelas ou le saucisson en rondelles fines, ôtez la peau. Pelez l'oignon et émincez-le très finement. Ébouillantez la tomate, coupez-la en 4. Retirez les graines et taillez la pulpe en dés.
2 Préparez la vinaigrette en mélangeant du sel et le vinaigre, ajoutez 1 c. à café de moutarde, l'huile et du poivre. Fouettez vivement.
3 Mélangez le fromage, l'oignon et la tomate. Répartissez dans des assiettes. Arrosez de sauce. Ajoutez les rondelles de cervelas ou de saucisson.

➜ **autres recettes de gruyère à l'index**

hachis

→ voir aussi croquette, fricadelle, moussaka, risotto

Le hachis est une farce de viande, de poisson ou de légumes utilisée pour compléter une préparation. Le hachis de viande constitue un bon plat familial. Agrémentez-le de pommes de terre, de riz ou de pâtes. Façonné en boulettes, il donne des fricadelles, des croquettes et des bitokes (palets aplatis).

Diététique. Accompagné d'une salade verte, et suivi d'un yaourt ou d'un fruit frais, le hachis Parmentier donne un repas équilibré.

Hachis Parmentier

Pour **6 personnes**
Préparation **30 min**
Cuisson **30 min**

1 kg de pommes de terre ◆ 25 cl de lait ◆ 100 g de beurre ◆ 2 c. à soupe de crème fraîche ◆ 800 g de bœuf bouilli ◆ 1 oignon ◆ 2 échalotes ◆ 80 g de gruyère râpé ◆ persil haché ◆ concentré de tomates ◆ muscade ◆ sel ◆ poivre

1 Pelez les pommes de terre, coupez-les en morceaux et faites-les cuire 20 min à l'eau bouillante salée. Égouttez-les soigneusement, remettez-les quelques instants dans la casserole vide sur feu très doux. Faites chauffer le lait.

2 Passez les pommes de terre au presse-purée, ajoutez le lait chaud en fouettant puis 2 c. à soupe de beurre et la crème fraîche. Salez et poivrez. Muscadez.

3 Hachez finement le bœuf bouilli. Pelez et hachez l'oignon et les échalotes. Faites fondre 50 g de beurre dans une casserole, ajoutez la viande, l'oignon, les échalotes, 2 c. à soupe de persil haché et 2 c. à soupe de concentré de tomates délayé dans un peu d'eau. Laissez mijoter doucement pendant 15 min environ.

4 Beurrez un grand plat à gratin. Versez-y la moitié de la purée puis le hachis de bœuf et le reste de la purée. Poudrez de gruyère râpé, parsemez de noisettes de beurre. Faites gratiner à 180 °C pendant 10 à 15 min. Servez brûlant.

haddock

→ voir aussi kedgeree

Le véritable haddock est un filet d'aiglefin fumé que l'on reconnaît à sa couleur orangée. Sa chair moelleuse et parfumée se fait surtout pocher dans du lait, mais on peut le faire griller (servez-le avec du beurre fondu) ou cuire à l'étouffée (servez-le avec une sauce au curry). Ne le confondez pas avec le « filet de poisson fumé », le plus souvent du cabillaud, coloré en orange comme le haddock, mais qui n'en a pas la finesse.

Diététique. Pensez au haddock si vous faites une choucroute aux poissons : il la parfume bien en apportant 23 % de protides pour 0,5 g de lipides par 100 g (100 kcal).

Haddock poché à l'œuf

Pour **2 personnes**
Trempage **30 min**
Préparation **15 min**
Cuisson **8 à 10 min**

2 filets de haddock de 150 g chacun ◆ 50 cl de lait ◆ 2 œufs ◆ 50 g de beurre ◆ 1/2 citron ◆ vinaigre ◆ persil frisé ◆ poivre

1 Mettez le haddock dans un plat creux, versez le lait froid dessus et laissez reposer 30 min environ.
2 Retirez le haddock du lait. Versez le lait dans une casserole et portez à ébullition. Ajoutez le haddock et réduisez la chaleur. Laissez pocher très doucement pendant 10 min au maximum.
3 Pendant ce temps, faites pocher les œufs dans une casserole d'eau frémissante légèrement vinaigrée.
4 Faites fondre le beurre doucement. Coupez le 1/2 citron en quartiers. Pressez-en le jus dans le beurre fondu et mélangez.
5 Égouttez le haddock et placez un filet dans chaque assiette, posez un œuf poché dessus et arrosez de beurre au citron. Poivrez et garnissez de persil frisé.

Garniture : pommes de terre vapeur ou épinards au beurre.

Boisson **bière blonde ou vin blanc sec**

→ **autres recettes de haddock à l'index**

Hamburger à la tomate

Pour **4 personnes**
Préparation **15 min**
Cuisson **10 min environ**

1 oignon ◆ 1 échalote ◆ 70 g de beurre ◆ 500 g de bifteck haché ◆ 1 œuf ◆ 2 grosses tomates assez plates ◆ concentré de tomates ◆ persil haché ◆ huile ◆ ketchup ◆ Tabasco ◆ sel ◆ poivre

1 Pelez et hachez finement l'oignon et l'échalote. Faites fondre 15 g de beurre dans une petite casserole et mettez-y ce hachis. Faites revenir en remuant pendant 3 à 4 min puis retirez du feu.
2 Mettez la viande hachée dans une terrine, ajoutez la préparation précédente et l'œuf entier, 1 c. à soupe de concentré de tomates, 2 ou 3 c. à soupe de persil haché. Salez et poivrez. Pétrissez ce mélange pendant quelques instants.
3 Partagez le hachis en 4 portions. Avec les mains mouillées, façonnez 4 boulettes et aplatissez-les en palets bien compacts.
4 Faites chauffer le reste de beurre dans une grande poêle. Lorsqu'il est bien chaud, mettez-y les hamburgers. Laissez cuire 4 min de chaque côté environ. Ils sont à point lorsque le sang perle en surface.
5 Pendant ce temps, coupez les tomates en 2 dans l'épaisseur, badigeonnez-les avec un peu d'huile et faites-les griller. Salez et poivrez.
6 Mélangez 7 ou 8 c. à soupe de ketchup avec un peu de Tabasco. Salez et poivrez. Placez les tomates, face coupée dessus, dans un plat rond. Posez les hamburgers sur les tomates, nappez de ketchup bien relevé et servez aussitôt.

Pour un repas équilibré, n'accompagnez pas le hamburger de fromage ou d'une sauce grasse.

Boisson **bière, beaujolais ou Coca-Cola**

hamburger

→ **voir aussi** barbecue

Palet de bifteck haché, garni d'oignon haché, d'un œuf au plat ou de lamelles de fromage. Faites-le poêler pour le servir avec des frites et de la sauce tomate ou glissez-le dans un petit pain mou au sésame avec ketchup, feuille de salade et rondelle de tomate.

Diététique. Choisissez de la viande hachée réfrigérée ou surgelée à 5 % de matières grasses.

hampe

→ **voir aussi** bœuf

Ce morceau de bœuf long et plat donne des biftecks un peu fermes mais très savoureux. Demandez au boucher de l'aplatir et de le ciseler. Vous pouvez aussi y confectionner facilement des paupiettes à faire sauter.

hareng

→ voir aussi canapé, pilchard, rollmops

Ce poisson de mer du nord de l'Europe existe sous trois formes : frais, fumé ou mariné nature avec des aromates.

Le hareng frais est meilleur « plein » (avec la laitance), d'octobre à janvier, que vide, ou « guai ». Cuisinez-le en papillote, grillé, poêlé ou au four.

Le hareng mariné se présente en filets sans arêtes dans une marinade au vinaigre (harengs Bismarck ou « de la Baltique »). Servez-le en hors-d'œuvre froid ou dans des salades.

Le hareng fumé connaît plusieurs présentations. Le hareng saur est vidé, salé et fumé à froid, entier ou en filets. Le craquelot, bouffi ou bloater, est un peu moins salé et fumé ; plus doux, il se conserve moins longtemps. Le buckling est fumé à chaud et entier. Le kipper, ouvert à plat, est étêté et débarrassé de ses arêtes.

Diététique. Malgré 10 % de matières grasses, ce poisson est intéressant dans un régime minceur, à condition de le consommer nature ou en saumure. 100 g de hareng = 120 kcal, s'il est frais, 220 kcal, s'il est fumé ou salé.

Harengs grillés

Pour **6 personnes**
Préparation **15 min**
Cuisson **25 min environ**

6 harengs frais ◆ 6 c. à soupe de moutarde forte ◆ 2 c. à soupe de ketchup ◆ chapelure ◆ 100 g de beurre ◆ sel ◆ poivre de Cayenne

1 Videz les poissons. Ne les écaillez pas. Mettez de côté les laitances et les poches à œufs. Mélangez dans un bol la moutarde et le ketchup, salez et ajoutez 2 pincées de cayenne.

2 Badigeonnez légèrement les laitances et les œufs de ce mélange. Remettez-les à l'intérieur des poissons. Roulez ensuite les harengs dans le même mélange.

3 Passez-les dans la chapelure. Rangez-les sur la grille du four avec la lèchefrite dessous. Faites fondre le beurre dans une casserole.

4 Arrosez les harengs de beurre fondu et enfournez-les à 200 °C.

5 Faites cuire au four de 10 à 12 min en arrosant 1 ou 2 fois de beurre fondu. Retournez les harengs et poursuivez la cuisson 10 min, en arrosant avec le beurre. Servez brûlant.

Harengs marinés

RECETTE LÉGÈRE — 1 portion 325 kcal

Pour **4 ou 5 personnes**
Préparation **30 min, 6 h à l'avance**
Cuisson **1 h environ**

8 ou 10 petits harengs frais ◆ 50 cl de vin blanc ◆ 25 cl de vinaigre ◆ 1 carotte ◆ 3 oignons ◆ 3 échalotes ◆ 1 gousse d'ail ◆ 1 bouquet de persil plat ◆ thym ◆ laurier ◆ sel ◆ poivre noir en grains

1 Videz et lavez les harengs. Coupez les têtes. Rangez-les tête-bêche dans une terrine allant sur le feu.

2 Versez le vin et le vinaigre dans une casserole. Pelez la carotte et les oignons, coupez-les en fines rondelles. Pelez et hachez les échalotes. Pelez la gousse d'ail et coupez-la en 2.

3 Coupez les queues du bouquet de persil et hachez la valeur de 4 c. à soupe de feuilles. Ajoutez dans la casserole la carotte, l'oignon, l'échalote, l'ail, les queues de persil et 1 c. à soupe de persil haché, du sel et 10 grains de poivre, 1 brin de thym et 1 feuille de laurier.

4 Faites bouillir pendant 40 min. Versez cette marinade sur les harengs, retirez les queues de persil et le thym. Remettez la terrine sur le feu et faites frémir 15 min.

5 Ajoutez le reste de persil haché et laissez refroidir. Mettez la terrine au frais au moins 6 h avant de servir.

Bien fermée, cette terrine se conserve plusieurs jours au frais.

Boisson **vin blanc sec ou bière**

Harengs à la moutarde

Pour **4 personnes**
Préparation **20 min**
Cuisson **15 min environ**

4 harengs frais de 200 g ◆ farine ◆ 60 g de beurre ◆ 1/2 citron ◆ persil plat ◆ moutarde forte ◆ vinaigre de vin blanc ◆ sel ◆ poivre

1 Écaillez et videz les harengs. Lavez-les et séchez-les. Farinez-les.

2 Faites chauffer 30 g de beurre dans une poêle. Faites cuire les harengs 6 à 7 min de chaque côté en les surveillant. Retirez-les et mettez-les dans un plat creux. Jetez le beurre fondu. Hachez 2 c. à soupe de persil.

3 Mélangez 3 c. à soupe de moutarde, un filet de vinaigre et le persil. Salez et poivrez.
4 Versez ce mélange sur les harengs et retournez-les dedans pour les enrober. Ajoutez le reste de beurre et le jus de citron dans la poêle, faites chauffer.
5 Remettez les harengs et leur sauce à la moutarde dans la poêle, réchauffez pendant 1 min et servez aussitôt.

Boisson muscadet

Harengs en papillotes

Pour **2 personnes**
Préparation **20 min**
Cuisson **25 min**

Recette légère — 1 portion 300 kcal

4 ou 5 champignons de couche ◆ 2 échalotes ◆ 1 œuf dur ◆ 2 harengs frais de 200 g ◆ 1 c. à café de raifort râpé en flacon ◆ persil plat ◆ sel ◆ poivre

1 Nettoyez et hachez les champignons. Pelez et hachez finement les échalotes.
2 Mélangez les champignons, les échalotes, l'œuf dur haché, sel, poivre et 1 c. à soupe de persil haché.
3 Farcissez les harengs vidés et nettoyés avec cette préparation.
4 Parsemez le raifort râpé sur 2 feuilles de papier sulfurisé rectangulaires. Posez les poissons farcis dessus. Fermez hermétiquement les papillotes. Faites cuire dans le four à 200 °C pendant 25 min.
5 Présentez les papillotes directement dans l'assiette pour ne pas perdre le jus de cuisson. Servez aussitôt.

Harengs pommes à l'huile

Pour **4 personnes**
Préparation **20 min**
Cuisson **25 min**

800 g de pommes de terre ◆ 1 c. à soupe de vin blanc ◆ 2 oignons ◆ 8 filets de harengs saurs à l'huile ◆ 6 c. à soupe d'huile ◆ 3 c. à soupe de vinaigre de vin blanc ◆ 1 c. à soupe de ciboulette hachée ◆ sel ◆ poivre noir au moulin

Harengs pommes à l'huile ▲
Servez ce plat de bistrot typique en entrée avant une grillade ou bien faites-en l'essentiel d'un dîner avec une salade de chicorée frisée. Le vin blanc l'accompagne aussi bien que la bière.

1 Faites cuire les pommes de terre non pelées à l'eau bouillante salée pendant 20 à 25 min. Égouttez-les et pelez-les dès que vous pouvez les saisir avec les doigts sans vous brûler. Coupez-les en rondelles épaisses. Arrosez-les aussitôt de vin blanc. Salez et poivrez.
2 Pelez les oignons, coupez-les en tranches fines et défaites-les en anneaux. Égouttez les filets de harengs. Préparez une vinaigrette avec l'huile et le vinaigre. Salez et poivrez.
3 Assaisonnez les pommes de terre avec la vinaigrette et répartissez-les dans des assiettes de service avec les oignons. Ajoutez 2 filets de hareng par assiette et parsemez de ciboulette. Servez.

Ce plat est bien meilleur si les pommes de terre sont servies tièdes.

Boisson **muscadet ou bière blonde**

→ autres recettes de hareng à l'index

haricots en grains

→ voir aussi cassoulet, chili con carne, estouffade, flageolet, légumes secs

Légumes en gousses allongées qui renferment des graines. Seules celles-ci sont comestibles : elles se différencient par leur taille et leur couleur. Les haricots sont vendus frais ou secs.

Les flageolets, ou chevriers, fins et peu farineux, ne sont vendus frais qu'en automne. Ils approvisionnent souvent les conserves ou les surgelés ; c'est la garniture classique du gigot, mais essayez-les aussi à la crème avec le poisson. Les haricots blancs sont plus ou moins gros : cocos, soissons, pamiers, etc. Ils sont de longue conservation et donnent de substantiels ragoûts, de même que les haricots noirs ou rouges, d'une saveur particulière, surtout avec des lardons. En principe, mettez les haricots secs à tremper 2 h avant de les cuire à l'eau avec des aromates. Accommodez-les au beurre, à la crème, en gratin, froids en salade, en purée ou en soupe.

Diététique. Source importante de protéines végétales, les haricots en grains sont riches en minéraux, vitamines et fibres. 100 g = 120 kcal.

Étuvée de légumes aux haricots blancs

Pour **6 personnes**
Préparation **30 min**
Cuisson **50 min environ**

4 cœurs de laitues ◆ 2 carottes ◆ 2 navets ◆ 3 pommes de terre ◆ 250 g de haricots verts ◆ 200 g de gros haricots blancs fraîchement écossés ◆ 200 g de petits pois frais écossés ◆ 100 g de beurre ◆ sel ◆ poivre

1 Lavez les cœurs de laitues, épongez-les et coupez-les en 2 ou en 4. Pelez les carottes, les navets et les pommes de terre, taillez-les en dés ou en rondelles. Enlevez les fils des haricots verts.
2 Beurrez une cocotte avec 50 g de beurre. Ajoutez la moitié avec la laitue, les haricots blancs et chacun des autres légumes. Ajoutez 25 g de beurre en parcelles. Finissez de remplir la cocotte avec les légumes en les mélangeant.
3 Ajoutez 25 g de beurre et 3 c. à soupe d'eau. Salez et poivrez. Couvrez la cocotte et commencez la cuisson sur le feu pendant 10 à 12 min puis poursuivez-la au four à 180 °C pendant 40 min. Servez très chaud.

Haricots rouges aux lardons

Pour **6 personnes**
Trempage **2 h**
Préparation **20 min**
Cuisson **2 h environ**

500 g de haricots rouges secs ◆ 1 oignon ◆ 2 clous de girofle ◆ 2 gousses d'ail ◆ 2 branches de céleri ◆ 70 cl de vin rouge ◆ 1 bouquet garni ◆ 300 g de lard fumé ◆ 20 g de beurre ◆ sel ◆ poivre

1 Laissez tremper les haricots 2 h dans l'eau froide. Pelez l'oignon et piquez-le des clous de girofle. Pelez l'ail. Lavez les branches de céleri, enlevez les fils, coupez-les en tronçons.
2 Mettez les haricots égouttés dans une marmite, ajoutez le vin rouge et complétez avec de l'eau froide pour qu'ils soient couverts.
3 Portez doucement à ébullition, écumez. Salez et poivrez. Ajoutez l'oignon piqué, l'ail, le céleri et le bouquet garni. Déposez le morceau de lard au milieu des haricots. Couvrez et laissez cuire environ 2 h à toute petite ébullition.
4 Égouttez les haricots, retirez le bouquet garni, l'oignon piqué et le céleri, réservez le lard à part. Remettez les haricots dans une cocotte avec 2 c. à soupe de la cuisson. Tenez au chaud.
5 Détaillez le lard en petits bâtonnets et faites-les rissoler à la poêle avec un peu de beurre. Ajoutez-les aux haricots et servez aussitôt.

Méli-mélo de légumes

Pour **4 personnes**
Préparation **30 min**
Cuisson **30 min**

500 g de petites pommes de terre rattes ◆ 2 carottes ◆ 2 navets ◆ 3 échalotes ◆ 200 g de flageolets en boîte ◆ 200 g de haricots rouges en boîte ◆ 1 laitue ◆ 250 g de petits oignons ◆ 2 gousses d'ail ◆ 1 bouquet de persil ◆ huile d'olive ◆ vin blanc ◆ sel ◆ poivre

1 Lavez les pommes de terre, faites-les cuire à l'eau sans les peler. Pelez et taillez en dés les carottes et les navets. Faites-les cuire à l'eau.
2 Rincez les flageolets et les haricots rouges. Mettez-les dans une casserole avec la laitue ciselée ; coupez le cœur en 4.

3 Ajoutez les oignons pelés et finement émincés. Versez 3 c. à soupe de vin blanc et faites chauffer à couvert ; la laitue doit être fondante.
4 Faites chauffer 3 c. à soupe d'huile dans un faitout. Ajoutez l'ail et les échalotes pelés et émincés, puis les pommes de terre, les dés de carottes et de navets.
5 Faites revenir pendant 5 min, salez et poivrez. Ajoutez le contenu de la casserole et faites mijoter pendant encore 5 min. Parsemez de persil ciselé et servez.

Salade de cocos aux moules

Pour **4 personnes**
Préparation **30 min**
Cuisson **30 min**

1 kg de moules de bouchot ◆ 1 échalote ◆ 1 bouquet de persil plat ◆ 30 g de beurre ◆ 10 cl de vin blanc ◆ 400 g de haricots blancs frais ◆ 1 bouquet garni ◆ 1 citron ◆ 4 c. à soupe d'huile d'olive ◆ sel ◆ poivre au moulin

1 Nettoyez les moules et rincez-les. Pelez et hachez l'échalote. Ciselez la moitié du persil.
2 Faites fondre le beurre dans une grande marmite puis ajoutez l'échalote et faites revenir. Déglacez avec le vin blanc, versez les moules et laissez-les s'ouvrir sur feu vif. Égouttez-les et filtrez leur jus. Découquillez-les. Réservez.
3 Faites cuire les haricots frais à l'eau avec le bouquet garni pendant 30 min. Égouttez-les.
4 Préparez une sauce bien émulsionnée avec la moitié du jus de cuisson, le jus de citron et l'huile d'olive, salez et poivrez.
5 Réunissez dans un saladier les moules et les haricots. Versez la sauce, mélangez et ajoutez le reste de persil ciselé.

Servez cette salade de préférence tiède. Évitez de la préparer trop longtemps à l'avance.

→ **autres recettes de haricots en grains à l'index**

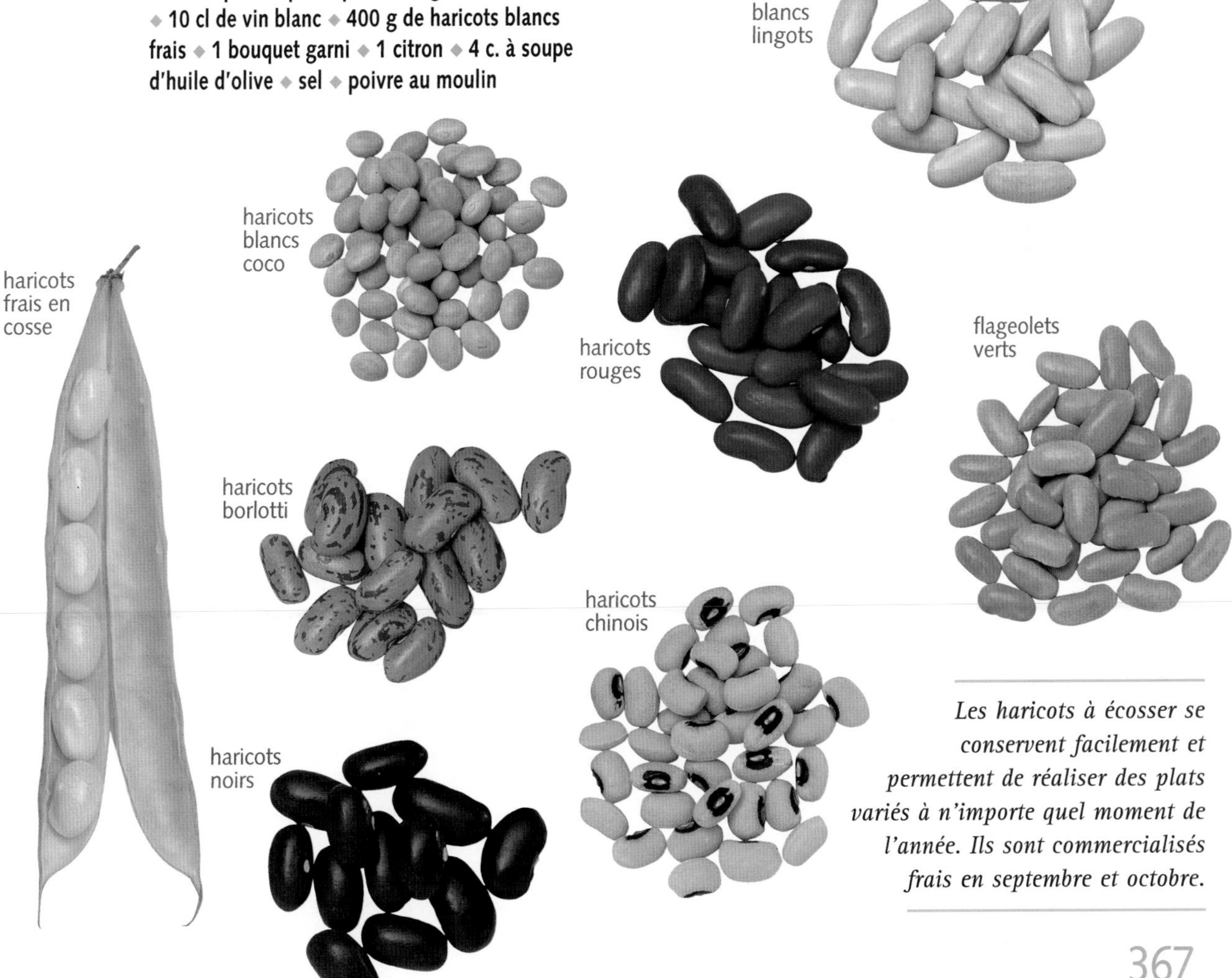

Les haricots à écosser se conservent facilement et permettent de réaliser des plats variés à n'importe quel moment de l'année. Ils sont commercialisés frais en septembre et octobre.

haricot vert

Ce légume se présente en gousse allongée où les grains sont peu ou pas formés. On distingue les haricots filets, les plus fins, et les mange-tout plus larges : le vert, assez charnu, est le plus courant ; le violet, originaire du Val de Loire, panaché de vert et de violet, est délicieux ; le « beurre » est un mange-tout jaune, assez juteux s'il est jeune. Préférez les haricots de pleine saison, bien frais et cassants (mai à octobre), à ceux qui sont importés même en hiver du Kenya ou du Sénégal.

Lavez-les à l'eau froide, puis faites-les cuire à grande eau bouillante et salée, entre 3 et 10 min selon la variété, la fraîcheur et la quantité. Ils doivent rester un peu fermes. Sitôt cuits, rafraîchissez-les à l'eau froide pour les garder bien verts et égouttez-les. Accommodez-les très simplement : beurre frais, crème fraîche et fines herbes.

Diététique. C'est le légume de régime par excellence : 100 g = 40 kcal. Changez de variété à volonté pour éviter la lassitude.

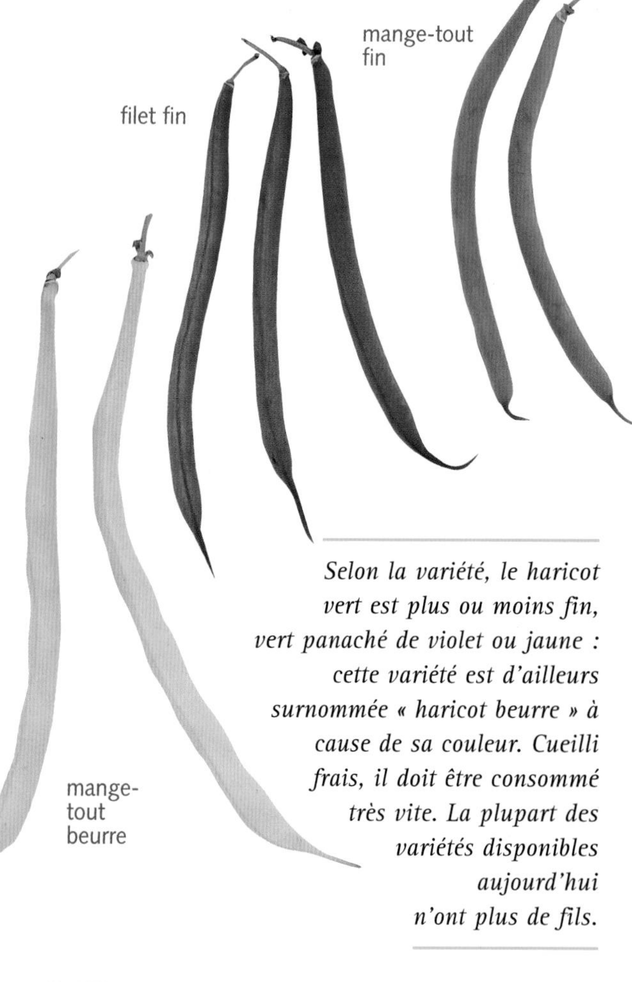

Selon la variété, le haricot vert est plus ou moins fin, vert panaché de violet ou jaune : cette variété est d'ailleurs surnommée « haricot beurre » à cause de sa couleur. Cueilli frais, il doit être consommé très vite. La plupart des variétés disponibles aujourd'hui n'ont plus de fils.

Haricots verts à la normande

Pour **4 personnes**
Préparation **10 min**
Cuisson **25 min environ**

800 g de haricots verts • 20 cl de crème fraîche épaisse • 1 petit bouquet de cerfeuil • sel • poivre noir au moulin

1 Enlevez les fils des haricots verts. Lavez-les. Coupez-les en 2.
2 Faites bouillir une grande quantité d'eau dans une cocotte, mais ne la salez pas. Plongez-y les haricots et faites-les cuire à gros bouillons pendant 12 min environ.
3 Égouttez les haricots, versez-les dans une casserole. Ajoutez la crème. Salez et poivrez.
4 Faites mijoter pendant 10 à 12 min à découvert, en remuant de temps en temps pour que la crème fraîche réduise.
5 Ciselez le cerfeuil. Versez les haricots verts à la crème dans un légumier, ajoutez le cerfeuil et remuez délicatement. Servez aussitôt.

Vous pouvez aussi enrichir la sauce en ajoutant au dernier moment, hors du feu, 1 œuf entier et 40 g de beurre en parcelles.

Haricots verts à la tomate

Pour **4 personnes**
Préparation **15 min**
Cuisson **30 min environ**

800 g de haricots verts • 4 tomates moyennes assez fermes • 6 petits oignons blancs • 2 gousses d'ail • 2 c. à soupe d'huile d'olive • 1 brin de thym • sel • poivre

1 Équeutez les haricots verts, enlevez les fils, coupez-les en 2, lavez-les et égouttez-les. Ébouillantez les tomates et pelez-les. Coupez-les en 2 et retirez les graines. Pelez les petits oignons et coupez-les en 2. Pelez les gousses d'ail.
2 Faites chauffer l'huile dans une cocotte. Mettez-y les oignons et faites-les colorer légèrement en remuant.
3 Déposez les tomates dans la cocotte et poursuivez la cuisson pendant 3 min.

4 Ajoutez les haricots verts, le thym et l'ail. Salez et poivrez. Mélangez. Couvrez et faites mijoter très doucement pendant 30 min sans ajouter de liquide : le jus rendu par les tomates est suffisant pour cuire les haricots tout en les parfumant. Servez dans la cocotte.

Ces haricots verts à la tomate accompagnent parfaitement un rôti ou des brochettes d'agneau.

Mange-tout à l'aneth

Pour **4 personnes**
Préparation **10 min**
Cuisson **25 min**

800 g de mange-tout verts ◆ 1 oignon ◆ 30 g de beurre ◆ 20 cl de crème fraîche ◆ 2 c. à soupe d'aneth frais ciselé ◆ sel ◆ poivre

1 Épluchez les mange-tout. Coupez-les en tronçons et lavez-les. Faites-les cuire de 15 à 20 min dans une grande casserole d'eau bouillante salée. Pendant ce temps, pelez et hachez finement l'oignon.
2 Faites chauffer le beurre dans une sauteuse et mettez-y l'oignon à blondir. Égouttez les mange-tout à fond et ajoutez-les dans la sauteuse.
3 Par ailleurs, versez la crème dans une petite casserole et amenez-la à ébullition. Laissez frémir en fouettant 2 min.
4 Retirez la crème du feu. Salez et poivrez. Incorporez l'aneth. Versez les mange-tout à l'oignon dans un légumier chaud, nappez de crème, mélangez et servez chaud.

Une garniture idéale pour les côtelettes ou les escalopes de veau.

Mange-tout aux champignons

Pour **4 personnes**
Préparation **20 min**
Cuisson **30 min**

500 g de mange-tout beurre ◆ 100 g de lard de poitrine ◆ 1 oignon ◆ 2 tomates mûres ◆ 250 g de champignons de couche ◆ 30 g de beurre ◆ sel ◆ poivre

Mange-tout aux champignons ▲

Ce mélange coloré et savoureux peut servir de garniture aussi bien pour un poulet rôti que pour des escalopes de veau. Vous pouvez remplacer le lard de poitrine par des dés de jambon cuit.

1 Épluchez les mange-tout et lavez-les. Coupez-les en 2. Taillez le lard en petits dés. Pelez et hachez l'oignon. Pelez les tomates et coupez-les en quartiers. Nettoyez les champignons et coupez-les en morceaux.
2 Faites cuire les mange-tout 10 min à l'eau bouillante salée. Pendant ce temps, faites fondre le beurre dans une sauteuse. Faites-y revenir l'oignon et les lardons.
3 Laissez blondir, puis ajoutez les champignons. Poursuivez la cuisson pendant 5 min en remuant.
4 Égouttez les mange-tout à fond et ajoutez-les dans la sauteuse avec les tomates. Salez, poivrez et remuez délicatement. Laissez cuire 15 min sur feu doux. Servez chaud.

Si vous pouvez mélanger quelques petites girolles avec vos champignons de couche, le résultat sera meilleur. Dans ce cas, prenez du lard de poitrine fumé.

Salade de haricots verts aux poivrons

RECETTE LÉGÈRE — 1 portion 90 kcal

Pour **4 personnes**
Préparation **25 min**
Cuisson **10 min**

2 gros poivrons rouges ◆ 1 poivron jaune ◆ 200 g de haricots verts frais ◆ 1 citron ◆ 1 bouquet de cerfeuil ◆ huile d'olive ◆ sel ◆ poivre

1 Lavez et essuyez les poivrons. Mettez-les au four quelques min jusqu'à ce que la peau noircisse et se fendille.
2 Sortez les poivrons du four et mettez-les dans un sac en plastique. Fermez celui-ci et attendez quelques instants puis sortez les poivrons et pelez-les. Coupez-les en 2, retirez les graines et les cloisons, puis taillez-les en languettes. Mettez-les dans un saladier.
3 Effilez les haricots et faites-les cuire 10 min à l'eau bouillante salée. Égouttez-les et rafraîchissez-les dans une bassine d'eau froide.
4 Quand les haricots verts ont refroidi, égouttez-les et ajoutez-les aux poivrons. Mélangez. Arrosez de jus de citron. Salez et poivrez.
5 Ciselez le cerfeuil. Ajoutez-le à la salade de haricots puis arrosez avec 3 c. à soupe d'huile. Mélangez et servez à température ambiante.

→ **autres recettes de haricot vert à l'index**

harissa

Ce condiment nord-africain et moyen-oriental est une purée de piments à l'huile avec des aromates. Conservez-le dans son flacon bien fermé. Utilisez-le avec précaution, car il est très fort, délayé dans le bouillon du couscous ou dans une soupe.

herbes de Provence

L'expression désigne un mélange d'aromates séchés : thym, romarin, laurier, sarriette. Utilisez-les pour parfumer des grillades, un ragoût ou des petits fromages de chèvre frais. L'idéal est de faire ses mélanges soi-même, car ceux du commerce manquent de parfum. Conservez-les au sec.

hochepot

Ce pot-au-feu flamand, au porc et au bœuf, se cuisine avec de la queue de bœuf en tronçons et des légumes : ce morceau économique et savoureux donne un bouillon corsé.
Diététique. Toujours plus gras que le pot-au-feu.

Hochepot flamand

Pour **8 personnes**
Préparation **25 min**
Cuisson **3 h 30 environ**

1 queue de bœuf ◆ 2 pieds de porc frais ◆ 1 oreille de porc ◆ 3 gros oignons ◆ 6 ou 7 carottes ◆ 8 navets ◆ 1 cœur de chou pommé ◆ sel ◆ poivre

1 Demandez au boucher de détailler la queue de bœuf en tronçons de 6 ou 7 cm.
2 Coupez les pieds de porc en 4. Réunissez ces viandes avec l'oreille de porc dans un faitout. Couvrez d'eau légèrement salée et portez à ébullition. Écumez, établissez une petite ébullition et faites cuire doucement pendant 1 h 45.
3 Pelez les oignons, les carottes et les navets. Coupez-les en tronçons ou en quartiers. Ajoutez-les et continuez la cuisson pendant 40 min.
4 Coupez le cœur de chou en 4, faites-le blanchir dans une casserole d'eau pendant 5 min, égouttez-le et ajoutez-le dans le hochepot. Poursuivez la cuisson, toujours doucement, pendant encore 50 à 60 min.
5 Égouttez l'oreille de porc et taillez-la en lanières. Égouttez les autres viandes et réunissez-les dans un grand plat creux bien chaud. Ajoutez les légumes et poivrez. Servez aussitôt.

Garniture : pommes de terre vapeur, cornichons, sauce à la moutarde et gros sel.

Boisson **beaujolais ou bordeaux léger**

hollandaise

→ **voir aussi maltaise, mousseline**

Sauce émulsionnée chaude, à base de jaunes d'œufs et de beurre. Elle accompagne parfaitement les poissons et les légumes délicats. Elle est sensible à tout excès de chaleur. Tenez-la au bain-marie juste tiède.
Diététique. 1 c. à soupe de sauce = 90 kcal.

Sauce hollandaise

Pour **6 personnes**
Préparation **2 min**
Cuisson **12 min**

225 g de beurre fin ◆ 1 citron ◆ 3 œufs extra frais ◆ sel ◆ poivre blanc

1 Coupez le beurre très froid en petits dés et réservez-les au frais. Pressez le citron en éliminant les pépins.

2 Cassez les œufs 1 par 1 dans une jatte en séparant les blancs des jaunes. Réservez les blancs pour un autre usage et versez les jaunes dans une casserole. Incorporez 1 ou 2 c. à soupe d'eau, 1 pincée de sel et 1 ou 2 pincées de poivre. Mélangez les jaunes sans les fouetter. L'adjonction d'eau permet de les fluidifier avant de les chauffer.

3 Mettez de l'eau à chauffer dans une grande casserole. Lorsqu'elle est sur le point de bouillir, placez dedans la casserole contenant les jaunes d'œufs, baissez le feu pour établir un léger frémissement régulier et procédez à la cuisson au bain-marie.

4 Battez les jaunes au fouet jusqu'à ce que le mélange épaississe. Sans cesser de fouetter, ajoutez le beurre morceau après morceau.

5 Attendez que chaque parcelle de beurre soit complètement incorporée avant d'en ajouter une autre. Fouettez le mélange jusqu'à ce que tout le beurre soit absorbé. Lorsque la sauce a pris la consistance d'une mayonnaise, éteignez le feu et continuez de mélanger au fouet. Incorporez alors le jus de citron et mélangez bien, toujours au fouet. Goûtez et rectifiez l'assaisonnement.

Si le mélange a tendance à devenir granuleux, plongez le fond de la casserole dans de l'eau froide et fouettez vivement pour le rendre lisse.

Vous pouvez aussi incorporer le beurre à l'état fondu, mais il faut alors d'abord le clarifier.

Dans tous les cas, le beurre doit être incorporé par petites quantités, sans trop chauffer l'émulsion, sinon la sauce tourne et les jaunes coagulent.

Si vous additionnez votre sauce hollandaise de crème fouettée, dans la proportion de 1/3 de crème pour la quantité totale de hollandaise, vous obtenez une sauce mousseline, à servir par exemple avec des asperges, agrémentée de jus de truffe.

Hollande (fromages de)

Les vrais fromages originaires de Hollande (édam, gouda, mimolette) portent une plaque incrustée dans la croûte avec la mention « Holland ». Mais on fabrique sous le nom de « Hollande » des fromages à pâte pressée et à croûte paraffinée dans presque toute l'Europe.

Diététique. Une portion de 30 g = 140 kcal en moyenne.

homard

C'est le plus gros, le plus fin et le plus recherché des crustacés. Le homard européen (breton ou norvégien, brun violacé ou bleu-noir) est plus réputé que le homard américain ou canadien. La taille limite légale est de 450 g, mais il peut facilement atteindre 1 kg ou plus. Un bon homard est toujours très lourd par rapport à sa taille.

Diététique. Sa chair est maigre, mais parfois difficile à digérer : 100 g = 87 kcal.

Homard à l'américaine

Pour **6 personnes**
Préparation **10 min**
Cuisson **25 min environ**

2 homards vivants de 1 kg chacun ◆ 125 g de beurre ◆ 15 cl d'huile d'olive ◆ 2 tomates ◆ 1 carotte ◆ 1 oignon ◆ 2 échalotes ◆ 2 gousses d'ail ◆ 20 cl de vin blanc sec ◆ 4 c. à soupe de cognac ◆ 2 c. à soupe de concentré de tomates ◆ 1 feuille de laurier ◆ 15 cl de fumet de poisson ◆ 1 citron ◆ farine ◆ persil haché ◆ sel ◆ poivre ◆ poivre de Cayenne

1 Remplissez une grande marmite d'eau. Portez à ébullition. Plongez-y les homards et laissez bouillonner 1 min. Égouttez-les et laissez tiédir.

2 Cassez les pinces et retirez-les. Tronçonnez les homards avec leur carapace en grosses portions. Extirpez l'intestin, récupérez le corail et le jus dans un bol.

3 Faites chauffer 40 g de beurre et 3 c. à soupe d'huile dans une grande poêle et faites sauter les morceaux de homard pendant 3 à 4 min en remuant de temps en temps. Réservez-les. Pelez et coupez les tomates en grosses tranches.

4 Pelez et hachez finement la carotte, l'oignon, les échalotes et l'ail. Faites chauffer 60 g de beurre et le reste d'huile dans une cocotte et faites-y revenir doucement le hachis de légumes.

5 Ajoutez les morceaux de homard, remuez et versez le vin blanc. Faites mijoter à couvert pendant 6 à 7 min. Faites chauffer le cognac, versez-le dans la cocotte et flambez.

6 Ajoutez alors les tomates et le concentré, la feuille de laurier, le jus du homard réservé lors de la découpe et le fumet de poisson. Salez et poivrez. Faites cuire doucement à couvert pendant environ 15 min.

7 Retirez les morceaux de homard de la cocotte et mettez-les dans un plat de service creux au chaud. Faites réduire la sauce à découvert. Pendant ce temps, mélangez le reste de beurre avec 1 c. à soupe de farine et le corail du homard. Incorporez ce mélange à la sauce par petites fractions en fouettant régulièrement sur le feu très doux.

8 Ajoutez le jus du citron, rectifiez l'assaisonnement et ajoutez une pincée de cayenne. Fouettez jusqu'à consistance onctueuse. Versez cette sauce sur les morceaux de homard. Parsemez de persil haché. Servez brûlant avec du riz nature.

Boisson sauternes ou vin blanc moelleux

homard breton

S'il est bien vivant, le homard replie violemment la queue quand on le saisit par les côtés. Le mâle a un thorax bombé, la femelle a une queue plus large et des palmes sous la carapace pour retenir les œufs.

Homards grillés

Pour **6 personnes**
Préparation **15 min**
Cuisson **25 min**

3 homards de 700 à 800 g chacun ◆ 200 g de beurre demi-sel ◆ 1 citron ◆ sel ◆ poivre ◆ poivre de Cayenne

1 Demandez au poissonnier de ficeler les homards chacun à plat sur une petite planchette.
2 Remplissez d'eau un grand faitout, salez et portez à ébullition. Plongez-y les homards ficelés et laissez-les 5 min. Retirez le faitout du feu et laissez les homards dans l'eau encore 3 ou 4 min.
3 Égouttez les homards, fendez-les chacun en 2 dans la longueur. Brisez les pinces sans les détacher du corps. Faites fondre 80 g de beurre.
4 Placez les 1/2 homards carapace dessous sur la grille du four. Arrosez-les de beurre fondu, salez, poivrez et ajoutez une pincée de cayenne. Faites gratiner 20 min au four à 200 °C.
5 Clarifiez le reste de beurre dans une casserole, et ajoutez le jus du citron pressé, poivrez. Versez ce beurre fondu en saucière. Présentez les homards grillés dès la sortie du four.

Autre accompagnement : sauce hollandaise ou du beurre maître d'hôtel.

Boisson vin blanc sec

Salade de homard

Pour **4 personnes**
Préparation **40 min,** mayonnaise **10 min**
Cuisson **10 min environ**

1 homard de 700 g environ ◆ 1 boîte de fonds d'artichauts ◆ 1 citron ◆ 2 cœurs de laitues ◆ 20 cl de mayonnaise ◆ paprika ◆ cognac ◆ sel ◆ poivre

1 Faites cuire le homard à l'eau bouillante bien salée pendant 10 min. Laissez-le refroidir dans l'eau de cuisson.
2 Égouttez les fonds d'artichauts et émincez-les. Citronnez-les. Égouttez le homard et décortiquez-le. Coupez la queue en escalopes régulières. Cassez les pinces et récupérez toutes les chairs.
3 Effeuillez les cœurs de laitues, lavez-les et épongez-les. Mélangez dans un bol la chair de homard émiettée, la moitié de la mayonnaise et 2 c. à soupe de jus de citron. Salez et poivrez.
4 Répartissez le mélange dans des coupes et ajoutez les cœurs de laitues effeuillés. Ajoutez les escalopes de homard et les fonds d'artichauts.
5 Fouettez le reste de mayonnaise avec 1 pincée de paprika et 1 c. à soupe de cognac. Nappez les coupes de cette sauce et servez.

huile

→ **voir aussi aïoli, mayonnaise, vinaigrette**

Les huiles sont des corps gras fluides à température ambiante, extraits de graines ou de fruits oléagineux. Elles sont indispensables en cuisine comme graisse de cuisson ou assaisonnement.

L'huile d'arachide, « huile à tout faire », accepte le mieux la forte chaleur (jusqu'à 200 °C). Celles de maïs, de tournesol ou de pépins de raisin sont plus fragiles et se décomposent si elles chauffent trop fort. Les huiles de colza et de soja sont des nouvelles venues. La première supporte quelques cuissons douces, la seconde est à employer crue uniquement. Les huiles de noix et de noisette sont très fruitées et ne conviennent que pour les assaisonnements. Attention : elles rancissent très rapidement. L'huile d'olive est la plus gastronomique : à condition d'apprécier son goût fruité, elle convient pour tous les emplois. Elle peut être chauffée jusqu'à 200 °C. Ne confondez pas huile « vierge » (non raffinée) et huile « pure » (mélangée avec de l'huile raffinée). L'huile de coprah, commercialisée sous le nom de Végétaline, est très résistante, ne rancit pas et supporte une forte chaleur. Elle s'égoutte bien et donne des fritures moins grasses : utilisez-la pour faire cuire des frites.

Les huiles craignent la chaleur et la lumière. Conservez-les au frais dans un placard fermé.

Diététique. Toutes les huiles apportent 900 kcal pour 100 g : 1 c. à soupe de n'importe quelle huile = 100 kcal. C'est le plus calorique de tous les aliments, mais aucun régime ne l'exclut totalement. Elle fournit certains acides gras dits essentiels qui permettent de lutter contre l'excès de cholestérol (maïs, tournesol et soja surtout). Olive et colza, riches en acides mono-insaturés, favoriseraient en outre la formation du « bon » cholestérol (HDL). Si vous avez un problème de ligne, évitez les cuissons rissolées ou frites à l'huile d'arachide, utilisez les huiles de noix, noisette, olive ou pépins de raisin pour assaisonner vos crudités ou relever d'un filet des préparations cuites.

huître

→ voir aussi fruits de mer

Ce coquillage, répandu sur toutes les côtes de France, fait aujourd'hui l'objet d'un élevage : l'ostréiculture, qui garantit un approvisionnement constant dans de bonnes conditions d'hygiène.

Il existe deux grandes espèces d'huîtres : les plates et les creuses. Les premières sont parmi les plus appréciées (belons, bouzigues, gravettes). La belon, élevée en eau profonde, possède une chair gris-blanc avec une saveur iodée caractéristique. Les huîtres plates sont assez rares et chères. Plus abondantes et moins chères, les creuses viennent surtout de Marennes-Oléron, où elles sont affinées dans les bassins (les claires), selon une durée variant de 2 mois (« fines ») à 5 mois (« spéciales »). Les plates sont classées par numéros : 000 = 100 à 200 g ; 00 = 90 à 100 g ; 0 = 80 g ; 1 = 70 g ; 2 = 60 g ; 3 = 50 g. Les creuses ont un autre classement : TG (très grosse) = 110 g et plus ; G (grosses) = 80 à 110 g ; M (moyenne) = 50 à 80 g ; P (petite) = 30 à 50 g (10 g de plus dans chaque catégorie pour les spéciales). La taille d'une huître n'a rien à voir avec ses qualités gustatives. Les plus grosses sont les plus chères.

Signe de fraîcheur d'une huître à déguster crue : elle est difficile à ouvrir et la chair se contracte au toucher. Les huîtres se conservent non ouvertes au frais jusqu'à 10 jours après leur sortie de l'eau. Proposez avec un plateau d'huîtres beurre frais, pain de seigle, vinaigre à l'échalote et rince-doigts.

Avec des huîtres, servez un vin blanc léger et acide, peu fruité : gros-plant ou muscadet, graves blanc sec, entre-deux-mers, sylvaner, sancerre, pouilly-fumé ou chablis. Mais vous pouvez aussi essayer un rouge, saumur-champigny ou bandol.

Diététique. L'huître est l'aliment idéal des stressés et des fatigués, car elle est riche en oligo-éléments, les minéraux de la forme : 12 huîtres = 100 g de viande. L'huître est cependant interdite dans les régimes sans sel. 100 g = 80 kcal.

Les huîtres fermées se conservent 8 à 10 jours à une température de 2 à 8 °C, côté bombé dessous. Ouvrez-les au dernier moment.

Huîtres chaudes en bouillon crémeux

Pour **4 personnes**
Préparation **15 min**
Cuisson **22 min**

24 grosses huîtres creuses ◆ 1 oignon ◆ 1 échalote ◆ 1 blanc de poireau ◆ 2 cives ◆ 1 carotte ◆ 1 bouquet de persil plat ◆ 25 g de beurre ◆ 5 cl de vin blanc sec ◆ 20 cl de bouillon de volaille ◆ 25 cl de crème liquide ◆ 20 cl de lait ◆ sel ◆ poivre blanc

1 Ouvrez les huîtres, réservez les noix de chair et filtrez soigneusement le jus. Réservez. Pelez et émincez très finement l'oignon, l'échalote, le blanc de poireau et les cives. Pelez la carotte et taillez-la en bâtonnets très fins. Ciselez les feuilles du persil.

2 Faites fondre le beurre dans une casserole, ajoutez l'oignon, l'échalote, le blanc de poireau, les cives et la moitié du persil. Faites revenir sans coloration. Salez et poivrez. Versez le vin blanc et le jus des huîtres.

3 Portez à ébullition pour faire légèrement réduire puis ajoutez le bouillon de volaille et laissez cuire sur feu doux pendant 15 min. Filtrez le mélange et reversez-le dans une casserole. Ajoutez la crème et le lait. Salez légèrement et poivrez fortement.

4 Ajoutez les bâtonnets de carotte et faites cuire pendant 5 min. Faites ensuite pocher les huîtres décoquillées pendant quelques secondes dans la préparation. Répartissez-les dans des assiettes creuses avec les bâtonnets de carotte, versez le bouillon chaud dessus et ajoutez le reste de persil ciselé. Servez aussitôt.

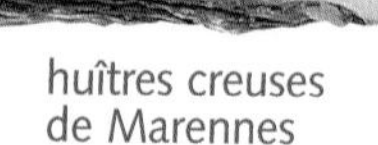

huîtres creuses de Marennes

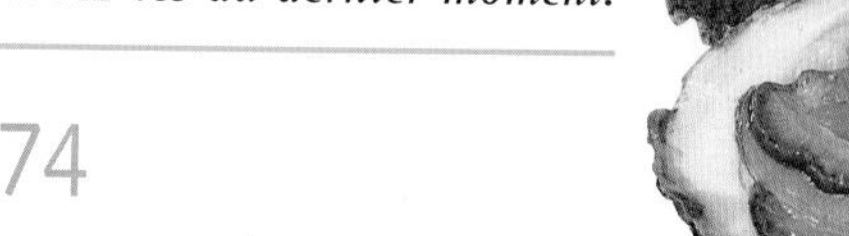

huîtres belons plates

Huîtres chaudes en bouillon crémeux ►

Servies chaudes dans un bouillon enrichi de crème fraîche, les huîtres conservent un moelleux remarquable, souligné par quelques fines herbes fraîches.

Huîtres à la diable ▲

Lorsque vous cuisinez des huîtres servies chaudes, choisissez des creuses bien charnues et jamais des belons. Attention aux petits éclats de coquille qui risqueraient de gâcher la dégustation.

Huîtres à la diable

Pour **4 personnes**
Préparation **1 h**
Cuisson **6 min**

24 huîtres creuses ◆ 60 g de beurre ◆ farine ◆ 10 cl de crème fraîche ◆ mie de pain blanc rassis ◆ muscade ◆ paprika ◆ sel ◆ poivre blanc au moulin

1 Ouvrez les huîtres, retirez les noix de chair, filtrez l'eau et versez-la dans une casserole sur feu moyen. Faites-y pocher les huîtres pendant 3 min. Retirez du feu et égouttez.
2 Préparez une sauce Béchamel avec 30 g de beurre, 30 g de farine, 4 c. à soupe de l'eau de cuisson des huîtres filtrée et la crème fraîche. Salez, poivrez et muscadez.
3 Faites fondre le reste de beurre et faites-y rissoler la mie de pain émiettée. Pendant ce temps, mélangez les huîtres décoquillées avec la sauce Béchamel.
4 Garnissez les coquilles avec les huîtres en sauce, parsemez de mie de pain et poudrez de paprika. Ajoutez une parcelle de beurre.
5 Rangez les coquilles sur la plaque du four en les calant avec des feuilles de papier aluminium froissées. Passez dans le four à 200 °C pendant 3 à 4 min. Servez aussitôt.

Boisson **graves sec ou riesling**

Oyster cocktail

Pour **1 personne**
Préparation **15 min**
Pas de cuisson

2 grosses huîtres creuses ◆ ketchup ◆ Worcestershire sauce ◆ Angostura ◆ cognac ◆ estragon en poudre ◆ sel de céleri

1 Mélangez dans un verre 1 c. à soupe de ketchup, 1 c. à café de sauce anglaise, 1 c. à soupe d'Angostura et 2 c. à soupe de cognac.
2 Ajoutez 1 pincée d'estragon, remuez bien et tenez au frais.
3 Décoquillez les huîtres et versez-les dans une coupe. Versez le mélange précédent par-dessus et poudrez de sel de céleri. Dégustez très frais.

L'Angostura est un bitter concentré à base de rhum et d'extraits aromatiques.

Si vous préparez ce « cocktail » pour plusieurs personnes, faites le mélange d'alcool au ketchup et décoquillez les huîtres à l'avance, dans 2 coupes différentes, au frais. Servez-le au dernier moment dans des petits verres.

Rosaces de pommes de terre aux huîtres

Pour **4 personnes**
Préparation **40 min**
Cuisson **30 min**

36 huîtres de Belon ◆ 12 pommes de terre charlotte ◆ 10 cl d'huile d'olive ◆ 3 cl de vinaigre de xérès ◆ 1 échalote ◆ 20 brins de ciboulette ◆ sel ◆ poivre

1 Ouvrez les huîtres, décoquillez-les et égouttez-les. Réservez. Lavez les pommes de terre et faites-les cuire à l'eau bouillante salée.

2 Préparez une vinaigrette avec l'huile d'olive, le vinaigre et l'échalote pelée et finement ciselée. Salez et poivrez.
3 Pelez les pommes de terre encore chaudes et coupez-les en rondelles. Disposez-les en rosace dans des assiettes de service et placez les huîtres dessus. Arrosez de vinaigrette et décorez avec les brins de ciboulette finement ciselés.

→ **autres recettes d'huître à l'index**

hure

Le mot désigne en général la tête du porc ou du sanglier, et parfois même du saumon. Mais c'est surtout une charcuterie à servir en hors-d'œuvre froid : la « hure à la parisienne » est à base de langues et de couennes de porc prises en gelée et moulées ; la « hure rouge » est une sorte de fromage de tête présentée sous un boyau rouge de gros calibre.

igname

Ce gros tubercule importé d'Afrique ou des Antilles est allongé ou arrondi. Il a une peau rugueuse, blanche, brune ou rose, parfois velue. Il se cuisine comme la pomme de terre, avec un goût un peu douceâtre.

Diététique. Il est plus riche en calories que la pomme de terre : 100 g = 100 kcal.

Ragoût d'ignames

Pour **4 personnes**
Préparation **20 min**
Cuisson **40 min environ**

1 kg d'ignames ◆ 4 tomates ◆ 15 cl de vin blanc ◆ huile ◆ thym ◆ laurier ◆ rhum ◆ sel ◆ poivre de Cayenne

1 Pelez les ignames et taillez-les en rondelles fines. Ébouillantez les tomates, égouttez-les, pelez-les et coupez-les en tranches.
2 Versez 2 c. à soupe d'huile dans une cocotte. Étalez la moitié des tranches d'ignames, puis les tomates. Ajoutez 1 c. à café de thym en poudre et 1 feuille de laurier émiettée. Salez et ajoutez 1 ou 2 pincées de cayenne.
3 Complétez avec le reste des tranches d'ignames. Arrosez avec 1 c à soupe de rhum, versez le vin blanc et couvrez. Faites mijoter pendant 40 min.

Servez en garniture de rôti de porc ou de veau.

île flottante

D'une grande légèreté, cet entremets est fait de blancs d'œufs sucrés cuits au bain-marie. L'« île » est servie sur une crème anglaise, nappée de caramel, avec un décor de pralines, d'amandes ou de zeste de citron. On donne parfois ce nom à de simples œufs à la neige.

Île flottante

Pour **6 personnes**
Préparation **25 min, 2 h à l'avance**
Cuisson **30 min**

6 œufs ◆ 50 cl de lait ◆ 1 gousse de vanille ◆ 300 g de sucre semoule ◆ 1 sachet de sucre vanillé ◆ huile de maïs ◆ sel

1 Cassez les œufs et séparez les blancs des jaunes. Faites bouillir le lait avec la gousse de vanille. Préparez une crème anglaise avec les 6 jaunes d'œufs, 200 g de sucre et le lait bouillant *(voir page 220)*.
2 Versez-la dans un plat creux et laissez refroidir. Fouettez les blancs d'œufs en neige très ferme avec 1 pincée de sel et le sachet de sucre vanillé.
3 Huilez un moule à manqué d'un diamètre inférieur au plat de service. Versez les blancs en neige dedans et faites cuire au four, au bain-marie, à 140 °C pendant 30 min.
4 Démoulez délicatement la préparation en la faisant glisser sur la crème anglaise refroidie.
5 Versez le sucre restant dans une petite casserole. Mouillez-le d'eau avec précaution et faites chauffer jusqu'au stade de caramel blond.
6 Versez le caramel brûlant sur les blancs démoulés en le laissant couler sur les côtés. Mettez au frais jusqu'au moment de servir.

Préparez cet entremets soit dans des petites coupes individuelles, soit dans un grand saladier bas.

cuisine **indienne**

Riche d'une combinaison infinie d'épices, influencée par les tabous religieux, la cuisine indienne est aussi contrastée que ce pays où se côtoient douceur et violence. Les condiments les plus chauds voisinent avec les fleurs et les fruits. Voici quelques préparations qui, pour un soir, donneront des couleurs à votre table.

Les hors-d'œuvre

La cuisine indienne est friande de petits plats à l'aigre-doux. Ils sont servis en assortiment, comme hors-d'œuvre ou à l'apéritif, mais aussi pour le thé, bien qu'ils soient salés et épicés.

▸ **Les beguni, beignets d'aubergines**
1 par personne

Les légumes lavés et épongés sont taillés en rondelles de 1 cm d'épaisseur ; celles-ci sont trempées dans de la pâte à frire puis plongées dans une huile très chaude, égouttées et poudrées de curry. Servez-les avec un chutney à la menthe et des noix de cajou grillées et salées : bhaja kaju.

▸ **Les machli kofta, boulettes de poisson**
Pour 4 personnes

Faites fondre dans l'huile 1 oignon haché. Ajoutez 500 g de merlan poché et émietté, 2 pommes de terre cuites écrasées, 3 gousses d'ail et 1 piment hachés, 10 g de gingembre râpé et 1 c. à soupe de coriandre ciselée. Faites cuire 5 min. Façonnez en boulettes et faites-les frire. Servez avec des crevettes frites, poudrées de sel et de curcuma.

Le murghi tanduri

Plus connue sous le nom de poulet tandoori ou tandouri, cette spécialité du Pendjab et du Pakistan se reconnaît à la couleur rouge qui colore en vif les morceaux de volaille marinés et grillés au four *(voir page 704)*. Vous les servirez sur des feuilles de laitue, avec des bouquets de chou-fleur cuits à la vapeur et du riz basmati ; celui-ci est revenu au beurre, mijoté avec du clou de girofle, de la cannelle et de la cardamome, puis agrémenté en fin de cuisson de gombos et de raisins secs. Comme le tandoori est assez relevé, on l'accompagne d'un condiment frais : une salade de concombre et de tomates au yaourt, parsemée de graines de cumin.

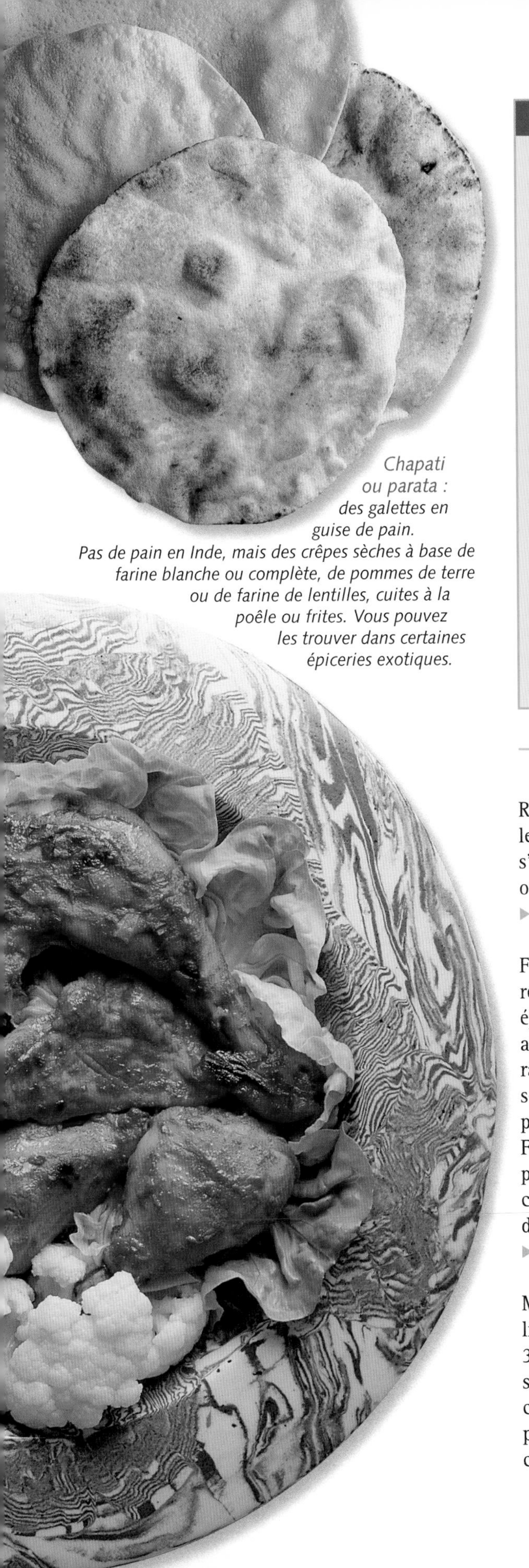

Chapati ou parata : des galettes en guise de pain.
Pas de pain en Inde, mais des crêpes sèches à base de farine blanche ou complète, de pommes de terre ou de farine de lentilles, cuites à la poêle ou frites. Vous pouvez les trouver dans certaines épiceries exotiques.

L'alphabet des épices

gingembre *pavot noir*

curry *piment doux*

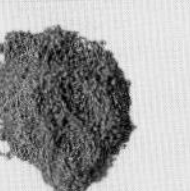 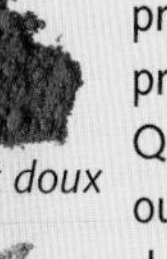

garam masala *curcuma*

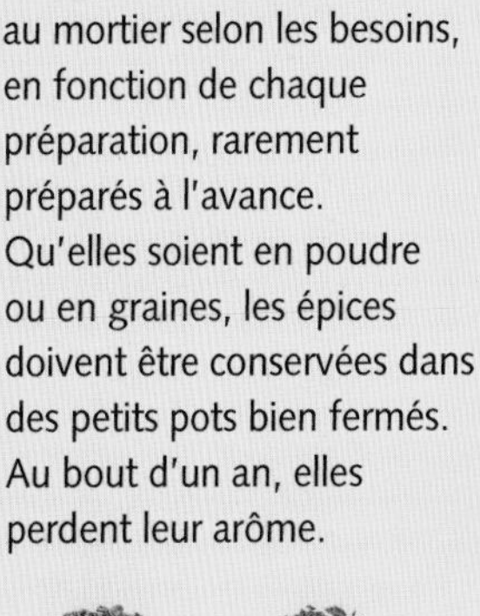

En Inde, l'usage des épices est à la fois une science et un art. Les mélanges sont pilés au mortier selon les besoins, en fonction de chaque préparation, rarement préparés à l'avance. Qu'elles soient en poudre ou en graines, les épices doivent être conservées dans des petits pots bien fermés. Au bout d'un an, elles perdent leur arôme.

cayenne *girofle* *grains d'anis* *cumin*

coriandre *cardamome* *fenugrec* *fenouil*

Desserts frais et fruités

Riz, yaourt, épices et fruits : les mêmes ingrédients s'utilisent salés, en cuisine, ou sucrés, en dessert.

Le sandesh à la noix de coco
Pour 4 personnes

Faites cuire 20 min en remuant jusqu'à consistance épaisse 1 bol de lait entier avec 2 bols de noix de coco râpée et 2 bols de sucre semoule. Versez dans un plat, laissez refroidir. Façonnez en boulettes et poudrez celles-ci de noix de coco. Garnissez de tranches de mangue fraîche.

Le shirkhand
Pour 4 personnes

Mélangez 5 pots de yaourt liquide, 1 mesure de safran, 3 c. à soupe de sucre semoule et 3 gousses de cardamome décortiquées et pilées. Parsemez de pistaches concassées et de safran.

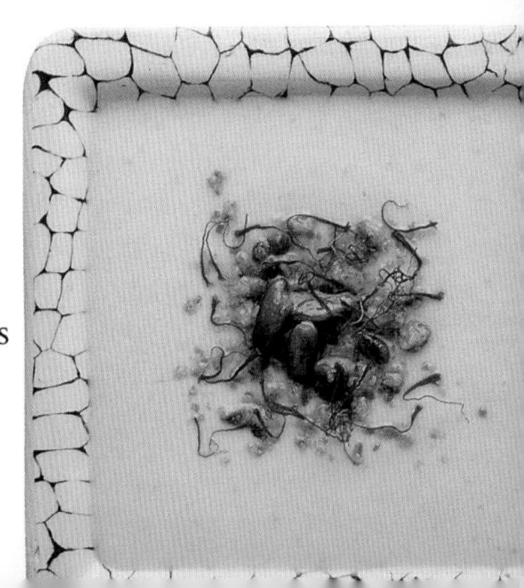

jalousie

Ce petit gâteau feuilleté rectangulaire est fourré soit d'une crème frangipane à la vanille, soit de compote de pommes ou de marmelade d'abricots. Il se caractérise par un dessus en pâte feuilletée et ajourée, ce qui explique son nom : la jalousie désigne un treillis de bois au travers duquel on peut voir sans être vu. Dégustez ce gâteau plutôt tiède que froid.

Jalousies aux pommes

Pour **6 personnes**
Préparation **40 min**
Cuisson **30 min**

1 kg de pommes ◆ 1 citron ◆ 1 sachet de sucre vanillé ◆ 500 g de pâte feuilletée ◆ 1 œuf ◆ 5 ou 6 c. à soupe de marmelade d'abricots ◆ 50 g de grains de sucre ◆ cannelle en poudre ◆ farine

1 Pelez les pommes et coupez-les en 4. Retirez le cœur et les pépins. Taillez les quartiers en lamelles, arrosez-les de jus de citron et mettez-les dans une casserole.
2 Ajoutez le sucre vanillé, mélangez et couvrez. Faites cuire doucement sans remuer pendant 20 min environ.
3 Retirez le couvercle de la casserole et faites évaporer l'excès d'humidité en remuant sur feu très doux pendant 2 min, de manière à obtenir une marmelade de pommes assez épaisse. Ajoutez 1 c. à café de cannelle et mélangez. Retirez du feu.
4 Farinez une planche à pâtisserie et abaissez la pâte feuilletée sur 3 mm d'épaisseur pour obtenir un grand rectangle.
5 À l'aide d'un couteau, découpez-y 2 bandes égales de 10 cm de large. Humectez d'eau la tôle du four avec un pinceau et posez-y l'une des 2 bandes de feuilletage.
6 Fouettez l'œuf. Badigeonnez à l'œuf tout le tour de cette bande de pâte. Étalez ensuite la marmelade de pommes en une seule couche épaisse sur toute la partie sèche.
7 Repliez la deuxième bande de pâte feuilletée en 2 dans le sens de la longueur. Du côté du pli, faites des entailles au couteau, en biais, en laissant intact 1 cm de pâte de l'autre côté.
8 Dépliez cette bande et posez-la sur la première. Pincez les bords tout autour pour bien souder les 2 épaisseurs. Égalisez le pourtour et badigeonnez le dessus avec le reste d'œuf battu.
9 Faites cuire à 200 °C pendant 30 min. En même temps, faites chauffer la marmelade d'abricots avec un peu d'eau.
10 Lorsque la pâtisserie est cuite, badigeonnez le dessus avec la marmelade d'abricots chaude. Parsemez de grains de sucre et laissez tiédir. Coupez la bande en parts de 5 cm de large.

jambalaya

Ce plat typique de la cuisine créole est une spécialité de La Nouvelle-Orléans inspirée de la paella espagnole. Préparé avec du riz relevé d'épices, il est garni de poulet ou de jambon (ou des deux). On y ajoute le plus souvent des saucisses rissolées, des poivrons, des tomates, des crevettes, etc.

Diététique. Une portion de ce plat assez riche = 650 kcal environ.

Jambalaya à la créole

Pour **6 personnes**
Préparation **25 min**
Cuisson **35 min environ**

300 g de jambon cuit en une seule tranche ◆ 300 g de grosses crevettes ◆ 250 g de chorizo ◆ 1 gros oignon ◆ 1 branche de céleri ◆ 1 poivron vert ◆ 5 tomates ◆ huile d'olive ◆ 30 g de beurre ◆ 300 g de riz à grains longs ◆ 2 c. à soupe de concentré de tomates ◆ 1 bouquet garni ◆ 1/2 c. à café d'origan séché ◆ 2 clous de girofle ◆ 1 l de bouillon de volaille ◆ vin blanc ◆ persil haché ◆ sel ◆ poivre ◆ poivre de Cayenne

1 Taillez le jambon en cubes réguliers. Décortiquez les queues des crevettes. Coupez-les en 2. Coupez le chorizo en grosses rondelles. Pelez et hachez l'oignon.

2 Émincez le céleri. Coupez le poivron en 2, épépinez-le et hachez-le grossièrement. Pelez les tomates et concassez-les.

3 Faites chauffer 1 c. à soupe d'huile dans une poêle et faites-y rissoler le jambon, les crevettes et le chorizo sur feu vif pendant 3 à 4 min. Égouttez et réservez.

4 Faites fondre le beurre avec 1 c. à soupe d'huile dans une grande cocotte. Faites revenir l'oignon et le céleri sur feu modéré pendant 3 à 4 min, en remuant.

5 Ajoutez le riz et remuez à la spatule jusqu'à ce que les grains soient transparents.

6 Incorporez le jambon, le chorizo et les crevettes, puis le poivron, les tomates et le concentré. Mélangez bien.

7 Mettez le bouquet garni, l'origan et les clous de girofle pilés. Salez et poivrez. Ajoutez 2 pincées de cayenne.

8 Versez le bouillon de volaille, portez à ébullition et couvrez. Réglez sur feu modéré et laissez cuire sans remuer pendant 25 min.

Jambalaya à la créole ▲

Comme pour une paella, c'est le mélange coloré des ingrédients qui fait la saveur de ce plat. Il doit mijoter lentement pour laisser aux saveurs tout le temps de se mélanger en se concentrant.

9 Si le riz paraît trop sec, versez 2 c. à soupe de vin blanc et remuez délicatement. Incorporez le persil et rectifiez l'assaisonnement, qui doit être bien relevé. Servez très chaud.

Au moment de servir, vous pouvez ajouter une poignée d'olives vertes dénoyautées.

Boisson **vin blanc sec ou rosé**

jambon

→ **voir aussi** croque-monsieur, endive, épaule, porc, quiche

Le mot désigne la cuisse du porc, c'est-à-dire la partie supérieure des pattes arrière. Le jambon est parfois cuisiné frais, braisé ou rôti comme un gigot (comptez 30 à 35 min de cuisson par livre). Mais il est généralement salé, puis séché ou cuit, le plus souvent vendu en tranches.

Le jambon cru est simplement salé et séché, parfois fumé. C'est la durée de la maturation qui fait la qualité de ce produit. Parmi les plus connus, citons le jambon de Bayonne (maturé 4 mois au moins) et celui de Parme (San Daniele), qui ne sont pas fumés. Ceux de Lacaune, d'Auvergne, du Morvan, des Ardennes et de Westphalie sont fumés, de même que d'autres jambons dits « de montagne » ou « de campagne ». Produits artisanaux, ces jambons se servent en tranches fines en hors-d'œuvre froids. Ils agrémentent également de nombreux plats régionaux : choucroute alsacienne, potée limousine, piperade basque, œufs à la lorraine...

Le jambon cuit présente des différences de qualité très sensibles. Toujours salé et cuit dans un bouillon, il est soit désossé et moulé, soit présenté avec son os. Le « jambon ordinaire » est moulé en forme de parallélépipède ; c'est le moins onéreux. La présence des polyphosphates autorisés dans les additifs le rend moelleux, mais humide et trop riche en eau. Le « premier choix », souvent vendu en tranches conditionnées sous vide, n'est pas plus goûteux que le précédent. Le « surchoix », sous label ou supérieur, correspond au jambon blanc, ou de Paris, de bonne qualité. Le jambon « au torchon » est lui aussi de fabrication plus soignée. Le meilleur « jambon à l'os » est le York (étuvé et légèrement salé, coupé à la demande), ainsi que le jambon de Prague, souvent fumé. Le jambon braisé peut être délicieux s'il est artisanal ou détestable si c'est un jambon ordinaire « bruni » (noirci à la lampe à souder).

Le jambon blanc est devenu indispensable dans de nombreuses préparations quotidiennes : salade composée, sandwich, gratin, omelette, soufflé, etc. Pour des plats plus raffinés (jambon au madère ou au porto), choisissez du jambon à l'os. On peut aussi utiliser les couennes du jambon pour parfumer une soupe de légumes.

On donne également le nom de « jambon » à diverses préparations régionales, comme le jambon de Reims ou le jambon de Bourgogne, préparés avec des morceaux de jambon et d'épaule cuits et moulés avec du persil.

Diététique. Le jambon est la plus maigre des charcuteries (2 à 5 % de matières grasses), à condition de laisser tout le gras sur le bord de l'assiette. Le jambon cuit est cependant moins calorique que le cru : 300 kcal contre 380 kcal pour 100 g environ. En dehors des régimes sans sel, le jambon peut se consommer en équivalence avec la viande, le poisson ou les œufs. Il existe aussi des jambons de régime à teneur plus ou moins réduite, soit en sodium, soit en lipides.

Cake au jambon

Pour **6 personnes**
Préparation **20 min**
Cuisson **40 min environ**

2 tranches de jambon épaisses (200 g chacune) ◆ 3 œufs ◆ 100 g de farine ◆ 10 cl de lait ◆ 150 g de gruyère râpé ◆ 1 c. à soupe de grains de poivre vert ◆ 2 c. soupe de ciboulette hachée ◆ 1 sachet de levure ◆ 30 g de beurre ◆ huile de maïs ◆ sel ◆ poivre noir au moulin

1 Ôtez le gras des tranches du jambon. Coupez-le en cubes réguliers. Cassez les œufs dans une terrine et battez-les. Incorporez la farine.
2 Incorporez, en mélangeant, 10 cl de lait, 3 c. à soupe d'huile et 1 pincée de sel. Travaillez la pâte jusqu'à ce qu'elle soit bien homogène.
3 Ajoutez alors le gruyère râpé, le poivre vert et la ciboulette puis les dés de jambon. Incorporez enfin la levure et mélangez en ajoutant un peu de poivre noir au moulin.
4 Beurrez un moule à cake. Versez-y la préparation et lissez le dessus. Faites cuire au four à 180 °C pendant 40 min. Sortez du four et laissez tiédir. Démoulez.

Servez le cake en tranches épaisses, tiède avec une salade de pissenlits ou froid à l'apéritif avec un vin cuit.

Jambon en papillotes aux champignons

RECETTE LÉGÈRE 1 portion 180 kcal

Pour **4 personnes**
Préparation **25 min**
Cuisson **20 min**

400 g de champignons de couche ◆ 1 citron ◆ 2 échalotes ◆ 1 bouquet de ciboulette ◆ 30 g de beurre ◆ 4 fines tranches de jambon blanc ◆ 4 c. à soupe de crème fraîche ◆ sel ◆ poivre

1 Nettoyez les champignons et émincez-les finement. Citronnez-les. Pelez et hachez les échalotes. Ciselez la ciboulette.
2 Faites fondre le beurre dans une casserole et mettez-y les échalotes. Remuez 3 min, puis ajoutez les champignons et la ciboulette. Faites cuire sur feu assez vif pendant 7 à 8 min.

3 Découennez les tranches de jambon, coupez-les en 2. Préparez 4 feuilles d'aluminium rectangulaires. Sur chaque rectangle, étalez 1 c. à soupe de hachis de champignons. Posez une 1/2 tranche de jambon par-dessus puis encore du hachis et une seconde 1/2 tranche. Arrosez de crème fraîche. Salez et poivrez.
4 Fermez hermétiquement les papillotes. Passez dans le four à 200 °C pendant 8 à 10 min. Fendez les papillotes d'un coup de couteau et servez-les dans des assiettes chaudes.

Pour un plat plus élaboré, utilisez des girolles et du jambon d'York.

→ autres recettes de jambon à l'index

jambonneau

→ voir aussi porc

Jarret avant ou arrière du porc. S'il est frais, faites-le braiser ou pocher. Pour un rôti, choisissez un jarret avant, plus charnu. Le jarret demi-sel ou fumé garnit la choucroute ou la potée. Le jambonneau cuit, salé et moulé (additionné de morceaux d'épaule et de jambon), est de forme conique, souvent pané : servez-le en hors-d'œuvre froid.

Diététique. La potée au jambonneau est un plat équilibré, peu gras, riche en vitamines B.

Potée au jambonneau

Pour **6 personnes**
Trempage **2 h**
Préparation **15 min**
Cuisson **2 h**

1 jambonneau demi-sel ◆ 300 g d'échine de porc demi-sel ◆ 300 g de palette demi-sel ◆ 1 oignon ◆ 2 gousses d'ail ◆ 2 clous de girofle ◆ 1 bouquet garni ◆ 6 grains de poivre ◆ 3 grosses pommes de terre ◆ 3 carottes ◆ 2 poireaux ◆ 2 bulbes de fenouil ◆ 100 g de céleri-rave ◆ 150 g de crème fraîche ◆ moutarde douce ◆ safran ◆ 1 citron ◆ sel ◆ poivre

1 Faites dessaler les viandes pendant 2 h à l'eau froide. Rincez-les et mettez-les dans une marmite pleine d'eau, faites bouillir 10 min et égouttez-les. Jetez l'eau de cuisson. Remettez les viandes dans la marmite.
2 Pelez l'oignon et l'ail, piquez l'oignon avec les clous de girofle, mettez le tout dans la marmite avec le bouquet garni et les grains de poivre, couvrez d'eau et faites cuire pendant 1 h 30.
3 Pelez, nettoyez et lavez les légumes. Ajoutez-les dans la marmite et poursuivez la cuisson pendant 30 min.
4 Versez la crème fraîche dans une casserole, ajoutez 1 c. à soupe de moutarde, 1 pincée de safran et le jus de citron. Salez et poivrez. Faites chauffer en remuant 3 min.
5 Égouttez les viandes et coupez-les en morceaux réguliers, égouttez les légumes et disposez-les autour en garniture. Servez la sauce à part et réservez le bouillon pour un potage.

Le safran n'est pas indispensable à la sauce. Vous pouvez encore en modifier le goût en ajoutant dans la crème un peu de raifort ou en utilisant de la moutarde au poivre vert.

Boisson cahors

Potée au jambonneau ▼
Comme le dit son nom, la potée est un mélange de viandes et de légumes cuits ensemble dans un « pot » : n'hésitez pas à varier la garniture en fonction du marché. C'est un plat complet et équilibré.

cuisine japonaise

Rigoureuse et raffinée, la cuisine japonaise enchante le regard avant de flatter le palais. Ses plats ont la poésie harmonieuse et la fraîcheur des compositions florales.

Les sushi

Ces bouchées de riz vinaigré et pressé garnies de fines tranches de poisson sont très populaires au Japon.

▶ **Pour 4 à 6 personnes**

Faites cuire pendant 15 min 350 g de riz à petits grains dans 45 cl d'eau ; ajoutez 5 cl de vinaigre de riz. Salez et sucrez. Façonnez des boulettes ou des petits pâtés bien compacts. Recouvrez-les ou enrobez-les de fines tranches de thon frais cru, de très fins filets de maquereaux macérés au sel, de saumon fumé ou de haddock en lamelles, ou encore de feuilles de nori (varech comestible séché). Soignez le décor : brins de persil, ciboulette, œufs de saumon, lamelles de gingembre marinées au vinaigre *(beni-shoga)*, languettes de poivron.

La sauce soja japonaise s'appelle shoyu.

Les tempura

Ce sont des beignets assortis qui constituent un repas. Grosses queues de crevettes, morceaux de poisson ou de calmar, languettes de poivron, racines de lotus, champignons, tranches d'aubergines, mange-tout, etc. sont trempés dans une pâte légère puis frits à l'huile. Présentez les tempura avec du gingembre et de la sauce soja.

▶ **Pour la pâte :**
1 œuf, 75 g de farine, 25 g de fécule de maïs et 10 cl d'eau.

Le saké

C'est un alcool de riz qui accompagne rituellement les repas japonais. On le propose à intervalles réguliers après l'avoir fait chauffer.

Le dessert

Glaces et fruits frais sont des desserts courants, mais la pâtisserie japonaise est un art qui a ses lettres de noblesse. Farine de riz, pâte de haricots rouges *(azuki)*, purée d'ignames, gelée d'algues : tels sont les ingrédients de base de ces gâteaux gros comme des bouchées, toujours artistement façonnés, qui reflètent bien l'esthétique japonaise.

Ils sont souvent baptisés de noms poétiques, comme le *yofun*, « rubis des champs », qui évoque la couleur des érables dans les jardins de Kyoto.
Certains illustrent une tradition millénaire, comme le *yukimochi*, délicate boule à base d'igname enrobée de sucre givré, livré au Palais impérial depuis 1776.

Servez « du thé vert » dans des petites tasses sans poignées : son goût délicat accompagne bien la cuisine japonaise.

Le sashimi

Ce terme désigne un filet de poisson que l'on mange cru, trempé dans une sauce piquante à base de *shoyu* (sauce soja) et de *wasabi* (raifort japonais). Prévoyez 200 g de poisson par personne et 3 variétés différentes. Le produit doit être d'une fraîcheur absolue.

Sur ce plateau sont présentés : les sashimi, les yakitori et leur sauce.

Les yakitori

Ces brochettes de volaille sont cuites sur les braises : morceaux de poulet ou de canard, foies de volaille, hachis de poulet à la ciboule, etc., trempés dans une sauce aigre-douce, enfilés sur de fines brochettes de bambou *(kushi)*, parfois intercalés avec des tronçons de blanc de poireau, et grillés 4 à 5 min en les arrosant de sauce. Prévoyez 3 à 4 brochettes par personne selon la composition du repas. Avec ce plat principal, servez en entrée du poisson cru ou mariné.

Sauce des brochettes
Pour 4 personnes : mélangez 7 cl de sauce soja, 7 cl de vin de riz doux, 2 c. à soupe de sucre et 2 c. à café de farine.

Jarret de veau aux légumes ▲

Ce plat complet demande une cuisson lente et douce pour concentrer les arômes.

jardinière

→ **voir aussi** macédoine

Ce mélange de légumes à base de carottes, de navets et de haricots verts – complété par des flageolets ou des petits bouquets de chou-fleur – accompagne les viandes rôties ou sautées, la volaille, les ris de veau, etc. On peut saucer la jardinière de jus de rôti.

Jardinière de légumes frais

Pour **4 personnes**
Préparation **35 min**
Cuisson **15 min**

2 carottes ◆ 2 navets ◆ 200 g de haricots verts ◆ 800 g de petits pois frais ◆ 30 g de beurre ◆ 10 cl de crème liquide ◆ cerfeuil frais ◆ sel ◆ poivre

1 Pelez les carottes et les navets. Coupez-les en rondelles de 5 mm d'épaisseur puis retaillez celles-ci en bâtonnets réguliers.
2 Effilez soigneusement les haricots verts et lavez-les. Coupez-les en 2. Écossez les petits pois. Ne les lavez pas.
3 Faites cuire séparément les haricots verts et les petits pois à l'eau bouillante salée pendant 7 à 8 min, puis les carottes et les navets à la vapeur en comptant le même temps.
4 Réunissez tous les légumes égouttés dans une casserole avec le beurre et la crème liquide. Réchauffez doucement en mélangeant sans cesse. Salez et poivrez.
5 Versez la jardinière dans un légumier, parsemez de pluches de cerfeuil. Servez.

Remplacez les petits pois par des flageolets ou des pointes d'asperges selon la saison.

jarret

→ **voir aussi** gîte, jambonneau, osso buco, veau

Le jarret de veau avant ou arrière est un morceau gélatineux et maigre, avec un os riche en moelle. Désossé et coupé en cubes, il est cuisiné en sauté, en braisé ou en blanquette ; entier, il peut cuire en potée ; coupé en tranches épaisses, il donne de savoureux ragoûts à l'italienne (osso buco) ou aux légumes de saison.

Jarret de veau aux légumes

Pour **4 personnes**
Préparation **30 min**
Cuisson **1 h 30**

1 jarret de veau ◆ 1 citron non traité ◆ 1 bouquet de thym ◆ 8 petites pommes de terre ◆ 1 oignon ◆ 4 carottes ◆ 8 blancs de poireaux ◆ 1 petit bouquet de ciboulette ◆ vinaigre de cidre ◆ huile de noix ◆ huile de maïs ◆ moutarde ◆ sel ◆ poivre

1 Mettez le jarret dans une marmite, arrosez-le de jus de citron, ajoutez quelques languettes de zeste et le thym. Salez et poivrez.
2 Couvrez d'eau et portez à ébullition. Laissez cuire pendant 1 h 30.

3 Pelez les pommes de terre, les carottes et l'oignon. Parez les poireaux. Coupez ces légumes en tronçons réguliers et faites-les cuire à la vapeur.
4 Préparez une vinaigrette avec 2 c. à soupe d'huile de maïs, 1 c. à soupe d'huile de noix, 2 c. à soupe de vinaigre et 1 c. à soupe d'eau de cuisson du jarret. Salez et poivrez. Ajoutez 1 c. à café de moutarde et la ciboulette ciselée.
5 Lorsque le jarret est cuit, égouttez-le et découpez la viande en tranches.
6 Disposez les tranches de viande sur un plat avec les légumes et nappez de sauce. Servez.

Vous pouvez compléter la garniture avec des pommes vapeur. Ce jarret de veau aux petits légumes peut aussi se servir froid le lendemain, avec la gelée coupée en petits dés et une salade verte.

Boisson **chianti ou vin rosé**

Jarret de veau à la paysanne

Pour **4 personnes**
Préparation **10 min**
Cuisson **1 h environ**

30 g de beurre ◆ 4 tranches de jarret de veau ◆ 3 échalotes ◆ 1 bouquet garni ◆ 20 cl de vin blanc ◆ 1 tablette de bouillon de bœuf ◆ 300 g de carottes ◆ 300 g de navets ◆ 300 g de céleri-rave ◆ 1 orange non traitée ◆ huile d'olive ◆ xérès ◆ sel ◆ poivre

1 Faites fondre le beurre dans une cocotte avec 1 c. à soupe d'huile. Mettez-y les tranches de viande et faites-les colorer en les retournant de temps en temps.
2 Pelez et hachez finement les échalotes. Ajoutez-les dans la cocotte avec le bouquet garni. Salez et poivrez. Ajoutez le vin blanc. Mélangez bien.
3 Délayez le bouillon de bœuf dans 15 cl d'eau bouillante et 1 c. à soupe de xérès. Versez ce mélange dans la cocotte, remuez et couvrez. Faites cuire 25 min sur feu doux.
4 Pendant ce temps, pelez les carottes, les navets et le céleri-rave. Taillez tous ces légumes en petits cubes. Faites-les cuire pendant 10 min à l'eau bouillante salée puis égouttez-les très soigneusement.
5 Ajoutez les légumes dans la cocotte au bout de 25 min de cuisson du jarret et faites cuire doucement pendant encore 15 min.
6 Râpez finement le zeste de l'orange et ajoutez-le dans la cocotte. Mélangez. Faites mijoter encore 3 ou 4 min et servez très chaud dans la cocotte ou dans un plat creux.

jésus

Gros saucisson du Jura (pur porc, parfois porc et bœuf), légèrement fumé, le jésus porte à une extrémité une petite cheville de bois transversale. Comme le morteau, il se fait pocher et garnit des potées.

Jésus mijoté au vin blanc

Pour **4 personnes**
Préparation **20 min**
Cuisson **40 min**

15 g de beurre ◆ 2 jésus de 250 g chacun ◆ 500 g de petites pommes de terre ◆ 1 oignon ◆ 2 clous de girofle ◆ 1 bouteille de vin blanc sec ◆ concentré de tomates ◆ thym ◆ laurier ◆ persil frais

1 Faites fondre le beurre dans une cocotte et faites-y dorer les saucissons très doucement en les retournant de temps en temps. Retirez la cocotte du feu. Pelez et lavez les pommes de terre. Pelez et hachez l'oignon.
2 Remettez la cocotte sur le feu. Ajoutez les pommes de terre et l'oignon, les clous de girofle écrasés, le vin blanc, 1 c. à soupe de concentré de tomates, 1 pincée de thym et 1/2 feuille de laurier émiettée. Mélangez et couvrez.
3 Laissez cuire doucement pendant 35 min. Égouttez les pommes de terre et les saucissons. Coupez ceux-ci en grosses rondelles et disposez le tout dans un plat creux bien chaud.
4 Faites réduire le fond de cuisson sur feu vif pendant 5 min. Passez-le et versez-le dans le plat. Poudrez de persil haché et servez aussitôt.

Simplement poché à l'eau pendant 30 min, le jésus se sert aussi en rondelles, en salade avec des pommes de terre à la vinaigrette.

Boisson **vin blanc sec du Jura**

joue

En principe, les joues font partie des abats, mais la joue de bœuf constitue un excellent morceau de viande à bouillir ou à braiser dans une daube au vin rouge.

Chez certains poissons, la joue est une bouchée délicate. Faites cuire les joues de raie ou de lotte à la meunière ou en brochettes.

Cocotte de joue de bœuf

Pour 6 personnes
Préparation 30 min
Cuisson 2 h environ

800 g de carottes • 3 oignons • 1 gousse d'ail • 1 tranche de jambon de pays de 200 g • 30 g de beurre • 1,2 kg de joue de bœuf ficelée en rôti • 1 bouquet garni riche en thym • 20 cl de vin blanc • 150 g d'olives vertes • huile d'olive • cognac • sel • poivre

1 Pelez les carottes et coupez-les en rondelles. Pelez les oignons et émincez-les grossièrement. Pelez et hachez l'ail. Retirez la couenne du jambon et taillez-le en languettes.
2 Faites fondre le beurre avec l'huile dans une grande cocotte. Mettez-y le jambon et remuez puis ajoutez le rôti de joue de bœuf. Faites-le dorer en le retournant sur toutes les faces.
3 Salez modérément à cause du jambon, puis poivrez. Ajoutez le bouquet garni, l'ail, les carottes et les oignons. Mouillez avec le vin et 1 petit verre d'eau.
4 Couvrez et laissez mijoter très doucement pendant au moins 2 h. La cuisson peut très bien se prolonger plus longtemps, toujours sur feu très doux.
5 Pendant ce temps, dénoyautez les olives et blanchissez-les 2 ou 3 min dans une casserole d'eau bouillante. Ajoutez-les dans la cocotte en fin de cuisson, avec le cognac. Mélangez et tenez au chaud jusqu'au moment de servir. Retirez alors le bouquet garni.

Vous pouvez aussi faire mariner la joue de bœuf coupée en gros cubes pendant la nuit dans un mélange comprenant vin blanc, huile d'olive, 1 trait de cognac, du thym et du laurier émiettés.

Boisson vin rouge assez corsé

julienne

→ voir aussi lingue

Poisson de mer qui porte également le nom de lingue. Elle est pratiquement toujours vendue en filets et se cuisine comme le cabillaud. Sa chair est blanche et de saveur assez fine. La cuisson au four à micro-ondes lui convient parfaitement.

Filets de julienne au plat

MICRO ONDES
RECETTE LÉGÈRE 1 portion 310 kcal

Pour 4 personnes
Préparation 5 min
Cuisson 9 min 30

4 cornichons moyens • 50 g de beurre • 2 c. à soupe de farine • 25 cl de lait • 800 g de filets de julienne • moutarde douce • vinaigre de vin blanc • sel • poivre

1 Égouttez les cornichons et hachez-les grossièrement. Mettez 40 g de beurre dans une jatte et faites-le fondre dans le four à pleine puissance pendant 1 min.
2 Ajoutez la farine et mélangez, puis versez le lait en fouettant. Salez et poivrez. Faites cuire dans le four toujours à pleine puissance pendant 3 min, en fouettant à chaque minute.
3 Incorporez les cornichons, 1 c. à café de moutarde et 1 c. à café de vinaigre. Rectifiez l'assaisonnement et couvrez pour garder au chaud.
4 Mettez les filets de julienne dans un plat creux, ajoutez le reste de beurre en parcelles. Salez et poivrez. Couvrez de film alimentaire et percez-le en plusieurs endroits. Faites cuire dans le four à pleine puissance pendant 4 à 5 min.
5 Placez les filets de julienne dans un plat, nappez de sauce et réchauffez dans le four 30 secondes. Servez aussitôt.

jus de fruits

→ voir aussi gelée

Les jus de fruits vendus dans le commerce sont meilleurs s'ils sont « pur jus de fruits » (conservés dans leur forme originelle, sans addition de sucre ou de conservateur) et non concentrés. Pour la préparation des sorbets, il est préférable de presser soi-même les fruits frais pour en recueillir le jus.

Servez-vous éventuellement d'une centrifugeuse, comme pour préparer des cocktails de fruits ou de légumes. Les jus de fruits frais, pressés à la maison, et les purs jus de fruits non pasteurisés ont exactement la même valeur gustative et nutritionnelle que les fruits dont ils proviennent.

Diététique. Lisez les étiquettes : un vrai jus de fruits peut être à base de jus concentré, mais il ne doit surtout pas contenir de sucre surajouté. Attention : 1 verre de jus de fruits = 1 fruit.

kaki

Gros fruit rond légèrement aplati, le kaki a une peau fine et lisse, couleur corail. Sa chair douce et parfumée se mange nature, en salade de fruits ou en tarte. Le sharon, variété à chair ferme, se déguste croquant.

Diététique. 100 g de kaki = 65 kcal.

kakis

Kakis glacés

Pour **4 personnes**
Préparation **15 min,** chantilly **10 min**
Macération **1 h**
Congélation **1 h**
Pas de cuisson

4 beaux kakis mûrs à point ◆ 2 grosses boules de glace à la vanille ◆ 10 cl de crème fraîche ◆ 20 g de sucre glace ◆ 4 cerises confites ◆ rhum

1 Lavez les kakis et essuyez-les. Décalottez-les du côté du pédoncule. Retirez la pulpe avec une petite cuiller en veillant à ne pas crever la peau.
2 Versez quelques gouttes de rhum dans chaque fruit évidé et laissez macérer 1 h au frais.
3 Mélangez la pulpe des kakis avec la glace à la vanille. Garnissez les fruits avec ce mélange et mettez-les dans le freezer.
4 Quelques minutes avant de servir, fouettez la crème avec le sucre glace en chantilly très ferme. Garnissez les fruits glacés avec la crème et ajoutez les cerises confites en décor.

kedgeree

Ce plat de riz au curry garni de restes de poisson et d'œufs durs se prépare avec du haddock, du saumon ou du turbot. On peut l'agrémenter de petits pois. Il doit être bien relevé comme toutes les recettes anglaises d'origine indienne.

Kedgeree au haddock

Pour **4 personnes**
Préparation **20 min**
Cuisson **25 min environ**

4 filets de haddock ◆ 1 oignon ◆ 2 œufs ◆ 2 c. à soupe d'huile d'arachide ◆ 150 g de riz à grains longs ◆ 30 g de beurre ◆ 3 c. à soupe de crème fraîche ◆ curry en poudre ◆ sel ◆ poivre de Cayenne

1 Mettez les filets de haddock dans un plat creux avec 1 verre d'eau bouillante et laissez reposer 20 min.
2 Pelez et hachez l'oignon finement. Faites durcir les œufs, rafraîchissez-les et écalez-les. Égouttez les filets de haddock et émiettez-les.
3 Faites chauffer l'huile dans un poêlon. Ajoutez l'oignon et remuez à la spatule pendant 5 min. Ajoutez 1 c. à café bombée de curry, remuez et versez le riz. Remuez 2 min puis mouillez avec 50 cl d'eau. Couvrez et laissez mijoter 10 min.
4 Ajoutez les morceaux de haddock et 2 pincées de cayenne, remuez délicatement et poursuivez la cuisson à couvert pendant 10 min.
5 Versez le contenu du poêlon dans un plat creux très chaud. Ajoutez les œufs durs coupés en rondelles, quelques noisettes de beurre et la crème fraîche. Mélangez délicatement.

Servez ce plat en dîner léger ou au brunch.

Boisson **bière blonde ou thé de Ceylan**

kir

Cet apéritif à base de crème de cassis sur laquelle on verse du bourgogne blanc (généralement un aligoté) dérive du « blanc-cassis » traditionnel en Bourgogne. Dans le kir « royal », le vin blanc est remplacé par du champagne. Le kir au vin rouge est surnommé « communard ».

Diététique. 1 kir royal = 90 kcal.

kiwis

kirsch

Le kirsch véritable est une eau-de-vie de cerise, d'un bouquet puissant et d'un goût très fin, à déguster en digestif. Il s'emploie souvent en pâtisserie (biscuits imbibés, crèmes aromatisées, salades de fruits, punchs). Le kirsch du commerce ou de pâtisserie est un mélange de kirsch et d'alcool neutre. Le kirsch fantaisie, plus médiocre, est un alcool neutre aromatisé.

Salade de fruits au kirsch

Pour **4 personnes**
Préparation **20 min**
Repos **30 min**
Pas de cuisson

1 pamplemousse rose ◆ 1 banane ◆ 1 citron ◆ 4 abricots ◆ 20 cerises noires ◆ 2 oranges juteuses ◆ 8 cerises confites ◆ 30 g de chocolat noir amer ◆ kirsch ◆ sucre semoule

1 Pelez le pamplemousse, dégagez les quartiers et débarrassez-les de la pellicule qui les recouvre. Pelez la banane, coupez-la en rondelles et citronnez celles-ci.
2 Coupez les abricots en 2 et dénoyautez-les. Dénoyautez ensuite les cerises. Réunissez tous les fruits dans un saladier avec le jus qu'ils ont rendu. Poudrez légèrement de sucre.
3 Pressez les oranges et mélangez le jus avec 5 c. à soupe de kirsch. Versez ce mélange sur les fruits et laissez reposer au frais 30 min. Pendant ce temps, arrosez les cerises confites avec un peu de kirsch.
4 Concassez le chocolat en petites pépites. Répartissez la salade de fruits dans des coupes de service très froides. Décorez avec les cerises confites coupées en 2 et complétez par quelques pépites de chocolat noir.

kiwi

Le véritable nom du kiwi est l'actinidia. C'est un fruit gros comme un œuf avec une peau gris-vert duveteuse et une chair vert vif acidulée. Le kiwi n'est pas un fruit fragile : choisissez-le ferme et laissez-le mûrir au frais. Dégustez-le nature, en salade de fruits, en tarte, mais aussi en garniture de plats salés : côtes de porc, cailles rôties. Son succès tient surtout à son aspect décoratif.

Diététique. Son extrême richesse en vitamine C est contestée. Mais, avec 2 kiwis par jour, vos besoins sont couverts, sans apporter trop de calories. 100 g = 53 kcal.

Tarte aux kiwis

Pour **6 personnes**
Préparation **25 min, 3 h à l'avance**
Repos **2 h**
Cuisson **20 min**

150 g de farine ◆ 90 g de beurre ◆ 2 jaunes d'œufs ◆ 80 g de sucre semoule ◆ 20 cl de lait ◆ 1 c. à soupe de gelée de groseilles ◆ 5 ou 6 kiwis ◆ sel

1 Préparez une pâte en mélangeant la farine, 75 g de beurre, 1 pincée de sel et 2 c. à soupe d'eau froide. Abaissez-la sur 4 mm d'épaisseur.
2 Garnissez de pâte un moule à tarte beurré de 22 cm de diamètre. Piquez le fond à la fourchette et laissez reposer 2 h.
3 Faites cuire le fond de tarte dans le four à 200 °C pendant 20 min.
4 Pendant ce temps, mélangez les jaunes d'œufs, le sucre, 1 c. à café de farine et le lait. Faites cuire en remuant jusqu'à épaississement. Hors du feu, ajoutez la gelée de groseilles.
5 Sortez le fond de tarte du four, laissez tiédir puis nappez-le de crème. Pelez les kiwis et coupez-les en fines rondelles. Disposez-les en cercles concentriques sur la crème en les faisant se chevaucher légèrement. Servez frais.

→ **autres recettes de kiwi à l'index**

Tarte aux kiwis ►
Pour donner encore plus d'attrait à votre tarte, vous pouvez badigeonner légèrement le dessus avec un peu de marmelade d'abricots ou de gelée de coings.

Kouglof aux amandes ▲

Servez le kouglof au petit déjeuner, avec du beurre frais, ou avec le thé, imbibé de kirsch ou décoré de chantilly. Au dessert, dégustez-le nature avec un vin blanc d'Alsace.

kouglof

Cette brioche alsacienne aux raisins secs, en forme de haute couronne torsadée, est cuite dans un moule spécial. Elle accompagne bien les vins d'Alsace.

Kouglof aux amandes

Pour **8 à 10 personnes**
Préparation **25 min**
Repos **3 h environ**
Cuisson **45 min**

25 g de levure de boulanger ◆ 40 cl de lait ◆ 750 g de farine ◆ 15 g de sel ◆ 3 œufs ◆ 300 g de beurre ◆ 150 g de sucre semoule ◆ 150 g de raisins de Malaga ◆ 75 g d'amandes effilées ◆ kirsch

1 Préparez le levain : émiettez la levure dans une jatte, ajoutez la moitié du lait tiède et de la farine pour obtenir une pâte consistante. Laissez reposer jusqu'à ce qu'elle ait doublé de volume.

2 Versez le reste de la farine dans une terrine, ajoutez le sel, les œufs battus et le reste de lait tiède. Mélangez le tout. Pétrissez la pâte 15 min en la soulevant avec les mains.

3 Ajoutez 250 g de beurre ramolli, le sucre et la boule de levain. Pétrissez le tout. Couvrez la terrine d'un linge humide. Laissez reposer 1 h.

4 Pendant ce temps, mettez les raisins secs dans une tasse, arrosez-les d'un petit verre de kirsch et laissez-les gonfler. Lorsque la pâte a bien levé, tapotez-la puis rompez-la et incorporez les raisins avec le kirsch.

5 Beurrez un grand moule à kouglof et garnissez-en les cannelures avec les amandes effilées. Versez-y la pâte pratiquement jusqu'en haut et laissez-la reposer encore 1 h.

6 Faites cuire dans le four à 180 °C pendant 45 min. Si le kouglof se colore un peu trop vite, couvrez-le d'un papier sulfurisé. Lorsqu'il est cuit, sortez-le du four et laissez-le refroidir.

Préparez le kouglof la veille, car il est meilleur légèrement rassis.

kouign-aman

Le nom de ce gâteau breton signifie « pain au beurre » : c'est une grosse galette de pâte à laquelle on incorpore du beurre, de préférence demi-sel. Cuite à feu vif et caramélisée au sucre, elle est meilleure tiède.

Diététique. Un délice, mais une bombe calorique : sucre + beurre ! Goûtez-en une petite part en passant en Bretagne...

Kouign-aman

Pour **4 personnes**
Préparation **40 min**
Repos **1 h**
Cuisson **30 min**

500 g de farine ◆ 15 g de levure de boulanger ◆ 425 g de beurre demi-sel ◆ 350 g de sucre semoule

1 Versez la farine dans une terrine et faites une fontaine. Délayez la levure dans 10 cl d'eau tiède. Incorporez-la à la farine, pétrissez 2 min et façonnez la pâte en boule. Laissez reposer pendant 20 min.

2 Versez cette pâte sur une planche farinée et aplatissez-la. Posez au milieu 400 g de beurre un peu ramolli. Étalez-le sur la pâte et ajoutez 200 g de sucre semoule.
3 Ramenez les bords de la pâte sur le dessus pour enfermer le beurre et le sucre. Appuyez avec les paumes pour obtenir un rectangle allongé. Pliez celui-ci en 3 et laissez reposer pendant 20 min.
4 Aplatissez à nouveau la pâte avec les paumes, repliez-la encore une fois en 3 et laissez reposer encore 20 min. Recommencez cette opération une troisième fois.
5 Beurrez largement une tourtière, poudrez-la légèrement de farine et secouez l'excédent. Posez le pâton dedans et étalez-le à la main pour qu'il garnisse entièrement le moule. Poudrez avec le reste de sucre.
6 Faites cuire au four à 200 °C pendant 30 min. Servez refroidi.

Ce gâteau se conserve bien 24 h. Si vous utilisez du beurre doux, ajoutez 20 g de sel dans la pâte. N'utilisez pas de rouleau à pâtisserie pour exécuter les différents tours de la pâte : il ne s'agit pas d'une pâte feuilletée. Le gâteau doit conserver une texture rustique.

Kumquats au cognac

Pour **2 pots de 50 cl**
Préparation **25 min, 3 mois à l'avance**
Cuisson **5 min**

250 g de kumquats ◆ 150 g de sucre semoule ◆ 20 cl de cognac ◆ 10 cl de Cointreau

1 Lavez les kumquats et égouttez-les. Piquez-les en plusieurs endroits avec une épingle. Portez à ébullition une grande casserole à demi pleine d'eau. Mettez les kumquats dedans et faites-les blanchir pendant 5 min.
2 Égouttez-les et essuyez-les 1 par 1 soigneusement. Répartissez-les dans 2 bocaux en verre à fermeture hermétique.
3 Poudrez-les de sucre : 75 g dans chaque pot. Mélangez le cognac et le Cointreau, versez l'alcool sur les fruits. Remuez délicatement avec une cuiller à long manche. Fermez hermétiquement.
4 Laissez macérer environ 3 mois avant de déguster, soit en fin de repas comme des cerises à l'eau-de-vie, soit ajoutés à une coupe glacée ou une salade de fruits.

kumquat

Ce petit fruit originaire de Chine ressemble à une orange miniature à peau tendre. Le *narumi* est rond, à saveur douce, le *nagami* est ovale, plus acidulé. Disponible toute l'année sauf en plein été, il peut se garder quelques jours au réfrigérateur.

Dégustez les kumquats nature, croquants et juteux (avec la peau), ou en salade de fruits.

Diététique. Riche en provitamine A, en potassium et en calcium. 100 g = 65 kcal.

kumquats

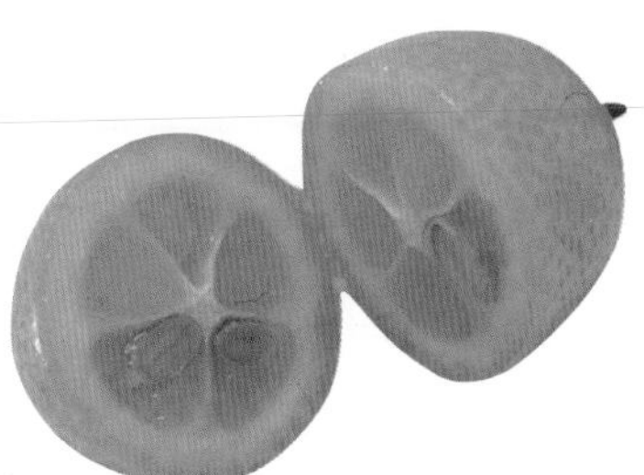

Le kumquat est importé du Japon, d'Israël et des États-Unis. On le trouve aussi en conserve au sirop. Vous pouvez en faire une marmelade ou une gelée. Il permet également de préparer certains gâteaux et peut s'utiliser dans des farces pour volailles.

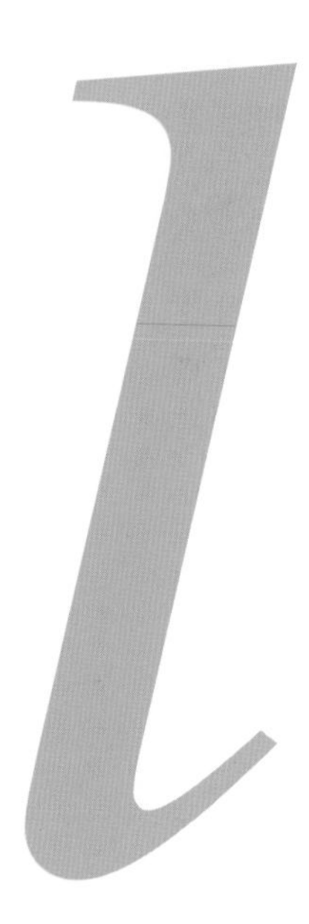

lactaire

→ voir aussi champignon de cueillette

Champignon de cueillette dont la chair, lorsqu'on la casse, laisse écouler un suc laiteux plus ou moins coloré. Il en existe plusieurs variétés à ramasser en octobre : beaucoup sont médiocres, aucune n'est vénéneuse. La meilleure est le lactaire sanguin, commun dans le Midi : faites-le griller ou mijoter avec du lapin en gibelotte. Le lactaire orangé peut se manger cru en salade. Le lactaire délicieux se fait mariner au vinaigre ou mijoter à l'huile.

Ragoût de lactaires

Pour **4 personnes**
Préparation **10 min**
Cuisson **15 à 20 min**

1 oignon ◆ 1 carotte ◆ 2 gousses d'ail ◆ 12 lactaires sanguins ◆ 5 cl d'huile d'olive ◆ 10 cl de vin blanc sec ◆ thym ◆ laurier ◆ basilic frais ◆ sel ◆ poivre

1 Pelez et hachez l'oignon. Pelez et émincez finement la carotte. Pelez et hachez les gousses d'ail. Coupez le pied des lactaires et nettoyez les chapeaux sans les laver.
2 Faites chauffer l'huile dans une cocotte, mettez l'oignon et la carotte. Remuez pendant 2 min, puis déposez les lactaires bien rangés par-dessus. Ajoutez 1 ou 2 pincées de thym et 1/2 feuille de laurier émiettée.
3 Versez délicatement le vin. Salez et poivrez. Couvrez et laissez cuire doucement 10 min. Retirez le couvercle et montez un peu le feu.
4 Poursuivez la cuisson jusqu'à ce que le liquide de cuisson ait réduit et devienne bien sirupeux. Ajoutez alors 4 feuilles de basilic ciselées et l'ail haché. Remuez et servez aussitôt dans un légumier chaud.

laguiole

La fourme de Laguiole, ou laguiole-aubrac, est un fromage à pâte pressée voisin du cantal, avec une saveur prononcée. Il est meilleur de juillet à mars-avril. Choisissez un laguiole fabriqué dans les burons de montagne et servez-le avec un vin rouge charpenté. Demi-frais, il parfume aussi la soupe au chou.
Diététique. Fromage gras : 100 g = 380 kcal.

lait

→ voir aussi béchamel, chèvre, crème, crème fraîche, flan, fromage, yaourt

Le terme de « lait » sans indication d'espèce animale est réservé à celui de la vache. Il est commercialisé sous plusieurs formes.

Le lait cru, entier, sans traitement (emballage à dominante jaune), est vendu 48 heures après la traite et se conserve 24 heures au réfrigérateur.

Faites-le bouillir 5 minutes avant tout emploi. Il est excellent, surtout au printemps.

Le lait pasteurisé, vendu entier (dominante rouge) ou demi-écrémé (dominante bleue), se garde 3 à 4 jours une fois entamé au réfrigérateur ; choisissez le « lait pasteurisé de haute qualité », peu altéré par la pasteurisation et d'un très bon goût.

Le lait est pratiquement toujours stérilisé à ultra-haute température (U.H.T.), selon un procédé qui dénature moins le lait : il est vendu entier, demi-écrémé ou écrémé (dominante verte) et se garde non entamé 3 mois à température ambiante. Ce lait « longue conservation » est aussi vendu aromatisé.

Le lait en poudre, entier, demi-écrémé ou écrémé, se conserve 4 à 5 mois, même si le paquet est ouvert. Reconstituez-le en respectant les proportions d'eau et de poudre.

Le lait concentré, sucré ou non sucré, en boîte, en tube ou en berlingot, ne possède pas les qualités gustatives du « vrai » lait. Utilisez-le pour des glaces ou des entremets. Vérifiez toujours ses dates limites d'utilisation.

Diététique. Le lait n'est pas une boisson, mais un aliment « bâtisseur », un produit naturel irremplaçable, riche en protéines et en calcium. Il contient pratiquement tous les minéraux et les vitamines nécessaires à la construction et à l'entretien du corps humain (sauf le fer et la vitamine C, celle-ci étant néanmoins fournie par le lait de brebis). Mais il vaut mieux boire du lait plus ou moins écrémé (1,5 % de lipides), pour utiliser le calcium qu'il contient, sans pour autant absorber trop de calories : 10 cl de lait entier = 90 kcal, demi-écrémé = 50 kcal, écrémé = 36 kcal.

Rôti de porc au lait

Pour **6 personnes**
Préparation **5 min**
Cuisson **1 h 10 environ**

1,5 kg d'échine de porc désossée ◆ 12 gousses d'ail ◆ 1 l de lait entier ◆ muscade ◆ sel ◆ poivre

1 Demandez au boucher de ficeler le rôti et de vous donner les os du morceau.
2 Mettez les gousses d'ail non pelées dans une grande cocotte. Ajoutez le rôti et versez le lait. Salez, poivrez et muscadez.
3 Faites chauffer doucement jusqu'à la limite de l'ébullition, puis couvrez et mettez dans le four à 160 °C pendant 1 h.
4 Surveillez de temps en temps pour vérifier si le lait ne déborde pas. Retournez le rôti 3 ou 4 fois en cours de cuisson.
5 Égouttez le rôti et couvrez-le d'une feuille d'aluminium sur le plat de service. Passez la cuisson, pressez les gousses d'ail pour en extraire la pulpe, mélangez-la au lait réduit par la cuisson et faites réchauffer en fouettant.
6 Coupez le rôti en tranches, nappez-les de sauce et servez aussitôt.

Garniture : un gratin ou un flan de courgettes aux fines herbes. Vous pouvez aussi parfumer la cuisson avec 2 feuilles de laurier.

Boisson **vin blanc fruité**

laitance

Cette sécrétion des glandes génitales d'un poisson mâle forme une poche blanche riche en phosphore. Quand le poisson est « plein », au moment du frai, on les consomme en même temps que lui. Préparées à part, les laitances se font surtout poêler.

Laitances au beurre noisette

Pour **2 personnes**
Préparation **15 min**
Cuisson **8 min**

4 laitances ◆ 1 citron ◆ 1 sachet de court-bouillon ◆ 40 g de beurre ◆ vinaigre de vin blanc ◆ 1 bouquet de cerfeuil ◆ sel ◆ poivre noir au moulin

1 Mettez les laitances dans une jatte d'eau froide, ajoutez le jus du citron pressé et laissez dégorger pendant 10 min.
2 Délayez le court-bouillon dans une casserole d'eau froide. Mettez-y les laitances et portez à ébullition. Laissez pocher doucement 5 min, égouttez et épongez.
3 Faites chauffer le beurre dans une petite casserole, écumez-le. Salez et poivrez.
4 Mettez les laitances dans un plat creux bien chaud. Arrosez de beurre, ajoutez aussitôt un filet de vinaigre et garnissez de cerfeuil ciselé.

Boisson **vin blanc sec**

laitue

→ voir aussi petits pois, trévise

C'est la plus courante des salades vertes. Si l'on ne précise pas « romaine » ou « batavia », il s'agit de la laitue pommée ou beurrée, verte ou violacée avec un cœur jaune. Cultivée partout, elle est présente toute l'année sur le marché. Achetez-la avec des feuilles fermes, très fraîche, et cultivée en plein champ ; la laitue sous serre ou tunnel plastique est tout à fait insipide. La variété « feuille de chêne » possède un léger goût poivré : essayez-la pour varier les plaisirs.

Diététique. Très peu calorique (100 g = 15 kcal), la laitue possède des vertus digestives.

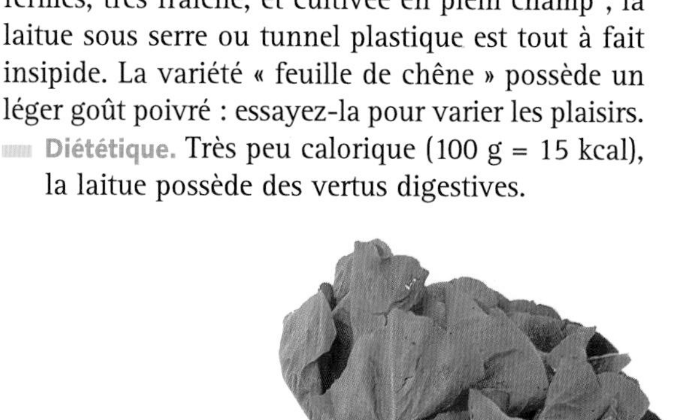

romaine

lollo rossa

pommée beurre

Feuilles de chêne aux foies de volaille

Pour **4 personnes**
Préparation **25 min**
Cuisson **3 min environ**

2 c. à soupe de vinaigre de xérès ◆ 4 c. à soupe d'huile d'olive ◆ 1 c. à soupe de persil haché ◆ 6 ou 7 brins de ciboulette ◆ 400 g de laitue feuille de chêne ◆ 250 g de foies de volaille ◆ 15 g de beurre ◆ huile de maïs ◆ sel ◆ poivre

1 Préparez la vinaigrette avec le vinaigre de xérès, l'huile d'olive, le persil et la ciboulette ciselée. Salez et poivrez.
2 Lavez la salade, égouttez-la et épongez-la dans un torchon. Détaillez les feuilles en petits morceaux. Coupez les foies de volaille en petites bouchées.
3 Faites chauffer le beurre et un filet d'huile de maïs dans une poêle. Faites-y sauter les morceaux de foies de volaille pendant 2 ou 3 min en les retournant. Salez et poivrez. Égouttez-les.
4 Ajoutez 1 c. à soupe du jus de cuisson dans la vinaigrette et fouettez. Répartissez la salade dans les assiettes. Ajoutez les foies de volaille et arrosez de vinaigrette. Servez aussitôt.

Boisson rosé sec

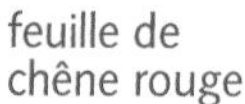

feuille de chêne rouge

Les variétés de laitues proposent une vaste gamme de couleurs et de saveurs. Pour conserver une laitue 2 ou 3 jours dans le bac à légumes du réfrigérateur, épluchez-la, ne la lavez pas, mettez-la dans un sachet en plastique et fermez-le.

batavia blonde

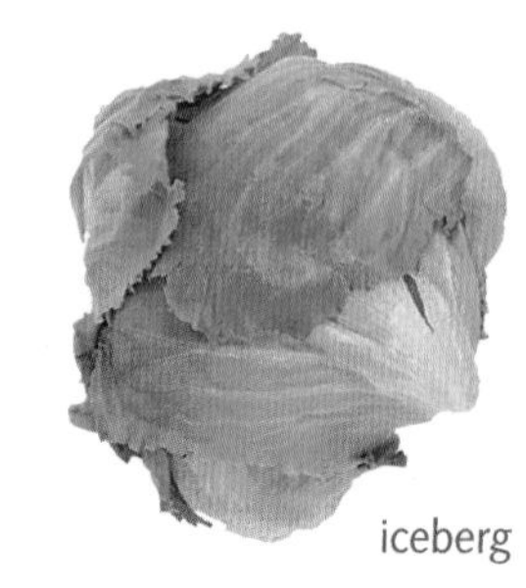

iceberg

Laitues braisées aux petits oignons

Pour **4 personnes**
Préparation **15 min**
Cuisson **1 h environ**

100 g de beurre ◆ 24 petits oignons blancs ◆ 4 belles laitues ◆ 1 bouquet garni ◆ sucre semoule ◆ sel ◆ poivre

1 Faites fondre 25 g de beurre dans une casserole sans le laisser roussir. Ajoutez les petits oignons pelés et 1 c. à café de sucre. Salez et laissez colorer 25 min sur feu doux. Égouttez-les.
2 Débarrassez les laitues de leurs grosses feuilles vertes. Coupez-les en 2 et lavez-les. Essorez-les et épongez-les dans un torchon. Ficelez-les.
3 Faites fondre le reste de beurre dans une grande poêle. Mettez-y les laitues. Salez et poivrez. Poudrez légèrement de sucre et faites-les dorer doucement en les retournant plusieurs fois.
4 Mettez-les dans une cocotte avec les oignons glacés au milieu, ajoutez le bouquet garni, couvrez et laissez cuire doucement à couvert pendant 20 min. Déficelez les laitues. Ôtez le bouquet garni.

Servez les laitues braisées en garniture de côtes de porc, grenadins ou escalopes de veau.

Salade mimosa ▲
Si vous avez le temps de faire cuire et de préparer vous-même des fonds d'artichauts bretons bien charnus, cette salade n'en sera que meilleure.

Salade mimosa

RECETTE LÉGÈRE — 1 portion 155 kcal

Pour **4 personnes**
Préparation **20 min**
Cuisson **10 min**

2 œufs ◆ 4 fonds d'artichauts en conserve ◆ 1 citron ◆ 1 belle laitue pommée ◆ 2 c. à soupe de vinaigre à l'estragon ◆ 4 c. à soupe d'huile d'olive ◆ 1 c. à café de moutarde à l'estragon ◆ sel ◆ poivre

1 Faites durcir les œufs, rafraîchissez-les et écalez-les. Égouttez les fonds d'artichauts, citronnez-les et mettez-les de côté.
2 Effeuillez la laitue. Lavez-la soigneusement. Égouttez-la et épongez-la. Taillez les feuilles en petites bouchées.
3 Préparez une vinaigrette bien relevée avec le vinaigre, l'huile et la moutarde. Salez et poivrez.
4 Coupez les œufs durs en 2, extrayez le jaune et émiettez-le. Hachez le blanc.
5 Égouttez les fonds d'artichauts et émincez-les. Arrosez la laitue de vinaigrette et mélangez bien.
6 Répartissez la laitue assaisonnée dans les assiettes de service. Ajoutez en garniture les lamelles de fonds d'artichauts citronnées, le jaune d'œuf au centre et le blanc en couronne. Servez aussitôt.

→ **autres recettes de laitue à l'index**

lamproie

Ce poisson de mer ou de rivière se pêche en France dans la Gironde, la Loire ou le Rhône, de février à juin. Il ressemble à un gros serpent qu'il faut dépouiller et saigner : le sang sert à lier la sauce de sa préparation, le plus souvent au vin rouge.

Diététique. Ce poisson est riche en phosphore, mais il est assez gras : 100 g = 177 kcal.

Lamproie à la bordelaise

Pour **4 personnes**
Préparation **25 min**
Cuisson **40 min environ**

1 lamproie de 900 g environ ◆ 70 cl de vin rouge corsé ◆ 800 g de poireaux ◆ 2 carottes ◆ 5 échalotes grises ◆ 10 cl d'huile de maïs ◆ 2 tranches de jambon de Bayonne ◆ 1 bouquet garni ◆ 1 carré de chocolat noir ◆ farine ◆ sel ◆ poivre

1 Demandez au poissonnier de dépouiller la lamproie, de la saigner et de vous donner le sang. Ajoutez au sang un filet de vin rouge et réservez-le.
2 Coupez le poisson en tronçons, mettez-les dans une terrine, arrosez-les avec le vin et mettez au réfrigérateur. Lavez les poireaux et émincez les blancs. Pelez les carottes et émincez-les. Pelez et hachez les échalotes.
3 Faites chauffer l'huile dans une cocotte, ajoutez les légumes, remuez et ajoutez le jambon taillé en languettes. Faites cuire 10 min en remuant régulièrement.
4 Poudrez de farine, remuez 2 min. Versez le vin rouge de la marinade de la lamproie. Ajoutez le bouquet garni, couvrez et laissez mijoter pendant 20 min sur feu doux.
5 Ajoutez les tronçons de lamproie dans la cocotte. Salez et poivrez.
6 Poursuivez la cuisson pendant 8 ou 9 min. Égouttez le poisson et les légumes, mettez-les dans un plat de service creux.
7 Ajoutez le sang du poisson dans la cocotte avec le carré de chocolat. Fouettez vivement hors du feu pour lier la sauce, retirez le bouquet garni et nappez le plat de cette préparation.

Proposez en même temps des petits croûtons de pain frottés d'ail.

Boisson **saint-émilion**

langouste

→ **voir aussi** nage

Les différentes variétés de ce gros crustacé se reconnaissent à leur couleur. La langouste « royale » est rouge (Maroc ou Bretagne) ; c'est la meilleure et la plus chère. La rose est un peu moins chère mais aussi moins fine (Bretagne, Portugal). La verte (Mauritanie, Antilles) est plus banale. La brune (Cuba, Le Cap) a une saveur un peu plus sucrée mais manque souvent de fermeté ; elle est généralement exportée précuite et surgelée. Ne congelez vous-même que des plats cuisinés.

Une bonne langouste ne dépasse pas 800 g à 1 kg. Choisissez-la bien pleine : retournez-la pour vérifier que la membrane qui recouvre la queue est bien tendue. La chair fine et blanche de la langouste a une saveur moins accentuée que celle du homard, mais elle se cuisine comme lui. La langouste se cuit vivante. La cuisson doit être rapide, sinon la chair devient caoutchouteuse. Surgelée, elle doit être décongelée avant d'être cuisinée. Préférez les recettes les plus relevées : langouste sautée et flambée, grillée et servie avec un beurre composé, etc.

Diététique. La langouste contient du cholestérol, mais celui-ci se trouve dans la tête, que l'on ne consomme pas. 100 g de chair de langouste = 90 kcal.

langouste

La langouste n'a pas de pinces, mais de longues antennes et des épines sur les flancs. Vérifiez à l'achat qu'elle est intacte : pas de trou dans la carapace ni de pattes arrachées. Les antennes peuvent être cassées. Si elle est vivante, elle doit remuer : elle bat la queue dès que vous la saisissez.

Langouste grillée au xérès

Pour **4 personnes**
Préparation **10 min**
Cuisson **20 min environ**

2 langoustes vivantes de 700 g chacune ◆ 100 g de beurre ◆ 4 c. à soupe de xérès sec ◆ paprika ◆ huile d'olive ◆ sel ◆ poivre au moulin ◆ poivre de Cayenne

1 Versez 2 l d'eau dans un grand faitout, salez et poivrez. Portez à ébullition et mettez-y les langoustes. Faites bouillir 2 min puis égouttez-les. Laissez tiédir et coupez chaque langouste en 2 dans la longueur.
2 Préchauffez le gril du four. Faites fondre doucement le beurre dans une petite casserole. Ajoutez le xérès, une bonne pincée de paprika et autant de poivre de Cayenne. Mélangez et tenez au chaud.
3 Huilez la grille du four et placez-y les 1/2 langoustes, carapace dessus. Faites griller pendant 8 à 10 min.
4 Retournez les langoustes et arrosez-les de beurre au xérès, poivrez et faites griller encore 10 min. Servez aussitôt.

Boisson **vin blanc sec**

Langouste à la parisienne

Pour **4 personnes**
Préparation **20 min**, mayonnaise **10 min**
Cuisson **25 min, 2 h à l'avance**

1 oignon ◆ 1 carotte ◆ 1 gousse d'ail ◆ queues de persil ◆ 10 cl de vinaigre ◆ 1/2 citron ◆ 1 langouste de 1 kg environ ◆ thym ◆ laurier ◆ quelques feuilles de laitue ◆ sel ◆ poivre en grains
Pour la mayonnaise **30 cl d'huile d'arachide ◆ 1 jaune d'œuf ◆ 1 c. à café de moutarde ◆ 2 c. à soupe de persil haché**

1 Pelez l'oignon et la carotte, émincez-les. Pelez la gousse d'ail. Mettez ces ingrédients dans un faitout avec 2 l d'eau, ajoutez quelques queues de persil, 1 brin de thym, 1 feuille de laurier, 6 grains de poivre, 1/2 c. à café de sel, le vinaigre et le citron en rondelles. Faites bouillir pendant 20 min.
2 Plongez la langouste dans ce court-bouillon et laissez-la cuire à petite ébullition pendant 15 min. Retirez du feu et laissez refroidir la langouste dans l'eau de cuisson. Égouttez-la et partagez-la en 2.
3 Préparez une mayonnaise bien ferme. Incorporez le persil haché.
4 Tapissez un plat de service de feuilles de laitue et placez les 1/2 langoustes dessus. Servez bien frais avec la mayonnaise à part.

Boisson **chablis**

langoustine

→ **voir aussi** chinoise (cuisine), fruits de mer, nage, paella, scampi

Ce crustacé marin possède la taille et la forme d'une grosse écrevisse. On le reconnaît à la forme prismatique de la première paire de pattes. Les langoustines sont pêchées au large des côtes atlantiques et en Méditerranée. Elles ne vivent pas longtemps hors de l'eau et leur chair s'altère rapidement : sauf sur le littoral, on ne les trouve pas crues, mais précuites, vendues sur de la glace pilée, ou surgelées. La taille varie de 10 à 25 cm : on compte de 3 à 6 pièces par personne. On peut les servir entières, cuites à la nage, mais, le plus souvent, on utilise uniquement les queues décortiquées. Toutes les recettes de crevettes lui conviennent.

Diététique. 100 g de chair de langoustine = 90 kcal.

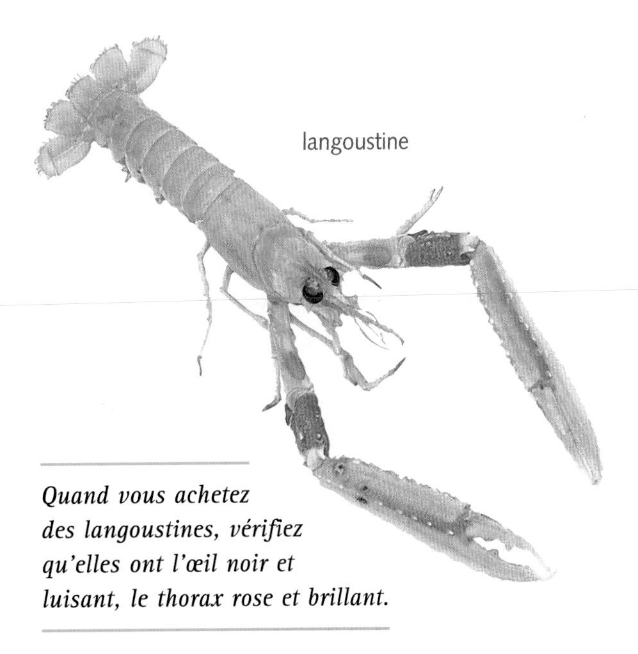

Quand vous achetez des langoustines, vérifiez qu'elles ont l'œil noir et luisant, le thorax rose et brillant.

Langoustines au beurre vert ▲

Élégant et raffiné, ce plat se sert en entrée chaude, que vous pouvez faire suivre d'une spécialité asiatique, thaïlandaise ou japonaise.

Beignets de langoustines

Pour 2 personnes
Préparation 20 min, 1 h à l'avance
Cuisson 5 min

125 g de farine ◆ 2 gros oignons doux ◆ 8 langoustines cuites ◆ 1 blanc d'œuf ◆ 1 pain de Végétaline ◆ 1 citron ◆ sel ◆ poivre

1 Préparez une pâte assez liquide en mélangeant la farine et 3 c. à soupe d'eau froide. Salez et poivrez. Laissez reposer.
2 Pelez les oignons, coupez-les en rondelles et défaites-les en anneaux. Décortiquez les langoustines.
3 Fouettez le blanc d'œuf en neige ferme. Incorporez-le à la pâte. Faites chauffer la Végétaline dans une bassine. Trempez les rondelles d'oignons et les queues de langoustines recoupées en 2 dans la pâte à beignets.
4 Faites-les frire pendant quelques secondes en ne mettant qu'une petite proportion d'aliments à la fois dans la bassine. Ils doivent avoir la place de gonfler en dorant. Égouttez et servez avec des quartiers de citron.

Servez ces beignets avec des petits canapés de tarama.

Boisson rosé fruité

Langoustines au beurre vert

Pour 4 personnes
Préparation 25 min
Cuisson 5 à 6 min

200 g de beurre ◆ 12 grandes feuilles de basilic ◆ 2 c. à soupe d'estragon frais ◆ 2 citrons ◆ 24 langoustines ◆ huile de maïs ◆ sel ◆ poivre

1 Coupez le beurre en morceaux et laissez-le ramollir à température ambiante. Ciselez les feuilles de basilic et d'estragon. Pressez le jus de 1/2 citron.
2 Préparez un beurre composé en mélangeant au mixer pendant 5 min le beurre, les aromates, du sel, du poivre et le jus de citron. Tenez-le au frais dans une coupe de service.
3 Décortiquez les langoustines et enfilez-les sur des brochettes. Huilez-les en vous servant d'un pinceau. Faites-les griller au four pendant 3 min environ de chaque côté.
4 Coupez les citrons restants en rondelles. Servez les brochettes grillées avec le beurre vert et le citron.

Vous pouvez enrichir ces brochettes en intercalant des petits dés de thon frais entre chaque langoustine.

Boisson vin blanc sec ou rosé

Langoustines frites

Pour 4 personnes
Préparation 30 min
Cuisson 6 min environ

16 langoustines ◆ 1 citron ◆ 1 œuf ◆ huile d'olive ◆ farine ◆ chapelure blonde ◆ bain de friture ◆ sel ◆ poivre

1 Décortiquez les queues de langoustines à cru. Salez-les et poivrez-les. Arrosez-les de jus de citron et laissez reposer au frais.
2 Pendant ce temps, cassez l'œuf dans une jatte et ajoutez 1 c. à soupe d'huile, fouettez le mélange. Versez 3 c. à soupe de farine dans une assiette creuse et autant de chapelure dans une autre assiette.
3 Faites chauffer le bain de friture à 180 °C. Égouttez les queues de langoustines et passez-les successivement dans la farine puis dans l'œuf battu et enfin dans la chapelure. Enrobez-les bien en les roulant soigneusement dans chaque préparation.
4 Faites frire les queues de langoustines panées dans le bain d'huile, 3 min de chaque côté environ. Égouttez les queues de langoustines frites et servez-les brûlantes, avec une sauce tomate, de la tapenade ou de l'aïoli.

Proposez cet amuse-gueule estival avec un rosé de Provence ou un graves blanc très frais.

→ **autres recettes de langoustine à l'index**

langres

Fromage champenois de lait de vache à pâte molle et à croûte lavée. Le langres est creux sur le dessus. Avec son odeur prononcée et sa saveur relevée qui demande un vin corsé ou une bière du Nord, le langres plaît aux amateurs de fromages forts.

langue

La langue est un abat blanc que l'on peut acheter déjà cuit. Il faut faire dégorger et dépouiller la langue avant de la cuisiner bouillie ou braisée. Elle est délicieuse mijotée avec de la choucroute ou des carottes.

La langue à l'écarlate est une conserve en saumure qui s'utilise comme du jambon cuit, notamment avec des œufs.

La langue de veau, très tendre, se fait également braiser en sauce madère ou en sauce tomate avec des olives.

Les langues d'agneau ou de mouton, petites et délicates, se préparent surtout en brochettes, en gratin ou en salade avec une vinaigrette relevée.

Diététique. La langue est un abat particulièrement gras. Porc, agneau et bœuf : 200 à 250 kcal pour 100 g ; veau : 150 kcal pour 100 g.

Langue de bœuf braisée

Pour **6 personnes**
Préparation **1 h**
Cuisson **3 h 45 environ**

1 langue de bœuf de 2 kg ◆ 1 couenne ◆ 4 oignons ◆ 3 carottes ◆ 1 bouquet garni ◆ 20 cl de vin blanc sec ◆ 1 l de bouillon de bœuf ◆ 25 g de beurre ◆ farine ◆ 5 ou 6 cornichons ◆ 2 c. à soupe de câpres ◆ moutarde à l'estragon ◆ sel ◆ poivre

1 Faites bouillir la langue pendant 25 min dans une grande casserole d'eau en écumant plusieurs fois. Plongez-la ensuite dans une bassine d'eau froide et changez celle-ci plusieurs fois. Retirez la peau blanche qui la recouvre.
2 Étalez la couenne dans le fond d'une cocotte, côté peau vers le fond. Pelez et émincez les oignons et les carottes, ajoutez-les dans la cocotte avec le bouquet garni. Posez la langue par-dessus, couvrez et faites chauffer sur feu modéré.
3 Au bout de 20 min environ, versez le vin, faites bouillir à découvert pour le faire réduire. Versez le bouillon et portez à ébullition. Salez et poivrez. Couvrez.
4 Enfournez à 175° C pendant 3 h en retournant la langue plusieurs fois. Piquez-la d'une aiguille pour voir si elle est bien cuite : elle doit s'enfoncer facilement.
5 Égouttez la langue et taillez-la en tranches régulières. Rangez-en une partie sur le plat de service chaud. Passez la cuisson.
6 Faites un roux avec le beurre et 1 c. à soupe de farine, délayez-le avec la sauce, faites bouillir puis incorporez les cornichons hachés, les câpres égouttées et 1 c. à café de moutarde. Rectifiez l'assaisonnement et servez en saucière.

Les restes de langue braisée connaissent de nombreux emplois : salade froide aux fines herbes, hachis Parmentier, gratin ou farce.

À la place de la sauce piquante, proposez une simple vinaigrette aux fines herbes.

Boisson cahors

Langue de veau ravigote

Pour **2 personnes**
Préparation **30 min, 2 h à l'avance**
Cuisson **2 h**

1 langue de veau ◆ 1 oignon ◆ 3 clous de girofle ◆ 3 carottes ◆ 3 poireaux ◆ 1 bouquet garni ◆ 4 échalotes ◆ 10 cl de vin blanc ◆ 50 g de beurre ◆ 50 g de farine ◆ thym ◆ laurier ◆ estragon ◆ vinaigre ◆ sel ◆ poivre concassé

1 Mettez la langue de veau dans une terrine, couvrez d'eau froide et laissez dégorger pendant 2 h. Préparez les légumes du bouillon : l'oignon clouté, les carottes émincées et les blancs de poireaux tronçonnés.
2 Égouttez la langue et faites-la bouillir 10 min à l'eau salée. Mettez-la dans une cocotte avec l'oignon piqué et le bouquet garni. Couvrez d'eau froide, portez à ébullition et ajoutez les autres légumes.
3 Laissez cuire doucement pendant 45 min. Sortez la langue de la cuisson et retirez sa peau. Remettez-la dans la cocotte et poursuivez la cuisson pendant 45 min.
4 Mettez dans une petite casserole les échalotes hachées menu, 1 brin de thym, 1/2 feuille de laurier, 7 ou 8 feuilles d'estragon et 2 pincées de poivre concassé. Ajoutez le vin blanc et 3 c. à soupe de vinaigre. Faites réduire des 2/3.
5 Faites un roux blond avec le beurre et la farine, mouillez-le avec 50 cl de la cuisson de la langue. Faites cuire 20 min en remuant, sans laisser bouillir. Incorporez la réduction d'échalotes en retirant le thym et le laurier.
6 Égouttez la langue, coupez-la en tranches, rangez-les sur un plat de service chaud. Nappez de sauce. Servez aussitôt.

Comme garniture, servez des tomates farcies aux champignons et ajoutez éventuellement dans la sauce quelques olives vertes hachées.

Boisson **saumur-champigny**

langues-de-chat

Petits gâteaux secs délicats et friables, les langues-de-chat sont plus ou moins riches en beurre ou en sucre selon la recette. Elles se conservent assez longtemps dans une boîte hermétique. Servez-les avec une glace, une crème ou une salade de fruits.

Langues-de-chat

Pour **50 pièces environ**
Préparation **25 min**
Cuisson **8 min environ**

125 g de beurre ◆ 200 g de sucre glace ◆ 5 blancs d'œufs ◆ 1 c. à café d'extrait de vanille ◆ 200 g de farine ◆ huile d'arachide

1 Travaillez le beurre en pommade dans une terrine. Incorporez le sucre et battez ce mélange au fouet.
2 Ajoutez les blancs d'œufs petit à petit sans les battre. Incorporez l'extrait de vanille.
3 Lorsque le mélange est homogène, incorporez enfin la farine peu à peu.
4 Introduisez la pâte dans une poche à douille unie. Couchez-la en petits bâtonnets de 7 cm de long sur la tôle du four très légèrement huilée. Espacez-les de 2 cm.
5 Faites cuire dans le four à 210 °C pendant 8 min en surveillant bien. Dès que le pourtour des biscuits est doré, éteignez le four et laissez refroidir les langues-de-chat sur la tôle.

lapin

→ **voir aussi** civet, gibelotte, gibier, râble, rillettes

Ce mammifère jadis sauvage est un animal d'élevage dont il existe plusieurs espèces comme le fauve de Bourgogne ou l'argenté des champs. C'est le lapin de garenne, aujourd'hui domestiqué, qui est le plus apprécié. Le vrai lapin de garenne est un gibier dont le goût est plus fort que celui du lapin domestique. Sa saveur varie selon la région : un lapin de garrigue provençale est très parfumé. Il se prépare comme le lièvre.

Achetez votre lapin plutôt chez un volailler que chez un boucher, dont le débit est parfois limité. Ne le prenez pas trop vieux : il risque d'être coriace. Mais, s'il est trop jeune, il sera fade.

Un bon lapin pèse de 1,5 à 1,8 kg, il doit être plutôt court et râblé, avec une chair rose vif (preuve qu'il a été correctement saigné), recouverte d'un voile blanchâtre transparent. L'œil est brillant, le foie rouge vif, les rognons enrobés de graisse blanche et les pattes, flexibles (signe de fraîcheur et de jeunesse). Le lapin angevin est distingué par un label rouge ; le lapin fermier est excellent s'il a été nourri avec de l'herbe et des céréales.

Blanche, fine et serrée, la chair du lapin est moins moelleuse que celle d'une volaille et parfois moins goûteuse : n'hésitez pas à bien relever la marinade, la farce ou la cuisson. Un lapin de taille moyenne se découpe habituellement en 6 à 8 morceaux. Cru ou cuisiné, le lapin se congèle très bien.

La cuisson du lapin doit surtout éviter un dessèchement de la viande : bardez-le pour le rôtir ou enveloppez-le dans une crépine pour le faire braiser avec des lardons et des tomates. S'il est assez vieux, faites-en un pâté ou une terrine.

Diététique. Pensez à faire figurer le lapin dans vos menus : c'est une viande maigre (100 g = 150 kcal), de préférence à rôtir qu'à faire mijoter en gibelotte.

Cocotte de lapin aux oignons

Pour **4 personnes**
Préparation **15 min**
Cuisson **40 min environ**

4 gros oignons doux ◆ 1 lapin de 1,5 kg ◆ 1 tranche épaisse de jambon cru ◆ 20 cl de vin blanc sec ◆ huile d'olive ◆ thym ◆ armagnac ◆ ciboulette ◆ sel ◆ poivre

1 Pelez et émincez les oignons. Coupez le lapin en morceaux. Détaillez le jambon en languettes.
2 Faites chauffer 2 c. à soupe d'huile dans une cocotte sur feu vif. Mettez-y à dorer les morceaux de lapin en ajoutant 1 ou 2 pincées de thym. Salez et poivrez.
3 Ajoutez les oignons émincés et les languettes de jambon. Mélangez, ajoutez 1 c. à soupe d'armagnac et faites cuire pendant 2 min à découvert sur feu assez vif.
4 Versez le vin blanc, couvrez la cocotte et laissez mijoter doucement pendant 35 min. Surveillez la cuisson : si le liquide s'évapore trop vite, rajoutez un peu de vin blanc.
5 Égouttez les morceaux de lapin et mettez-les dans un plat creux. Nappez-les de sauce avec les oignons réduits en compote et les languettes de jambon.
6 Servez aussitôt en parsemant le dessus de ciboulette hachée.

Garniture : petites pommes de terre sautées.

Boisson vin blanc pas trop sec

Cocotte de lapin aux oignons ▲

La cuisson de ce plat doit être menée doucement et longuement pour obtenir une « compote » parfumée et fondante. Choisissez de gros oignons jaunes d'un goût assez marqué pour relever la chair parfois fade du lapin.

Fricassée de lapin aux pommes

Pour **4 personnes**
Préparation **20 min**
Cuisson **1 h 30**

1 lapin coupé en morceaux ◆ 30 g de beurre ◆ 2 échalotes ◆ 2 tomates ◆ 4 pommes granny smith ◆ 70 cl de vin blanc sec ◆ 1 bouquet garni ◆ huile de maïs ◆ sel ◆ poivre

1 Faites dorer le lapin dans le beurre et un filet d'huile. Salez et poivrez. Ajoutez les échalotes hachées, les tomates pelées et coupées en quartiers, puis les pommes pelées et coupées en dés.
2 Versez le vin blanc, ajoutez le bouquet garni et portez à ébullition. Couvrez, baissez le feu et laissez mijoter pendant 1 h 30. Ôtez le bouquet garni pour servir.

Lapin au chou

Pour **6 personnes**
Préparation **30 min**
Cuisson **1 h 40 environ**

200 g de poitrine demi-sel ◆ 1 chou vert nouveau ◆ 1 carotte ◆ 1 navet ◆ 3 oignons ◆ 30 g de beurre ◆ 1 lapin de 1,6 kg coupé en morceaux ◆ 15 cl de vin blanc sec ◆ sel ◆ poivre

1 Coupez la poitrine demi-sel en lardons et faites-les blanchir 2 ou 3 min dans une casserole d'eau bouillante. Égouttez-les, ne jetez pas l'eau.
2 Lavez le chou et coupez-le en quartiers, retirez le trognon et les grosses côtes. Plongez le chou 2 ou 3 min dans l'eau où ont blanchi les lardons. Égouttez-le à fond.
3 Pelez et tronçonnez la carotte, le navet et les oignons. Faites fondre la margarine dans une grande poêle. Mettez-y à dorer les morceaux de lapin puis égouttez-les.
4 Mettez à leur place les lardons puis les légumes (sauf le chou). Remuez sur feu assez vif pour faire dorer. Égouttez-les.
5 Étalez une couche de chou dans une cocotte, ajoutez des morceaux de lapin. Remplissez la cocotte en alternant le chou et le lapin.
6 Ajoutez les lardons et les oignons à intervalles réguliers. Salez modérément et poivrez. Arrosez avec le vin blanc. Couvrez et faites cuire doucement pendant au moins 1 h. Servez directement dans la cocotte.

Boisson **vin blanc sec**

Lapin au citron

Pour **4 personnes**
Préparation **20 min**
Repos **30 min**
Cuisson **30 min**

4 cuisses de lapin ◆ 1 citron vert ◆ 1 citron jaune non traité ◆ 12 grains de poivre ◆ 2 c. à soupe d'huile d'olive ◆ 2 gousses d'ail ◆ 4 brins de persil plat ◆ 4 brins de thym frais ◆ sel ◆ poivre

1 Incisez les cuisses de lapin et mettez-les dans un plat creux. Râpez par-dessus le zeste du citron jaune et pressez le jus des deux citrons. Ajoutez l'huile, le poivre, l'ail pelé et émincé, le persil ciselé et le thym émietté. Retournez la viande dans cette marinade. Laissez reposer 30 min.
2 Égouttez les cuisses de lapin en conservant la marinade. Essuyez-les, saisissez-les des deux côtés dans une poêle à revêtement antiadhésif pendant 10 min pour les colorer. Retirez les cuisses de lapin de la poêle.
3 Préchauffez le four à 220 °C. Découpez quatre grands carrés de papier sulfurisé. Posez les morceaux de lapin dessus et arrosez-les avec la marinade et tous ses ingrédients.
4 Refermez les papillotes en pliant les bords. Rangez-les sur la plaque du four et faites-les cuire pendant 25 à 30 min.
5 Sortez les papillotes, fendez-les en croix sur les assiettes. Servez avec des pommes de terre en robe des champs.

Le citron vert n'est pas indispensable : vous pouvez prendre 2 citrons jaunes ou utiliser le jus d'une orange amère pour la marinade.

Lapin en gelée

Pour **6 personnes**
Préparation **30 min**
Cuisson **2 h**
Prise en gelée **3 h**

1 lapin de 1 kg ◆ 1 bouteille de riesling ◆ 2 oignons ◆ 2 carottes ◆ 2 gousses d'ail ◆ 1 bouquet de ciboulette ◆ 1 bouquet de persil plat ◆ 1 bouquet de cerfeuil ◆ sel ◆ poivre

1 Coupez le lapin en morceaux, mettez-les dans une terrine et arrosez-les de vin. Salez et poivrez. Laissez reposer au frais. Pendant ce temps, pelez les oignons et les carottes, coupez-les en rondelles. Pelez et hachez l'ail.
2 Versez les morceaux de lapin avec le vin dans une cocotte, ajoutez les légumes et faites cuire doucement pendant 2 h. Égouttez les morceaux de lapin et passez la cuisson.
3 Désossez tous les morceaux de lapin. Hachez finement la ciboulette, le persil et le cerfeuil. Remplissez un moule à cake avec les chairs de lapin, en intercalant régulièrement les fines herbes hachées.
4 Versez doucement la cuisson refroidie dans le moule rempli en la laissant pénétrer jusqu'au fond. Mettez au réfrigérateur pour faire prendre en gelée en plaçant une planchette et un poids sur le moule. Servez en entrée froide.

Boisson **riesling**

Lapin à la moutarde

Pour **6 personnes**
Préparation **10 min**
Cuisson **1 h environ**

1 lapin de 1,5 kg coupé en morceaux ◆ 5 c. à soupe de moutarde forte ◆ 20 cl de crème fraîche ◆ thym séché ◆ huile d'olive ◆ cerfeuil frais ◆ sel ◆ poivre

1 Salez et poivrez les morceaux de lapin. Roulez-les dans un peu de thym séché. Faites chauffer 3 c. à soupe d'huile dans une cocotte et faites-y dorer les morceaux de lapin en les retournant.

2 Jetez le maximum de graisse fondue. Versez la moutarde dans la cocotte et mélangez. Baissez le feu, couvrez et laissez mijoter 10 min.

3 Ajoutez alors la crème fraîche et un peu d'eau. Couvrez à nouveau et poursuivez la cuisson doucement pendant 45 min.

4 Goûtez et rectifiez l'assaisonnement. Parsemez de cerfeuil ciselé et proposez en garniture un gratin de courgettes ou des haricots verts.

→ **autres recettes de lapin à l'index**

Lapin à la moutarde ▲

La moutarde donne du goût au lapin, toujours un peu fade. La moutarde forte est assez piquante. Essayez aussi la moutarde de Meaux à l'ancienne, dont les petites graines relèvent bien la sauce.

lard

→ **voir aussi bacon, choucroute, potée**

Couche de graisse située sous la peau du porc. Selon la proportion de chair qui y est mêlée, on distingue le lard gras et le lard maigre. Le premier sert à préparer le saindoux ; il fournit aussi les bardes de lard. Le lard maigre (ou ventrèche) provient de la poitrine du porc : il peut être frais, demi-sel ou fumé. Le lard joue un rôle de base en cuisine, dans les cuissons et les garnitures.

Diététique. Attention : 100 g de lard = 880 kcal.

Soupe de chou au lard

Pour **6 personnes**
Préparation **20 min**
Cuisson **2 h 30 environ**

800 g de lard demi-sel ◆ 3 carottes ◆ 1 oignon ◆ 1 clou de girofle ◆ 1 cœur de chou frisé ◆ 2 pommes de terre ◆ pain de campagne un peu rassis ◆ sel ◆ poivre noir au moulin

1 Mettez le morceau de lard dans une casserole avec 2 l d'eau. Portez à ébullition et laissez frémir pendant 1 h 30.

2 Pelez les carottes et coupez-les dans la longueur. Piquez l'oignon pelé avec le clou de girofle. Émincez le chou.

3 Faites blanchir le chou 10 min. Lorsque le lard a cuit 1 h 30, ajoutez les carottes et l'oignon ; 15 min plus tard, ajoutez le chou.

4 Pelez les pommes de terre et coupez-les en dés. Ajoutez-les et faites cuire encore 30 min. Goûtez et rectifiez l'assaisonnement. Égouttez le lard et coupez-le en tranches régulières.

5 Taillez des tranches très fines de pain de campagne et garnissez-en des petits poêlons individuels. Versez le bouillon avec les légumes dessus, ajoutez le lard et servez aussitôt.

→ **autres recettes de lard à l'index**

Gratin de lasagne à la viande ▲

Ne servez pas le gratin de lasagne lorsqu'il sort du four. Si vous laissez le plat en attente quelques minutes, il aura le temps de se raffermir et sera ainsi plus facile à couper.

lardons

→ voir aussi brochettes

Ces petits morceaux de lard, larges de 1 cm, plus ou moins longs, servent à larder et à piquer les viandes ; retaillés en fins bâtonnets ou en petits dés, ils servent à cuisiner les sautés, ragoûts et fricassées, à garnir les salades ou les omelettes. Évitez les lardons sous plastique, très gras.

Diététique. Laissez de côté tout le gras et faites fondre les lardons sans matière grasse.

Omelette aux lardons

Pour **4 personnes**
Préparation **15 min**
Cuisson **5 min environ**

300 g de lard fumé ◆ 1 oignon ◆ 6 œufs ◆ 50 g de beurre ◆ sel ◆ poivre

1 Retirez la couenne du morceau de lard. Coupez-le en petits lardons. Faites-les blanchir 10 min à l'eau bouillante. Égouttez-les bien.
2 Pelez l'oignon et hachez-le menu. Mettez les lardons dans une poêle sans matière grasse et faites-les chauffer en les remuant à la spatule. Lorsqu'ils commencent à dorer, ajoutez l'oignon et remuez pendant 1 min. Égouttez le mélange et nettoyez la poêle.
3 Cassez les œufs dans une jatte et battez-les avec 1 c. à soupe d'eau. Salez peu et poivrez. Faites fondre le beurre dans la poêle et versez-y les œufs battus. Laissez-les prendre en agitant la poêle d'avant en arrière.
4 Dès que le fond est pris, au bout de 2 min, ajoutez le mélange de lardons à l'oignon en le dispersant sur le dessus. Poursuivez la cuisson pendant 2 min.
5 Faites glisser l'omelette sur un plat chaud. Roulez-la et servez aussitôt.

→ **autres recettes de lardons à l'index**

lasagne

Ces pâtes italiennes sont formées de larges rubans rectangulaires, souvent colorés en vert à l'épinard. On les superpose dans un plat en les alternant avec un hachis de viande et de la sauce tomate. La farce peut être maigre : légumes hachés et fromage par exemple. Le plat est toujours gratiné.

Gratin de lasagne à la viande

Pour **4 personnes**
Préparation **10 min**
Cuisson **1 h environ**

100 g de beurre ◆ 300 g de noix de veau hachée ◆ 500 g de tomates juteuses ◆ 150 g de parmesan râpé ◆ 300 g de lasagne ◆ 2 œufs durs ◆ 200 g de mozzarella ◆ concentré de tomates ◆ vin blanc sec ◆ sel ◆ poivre

1 Faites chauffer 20 g de beurre dans une casserole et ajoutez la viande. Faites cuire en remuant sur feu moyen pendant 10 min.
2 Versez 4 c. à soupe de vin blanc et montez un peu le feu pour le faire bouillir.

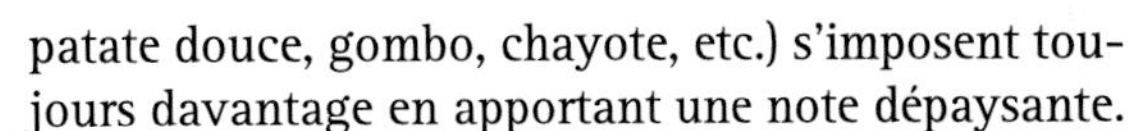

3 Lavez les tomates et coupez-les en tranches. Ajoutez-les avec 2 c. à soupe de concentré de tomates. Salez et poivrez. Baissez le feu et faites mijoter 30 min.
4 Incorporez 100 g de parmesan et remuez. Laissez en attente sur feu très doux.
5 Remplissez une grande casserole d'eau légèrement salée et faites bouillir. Plongez-y les feuilles de lasagne et laissez bouillir pendant 8 min. Égouttez-les et épongez-les.
6 Beurrez un plat à four assez profond. Tapissez le fond d'une couche de lasagne. Nappez d'une couche de sauce. Ajoutez ensuite des rondelles d'œufs durs et quelques tranches de mozzarella. Remplissez le plat en alternant les lasagne et la sauce à la viande.
7 Terminez par une couche de lasagne, arrosez de beurre fondu et poudrez avec le reste de parmesan. Faites gratiner dans le four à 180 °C pendant 15 min. Servez aussitôt.

Boisson vin blanc de Provence

laurier

→ **voir aussi** bouquet garni, marinade

Cet arbre fournit un aromate très utilisé en cuisine pour parfumer les cuissons (court-bouillon, ragoût, civet, terrine, etc.). On retire toujours les feuilles avant de servir. Une seule feuille, parfois même un fragment, suffit pour un plat de 4 à 6 personnes. Ne confondez pas le laurier-sauce avec le laurier-cerise ou avec le laurier-rose, tous deux toxiques.

laurier

légumes

→ **voir aussi** farce, gratin, soupe

légumes frais Les plantes potagères proposent une gamme très diversifiée de produits. On distingue d'une part les pommes de terre, d'autre part les légumes verts et les autres légumes frais : fruits (poivron, tomate, aubergine), feuilles (chou, épinard), tiges (asperge, poireau), bulbes (fenouil, oignon), graines (pois, haricots) et racines (carotte, navet, radis), ainsi que les salades et les champignons. Les produits d'origine exotique (soja, banane plantain, patate douce, gombo, chayote, etc.) s'imposent toujours davantage en apportant une note dépaysante.

L'idéal est de les consommer bien frais, à pleine maturité et à la bonne saison. Cuisinez-les sitôt achetés. Le meilleur procédé de cuisson consiste à les faire étuver dans peu d'eau pour préserver leur goût et leur valeur nutritive. Vous pouvez aussi les faire cuire à la vapeur ou à l'eau. Évitez d'acheter les légumes tout préparés sous sachet plastique, peu économiques et qui souffrent d'oxydation. Préférez les légumes surgelés pour le gain de temps, souvent aussi bons que les frais.

légumes secs Il s'agit des graines de certains légumes qui se conservent d'une saison à l'autre. Elles se consomment fraîches ou sèches, mais toujours cuites. Les haricots, les pois chiches ou cassés et les lentilles constituent des garnitures nourrissantes et donnent avec certaines viandes des plats complets de grande réputation : cassoulet, petit salé aux lentilles, gigot aux flageolets, chili con carne, garbure landaise, etc.

Diététique. Riches en eau, en fibres, en minéraux (potassium, fer et cuivre surtout), en vitamines B et C, les légumes frais doivent figurer au menu au moins une fois par jour. Riches en vitamines B et en éléments minéraux (zinc, fer, magnésium), les légumes secs absorbent 2 fois leur poids d'eau à la cuisson, ce qui fait baisser leur taux de protéines et de glucides : 100 g de légumes secs cuits = 8 % de protides et 20 % de glucides, ce qui reste très intéressant. Vous pouvez les faire figurer au menu deux fois par semaine. Cuisinez-les de préférence sans matière grasse, en les faisant cuire assez longtemps pour les rendre digestes. La meilleure façon d'éviter les flatulences est d'en faire un potage. À savoir : 100 g de pommes de terre cuites = 40 g de légumes secs à cuire = 90 kcal.

légumineuses

Ce terme s'applique aux plantes dont les fruits se présentent en gousses : haricots, pois, fèves, soja. Ils sont classés dans la catégorie des farineux, au même titre que la pomme de terre ou la châtaigne, et peuvent jouer un rôle important dans l'alimentation végétarienne.

Diététique. Leur teneur élevée en protéines leur donne un intérêt nutritionnel certain. Les légumineuses ont un pouvoir calorique élevé : 330 kcal pour 100 g environ.

lentilles

Ces graines existent en plusieurs variétés, que l'on reconnaît à leur couleur. Parmi les plus courantes, la verte du Puy est la meilleure ; la blonde du Nord est nettement moins tendre ; la brune est relativement rare. Les lentilles se conservent très longtemps, mais utilisez-les de préférence avant un an, car elles durcissent en vieillissant. Achetez-les dans un magasin où le débit est important. Triez-les pour éliminer les graviers éventuels. Elles n'ont pas besoin d'être trempées. Faites-les cuire dans une eau peu calcaire, sinon la peau des lentilles a tendance à durcir. Elles donnent lieu à des apprêts divers : potage, petit salé aux lentilles ou salade.

lentilles brunes

lentilles blondes

lentilles vertes du Puy

lentilles orange

Sachez reconnaître la lentille verte du Puy, petite et très savoureuse, protégée par une appellation d'origine. Les lentilles orange, décortiquées, sont connues sous le nom de lentilles d'Égypte : leur goût est assez fade.

Diététique. Les lentilles sont riches en protéines et en fibres. Elles fournissent aussi du fer, mais celui-ci est très mal absorbé. 100 g = 330 kcal. Elles offrent l'avantage de pouvoir être cuites sans aucune matière grasse.

Darnes de saumon aux lentilles

Pour **4 personnes**
Préparation **20 min**
Cuisson **30 min**

350 g de lentilles vertes du Puy ◆ 1 oignon piqué de 2 clous de girofle ◆ 1 bouquet garni ◆ 4 darnes de saumon assez épaisses avec la peau ◆ 25 g de beurre ◆ huile d'arachide ◆ quelques brins de ciboulette ◆ sel ◆ poivre au moulin

1 Rincez les lentilles et versez-les dans une grande casserole, ajoutez l'oignon piqué et le bouquet garni. Couvrez très largement d'eau, portez à ébullition, couvrez et baissez le feu. Laissez cuire tranquillement pendant 30 min.
2 Pendant ce temps, rincez les darnes de saumon et épongez-les. Faites chauffer le beurre avec un bon filet d'huile dans une grande poêle 15 min avant la fin de la cuisson des lentilles.
3 Lorsque la poêle est bien chaude, salez et poivrez les darnes de saumon et posez-les dans la poêle pour bien saisir les 2 côtés.
4 Retournez-les et baissez le feu pour que la cuisson s'achève plus doucement. Égouttez les lentilles en retirant le bouquet garni et l'oignon piqué. Versez-les dans un plat chaud.
5 Disposez les darnes de saumon bien croustillantes sur les lentilles et décorez de brins de ciboulette. Vous pouvez aussi servir à l'assiette en prévoyant des assiettes bien chaudes.

Boisson **chablis**

Purée de lentilles

Pour **4 personnes**
Préparation **10 min**
Cuisson **50 min**

250 g de lentilles ◆ 1 oignon ◆ 1 carotte ◆ 15 g de beurre ◆ 15 cl de crème fraîche ◆ cerfeuil ◆ sel ◆ poivre noir au moulin

1 Triez les lentilles, lavez-les à plusieurs reprises. Pelez l'oignon et la carotte. Taillez-les en très petits dés. Égouttez les lentilles.
2 Faites fondre le beurre dans une grande casserole, ajoutez les dés d'oignon et de carotte. Remuez avec une spatule pendant 5 min environ puis ajoutez les lentilles et 2 fois leur volume d'eau. Mélangez.
3 Couvrez et faites cuire sur feu doux pendant 45 min. Retirez la casserole du feu et passez le contenu au moulin à légumes.
4 Remettez la purée sur le feu, ajoutez la crème fraîche et remuez sur feu modéré pour bien lier. Salez et poivrez.
5 Ajoutez en dernier les pluches de cerfeuil et servez très chaud.

Cette purée de lentilles accompagne parfaitement le gibier ainsi que le porc sous toutes ses formes.

Salade tiède de lentilles

Pour **4 personnes**
Préparation **10 min**
Cuisson **45 min environ**

300 g de lentilles vertes ◆ 3 gousses d'ail ◆ 2 oignons ◆ 15 g de beurre ◆ 1 brin de thym frais ◆ 1 feuille de laurier ◆ 70 cl de vin blanc sec ◆ 6 c. à soupe d'huile d'olive ◆ 2 c. à soupe de vinaigre de xérès ◆ moutarde forte ◆ ciboulette hachée ◆ sel ◆ poivre

1 Triez et lavez les lentilles. Pelez les gousses d'ail et fendez-les en 2. Pelez et hachez grossièrement les oignons.
2 Faites fondre le beurre dans une cocotte. Ajoutez l'oignon, l'ail, le thym et le laurier. Remuez à la spatule pendant 2 min.
3 Ajoutez les lentilles, mélangez puis versez le vin blanc et portez à ébullition. Baissez le feu, couvrez et laissez mijoter sur feu doux pendant 40 min environ.
4 Préparez une sauce vinaigrette avec l'huile d'olive, le vinaigre de xérès, 1 c. à soupe de moutarde et 2 c. à soupe de ciboulette. Salez et poivrez. Fouettez.
5 Égouttez les lentilles et versez-les dans un saladier. Retirez le thym et le laurier.
6 Arrosez les lentilles de vinaigrette alors qu'elles sont encore chaudes. Remuez, laissez tiédir légèrement puis servez.

Vous pouvez garnir cette salade de rondelles de saucisse fumée pochée, de tranches de jambon fumé, de lamelles de saumon fumé ou de tranches de confit.

→ **autres recettes de lentilles à l'index**

levure

Cette substance est utilisée pour faire lever une pâte. Ce sont des champignons microscopiques qui provoquent la fermentation de la farine en dégageant des bulles de gaz qui restent prisonnières de la pâte et la font gonfler. Ne confondez pas la levure de boulanger, ou levure de bière, et la levure chimique. La première est vendue fraîche chez le boulanger (utilisez-la le jour même) ou en sachets dans les grandes surfaces. Elle existe aussi stabilisée, en petits cubes que l'on peut conserver au congélateur (sortez la dose voulue à l'avance). Elle est en outre vendue sous forme lyophilisée, facile à doser et à employer, diluée dans de l'eau ou du lait tiède pendant 15 minutes avant emploi. Avant de cuire, une pâte à la levure de boulanger doit reposer plusieurs heures au chaud à l'abri des courants d'air.

La levure chimique ou « levure alsacienne » est un mélange de substances chimiques qui ne demande pas de fermentation préalable. Elle réagit très vite en milieu humide et perd son pouvoir si elle est incorporée trop tôt. Pas de temps de repos pour les pâtes à la levure chimique : faites-les cuire aussitôt.

Diététique. La levure de bière séchée, en paillettes ou en comprimés, riche en vitamines B, se consomme comme complément alimentaire pour le bon état de la peau.

lieu

Ce nom s'applique à deux poissons de mer, le lieu jaune (Atlantique) et le lieu noir (mer du Nord). Le premier a une chair plus blanche et plus fine que le second. Tranches et filets se cuisinent comme le cabillaud. Le lieu s'accommode à la poêle, avec un peu de beurre ou d'huile. Les filets se cuisent rapidement, sinon ils se défont. Le lieu sert aussi à préparer des farces et des mousses. De saveur assez neutre, il demande à être bien relevé.

Diététique. Poisson maigre par excellence, très bonne source de phosphore. 100 g = 100 kcal.

Filets de lieu sauce piquante

MICRO ONDES

Pour **4 personnes**
Préparation **5 min**
Cuisson **7 min**

800 g de filets de poisson (cabillaud, merlan, lieu, etc.) ◆ 1 oignon ◆ 4 cornichons ◆ 50 g de beurre ◆ 2 c. à soupe de farine ◆ 25 cl de lait ◆ moutarde douce ◆ vinaigre de vin blanc ◆ sel ◆ poivre

1 Épongez les filets de poisson. Salez et poivrez. Pelez et hachez très finement l'oignon. Émincez les cornichons.
2 Mettez 40 g de beurre dans une jatte. Faites-le fondre 1 min au four à micro-ondes à pleine puissance. Ajoutez la farine et mélangez. Délayez avec le lait en fouettant. Faites cuire 3 min à pleine puissance en fouettant 3 fois.
3 Retirez du four, ajoutez 1 c. à café de moutarde délayée dans 1 c. à soupe de vinaigre. Remuez et couvrez.
4 Mettez tous les filets de poisson dans un plat creux. Parsemez le reste de beurre en noisettes. Salez et poivrez.
5 Couvrez de film alimentaire et percez-le à la fourchette. Faites cuire 3 min à pleine puissance. Retirez le film. Nappez de sauce. Servez avec des courgettes à la vapeur.

Boisson **muscadet ou bière blonde**

Lieu à la moutarde

MICRO ONDES

RECETTE LÉGÈRE 1 portion 290 kcal

Pour **4 personnes**
Préparation **10 min**
Cuisson **16 min**

100 g de céleri-rave ◆ 1 citron ◆ 40 g de beurre ◆ 3 c. à soupe de farine ◆ 30 cl de lait ◆ 4 tranches de lieu de 150 g ◆ moutarde ◆ sel ◆ poivre

1 Pelez le morceau de céleri et hachez-le finement. Mettez-le dans un plat avec 2 c. à soupe de jus de citron. Couvrez de film alimentaire et piquez-le de quelques coups de fourchette. Faites cuire 8 min à pleine puissance.
2 Mettez le beurre dans un grand bol. Faites-le fondre 1 min au four à micro-ondes à pleine puissance. Ajoutez la farine et mélangez. Versez le lait et ajoutez 1 c. à soupe de moutarde. Remettez dans le four 3 min à pleine puissance. Fouettez le mélange toutes les minutes.
3 Retirez le bol du four. Salez et poivrez la sauce. Incorporez le céleri. Réservez.
4 Rangez les tranches de lieu épongées dans un plat, côté le plus mince vers le centre. Ajoutez le reste de jus de citron. Salez et poivrez. Couvrez de film alimentaire et percez-le. Faites cuire 4 min à pleine puissance.
5 Disposez les tranches de lieu sur des assiettes de service ou dans un plat. Nappez de sauce au céleri et servez aussitôt.

Boisson **vin rouge léger**

→ autres recettes de lieu à l'index

lièvre

→ voir aussi râble

Ce gibier à chair « noire » – et non blanche comme celle du lapin – se cuisine différemment selon son âge. Un jeune lièvre, ou levraut, a les pattes fines, le poil brillant et les griffes recouvertes de poil. Il ne se faisande jamais et s'altère assez vite. S'il a moins d'un an, il se fait rôtir ou sauter. Faites aussi rôtir le râble piqué de fins lardons. Le lièvre de l'année ou plus vieux (de 3 à 5 kg), une fois mariné au vin rouge, se prépare surtout en civet, en pâté ou en terrine. Les cuisses et les filets se font rôtir : servez-les avec une sauce poivrade ou aux fruits.

Diététique. Viande maigre (100 g = 150 kcal), parfois difficile à digérer : faites-la plutôt rôtir.

Lièvre à la crème

Pour **4 personnes**
Préparation **15 min**
Cuisson **45 min environ**

100 g de lard gras ◆ 2 râbles de jeunes lièvres de 500 g chacun environ ◆ 10 cl de crème fraîche ◆ 1/2 citron ◆ huile d'olive ◆ cognac ◆ sel ◆ poivre ◆ poivre de Cayenne

1 Taillez le lard bien froid en petits bâtonnets. À l'aide d'un petit couteau pointu, piquez les râbles à intervalles réguliers pour y glisser les bâtonnets de lard. Salez et poivrez.
2 Huilez les râbles ainsi que le plat à rôtir. Posez les râbles dedans et faites cuire pendant 40 min

au four à 220 °C en les arrosant 2 ou 3 fois avec un peu d'eau.

3 Sortez les râbles du plat et tenez-les au chaud sur un plat de service dans le four éteint. Dégraissez le plat et versez-y 2 c. à soupe de cognac.

4 Grattez les sucs à la spatule sur feu vif, puis versez la crème et remuez. Salez et poivrez. Ajoutez 1 pincée de cayenne.

5 Faites épaissir en remuant de 3 à 4 min sur feu modéré. Ajoutez 2 c. à soupe de jus de citron, rectifiez l'assaisonnement et versez cette sauce sur les râbles. Servez aussitôt.

Garniture : proposez des pâtes fraîches ou des pommes fruits sautées au beurre.

Boisson **côte-de-nuits ou côtes-du-rhône**

Sauté de levraut à la niçoise

Pour **4 personnes**
Préparation **20 min**
Cuisson **1 h 10 environ**

10 cl d'huile d'olive • 1 levraut coupé en morceaux • 30 cl de vin rouge • 1 gousse d'ail • 1 bouquet garni • 10 petits oignons • 4 chipolatas • 50 g d'olives noires • 100 g de girolles • cognac • sel • poivre

1 Faites chauffer l'huile (sauf 1 c. à soupe) dans une cocotte. Ajoutez les morceaux de levraut et faites-les revenir. Salez et poivrez.

2 Faites chauffer 2 c. à soupe de cognac et versez-le dans la cocotte. Flambez, remuez puis ajoutez le vin rouge, la gousse d'ail pelée et coupée en 2 ainsi que le bouquet garni. Faites cuire à couvert 40 min.

3 Pelez les oignons et plongez-les 2 min dans une casserole d'eau portée à ébullition. Faites rissoler les chipolatas dans une poêle avec le reste d'huile. Dénoyautez les olives et nettoyez les girolles.

4 Ajoutez dans la cocotte les olives et les oignons. Faites cuire 10 min. Ajoutez les chipolatas coupées en 2 et les girolles. Faites encore cuire 10 min environ. Servez dans la cocotte.

Boisson **vin rouge corsé**

→ **autres recettes de lièvre à l'index**

Sauté de levraut à la niçoise ▲

Agrémenté d'olives et d'ail, ce plat méditerranéen convient bien pour un dîner d'automne, précédé d'un aïgo boulido et suivi d'un gâteau à l'orange.

limande

Il existe de très nombreuses espèces de ce poisson plat courant dans la Manche, l'Atlantique et la mer du Nord. Les limandes ont un côté blanc et l'autre doré, rougeâtre, blanc avec ou sans points colorés ou rose, selon les variétés. C'est la limande-sole la plus fine (peau lisse et très petite tête), disponible surtout en hiver.

Une limande mesure de 20 à 35 cm et pèse de 180 à 250 g. Les limandes se trouvent entières (mais les déchets sont importants : 40 %) et en filets. La chair doit être ferme et élastique, brillante et sans odeur ammoniacale. Les filets existent également surgelés. Elle se cuisine comme la sole ou comme la barbue, mais sa chair est assez fragile.

Diététique. Poisson maigre (100 g = 72 kcal), facile à cuisiner, idéal dans un régime hypocalorique.

Filets de limande aux champignons

Pour **4 personnes**
Préparation **20 min**
Cuisson **40 min**

2 limandes ◆ 1 petit bouquet d'aneth ◆ 500 g de champignons de Paris ◆ 1 échalote ◆ 1 c. à soupe d'huile ◆ 2 c. à soupe de vin blanc sec ◆ sel ◆ poivre

1 Demandez au poissonnier de lever les filets des limandes.
2 Rincez les filets, épongez-les et assaisonnez-les. Ciselez l'aneth : vous devez en avoir environ 3 c. à soupe.
3 Nettoyez les champignons de Paris, coupez les pieds terreux. Lavez-les rapidement s'ils sont vraiment sableux. Égouttez-les et taillez-les en lamelles.
4 Pelez et émincez l'échalote. Faites-la suer dans une casserole avec l'huile puis ajoutez les champignons et le vin blanc. Salez et poivrez. Faites-leur rendre leur eau sur feu vif puis baissez le feu et poursuivez la cuisson pendant 15 min.
5 Parsemez d'aneth les filets de limande, repliez-les en 2. Versez les champignons dans un plat creux allant au four. Rangez dessus les filets de limande et ajoutez le reste d'aneth.
6 Faites cuire dans le four pendant 20 min à 200 °C. Servez dans le plat de cuisson.

Filets de limande aux crevettes

Pour **4 personnes**
Préparation **5 min**
Cuisson **10 min**

1 limande de 1 kg environ ◆ 80 g d'amandes effilées ◆ 1 c. à soupe de court-bouillon en sachet ◆ 8 cl de sauternes ◆ 12 crevettes roses décortiquées ◆ 2 c. à soupe de crème fraîche ◆ 20 g de beurre ◆ 1 jaune d'œuf ◆ sel ◆ poivre

1 Levez les filets de la limande ou demandez au poissonnier de le faire.
2 Versez les amandes dans une assiette et faites-les blondir au four à micro-ondes à pleine puissance pendant 4 min en les remuant 2 fois.
3 Versez la poudre de court-bouillon dans un grand bol et délayez-la avec 15 cl d'eau. Faites chauffer 1 min à pleine puissance. Ajoutez le sauternes, les crevettes recoupées en 2 et la crème fraîche. Mélangez.
4 Étalez les filets de limande dans un plat creux. Salez et poivrez. Ajoutez le beurre en parcelles. Couvrez de film alimentaire, percez-le en plusieurs endroits. Faites cuire dans le four à pleine puissance pendant 3 min.
5 Égouttez les filets de limande et mettez-les dans un plat de service bien chaud. Versez le jus de cuisson dans le bol avec la sauce aux crevettes.
6 Faites chauffer la sauce à nouveau 2 min dans le four. Sortez-la, ajoutez le jaune d'œuf et fouettez vivement. Salez et poivrez. Nappez-en les filets de poisson. Décorez avec les amandes effilées et servez aussitôt.

Boisson **sauternes**

Limandes au plat

Pour **4 personnes**
Préparation **20 min**
Cuisson **30 min**

800 g de filets de limande ◆ 1 citron ◆ 50 g de beurre ◆ 4 échalotes ◆ 10 cl de vin blanc sec ◆ 20 cl de crème fraîche épaisse ◆ curry ◆ sel ◆ poivre

1 Épongez les filets de limande et citronnez-les légèrement. Étalez le beurre ramolli dans un plat à gratin, mettez-y les filets de limande et arrosez de jus de citron.
2 Mettez le plat dans le four à 200 °C pendant 10 min. Pendant ce temps, pelez et hachez finement les échalotes. Mettez-les dans une casserole avec le vin et portez à ébullition.
3 Lorsque le vin est évaporé et que les échalotes sont réduites en compote, ajoutez la crème et 2 pincées de curry. Délayez en remuant sur feu doux. Salez et poivrez.
4 Sortez le plat du four, nappez les filets de limande de cette sauce et remettez dans le four en réduisant la chaleur à 180 °C. Faites cuire encore 20 min. Servez dans le plat, très chaud.

Filets de limande aux crevettes ►
Cette recette sophistiquée prouve que le four à micro-ondes permet de réaliser des préparations aussi délicates que savoureuses

◄ Salade mexicaine

Si vous redoutez la force du piment dans cette recette, vous pouvez le remplacer par quelques languettes de poivron rouge, jaune ou vert.

lime

→ voir aussi citron

On appelle couramment ce fruit citron vert. Plus petite que le citron jaune, avec une peau fine vert sombre et une chair vert pâle très juteuse et acidulée, la lime jaunit en mûrissant. Pour en extraire le maximum de jus, faites-la rouler à plat sous la paume de la main avant de la presser. Employez-la pour des cocktails, marinades de poisson, sauces de salades ou cuisine exotique.

Salade mexicaine

Pour **4 personnes**
Marinade **4 h**
Préparation **20 min**
Pas de cuisson

2 oignons ◆ 2 gousses d'ail ◆ 1 petit piment vert ◆ 2 limes ◆ 5 c. à soupe d'huile de maïs ◆ 2 avocats ◆ 100 g de maïs en boîte au naturel ◆ 1 boîte de sardines au jus de citron ◆ 4 fines tranches de jambon cru

1 Pelez et hachez finement l'oignon et l'ail. Lavez et hachez menu le piment en retirant éventuellement les graines. Mettez ces ingrédients dans une jatte, ajoutez le jus des limes pressées et l'huile. Remuez et laissez reposer 4 h.
2 Pelez les avocats, coupez-les en 2, retirez le noyau et taillez la pulpe en dés. Arrosez ceux-ci avec 1 c. à soupe de la marinade.
3 Égouttez les graines de maïs et les sardines. Débarrassez celles-ci de l'arête centrale. Taillez les tranches de jambon en fines languettes.
4 Réunissez tous les ingrédients de la salade (sauf le jambon) dans une grande coupe, arrosez de sauce et remuez. Disposez les languettes de jambon sur le dessus et servez frais.

Boisson **bière légère**

lingue

→ voir aussi julienne

Ce poisson de mer, appelé aussi « julienne », est courant, sauf en été. Il se vend presque toujours en filets prêts à cuire. Sa chair est fine et blanche. La lingue se cuisine comme le merlan.

Diététique. Poisson maigre (100 g = 80 kcal), très riche en calcium. Ne vous en privez pas.

Filets de lingue au vin blanc

Pour **4 personnes**
Préparation **10 min**
Cuisson **20 min environ**

800 g de filets de lingue ◆ 50 g de beurre ◆ 2 gros oignons ◆ 1 gousse d'ail ◆ 20 cl de vin blanc sec ◆ 3 c. à soupe de ciboulette hachée ◆ sel ◆ poivre

1 Lavez et épongez les filets de lingue. Salez-les et poivrez-les sur les 2 faces. Faites fondre 30 g de beurre dans une poêle.
2 Réglez sur feu doux et mettez-y les filets de poisson. Faites-les cuire 2 à 3 min de chaque

côté. Retirez-les de la poêle et jetez le beurre. Pelez et hachez menu les oignons et l'ail.

3 Remettez la poêle sur le feu en rajoutant le reste de beurre. Faites-y blondir les oignons avec l'ail. Remettez ensuite les filets de poisson dans la poêle et versez le vin blanc. Salez et poivrez. Poursuivez la cuisson.

4 Égouttez les filets, disposez-les dans un plat. Faites réduire la cuisson si elle est un peu liquide, nappez-en les filets et parsemez de ciboulette.

liqueur

→ **voir aussi** cocktail, kir

Boisson élaborée à partir de plantes, de fruits, de graines ou de racines infusés, macérés ou distillés dans de l'alcool. Les liqueurs sont édulcorées avec du sucre, du caramel ou du miel. Elles titrent en moyenne 40 % Vol et se consomment en digestif. Elles s'emploient aussi dans les cocktails et en pâtisserie : curaçao, marasquin, cassis, Chartreuse, guignolet, Bénédictine, Cointreau, Grand Marnier.

Diététique. La proportion de sucre (entre 200 et 500 g par litre) masque souvent la force en alcool d'une liqueur.

Liqueur d'orange

Pour **2 bouteilles de 70 cl environ**
Préparation **45 min**
Repos **2 mois**
Pas de cuisson

6 oranges non traitées ◆ 500 g de sucre semoule ◆ 1 l de cognac ◆ cannelle en poudre ◆ coriandre en poudre

1 Lavez les oranges. Prélevez le zeste très finement en ne prenant aucune partie de peau blanche. Hachez ce zeste menu. Pressez le jus des oranges et versez-le dans un grand bocal.

2 Ajoutez le sucre et remuez pour le faire fondre. Ajoutez le zeste haché, une bonne pincée de cannelle et de coriandre.

3 Versez le cognac sur le tout en mélangeant bien. Couvrez d'un linge et laissez macérer au frais pendant 2 mois.

4 Filtrez le liquide et mettez-le en bouteilles. Bouchez-les et tenez-les au frais.

→ **autres recettes de liqueur à l'index**

lisette

On donne ce nom aux premiers petits maquereaux de ligne qui apparaissent sur le marché en avril, notamment ceux de Dieppe. Préparez-les en friture ou faites-les mariner au vin blanc.

Choisissez-les bien raides, l'œil brillant, avec des reflets métalliques sur le corps.

Lisettes à la dieppoise

Pour **4 personnes**
Préparation **15 min, 24 h à l'avance**
Cuisson **15 min environ**

1,5 kg de lisettes ◆ 1 oignon ◆ 2 carottes ◆ 1 citron non traité ◆ 60 cl de vin blanc très sec ◆ 1 bouquet garni ◆ sel ◆ poivre en grains

1 Videz les lisettes, coupez les nageoires et les têtes et retirez l'arête centrale.

2 Pelez l'oignon et les carottes. Coupez-les en fines rondelles, ainsi que le citron. Mettez-les dans une casserole, avec le vin blanc, le bouquet garni, du sel et 12 grains de poivre.

3 Portez à ébullition et laissez bouillonner 10 min. Plongez les lisettes dans ce bouillon et faites reprendre l'ébullition 1 min. Égouttez-les et rangez-les dans une terrine.

4 Faites bouillir fortement le court-bouillon pour le faire réduire puis versez-le très chaud sur les poissons.

5 Laissez refroidir, mettez au réfrigérateur et servez le lendemain en entrée.

Garniture : salade d'endives et de betteraves à la vinaigrette.

Boisson muscadet ou sylvaner

litchi

Appelé aussi cerise de Chine, letchi ou lychee, ce petit fruit asiatique se présente en grappes. Sous une écorce rouge, la pulpe est blanchâtre avec un noyau noir, sucrée, avec un goût de rose. Les litchis sont disponibles frais en hiver et au printemps, ou en conserve, au sirop et dénoyautés et, parfois, séchés ou confits. Dégustez-les nature, en salade de fruits, ou faites-en un sorbet.

Diététique. Comme tous les fruits exotiques, c'est une source de vitamine C. 100 g = 68 kcal.

Originaire de Chine, le litchi est aujourd'hui cultivé en Australie et aux États-Unis. Il mesure de 3 à 4 cm de diamètre et se conserve quelques jours au frais.

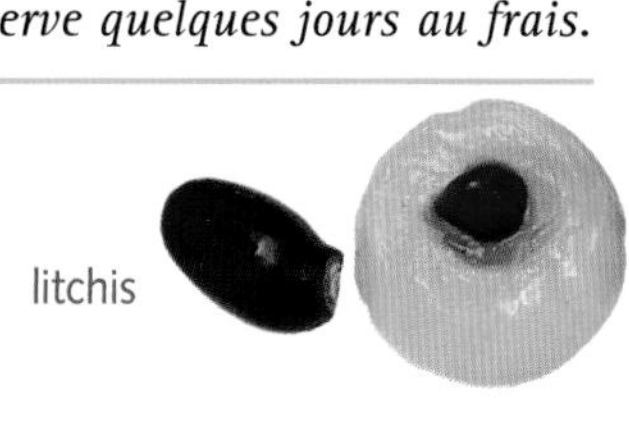

litchis

Coupes de litchis au champagne

Pour **4 personnes**
Préparation **30 min**
Repos **1 h**
Pas de cuisson

500 g de litchis frais • 2 kakis • 3 kiwis • 1/2 citron • 60 g de sucre semoule • 3 c. à soupe d'eau-de-vie de prune • 1/2 bouteille de champagne brut

1 Décortiquez les litchis en détachant un petit morceau de l'écorce avec la pointe d'un couteau. Fendez-les en 2 et retirez le noyau. Mettez-les dans une grande jatte.
2 Pelez les kakis et coupez-les en petits dés. Pelez les kiwis et émincez-les finement. Ajoutez-les aux litchis.
3 Arrosez de jus de citron, poudrez de sucre et ajoutez l'eau-de-vie. Mélangez délicatement. Laissez reposer au frais pendant 1 h.
4 Au moment de servir, répartissez la salade de fruits dans des coupes, arrosez de champagne très frais. Servez aussitôt.

Litchis et mangues à la crème

RECETTE LÉGÈRE — 1 portion 220 kcal

Pour **4 personnes**
Préparation **20 min**
Cuisson **15 min**
Repos **1 h**

50 cl de lait écrémé • 4 jaunes d'œufs • 2 c. à soupe d'édulcorant en poudre • 1 gousse de vanille • 1 mangue • 12 litchis frais • 2 c. à café de gelée de groseilles

1 Versez le lait dans une casserole. Fendez la gousse de vanille en 2, plongez-la dans le lait et faites chauffer sur feu doux jusqu'à ce qu'il commence à frémir.
2 Pendant ce temps, mettez dans une grande jatte les jaunes d'œufs et l'édulcorant. Fouettez vivement ce mélange.
3 Retirez la gousse de vanille du lait bouillant, versez-le doucement dans la jatte. Fouettez pendant 2 min. Versez toute la préparation à nouveau dans la casserole et faites cuire sans cesser de remuer jusqu'à ce que la crème nappe le dos d'une cuiller en bois.
4 Versez la crème dans un petit saladier froid et fouettez jusqu'à refroidissement complet.
5 Pelez la mangue et coupez-la en 2. Prélevez la chair et découpez-la en cubes que vous répartissez dans des coupes de service.
6 Décortiquez et dénoyautez les litchis, ajoutez-les. Nappez de crème froide et décorez le dessus d'une touche de gelée de groseilles.

Vous pouvez supprimer la gelée de groseilles ou la remplacer par des framboises fraîches.

→ **autres recettes de litchi à l'index**

livarot

Fromage AOC normand de lait de vache, à pâte molle et à croûte lavée orangée. Le livarot est un cylindre épais, entouré sur la tranche de fines lanières de papier vert (il s'agissait jadis de petites lanières de roseau), d'où son nom de « colonel ». Achetez-le de novembre à juin. Choisissez-le fermier, originaire du pays d'Auge (Normandie). Il doit avoir une pâte élastique qui ne coule pas, une saveur très relevée, mais ni piquante ni amère.
Diététique. Une portion de 35 g = 110 kcal.

longane

→ **voir aussi** litchi

De la même famille que le litchi, mais plus petit que lui et moins parfumé, ce fruit exotique présente une peau jaune doré. Utilisez-le dans des salades de fruits, des sorbets, des boissons, ou même pour garnir un poulet rôti. Si le litchi évoque la rose, le longane a plutôt un goût de melon.

Longanes au Cointreau

Pour **4 personnes**
Préparation **20 min**
Macération **1 h**
Cuisson **5 min**

500 g de longanes frais ◆ 4 c. à soupe de Cointreau ◆ 1 orange non traitée ◆ 50 g d'angélique confite ◆ sucre semoule

1 Pelez les longanes, coupez-les en 2 et retirez le noyau. Arrosez-les de Cointreau et mettez-les au réfrigérateur pendant 1 h.
2 Pelez l'orange sans prendre le blanc situé sous le zeste. Taillez ce zeste en lamelles ; plongez celles-ci 1 min dans une casserole d'eau portée à ébullition.
3 Versez 4 c. à soupe de sucre dans une petite casserole, mouillez d'eau et faites chauffer pour obtenir un caramel clair.
4 Ajoutez les lamelles de zeste bien égouttées et mélangez à la spatule pour bien les enrober. Retirez du feu.
5 Au moment de servir, répartissez les longanes dans des coupes de service très froides avec leur macération.
6 Ajoutez le zeste d'orange caramélisé et l'angélique coupée en petits tronçons. Servez aussitôt.

Originaire d'Inde et de Chine, le longane porte le surnom de « petit frère du litchi », mais il est beaucoup moins courant que lui. Il ne mesure que 2,5 cm de diamètre. Vous le trouverez frais en hiver.

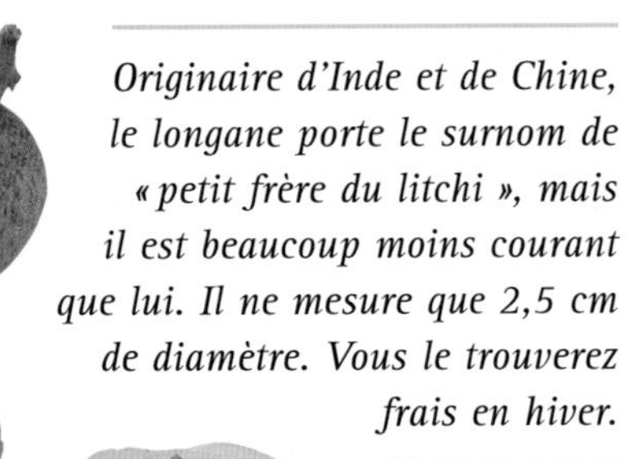

longanes

longe

→ **voir aussi** porc, veau

La longe de veau est un morceau de première catégorie qui, désossé, fournit des rôtis. On y taille aussi des côtes dans le filet bien larges. La longe de porc comprend l'échine et le filet non désossé. Faites-la rôtir. On appelle rognonade la longe vendue entière avec le rognon.

lotte

→ **voir aussi** joue

Surnommé « diable » ou « crapaud de mer » à cause de son aspect repoussant (tête énorme et large gueule, corps brunâtre et sans écailles), ce poisson est toujours vendu étêté et dépouillé. Son nom réel est baudroie, mais on le connaît sous celui de lotte ou de queue de lotte. Sa chair maigre est fine, ferme et sans arêtes. Elle se cuisine un peu comme de la viande : médaillons sautés, blanquette, brochettes, rôti. Ne la confondez pas avec la lote de rivière (qui s'écrit avec un seul « t »), aujourd'hui presque disparue, mais très appréciée pour son foie : si vous en trouvez, faites-le poêler au beurre.

Diététique. Elle fait partie des poissons maigres : 100 g = 77 kcal environ. N'hésitez pas à en faire un plat de fête à la place d'une viande.

Brochettes de lotte aux lardons

Pour **4 personnes**
Préparation **20 min**
Marinade **30 min**
Cuisson **8 à 10 min**

800 g de queue de lotte ◆ 1 citron ◆ 180 g de lard maigre fumé ◆ 8 petites tomates ◆ 2 oignons ◆ huile d'olive ◆ romarin ◆ thym ◆ sel ◆ poivre

1 Détaillez la queue de lotte en gros dés. Mettez-les dans un saladier. Ajoutez le jus de citron, 2 c. à soupe d'huile, 2 pincées de thym et de romarin. Salez et poivrez. Mélangez et laissez reposer 30 min au frais.
2 Taillez le lard maigre en gros lardons. Coupez les tomates en 2 et les oignons pelés en 4. Confectionnez les brochettes en intercalant les dés de poisson, le lard, les tomates et les oignons.
3 Faites griller les brochettes sous le gril du four ou au barbecue, en comptant de 8 à 10 min. Tournez-les souvent.
4 Lorsque le lard est bien croustillant, les brochettes sont prêtes. Servez aussitôt.

Vous pouvez aussi envelopper les dés de poisson dans de fines tranches de lard maigre au lieu d'intercaler des lardons.

Boisson riesling ou rosé sec

Médaillons de lotte aux poivrons ▲

La chair fine et sans arêtes de la lotte est parfois jugée un peu fade. Elle est toujours meilleure quand on l'accompagne de saveurs bien marquées comme celle du poivron.

Lotte à la ciboulette

RECETTE LÉGÈRE — 1 portion 200 kcal

Pour **4 personnes**
Préparation **20 min**
Cuisson **35 min**

600 g de queue de lotte parée et dépouillée ◆ 2 carottes nouvelles ◆ 2 petits oignons ◆ 2 branches de céleri ◆ 1 cube de bouillon de volaille ◆ 1 bouquet garni ◆ 500 g de pois gourmands ◆ 10 cl de vin blanc sec ◆ 4 ou 5 c. à soupe de fromage blanc lisse ◆ 1 bouquet de ciboulette ◆ sel ◆ poivre

1 Lavez et épongez la lotte. Détaillez-la en tranches régulières. Tenez-les au frais jusqu'au moment de les cuire.
2 Pelez les carottes et les oignons, taillez-les en dés. Effilez et tronçonnez le céleri. Délayez le cube de bouillon dans 25 cl d'eau bouillante, ajoutez les légumes et le bouquet garni. Portez à ébullition et laissez bouillir pendant 15 min.
3 Lavez et parez les pois gourmands. Passez le contenu de la casserole, jetez le bouquet garni. Versez à nouveau le bouillon dans une casserole, ajoutez le vin blanc et faites réduire de moitié.
4 Hors du feu, incorporez le fromage blanc en fouettant. Salez et poivrez. Remettez les légumes dans la sauce.
5 Faites cuire ensemble les pois gourmands et la lotte à la vapeur 8 min à partir du moment où la vapeur s'échappe.
6 Répartissez dans des assiettes, nappez de sauce et garnissez de ciboulette ciselée.

Pour donner un peu de piquant à la sauce, vous pouvez ajouter au fromage blanc une pointe de moutarde à l'estragon ou au poivre vert.

Médaillons de lotte aux poivrons

Pour **4 personnes**
Préparation **15 min**
Cuisson **15 min environ**

3 poivrons verts ◆ 90 g de beurre ◆ 750 g de lotte ◆ 1 œuf ◆ 50 g de parmesan ◆ Tabasco ◆ farine ◆ sel ◆ poivre

1 Ouvrez les poivrons en 2 et retirez les graines. Faites-les blanchir 10 min dans une casserole d'eau bouillante. Égouttez-les et pelez-les.
2 Coupez-les en morceaux et passez-les au mixer pour les réduire en purée. Versez-la dans une casserole et ajoutez 60 g de beurre et 1 trait de Tabasco. Salez et poivrez. Fouettez pour lier et réservez au chaud.
3 Détaillez la lotte en 8 escalopes régulières. Salez et poivrez. Passez-les dans un peu de farine, puis dans de l'œuf battu et enfin dans du parmesan râpé, en appuyant légèrement pour bien les enrober.
4 Faites chauffer le reste de beurre dans une poêle et mettez-y à revenir les médaillons de lotte, pendant 3 à 4 min sur chaque face, en les retournant délicatement avec une spatule.
5 Disposez 2 médaillons par assiette, entourez de purée de poivrons et servez aussitôt.

Pour une saveur plus douce, préparez la purée avec des poivrons jaunes ou rouges.

Boisson **entre-deux-mers**

Queue de lotte à la provençale

Pour **4 personnes**
Préparation **20 min**
Cuisson **20 min environ**

1 queue de lotte de 800 à 900 g ◆ 500 g de petits champignons de couche ◆ 2 gousses d'ail ◆ huile d'olive ◆ 5 ou 6 tomates ◆ thym ◆ sel ◆ poivre

1 Demandez au poissonnier de ficeler la lotte comme un rôti.
2 Nettoyez les champignons, coupez le pied terreux et recoupez-les en 2. Pelez et hachez l'ail finement. Faites chauffer 2 c. à soupe d'huile dans un poêlon.
3 Faites sauter vivement les champignons avec l'ail pendant 8 min environ. Salez et poivrez. Retirez du feu et tenez au chaud.
4 Huilez un plat à rôtir et placez-y le morceau de lotte salé et poivré. Faites cuire au four à 240 °C pendant 10 min. Baissez la température à 200 °C et poursuivez la cuisson pendant 10 min, en ajoutant les champignons autour.
5 Lavez les tomates, coupez-les en 2 et badigeonnez-les d'huile. Poudrez la face coupée avec un peu de thym et faites-les griller.
6 Déficelez le rôti de lotte et mettez-le dans un plat de service. Entourez de champignons et de tomates grillées. Servez aussitôt.

Au lieu de ficeler simplement la queue de lotte, vous pouvez aussi l'entourer de quelques fines tranches de lard de poitrine fumée.

Boisson **vin rosé très frais**

→ **autres recettes de** lotte **à l'index**

Minutes de loup au basilic

Pour **4 personnes**
Préparation **25 min**
Repos **2 h**
Pas de cuisson

1 loup de 1 kg ◆ 8 grandes feuilles de basilic ◆ huile d'olive ◆ pain de campagne ◆ sel ◆ poivre noir au moulin

1 Demandez au poissonnier de lever les filets du loup et de retirer la peau. Éliminez les petites arêtes qui peuvent encore subsister avec une pince à épiler.
2 Badigeonnez légèrement les filets avec un peu d'huile d'olive et mettez-les au réfrigérateur pendant 2 h pour que la chair soit bien ferme.
3 Détaillez les filets de poisson dans le sens oblique en très fines lamelles à l'aide d'un couteau à large lame.
4 Enduisez légèrement d'huile le fond des assiettes de service et répartissez les lamelles de poisson dessus. Réservez au frais.
5 Ciselez finement les feuilles de basilic. Mettez-les dans un bol avec 2 c. à soupe d'huile d'olive. Salez et poivrez. Fouettez. Faites griller légèrement de fines tranches de pain de campagne. Servez les assiettes de bar avec l'huile au basilic et le pain de campagne grillé.

À la place du pain de campagne, vous pouvez proposer une salade de pâtes fraîches assaisonnée avec une vinaigrette au basilic.

Pour cette recette, le poisson doit être de toute première fraîcheur.

Boisson **rosé fruité bien frais**

loup

→ **voir aussi** bar

On appelle couramment loup de mer le bar, poisson méditerranéen dont la saveur est très délicate. Faites-le griller ou pocher entier. Le loup de mer véritable est un poisson de la mer du Nord à cuisiner comme le cabillaud. Il est souvent vendu en filets fumés pour imiter le haddock.

Diététique. Le loup est un poisson particulièrement maigre.

lump

→ **voir aussi** œufs de poisson

Le lump, ou lompe, est un poisson des mers froides dont le seul intérêt réside dans ses œufs, succédané du caviar. Mais ils n'ont pas, et de loin, la saveur des œufs d'esturgeon. Ils sont en revanche bien moins chers. Jaunâtres à l'état naturel, les œufs de lump sont colorés en noir ou en rouge.

Diététique. À éviter dans les régimes sans sel. Sa valeur nutritionnelle est celle du caviar.

macaron

Le macaron est un petit gâteau rond à base de blancs d'œufs, d'amandes et de sucre. Il doit être croquant à l'extérieur et moelleux à l'intérieur. Les macarons sont parfumés à la vanille, au café, au chocolat, ou encore à la pistache ou à la fraise. Ils sont souvent présentés collés deux par deux et garnis d'une crème.

Diététique. Un seul gros macaron fourré = 500 kcal.

Macarons moelleux

Pour **12 macarons environ**
Préparation **30 min**
Cuisson **20 min**

350 g de pâte d'amandes ◆ 3 blancs d'œufs ◆ 100 g de sucre glace ◆ 1 sachet de sucre vanillé ◆ marmelade d'abricots

1 Mélangez dans une terrine la pâte d'amandes et 2 blancs d'œufs.

2 Quand le mélange est homogène, ajoutez le sucre glace et le sachet de sucre vanillé. Pétrissez 7 min, ajoutez le dernier blanc d'œuf et 1 c. à soupe de marmelade d'abricots.

3 Mettez cette pâte dans une poche à douille (n° 12). Étalez une feuille de papier sulfurisé sur la plaque du four. Déposez des petits tas de pâte de 3 à 4 cm de diamètre sur le papier.

4 Aplatissez chaque tas à l'aide d'un pinceau humecté d'eau. Faites cuire 20 min dans la partie inférieure du four à 190 °C.

5 Sortez la tôle du four et versez un petit verre d'eau froide entre la tôle et le papier. Détachez les macarons du papier quand ils sont froids.

macaroni

Ces pâtes alimentaires d'origine napolitaine sont toujours vendues sèches : en forme de longs tubes de 5 mm de diamètre, entiers ou coupés, parfois courbes ou striés. Cuits à l'eau bouillante, les macaroni acceptent les sauces et les garnitures les plus variées.

Diététique. 100 g de macaroni cuits nature = 110 kcal.

Gratin de macaroni

Pour **6 personnes**
Préparation **30 min**
Cuisson **25 min**

500 g de macaroni ◆ 15 cl de crème fraîche épaisse ◆ 100 g d'emmental râpé ◆ 80 g de parmesan ◆ 60 g de beurre ◆ huile d'olive ◆ muscade ◆ sel ◆ poivre

1 Faites cuire les macaroni dans 4 l d'eau salée bouillante avec 1 c. à soupe d'huile pendant 13 min. Égouttez les macaroni lorsqu'ils sont encore fermes.

2 Versez-les dans une casserole et ajoutez la crème. Poivrez et muscadez au goût. Remuez sur feu modéré pendant 5 min.

3 Mélangez l'emmental et le parmesan. Retirez les macaroni du feu et ajoutez-leur la moitié du fromage.

4 Beurrez un plat à gratin et versez-y les macaroni au fromage avec toute la crème. Poudrez avec le reste du fromage. Ajoutez le reste de beurre en petites parcelles.

5 Faites gratiner dans le four à 220 °C pendant 20 à 25 min. Servez brûlant.

Macaroni à l'italienne

Pour **4 personnes**
Préparation **25 min**
Cuisson **35 min**

3 chipolatas ◆ 1 oignon ◆ 3 tomates ◆ 40 g de beurre ◆ 1 petite boîte de petits pois ◆ 250 g de macaroni ◆ huile d'olive ◆ origan ◆ sel ◆ poivre

1 Coupez les chipolatas en petits tronçons. Ébouillantez les tomates et pelez-les.
2 Faites chauffer 10 g de beurre avec 2 c. à soupe d'huile dans un poêlon. Ajoutez les tronçons de chipolatas et faites revenir sur feu assez vif. Quand ils sont bien dorés, ajoutez l'oignon haché et poursuivez la cuisson pendant 5 min.
3 Ajoutez les tomates, 1 pincée d'origan et les petits pois égouttés. Laissez mijoter 15 min à découvert. Faites cuire les macaroni 12 min dans de l'eau salée avec 1 c. à soupe d'huile.
4 Égouttez les macaroni. Versez-les dans un légumier, ajoutez le contenu du poêlon et le reste de beurre en parcelles. Remuez et servez.

→ **autres recettes de macaroni à l'index**

macédoine

→ **voir aussi jardinière**

C'est un mélange de légumes taillés en petits dés. La macédoine se compose en principe de carottes et de navets, avec des haricots verts en tronçons et parfois des petits pois ou des flageolets. Elle accompagne une viande ou une volaille. Froide et liée de mayonnaise, elle sert à farcir des tomates ou des cornets de jambon.

La macédoine de fruits – taillés en cubes et macérés avec du sirop et un alcool, kirsch ou rhum – se sert rafraîchie.

Pudding à la macédoine

Pour **4 personnes**
Préparation **10 min**
Cuisson **10 à 15 min**
Repos **2 h**

1 grande boîte de macédoine de fruits au sirop ◆ 50 cl de lait ◆ 70 g de sucre semoule ◆ 60 g de raisins secs ◆ 125 g de semoule ◆ kirsch

1 Ouvrez la boîte de macédoine et égouttez les fruits. Réservez le sirop et arrosez les fruits de 2 c. à soupe de kirsch.
2 Faites bouillir le lait avec 60 g de sucre et les raisins secs. Baissez le feu, ajoutez la semoule en pluie et mélangez. Faites cuire 10 min sur feu très doux en remuant.
3 Mouillez d'eau froide une jatte en porcelaine, poudrez-la de sucre. Versez aussitôt dedans la moitié de la semoule cuite. Ajoutez la moitié des fruits égouttés puis finissez de remplir avec le reste de semoule. Tassez bien et mettez au frais pendant 2 h.
4 Faites réduire le sirop de la macédoine sur feu vif. Mettez-y le reste des fruits. Démoulez le pudding et arrosez-le de fruits au sirop. Servez aussitôt.

Pour faire macérer les fruits, vous pouvez remplacer le kirsch par du rhum. Proposez en même temps des meringues au café ou à la vanille.

mâche

Cette plante aux feuilles en rosettes est aujourd'hui cultivée comme salade d'hiver d'octobre à janvier. La « verte du Nord » à feuilles larges est moins fine que la « ronde maraîchère », tendre et juteuse. Utilisez-la dans des salades composées avec pommes, noix, betteraves, œufs durs, etc. On peut également la faire cuire, comme les épinards.

Qu'elle soit achetée en vrac ou en barquettes sous film alimentaire, la mâche doit toujours être lavée à grande eau, bien égouttée et bien séchée. Une barquette peut se garder un jour ou deux au réfrigérateur.

Diététique. Ce légume est riche en vitamine C et en calcium.

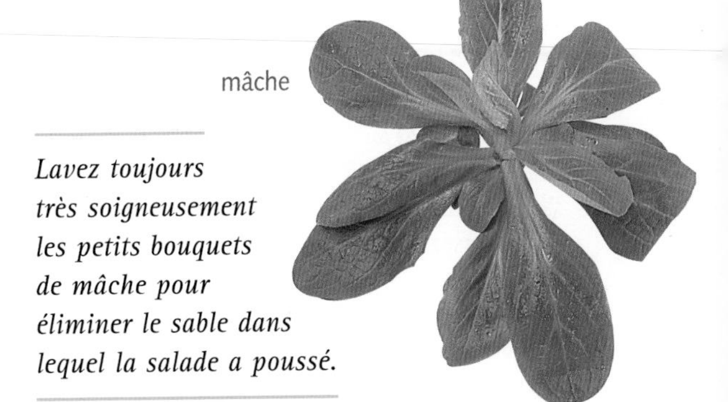
mâche

Lavez toujours très soigneusement les petits bouquets de mâche pour éliminer le sable dans lequel la salade a poussé.

Salade vigneronne ▲

Cette salade n'est réussie que si les lardons rissolés sont assez fins, bien égouttés et ajoutés en garniture au dernier moment. Vous pouvez préparer tous les autres ingrédients à l'avance.

Salade vigneronne

Pour **4 personnes**
Préparation **25 min**
Cuisson **2 ou 3 min**

200 g de mâche ◆ 150 g de pissenlits ◆ 200 g de betterave cuite ◆ 200 g de lard fumé ◆ huile de noix ◆ vinaigre de vin rouge ◆ poivre

1 Triez et lavez la mâche et les pissenlits. Effeuillez-les et épongez-les. Pelez la betterave et taillez-la en lanières. Mettez ces ingrédients dans un saladier.
2 Taillez le lard en fins bâtonnets. Faites chauffer 2 c. à soupe d'huile dans une poêle et faites-y sauter les lardons : ils doivent être à peine rissolés. Versez-les avec l'huile sur la salade. Poivrez.
3 Ajoutez 1 c. à soupe de vinaigre dans la poêle et faites-le chauffer en remuant pendant 1 min, puis versez-le sur la salade. Remuez délicatement et servez aussitôt.

macis

Ce condiment est constitué par l'enveloppe de la noix muscade, séchée et réduite en poudre. Il a un parfum de cannelle et de poivre et s'emploie surtout en charcuterie et dans les mélanges d'épices.

macreuse

→ **voir aussi** bœuf, pot-au-feu

Cette pièce du bœuf, dans l'épaule, fournit des morceaux dont les emplois sont très différents.

La macreuse à bifteck donne des grillades, des brochettes ou du rôti. La macreuse gélatineuse s'emploie pour les braisés, les daubes et le bœuf mode ; elle est une des viandes du pot-au-feu.

madeleine

Ce petit gâteau en forme de coquille bombée nécessite un moule spécial : la plaque à madeleines (12 ou 24 alvéoles). La pâte aux œufs et au beurre fondu se parfume au citron, à la vanille ou à la fleur d'oranger. Elles sont délicieuses avec le thé.

Madeleines

Pour **36 madeleines**
Préparation **25 min**
Repos **1 h**
Cuisson **12 min environ**

2 citrons non traités ◆ 200 g de beurre ◆ 4 œufs ◆ 200 g de sucre semoule ◆ 225 g de farine

1 Râpez le zeste des citrons. Faites fondre 180 g de beurre. Cassez les œufs dans une terrine. Ajoutez le sucre et fouettez vivement le mélange jusqu'à ce qu'il soit blanc.
2 Ajoutez le zeste des citrons puis incorporez la farine et le beurre fondu. Laissez cette pâte reposer au frais pendant 1 h.
3 Beurrez 3 plaques à madeleines d'une douzaine chacune. Versez-y la pâte en remplissant les alvéoles aux 3/4. Faites cuire au four à 190 °C pendant 10 à 12 min.
4 Démoulez les madeleines et laissez-les refroidir sur une grille. Elles se conservent quelques jours dans une boîte hermétique.

madère

Produit dans l'île portugaise de Madère, ce vin viné (additionné d'eau-de-vie) titre entre 16 et 18 % Vol. Le *sercial* est sec, fort en arôme, légèrement ambré. Le *verdelho*, sec également, est doré, plus nerveux que le *sercial*. Le *bual* est demi-sec, plus foncé, assez léger. Le *malmsey*, le plus populaire, est brun-roux, avec un goût délicat de brûlé.

Surtout utilisé en cuisine dans les sauces, le madère mérite d'être bu en apéritif ou en digestif : rafraîchi s'il est sec, chambré s'il est doux.

Sauce madère

Pour **50 cl de sauce**
Préparation **15 min**
Cuisson **40 min**

1 carotte ◆ 2 oignons ◆ 4 échalotes ◆ 80 g de lard fumé ◆ 25 cl de bouillon de bœuf ◆ 75 g de beurre ◆ 1 bouquet garni ◆ 50 g de farine ◆ 30 cl de madère ◆ sel ◆ poivre

1 Pelez la carotte et taillez-la en très petits dés. Pelez et hachez finement les oignons et les échalotes. Taillez le lard en fines lamelles. Faites chauffer le bouillon.

2 Faites fondre le beurre dans une casserole. Faites-y revenir les légumes, ajoutez les lardons et le bouquet garni. Laissez rissoler 3 ou 4 min.

3 Farinez. Remuez à la spatule puis versez le bouillon chaud en remuant vivement. Ajoutez 15 cl de madère et laissez mijoter 25 min.

4 Passez la sauce dans une passoire fine en pressant avec le dos d'une cuiller. Versez la sauce dans une casserole et ajoutez le reste de madère. Faites chauffer pendant 3 à 4 min sans faire bouillir. Goûtez et rectifiez l'assaisonnement.

Cette sauce accompagne parfaitement les abats, la volaille ou le jambon, les endives, le céleri ou la laitue braisée.

→ **autres recettes de madère à l'index**

magret

Filet de chair prélevé sur la poitrine d'un canard gras. Présenté avec la peau et la couche de graisse attenante, le magret frais s'achète au détail ou conditionné sous vide. On trouve aussi du magret de canard séché et fumé, coupé en fines tranches, conditionné de la même façon. Le magret se cuisine comme un steak et se sert saignant ; vous pouvez soit retirer la peau et le poêler à nu, soit la laisser et le faire griller d'abord côté peau pour que la graisse imprègne la chair. On compte en général un magret pour deux personnes. Le magret séché ou fumé se sert en hors-d'œuvre ou avec une salade verte.

Diététique. À condition de laisser de côté la peau, cette viande est peu grasse (6 %).

Magrets à l'aigre-doux

Pour **4 personnes**
Préparation **10 min**
Cuisson **15 min environ**

2 magrets de canard ◆ 2 échalotes grises ◆ 1 orange amère ◆ miel ◆ sel ◆ poivre noir au moulin

1 Parez les magrets en retirant l'excès de peau grasse sur les côtés. Laissez celle qui recouvre le magret sur une face. Ciselez-la légèrement. Salez et poivrez les magrets. Pelez et hachez les échalotes. Pressez le jus de l'orange.

2 Faites chauffer une poêle à fond épais sans matière grasse. Posez les magrets dedans, côté peau contre le fond. Faites cuire sur feu vif pendant 7 à 8 min.

3 Égouttez les magrets et videz une partie de la graisse qu'ils ont rendue. Remettez-les dans la poêle sur l'autre face et poursuivez la cuisson pendant 3 à 4 min. Retirez les magrets et tenez-les au chaud.

4 Ajoutez les échalotes hachées dans la poêle et faites cuire en remuant pendant 2 min. Versez alors le jus d'orange et remuez à la spatule. Ajoutez 1 c. à soupe de miel et mélangez bien. Salez et poivrez.

5 Coupez les magrets en 4 portions, placez-les sur des assiettes de service chaudes, nappez-les de sauce et servez aussitôt.

Des pâtes fraîches ou bien des pommes fruits sautées au beurre s'accorderont parfaitement avec ce plat.

Pour changer, vous pouvez remplacer le jus d'orange par du vinaigre de cidre.

Boisson **bordeaux rouge**

Magrets au poivre vert

Pour **4 personnes**
Préparation **5 min**
Cuisson **15 min environ**

2 magrets de canard ◆ 2 c. à soupe de poivre vert ◆ 10 cl de vin rouge corsé ◆ 10 cl de bouillon de volaille ◆ 2 c. à soupe de crème fraîche ◆ graisse d'oie ◆ sel ◆ poivre

1 Dégraissez les magrets. Égouttez le poivre vert si nécessaire. Mettez-le dans un bol avec le vin rouge et laissez reposer.
2 Faites chauffer 1 c. à soupe de graisse d'oie dans une sauteuse et placez-y les magrets (côté peau contre le fond). Faites-les cuire 5 min. Retournez-les. Faites-les saisir pendant 3 à 4 min. Ôtez un peu de graisse de cuisson.
3 Ajoutez le poivre vert égoutté et le bouillon de volaille. Salez modérément et poivrez au goût. Poursuivez la cuisson pendant encore 5 min, sur feu modéré.
4 Ajoutez la crème fraîche et mélangez. Faites chauffer 1 min puis retirez du feu.
5 Servez les magrets sur un plat bien chaud, nappés de sauce au poivre vert.

Proposez en accompagnement de ce plat du riz nature, des cèpes grillés ou des petites pommes de terre sautées.

Boisson **madiran**

Magrets aux pommes

Pour **4 personnes**
Préparation **20 min**
Repos **1 h**
Cuisson **20 min**

RECETTE LÉGÈRE 1 portion 400 kcal

2 magrets de canard frais ◆ 1 c. à soupe de vinaigre balsamique ◆ 2 c. à soupe de miel liquide ◆ 2 échalotes ◆ 4 pommes boskoops ◆ 1 citron ◆ poivre mignonnette ◆ sel fin

1 Retirez la peau grasse des magrets et posez-les dans un plat creux. Enduisez-les de miel puis poivrez-les assez abondamment sur les 2 faces. Arrosez-les ensuite de vinaigre balsamique et ajoutez l'échalote hachée. Laissez reposer à couvert pendant au moins 1 h.
2 Pelez les pommes, ôtez le cœur et les pépins. Coupez-les en tranches et mettez-les dans une poêle à revêtement antiadhésif. Arrosez-les de jus de citron et ajoutez 15 g de beurre.
3 Faites chauffer sur feu moyen pendant 20 min en retournant les pommes de temps en temps. Salez et poivrez en fin de cuisson. Préchauffez le gril du four.
4 Rangez les magrets dans un plat à four, avec leur marinade. Glissez-les sous le gril, à 15 cm de distance, et comptez 7 à 8 min. Retournez-les et comptez encore 7 min de cuisson.
5 Garnissez les assiettes de pommes cuites. Découpez les magrets en tranches et posez-les sur les pommes avec le jus qu'ils ont rendu. Donnez un tour de moulin à poivre et servez.

Si vous n'appréciez pas l'aigre-doux, supprimez le miel et choisissez un vinaigre de cidre.

maïs

➜ **voir aussi** **fécule, polenta, semoule**

Le maïs utilisé comme légume est une variété spéciale à grains clairs : maïs doux, sucré ou tendre. Si vous l'achetez en épis (août-septembre), choisissez-le avec des grains laiteux et une gaine de feuilles vert pâle. Cuits à l'eau ou grillés, les épis se servent avec du beurre frais ou, à l'américaine, avec du sirop d'érable. Les grains de maïs en conserve au naturel ou surgelés sont d'un emploi très pratique pour les garnitures et les salades composées. Utilisez-les comme des petits pois. N'oubliez pas les épis de maïs miniatures conservés au vinaigre en petits pots : servez-les comme amuse-gueule ou condiment.

La fécule et la semoule de maïs s'utilisent pour des préparations régionales françaises (crêpes, gaudes...), italienne (polenta) ou encore mexicaine (tortillas).

Diététique. Cette céréale riche en protéines fournit 390 kcal pour 100 g. N'hésitez pas à en consommer sous forme de corn flakes ou de pop-corn nature : ainsi traitée, elle conserve son germe et sa richesse en acides gras polyinsaturés. La fécule de maïs (commercialisée sous la marque Maïzena) est précieuse pour lier les sauces allégées, car elle permet d'utiliser quatre fois moins de farine.

Magrets aux pommes ►

Les fruits constituent toujours une garniture de choix pour la volaille et le gibier : choisissez des pommes qui tiennent bien à la cuisson, reinettes ou boskoops.

BALSAMIC

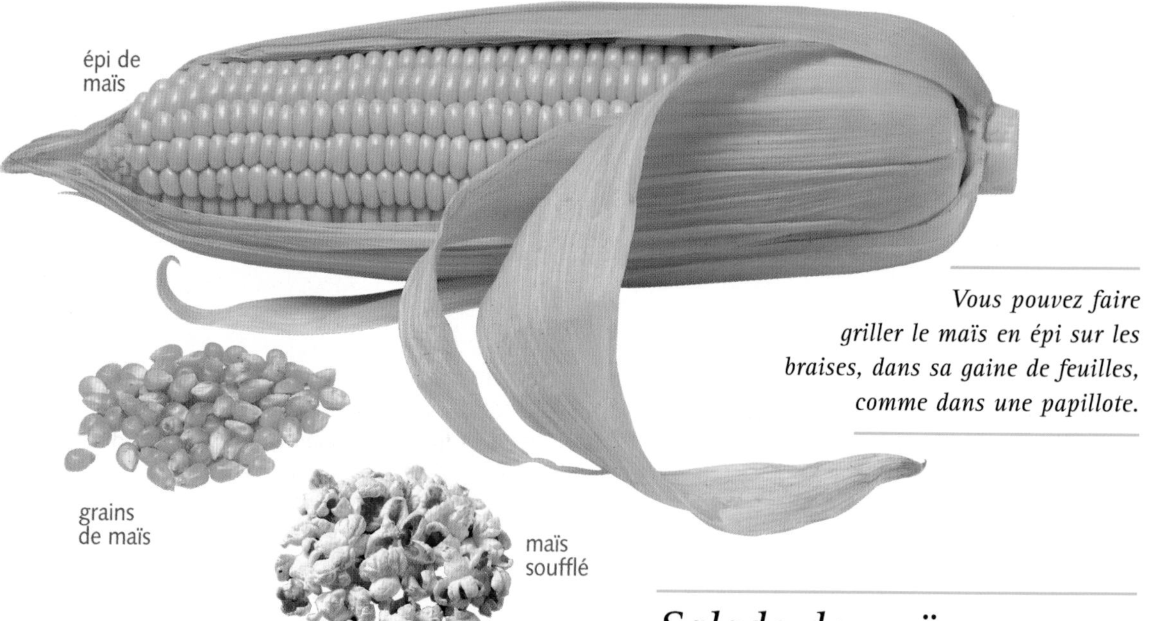

Vous pouvez faire griller le maïs en épi sur les braises, dans sa gaine de feuilles, comme dans une papillote.

Épis de maïs au naturel

Pour **4 personnes**
Préparation **15 min**
Cuisson **40 min**

RECETTE LÉGÈRE — 1 portion 220 kcal

4 épis de maïs frais avec leur enveloppe ◆ beurre demi-sel ◆ pain de mie ◆ poivre noir au moulin

1 Écartez les feuilles de chaque épi pour ôter les barbes. Rabattez les feuilles et ficelez les épis au bout de l'enveloppe.
2 Faites tremper les épis 10 min dans de l'eau froide. Égouttez-les.
3 Faites chauffer le four à 180 °C. Rangez les épis dans leur gaine de feuilles sur la lèche-frite et faites-les cuire 40 min environ.
4 Retirez les épis du four, ôtez la ficelle et les feuilles. Coupez-les net à chaque bout.
5 Servez-les très chauds avec du beurre demi-sel, du poivre au moulin et du pain de mie.

Une astuce simple pour déguster les épis de maïs : tartinez de beurre une tranche de pain, poivrez au goût, posez l'épi chaud dessus et enroulez la tranche beurrée autour. Maintenez le pain bien enroulé quelques secondes, puis retirez-le. Saisissez l'épi de maïs par les deux bouts et grignotez les grains enduits de beurre.

Salade de maïs

Pour **6 personnes**
Préparation **25 min**
Cuisson **5 min**

1 botte de cresson ◆ 1 grande boîte de thon au naturel ◆ 1 grande boîte de grains de maïs ◆ 6 œufs ◆ huile de noix ◆ vinaigre de vin blanc ◆ cerfeuil frais ◆ sel ◆ poivre

1 Triez et lavez le cresson, effeuillez-le, coupez les queues et épongez-le. Égouttez le thon et émiettez-le. Passez-en 1/3 au mixer et réservez cette purée. Égouttez les grains de maïs.
2 Préparez une vinaigrette avec 8 c. à soupe d'huile de noix et 4 c. à soupe de vinaigre. Salez et poivrez.
3 Ciselez finement 2 c. à soupe de cerfeuil. Faites pocher les œufs 5 min dans une grande casserole d'eau vinaigrée. Égouttez-les délicatement et parez-les.
4 Garnissez les assiettes de service de cresson. Mélangez dans un saladier les grains de maïs, les miettes de thon et la moitié de la vinaigrette.
5 Remuez et répartissez le mélange sur des assiettes de service.
6 Garnissez chaque assiette avec un œuf poché. Mélangez la purée de thon avec le reste de vinaigrette et nappez-en les œufs. Parsemez de cerfeuil et servez aussitôt.

Pour donner une touche originale à cette salade de maïs, déposez sur le dessus au moment de servir quelques fins copeaux de poutargue et une pincée de zeste d'orange râpé.

Tartelettes au maïs

Pour **6 personnes**
Préparation **15 min**
Cuisson **12 min environ**

100 g de farine ◆ 2 œufs ◆ 50 cl de lait ◆ 320 g de grains de maïs en boîte ◆ huile de maïs ◆ sel ◆ poivre ◆ poivre de Cayenne

1 Mélangez, dans une terrine, la farine et les 2 œufs. Ajoutez 2 c. à soupe d'huile puis le lait. Salez et poivrez. Laissez reposer.
2 Égouttez à fond les grains de maïs. Ne les salez pas, poivrez et ajoutez une pointe de poivre de Cayenne.
3 Huilez 6 moules à tartelette assez profonds. Ajoutez le maïs à la pâte et mélangez. Répartissez ce mélange dans les moules en les remplissant aux 3/4 seulement.
4 Enfournez à 260 °C et laissez cuire 12 min environ. Démoulez les tartelettes en les retournant et servez aussitôt.

Ces tartelettes originales accompagnent bien le rôti, le poulet grillé, les tournedos et le magret de canard.

➜ **autres recettes de maïs à l'index**

malaga

Ce vin liquoreux produit en Andalousie titre 16 % Vol. Il ressemble au xérès avec un léger goût de noisette, mais il est moins réputé. Buvez-le frappé, en apéritif. Une fois la bouteille entamée, il s'évente assez vite.

maltaise

Variété d'orange sanguine acidulée et très juteuse qui a donné son nom à une sauce hollandaise additionnée de zeste et de jus d'orange (même d'une autre variété). Cette sauce accompagne les poissons pochés ou les légumes cuits à l'eau : les asperges surtout, mais aussi les bettes et les cardons.

Sauce maltaise

Pour **6 personnes**
Préparation **10 min**
Cuisson **15 min environ**

1 orange sanguine ◆ 4 jaunes d'œufs ◆ 250 g de beurre ◆ sel ◆ poivre blanc

1 Râpez finement le zeste de l'orange et pressez son jus. Réservez. Pendant ce temps, sortez le beurre du réfrigérateur pour qu'il soit à température ambiante (20 °C).
2 Mettez les jaunes d'œufs dans une petite casserole à fond épais, ajoutez 4 c. à soupe d'eau, du sel et du poivre. Mélangez au fouet.
3 Posez la casserole sur feu très doux ou placez-la au bain-marie et ne cessez pas de fouetter jusqu'à ce que le mélange épaississe.
4 Ajoutez le beurre parcelle après parcelle. S'il fond trop vite, retirez la casserole du feu et fouettez. Lorsque tout le beurre est incorporé, ajoutez le jus de l'orange et le zeste en fouettant, jusqu'à ce que la sauce soit homogène.

mandarine

➜ **voir aussi** clémentine

Ce fruit d'hiver est voisin de la clémentine, mais il renferme davantage de pépins. La meilleure variété est marocaine (wilking) : ne ratez pas la saison, de février à avril. Généralement dégustée nature, la mandarine fournit surtout un zeste très parfumé.

Diététique. Cet excellent fruit (100 g = 40 kcal) est riche en vitamine C.

Sphérique et légèrement aplatie, la mandarine s'épluche facilement. C'est la variété wilking du Maroc qui a le moins de pépins : elle s'achète de février à avril.

Soupe de mandarines au kirsch

Pour **2 personnes**
Préparation **20 min, 2 h à l'avance**
Cuisson **3 ou 4 min**

4 mandarines ◆ kirsch ◆ liqueur de mandarine ◆ cerises confites

1 Râpez le zeste des mandarines et réservez-le. Éliminez la peau blanche et la pellicule qui recouvre les quartiers de mandarines.
2 Mettez les quartiers dans une casserole à fond épais et ajoutez 2 c. à soupe de kirsch. Faites chauffer 3 ou 4 min.
3 Répartissez les quartiers dans 2 coupes basses. Versez aussitôt 1 c. à soupe de liqueur de mandarine dans chaque coupe et poudrez de zeste. Ajoutez 3 ou 4 cerises confites et servez frais.

Proposez en accompagnement des tranches de brioche sucrées puis passées sous le gril.

➜ **autres recettes de mandarine à l'index**

Mangoustans aux framboises

Pour **4 personnes**
Préparation **15 min, 1 h à l'avance**
Cuisson **3 ou 4 secondes**

5 abricots mûrs ◆ 200 g de framboises ◆ 100 g de sucre glace ◆ 10 mangoustans ◆ eau-de-vie de framboise

1 Plongez les abricots dans une casserole d'eau portée à ébullition. Laissez 3 ou 4 secondes. Égouttez et rafraîchissez les fruits. Pelez-les, coupez-les en 2 et retirez le noyau.
2 Recoupez les moitiés d'abricots en 2, répartissez-les dans des coupes de service et arrosez-les de 2 c. à soupe d'eau-de-vie.
3 Passez rapidement les framboises au mixer et incorporez le sucre glace. Mélangez et nappez les abricots de ce coulis.
4 Fendez les mangoustans en 2, retirez la peau et répartissez la pulpe à la surface des coupes. Servez très frais.

mangoustan

Fruit rond recouvert d'une peau épaisse, le mangoustan présente des quartiers de pulpe juteuse au parfum de fraise et de pêche. On le trouve de mars à décembre. Choisissez des mangoustans à l'écorce intacte. Si celle-ci est trop dure, la chair risque d'être pourrie. Le tiers du fruit seulement est comestible : dégustez-le nature ou ajoutez la chair dans une salade de fruits exotiques. Le mangoustan entre dans la composition de confitures et de sorbets.

mangoustans

Cultivé à Java et aux Antilles, ce fruit rond de 8 cm de diamètre s'achète en Europe de mars à décembre. Chaque quartier de pulpe blanche renferme un gros noyau brun.

mangue

Ce gros fruit charnu est importé d'Afrique et d'Amérique. La mangue se choisit toujours bien mûre, souple sous le doigt avec un parfum affirmé. Sa pulpe jaune orangé, tendre et juteuse, est délicieuse nature, en sorbet, en salade de fruits avec des fraises ou des framboises, en coulis avec un peu de jus de citron ou en tarte. Idée gourmande : servez-la en tranches avec du jambon cru.

Diététique. Ce fruit exotique est assez riche en vitamine C. 100 g = 62 kcal.

Compote de mangue à l'orange

RECETTE LÉGÈRE
1 portion
70 kcal

Pour **4 personnes**
Préparation **20 min**
Cuisson **8 min**

2 grosses mangues assez mûres ◆ 2 oranges non traitées ◆ 2 c. à soupe de rhum agricole ◆ cannelle en poudre ◆ 1 gousse de vanille

1 Pelez les mangues, retirez le noyau, coupez la pulpe en cubes.
2 Lavez les oranges et prélevez 2 longs zestes. Pressez leur jus et versez-le dans une petite casserole.
3 Incorporez ensuite le rhum, quelques pincées de cannelle, les zestes d'orange et la gousse de vanille fendue en 2.
4 Portez à la limite de l'ébullition. Ajoutez les morceaux de mangue et faites cuire en remuant pendant 7 ou 8 min.
5 Versez le contenu de la casserole dans une coupe de service, retirez la vanille et les zestes d'orange.
6 Poudrez de cannelle. Laissez reposer au frais jusqu'au moment de servir.

Vous pouvez remplacer les oranges par un gros pamplemousse rose bien juteux.

La meilleure saison de la mangue varie selon l'origine : printemps pour l'Inde, été pour l'Égypte, automne pour le Pérou, hiver pour l'Afrique. Pour déguster la mangue nature : incisez la pulpe en dessinant des sillons réguliers, dans un sens puis dans l'autre pour découper des cubes puis retournez la mangue sur elle-même.

mangues

Mangue à la crème de mangue

Pour **4 personnes**
Préparation **20 min**
Cuisson **15 min**

6 jaunes d'œufs ◆ 160 g de sucre semoule ◆ 20 g de fécule ◆ 3 mangues mûres ◆ 2 c. à soupe de crème liquide ◆ 80 g de noix de coco râpée ◆ lait

1 Versez les jaunes d'œufs dans une terrine avec le sucre et la fécule. Fouettez le mélange jusqu'à ce qu'il blanchisse.
2 Pelez les mangues et retirez les noyaux. Passez la pulpe de 2 mangues à la centrifugeuse ou au mixer. Réservez le jus. Taillez en tranches minces la chair de la mangue restante.
3 Faites chauffer le jus de mangue avec la crème liquide. Versez le mélange jaunes-sucre-fécule dans une casserole à fond épais puis versez le jus de mangue.
4 Faites cuire sans cesser de remuer sur feu très doux ou au bain-marie. Quand le mélange est bien épais, retirez du feu et ajoutez un peu de lait pour le diluer.
5 Répartissez les tranches de mangue dans les assiettes de service, nappez avec la crème et poudrez de noix de coco râpée. Servez aussitôt.

Boisson vin blanc liquoreux

Mangue à la crème de mangue ▼

Vous pouvez préparer les fruits à l'avance, presser leur jus et tailler les tranches, pour ne plus avoir qu'à préparer la crème au tout dernier moment.

Poulet à la mangue

Pour **4 personnes**
Préparation **20 min**
Cuisson **40 min environ**

1 poulet de 1,5 kg coupé en morceaux ◆ 1 oignon ◆ 1 tomate ◆ 10 g de gingembre frais ◆ 2 mangues ◆ 1 citron ◆ 20 g de beurre ◆ 15 cl de bouillon de volaille ◆ huile d'arachide ◆ sel ◆ poivre ◆ poivre de Cayenne

1 Salez et poivrez les morceaux de poulet. Pelez et hachez l'oignon. Pelez la tomate et coupez la pulpe en dés. Pelez le gingembre et râpez-le. Pelez les mangues et coupez-les en 2. Retirez le noyau et écrasez la pulpe à la fourchette en ajoutant le jus du citron.
2 Faites fondre le beurre dans une poêle avec 1 c. à soupe d'huile. Ajoutez les morceaux de poulet et faites-les sauter pendant 10 min.
3 Faites chauffer 2 c. à soupe d'huile dans une cocotte et mettez-y l'oignon et la tomate. Faites fondre en remuant. Ajoutez le gingembre puis la chair de mangue.
4 Ajoutez les morceaux de poulet puis le bouillon. Salez, poivrez et ajoutez 1 pincée de cayenne. Couvrez et laissez mijoter 30 min. Servez dans un plat creux très chaud.

→ autres recettes de mangue à l'index

maquereau

→ voir aussi cotriade, groseille à maquereau, lisette

Abondant et bon marché, le maquereau est un excellent poisson, facile à cuisiner. Courant surtout de mars à novembre, il est vendu sous trois appellations : la lisette, de la taille d'une sardine, est fine et délicate ; le maquereau de ligne (mai à septembre) est excellent grillé ou en papillote ; le maquereau de chalut, qui a séjourné dans la glace, a moins bon goût. Un maquereau bien frais est très rigide, avec l'œil brillant et des reflets métalliques. Les maquereaux en conserve au vin blanc ou à la tomate doivent se consommer dans les six mois. Les filets de maquereaux fumés sont très utiles pour des salades composées.

Diététique. Un poisson dit « gras » qui réserve des surprises : 100 g = 130 kcal. Réhabilitez-le pour sa richesse en vitamines B et P.

Maquereaux à la crème

Pour **4 personnes**
Préparation **5 min**
Cuisson **25 min**

4 maquereaux de 200 g chacun ◆ 25 cl de crème fraîche ◆ 1 c. à soupe de moutarde forte ◆ 1 citron ◆ 30 g de beurre ◆ sel ◆ poivre

1 Demandez au poissonnier de vider les maquereaux en les laissant entiers.
2 Lavez-les et épongez-les. Rangez-les tête-bêche dans un plat à gratin.
3 Mélangez dans un bol la crème fraîche, la moutarde et le jus du citron. Salez et poivrez. Versez ce mélange sur les poissons. Ajoutez le beurre en parcelles.
4 Faites cuire au four à 190 °C pendant 25 min en surveillant la cuisson : la crème doit devenir onctueuse et bien enrober les poissons comme dans un gratin.
5 Servez dans le plat de cuisson en poudrant le dessus de persil frais haché ou plus simplement en donnant 1 ou 2 tours de moulin à poivre.

Pensez à un accompagnement plus original que les pommes vapeur : des pâtes fraîches ou un risotto aux champignons.

Boisson vin blanc sec

Maquereaux grillés

Pour **4 personnes**
Préparation **5 min**
Repos **20 min**
Cuisson **30 min**

4 gros maquereaux ◆ 1 citron ◆ sel ◆ poivre

1 Demandez au poissonnier de vider les maquereaux en les laissant entiers.
2 Lavez-les et essuyez-les. Pratiquez 3 ou 4 incisions en biais de chaque côté sur le flanc des poissons.
3 Salez et poivrez les maquereaux, mettez-les dans un plat et laissez reposer 20 min environ. Préchauffez le four à 200 °C.
4 Garnissez la lèche-frite d'une feuille d'aluminium. Disposez les maquereaux sur la grille de la lèchefrite.
5 Glissez le tout dans le four, à mi-hauteur, porte entrouverte, et faites dorer les maquereaux pendant 10 min.

6 Retournez-les et faites-les encore griller 10 min de l'autre côté. Fermez le four, éteignez-le et laissez les maquereaux encore 7 ou 8 min pour que la cuisson pénètre bien à cœur. Servez-les aussitôt avec des quartiers de citron frais.

Cette cuisson convient pour des maquereaux assez gros. S'ils sont plutôt petits, faites-les cuire à la nage ou au beurre dans une poêle.

Boisson muscadet

Maquereaux au vin blanc

Pour **6 personnes**
Préparation **20 min, 24 h à l'avance**
Repos **2 h**
Cuisson **20 min**

1 kg de petits maquereaux ◆ 2 carottes ◆ 1 oignon ◆ 1 l de vin blanc sec ◆ 2 brins de thym ◆ 1 feuille de laurier ◆ 8 grains de poivre ◆ 2 clous de girofle ◆ 1 citron ◆ 20 cl de vinaigre de vin blanc ◆ sel

1 Demandez au poissonnier de vider les maquereaux, de les nettoyer et de couper les têtes.
2 Lavez les poissons et essuyez-les. Rangez-les dans un plat creux et poudrez-les de sel. Laissez reposer 2 h.
3 Pelez et émincez les carottes et l'oignon. Mettez-les dans une casserole avec le vin, le thym, le laurier, le poivre et les clous de girofle. Portez à ébullition et laissez cuire 10 min. Coupez le citron en rondelles.
4 Ajoutez le vinaigre et les rondelles de citron. Portez à nouveau à ébullition pendant 5 min. Essuyez les maquereaux. Plongez les poissons dans le court-bouillon et faites reprendre l'ébullition pendant 5 min. Retirez du feu.
5 Égouttez les maquereaux et rangez-les dans une terrine en faïence ou en verre à feu. Passez le court-bouillon et versez-le bouillant sur les maquereaux. Ajoutez également les rondelles de l'oignon, des carottes et du citron.
6 Couvrez la terrine et laissez refroidir. Rangez-la ensuite dans le réfrigérateur. Elle se conserve une semaine au frais.

Boisson sancerre ou muscadet

→ **autres recettes de maquereau à l'index**

Maquereaux au vin blanc ▲

Facile, rapide et économique, cette préparation nécessite des poissons bien frais : yeux brillants et corps rigide avec des reflets argentés. Vous pouvez remplacer le citron par de l'orange.

marasquin

→ **voir aussi** biscuit glacé, coupe glacée

Cette liqueur de cerise italienne *(maraschino)* possède un parfum de noyau caractéristique et une saveur un peu amère très délicate. Elle se boit en digestif, sert à préparer des cocktails et des glaces.

marc

→ **voir aussi** marinade

Cet alcool à base de vin est distillé dans tous les pays vinicoles. En Italie, les marcs sont commercialisés sous le nom de *grappa*. En France, certaines « eaux-de-vie de marcs » bénéficient d'une appellation réglementée. C'est le cas des marcs de Bourgogne, de Champagne, de gewurztraminer, de Franche-Comté, d'Aquitaine, de Provence et des Coteaux de la Loire. Dégustez ces eaux-de-vie assez rudes, mais bien parfumées, en digestif.

marcassin

→ voir aussi gibier, sanglier

Jeune sanglier de moins de 6 mois, le marcassin a une chair tendre et savoureuse, avec un goût nettement moins fort que celui du sanglier. Inutile de faire mariner cette viande : elle se conserve bien huilée 3 à 4 jours au frais. Côtelettes et escalopes se font sauter ; le filet donne des rôtis à barder ; on cuisine aussi le marcassin en civet.

Diététique. Comme tous les gibiers, c'est un aliment peu calorique, mais attention aux sauces !

Côtelettes de marcassin aux poires

Pour 4 personnes
Préparation 15 min
Marinade 1 h
Cuisson 25 min environ

1 citron ◆ 5 baies de genièvre ◆ 2 clous de girofle ◆ 4 côtelettes de marcassin ◆ 4 poires ◆ 1 gousse de vanille ◆ 60 g de beurre ◆ 1 c. à soupe de rhum ◆ 10 cl de crème fraîche ◆ huile d'arachide ◆ vinaigre de cidre ◆ poivre en grains ◆ sel ◆ poivre

1 Mélangez 4 c. à soupe d'huile, le jus de 1/2 citron et 2 c. à soupe de vinaigre. Écrasez le genièvre et les clous de girofle, ajoutez 4 ou 5 grains de poivre concassés.

2 Réunissez ces ingrédients dans un plat creux, mettez-y les côtelettes de marcassin, retournez-les et laissez-les mariner 1 h.

3 Pelez les poires, coupez-les en 2, retirez le cœur et les pépins. Citronnez-les. Faites-les pocher 15 min environ dans une grande casserole d'eau frémissante avec la gousse de vanille. Égouttez-les et tenez-les au chaud.

4 Égouttez les côtelettes de marcassin et épongez-les. Réservez.

5 Faites fondre le beurre dans une grande poêle. Mettez-y à cuire les côtelettes en comptant 10 min de chaque côté environ. Égouttez-les et disposez-les sur un plat de service chaud.

6 Versez le rhum dans la poêle et remuez en grattant avec la spatule pour dissoudre les sucs. Ajoutez la crème fraîche et déglacez en faisant réduire. Salez et poivrez.

7 Rangez les 1/2 poires autour des côtelettes, nappez de sauce et servez aussitôt.

Vous pouvez également utiliser des poires en conserve. Faites-les réchauffer dans un peu de leur jus avec une pincée de cannelle.

Boisson **bourgogne rouge**

margarine

Cette émulsion à base d'huiles et de graisses végétales provient d'une fabrication industrielle qui varie d'une marque à l'autre. Ce n'est pas un corps gras naturel comme le beurre : les margarines contiennent aussi eau ou lait écrémé, émulsifiants, sel et conservateurs. Les matières de base sont fournies par le coprah, le soja, le tournesol, le colza, le maïs et l'huile de palme.

La margarine « standard » de cuisson, soit uniquement végétale, soit mixte (comportant une proportion d'huile de poisson ou du saindoux), est ferme à la sortie du réfrigérateur. Ne l'utilisez jamais pour une friture. La margarine à tartiner s'emploie crue, sert en pâtisserie ménagère et remplace le beurre pour certains emplois. Il existe aussi des margarines allégées et des margarines enrichies en certains acides gras.

Diététique. La teneur en matières grasses d'une margarine est la même que celle du beurre : de 82 à 84 %, celle d'une margarine allégée est de 41 %. Elle apporte la même quantité de calories (750 kcal pour 100 g). Seules les margarines riches en acides gras polyinsaturés présentent un réel intérêt nutritionnel.

marinade

→ voir aussi achard, brochettes, champignon de cueillette, citron, escabèche, maquereau, pickles, rougail, saumon

Ce liquide condimenté (vin, vinaigre, jus de citron avec des épices et des aromates) a pour but de donner un goût particulier au produit que l'on fait tremper dedans plus ou moins longtemps : viande, gibier, poisson, légumes ou même fruits. Il permet aussi de les attendrir et de les conserver pendant une durée variable. Dans la marinade cuite, tous les ingrédients sont mis à cuire puis on les verse refroidis sur la pièce à traiter. La marinade crue, en revanche, s'utilise directement. Le liquide de la marinade sert à arroser la préparation pendant sa cuisson.

Marinade crue

Pour **viandes ou gibiers**
Préparation **20 min**
Repos **4 h**
Pas de cuisson

1 carotte ◆ 2 oignons ◆ 2 échalotes ◆ 1 gousse d'ail ◆ 4 tiges de persil ◆ 1 brin de thym ◆ 1 feuille de laurier ◆ 2 clous de girofle ◆ vin rouge ou blanc ◆ cognac ◆ huile d'olive ◆ sel ◆ poivre concassé

1 Pelez la carotte, les oignons, les échalotes et l'ail. Émincez tous ces ingrédients.
2 Salez et poivrez la viande à faire mariner et mettez-la dans une terrine.
3 Ajoutez les éléments précédents, puis le persil, le thym, le laurier et les clous de girofle écrasés. Mélangez.
4 Versez suffisamment de vin pour recouvrir la viande et ajoutez 1 petit verre de cognac. Versez en dernier un filet d'huile à la surface.
5 Laissez reposer au moins 4 h en retournant la viande plusieurs fois.

Au frais, la marinade peut se prolonger de 24 à 48 h pour une viande de 2e ou 3e catégorie ou une pièce de gibier. Avec du vin rouge, pour une daube, vous pouvez ajouter un morceau d'écorce d'orange séchée.

Marinade cuite

Pour **viandes ou gibiers**
Préparation **10 min**
Cuisson **30 min**

1 carotte ◆ 1 branche de céleri ◆ 2 oignons ◆ 2 échalotes ◆ 1 gousse d'ail ◆ huile d'olive ◆ thym ◆ laurier ◆ vin blanc ou rouge ◆ vinaigre ◆ sel ◆ poivre concassé

1 Pelez la carotte et émincez-la ainsi que le céleri. Pelez et hachez les oignons, les échalotes et l'ail.
2 Faites chauffer l'huile dans une casserole, ajoutez les légumes et faites-les revenir. Salez et poivrez. Ajoutez 1 brin de thym et 1 feuille de laurier. Laissez colorer légèrement.
3 Mouillez avec suffisamment de vin pour recouvrir la viande à mariner, en tenant compte d'une certaine évaporation pendant la cuisson. Ajoutez 10 cl de vinaigre pour 75 cl de vin.
4 Couvrez, laissez cuire à petite ébullition pendant 30 min environ. Retirez du feu et laissez refroidir.
5 Salez et poivrez la viande à faire mariner, versez la marinade dessus et laissez reposer.

Pour un rôti de biche de 1,2 kg, comptez 75 cl de vin et 1 l pour une gigue de chevreuil.

marjolaine

Également appelée origan, la marjolaine est une plante aromatique typique de la cuisine méditerranéenne (pizza, daube, sauce tomate). Elle se conserve très bien séchée.

marmelade

Purée épaisse préparée avec des fruits entiers ou en morceaux, macérés dans du sucre et cuits avec ce sucre. Dans le commerce, le nom de « marmelade » est réservé aux préparations à base d'agrumes ; mais, en cuisine ménagère, on peut préparer des marmelades avec tous les fruits.

Marmelade d'oranges

Pour **5 pots de 500 g**
Préparation **30 min sur 3 jours**
Cuisson **1 h 40 environ**

7 belles oranges à peau fine ◆ 1 citron ◆ 1,5 kg de sucre semoule

1 Coupez les oranges en 2. Pressez leur jus. Réunissez les pépins dans un petit sachet en mousseline.
2 Passez au hachoir toutes les écorces telles qu'elles sont après les avoir pressées. Mettez dans une terrine le jus, les pépins et les écorces hachées. Ajoutez 6 verres d'eau froide. Laissez reposer 24 h.
3 Versez le contenu de la terrine dans une casserole. Faites bouillir 40 min. Versez à nouveau dans la terrine et laissez reposer 24 h.
4 Ajoutez le sucre et le jus du citron. Laissez reposer 3 h puis faites bouillir encore 1 h. Retirez le sachet de pépins et mettez en pots. Laissez refroidir et couvrez *(voir page 196)*.

Goyères au maroilles ▲

Spécialité réputée de la ville de Valenciennes notamment, ces tartelettes au fromage du Nord se servent volontiers avec un assortiment de salades vertes.

Marmelade de pommes

Pour **4 pots de 500 g**
Préparation **25 min**
Cuisson **1 h**

2 kg de pommes reinettes ◆ 1 kg de sucre semoule ◆ 2 citrons ◆ 1 gousse de vanille

1 Lavez les pommes et ôtez les queues. Retirez le cœur et les pépins à l'aide d'un vide-pomme sans les peler. Râpez grossièrement les pommes, peau et pulpe. Ajoutez le sucre et le jus d'un citron au fur et à mesure.
2 Versez le tout dans une bassine à confitures et ajoutez la gousse de vanille fendue en 2. Faites cuire doucement en remuant de temps en temps pendant 1 h environ.
3 Ajoutez le jus du citron restant en fin de cuisson. Mélangez intimement et mettez en pots. Laissez refroidir et couvrez *(voir page 196)*.

Variante : utilisez des poires un peu vertes.

maroilles

Fromage de lait de vache à pâte molle et à croûte lavée, lisse et brillante, le maroilles est un gros pavé carré à la saveur corsée et au bouquet affirmé. Comme tous les fromages du nord de la France, on l'accompagne volontiers de bière. Il entre dans la préparation de plusieurs spécialités régionales.

Diététique. 100 g de maroilles = 300 kcal environ.

Goyères au maroilles

Pour **6 personnes**
Préparation **40 min**
Cuisson **30 min**

200 g de farine ◆ 150 g de beurre ◆ 250 g de maroilles ◆ 150 g de fromage frais bien ferme ◆ 3 œufs ◆ sel ◆ poivre

1 Préparez une pâte brisée avec la farine, 100 g de beurre, 1/2 c. à café de sel et 1/2 verre d'eau. Garnissez-en 6 moules à tartelette. Laissez reposer au frais.
2 Pendant ce temps, écroûtez le maroilles et coupez-le en petits dés. Mélangez-les avec le fromage frais et les œufs battus en omelette. Salez modérément à cause du fromage. Poivrez. Versez cette préparation dans les moules.
3 Faites cuire au four à 200 °C pendant 10 min. Ajoutez le reste de beurre en parcelles à la surface de la tarte.
4 Enfournez à nouveau pendant 10 min. Servez en entrée chaude.

Boisson vin rouge corsé ou bière blonde

marron

→ voir aussi **bûche de Noël, châtaigne**

Ce fruit provient de variétés améliorées de châtaigniers, où la bogue ne contient qu'un seul fruit. Achetés frais en décembre et janvier, les marrons doivent être lourds, durs et bien brillants. Une fois épluchés, ils sont braisés, étuvés au beurre, cuits dans du lait ou grillés à la poêle, selon leur emploi ultérieur (garniture de gibier, purée, pâtisserie). En conserve au naturel, ils doivent être entiers : égouttez-les, puis faites-les chauffer dans un jus de cuisson.

Diététique. 100 g de marrons frais = 200 kcal.

Purée de marrons au céleri

Pour **6 personnes**
Préparation **1 h**
Cuisson **35 min environ**

1 kg de marrons ◆ 500 g de céleri-rave ◆ 100 g de beurre ◆ 10 cl de crème fraîche ◆ 30 cl de lait ◆ sucre semoule ◆ sel ◆ poivre blanc

1 Épluchez les marrons : incisez-les en cercle 1 par 1 et soulevez la peau de part et d'autre. Pelez le céleri-rave et coupez-le en morceaux.
2 Mettez les marrons épluchés et le céleri dans une casserole, couvrez d'eau, salez et ajoutez 1 pincée de sucre. Faites cuire à petits bouillons pendant 30 min.
3 Égouttez le contenu de la casserole et passez-le au tamis ou au moulin à légumes. Versez la purée dans une casserole.
4 Ajoutez le beurre par morceaux et la crème. Travaillez le mélange pendant 3 ou 4 min sur feu modéré.
5 Versez peu à peu le lait jusqu'à consistance onctueuse. Rectifiez l'assaisonnement et servez très chaud.

Servez cette purée avec un rôti de porc dans l'échine, des côtelettes de chevreuil, des cailles aux petits oignons ou un poulet rôti.

→ **autres recettes de marron à l'index**

marron glacé

Le marron glacé est une spécialité de l'Ardèche. Cette production est surtout artisanale. Triés, décortiqués, lavés, cuits et épluchés, les marrons sont plongés dans un sirop vanillé. Ils sont ensuite arrosés pendant 48 h, nuit et jour, avec des sirops de sucre de plus en plus concentrés, à des températures croissantes.

Un bon marron glacé doit être bien bombé, moelleux et sans rides trop profondes. La pellicule de sucre qui lui donne un vernis brillant doit être fine. Les marrons glacés se trouvent surtout au moment des fêtes de fin d'année. Ils se dégustent en friandise. En pâtisserie, utilisez plutôt des brisures de marrons glacés, moins onéreuse.

Diététique. Délicieux, mais... 100 g = 305 kcal.

Délice aux marrons glacés

Pour **4 personnes**
Préparation **10 min**
Repos **2 à 3 h**
Pas de cuisson

80 g de marrons glacés ◆ 1 c. à soupe de cacao en poudre ◆ 3 c. à soupe de sucre glace ◆ 2 c. à soupe de kirsch ◆ 15 cl de crème fraîche ◆ 2 blancs d'œufs

1 Mettez les marrons glacés dans une terrine et écrasez-les à la fourchette. Ajoutez le cacao et le sucre glace, continuez à écraser le mélange pendant 2 ou 3 min.
2 Incorporez le kirsch et travaillez le tout jusqu'à consistance onctueuse.
3 Fouettez la crème fraîche et tenez-la au froid. Fouettez les blancs d'œufs en neige.
4 Incorporez d'abord la crème puis les blancs en neige. Le mélange doit se faire délicatement. Versez cette préparation dans un compotier et mettez celui-ci dans le réfrigérateur pendant au moins 2 h.
5 Servez froid avec des meringues ou des langues-de-chat.

Vous pouvez remplacer le kirsch par du rhum ou de la crème de cacao. Utilisez de préférence des brisures de marrons glacés.

Au lieu de servir ce dessert dans un compotier, vous pouvez le préparer dans des coupes individuelles. Il se congèle parfaitement bien.

marsala

→ **voir aussi** sabayon

Vin de dessert, le plus connu des vins de liqueur italiens, produit en Sicile, le marsala est à base de vin blanc aromatique additionné d'eau-de-vie. On obtient ainsi le marsala *vergine,* qui est blanc, très sec, et titre 17 ou 18 % Vol. Plus ou moins additionné de sirop de raisin, qui lui donne une teinte brune et un goût de caramel, il devient *superiore* ou *italia,* selon sa douceur.

En cuisine, son parfum est délicieux avec le veau. On l'utilise aussi en pâtisserie, pour réaliser un sabayon, par exemple.

Noisettes de veau au marsala

Pour **4 personnes**
Préparation **5 min**
Cuisson **15 min environ**

600 g de noix de veau ◆ 60 g de beurre ◆ 4 feuilles de sauge fraîche ◆ 10 cl de marsala sec ◆ farine ◆ sel ◆ poivre

1 Demandez au boucher de tailler le morceau de veau en 8 noisettes régulières de 75 g.
2 Faites fondre le beurre dans une poêle et ajoutez-y la sauge. Lorsqu'il ne mousse plus, ajoutez les noisettes de veau salées et poivrées.
3 Faites-les cuire bien régulièrement sur feu vif pendant 4 à 5 min. Égouttez-les.
4 Délayez dans une tasse 15 g de farine, 4 c. à soupe d'eau et le marsala.
5 Versez ce mélange dans la poêle et portez à ébullition. Baissez le feu et faites cuire en remuant pendant 10 min.
6 Lorsque la sauce a une consistance onctueuse, remettez les noisettes de veau dans la poêle pour les réchauffer 2 min dans la sauce.
7 Répartissez la viande dans les assiettes de service chaudes. Nappez de sauce et servez aussitôt.

Boisson **vin blanc moelleux**

massepain

Cette petite pâtisserie est à base d'amandes pilées, de sucre et de blancs d'œufs, colorée et aromatisée. Elle est souvent glacée au sucre ou pralinée.

Les massepains sont également des petits sujets façonnés en pâte d'amandes.

Massepains roses

Pour **20 pièces environ**
Préparation **20 min**
Cuisson **15 min**

2 blancs d'œufs ◆ 45 g de crème de riz ◆ 60 g de sucre semoule ◆ 60 g d'amandes en poudre ◆ 20 g de beurre ◆ colorant alimentaire (carmin)

1 Fouettez les blancs d'œufs en neige très ferme. Ajoutez-leur la crème de riz sans trop travailler le mélange.
2 Incorporez ensuite le sucre et les amandes en poudre. Ajoutez à la masse obtenue 2 ou 3 gouttes de colorant.
3 Beurrez une feuille de papier sulfurisé et posez-la sur la tôle du four. Prélevez des petits tas de pâte avec une cuiller et disposez-les sur le papier en les espaçant bien.
4 Faites cuire 15 min au four à 180 °C pendant. Lorsque les massepains sont dorés, retirez-les du four, décollez-les du papier. Laissez-les refroidir.

matelote

→ **voir aussi** meurette

Préparée avec des poissons de rivière, de l'anguille surtout, la matelote est une étuvée au vin rouge ou blanc avec des aromates.

Par extension, on prépare aussi en matelote la cervelle, le veau ou les œufs. Sa garniture comprend en général des champignons, des lardons et des petits oignons.

Matelote au vin rouge

Pour **6 personnes**
Préparation **30 min**
Cuisson **20 min environ**

2 kg de petits poissons de rivière (brochetons, anguilles, truites) ◆ 2 oignons ◆ 2 gousses d'ail ◆ 2 échalotes ◆ 1,5 l de vin rouge ◆ 1 bouquet garni ◆ 80 g de beurre ◆ 50 g de farine ◆ marc de Bourgogne ◆ sel ◆ poivre

1 Écaillez et videz les poissons. Coupez les têtes. Tronçonnez les poissons. Pelez et émincez les oignons, l'ail et les échalotes.
2 Versez le vin dans une grande casserole. Ajoutez tous les aromates et le bouquet garni. Portez à ébullition.
3 Ajoutez les poissons et 2 c. à soupe de marc. Salez et poivrez. Laissez cuire à découvert à petits frémissements pendant 10 min.
4 Malaxez 50 g de beurre avec la farine. Retirez le bouquet garni. Incorporez le beurre manié par petites parcelles dans la cuisson en fouettant pendant 5 min.
5 Ajoutez enfin le reste de beurre frais. Mélangez et servez dans un plat creux.

Boisson **vin rouge**

mayonnaise

→ voir aussi aïoli

Cette sauce froide est une émulsion à base de jaune d'œuf et d'huile. Servez-la en saucière avec tous les mets froids. Employez-la aussi comme décor ou assaisonnement.

Diététique. 1 c. à soupe = 145 kcal.

Sauce mayonnaise

Pour **6 personnes**
Préparation **10 min**
Pas de cuisson

2 jaunes d'œufs ◆ 50 cl d'huile de tournesol ◆ moutarde ◆ vinaigre de vin blanc ◆ sel ◆ poivre au moulin

1 Sortez tous les ingrédients à température ambiante 30 min avant de commencer. Cassez les œufs et mettez les jaunes dans un grand bol.

2 Ajoutez aux jaunes d'œufs 1 c. à café de moutarde, 1 pincée de sel et 2 tours de moulin à poivre. Fouettez.

3 Ajoutez 1 c. à café de vinaigre de vin et mélangez à nouveau rapidement. Vous pouvez remplacer le vinaigre par du jus de citron.

4 Ajoutez un filet d'huile et fouettez vivement jusqu'à ce que le mélange commence à prendre.

5 Incorporez petit à petit tout le reste de l'huile sans cesser de fouetter. La mayonnaise doit alors être bien ferme. Mettez au frais, mais pas au réfrigérateur.

Mayonnaise allégée (pour 4 personnes) : 2 jaunes d'œufs durs battus avec 1 pointe de moutarde et 150 g de fromage blanc à 0 % de matières grasses (50 kcal par personne).

Vous pouvez choisir de l'huile d'olive, d'arachide ou de maïs, mais l'huile de tournesol a le meilleur pouvoir émulsionnant.

Si vous avez raté votre mayonnaise, rattrapez-la en mettant 1 c. à soupe d'eau très froide dans un bol propre : versez petit à petit dedans la mayonnaise ratée et fouettez-la à nouveau jusqu'à ce qu'elle soit ferme.

Pour aromatiser une mayonnaise nature (pour 50 cl) : 5 anchois au sel complètement dessalés et réduits en purée fine (ou 2 c. à soupe de pâte d'anchois) ; 4 c. à soupe de feuilles de cresson finement hachées.

1

2

3

4

5

Mayonnaise de crabe au concombre

Pour **4 personnes**
Préparation **40 min**, mayonnaise **10 min**
Pas de cuisson

500 g de concombre ◆ 1 laitue ◆ 1 boîte de chair de crabe ◆ 1 citron ◆ 50 cl de mayonnaise ◆ 10 olives noires ◆ 2 c. à soupe de câpres ◆ curry en poudre ◆ huile d'olive ◆ vinaigre à l'estragon ◆ sel ◆ poivre

1 Pelez le concombre. Taillez-le en très fines rondelles. Poudrez-les de sel et laissez-les reposer au réfrigérateur.
2 Lavez, effeuillez et essorez la salade. Taillez-la en grosse chiffonnade. Ouvrez la boîte de chair de crabe. Égouttez celle-ci et éliminez soigneusement les cartilages. Mettez le crabe dans un bol avec le jus du citron.
3 Préparez une vinaigrette légère avec 3 c. à soupe d'huile et 1 c. à soupe de vinaigre. Salez et poivrez. Incorporez à la mayonnaise 1 c. à café de curry. Dénoyautez les olives et hachez-les grossièrement. Égouttez les câpres.
4 Assaisonnez la chiffonnade de laitue avec la vinaigrette. Rincez le concombre et égouttez-le en le pressant dans vos mains.
5 Répartissez la chiffonnade de laitue dans des assiettes de service. Ajoutez par-dessus une couche de concombre puis la chair de crabe. Nappez de mayonnaise au curry.
6 Ajoutez en garniture les olives noires et les câpres. Servez frais.

→ **autres recettes de mayonnaise à l'index**

méchoui

Ce plat typique d'Afrique du Nord se prépare avec un agneau entier dépouillé et vidé, salé et condimenté (oignons hachés, menthe fraîche, thym, romarin, sel, poivre et beurre).

Embroché de la tête à la queue, enduit de beurre fondu, il est mis à rôtir au-dessus d'un feu de braises allumé dans une fosse creusée dans le sol. Il est cuit lorsqu'il ne laisse plus filtrer de gouttelettes de jus rose quand on le pique. La peau doit être bien croustillante. Proposez en même temps sel, cumin en poudre ou piment.

mélisse

Cette plante aromatique se reconnaît à son odeur marquée de citron. Elle peut servir à relever la cuisson d'une volaille, d'un poisson ou d'une viande blanche, à parfumer un potage ou une farce. En pâtisserie, son parfum est apprécié pour des gâteaux au citron ou à l'orange.

melon

Fruit rond et côtelé, ce fruit d'été possède une chair orange et sucrée, juteuse et parfumée. Un bon melon est lourd quand on le soupèse, avec une peau épaisse, souple et sans tache. Ne vous fiez pas à l'odeur : un melon trop mûr ou qui a subi des variations de température peut être très parfumé.

Le melon doit se consommer 5 jours après la cueillette. Mettez-le dans un endroit frais et aéré mais pas au réfrigérateur, car son parfum est envahissant. Pelé, citronné, sucré et emballé tranche par tranche, le melon se congèle très bien. En hors-d'œuvre, servez-le frais mais non glacé, simplement poivré ou avec du jambon cru. Évitez de verser dans le fruit un vin doux et servez plutôt un verre de porto ou de frontignan à part. En dessert, servez-le nature, poudré de gingembre ou frappé et garni de fruits de saison, frais ou macérés dans un vin cuit.

Diététique. Peu calorique malgré son goût sucré, le melon est riche en eau et en carotène. 100 g de melon = 30 kcal.

melon jaune canari

Melon glacé

Pour **6 personnes**
Préparation **15 min, 2 h à l'avance**
Cuisson **5 min**

150 g de sucre semoule ◆ 1 gousse de vanille ◆ 3 melons moyens ◆ 1 l de glace à la vanille

1 Mettez le sucre dans une casserole avec 1 verre d'eau et la gousse de vanille fendue dans le sens de la longueur. Faites bouillir pendant 5 min, puis laissez refroidir.
2 Coupez les melons en 2. Retirez soigneusement les pépins. Évidez ensuite la pulpe avec une cuiller parisienne pour obtenir des petites boules.
3 Mettez les boules de pulpe dans une terrine et arrosez-les de sirop à la vanille. Tenez-les au frais, ainsi que les 1/2 melons creusés.
4 Au moment de servir, remplissez les melons avec des petits cubes de glace mélangés avec les boules de melon. Servez chaque 1/2 melon dans une coupe en verre garnie de glace pilée.

Melon au jambon cru

Pour **2 personnes**
Préparation **10 min**
Pas de cuisson

1 melon mûr à point ◆ 4 fines tranches de jambon de Parme ◆ poivre noir

1 Lavez le melon et essuyez-le. Coupez-le en 4 et retirez les graines avec une cuiller.
2 Placez 2 quartiers de melon par assiette. Ne retirez pas le gras du jambon de Parme, aussi délicieux que le maigre. Ajoutez 2 tranches de jambon par assiette en garniture, enroulées sur elles-mêmes.
3 Ne mettez surtout pas au réfrigérateur et servez à température ambiante, en donnant 2 tours de moulin à poivre.

Certains amateurs recommandent de déguster le melon non pas à la petite cuiller, mais avec un couteau et une fourchette, car le dos de la cuiller fait écran entre le goût du melon et les papilles de la langue.

Boisson vin doux

→ **autres recettes de melon à l'index**

melon de Cavaillon

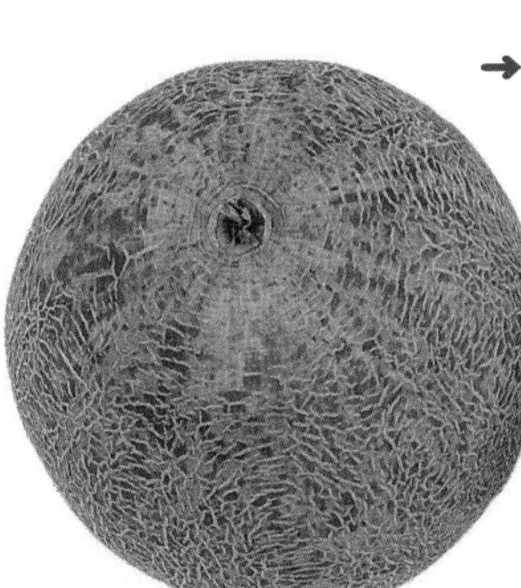

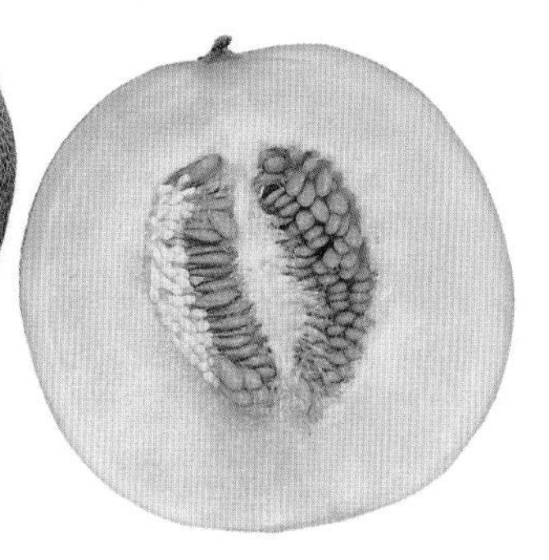

melon galia

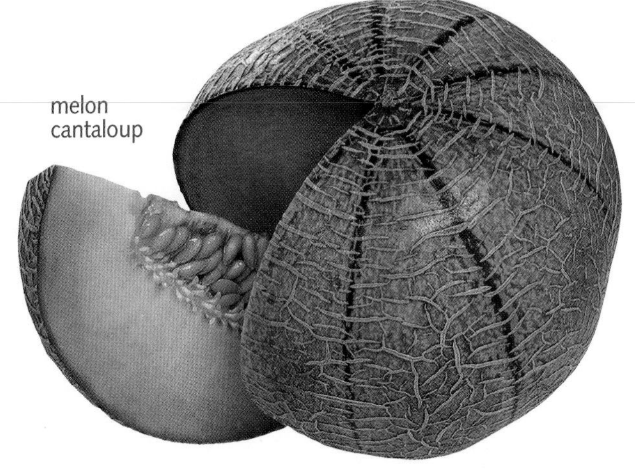

melon cantaloup

Nettement plus savoureux et parfumé que la pastèque, le melon est à point lorsqu'il est lourd pour son volume et que le pédoncule a tendance à se détacher. Si l'écorce est légèrement fendillée, consommez-le le jour même. Le melon femelle est réputé le meilleur : c'est celui où le côté opposé au pédoncule présente un large cercle pigmenté.

mendiants

C'est le nom que porte un assortiment tout prêt de quatre fruits secs : amandes, figues, noisettes et raisins secs. On les utilise aussi pour confectionner des entremets.

menthe

→ voir aussi chiche-kebab, gigot, rouleau de printemps

Cette plante vivace aromatique très odorante se présente sous plusieurs variétés. La plus courante est la menthe douce : utilisez-la fraîche pour parfumer une salade de concombre, des petits pois ou du tabboulé. Séchée, elle agrémente l'agneau grillé. La menthe aquatique et la menthe pouliot, plus rares, s'emploient de la même façon. La menthe poivrée et la menthe citronnée, très parfumées, interviennent plutôt en pâtisserie et dans les liqueurs.

menthe

Noisettes d'agneau à la menthe

Pour **4 personnes**
Préparation **20 min**
Cuisson **12 min environ**

12 petits oignons blancs ◆ 30 g de beurre ◆ 20 feuilles de menthe ◆ 8 côtelettes ◆ sucre semoule ◆ vinaigre de cidre ◆ sel ◆ poivre

1 Pelez les petits oignons. Mettez-les dans une casserole avec 2 c. à soupe d'eau, le beurre en parcelles et 2 c. à café de sucre. Couvrez et faites cuire 10 min sur feu modéré. Découvrez et laissez évaporer le liquide. En fin de cuisson, les petits oignons doivent être caramélisés.
2 Portez à ébullition 1 c. à soupe de sucre et 3 c. à soupe d'eau. Lorsque le sucre est fondu, retirez du feu, ajoutez la menthe et 4 c. à soupe de vinaigre. Mélangez à fond et laissez reposer.
3 Salez et poivrez les noisettes d'agneau. Faites-les griller ou poêler en comptant 3 min de chaque côté environ. Répartissez-les sur les assiettes de service, entourez-les d'oignons glacés et servez la sauce à la menthe à part.

Tomates à la menthe

Pour **4 personnes**
Préparation **15 min**
Repos **15 min**
Pas de cuisson

RECETTE LÉGÈRE — 1 portion 155 kcal

10 ou 12 feuilles de menthe fraîche ◆ 5 c. à soupe d'huile d'olive ◆ 1 citron ◆ 800 g de tomates assez fermes ◆ sel ◆ poivre

1 Lavez et épongez les feuilles de menthe. Hachez-les finement. Mélangez dans un saladier l'huile et le jus du citron. Salez et poivrez.
2 Lavez les tomates, essuyez-les et coupez-les en quartiers. Éliminez le maximum de petites graines.
3 Ajoutez les tomates dans le saladier avec la menthe. Mélangez et laissez reposer à température ambiante sans mettre au frais, pour que le parfum de la menthe imprègne les tomates.

→ autres recettes de menthe à l'index

merguez

Cette petite saucisse mince et longue est à base de bœuf et de mouton. On la reconnaît à sa couleur rouge, car elle est relevée de piment. Traditionnelle en Espagne et en Afrique du Nord, elle est aujourd'hui courante en France. Faites-la frire ou griller, utilisez-la pour composer des brochettes ou garnir un couscous.

meringue

→ voir aussi omelette norvégienne, progrès, vacherin, zuppa inglese

À base de blancs d'œufs et de sucre, la pâte à meringue se caractérise par sa légèreté. Mousseuse, moelleuse ou croquante selon sa cuisson, la meringue connaît en pâtisserie des emplois différents. La meringue ordinaire utilisée telle quelle donne les œufs à la neige et, cuite au four, la gamme des coquilles sèches.

Noisettes d'agneau à la menthe ►

Ces noisettes d'agneau s'inspirent d'une spécialité anglaise. Vous pouvez remplacer les oignons caramélisés par un confit d'échalotes.

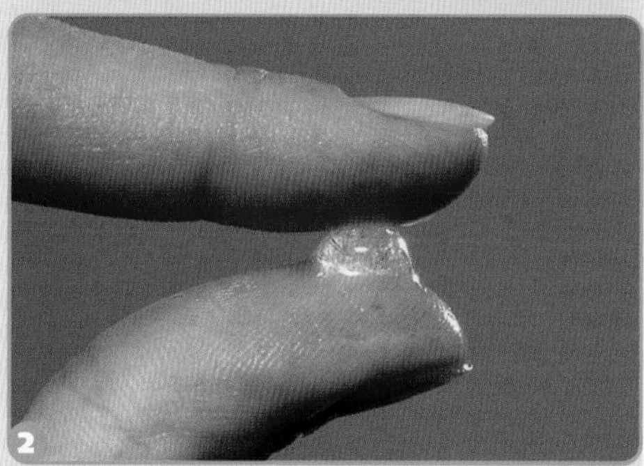

Meringue italienne

Pour **une tarte de 6 personnes**
Préparation **15 min**
Cuisson **7 ou 8 min**

250 g de sucre semoule ◆ 4 blancs d'œufs

1 Versez le sucre dans une casserole avec 10 cl d'eau. Mettez la casserole sur feu vif et faites dissoudre le sucre en remuant avec une spatule. Écumez la mousse qui s'est formée en surface et nettoyez les parois de la casserole avec un pinceau mouillé d'eau.

2 Continuez à faire cuire le sirop jusqu'au stade du grand boulé : une goutte de sirop versée dans un bol d'eau froide forme une boule que l'on peut modeler entre ses doigts. Retirez du feu aussitôt.

3 Montez vivement les blancs d'œufs en neige très ferme à l'aide d'un fouet électrique. Versez alors le sirop de sucre en filet mince et continu sur les blancs en neige, sans cesser de fouetter la composition. Cette opération est plus facile si vous demandez à quelqu'un de fouetter les blancs pendant que vous faites cuire le sirop.

4 Lorsque tout le sirop est incorporé aux blancs, continuez de fouetter la composition jusqu'à ce qu'elle soit refroidie. La meringue doit être alors bien épaisse et satinée.

5 Introduisez la pâte dans une poche à douille unie ou cannelée et garnissez de pointes de meringue le dessus d'une tarte ou d'un gâteau.

La meringue italienne peut se conserver au réfrigérateur quelques heures jusqu'au moment de l'emploi. Couvrez le récipient et placez-le dans le bas de l'appareil.

La meringue italienne sert surtout à garnir les tartes et les gâteaux que l'on passe quelques minutes à four chaud juste pour dorer le dessus.

On l'utilise également pour alléger des garnitures ou des mousses, pour confectionner des biscuits glacés, des crèmes au beurre, des sorbets et des soufflés glacés ou encore pour réaliser des petits fours.

Pâte à meringues

Pour **20 meringues environ**
Préparation **20 min**
Cuisson **3 h environ**

4 œufs ◆ **250 g de sucre semoule** ◆ **beurre** ◆ **farine**

1 Cassez les œufs 1 par 1 au-dessus d'un bol en laissant s'écouler tout le blanc. Mettez les jaunes à part. Veillez surtout à ce que nulle trace de jaune ne reste dans les blancs : ils ne monteraient pas bien.

2 Mettez les blancs d'œufs dans un grand récipient parfaitement propre, en porcelaine, en verre ou, mieux, en cuivre (ce métal provoque une réaction chimique avec les blancs, qui produit une neige très stable). Battez-les au fouet, assez lentement, en formant des huit. Lorsque la mousse devient translucide, fouettez plus vite en soulevant le fouet pour incorporer de l'air à la masse.

3 Quand la neige commence à prendre, saupoudrez-la avec un peu de sucre, tout en continuant à fouetter. Ajoutez du sucre semoule jusqu'à ce que le mélange devienne ferme et brillant.

4 Incorporez ensuite le reste de sucre en poudrant les blancs par petites quantités et en fouettant vigoureusement entre chaque ajout. Lorsque tout le sucre est incorporé, la masse doit être très ferme et bien satinée, et tenir solidement sur les branches du fouet.

5 Beurrez et farinez la plaque du four. Préchauffez le four à 100 °C. Introduisez la pâte à meringues dans une poche à douille unie ou cannelée. Déposez des petits tas de pâte allongés ou arrondis sur la tôle. Faites cuire dans le four pendant 3 h : il s'agit surtout de sécher la pâte sans vraiment la cuire. Laissez refroidir les meringues pendant 30 min. Vous pouvez aussi déposer des tas de pâte sur la tôle à l'aide de petites cuillers.

La pâte à meringues doit être façonnée et cuite dès qu'elle est prête, sinon elle absorbe l'humidité et se désagrège.

Ces meringues servent à confectionner toutes sortes de petits gâteaux. Assemblez-les 2 par 2 avec de la crème ganache (ou pralinée), enrobez-les de crème au beurre et recouvrez-les ensuite de chocolat râpé (ou de pralin concassé).

Vous pouvez aussi parfumer la pâte avec du zeste d'orange et enrober les meringues de fondant aromatisé au même parfum.

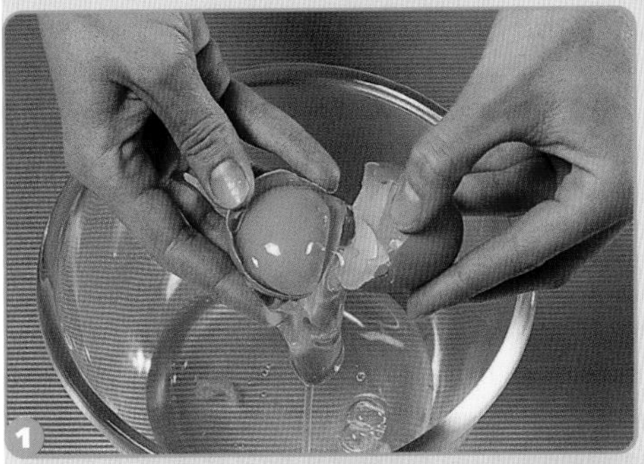

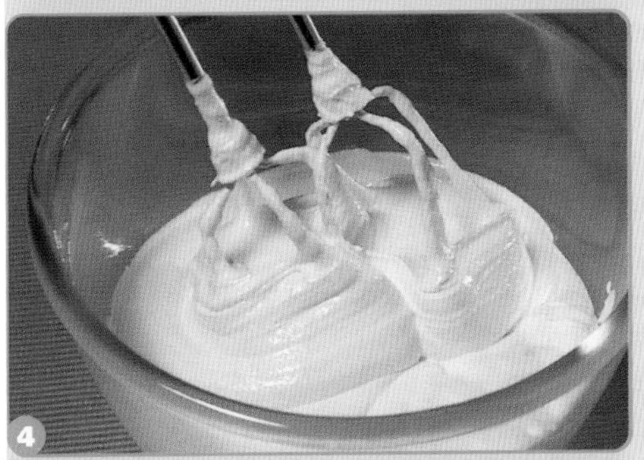

merlan

Poisson de l'Atlantique voisin de l'aiglefin ou du cabillaud, le merlan est disponible une grande partie de l'année, entier ou en filets, à un prix abordable. Sa chair fine et feuilletée se « défait » facilement : ce poisson demande donc une cuisson attentive. La papillote lui convient très bien. Aussi bon frit que grillé ou poché, farci ou en paupiettes, avec un assaisonnement assez relevé, il est également recommandé pour les pains ou les terrines.

Diététique. Ce poisson maigre facile à digérer ne fournit que 70 kcal pour 100 g. Évitez les corps gras pour en faire un aliment vraiment diététique.

Filets de merlan au vin blanc

Pour **4 personnes**
Préparation **15 min**
Cuisson **20 min**

4 filets de merlan de 180 g chacun ◆ 80 g de beurre ◆ 4 échalotes ◆ 100 g de champignons de couche ◆ 1 citron ◆ farine ◆ vin blanc ◆ cerfeuil ou persil ◆ sel ◆ poivre

1 Essuyez les filets des merlan farinez-les très légèrement et rangez-les dans un plat à gratin bien beurré.
2 Pelez et hachez finement les échalotes. Nettoyez les champignons et émincez-les. Faites fondre le reste de beurre dans une casserole, ajoutez les échalotes et faites-les cuire doucement pendant 5 min. Salez et poivrez.
3 Ajoutez les champignons, mélangez et poursuivez la cuisson pendant encore 3 min.
4 Étalez cette préparation sur les filets de merlan, mouillez avec 2 ou 3 c. à soupe de vin blanc. Couvrez le plat d'une feuille d'aluminium et faites cuire 15 min dans le four à 220 °C.
5 Ciselez 2 c. à soupe de cerfeuil ou de persil. Sortez le plat du four, retirez la feuille d'aluminium, arrosez d'un jus de citron et ajoutez les fines herbes. Servez aussitôt.

En accompagnement de ces filets de merlan servis directement dans le plat, vous pouvez présenter des demi-fenouils braisés ou un gratin de potiron au parmesan.

Boisson vin blanc sec

Merlans frits au citron

Pour **6 personnes**
Préparation **15 min**
Cuisson **20 min**

6 merlans de 200 g ◆ 25 cl de lait ◆ 100 g de farine ◆ 3 citrons ◆ huile de friture ◆ persil frisé ◆ sel ◆ poivre

1 Demandez au poissonnier de vider les merlans par les ouïes. Faites tremper les merlans 10 min dans le lait salé et poivré.
2 Égouttez-les et épongez-les. Arrondissez chaque poisson en couronne pour lui introduire la queue dans la gueule. Ficelez la mâchoire pour qu'il reste dans cette position.
3 Faites chauffer l'huile de friture. Pendant ce temps, farinez les merlans en les roulant plusieurs fois dans la farine.
4 Plongez les merlans dans la friture et faites-les dorer en les retournant 2 ou 3 fois à l'aide d'une écumoire.
5 Égouttez-les sur du papier absorbant lorsqu'ils sont bien croustillants. Salez et poivrez. Servez-les avec des quartiers de citron et un bouquet de persil frisé.

Ces « merlans en colère » se préparent aussi plus simplement. Vous pouvez les faire frire sans les enrouler et en les ciselant sur le dos. Servez-les avec une sauce tartare ou une mayonnaise bien relevée.

Boisson vin blanc très sec

→ autres recettes de merlan à l'index

merlan (viande)

→ voir aussi bœuf, poire (viande)

Petite pièce de viande de bœuf longue et plate, fournie par le tende de tranche : délicieux et bien tendre, ce « morceau du boucher » réservé aux amateurs se fait griller ou poêler comme un bifteck.

merlu

Il s'agit de l'appellation normalisée du colin, poisson courant toute l'année, très demandé mais sans grande saveur. Vendu entier s'il est de taille moyenne, le merlu est souvent débité en tronçons ou en tranches : les déchets sont moins importants. Surveillez de près sa cuisson, car la chair a tendance à se défaire. Toutes les recettes du cabillaud lui conviennent parfaitement.

Ne confondez pas le merluchon, merlu de petite taille, et la merluche, poisson de roche à la chair un peu fade qui se prépare comme la julienne.

Diététique. 100 g de merlu = 86 kcal.

Tranches de merlu au curry

Pour **6 personnes**
Préparation **20 min**
Cuisson **30 min**

6 tranches de merlu de 150 g ◆ 4 ou 5 échalotes ◆ 60 g de beurre ◆ 25 cl de crème fraîche ◆ curry doux ◆ sel ◆ poivre

1 Rincez et épongez les tranches de merlu. Salez-les et poivrez-les sur les 2 faces.
2 Pelez et émincez finement les échalotes. Faites chauffer le beurre dans une petite casserole, ajoutez les échalotes et laissez-les cuire doucement sans coloration pendant 5 min.
3 Étalez-les uniformément dans le fond d'un plat à gratin. Posez les tranches de merlu dessus.
4 Versez 2 c. à soupe rases de curry dans la crème et mélangez, salez légèrement et poivrez. Versez cette préparation sur le poisson.
5 Faites cuire dans le four à 200 °C pendant 10 min en surveillant bien. Lorsque l'ébullition commence, baissez le four à 160 °C et poursuivez la cuisson doucement pendant 15 à 20 min.

Proposez en accompagnement du riz nature. La même recette convient pour le cabillaud.

Boisson vin rosé sec

Filets de mérou à l'anis

RECETTE LÉGÈRE — 1 portion 350 kcal

Pour **4 personnes**
Préparation **10 min**
Cuisson **17 min**

4 filets de mérou de 160 g environ ◆ 4 échalotes ◆ 1 gousse d'ail ◆ 15 cl de vin blanc ◆ 20 g de beurre ◆ 1 c. à café de graines d'anis ◆ 10 cl de crème liquide ◆ safran ◆ thym ◆ fécule de maïs ◆ sel ◆ poivre

1 Rincez et épongez les filets de mérou, salez-les et poivrez-les. Pelez et hachez finement les échalotes et l'ail.
2 Versez le vin dans une casserole, ajoutez 10 cl d'eau, l'ail, les échalotes, le beurre en parcelles, 1 brin de thym et les graines d'anis. Salez et poivrez. Mélangez et portez à ébullition puis laissez frémir 3 min.
3 Mettez les filets de mérou dans la casserole, couvrez et faites pocher pendant 6 ou 7 min. Égouttez-les et tenez-les au chaud.
4 Retirez le thym et faites réduire la cuisson sur feu vif pendant 5 min. Ajoutez une dose de safran et mélangez. Réservez.
5 Faites chauffer la crème dans une petite casserole, ajoutez 1 c. à café rase de fécule de maïs et liez sur feu doux pour faire épaissir. Versez cette crème dans le jus de cuisson et mélangez. Rectifiez l'assaisonnement.
6 Disposez les filets de mérou dans les assiettes de service chaudes. Nappez de sauce et servez aussitôt.

Vous pouvez remplacer l'anis par des graines de fenouil.

Garniture : une ratatouille.

Boisson vin rouge léger

mérou

Gros poisson massif que l'on trouve en Méditerranée ou dans l'Atlantique, le mérou est surtout la proie des pêcheurs sous-marins, l'été. Sa chair blanche et dense est très savoureuse, surtout en tranches grillées. On peut le cuisiner comme le thon.

Diététique. Sa valeur nutritionnelle est celle du thon : 100 g de mérou = 225 kcal.

mesclun

Le mesclun est un assortiment de petites salades très tendres que l'on achète tout prêt : jeunes feuilles de scarole et de chicorée, trévise, mâche, pissenlit, feuille de chêne, cerfeuil ou pourpier.

Le mesclun se trouve en vrac (parfois déjà lavé ; dans ce cas, il faut l'utiliser très vite) et en sachets. Agrémentez-le de lardons, de petits fromages de chèvre rôtis, de foies de volaille, de croûtons, etc. On écrit aussi mesclum, « mélange » en provençal.

Salade de mesclun au saumon

RECETTE LÉGÈRE 1 portion 205 kcal

Pour **4 personnes**
Préparation **15 min**
Cuisson **5 min**

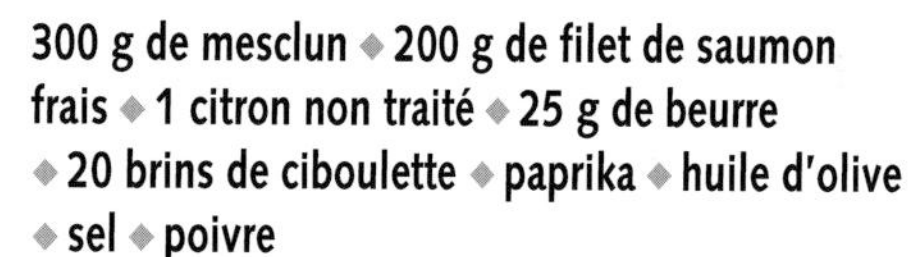

300 g de mesclun ◆ 200 g de filet de saumon frais ◆ 1 citron non traité ◆ 25 g de beurre ◆ 20 brins de ciboulette ◆ paprika ◆ huile d'olive ◆ sel ◆ poivre

1 Lavez la salade et épongez-la soigneusement. Coupez le filet de saumon en petits cubes de 2 à 3 cm de côté. Lavez le citron et râpez le zeste très finement.
2 Faites chauffer le beurre dans une poêle. Mettez-y les dés de saumon. Salez et poivrez. Faites-les sauter vivement pendant 3 ou 4 min, poudrez de 2 pincées de paprika, retournez-les délicatement et retirez la poêle du feu. Réservez au chaud.
3 Préparez une vinaigrette avec le jus du citron, 3 c. à soupe d'huile et le zeste de citron râpé. Salez et poivrez.
4 Assaisonnez le mesclun avec la vinaigrette au citron, mélangez et répartissez-le sur les assiettes de service.
5 Ajoutez aussitôt les petits dés de saumon encore chauds. Décorez avec quelques brins de ciboulette et servez aussitôt.

Vous pouvez également servir la salade de mesclun à la vinaigrette en garniture de darnes de saumon grillées, présentées avec un beurre de basilic ou d'estragon, ou bien proposer le mesclun assaisonné, agrémenté de petites pointes d'asperges vertes, avec du saumon fumé.

Boisson **vin blanc sec**

meurette

➜ **voir aussi** matelote

Cette sauce au vin rouge préparée avec des lardons, des champignons ou des petits oignons sert à cuisiner des poissons, des œufs ou de la cervelle de veau. Pour les poissons, la meurette est une sorte de matelote. On accommode aussi « en meurette » les œufs et la cervelle de veau, en les pochant dans cette sauce bourguignonne.

Œufs en meurette

Pour **4 personnes**
Préparation **15 min**
Cuisson **30 min**

150 g de lard de poitrine ◆ 2 gousses d'ail ◆ 3 échalotes ◆ 1 petit oignon ◆ 50 g de beurre ◆ 40 g de farine ◆ 50 cl de vin rouge ◆ 4 œufs ◆ 4 tranches de pain de mie ◆ vinaigre ◆ persil frais ◆ sel ◆ poivre

1 Taillez le lard de poitrine en petits dés. Pelez et hachez finement l'ail, les échalotes et l'oignon.
2 Faites fondre le beurre dans une casserole. Faites-y revenir les lardons. Quand ils sont dorés, ajoutez l'ail, l'oignon, les échalotes et la farine. Remuez. Faites cuire environ 2 min.
3 Versez le vin rouge et fouettez. Salez et poivrez. Laissez cuire doucement pendant 30 min.
4 Environ 15 min avant la fin de la cuisson de la sauce, faites pocher les œufs 1 par 1 en comptant 3 à 4 min par œuf dans une casserole d'eau vinaigrée portée à ébullition. Faites griller le pain.
5 Disposez les croûtes de pain dans des assiettes de service. Posez un œuf poché bien égoutté sur chaque tranche. Nappez de sauce et poudrez de persil. Poivrez au moulin et servez.

Boisson **bourgogne rouge léger**

miel

➜ **voir aussi** nougat, pain d'épices

Produit sucré élaboré par les abeilles qui ont butiné le nectar des fleurs ou la sève des arbres. Extrait de la ruche, filtré et maturé, le miel est mis en pots. Seul le miel d'acacia reste liquide ; les autres variétés cristallisent plus ou moins rapidement et le miel de trèfle est naturellement crémeux, facile à tartiner. Le miel français est strictement contrôlé : ni sucre ajouté ni conservateur. Pour que l'origine florale soit mentionnée, le miel doit provenir d'une seule variété de plantes pour au moins 90 %. Soyez attentif à la mention « mélange de miels d'importation ».

Pour bénéficier de toute la saveur d'un miel, choisissez-le dans un pot de verre, gardez-le dans l'obscurité à température ambiante et consommez-le dans l'année qui suit sa fabrication. Un miel trop dur redevient souple s'il est chauffé très doucement (jamais au-dessus de 40 °C). L'écume blanche, en surface, n'est qu'un reste de pollen qui n'a pas été éliminé au filtrage.

La diversité des plantes et des fleurs utilisées explique la gamme très riche des miels disponibles : miels de colza, trèfle, luzerne et tournesol, très doux mais peu aromatiques ; de poirier, pommier ou oranger, très fruités ; d'acacia, particulièrement suave ; de lavande, romarin, thym ou sarriette, très parfumés ; de sapin ou bruyère, beaucoup plus forts. Les miels « toutes fleurs » sont de qualité variable selon la provenance : retenez ceux de Sologne (label régional), des Pyrénées, de Provence ou d'Auvergne. L'Espagne et l'Australie sont également de gros producteurs de miel.

On emploie le miel comme le sucre, notamment pour agrémenter un yaourt, du fromage blanc ou une boisson. On l'utilise aussi en pâtisserie. En cuisine, il se marie bien avec la volaille ou le jambon dans les préparations à l'aigre-doux.

Diététique. Le miel contient 75 % de sucres simples directement assimilables : 100 g = 300 kcal. C'est un aliment de l'effort immédiat, bon pour les sportifs, mais interdit aux diabétiques. Il a une action bénéfique contre la toux, les infections de la gorge et des bronches. Quantité recommandée : 30 g par jour (1 c. à soupe).

Côtelettes d'agneau au miel ▲

Très faciles et rapides à préparer, ces côtelettes d'agneau plairont aux amateurs de saveurs aigres-douces.

Côtelettes d'agneau au miel

Pour **2 personnes**
Préparation **5 min**
Cuisson **10 min environ**

2 échalotes ◆ 15 g de beurre ◆ 2 c. à soupe de miel d'acacia ◆ 4 côtelettes d'agneau premières ◆ vinaigre de vin rouge ◆ sel ◆ poivre

1 Pelez et hachez très finement les échalotes. Faites fondre le beurre dans une petite casserole. Ajoutez les échalotes et faites cuire en remuant sur feu modéré pendant 2 min.
2 Lorsque les échalotes sont dorées, ajoutez le miel et faites bouillir en remuant pour faire épaissir, pendant 2 min environ. Ajoutez alors juste un trait de vinaigre et faites bouillir 1 min.
3 Pendant ce temps, faites griller les côtelettes d'agneau pendant 3 min sur chaque face. Ne les piquez pas pour les retourner, sinon le jus s'écoule : utilisez une spatule. Salez et poivrez.
4 Placez les côtelettes d'agneau sur un plat chaud, arrosez-les de sauce au miel et servez.

Boisson **vin rouge fruité**

Jambon cru au miel

Pour **4 personnes**
Préparation **10 min**
Cuisson **30 min environ**

200 g de riz complet ◆ 100 g de grains de maïs en conserve ◆ 4 tranches assez épaisses de jambon cru ◆ 2 c. à soupe de miel liquide ◆ 15 g de beurre ◆ crème fraîche ◆ sel ◆ poivre blanc au moulin

1 Faites cuire le riz à l'eau bouillante salée puis égouttez-le à fond. Mélangez-le avec les grains de maïs bien égouttés. Liez le tout avec 1 c. à soupe de crème fraîche. Salez et poivrez.
2 Badigeonnez les tranches de jambon sur les 2 faces avec du miel.
3 Beurrez un plat allant au four. Étalez dans le fond le riz au maïs. Placez par-dessus les tranches de jambon tartinées de miel. Poivrez au moulin.
4 Passez sous le gril du four 10 min environ. Servez brûlant.

Mille-feuille ▲

La petite fourchette à gâteau est indispensable pour trancher les couches de pâte feuilletée sans les écraser. Utilisez toujours du sucre glace pour poudrer abondamment le dessus.

Mousse au miel

Pour **6 personnes**
Préparation **5 min**
Cuisson **30 min, 3 h à l'avance**

1 orange non traitée ◆ 25 cl de miel bien parfumé ◆ 3 œufs ◆ 35 cl de crème fraîche épaisse ◆ Cointreau

1 Râpez finement le zeste de l'orange et pressez le jus. Mélangez le miel, le jus d'orange et le zeste. Faites chauffer au bain-marie.
2 Cassez les œufs dans une jatte et battez-les rapidement en omelette. Versez peu à peu par-dessus le miel à l'orange bien fondu.
3 Placez la jatte au bain-marie et faites cuire la préparation en remuant sans arrêt jusqu'à ce qu'elle soit d'une consistance assez épaisse. Retirez du feu et laissez refroidir puis mettez la jatte au réfrigérateur pour raffermir la mousse.
4 Fouettez la crème fraîche vivement puis ajoutez 1 c. à soupe de Cointreau. Incorporez cette préparation à la mousse et mélangez intimement. Répartissez-la dans des coupes individuelles et mettez au réfrigérateur pendant 3 h.

→ **autres recettes de miel à l'index**

mignonnette

Ce mot désigne le poivre grossièrement concassé. Sous cette forme, il dissémine mieux son arôme, notamment lorsque vous préparez un steak au poivre ou une marinade. C'est pourquoi il est préférable d'acheter le poivre en grains et de le moudre soi-même en fonction de ses besoins.

mille-feuille

Cette pâtisserie est faite de plusieurs couches de pâte feuilletée superposées, séparées par une crème pâtissière parfumée au rhum ou au kirsch. Le dessus est poudré de sucre glace ou recouvert de fondant.

Sur le même principe, vous pouvez préparer des mille-feuilles salés : garnissez-les de saumon, de champignons, de crevettes, d'épinards au fromage, etc. Servez-les en entrée chaude.

Diététique. Une portion fourrée et sucrée = 330 kcal. Le mille-feuille salé est aussi calorique.

Mille-feuille

Pour **6 personnes**
Préparation **30 min**
Cuisson **25 min**

500 g de pâte feuilletée ◆ 15 g de beurre ◆ 15 g de sucre semoule ◆ sucre glace
Pour la crème pâtissière **2 œufs ◆ 80 g de sucre semoule ◆ 40 g de farine ◆ 30 cl de lait ◆ 2 c. à soupe de rhum**

1 Abaissez la pâte feuilletée sur 3 mm d'épaisseur en formant un carré de 40 cm. Beurrez la tôle du four et placez-y la pâte. Laissez reposer 10 min. Humectez-la rapidement avec un pinceau puis poudrez-la légèrement de sucre semoule. Piquez-la avec une fourchette et faites cuire au four à 200 °C pendant 25 min.

2 Préparez la crème pâtissière. Battez les œufs en omelette avec le sucre, ajoutez la farine puis le lait bouillant sans cesser de remuer. Faites cuire sur feu doux en remuant pendant 15 min jusqu'au premier bouillon. Ajoutez le rhum et laissez refroidir.
3 Divisez la pâte feuilletée cuite en 4 bandes égales de 40 cm sur 10 cm. Tartinez largement 3 bandes de pâte avec à chaque fois 1/3 de la crème pâtissière au rhum. Superposez-les.
4 Posez sur le dessus la dernière bande et poudrez-la de sucre glace. Coupez ce grand mille-feuille en 6 portions égales avec un couteau bien tranchant. Servez froid.

Vous pouvez remplacer la garniture classique de sucre glace par une couche de gelée de groseilles ou de framboises.

Mille-feuille au poisson

Pour **4 personnes**
Préparation **30 min**
Cuisson **20 min**

400 g de pâte feuilletée ◆ 3 échalotes ◆ 40 g de beurre ◆ 15 cl de vin blanc sec ◆ 30 cl de crème liquide ◆ 400 g de haddock ◆ ciboulette ◆ poivre blanc

1 Abaissez la pâte feuilletée sur 4 mm d'épaisseur en formant un carré de 40 cm. Faites-le cuire au four à 200 °C pendant 20 min environ.
2 Pendant ce temps, pelez et hachez finement les échalotes. Faites-les fondre dans une petite casserole avec 25 g de beurre.
3 Mouillez avec le vin blanc et faites réduire à sec sur feu vif. Ajoutez la crème et 2 c. à soupe de ciboulette ciselée. Poivrez. Faites bouillir de 3 à 4 min puis tenez au chaud.
4 Détaillez le haddock en lamelles fines avec un couteau bien tranchant. Faites chauffer le reste de beurre dans une poêle et mettez-y à tiédir les lamelles de haddock sur feu doux pendant quelques secondes.
5 Coupez la pâte feuilletée cuite en 3 bandes égales. Répartissez les lamelles de haddock au beurre sur 2 bandes. Posez la dernière en couvercle et coupez le mille-feuille en 4 portions.
6 Placez un mille-feuille par assiette, arrosez de sauce et servez aussitôt.

Boisson **vin blanc sec**

mimolette

On reconnaît ce fromage de lait de vache, à pâte pressée non cuite, originaire de Hollande, à sa couleur orangée. En forme de boule aplatie, il présente une pâte souple, sèche, dure ou écailleuse selon l'affinage. Sa saveur va du doux noiseté au corsé piquant.

La mimolette s'utilise facilement en cuisine : salades composées, canapés, amuse-gueule, etc.

Diététique. 100 g de mimolette = 340 kcal.

Mimolette au porto

Pour **2 personnes**
Préparation **10 min, 7 jours à l'avance**
Pas de cuisson

180 g de mimolette jeune ou demi-étuvée ◆ 15 cl de porto doux ◆ crackers nature ◆ poivre blanc au moulin

1 Écroûtez le morceau de mimolette et coupez la pâte en petits cubes. Mettez-les dans un plat creux et poivrez.
2 Arrosez-les de porto et remuez. Laissez reposer dans un endroit frais (et non au réfrigérateur si possible). Remuez de temps en temps.
3 Attendez une semaine pour déguster ce fromage macéré, bien égoutté, avec des crackers nature.

Servez en même temps des noix fraîches et des pommes reinettes.

Boisson **bordeaux rouge**

minestrone

Cette soupe italienne, dont la recette varie selon les régions, se caractérise par la diversité des légumes qui la composent. On y trouve classiquement du potiron, du chou, des fèves, des courgettes, des haricots blancs, du céleri et des tomates.

Le minestrone (mot à mot : « grosse soupe ») est souvent garni de pâtes ou de riz. On l'accompagne surtout de pesto, une sauce onctueuse faite de basilic, d'huile d'olive, d'ail et de parmesan râpé. On peut aussi le déguster avec du fromage à part, et une garniture d'ail et d'aromates.

Diététique. Plus qu'une simple soupe, c'est un plat complet qui constitue un repas.

Minestrone de légumes

Pour **4 personnes**
Préparation **30 min**
Cuisson **2 h environ**

RECETTE LÉGÈRE 1 portion 260 kcal

1 oignon ◆ 50 g de lard de poitrine ◆ 100 g de champignons ◆ 2 branches de céleri ◆ 1 laitue romaine ◆ 1 gros bouquet de persil ◆ 200 g de bettes ◆ 2 poireaux ◆ 100 g de petits pois ◆ 3 courgettes ◆ 300 g de haricots verts ◆ 1 bouquet de basilic ◆ huile d'olive ◆ sel ◆ poivre

1 Pelez et hachez l'oignon. Taillez le lard en lamelles. Nettoyez les champignons et coupez-les en morceaux.
2 Lavez et préparez tous les autres légumes : céleri tronçonné, laitue effeuillée, persil haché, bettes ciselées, poireaux émincés, petits pois écossés, courgettes en rondelles et haricots verts effilés.
3 Faites revenir l'oignon et le lard dans une marmite avec 2 c. à soupe d'huile. Ajoutez tous les légumes. Mélangez intimement.
4 Versez doucement 1,5 l d'eau, mélangez et portez lentement à ébullition. Couvrez la marmite, baissez le feu et faites cuire pendant 2 h tout doucement.
5 Ciselez finement les feuilles de basilic et mélangez-les avec 3 c. à soupe d'huile d'olive. Au moment de servir, ajoutez ce mélange dans la soupe et remuez.
6 Rectifiez l'assaisonnement et versez le minestrone dans une soupière.

En hiver, ajoutez dans cette soupe une grosse poignée de haricots blancs cuits, des petits macaroni coupés ou du riz à grains longs (cuits eux aussi), 5 min avant de servir.

mirabelle

→ **voir aussi** prune

Cette petite prune jaune à chair ferme provient surtout de l'est de la France. Elle se consomme fraîche, de mi-août à septembre. La mirabelle des Vosges, ronde et presque orangée, sucrée et juteuse, est particulièrement parfumée.

Les mirabelles se mettent en conserve au sirop et donnent de délicieuses confitures, des tartes et des flans. On en fait une eau-de-vie réputée.

Chutney de mirabelles aux dattes

Pour **2 pots de 700 g environ**
Préparation **20 min**
Cuisson **1 h environ**

1,2 kg de mirabelles ◆ 150 g de dattes ◆ 1 oignon ◆ 30 cl de vinaigre de cidre ◆ 350 g de sucre semoule ◆ gingembre en poudre ◆ sel ◆ poivre

1 Dénoyautez les mirabelles et coupez-les en 2. Dénoyautez et hachez les dattes. Pelez et hachez l'oignon.
2 Réunissez ces ingrédients dans une grande casserole à fond épais et ajoutez le vinaigre. Faites mijoter en remuant pendant 20 min. Incorporez ensuite le sucre, quelques pincées de sel et 1/2 c. à café de gingembre. Poivrez.
3 Faites cuire doucement en remuant jusqu'à ce que le mélange épaississe. Retirez du feu, laissez refroidir et versez le chutney dans des pots ébouillantés. Fermez et conservez au frais.

Flan aux mirabelles

Pour **4 personnes**
Préparation **25 min**
Cuisson **40 min environ**

350 g de mirabelles ◆ 4 œufs ◆ 100 g de sucre semoule ◆ 40 cl de lait ◆ 100 g de farine ◆ 40 g de beurre ◆ eau-de-vie de mirabelle ◆ sel

1 Lavez les mirabelles et essuyez-les. Dénoyautez-les en les ouvrant en 2, puis refermez les fruits.
2 Cassez les œufs dans une jatte. Ajoutez 80 g de sucre et mélangez. Versez ensuite sur le mélange le lait, 1 c. à soupe d'eau-de-vie et 1 pincée de sel. Battez la préparation.
3 Ajoutez ensuite la farine en pluie et mélangez au fouet pour obtenir une pâte bien lisse. Incorporez 20 g de beurre fondu.
4 Beurrez un plat à gratin. Versez-y les mirabelles, puis recouvrez-les avec la pâte. Inclinez le plat pour qu'elle pénètre bien entre les fruits.
5 Enfournez dans le four à 220 °C et faites cuire de 35 à 40 min. Sortez le plat du four et poudrez aussitôt avec 20 g de sucre. Servez ce flan tiède ou refroidi.

→ **autres recettes de mirabelle à l'index**

mirepoix

Ce mélange de légumes associe carotte, oignon et céleri taillés en petits dés. Fondue doucement au beurre, la mirepoix sert de garniture aromatique pour cuisiner des crustacés, des ragoûts de viandes ou de légumes, des sauces. On peut lui ajouter du jambon ou du lard maigre.

Mirepoix de légumes

Pour **250 g de mirepoix**
Préparation **20 min**
Cuisson **25 min environ**

150 g de carottes ◆ 100 g d'oignons ◆ 50 g de céleri-branche ◆ 100 g de jambon cru ◆ 25 g de beurre ◆ 1 brin de thym ◆ 1/2 feuille de laurier ◆ sel ◆ poivre

1 Pelez les carottes et les oignons. Taillez-les en très petits dés. Effilez le céleri et tronçonnez-le très finement. Taillez aussi le jambon en petits morceaux.
2 Faites chauffer le beurre dans une casserole. Ajoutez les ingrédients précédents puis le thym et le laurier. Salez et poivrez. Remuez bien le mélange dans le beurre et couvrez.
3 Laissez cuire tout doucement pendant 20 min jusqu'à ce que les légumes aient fondu avec le jambon. Retirez le thym et le laurier.

miroton

Ce plat se prépare avec des tranches de bœuf bouilli que l'on fait réchauffer avec des oignons émincés. La cuisson doit être menée doucement et lentement pour que la viande ne se dessèche pas. C'est une recette classique pour utiliser un reste de viande de pot-au-feu ou de bœuf gros sel.

Bœuf miroton

Pour **4 personnes**
Préparation **15 min**
Cuisson **35 min**

3 oignons ◆ 20 cl de bouillon de bœuf ◆ 500 g de bœuf cuit ◆ 4 cornichons ◆ vinaigre de vin blanc ◆ huile de maïs ◆ sel ◆ poivre

1 Pelez et émincez les oignons. Faites chauffer 2 c. à soupe d'huile dans une poêle. Ajoutez les oignons et faites-les cuire doucement en remuant sans arrêt jusqu'à ce qu'ils soient transparents.
2 Versez 1 petit verre de vinaigre et le bouillon de bœuf. Mélangez. Portez alors à ébullition et laissez bouillonner pendant 15 min, toujours en remuant. Retirez du feu.
3 Coupez le bœuf cuit en tranches régulières. Ajoutez-les dans la poêle sur les oignons. Remettez sur feu doux et laissez mijoter 10 min. Ajoutez les cornichons émincés. Salez et poivrez. Servez très chaud.

Vous pouvez ajouter 1 c. à café de moutarde en même temps que le bouillon.

Boisson **côtes-du-rhône**

mixed grill

→ **voir aussi** barbecue

Ce plat de tradition anglo-saxonne réunit, pour une personne, une côtelette d'agneau, un rognon d'agneau, une chipolata et une tranche de lard fumé (ou de foie de veau). Le tout est grillé, soit au barbecue, soit sous le gril du four ou sur un gril en fonte, éventuellement sur des brochettes. Servez toujours cet assortiment bien chaud. Vous pouvez intercaler entre les éléments des têtes de champignons ou des quartiers de tomates. Servez avec des pommes paille et de la moutarde ou du ketchup.

moelle

→ **voir aussi** osso buco

Cette substance molle est située à l'intérieur des os. On consomme essentiellement la moelle de bœuf qui est fournie par le jarret. Le pot-au-feu et le bœuf gros sel comportent toujours plusieurs tronçons d'os à moelle cuits en même temps que la viande et qui en constituent un accompagnement savoureux.

La moelle s'achète aussi au poids ou surgelée. Elle se fait pocher à l'eau salée et sert, taillée en lamelles, à garnir des tranches de bœuf grillé, des cardons ou des fonds d'artichauts, et même du poisson.

La sauce à la moelle accompagne les viandes rouges ou des poissons grillés.

Diététique. Substance très riche en graisse : 100 g = 610 kcal.

Gâteau moka ▲

Le moka, café puissant et très aromatique, est un parfum de choix en pâtisserie. Vous pouvez remplacer les grains de café au chocolat par des amandes effilées grillées.

Croûtons à la moelle

Pour **2 personnes**
Préparation **10 min**
Cuisson **12 min**

2 tronçons d'os à moelle de 4 cm de long ◆ tranches fines de pain de campagne ◆ gros sel

1 Mettez les tronçons d'os dans une casserole. Versez par-dessus 25 cl d'eau. Salez et portez à ébullition. Baissez le feu et laissez frémir 10 min. Faites griller les tranches de pain de campagne.
2 Égouttez les tronçons d'os et posez-les sur des assiettes de service très chaudes. Présentez en même temps le pain grillé et du gros sel.
3 Dégustez aussitôt en extrayant la moelle de l'os avec une petite cuiller pour la tartiner sur le pain grillé et ajoutez une pincée de gros sel.

Vous pouvez aussi utiliser de la moelle surgelée : de 7 à 8 min de cuisson dans une eau frémissante.

Sauce à la moelle

Pour **4 personnes**
Préparation **5 min**
Cuisson **25 min**

3 échalotes ◆ 40 cl de vin blanc ◆ 1 c. à soupe d'extrait de viande ◆ 75 g de moelle ◆ 100 g de beurre ◆ 1 c. à soupe de jus de citron ◆ 1 c. à soupe de persil haché ◆ sel ◆ poivre

1 Pelez et hachez finement les échalotes. Mettez-les dans une casserole et ajoutez le vin blanc. Salez et poivrez.
2 Faites réduire de moitié sur feu moyen en remuant de temps en temps. Ajoutez l'extrait de viande et délayez pendant 2 min.
3 Faites pocher la moelle de bœuf dans une petite casserole d'eau portée à la limite de l'ébullition, pendant 5 à 6 min. Égouttez-la et épongez-la. Coupez-la en petits dés.
4 Retirez du feu la réduction aux échalotes et incorporez le beurre en parcelles en fouettant. Ajoutez enfin le jus de citron, la moelle et le persil haché.

➜ **autres recettes de moelle à l'index**

moka

Cette variété de café très aromatique (l'infusion se sert très forte et très sucrée dans une petite tasse) a donné son nom à un gâteau. C'est une pâte à biscuit fourrée de crème au beurre avec un décor de grains de café au chocolat ou d'amandes.

Gâteau moka

Pour **6 personnes**
Préparation **1 h**
Cuisson **10 min**
Repos **10 à 12 h**

1 génoise de 25 cm de diamètre ◆ 50 g d'amandes grillées ◆ 100 g de sucre semoule ◆ 250 g de sucre en morceaux ◆ 6 jaunes d'œufs ◆ 250 g de beurre ◆ rhum ◆ extrait de café ◆ grains de café au chocolat ◆ sel

1 Coupez la génoise dans l'épaisseur en 2 tranches égales. Concassez grossièrement les amandes grillées.

2 Préparez un sirop en faisant bouillir 5 min le sucre semoule avec 10 cl d'eau : lorsqu'il est tiède, ajoutez-lui 2 c. à soupe de rhum et 2 c. à café d'extrait de café.
3 Faites fondre les morceaux de sucre avec 20 cl d'eau. Poursuivez la cuisson jusqu'au filet : plongez le pouce et l'index dans un bol d'eau froide, puis dans le sirop et écartez les doigts, il doit se former un filet de 2 mm.
4 Battez les jaunes d'œufs au fouet dans une jatte avec 1 pincée de sel. Versez le sirop bouillant sur les jaunes sans cesser de battre.
5 Réduisez le beurre en pommade dans une autre jatte. Lorsqu'il est onctueux, incorporez peu à peu la préparation aux œufs en tournant sans arrêt. Ajoutez 1 c. à soupe d'extrait de café.
6 Humectez de sirop chaque partie de génoise. Tartinez largement de crème au beurre l'une des 2 moitiés. Remettez l'autre par-dessus.
7 Nappez le dessus et les côtés du gâteau avec le reste de crème au beurre. Garnissez le pourtour avec les amandes concassées et disposez sur le dessus des grains de café. Mettez au frais 12 h avant de servir.

morbier

Ce fromage du Jura au lait de vache, à pâte pressée, se caractérise par la raie horizontale foncée qui le traverse au milieu dans l'épaisseur. Il est meilleur au printemps.

morille

On reconnaît ce champignon de printemps à son chapeau globuleux ou conique à alvéoles en forme d'éponge. La morille blonde est moins réputée que la noire, mais toutes les morilles sont comestibles à condition de les faire cuire.

Certaines variétés commercialisées à l'état desséché sont importées d'Inde : réhydratez-les en les faisant tremper dans de l'eau tiède.

morilles séchées

Morilles à la crème

Pour **4 personnes**
Préparation **15 min**
Cuisson **20 min**

300 g de morilles ◆ 2 échalotes ◆ 30 g de beurre ◆ 30 cl de crème fraîche ◆ 1/2 citron ◆ 2 c. à soupe de persil haché ◆ sel ◆ poivre

1 Lavez les morilles, égouttez-les et épongez-les. Pelez et hachez les échalotes.
2 Faites fondre 15 g de beurre dans une casserole et ajoutez les morilles ainsi qu'une pincée de sel. Couvrez et faites cuire doucement 5 min. Égouttez-les.
3 Nettoyez la casserole et faites-y fondre le reste du beurre. Ajoutez les échalotes et faites-les cuire 2 min en remuant. Remettez les morilles dans la casserole et poursuivez la cuisson à découvert pendant 3 à 4 min.
4 Ajoutez la crème fraîche, le jus de citron et mélangez pour bien enrober les champignons. Poursuivez la cuisson jusqu'à ce que la sauce ait épaissi. Rectifiez l'assaisonnement. Ajoutez le persil haché et servez.

Cette garniture convient pour les ris de veau, les escalopes ou les blancs de volaille poêlés ainsi que les médaillons de lotte à la crème.

La morille est un des rares champignons qui ne supporte guère les mélanges avec d'autres variétés comme les girolles ou les cèpes.

morilles noires

Les morilles crues sont toxiques : il faut toujours bien les faire cuire. Veillez aussi à les laver avec soin pour éliminer le sable que renferment les alvéoles : faites-les tremper assez rapidement puis passez-les une par une sous un filet d'eau courante.

Poulet aux morilles

Pour **6 personnes**
Préparation **25 min**
Cuisson **45 min**

1 poulet de 1,6 kg ◆ 100 g de beurre ◆ 400 g de morilles fraîches ou 150 g de morilles séchées ◆ 30 cl de vin blanc fruité ◆ 50 cl de crème fraîche ◆ 1 jaune d'œuf ◆ farine ◆ sel ◆ poivre

1 Nettoyez très soigneusement les morilles. Égouttez-les et épongez-les. Si vous utilisez des morilles séchées, faites-les tremper dans de l'eau tiède. Coupez les queues.
2 Découpez le poulet en morceaux. Farinez-les légèrement. Salez-les et poivrez-les. Faites fondre le beurre dans une grande cocotte.
3 Mettez-y les morceaux de poulet. Faites-les revenir sur feu modéré sans les laisser colorer. Augmentez un peu le feu, versez le vin blanc et faites-le presque entièrement réduire.
4 Ajoutez les morilles dans la cocotte ainsi que la crème fraîche. Mélangez, couvrez et faites cuire pendant 35 min.
5 Égouttez le poulet et les morilles et disposez-les dans un plat de service chaud.
6 Mélangez le jaune d'œuf avec un peu de sauce dans un bol puis versez dans la cocotte et mélangez sans faire bouillir. Nappez le poulet de cette sauce. Servez aussitôt.

Pour compléter la garniture de ce grand classique de la cuisine franc-comtoise, proposez des pommes dauphine ou une purée de céleri.

Boisson **vin blanc du Jura**

→ **autres recettes de morille à l'index**

mortadelle

Charcuterie d'origine italienne, spécialité de Bologne. Ce gros saucisson cuit (de 15 à 20 cm de diamètre) est légèrement fumé, à base de porc ou de viandes mélangées avec des dés de gras répartis dans la pâte. La mortadelle est en principe truffée de pistaches, remplacées par des olives vertes lorsque le produit est bon marché. On la sert en hors-d'œuvre découpée en tranches très fines.

Diététique. Attention : 1 tranche de 20 g = 70 kcal.

morue

→ **voir aussi acra, brandade, cabillaud, stockfisch**

Nom que porte le cabillaud lorsque le poisson est séché ou salé. La morue verte est salée mais non séchée ; vendue en baril, avec une odeur très forte, elle est rare en France. Le bacalao, ouvert en deux, salé et séché, est plus courant. La morue salée est la plus traditionnelle : vendue « en queue » ou emballée. Les filets de morue, pelés, désarêtés et blanchis, vendus en paquets, sont moins salés.

Avant toute préparation, dessalez soigneusement la morue : peau dessus dans une passoire plongée pendant 12 à 24 heures dans une grande quantité d'eau renouvelée plusieurs fois. On la cuit ensuite à l'eau quelques minutes, sinon elle devient dure, puis on l'effeuille et on la désarête. La morue se sert froide ou chaude avec une sauce (aïoli). On peut aussi la servir en brandade, écrasée et montée avec de l'huile d'olive.

Diététique. La morue, déshydratée par le salage, est plus dense que le cabillaud mais totalement maigre. Elle est riche en sodium et n'est donc pas indiquée dans les régimes sans sel.

Morue à la bretonne

Pour **6 personnes**
Dessalage **4 h**
Préparation **30 min**
Cuisson **30 min environ**

800 g de morue en filets ◆ 800 g de pommes de terre ◆ 2 oignons ◆ 25 g de beurre ◆ 25 g de farine ◆ 25 cl de crème fraîche ◆ persil haché ◆ sel ◆ poivre blanc

1 Retirez la peau de la morue, coupez-la en morceaux et faites tremper ceux-ci 4 h à l'eau froide. Faites-les ensuite pocher de 10 à 15 min.
2 Pelez et faites cuire les pommes de terre à l'eau pendant 20 min. Pelez et hachez les oignons finement.
3 Faites fondre les oignons dans le beurre sans les laisser colorer. Ajoutez la farine et faites blondir. Mouillez ce roux avec 2 c. à soupe d'eau de cuisson de la morue. Ajoutez la crème et mélangez. Salez éventuellement et poivrez.
4 Mettez les morceaux de morue bien égouttés dans la sauce à la crème et remuez-les. Coupez les pommes de terre en rondelles et rangez-les dans un plat, versez dessus la morue à la crème et poudrez de persil. Servez chaud.

Morue à la portugaise

Pour **6 personnes**
Trempage la veille **12 h**
Préparation **10 min**
Cuisson **20 min**

RECETTE LÉGÈRE — 1 portion 290 kcal

500 g de filets de morue ◆ 2 gros oignons doux ◆ 1/2 citron ◆ huile d'olive ◆ vinaigre de vin blanc ◆ persil haché ◆ sel ◆ poivre noir au moulin

1 Mettez à tremper les filets de morue dans de l'eau froide pendant la nuit. Égouttez-les.
2 Mettez-les dans une casserole à fond épais. Couvrez d'eau froide et portez à ébullition. Retirez du feu et laissez pocher les filets pendant 10 min dans l'eau bouillante à couvert. Pelez et hachez les oignons.
3 Égouttez les filets de morue pochés. Faites chauffer 5 c. à soupe d'huile dans une poêle. Mettez-y à sauter les filets de morue. Retirez du feu, versez 3 c. à soupe de vinaigre sur la morue et laissez reposer 5 min.
4 Mélangez les oignons hachés et 5 ou 6 c. à soupe de persil haché. Ajoutez 6 c. à soupe d'huile d'olive et le jus de citron. Salez, poivrez et fouettez.
5 Servez la morue bien chaude en même temps que la sauce à l'oignon.

Vous pouvez proposer en même temps des petits bouquets de chou-fleur ou de brocoli.

Boisson vin rouge corsé

Morue à la portugaise ▲

Très appréciée au Portugal où elle connaît, dit-on, mille recettes, la morue est savoureuse cuisinée à l'huile d'olive : olives noires, œufs durs et persil frisé complètent ici sa garniture.

Morue à la provençale

Pour **6 personnes**
Dessalage **12 h**
Préparation **20 min**
Cuisson **40 min environ**

1 kg de morue salée ◆ 1 oignon ◆ 1 poivron ◆ 3 grosses pommes de terre ◆ 600 g de tomates très mûres ◆ 100 g d'olives noires ◆ farine ◆ huile d'olive ◆ poivre

1 Rincez la morue à l'eau froide, coupez les nageoires et la queue, retirez la peau. Coupez la morue en morceaux et faites-les dessaler pendant 12 h dans une grande bassine d'eau froide en changeant l'eau 3 ou 4 fois.
2 Égouttez les morceaux de morue et épongez-les. Farinez-les légèrement.
3 Faites chauffer 3 c. à soupe d'huile dans une poêle et mettez-y à revenir les morceaux de morue pendant 5 min. Réservez-les.
4 Pelez et émincez l'oignon, coupez le poivron épépiné en lamelles, pelez et coupez les pommes de terre en cubes.
5 Faites chauffer 4 c. à soupe d'huile dans une cocotte. Mettez-y les légumes précédents et faites revenir en remuant pendant 3 ou 4 min. Lavez les tomates, coupez-les en quartiers et ajoutez-les. Couvrez et laissez mijoter 20 min.
6 Ajoutez alors les morceaux de morue rissolés et les olives. Couvrez à nouveau et poursuivez la cuisson pendant 10 min. Servez très chaud directement dans la cocotte.

Il est inutile de saler les légumes à cause de la morue et des olives.

Boisson rosé de Provence

Salade de morue

Pour **4 personnes**
Dessalage **4 h**
Préparation **25 min**
Cuisson **15 min**

500 g de filets de morue ◆ 2 œufs ◆ 200 g de concombre ◆ 2 fonds d'artichauts en conserve ◆ 12 grosses olives noires ◆ 2 gousses d'ail ◆ huile d'olive ◆ vinaigre de vin blanc ◆ sel ◆ poivre

1 Coupez la morue en morceaux et faites-les tremper 4 h dans de l'eau froide en la renouvelant souvent. Faites pocher la morue 15 min à l'eau bouillante. Égouttez-la et effeuillez-la.
2 Faites durcir les œufs, rafraîchissez-les et écalez-les. Pelez le concombre et coupez-le en fines rondelles. Égouttez les fonds d'artichauts et taillez-les en dés. Dénoyautez les olives. Pelez l'ail et émincez-le finement.
3 Préparez une vinaigrette avec 4 c. à soupe d'huile d'olive, 2 c. à soupe de vinaigre et l'ail haché. Salez et poivrez.
4 Mélangez dans un saladier la morue effeuillée, le concombre, les artichauts et les olives. Arrosez de vinaigrette et mélangez. Coupez les œufs durs en rondelles et disposez-les sur le dessus. Servez à température ambiante.

→ **autres recettes de morue à l'index**

mouclade

Cette spécialité des Charentes est préparée avec des moules de bouchot cuites au vin blanc et servies dans une sauce épaisse à la crème et au beurre. On la relève de safran ou de curry.

Mouclade au curry

Pour **4 personnes**
Préparation **30 min**
Cuisson **15 min environ**

2 l de moules de bouchot environ ◆ 40 g d'échalotes ◆ 15 cl de vin blanc sec ◆ 50 g de beurre ◆ 1 c. à soupe rase de curry ◆ 1 jaune d'œuf ◆ 20 cl de crème fraîche ◆ sel ◆ poivre

1 Grattez les moules avec un couteau en éliminant celles qui sont cassées ou ouvertes.
2 Lavez-les à grande eau. Pelez et hachez les échalotes.
3 Versez le vin dans une grande cocotte. Ajoutez les échalotes et le beurre. Faites chauffer sur feu moyen pendant 10 min.
4 Ajoutez les moules dans la cocotte, couvrez et augmentez la chaleur. Dès que la vapeur commence à s'échapper, retirez le couvercle et remuez les moules avec une cuiller en bois. Retirez-les au fur et à mesure qu'elles s'ouvrent.
5 Passez le jus de cuisson des moules et faites-le réduire d'un tiers. Retirez la coquille vide de chaque moule et rangez les coquilles pleines dans un plat creux allant au four.
6 Mélangez le curry avec le jaune d'œuf et la crème. Versez ce mélange dans le jus de cuisson en remuant sans cesse. Après quelques secondes de cuisson sans ébullition, versez cette sauce sur les moules. Passez 1 min à four chaud et servez.

moule

→ **voir aussi fruits de mer, mouclade, paella**

Ce mollusque à coquille allongée, bleu plus ou moins foncé, est toujours meilleur entre juillet et janvier. On distingue, selon la provenance, les moules de bouchot, en principe les meilleures (le bord de la coquille opposé à la charnière est légèrement convexe), et les moules de Méditerranée ou d'Espagne (bouzigues de l'étang de Thau notamment), plus larges et plus bombées.

Il est impératif de ne pas consommer de moules dont l'origine n'est pas garantie. L'étiquette sur la bourriche porte le cachet de l'inspection de salubrité. Elles sont vendues au poids ou au litre : 1 litre = 700 à 800 g.

Achetées vivantes, elles doivent être bien fermées et cuisinées dans les 3 jours suivant l'expédition. Lavez-les et brossez-les soigneusement sous l'eau avant de les faire cuire. Des moules cuites se conservent 48 h au réfrigérateur. Les moules en semi-conserve, au naturel ou en sauce piquante, sont pratiques pour les salades et les garnitures de riz.

Diététique. La moule est riche en éléments minéraux et oligo-éléments. 100 g de chair = 70 kcal.

Mouclade au curry ►

La présence du curry dans ce plat typiquement charentais s'explique par le commerce que La Rochelle entretenait jadis avec les pays importateurs d'épices.

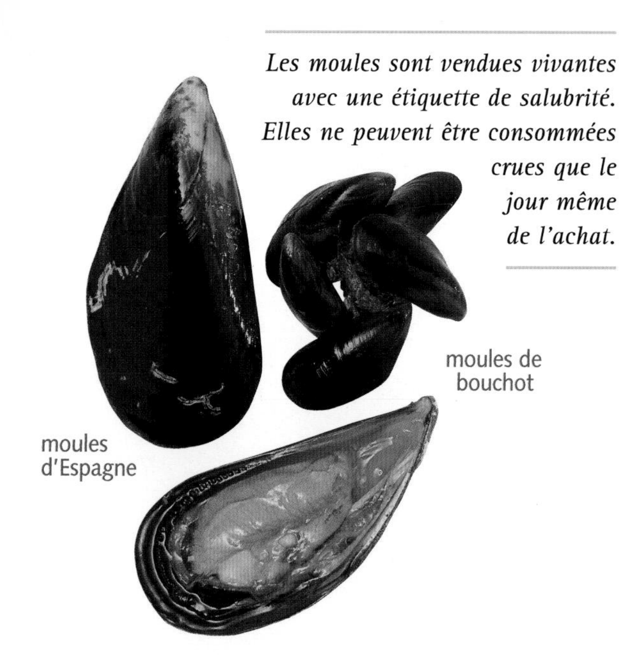

Les moules sont vendues vivantes avec une étiquette de salubrité. Elles ne peuvent être consommées crues que le jour même de l'achat.

Moules marinière

RECETTE LÉGÈRE 1 portion 360 kcal

Pour **4 personnes**
Préparation **20 min**
Cuisson **7 ou 8 min**

3 l de moules ◆ 1 gros oignon ◆ 1 bouquet de persil ◆ 30 g de beurre ◆ 20 cl de vin blanc sec ◆ thym ◆ laurier ◆ sel ◆ poivre

1 Nettoyez les moules. Pelez et hachez l'oignon. Lavez le persil. Coupez les queues et hachez finement les feuilles.
2 Faites fondre le beurre dans une casserole, ajoutez l'oignon et laissez-le cuire 1 min.
3 Ajoutez les moules et versez le vin blanc. Salez et poivrez. Ajoutez le persil, 1 brin de thym et 1 feuille de laurier. Remuez et faites cuire pendant 6 min sur feu vif.
4 Secouez la casserole 2 ou 3 fois et remuez les moules avec une cuiller en bois.
5 Lorsque toutes les moules sont ouvertes, retirez-les de la casserole et mettez-les dans un saladier chaud.
6 Retirez le thym et le laurier et versez la cuisson sur les moules. Remuez et servez.

Vous pouvez passer le jus, lui ajouter 3 c. à soupe de crème puis en arroser les moules.

Pour compléter les aromates de cuisson, ajoutez 2 branches de céleri hachées.

Boisson **muscadet ou riesling**

Moules à la provençale

Pour **4 personnes**
Préparation **30 min**
Cuisson **20 min**

2,5 l de moules ◆ 6 tomates ◆ 3 gousses d'ail ◆ 4 c. à soupe d'huile d'olive ◆ 1 bouquet garni ◆ 10 feuilles de basilic ◆ poivre

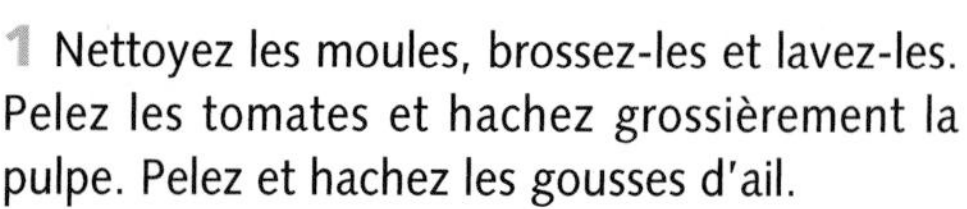

1 Nettoyez les moules, brossez-les et lavez-les. Pelez les tomates et hachez grossièrement la pulpe. Pelez et hachez les gousses d'ail.
2 Faites chauffer l'huile d'olive dans une cocotte. Ajoutez les tomates hachées, l'ail et le bouquet garni. Poivrez et faites mijoter 10 min à découvert en remuant.
3 Ajoutez les moules et faites-les cuire 10 min sur feu vif. Retirez-les quand elles sont ouvertes et éliminez les coquilles vides. Mettez les coquilles pleines dans un grand plat.
4 Faites réduire la cuisson sur feu vif puis ajoutez le basilic ciselé. Goûtez et rectifiez l'assaisonnement. Versez cette cuisson sur les moules. Servez aussitôt.

Boisson **rosé de Provence**

→ autres recettes de moule à l'index

moussaka

Cette préparation d'origine grecque ou turque est faite de tranches d'aubergines alternées avec un hachis de mouton, d'oignon, de tomates fraîches, de menthe et d'épices.

Cuite au four, la moussaka est aussi bonne chaude que froide et elle se réchauffe très bien.

Moussaka au parmesan

Pour **6 personnes**
Préparation **30 min**
Cuisson **35 min environ**

1 gros oignon ◆ 2 gousses d'ail ◆ 400 g de viande de mouton (gigot ou ragoût) ◆ 150 g de champignons de couche ◆ 4 tomates ◆ 4 aubergines ◆ 6 c. à soupe de parmesan ◆ huile d'olive ◆ persil plat haché ◆ concentré de tomates ◆ extrait de viande ◆ farine ◆ sel ◆ poivre

1 Pelez et hachez finement l'oignon et l'ail. Faites chauffer 3 c. à soupe d'huile dans un poêlon et mettez-y à revenir l'oignon et l'ail. Hachez la viande cuite.
2 Lorsque le hachis d'oignon et d'ail est transparent, ajoutez la viande et faites-la revenir 5 min sur feu doux en remuant. Nettoyez et hachez les champignons.
3 Pelez et concassez les tomates. Ajoutez au ragoût de viande les champignons, les tomates et 2 c. à soupe de persil. Salez et poivrez.
4 Délayez 1 c. à soupe de concentré de tomates dans 1 c. à soupe d'extrait de viande et 3 c. à soupe d'eau. Versez ce mélange dans le poêlon et laissez mijoter 10 min.
5 Lavez les aubergines, ne les pelez pas et coupez-les dans la longueur en tranches fines. Farinez-les et faites-les rissoler dans une poêle avec 4 c. à soupe d'huile jusqu'à ce qu'elles soient bien dorées. Égouttez-les sur du papier absorbant.
6 Remplissez un moule à soufflé en alternant les aubergines et le ragoût de viande à la tomate. Poudrez de parmesan. Terminez par une couche d'aubergines et poudrez de parmesan.
7 Faites cuire dans le four à 180 °C pendant 10 à 12 min. Servez dans le plat de cuisson.

mousse

Préparation sucrée ou salée, toujours légère et fondante, composée d'ingrédients mixés et d'éléments fouettés. Sa texture doit être très fine. En entrée, la mousse se sert chaude ou froide. En dessert, elle est froide ou glacée.

Mousses de courgettes

Pour **4 personnes**
Préparation **25 min**
Cuisson **40 min**

RECETTE LÉGÈRE — 1 portion 215 kcal

500 g de courgettes ◆ 1 œuf ◆ 20 g de beurre ◆ 2 tranches épaisses de jambon braisé ◆ 2 gousses d'ail ◆ 2 c. à soupe de persil haché ◆ huile d'olive ◆ vinaigre de vin blanc ◆ sel ◆ poivre

1 Lavez les courgettes, émincez-les et faites-les cuire 10 min à la vapeur. Réduisez-les en purée. Ajoutez l'œuf battu, salez et poivrez.
2 Beurrez 4 ramequins et remplissez-les de purée de courgettes. Faites cuire 30 min au bain-marie dans le four à 150 °C.
3 Taillez dans les tranches de jambon 4 ronds un peu plus grands que le diamètre des ramequins. Hachez le reste.
4 Pelez et hachez l'ail. Ajoutez le persil et le jambon haché. Dans un bol, mélangez 4 c. à soupe d'huile, 1 ou 2 de vinaigre et ajoutez le hachis jambon-ail-persil.
5 Placez les ronds de jambon sur les assiettes de service, démoulez une mousse de courgettes sur chaque rond. Arrosez de sauce au jambon et servez aussitôt.

Mousses aux fraises

Pour **4 personnes**
Préparation **15 min**
Repos **1 h**
Pas de cuisson

600 g de fraises ◆ 160 g de sucre semoule ◆ 4 blancs d'œufs ◆ 1/2 citron ◆ liqueur de fraise

1 Lavez et équeutez les fraises. Passez-en 400 g au mixer.
2 Mélangez cette purée avec 150 g de sucre et ajoutez 1 c. à café de liqueur de fraise.
3 Fouettez les blancs d'œufs en neige ferme avec le sucre restant.
4 Incorporez les blancs d'œufs à la purée de fraises. Répartissez cette mousse dans des coupes de service. Mettez au frais.
5 Réduisez le reste de fraises en purée liquide et ajoutez le jus du 1/2 citron. Versez ce coulis sur les mousses aux fraises.

→ **autres recettes de mousse à l'index**

mousseron

→ **voir aussi champignon de cueillette**

Plusieurs variétés de champignons de cueillette portent le nom de mousseron : blancs ou beiges et fermes, avec une saveur délicate de farine fraîche, ils s'apprêtent comme les girolles et garnissent agréablement viandes blanches, crustacés ou poissons. Vous pouvez les faire étuver 10 min avec une noix de beurre, leur ajouter un filet de jus de citron et des fines herbes pour les servir en salade.

moutarde

→ voir aussi mayonnaise, pied, rémoulade, vinaigrette

La moutarde est d'abord une plante : ses graines broyées plus ou moins finement avec du vinaigre donnent un condiment relevé, qui s'appelle aussi moutarde. On distingue plusieurs types de moutardes aujourd'hui commercialisées : la moutarde de Dijon, moutarde « forte » ou « blanche », préparée au verjus et au vin blanc, est jaune pâle ; celle d'Orléans, au vinaigre de vin fin, est moins piquante ; celle de Bordeaux, nettement plus douce et de couleur brune, est au moût de raisin ; la moutarde de Meaux « à l'ancienne » se reconnaît aux graines de couleurs différentes grossièrement concassées. Ce condiment existe sous de nombreuses variantes aromatisées et colorées : à l'estragon, au poivre vert, à l'ail, au paprika, au citron vert, au curry, etc.

Une fois ouvert, conservez le pot de moutarde bien refermé au réfrigérateur.

La moutarde est l'accompagnement classique des viandes froides ou bouillies, de la charcuterie et des grillades. Elle convient parfaitement pour cuisiner le lapin et le porc, mais aussi le poisson : maquereau, hareng.

Diététique. À trop fortes doses, ce condiment risque d'irriter le tube digestif. À éviter dans un régime sans sel.

Sauce moutarde

Pour **50 cl de sauce**
Préparation **5 min**
Cuisson **20 min**

50 g de beurre ◆ 50 g de farine ◆ 40 cl de lait ◆ 12 cl de crème fraîche ◆ 2 c. à soupe de moutarde forte ◆ sel ◆ poivre

1 Faites fondre le beurre dans une casserole. Ajoutez la farine et remuez à la spatule pour faire cuire le roux pendant 2 min. Pendant ce temps, faites chauffer le lait.

2 Lorsque le mélange commence à mousser, versez le lait chaud en fouettant. Faites cuire ensuite doucement pendant 15 min sans ébullition en remuant de temps en temps.

3 Incorporez la crème fraîche et remuez pendant 2 ou 3 min. Ajoutez ensuite la moutarde forte. Délayez à fond. Goûtez et rectifiez l'assaisonnement.

Cette sauce accompagne les poissons pochés ou la volaille pochée. Vous pouvez remplacer le lait par le court-bouillon du poisson ou la cuisson de la volaille.

Pour un poisson froid, faites réduire d'un tiers 40 cl de crème fraîche et ajoutez-y 4 c. à soupe de moutarde et le jus d'un citron.

→ autres recettes de moutarde à l'index

mouton

→ voir aussi agneau, cassoulet, couscous, gigot

On donne en boucherie le nom de mouton à un agneau âgé de plus d'un an : sa viande est moins fine et moins tendre, mais d'une saveur plus marquée. La chair doit être ferme, dense et rouge sombre, avec une graisse dure, blanc nacré, assez abondante autour des rognons. On le découpe de la même façon que l'agneau et on peut le cuisiner comme lui, mais les recettes de l'un et de l'autre ne sont pas toutes interchangeables : ce sont les ragoûts ou les braisés qui conviennent le mieux au mouton, avec des légumes ou des féculents qui apportent l'onctuosité d'une garniture idéale pour les viandes un peu fermes. Pour un navarin d'hiver aux haricots secs et aux carottes, prenez du mouton, mais, pour un navarin printanier aux petits légumes nouveaux, choisissez de l'agneau.

En Europe, le mouton est une viande relativement rare, car le consommateur préfère de loin l'agneau, mais il reste très apprécié en Inde, en Afrique du Nord ou au Moyen-Orient, avec des recettes épicées.

Diététique. Le mouton est une viande grasse : de 220 à 300 kcal pour 100 g. Comme sa graisse est dure au toucher, vous pouvez facilement la retirer avec un couteau pointu.

Côtelettes Champvallon

Pour **4 personnes**
Préparation **20 min**
Cuisson **40 min environ**

2 gros oignons ◆ 2 gousses d'ail ◆ 800 g de pommes de terre ◆ 40 g de beurre ◆ 4 côtelettes dans le filet ◆ 50 cl de bouillon de bœuf ◆ thym séché ◆ sel ◆ poivre

1 Pelez les oignons et émincez-les. Pelez l'ail et hachez-le. Pelez les pommes de terre, lavez-les et essuyez-les. Coupez-les en fines rondelles.
2 Beurrez un plat creux en porcelaine à feu. Rangez-y les rondelles de pommes de terre. Salez et poivrez. Ajoutez 1 c. à café de thym séché en le parsemant régulièrement.
3 Mélangez l'ail et l'oignon et ajoutez cette préparation sur les pommes de terre. Salez et poivrez les côtelettes.
4 Faites saisir rapidement les côtelettes dans une poêle avec 20 g de beurre. Dès qu'elles sont dorées, égouttez-les et posez-les dans le plat sur les oignons. Enfoncez-les légèrement. Arrosez doucement avec le bouillon chaud.
5 Faites cuire au four à 200 °C pendant 35 min. Servez dans le plat de cuisson.

➔ **autres recettes de mouton à l'index**

mozzarella

Ce fromage italien connaît deux présentations différentes selon qu'il est au lait de bufflonne ou au lait de vache.

Le premier est la « vraie » mozzarella : cette boule de pâte blanche, fraîche, onctueuse et fondante baigne dans du petit-lait, et se conserve très peu. Consommez-la nature pour en apprécier la saveur délicate. La mozzarella au lait de vache, blanche et élastique, plus ferme et moins savoureuse (bien meilleur marché), se vend en boule ou en pain rectangulaire. Réservez-la pour la cuisine : sandwiches, salades, omelettes, gratins, pizzas.

Bruschetta à la tomate et aux bocconcini

Pour **4 personnes**
Préparation **15 min**
Cuisson **5 min**

12 bocconcini (boulettes de mozzarella) ou 380 g de mozzarella coupée en dés ◆ 20 tomates cerises ou très petites tomates en grappes ◆ 4 grandes tranches de pain de campagne ◆ 2 gousses d'ail ◆ 125 g de feuilles de roquette ou de mâche ◆ huile d'olive ◆ vinaigre balsamique ◆ quelques feuilles de basilic ◆ sel ◆ poivre

Bruschetta à la tomate et aux bocconcini ▲
Typiquement toscane, cette préparation permet surtout d'apprécier le fruité d'une huile d'olive de toute première qualité.

1 Versez 3 à 4 c. à soupe d'huile d'olive dans un saladier, ajoutez 1 c. à soupe de vinaigre balsamique. Salez et poivrez. Fouettez pour bien émulsionner. Ajoutez les bocconcini coupés en 2 ainsi que les tomates, lavées, essuyées et coupées en 2. Mélangez et réservez.
2 Faites griller les tranches de pain de campagne dans un grille-pain ou dans le four. À la sortie, frottez-les abondamment avec les gousses d'ail pelées puis arrosez-les d'un filet d'huile d'olive.
3 Garnissez-les de quelques feuilles de verdure puis répartissez par-dessus le mélange de mozzarella et de tomates. Salez et poivrez.
4 Décorez du basilic ciselé et arrosez d'un filet d'huile d'olive. Servez en entrée ou en amuse-gueule.

Vous pouvez aussi confectionner des brochettes de tomates cerises aux bocconcini, puis les servir avec une salade assaisonnée en garniture et des croûtons de pain aillés et huilés.

mulet

Ce poisson côtier abondant et courant est vendu sous plusieurs espèces. Les plus fréquentes sont le mulet cabot et le mulet doré, qui se cuisinent au court-bouillon, au four ou grillés. Il faut toujours les écailler soigneusement. La chair du mulet, maigre et blanche, est un peu molle, mais elle contient peu d'arêtes.

Mulets au four

RECETTE LÉGÈRE — 1 portion 245 kcal

Pour **4 personnes**
Préparation **15 min**
Cuisson **20 min**

4 mulets de 200 g chacun environ ◆ 3 citrons non traités ◆ 4 filets d'anchois à l'huile ◆ 1 bouquet de persil plat ◆ 1 gousse d'ail ◆ sel ◆ poivre

1 Demandez au poissonnier d'écailler et de vider les mulets.
2 Coupez 2 citrons en fines rondelles. Faites 3 ou 4 entailles sur le dos des poissons et glissez-y les rondelles de citron.
3 Égouttez les anchois et hachez-les dans un bol avec le persil. Badigeonnez 4 feuilles d'aluminium rectangulaires avec l'huile des anchois. Placez-y les mulets et fermez les papillotes.
4 Faites cuire les papillotes 20 min dans le four à 220 °C. Pendant ce temps, pelez et hachez l'ail finement. Incorporez-le au mélange anchois-persil puis fouettez avec le jus du dernier citron. Mélangez intimement.
5 Sortez les papillotes du four, placez les mulets cuits sur un plat chaud. Nappez-les de sauce à l'anchois et servez aussitôt.

munster

Ce fromage alsacien au lait de vache, à pâte molle et à croûte lisse, doit être souple sous le doigt, jaune paille à cœur. S'il est fermier et bien affiné, avec une odeur forte et une saveur corsée, dégustez-le avec du pain de seigle ou des pommes de terre en robe des champs, un gewurztraminer et, à part, des graines de cumin. Meilleure époque : été et automne. Le munster au cumin est de moins bonne qualité.

Diététique. 100 g de munster = 320 kcal.

mûre

→ **voir aussi** fruits rouges

Rouge foncé, presque noir, ce fruit de la ronce sauvage est mûr en septembre-octobre. On en fait surtout des confitures, des gelées et des sirops, mais aussi des tartes et des sorbets. Son arôme est particulièrement marqué. Comme tous les autres petits fruits rouges, la mûre se congèle très bien.

Tartelettes aux mûres

Pour **6 tartelettes**
Préparation **20 min**
Repos **2 h**
Cuisson **30 min**

200 g de farine ◆ 150 g de sucre semoule ◆ 1 œuf ◆ 120 g de beurre ◆ 800 g de mûres ◆ sel

1 Versez la farine dans une terrine. Faites une fontaine puis ajoutez 60 g de sucre semoule, 1 pincée de sel et 1 œuf. Travaillez le mélange du bout des doigts. Ajoutez 100 g de beurre ramolli. Travaillez encore la pâte pour qu'elle soit homogène. Roulez-la en boule et laissez-la reposer pendant 2 h.
2 Triez les mûres et équeutez-les. Abaissez la pâte sur 3 mm d'épaisseur et garnissez-en 6 moules à tartelette beurrés.
3 Piquez le fond à la fourchette et poudrez-le de sucre. Garnissez les fonds avec les mûres en les serrant bien les unes contre les autres. Poudrez à nouveau de sucre.
4 Enfournez les tartelettes à 200 °C et faites cuire de 25 à 30 min. Sortez-les quand elles sont cuites et démoulez-les sur une grille. Servez-les tièdes ou froides.

→ **autres recettes de mûre à l'index**

murol

Ce fromage auvergnat au lait de vache est en forme de disque épais percé d'un trou au milieu. Sous une croûte rosâtre, sa pâte pressée jaune et souple est de saveur douce. Choisissez-le en été ou en automne. La partie centrale, petit tronc de cône enrobé de cire rouge, est vendue sous le nom de murolait : servez-le en amuse-gueule.

muscade

→ voir aussi macis

Le fruit du muscadier, arbre tropical, est une noix ovoïde brun cendré et ridée, dont la saveur et l'arôme sont fortement épicés. Elle doit être bien dure et assez lourde. Achetez-la entière et conservez-la dans un petit flacon hermétique, pour la râper en fonction de vos besoins (quelques pincées suffisent) avec une petite râpe spéciale. La « noix muscade » (ou « de muscade ») relève en particulier les pommes de terre, omelettes, soufflés et gratins, la béchamel et la soupe à l'oignon.

noix muscade

museau

Le museau de bœuf et le museau de porc sont des spécialités de charcuterie que l'on sert en hors-d'œuvre froid. Le premier, à base de mufle et de menton traités en salaison, s'achète surtout chez le tripier. Le second, fait avec des morceaux de tête et de langue pressés et moulés en gelée, s'appelle aussi fromage de tête ou pâté de tête.

Vinaigrette de museau

Pour **4 personnes**
Préparation **20 min**
Pas de cuisson

250 g de museau de bœuf en tranches minces ◆ 1 oignon ◆ 2 échalotes ◆ 4 ou 5 champignons de couche ◆ 1/2 citron ◆ 1 petit bouquet de persil plat ◆ 5 c. à soupe d'huile de tournesol ◆ 2 c. à soupe de vinaigre de vin blanc ◆ sel ◆ poivre

1 Détaillez les tranches de museau en petits carrés. Pelez et hachez finement l'oignon et les échalotes.
2 Nettoyez les champignons et émincez-les finement. Citronnez-les légèrement.
3 Lavez et épongez le persil. Hachez-le finement. Mélangez l'huile de tournesol et le vinaigre. Salez et poivrez.
4 Réunissez dans un saladier les morceaux de museau, l'oignon, les échalotes et les champignons. Mélangez.
5 Ajoutez le persil haché et la vinaigrette. Mélangez à nouveau et servez à température ambiante.

Vous pouvez relever la vinaigrette avec 1 c. à café de moutarde forte ou à l'estragon.

Boisson **bière blonde**

myrtille

→ voir aussi fruits rouges

Petite baie bleu violacé, la myrtille possède une saveur acidulée et très parfumée. Nombreuses sont les variétés de myrtilles, sauvages et cultivées. On les trouve l'été (juillet à septembre), conditionnées en barquettes sur les marchés.

Les myrtilles sont idéales pour préparer des tartes, des sorbets, des entremets, des compotes ou des pâtes de fruits. Elles s'emploient surtout dans la confection des confitures, des gelées et des marmelades car elles sont riches en pectine. Enfin, on en extrait une eau-de-vie blanche et une liqueur.

On les congèle très bien sans qu'il soit besoin de leur ajouter du sucre.

Diététique. D'un très bon apport en vitamine C, ce fruit est peu énergétique. Faites-en une cure en hiver, d'autant plus que les surgelés sont une bonne solution : 100 g = 15 kcal.

Confiture de myrtilles

Pour **3 pots de 500 g**
Préparation **15 min**
Cuisson **30 min environ**

1 kg de myrtilles ◆ 1 kg de sucre en morceaux

1 Triez les myrtilles et lavez-les soigneusement. Mettez-les dans une grande casserole posée sur feu doux.
2 Faites cuire les myrtilles à découvert pendant 20 min en remuant de temps en temps sans les écraser.
3 Pendant ce temps, mettez les morceaux de sucre et 2 verres d'eau dans une casserole à fond épais. Faites cuire jusqu'au caramel.
4 Lorsque le caramel est bien doré, versez-le sur les myrtilles chaudes et continuez à mélanger pendant 8 à 10 min sur feu doux.
5 Versez en pots, laissez refroidir et couvrez *(voir page 196)*.

Tarte aux myrtilles ▲

Dans cette recette classique de la pâtisserie alsacienne, le jus des myrtilles, parfois très abondant, peut détremper la croûte à tarte. Pour éviter cela, parsemez le fond de chapelure avant d'y ranger les fruits.

Neige aux myrtilles

Recette légère – 1 portion 100 kcal

Pour **4 personnes**
Préparation **20 min**
Cuisson **15 min**

100 g de myrtilles surgelées ◆ 4 œufs ◆ 25 cl de lait écrémé ◆ 1 gousse de vanille ◆ citron ◆ édulcorant en poudre ◆ sel

1 Sortez les myrtilles du congélateur. Cassez les œufs en séparant les blancs des jaunes. Mettez les jaunes dans une terrine, ajoutez 2 c. à soupe d'édulcorant et mélangez.
2 Versez le lait dans une casserole avec la vanille fendue en 2 et portez à ébullition. Ôtez du feu, couvrez et laissez infuser 10 min.
3 Retirez la vanille et versez le lait sur les jaunes d'œufs. Mélangez.
4 Versez ce mélange dans une casserole et faites chauffer sur feu doux en remuant jusqu'à épaississement de la crème.
5 Versez cette crème dans une jatte. Remuez-la régulièrement jusqu'à ce qu'elle soit froide.
6 Faites chauffer 1 l d'eau dans une grande casserole. Fouettez les blancs en neige très ferme avec 1 pincée de sel.
7 Prélevez une portion de blancs d'œufs et posez-la à la surface de l'eau frémissante. Laissez pocher pendant 2 min, égouttez et déposez-la ensuite sur la crème. Faites cuire ainsi les blancs d'œufs en neige.
8 Passez les myrtilles à la centrifugeuse avec du jus de citron et un peu d'édulcorant en poudre. Nappez les blancs en neige de ce coulis. Servez aussitôt.

Tarte aux myrtilles

Pour **6 personnes**
Préparation **15 min**
Repos **30 min**
Cuisson **35 min**

200 g de farine ◆ 100 g de beurre ◆ 125 g de sucre semoule ◆ 3 œufs ◆ 2 c. à soupe de chapelure ◆ 500 g de myrtilles ◆ 10 cl de crème fraîche ◆ sel ◆ sucre glace

1 Versez la farine dans une terrine. Incorporez le beurre ramolli par petits morceaux et malaxez la pâte. Faites une fontaine et versez-y 25 g de sucre, 1 jaune d'œuf, 1 pincée de sel et 2 c. à soupe d'eau.
2 Mélangez ces ingrédients et pétrissez pendant 2 ou 3 min. Ramassez la pâte en boule et laissez-la reposer pendant 30 min au frais.
3 Abaissez la pâte sur 4 mm d'épaisseur et garnissez-en une tourtière beurrée. Piquez le fond à la fourchette et saupoudrez-le de chapelure pour éviter qu'il ramollisse.
4 Nettoyez rapidement les myrtilles sans les laver puis disposez-les sur le fond de tarte. Faites cuire au four pendant 20 min à 190 °C.
5 Pendant ce temps, fouettez la crème fraîche, 100 g de sucre et 2 œufs entiers. Sortez la tarte du four et versez doucement cette préparation sur les fruits.
6 Remettez la tarte au four et faites cuire pendant encore 15 min à 180 °C.
7 Poudrez le dessus de la tarte de sucre glace à la sortie du four. Attendez 15 min avant de la démouler. Servez refroidi.

→ **autres recettes de myrtille à l'index**

nage

Ce court-bouillon au vin blanc aromatisé avec des carottes, des oignons et du poireau sert à cuire des écrevisses, des homards, des langoustes, des langoustines ou des coquilles Saint-Jacques. Les poissons, crustacés ou fruits de mer servis dans cette cuisson sont appelés « à la nage ».

Coquilles Saint-Jacques à la nage

RECETTE LÉGÈRE – 1 portion 240 kcal

Pour **4 personnes**
Préparation **30 min**
Cuisson **15 min environ**

16 coquilles Saint-Jacques ◆ 1 poireau ◆ 1 carotte ◆ 1 branche de céleri ◆ 1/2 bulbe de fenouil ◆ 1 gousse d'ail ◆ 1 échalote ◆ 40 g de beurre ◆ 1 bouquet garni ◆ 40 cl de vin blanc sec ◆ sel ◆ poivre

1 Ouvrez les coquilles et nettoyez-les. Détachez la noix et le corail. Lavez-les délicatement sous l'eau courante et épongez-les.
2 Épluchez et lavez les légumes. Émincez-les finement. Pelez et hachez l'ail et l'échalote.
3 Faites fondre le beurre dans une grande casserole. Ajoutez les rondelles de carotte, le poireau, le céleri et le fenouil émincés, l'ail et l'échalote. Salez et poivrez. Ajoutez le bouquet garni. Laissez cuire doucement 5 min.
4 Versez le vin blanc et 40 cl d'eau dans une autre casserole et faites bouillir 3 à 4 min.
5 Placez les noix de saint-jacques sur les légumes et versez dessus le mélange de vin et d'eau. Couvrez et faites cuire 5 min.
6 Retirez le bouquet garni. Versez les noix de saint-jacques avec toute la nage dans un plat de service creux très chaud. Servez aussitôt.

Vous pouvez lier la sauce avant de servir avec 3 ou 4 c. à soupe de crème liquide. Veillez surtout à ne pas laisser cuire les coquilles trop longtemps, sinon elles risquent de durcir.

Écrevisses à la nage

RECETTE LÉGÈRE – 1 portion 120 kcal

Pour **6 personnes**
Préparation **30 min**
Cuisson **25 min**

100 g de petites carottes ◆ 2 oignons ◆ 100 g d'échalotes ◆ 50 cl de vin blanc sec ◆ 1 bouquet garni ◆ 60 écrevisses ◆ sel ◆ poivre en grains

1 Pelez et émincez finement les carottes et les oignons. Pelez et hachez les échalotes.
2 Réunissez ces ingrédients dans une casserole avec le vin blanc, le bouquet garni, du sel et 12 grains de poivre. Allongez le liquide avec 20 cl d'eau bouillante. Portez lentement à ébullition et laissez frémir 15 min.
3 Lavez les écrevisses et châtrez-les si nécessaire. Plongez-les dans la nage à ébullition et couvrez. Laissez cuire 10 min.
4 Versez les écrevisses dans un plat creux. Retirez le bouquet garni de la nage et arrosez les écrevisses avec le bouillon et les légumes hachés. Servez ces écrevisses à la nage chaudes ou tièdes en entrée.

Proposez en même temps du pain de campagne coupé en tranches très fines et du beurre.

navarin

Le navarin est un ragoût de mouton ou d'agneau cuisiné avec des pommes de terre et des légumes. C'est un plat de printemps particulièrement savoureux quand on le prépare avec des petits légumes nouveaux. Vous pouvez cuisiner de la même façon un poulet ou de la lotte.

Diététique. Pour en faire un plat léger, dégraissez les morceaux et cuisinez-les dans un récipient à revêtement antiadhésif.

Navarin d'agneau

Pour **6 personnes**
Préparation **25 min**
Cuisson **1 h 30 environ**

800 g d'épaule d'agneau désossée ◆ 800 g de collier d'agneau désossé ◆ 20 cl de vin blanc ◆ 2 tomates mûres ◆ 2 gousses d'ail ◆ 1 bouquet garni ◆ 300 g de petites carottes nouvelles ◆ 200 g de petits navets nouveaux ◆ 100 g de petits oignons blancs ◆ 300 g de haricots verts ◆ 25 g de beurre ◆ 300 g de petits pois écossés, frais ou surgelés ◆ huile de maïs ◆ sucre semoule ◆ farine ◆ muscade ◆ sel ◆ poivre

1 Coupez l'épaule d'agneau en 6 morceaux et le collier en 6 tranches. Faites chauffer 2 c. à soupe d'huile dans une grande cocotte. Mettez-y les morceaux de viande par petites quantités pour les faire revenir sans les laisser brûler. Quand ils sont dorés, égouttez-les et videz les 2/3 de la graisse fondue.
2 Remettez la viande dans la cocotte et poudrez avec 1 c. à café de sucre. Mélangez puis ajoutez 1 c. à soupe de farine et faites cuire 3 min en remuant.
3 Versez le vin et mélangez. Salez et poivrez puis muscadez. Réglez sur feu modéré.
4 Pelez, épépinez et concassez les tomates. Pelez et hachez l'ail. Ajoutez-les dans la cocotte avec le bouquet garni.
5 Complétez le mouillement avec un peu d'eau : le liquide doit juste recouvrir la viande. Couvrez lorsque l'ébullition est atteinte et laissez mijoter pendant 45 min.
6 Pendant ce temps, pelez et grattez les carottes et les navets. Pelez les petits oignons, effilez les haricots verts.
7 Faites chauffer le beurre dans une sauteuse et mettez-y les carottes, les navets et les oignons. Faites revenir en remuant pendant 10 min, puis égouttez-les.
8 Par ailleurs, faites cuire les haricots verts à la vapeur pendant 10 à 12 min, ils doivent rester croquants.
9 Ajoutez dans la cocotte les carottes, les navets, les oignons et les petits pois. Mélangez et couvrez à nouveau. Poursuivez la cuisson doucement pendant 20 à 25 min.
10 Ajoutez les haricots verts 5 min avant de servir et mélangez délicatement. Goûtez pour rectifier l'assaisonnement.
11 Servez dans la cocotte et prévoyez des assiettes bien chaudes.

Le mot navarin vient du mot navet, légume qui, à l'origine, constituait la garniture principale de ce plat. Vous pouvez varier le choix des légumes, ajouter éventuellement des courgettes, mais les navets restent indispensables.

Boisson **bourgogne rouge léger**

◄ Navarin d'agneau
Pour bien faire ressortir les parfums de ce plat, mettez à dorer les morceaux d'agneau dans un minimum de matière grasse. Poudrez-les avec un peu de sucre pour les caraméliser avant d'ajouter le liquide de cuisson.

Les petits navets nouveaux sont souvent vendus avec leurs feuilles : vous pouvez cuisiner cette verdure comme de l'épinard ou l'inclure dans un potage. Les navets d'hiver gagnent à être blanchis avant la cuisson.

navet

→ **voir aussi** macédoine, pot-au-feu

Ce légume d'hiver, mais aussi de printemps, est une racine jaune pâle ou blanche, ronde ou longue, souvent teintée de violet. Choisissez-le ferme, avec une chair serrée sous une peau claire et lisse, sans taches. Il fait partie des traditionnels légumes du pot (soupes et potées). Utilisez-le également en garniture du canard, du mouton ou du lapin, en gratin ou en purée. Les petits navets nouveaux peuvent même se râper en crudité. Faites-les aussi braiser ou glacer.

Diététique. Le navet contient du soufre, ce qui le rend parfois difficile à digérer. 100 g = 35 kcal.

Navets à la ciboulette

Pour **4 personnes**
Préparation **5 min**
Cuisson **25 min environ**

800 g de navets d'hiver pas trop gros ◆ 60 g de beurre ◆ 2 c. à soupe de ciboulette hachée ◆ sel ◆ poivre

1 Lavez et pelez les navets. Mettez-les dans une casserole, couvrez d'eau froide et salez légèrement. Portez à ébullition et faites-les cuire 15 min sur feu assez vif.
2 Égouttez les navets et laissez-les tiédir. Coupez-les ensuite en petits dés ou en rondelles.
3 Faites chauffer le beurre dans une poêle. Ajoutez les navets et remuez-les à la spatule. Laissez-les dorer doucement en les remuant de temps en temps. Salez et poivrez. Ajoutez la ciboulette et servez aussitôt.

Salade de racines

Pour **4 personnes**
Préparation **20 min**
Trempage **1 h**
Cuisson **20 min**

12 pruneaux ◆ 100 g de raisins secs blonds ◆ 150 g de noisettes ◆ 8 carottes nouvelles ◆ 8 petits navets nouveaux ◆ 2 échalotes ◆ 1 bouquet de cerfeuil ◆ huile d'olive ◆ vinaigre de vin blanc à l'estragon ◆ sel ◆ poivre

1 Dénoyautez les pruneaux, coupez-les en morceaux, mettez-les dans un bol de thé bouillant. Mettez les raisins secs à tremper dans un autre bol de thé. Concassez les noisettes.
2 Grattez et lavez les carottes. Pelez les navets. Coupez les légumes en rondelles et faites-les cuire à la vapeur. Laissez-les tiédir.
3 Pelez et émincez très finement les échalotes. Lavez, effeuillez et ciselez le cerfeuil. Mélangez dans un bol 5 c. à soupe d'huile et 2 c. à soupe de vinaigre. Salez et poivrez. Égouttez les pruneaux et les raisins secs.
4 Réunissez dans un plat les carottes et les navets, ajoutez les fruits secs, les échalotes. Arrosez de sauce et mélangez.
5 Ajoutez les noisettes et mélangez à nouveau, puis parsemez de cerfeuil.

→ **autres recettes de navet à l'index**

nectarine

→ voir aussi brugnon, pêche

Ce fruit d'été dérive de la pêche. Il a une peau lisse, rouge marbré de jaune ou d'orange, comme le brugnon, mais il s'en distingue par sa chair, jaune ou blanche, assez ferme, qui n'adhère pas au noyau. La nectarine doit être souple sous le doigt, bien parfumée, avec une peau lisse et sans taches. Si elle est dure, soit elle n'est pas mûre, soit sa chair est cotonneuse. Elle se conserve assez bien plusieurs jours. Consommez-la nature, bien mûre, faites-en une salade de fruits au vin ou une compote aromatisée. On l'utilise aussi pour des tartes, des entremets ou des desserts glacés.

Diététique. Fruit riche en carotène, précurseur de la vitamine A qui favorise le bronzage.

nèfle

Le fruit du néflier d'Europe (d'une saveur douce et vineuse) n'est comestible que blet, c'est-à-dire très mûr, en compote. Le néflier du Japon, ou bibacier, donne lui aussi un fruit : la nèfle du Japon (avril à fin juin). Sa chair blanchâtre ou orangée, ferme ou fondante selon la variété, se déguste nature, bien mûre, ou sous forme de confiture ou de gelée. C'est après avoir subi les premières gelées sur l'arbre ou avoir attendu plusieurs semaines sous un lit de paille que les nèfles sont prêtes à être cuisinées.

Gris-brun ou orange selon la variété, la nèfle mesure de 3 à 4 cm de diamètre. La pulpe peut renfermer jusqu'à 5 noyaux.

neufchâtel

Ce fromage normand au lait de vache, à pâte molle et à croûte fleurie, se présente sous forme de briquette, de cylindre, de carré ou de cœur. De consistance lisse et moelleuse, il a une saveur douce. Il ne doit jamais être sec ni granuleux.

noisette

→ voir aussi beurre composé, huile, noix

Le fruit du noisetier est une grosse graine ronde à saveur très fine, utilisée surtout sèche. Mais on peut trouver des noisettes fraîches vendues dans leur enveloppe verte d'août à octobre. Une bonne noisette dans sa coque sèche est lisse, sans trou (sinon elle renferme un ver) et bien pleine : elle ne fait pas de bruit quand on la secoue. Salées et grillées en amuse-gueule, concassées ou râpées en pâtisserie dans les pâtes à biscuits ou les crèmes, les noisettes s'emploient en cuisine dans des farces ou des pâtés.

Diététique. Pour un petit déjeuner énergétique, écrasez une poignée de noisettes dans un bol de fromage blanc. 100 g de noisettes sèches = 655 kcal.

noisettes vertes

Fraîche, la noisette est vendue dans son enveloppe verte. Assez rare, on ne la trouve qu'au moment de la récolte. Les noisettes sèches entières se trouvent toute l'année, en vrac.

Noisettine

Pour **6 personnes**
Préparation **20 min**
Cuisson **30 min**

130 g de noisettes ◆ 8 blancs d'œufs ◆ 160 g de sucre semoule ◆ 40 g de farine ◆ 110 g de beurre ◆ sucre glace

1 Concassez les noisettes. Mettez-les sur une tôle et passez-les 3 ou 4 min à four chaud pour les faire griller.

2 Mélangez dans une jatte les blancs d'œufs non battus et le sucre. Ajoutez ensuite les noisettes puis la farine tamisée. Mélangez à fond. Incorporez 100 g de beurre fondu.

3 Beurrez un petit moule à manqué et versez-y la pâte. Faites cuire 30 min au four à 200 °C. Sortez le gâteau du four, laissez tiédir, démoulez et poudrez de sucre glace.

Poulet aux noisettes

Pour **4 personnes**
Préparation **20 min**
Cuisson **40 min**

1 poulet de 1,2 kg ◆ farine ◆ 100 g de beurre ◆ 40 cl de bouillon de volaille ◆ 150 g de noisettes ◆ 3 c. à soupe de crème fraîche ◆ sel ◆ poivre

1 Découpez le poulet en morceaux. Salez-les et poivrez-les. Farinez-les. Faites chauffer 20 g de beurre dans une cocotte et mettez-y les morceaux de poulet.
2 Faites-les colorer en les retournant pendant 4 ou 5 min puis versez le bouillon et faites cuire à couvert pendant 25 à 30 min sur feu modéré.
3 Faites griller les noisettes pendant 3 à 4 min sur la tôle du four. Mettez-en une dizaine de côté. Pilez le reste et incorporez 80 g de beurre en parcelles.
4 Égouttez les morceaux de poulet et mettez-les dans un plat creux au chaud. Faites réduire le fond de cuisson sur feu vif puis ajoutez le beurre de noisette par fractions en fouettant. Incorporez ensuite la crème fraîche et faites chauffer 5 min.
5 Nappez les morceaux de poulet avec cette sauce onctueuse et ajoutez les noisettes entières en garniture.

Boisson vin blanc fruité

→ **autres recettes de noisette à l'index**

noisette (viande)

En boucherie, la noisette désigne la partie charnue d'une côtelette d'agneau ou de chevreuil désossée, entourée d'une fine barde de lard : faites-la sauter au beurre, avec une garniture raffinée.

Noisettes de chevreuil aux cerises

Pour **4 personnes**
Préparation **15 min**
Cuisson **20 min**

1 petite boîte de cerises en conserve au naturel ◆ 50 g de beurre ◆ 8 noisettes de chevreuil ◆ 10 cl de crème fraîche épaisse ◆ muscade ◆ sel ◆ poivre

1 Égouttez les cerises et réservez le jus. Faites chauffer le beurre dans une grande poêle.
2 Salez et poivrez les noisettes de chevreuil. Faites-les saisir de 2 à 3 min de chaque côté sur feu très vif. Égouttez-les, disposez-les sur un plat de service, tenez au chaud.
3 Versez les cerises dans la poêle et faites-les chauffer en les remuant délicatement pendant 5 min sur feu assez vif. Disposez-les autour des noisettes de chevreuil. Versez 5 c. à soupe du jus des cerises dans la poêle et faites bouillir 5 min en remuant. Salez et poivrez. Muscadez.
4 Ajoutez la crème fraîche et mélangez. Laissez mijoter 5 min pour faire épaissir. Nappez les noisettes de chevreuil de sauce et servez.

→ **autres recettes de noisette (viande) à l'index**

noix

→ **voir aussi beurre composé, huile, noisette**

Le fruit du noyer est formé de deux cerneaux recouverts d'une mince pellicule amère, protégés par une coque dure. Les noix proviennent d'Italie, de Grèce et de France : variétés grandjean et corne en Dordogne ; mayette, franquette et parisienne en Isère, distinguées par l'appellation « noix de Grenoble » (diamètre minimal de 27 mm).

La noix fraîche est vendue de fin septembre à novembre. Elle est fine et savoureuse, mais se conserve peu : 15 jours au maximum. Les noix sèches ont une pulpe qui devient grise en vieillissant. Trempés une nuit dans du lait, les cerneaux secs reprennent un goût de noix fraîche. Les noix n'ont pas besoin d'être « belles » pour être bonnes : les très grosses bien décapées sont traitées au chlore.

Ne mettez jamais les noix au réfrigérateur : leur huile fige et elles deviennent insipides.

Diététique. La noix séchée est particulièrement énergétique : 100 g = 660 kcal. Riche en protides, vitamines B et D et phosphore.

noix

La noix est un fruit pauvre en eau, logé à l'intérieur d'une coque dure. Pelez les cerneaux de noix, surtout s'ils sont frais.

cerneaux de noix

Grenoblois aux noix ▲

Ce gâteau moelleux dont la recette est originaire de Grenoble est délicieux servi avec le café. Placez les cerneaux dès que le glaçage est étalé pour qu'ils s'y collent aussitôt.

Grenoblois aux noix

Pour **8 personnes**
Préparation **25 min**
Cuisson **50 min**

250 g de noix décortiquées ◆ 5 œufs ◆ 270 g de sucre semoule ◆ 2 c. à soupe de rhum ◆ 100 g de fécule de pomme de terre ◆ 40 g de beurre ◆ 150 g de sucre glace ◆ 2 c. à soupe d'extrait de café ◆ 10 cerneaux de noix

1 Hachez les noix très finement. Cassez les œufs en séparant les blancs des jaunes. Versez les jaunes dans une terrine, ajoutez 250 g de sucre et travaillez le mélange jusqu'à ce qu'il soit mousseux. Ajoutez le rhum. Mélangez.

2 Battez les blancs en neige très ferme puis incorporez-les à la pâte. Ajoutez ensuite, le plus rapidement possible mais en mélangeant bien, les noix hachées puis la fécule.

3 Beurrez largement un moule à manqué de 25 cm de diamètre. Beurrez également un rond de papier sulfurisé que vous placerez dans le fond du moule.

4 Versez la pâte dedans et faites cuire 50 min dans le four à 190 °C. Démoulez le gâteau sur une grille lorsqu'il est tiède.

5 Délayez le sucre glace avec 2 c. à soupe d'eau et l'extrait de café. Nappez le dessus du gâteau avec ce mélange. Placez les cerneaux de noix sur le glaçage encore mou.

➜ autres recettes de noix à l'index

noix du Brésil

Reconnaissable à ses trois faces anguleuses, ce fruit sec, disponible toute l'année, mesure de 3 à 5 cm de long. La coque cache une amande parfumée que l'on peut utiliser concassée pour aromatiser une salade composée aux fruits ou une pâte à gâteau.

Diététique. La noix du Brésil est extrêmement riche en lipides, en minéraux et en vitamines du groupe B.

noix de cajou

Fruit de l'anacardier, la noix de cajou est en forme de haricot. D'une saveur fine et délicate, elle peut jouer un rôle intéressant en cuisine dans le curry d'agneau, le riz aux crevettes, les farces de volaille ou encore les sautés de légumes. Grillées et salées, les noix de cajou se servent aussi en amuse-gueule ; nature, elles parfument gâteaux et biscuits.

Diététique. 100 g = 610 kcal. La noix de cajou est plus riche en sucre et moins riche en graisse que la noix et la noisette.

noix de cajou

noix du Brésil

Ces fruits sont surtout présents dans les mélanges pour l'apéritif. Découvrez aussi leur saveur dans des salades composées ou en pâtisserie.

noix de coco

Ce gros fruit formé d'une coque fibreuse renferme une pulpe blanche et ferme, délicatement parfumée et savoureuse. Cette pulpe se forme à partir du liquide sucré que contient la noix lorsqu'elle sèche. Ne confondez pas cette eau de coco avec le lait de coco vendu en boîte ou en bocal, qui est une émulsion de pulpe râpée et d'eau (à boire comme rafraîchissement ou pour cuisiner une sauce épicée, un curry de crevettes ou de poulet).

Rare à l'état frais, la noix de coco se vend surtout sèche : brisez la coque d'un coup de marteau et détachez au couteau la pulpe blanche. Celle-ci se vend aussi râpée en sachet. Elle s'emploie en confiserie et en pâtisserie (biscuits, crèmes, gâteaux, confitures), mais aussi en cuisine : avec des crudités, des salades de poisson, des ragoûts de volaille ou de viande auxquels elle donne une note exotique et rafraîchissante.

Diététique. La noix de coco fraîche apporte 370 kcal pour 100 g contre 630 pour la noix de coco sèche. Consommez-en à l'occasion, car c'est un aliment riche en fibres.

Gâteau antillais

Pour **6 personnes**
Préparation **20 min, 2 h à l'avance**
Cuisson **35 min environ**

200 g de farine ◆ 100 g de beurre ◆ 1 c. à café de sucre semoule ◆ 5 œufs ◆ 8 c. à soupe de sirop de sucre de canne ◆ 160 g de noix de coco râpée ◆ 20 cl de crème fraîche ◆ sel

1 Mettez la farine en tas sur le plan de travail. Faites une fontaine. Ajoutez le beurre en parcelles, 1 pincée de sel et le sucre.
2 Incorporez les ingrédients en ajoutant 1 jaune d'œuf et 1/2 verre d'eau. Pétrissez la pâte rapidement. Ajoutez 2 ou 3 c. à soupe d'eau.
3 Lorsque la pâte est souple, ramassez-la en boule et laissez-la reposer au frais pendant 2 h.
4 Mélangez dans une terrine 4 œufs entiers, le sirop de sucre de canne, la noix de coco et la crème fraîche.
5 Abaissez la pâte, repliez-la et abaissez-la à nouveau. Garnissez-en une tourtière en porcelaine à feu. Versez la garniture sur le fond de tarte et faites cuire au four à 210 °C pendant 30 à 40 min. Servez tiède.

Rochers congolais

Pour **6 personnes**
Préparation **20 min**
Cuisson **25 min**

300 g de sucre semoule ◆ 1 pincée de sel ◆ 5 blancs d'œufs ◆ 250 g de noix de coco râpée ◆ 1 c. à café de vanille en poudre ◆ 30 g de beurre

1 Placez une terrine au bain-marie dans une casserole d'eau sur le feu. Versez-y le sucre, le sel et les blancs d'œufs.
2 Fouettez régulièrement jusqu'à ce que le sucre soit fondu et le mélange chaud. Les blancs ne doivent pas être montés en neige.
3 Incorporez la noix de coco râpée et la vanille. Mélangez. Retirez du feu.
4 Beurrez une tôle à pâtisserie. Prélevez des petites masses de pâte et disposez-les sur la tôle, à intervalles réguliers, sans trop les rapprocher.
5 Faites cuire à four doux pendant 15 min environ. Sortez les congolais du four, laissez-les refroidir et décollez-les de la tôle.

noix de coco

La noix de coco pèse de 1 à 1,5 kg. L'enveloppe fibreuse protège une coque brune. L'albumen blanc constitue la partie comestible : il durcit en séchant.

Salade tahitienne

Pour **2 personnes**
Préparation **15 min**
Marinade **3 h**
Pas de cuisson

300 g de filets de daurade très frais ◆ 1 gros oignon ◆ 1 gousse d'ail ◆ 2 citrons verts ◆ 2 tomates ◆ 2 tranches d'ananas au sirop ◆ 50 g de noix de coco râpée ◆ sel ◆ poivre au moulin

1 Coupez les filets de daurade en morceaux et mettez-les dans une terrine. Salez et poivrez. Pelez et hachez finement l'oignon et l'ail.
2 Pressez le jus des citrons et versez-le sur le poisson, ajoutez l'ail et l'oignon. Remuez et laissez mariner au frais pendant 3 h.
3 Lavez les tomates et coupez-les en fines rondelles. Coupez l'ananas en petits cubes.
4 Répartissez la salade de daurade dans des coupes avec la moitié de la marinade. Ajoutez les tomates et l'ananas. Poudrez de noix de coco et poivrez. Servez frais.

→ **autres recettes de noix de coco à l'index**

Noix de veau rôtie

Pour **6 personnes**
Préparation **2 min**
Cuisson **1 h 30 environ**

1,5 kg de noix de veau environ ◆ 30 g de beurre ◆ sel ◆ poivre

1 Demandez au boucher de barder le rôti en disposant des bandes de barde espacées les unes des autres, dessus, dessous et sur les côtés.
2 Pesez le rôti pour calculer le temps de cuisson : 30 min par livre. Salez et poivrez le rôti. Posez-le dans le plat de cuisson et enfournez à 220 °C. Lorsque la viande est bien saisie, retournez-la pour que le rôti soit doré sur toutes les faces.
3 Videz la graisse. Baissez la chaleur à 150 °C et poursuivez la cuisson. Éteignez le four et laissez le rôti 5 min dans le four pour qu'il gonfle.
4 Sortez le rôti du four, déficelez-le et retirez les bardes. Découpez-le. Poivrez et salez les tranches. Déglacez le plat de cuisson avec 1 c. à soupe d'eau bouillante et ajoutez le beurre en parcelles. Laissez-le fondre, remuez et servez ce jus en saucière.

Garniture : un gratin d'aubergines.

noix de pecan

→ **voir aussi** cookie

Fruit sec typiquement américain, la noix de pecan (ou pacane) présente une coque lisse et oblongue de 5 cm de long. Les cerneaux marqués de stries ont une saveur très délicate et s'emploient à la fois en pâtisserie (tartes, biscuits) et en cuisine comme les noix. On les trouve dans les épiceries fines, décortiquées, nature, salées ou caramélisées ; 500 g de noix en coques fournissent environ 250 g de cerneaux.
Diététique. Très calorique mais énergétique.

noix de veau

→ **voir aussi** veau

Le cuisseau de veau est formé de la noix, de la sous-noix et de la noix pâtissière. Ce sont des morceaux de première catégorie : escalopes, grenadins, rôtis. C'est une viande maigre, tendre mais un peu sèche. On peut la faire braiser pour la rendre moelleuse.
Diététique. Morceau maigre. 100 g = 160 kcal.

nougat

→ **voir aussi** touron

Cette confiserie à base de sucre et de fruits secs (amandes surtout) est une spécialité du Sud-Est. Mais on fabrique en France plusieurs sortes de nougat. Le blanc est le plus courant (15 % au moins de fruits). Le nougat de Montélimar en comporte au moins 30 % (amandes et pistaches). Le nougat de Provence est à base de miel caramélisé avec des amandes, des noisettes, de la coriandre et de l'anis. Le nougat noir, plus rare, est une spécialité provençale réputée. Il existe aussi du nougat chinois ou vietnamien (aux graines de sésame) et du nougat catalan (aux noisettes). Le nougat glacé est un dessert qui associe amandes, noisettes et fruits confits avec une crème glacée à la vanille.

Salade tahitienne ►
Tout autre filet de poisson de toute première fraîcheur, condition indispensable, convient pour la réussite de cette délicieuse salade estivale.

nougatine

Cette préparation à base de caramel et d'amandes concassées, laminée en plaque, moulée en forme de cornet ou de coupe, sert de décor ou de support en pâtisserie. Achetez-la toute prête chez un confiseur pour présenter par exemple des boules de sorbet. La nougatine est aussi un gâteau fait d'une génoise fourrée de crème pralinée, abricotée et garnie d'amandes ou de noisettes hachées.

nouilles

→ voir aussi pâtes alimentaires, vermicelle

Les nouilles sont des pâtes en forme de minces rubans plats, préparées avec de la farine et de l'eau, comme toutes les pâtes, et avec des œufs (entiers ou jaunes seulement pour les meilleures).

Fraîches ou sèches, elles se font cuire dans une grande quantité d'eau salée, se servent au beurre, au gratin, au fromage, etc., et garnissent le civet, le coq au vin ou certains poissons en sauce.

En Asie, la gamme des nouilles est considérable, aussi bien pour garnir des soupes que comme garniture croustillante pour des poissons ou des plats végétariens. On trouve surtout les nouilles de blé aux œufs, de couleur jaune, chinoises, que l'on peut acheter sèches ou fraîches, mais aussi des nouilles de blé blanches ou les nouilles de sarrasin, qui sont japonaises.

Diététique. Une excellente source de glucides, le carburant de l'organisme. Vous pouvez en consommer sans risque de grossir, à condition de ne pas les accompagner de pain.

Nouilles à l'alsacienne

Pour **6 personnes**
Préparation **20 min**
Repos **40 min**
Cuisson **8 min environ**

400 g de farine ◆ 5 ou 6 œufs ◆ 80 g de beurre ◆ 10 g de sel ◆ poivre au moulin

1 Préparez une pâte à nouilles avec la farine, le sel et les œufs entiers *(voir page 475)*. Laissez-la reposer 20 min. Divisez la pâte en 3 boules. Abaissez chaque boule sur 3 mm d'épaisseur. Détaillez-les en rubans de 5 mm de large. Laissez-les sécher 20 min.

2 Mettez de côté une bonne poignée de nouilles et farinez-les légèrement. Faites bouillir dans une casserole 3 l d'eau légèrement salée. Plongez-y les nouilles. Dès que les bouillons reprennent, retirez la casserole du feu et laissez pocher 6 min.

3 Faites chauffer 25 g de beurre dans une poêle. Lorsqu'il commence à mousser, ajoutez la poignée de nouilles réservée et faites-les rissoler sur feu vif pendant 5 min environ.

4 Égouttez les nouilles cuites à l'eau, versez-les dans un plat creux très chaud et ajoutez le reste de beurre en parcelles. Mélangez puis ajoutez les nouilles rissolées au beurre. Poivrez et servez aussitôt en garniture de gibier.

Nouilles chinoises sautées aux champignons

Pour **4 personnes**
Préparation **30 min**
Cuisson **25 min**

300 g de nouilles de blé chinoises ◆ 200 g de petits champignons de couche ◆ 1 poivron rouge ◆ 2 petites courgettes à peau fine ◆ 250 g de petits pois surgelés ◆ 2 échalotes ◆ 1 gousse d'ail ◆ huile de maïs ◆ huile de sésame ◆ sauce soja ◆ sel ◆ poivre

1 Faites cuire les nouilles chinoises dans une grande quantité d'eau salée selon les indications portées sur le paquet. Égouttez-les, rafraîchissez-les puis égouttez-les à nouveau. Arrosez-les d'un filet d'huile de sésame, mélangez et laissez refroidir complètement.

2 Nettoyez soigneusement les champignons et coupez-les en 2. Lavez et essuyez le poivron, retirez les graines et les cloisons, taillez la pulpe en petits dés. Lavez les courgettes, essuyez-les et émincez-les. Faites-les cuire à la vapeur en leur ajoutant les petits pois, pendant 8 min.

3 Pelez et émincez finement les échalotes et la gousse d'ail. Faites-les revenir doucement dans une grande poêle avec un filet d'huile de maïs. Ajoutez les champignons et le poivron.

4 Faites revenir doucement pendant 10 min puis ajoutez les nouilles et continuez à faire revenir sans cesser de remuer.

5 Ajoutez enfin les courgettes et les petits pois. Salez et poivrez. Faites réchauffer le tout en continuant à remuer. Versez 1 c. à soupe de sauce soja. Mélangez et servez aussitôt.

Pâte à nouilles

Pour **6 personnes**
Préparation **20 min**
Repos **30 min**
Séchage **2 h**

300 g de farine ordinaire ◆ 3 œufs de 65 g ◆ eau ◆ sel

1 Versez la farine sur le plan de travail. Faites une fontaine au milieu. Vous pouvez aussi utiliser de la semoule de blé dur, mais il est plus facile de pétrir à la main de la farine ordinaire (non tamisée), type 55.

2 Cassez les œufs dans la fontaine et ajoutez 2 ou 3 pincées de sel. Commencez à mélanger les ingrédients en partant du centre de la fontaine vers l'extérieur. Ajoutez suffisamment d'eau pour obtenir une pâte ferme et élastique. Mélangez bien.

3 Vous pouvez alors pétrir la pâte avec les paumes des mains en formant une boule. Détendez-la et refaçonnez-la 2 ou 3 fois de suite pour obtenir une masse compacte et homogène. Lorsque la pâte se détache pratiquement toute seule de vos mains, ramassez-la en boule et laissez-la reposer à température ambiante pendant environ 30 min.

4 Farinez le plan de travail et le rouleau à pâtisserie. Partagez la pâte à nouilles en 2 ou 3 portions. Abaissez-les l'une après l'autre le plus finement possible.

5 Découpez-y des lanières plus ou moins larges ou faites-les passer dans un laminoir manuel à manivelle, dont il faut suivre scrupuleusement le mode d'emploi.

Un truc simple pour découper les nouilles : roulez la portion de pâte abaissée en boudin et coupez-le en rondelles, déroulez-les aussitôt pour les faire sécher, à cheval sur un manche à balai recouvert d'un torchon (ou étalées sur une grille).

N'attendez pas trop longtemps pour découper la pâte une fois qu'elle est abaissée, car elle sèche très vite. Une fois que les nouilles sont découpées, laissez-les sécher 2 ou 3 h à température ambiante. Si vous ne les faites pas cuire aussitôt (5 min dans une grande quantité d'eau bouillante), farinez-les légèrement et mettez-les dans un linge propre : vous pouvez les conserver 3 ou 4 jours dans le réfrigérateur. Pour les congeler, réunissez les rubans de pâte en petits nids et faites-les durcir sur un plateau. Mettez-les dans des sacs en plastique (durée de conservation : de 3 à 4 mois).

1

2

3

4

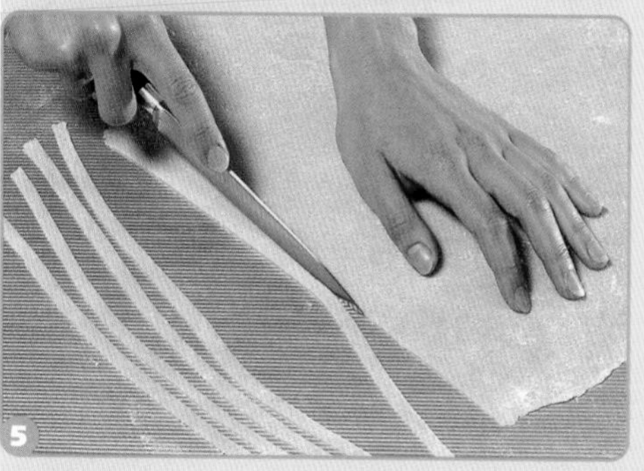
5

Nouilles aux noix

Pour **6 personnes**
Préparation **15 min**
Cuisson **15 min environ**

100 g de noix ◆ 50 g de pignons de pin ◆ 2 gousses d'ail ◆ 4 c. à soupe de persil plat ◆ 15 cl d'huile d'olive ◆ 400 g de nouilles fraîches ◆ sel ◆ poivre

1 Décortiquez les noix et plongez les cerneaux dans une casserole d'eau portée à ébullition, laissez-les 1 min puis égouttez-les et retirez la peau qui les recouvre. Pendant ce temps, faites griller rapidement les pignons de pin étalés sur la tôle du four.
2 Pelez et hachez les gousses d'ail. Lavez le persil, épongez-le et hachez-le finement. Réunissez dans un mortier les cerneaux de noix et les pignons. Concassez-les.
3 Faites chauffer la moitié de l'huile dans un poêlon. Ajoutez l'ail et le persil. Mélangez et laissez revenir 3 ou 4 min en remuant.
4 Ajoutez les cerneaux de noix et les pignons. Faites dorer en remuant pendant 2 min. Retirez du feu et versez alors le reste d'huile d'olive avec 10 cl d'eau. Fouettez pour bien mélanger. Rectifiez l'assaisonnement.
5 Faites cuire les nouilles à l'eau bouillante. Égouttez-les. Ajoutez la sauce après l'avoir réchauffée.

→ **autres recettes de nouilles à l'index**

Porc au nuoc-mâm

Pour **4 personnes**
Préparation **20 min**
Cuisson **15 min**

400 g de filet de porc ◆ 4 gousses d'ail ◆ 2 ciboules ◆ sucre semoule ◆ 2 c. à soupe de sauce soja ◆ 10 cl de bouillon de volaille ◆ 4 c. à soupe de nuoc-mâm ◆ huile d'arachide ◆ poivre noir au moulin ◆ poivre de Cayenne

1 Découpez le filet de porc en tranches de 2 cm d'épaisseur. Placez les tranches entre 2 feuilles de papier Cellophane huilé et aplatissez-les avec une batte.
2 Pelez et hachez les gousses d'ail. Épluchez et émincez les ciboules. Faites chauffer 2 c. à soupe d'huile dans une sauteuse.
3 Lorsque l'huile est sur le point de fumer, ajoutez l'ail et la ciboule. Faites-les revenir en remuant et ajoutez 1 c. à café de sucre.
4 Ajoutez les tranches de porc et 1/2 c. à café de poivre. Faites-les rissoler pendant 3 ou 4 min en les retournant plusieurs fois.
5 Ajoutez la sauce soja, 2 pincées de cayenne et le bouillon de volaille. Portez à ébullition. Couvrez, baissez le feu et laissez mijoter 10 min.
6 Ajoutez enfin le nuoc-mâm et 1/2 c. à café de sucre. Mélangez et laissez cuire encore 2 min. Servez dans un plat creux très chaud, avec du riz à la vapeur.

Inutile de rajouter du sel, car le nuoc-mâm en apporte une proportion suffisante.

nuoc-mâm

→ **voir aussi** rouleau de printemps

Ce condiment vietnamien est à base de poisson macéré dans de la saumure. Il remplace le sel en cuisine et figure aussi sur la table, comme assaisonnement d'appoint en flacon ou en petit bol. Son goût est assez relevé et son odeur devient très forte, surtout lorsqu'il est chauffé. On peut le diluer avec du jus de citron, le pimenter ou bien lui ajouter de l'oignon finement émincé. Goûtez-le par exemple dans une sauce de salade, un ragoût de viande, du poisson frit ou un potage.

Diététique. Bon complément du riz nature, car il est riche en sodium, calcium, phosphore et acides aminés, mais supprimez-le dans un régime sans sel.

œuf

→ voir aussi **blanquette, crème anglaise, hollandaise, mayonnaise, meringue, omelette, soufflé**

Produit de la ponte d'un oiseau femelle, l'œuf est constitué d'une coquille qui renferme le blanc, ou albumen, et le jaune, où se niche le germe. Sans autre qualificatif, il s'agit d'un œuf de poule. Sont également commercialisés les œufs de caille et, plus rares, de pintade, d'oie, de cane ou de vanneau.

La vente des œufs de poule est réglementée : « extra-frais » si l'emballage porte une bande rouge avec cette mention en toutes lettres (elle a été fixée dans les 24 h qui suivent la ponte et précise aussi la date du conditionnement). Sept jours plus tard, la bande doit être retirée et l'œuf devient « frais ». Pour des préparations peu ou pas cuites, choisissez des œufs extra-frais. Un œuf de 15 jours est parfaitement comestible à condition d'être bien cuit. Vendus à la pièce, les œufs n'ont pas droit à la mention « extra » même s'ils sont du jour. L'appellation « œuf coque » n'a aucune valeur légale.

Un œuf frais possède une coquille brillante et veloutée. Quand on l'agite, on le sent bien plein. Plongé dans de l'eau, un œuf du jour reste au fond du récipient : si l'œuf a quelques jours, il remonte vers la surface et, s'il flotte, sa fraîcheur est douteuse. Cassez un œuf dans une assiette : s'il est frais, le jaune reste entier et bombé, le blanc l'entoure d'une masse visqueuse.

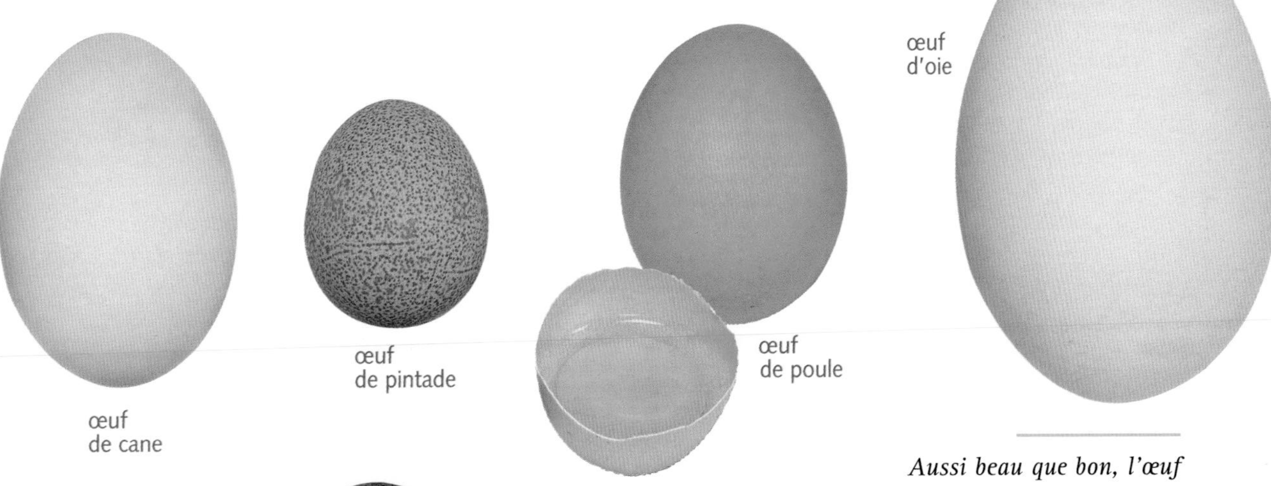

Aussi beau que bon, l'œuf est un aliment complet dont les préparations varient à l'infini. Le mot « œuf » tout seul ne désigne que l'œuf de poule : les autres œufs sont toujours commercialisés avec la mention de l'animal.

Les œufs sont calibrés en fonction de leur poids : 55/60 g, 60/65 g, 70 g ou plus. Dans les recettes, c'est la taille moyenne qui convient.

La couleur du jaune n'a aucune influence sur la qualité de l'œuf, celle de la coquille non plus : un œuf roux n'est pas meilleur ni plus « naturel » qu'un œuf blanc. La coquille étant très poreuse, l'œuf prend facilement le goût d'un aliment stocké près de lui : évitez la proximité de tout produit odorant (melon, ananas, oignon), à moins de rechercher ce but volontairement, dans le cas des œufs parfumés à la truffe, par exemple.

Cassez les œufs séparément pour éviter qu'un œuf mauvais ne gâte les autres. Pour séparer les blancs des jaunes, utilisez 3 récipients : 1 pour casser l'œuf, 1 pour les jaunes et 1 pour les blancs. Pour « monter » facilement des blancs en neige, ajoutez-leur 1 pincée de sel. Ne laissez jamais bouillir une préparation qui contient du jaune d'œuf : elle se désagrège. L'œuf une fois cassé ne se conserve pas : utilisez-le sans tarder, surtout le blanc (dans les 6 heures). Un œuf dur non écalé peut attendre 3 à 4 jours ; 2 jours s'il est écalé.

Produit bon marché, l'œuf est irremplaçable en cuisine et en pâtisserie. Les nombreuses façons de l'accommoder en font un aliment à multiples facettes.

Diététique. L'œuf est une excellente source de protéines de haute valeur biologique, directement et complètement utilisées par l'organisme. Il fournit 90 kcal pour 100 g. Attention : le jaune est une source importante de cholestérol. En revanche, vous pouvez remplacer un repas par 6 blancs d'œufs durs et de la salade pour un apport calorique presque nul.

→ **autres recettes d'œuf à l'index**

œufs brouillés

Délayés avec du beurre et cuits sur feu doux, les œufs brouillés forment une crème onctueuse à déguster sitôt prête. Servez-les nature si la qualité des œufs est exceptionnelle. Dans ce cas, on leur ajoute parfois juste un peu de crème fraîche (10 cl pour 6 œufs environ) et une pointe de muscade râpée. Vous pouvez aussi les garnir de fromage râpé, tomates concassées, pointes d'asperges, girolles sautées, ratatouille, fines herbes, petits croûtons rissolés. Servez-les éventuellement dans des petites brioches évidées et chauffées.

Œufs brouillés aux crevettes

Pour **2 personnes**
Préparation **15 min**
Cuisson **20 min**

60 g de beurre ◆ 100 g de crevettes décortiquées ◆ 4 œufs ◆ sel ◆ poivre

1 Faites fondre 20 g de beurre dans une casserole avec les crevettes. Faites-les chauffer doucement. Poivrez. Égouttez-en 6 et gardez-les entières. Coupez les autres en petits morceaux.
2 Cassez les œufs dans une casserole, ajoutez 1 pincée de sel et 2 tours de moulin à poivre. Faites-les cuire au bain-marie en ajoutant le reste de beurre par petits morceaux.
3 Lorsque les œufs commencent à prendre, ajoutez les crevettes coupées en morceaux avec le beurre fondu et continuez la cuisson jusqu'à ce que la masse soit bien onctueuse.
4 Répartissez les œufs dans 2 ramequins chauds et ajoutez les crevettes entières sur le dessus. Donnez 1 tour de moulin à poivre et servez.

Œufs brouillés aux foies de volaille

Pour **4 personnes**
Préparation **10 min**
Cuisson **20 min**

8 foies de volaille ◆ 70 g de beurre ◆ 1 c. à café d'extrait de viande ◆ 8 œufs ◆ 2 c. à soupe de persil haché ◆ sel ◆ poivre

1 Parez les foies de volaille et coupez-les en petits morceaux. Faites chauffer 20 g de beurre dans une poêle et faites sauter les foies de volaille 5 min sur feu vif.
2 Délayez l'extrait de viande avec 1 c. à soupe d'eau. Versez ce mélange sur les foies de volaille, remuez et retirez du feu. Réservez au chaud.
3 Cassez les œufs dans une jatte. Salez et poivrez. Battez-les légèrement.
4 Faites fondre le reste de beurre dans une casserole à fond épais. Versez-y les œufs et faites-les cuire sur feu doux en remuant constamment.
5 Versez les œufs brouillés dans un plat chaud. Ajoutez les foies de volaille sur le dessus et parsemez de persil haché. Servez aussitôt.

Œufs brouillés nature

Pour **4 personnes**
Préparation **15 min**
Cuisson **15 min environ**

80 g de beurre ◆ 8 œufs ◆ sel ◆ poivre

1 Beurrez une casserole en porcelaine à feu, émaillée ou en acier inoxydable de 16 cm de diamètre avec 30 g de beurre. Faites bouillir de l'eau dans une grande casserole qui formera le bain-marie. Si les œufs brouillés sont servis avec une garniture, préparez celle-ci en premier car les œufs une fois cuits ne doivent pas attendre.

2 Cassez les œufs l'un après l'autre dans une tasse puis versez-les au fur et à mesure dans la casserole beurrée. Ajoutez 2 ou 3 c. à café d'eau froide, 3 pincées de sel et donnez 4 ou 5 tours de moulin à poivre. Ajoutez enfin le reste de beurre en très petits morceaux.

3 Mélangez les œufs hors du feu avec une cuiller en bois sans les battre : la préparation doit être lisse et homogène sans faire de mousse. Mettez la casserole contenant les œufs dans celle où l'eau bout et faites cuire au bain-marie.

4 Mélangez les œufs en tournant régulièrement en appuyant dans le fond de la casserole et en passant la cuiller le long des parois. Il faut décoller les œufs coagulés au fur et à mesure qu'ils commencent à attacher. Travaillez rapidement la préparation pour que les œufs épaississent en formant une crème onctueuse.

5 Si la préparation cuit trop vite, sortez la casserole du bain-marie et remuez vivement hors du feu pendant quelques secondes. Arrêtez la cuisson lorsque la masse est bien prise et encore un peu coulante.

Servez les œufs brouillés dans des ramequins individuels ou dans un plat creux bien chaud : les ustensiles de service seront mis à chauffer dans le four pendant la cuisson des œufs. Vous pouvez aussi les servir directement dans le récipient de cuisson ou en farcir des petites brioches à tête.

Les œufs brouillés se préparent au dernier moment, lorsque les convives sont prêts à passer à table. On compte 2 œufs par personne, en choisissant la casserole de cuisson en conséquence : 12 cm de diamètre pour 2 œufs, 14 cm pour 4 ou 6 œufs, 16 cm pour 8 œufs.

Œufs en cocotte au poisson ▲

Le mélange de la verdure, du poisson et de l'œuf autorise de nombreuses variations : merlan ou limande à la place de la sole, estragon et laitue à la place de l'oseille et de l'épinard.

œufs en cocotte

Cassés dans des ramequins individuels ou des petites cassolettes en porcelaine à feu, les œufs en cocotte cuisent au four au bain-marie. Ils comportent généralement une garniture : sauce tomate, crème fraîche ou fondue d'oignons, fromage râpé, etc.

Œufs en cocotte à la crème

Pour **4 personnes**
Préparation **5 min**
Cuisson **3 à 5 min**

30 g de beurre ◆ 4 c. à soupe de crème fraîche ◆ 4 œufs ◆ sel ◆ poivre

1 Préchauffez le four à 220 °C. Beurrez 4 ramequins ou petits poêlons en porcelaine à feu.

2 Répartissez la moitié de la crème dans les ramequins. Cassez 1 œuf dans chacun. Salez et poivrez. Couvrez avec le reste de crème.

3 Placez les récipients dans un plat creux et versez-y de l'eau bouillante : elle doit arriver à mi-hauteur des ramequins.

4 Faites cuire au bain-marie à four chaud pendant 3 à 5 min selon votre goût. Sortez les ramequins du bain-marie et posez-les sur un plateau. Servez avec des toasts beurrés.

Œufs en cocotte au poisson

Pour **4 personnes**
Préparation **10 min**
Cuisson **8 min**

1 ou 2 filets de sole (120 g en tout) ◆ 1 citron non traité ◆ 8 feuilles d'épinards bien tendres ◆ 4 feuilles d'oseille ◆ 4 œufs extra-frais ◆ 10 g de beurre ◆ sel ◆ poivre

1 Coupez en morceaux le poisson rincé et épongé, mixez-le avec le jus et le zeste du citron râpé. Salez et poivrez. Lavez et ciselez les épinards et l'oseille. Incorporez-les au poisson.

2 Beurrez 4 ramequins en porcelaine à feu. Remplissez-les de la farce au poisson puis creusez le centre avec le dos d'une cuiller. Préchauffez le four à 180 °C.

3 Cassez 1 œuf dans chaque ramequin. Salez et poivrez. Rangez les ramequins dans un plat à gratin à demi rempli d'eau et faites cuire au four à 180 °C pendant 8 min. Servez aussitôt.

Œufs moulés aux champignons

Pour **4 personnes**
Préparation **20 min**
Cuisson **7 à 8 min**

60 g de beurre ◆ 120 g de champignons de couche ◆ 4 fines tranches de bacon ou de lard de poitrine ◆ 4 œufs ◆ persil plat haché ◆ sel ◆ poivre

1 Beurrez 4 ramequins. Nettoyez et hachez les champignons. Faites-les sauter 2 ou 3 min dans une casserole avec le reste de beurre. Salez et poivrez. Ajoutez 2 c. à soupe de persil haché.

2 Faites rissoler les tranches de bacon ou de lard sans matière grasse dans une petite poêle. Égouttez-les. Tapissez-en le fond de chaque ramequin.
3 Ajoutez par-dessus la moitié des champignons égouttés. Cassez 1 œuf dans chaque ramequin. Salez peu et poivrez. Couvrez avec le reste de champignons.
4 Faites cuire au bain-marie au four à 200 °C pendant 7 à 8 min. Le blanc doit être pris et le jaune, coagulé. Servez aussitôt.

œufs à la coque

Cuits à l'eau bouillante dans la coquille, les œufs à la coque demandent 2 minutes de cuisson à la reprise de l'ébullition pour un blanc laiteux, 3 minutes pour un blanc pris, avec le jaune liquide, 3 minutes et demie pour un blanc très pris et un jaune épaissi. Servez-vous d'une cuiller pour déposer les œufs dans la casserole d'eau bouillante. Attachez un soin particulier aux mouillettes : pain de campagne grillé, languettes de pain de mie beurrées roulées dans de l'estragon ou du cerfeuil ciselé.

Diététique. Un œuf « extra » peut se consommer à la coque jusqu'à 10 jours après l'achat.

œufs durs

Cuits à l'eau bouillante dans la coquille plus longtemps que les œufs à la coque (10 minutes), les œufs durs présentent un jaune et un blanc entièrement pris. Rafraîchissez-les à l'eau froide avant de les écaler.

Diététique. Contrairement à une idée reçue, l'œuf ne cause aucun trouble du foie : frais et cuit à l'eau, il se digère facilement.

Œufs farcis mayonnaise

Pour **6 personnes**
Préparation **30 min**
Cuisson **10 min**

6 gros œufs de 70 g ◆ 25 cl d'huile ◆ 1 jaune d'œuf ◆ 2 tomates ◆ 1 cœur de laitue ◆ 4 c. à soupe de fines herbes mélangées ◆ moutarde forte ◆ jus de citron ◆ sel ◆ poivre

1 Faites cuire les œufs 10 min à l'eau bouillante. Égouttez-les, rafraîchissez-les et écalez-les.
2 Préparez la mayonnaise avec l'huile, le jaune d'œuf, 1 c. à café de moutarde et 1 c. à soupe de jus de citron.
3 Lavez les tomates et coupez-les en rondelles. Lavez la laitue, effeuillez-la et épongez-la.
4 Coupez les œufs durs en 2. Extrayez les jaunes et mettez-en 2 de côté. Écrasez les autres en purée en ajoutant la mayonnaise et les fines herbes. Salez et poivrez. Farcissez les blancs avec cette préparation.
5 Tapissez un plat de service avec la laitue, ajoutez les rondelles de tomates et posez par-dessus les 1/2 blancs d'œufs farcis.
6 Passez au tamis les jaunes d'œufs restants et parsemez-les sur le plat. Servez aussitôt.

Si vous n'avez pas de fines herbes fraîches, utilisez de la moutarde à l'estragon.

Œufs à la tripe

Pour **6 personnes**
Préparation **15 min**
Cuisson **25 min**

10 œufs ◆ 3 oignons ◆ 50 g de beurre ◆ 40 cl de lait ◆ 50 g de gruyère râpé ◆ farine ◆ muscade ◆ sel ◆ poivre

1 Faites durcir les œufs à l'eau bouillante pendant 10 min. Égouttez-les, rafraîchissez-les et écalez-les soigneusement.
2 Pelez et émincez les oignons. Faites fondre 30 g de beurre dans un poêlon et ajoutez les oignons. Remuez avec une cuiller en bois jusqu'à ce qu'ils commencent à blondir.
3 Poudrez de farine et remuez pendant 2 min, puis versez le lait froid et portez à ébullition en remuant. Baissez le feu et laissez cuire 10 min. Salez et poivrez. Muscadez.
4 Beurrez un plat à gratin. Coupez les œufs durs en grosses rondelles ou en quartiers et rangez-les dans le plat. Incorporez le fromage râpé à la sauce et versez-la sur les œufs.
5 Ajoutez quelques noisettes de beurre et passez 5 ou 6 min sous le gril du four. Servez dans le plat de cuisson.

Vous pouvez préparer ces œufs à l'avance dans des petits plats individuels. Il suffit de les faire gratiner juste au moment de servir.

œufs filés

Cette préparation est faite avec des œufs crus battus en omelette que l'on verse dans une passoire fine au-dessus d'un consommé ou d'un bouillon, notamment de volaille. Les filaments d'œufs se coagulent immédiatement au contact du liquide bouillant. Complétez cette garniture délicate avec un peu de parmesan.

œufs frits

Cassés dans une tasse et versés dans un bain d'huile brûlant, les œufs cuisent presque instantanément. Égouttés sitôt blondis, ils offrent un blanc croustillant et un jaune liquide à l'intérieur.

Diététique. C'est la cuisson de l'œuf la plus riche en corps gras. Attention !

Œufs frits à l'américaine

Pour **4 personnes**
Préparation **10 min**
Cuisson **2 min**

8 tranches de bacon ◆ **4 tomates** ◆ **4 tranches de pain de mie** ◆ **4 œufs** ◆ **huile de tournesol** ◆ **persil frisé** ◆ **sel** ◆ **poivre de Cayenne**

1 Faites chauffer les tranches de bacon dans une poêle sans matière grasse. Égouttez-les quand elles sont bien croustillantes.
2 Lavez les tomates. Coupez-les en 2 et faites-les rissoler dans la poêle en ajoutant un petit filet d'huile. Salez et poivrez. Égouttez-les. Faites griller les tranches de pain de mie.
3 Pendant ce temps, faites chauffer 30 cl d'huile de tournesol dans une poêle à hauts rebords.
4 Disposez les toasts dans un plat. Entourez-les de tomates grillées.
5 Cassez 1 œuf dans une tasse et faites-le glisser dans l'huile très chaude. Avec une cuiller en bois, ramenez le blanc en train de coaguler autour du jaune. Dès que le blanc est doré, égouttez l'œuf et posez-le sur un toast. Ajoutez 1 pincée de poivre de Cayenne.
6 Faites cuire les autres œufs de la même façon. Ajoutez le bacon rissolé en garniture avec des bouquets de persil frisé. Servez aussitôt.

œufs au lait

Sorte de flan à base d'œufs battus et de lait, cuit au bain-marie et servi froid dans son plat de cuisson, cet entremets accepte tous les parfums traditionnels des crèmes et des flans.

Œufs au lait à la vanille

Pour **6 personnes**
Préparation **10 min**
Cuisson **35 min**

1 l de lait ◆ **200 g de sucre semoule** ◆ **1 gousse de vanille** ◆ **8 œufs** ◆ **25 g de beurre**

1 Versez le lait dans une casserole et ajoutez le sucre. Mélangez, puis ajoutez la gousse de vanille fendue en 2. Portez à ébullition.
2 Cassez les œufs dans une terrine et battez-les à la fourchette. Beurrez un plat à gratin.
3 Retirez la gousse de vanille du lait et versez-le bouillant sur les œufs battus en remuant avec une cuiller en bois.
4 Versez la préparation dans le plat beurré et faites cuire 15 min dans le four à 200 °C. Baissez la chaleur à 180 °C et poursuivez la cuisson pendant 20 min. Une lame de couteau enfoncée au milieu doit ressortir propre.

À la place du sucre semoule, utilisez de la cassonade ou 4 c. à soupe de miel.

Cet entremets convient très bien pour terminer un repas un peu riche.

œufs mollets

Cuits à l'eau bouillante dans la coquille, plus longtemps que les œufs à la coque, mais moins que les œufs durs, les œufs mollets sont délicats à écaler. Le jaune doit être épais mais bien coulant. Servez l'œuf mollet de préférence tiède, sauf si vous préparez des œufs en gelée. Il est délicieux pour garnir une salade verte. Vous pouvez aussi le présenter sur une purée d'épinards ou de cresson, ou roulé dans une fine tranche de jambon.

Diététique. C'est le mode de cuisson de l'œuf le plus digeste.

Œufs à la florentine

Pour **6 personnes**
Préparation **30 min**
Cuisson **25 min**

75 g de beurre ◆ 25 g de farine ◆ 25 cl de lait ◆ 500 g d'épinards ◆ 10 cl de crème fraîche ◆ 6 gros œufs ◆ 30 g de parmesan râpé ◆ muscade ◆ sel ◆ poivre

1 Préparez une sauce Béchamel avec 25 g de beurre, la farine et le lait. Réservez-la au chaud.
2 Triez les feuilles d'épinards, coupez les queues, lavez-les et épongez-les. Faites fondre 25 g de beurre dans une casserole, ajoutez les feuilles d'épinards grossièrement hachées et remuez sur feu moyen à découvert pendant 5 min. Incorporez la moitié de la crème. Muscadez, mélangez et réservez.
3 Faites cuire les œufs dans une casserole d'eau bouillante pendant 6 min. Égouttez-les, faites-les rouler sur une planche, plongez-les dans de l'eau froide puis écalez-les.
4 Beurrez un plat à gratin et versez-y les épinards. Disposez les œufs mollets par-dessus. Incorporez à la béchamel la moitié du fromage et le reste de la crème.
5 Nappez les œufs de béchamel et poudrez avec le reste de parmesan. Enfournez à 200 °C pendant 7 à 8 min et servez aussitôt.

N'hésitez pas à utiliser des épinards surgelés pour cette recette.

Œufs mollets forestière

Recette légère – 1 portion 300 kcal

Pour **4 personnes**
Préparation **15 min**
Cuisson **20 min**

400 g de petites pommes de terre rattes ◆ 300 g de girolles ◆ 300 g de champignons de couche ◆ 8 œufs extra-frais ◆ persil plat ◆ huile d'olive ◆ sel ◆ poivre

1 Lavez les pommes de terre, grattez-les éventuellement, ne les pelez pas et faites-les cuire dans une casserole d'eau salée pendant environ 20 min. Rafraîchissez-les et mettez-les de côté.
2 Nettoyez les champignons. Coupez-les en morceaux de même grosseur. Lavez, épongez et ciselez quelques brins de persil plat. Faites chauffer un filet d'huile dans une grande poêle.

Œufs mollets forestière ▲
Pour donner davantage de relief au mélange de champignons, ajoutez dans la poêle au moment de les faire sauter une échalote ou une gousse d'ail très finement ciselée.

3 Ajoutez les girolles et les champignons de couche. Faites-les sauter sur feu assez vif pendant 7 ou 8 min puis ajoutez le persil. Salez et poivrez. Mélangez et tenez au chaud.
4 Faites cuire les œufs dans une casserole d'eau bouillante pendant 5 min. Passez les œufs mollets sous l'eau froide et écalez-les délicatement. Réservez.
5 Répartissez les pommes de terre dans des assiettes de service, puis ajoutez les champignons au persil.
6 Posez par-dessus 2 œufs par personne et fendez-les d'un coup de couteau au moment de servir. Donnez 1 tour de moulin à poivre et servez aussitôt.

Comme petites pommes de terre, choisissez par exemple des charlottes ou des petites rattes du Touquet. Si elles sont un peu grosses, faites-les cuire 30 min puis coupez-les en 2.

œufs à la neige

Cet entremets est fait de blancs d'œufs battus en neige et pochés dans du lait. Avec ce lait et les jaunes qui n'ont pas été utilisés, confectionnez la crème anglaise.

Œufs à la neige

Pour **6 ou 8 personnes**
Préparation **20 min, 30 min à l'avance**
Cuisson **15 min**

6 œufs ◆ 200 g de sucre semoule ◆ 1 l de lait demi-écrémé ◆ 1 gousse de vanille ◆ 10 morceaux de sucre

1 Cassez les œufs en séparant les blancs des jaunes. Battez les blancs en neige très ferme. Poudrez-les avec 50 g de sucre semoule et battez-les à nouveau.

2 Mettez le lait à chauffer dans une grande casserole. À l'aide de 2 cuillers à soupe, formez une boule de blancs d'œufs régulière et faites-la glisser dans le lait frémissant. Retournez-la au bout de 15 secondes et faites pocher de l'autre côté, pendant 10 secondes à peine.

3 En procédant rapidement, on peut faire pocher 3 boules de blancs à la fois. Égouttez-les et mettez-les délicatement dans une passoire sans les superposer.

4 Filtrez le lait et faites-le chauffer avec la gousse de vanille fendue en 2. Pendant ce temps, travaillez les jaunes avec 150 g de sucre.

5 Lorsque le mélange est mousseux, versez le lait bouillant (sans la vanille) et faites cuire sur feu doux sans cesser de remuer jusqu'à ce que la crème nappe la cuiller.

6 Versez la crème anglaise dans un grand compotier. Placez les boules de blancs sur le dessus et réservez au réfrigérateur. Les blancs et la crème doivent être très froids.

7 Avant de servir, préparez un caramel blond avec les morceaux de sucre mouillés d'eau. Versez le caramel en gouttelettes sur les œufs à la neige et servez.

Sur la base de ce dessert, bien des variantes sont possibles : parfumer la crème anglaise au café et la semer de petits grains de café à la liqueur ou encore remplacer le caramel blond par un coulis de framboises.

œufs sur le plat

Cassés et cuits dans un plat à œufs ou une poêle avec du beurre, ces œufs doivent présenter un blanc bien ramassé autour du jaune bien centré.

Diététique. Cuisson allégée : cassez 2 œufs dans une assiette et faites-les glisser dans un plat à œufs où vous aurez fait bouillir 1 c. à soupe d'eau. Faites cuire à couvert de 5 à 6 min.

Œufs sur le plat à la lorraine

Pour **4 personnes**
Préparation **5 min**
Cuisson **10 min**

15 g de beurre ◆ 4 fines tranches de lard de poitrine ◆ 2 c. à soupe de gruyère râpé ◆ 3 c. à soupe de crème fraîche ◆ 4 œufs ◆ 12 fines lamelles de gruyère ◆ sel ◆ poivre au moulin

1 Faites fondre le beurre dans un plat à œufs de 25 cm de diamètre environ. Ajoutez les tranches de lard et faites-les dorer sur feu doux. Retournez-les et faites-les dorer de l'autre côté.

2 Poudrez avec la moitié du gruyère et ajoutez la moitié de la crème. Cassez 1 œuf dans une tasse. Versez-le dans le plat. Répartissez les autres œufs de la même façon sur le lard.

3 Salez modérément et poivrez. Ajoutez les lamelles de gruyère puis poudrez avec le reste de gruyère et versez le reste de crème. Poursuivez la cuisson sur feu doux pendant 5 à 6 min. Servez dans le plat.

œufs pochés

Cuits sans coquille dans une eau vinaigrée ou un liquide à la limite de l'ébullition, les œufs pochés sont servis chauds ou froids, en sauce, garnis ou en gelée. Pour réussir, l'œuf doit être très frais, sinon le blanc se répand au lieu de se rassembler autour du jaune. Utilisez une grande casserole et évitez de pocher plus de 4 œufs à la fois. Ne laissez jamais bouillir le liquide de cuisson : le blanc devient caoutchouteux et l'œuf se colle au fond du récipient. Si vous n'utilisez pas l'œuf poché aussitôt, mettez-le dans de l'eau froide pour qu'il ne se dessèche pas.

Œufs pochés sauce crevette

Pour **6 personnes**
Préparation **10 min**
Cuisson **20 min**

30 g de beurre ◆ 30 g de farine ◆ 30 cl de lait ◆ curry ◆ 2 c. à soupe de crème fraîche ◆ 100 g de crevettes décortiquées ◆ 6 œufs très frais ◆ 6 toasts de pain de mie ◆ vinaigre ◆ muscade ◆ sel ◆ poivre

1 Préparez une sauce Béchamel avec le beurre, la farine et le lait. Incorporez 1 c. à soupe de curry, ou un peu plus selon le goût, et la crème fraîche. Remuez à fond. Ajoutez enfin les crevettes coupées en petits tronçons. Poivrez et muscadez. Réservez cette sauce au chaud.

2 Versez 1,5 l d'eau dans une grande casserole, ajoutez 3 c. à soupe de vinaigre et portez à ébullition. Réglez alors le feu pour obtenir un frémissement régulier.

3 Cassez 1 œuf dans une tasse. Versez-le d'un geste sec dans l'eau vinaigrée : comme l'œuf est très frais, le blanc coagule immédiatement. Si la casserole est assez grande, versez un second œuf assez loin du premier.

4 Dès que le blanc a coagulé, montez légèrement la chaleur du feu et laissez pocher de 3 à 4 min à ébullition très lente. Ramenez délicatement le blanc autour du jaune. Lorsque l'œuf remonte et flotte à la surface, égouttez-le avec une écumoire et posez-le sur un torchon plié.

5 Faites cuire ainsi tous les œufs. Parez-les en retirant les excroissances de blanc coagulé. Faites griller rapidement les toasts et rangez-les dans un plat. Posez 1 œuf poché sur chaque toast et nappez de sauce. Servez aussitôt.

Les œufs pochés peuvent se servir chauds ou refroidis, avec toute une gamme de sauces.

Pour servir les œufs chauds, disposés sur des toasts ou des croûtes à tartelettes : sauce Mornay, aux câpres, aux champignons, ravigote, moutarde, tomate ou à l'estragon.

Pour servir les œufs froids, sur une chiffonnade de laitue : mayonnaise classique, aux fines herbes ou à la moutarde, sauce au roquefort ou gribiche.

→ **autres recettes d'œufs pochés à l'index**

1

2

3

4

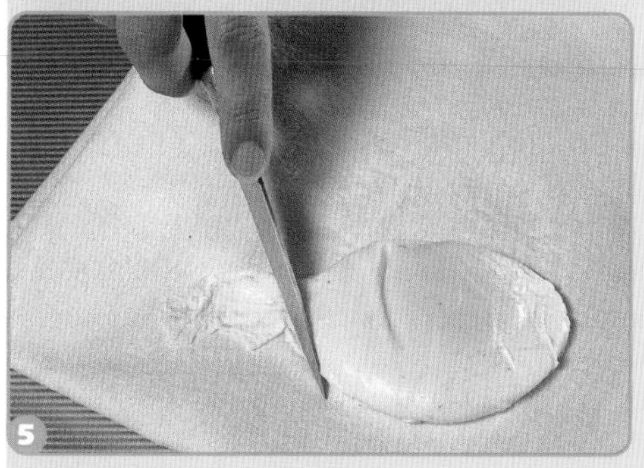
5

œufs de poisson

→ voir aussi poutargue, tarama

Vendus en pots comme semi-conserve, les œufs de saumon, de truite et de lump (succédané de caviar) jouent un rôle précieux dans les hors-d'œuvre froids, amuse-gueule, salades composées et canapés : comptez 25 à 30 g par personne.

Les œufs de cabillaud, salés et fumés, doivent être sortis de leur poche avant utilisation, en garniture de toasts ou de barquettes.

Diététique. Les œufs de poisson sont tous assez riches en protides et en lipides : 100 g = 280 kcal.

Petites pommes de terre aux œufs de saumon

Pour **6 personnes**
Préparation **20 min**
Cuisson **25 min**

12 petites pommes de terre charlottes ou grenailles ◆ 1 bouquet garni ◆ 10 cl de crème fraîche ◆ 1/2 citron ◆ 1 pot d'œufs de saumon ◆ ciboulette ◆ gros sel ◆ sel ◆ poivre au moulin

1 Brossez et lavez soigneusement les petites pommes de terre. Choisissez-les toutes de la même taille et de même calibre.
2 Mettez les pommes de terre dans une casserole avec le bouquet garni et 1 c. à soupe de gros sel. Faites-les cuire sur feu doux jusqu'à ce qu'elles soient tendres. Rafraîchissez-les aussitôt et laissez-les refroidir.
3 Coupez-les en 2 et évidez-les sans les abîmer. Mélangez la crème fraîche avec le jus du 1/2 citron. Incorporez la chair des pommes de terre. Salez et poivrez. Remplissez les moitiés de pommes de terre évidées avec cette farce.
4 Garnissez le dessus d'œufs de saumon en les montant en dôme. Décorez avec quelques brins de ciboulette piqués dans la farce. Servez en amuse-gueule ou en hors-d'œuvre froid.

Les œufs de poisson sont vendus au rayon des semi-conserves : en pots (saumon, lump, truite) ou pressés et fumés en forme de poche (cabillaud, morue, thon). Les œufs de lump au naturel sont gris : ils sont le plus souvent colorés artificiellement en noir ou en rouge.

Tomates surprise

Pour **4 personnes**
Préparation **15 min**
Pas de cuisson

8 petites tomates bien rondes assez fermes ◆ 4 fonds d'artichauts ◆ 1 bouquet de ciboulette ◆ 1/2 citron ◆ 2 c. à soupe de crème fraîche ◆ 1 pot d'œufs de lump noirs ◆ 1 pot d'œufs de lump rouges ◆ cresson ◆ sel ◆ poivre

1 Lavez les tomates. Décalottez-les et évidez l'intérieur sans percer la peau. Salez l'intérieur, retournez les tomates sur un torchon propre et laissez dégorger.
2 Passez les fonds d'artichauts au mixer. Ajoutez à la purée obtenue la ciboulette hachée, le jus du demi-citron et la crème fraîche. Poivrez.
3 Égouttez les tomates vidées. Remplissez-les de farce à l'artichaut et garnissez le dessus en dôme avec les œufs de lump en alternant les couleurs.
4 Tapissez un plat de service de cresson haché. Disposez les tomates farcies dessus. Servez.

Vous pouvez remplacer les fonds d'artichauts par de la brandade de morue : dans ce cas, supprimez la crème fraîche.

→ autres recettes d'œufs de poisson à l'index

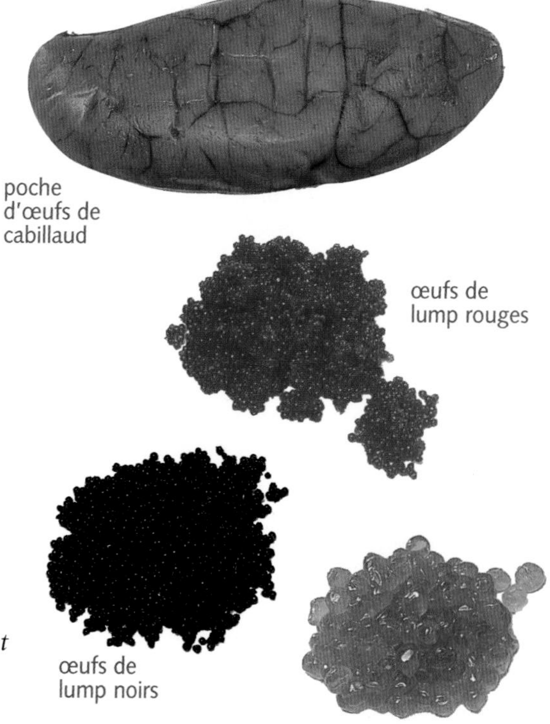
poche d'œufs de cabillaud
œufs de lump rouges
œufs de lump noirs
œufs de saumon

oie

→ voir aussi abattis, confit, foie gras, gésier

Cette volaille d'une taille imposante est élevée en France surtout pour être gavée et pour fournir le foie gras. C'est le cas des oies de Toulouse et d'Alsace. La carcasse d'une oie engraissée, appelée paletot dans le Sud-Ouest où cette cuisine est répandue, est coupée en morceaux qui sont préparés en confits, de même que le gésier, le cœur et, une fois farci, le cou.

L'oie normande, en revanche, est élevée pour sa chair : on la trouve sur le marché généralement en fin d'année. Choisissez-la jeune, de 3 à 4 mois, avec une chair tendre et juteuse : la viande est rouge pâle, la graisse bien jaune, le bec et les pattes de couleur claire. Les filets d'oie fumés sont vendus en tranches fines comme le jambon cru.

Pour être rôtie, mijotée en ragoût, en civet ou en daube, l'oie doit peser de 3 à 4 kg, alors que l'oie engraissée atteint facilement 10 kg.

Pour une oie rôtie, comptez 25 min de cuisson par livre, puis 30 min four éteint ; pour un plat en morceaux, la cuisson est de 1 h à 1 h 30 selon l'âge.

Diététique. L'oie est une viande grasse (33 % de lipides) : 100 g = 360 kcal. Faites-la rôtir sans la laisser baigner dans son jus et piquez la peau.

Oie farcie aux pommes

Pour **8 personnes**
Préparation **20 min**
Cuisson **2 h**

1 kg de pommes reinettes • 1 oignon • 3 échalotes • 2 feuilles de sauge • 1 oie de 3 kg environ • 50 g de beurre • calvados • huile • sel • poivre

1 Pelez les pommes et coupez-les en quartiers. Arrosez-les avec 2 c. à soupe de calvados et laissez-les macérer 15 min.
2 Pelez et hachez l'oignon et les échalotes, mélangez-les avec la sauge ciselée. Introduisez cette préparation à l'intérieur de l'oie en ajoutant les pommes macérées. Salez et poivrez.
3 Recousez l'ouverture. Enduisez de beurre un plat à rôtir et ajoutez un filet d'huile. Mettez l'oie farcie dans le plat et enfournez à 180 °C.
4 Au bout de 5 min de cuisson, badigeonnez l'oie avec la graisse fondue. Arrosez très souvent en cours de cuisson : comptez 2 h. La volaille est cuite lorsqu'elle laisse échapper une légère vapeur et dégage son fumet.

Ragoût d'oie

Pour **8 personnes**
Préparation **20 min**
Cuisson **1 h 45**

1 jeune oie de 3 kg • 3 oignons • 80 g de graisse d'oie • 75 cl de bouillon de volaille • farine • concentré de tomates • 1 bouquet garni • sel • poivre

1 Demandez au volailler de couper l'oie.
2 Émincez les oignons. Faites fondre la graisse d'oie dans une cocotte. Faites revenir les morceaux d'oie sur feu assez vif. Lorsqu'ils sont saisis, ajoutez les oignons et laissez-les dorer 5 min.
3 Poudrez avec 2 c. à soupe de farine et faites-la roussir en remuant avec une cuiller. Délayez 2 c. à soupe de concentré de tomates avec le bouillon et versez-le sur les morceaux d'oie. Salez et poivrez. Ajoutez le bouquet garni et laissez mijoter 1 h 30.
4 Ôtez du feu, dégraissez la cuisson et retirez le bouquet garni. Disposez les morceaux dans un plat creux. Faites réduire le jus de cuisson et nappez-en les morceaux. Servez avec des navets ou du céleri-rave à la vapeur.

Salade aux filets d'oie fumés

Pour **4 personnes**
Préparation **30 min**
Pas de cuisson

20 grains de raisin muscat blanc • 4 cœurs de trévise • 1 melon • 20 fines tranches de filets d'oie fumés • huile de maïs • vinaigre de xérès • sucre semoule • poivre blanc au moulin • sel

1 Lavez et essuyez les grains de raisin. Pelez-les et épépinez-les. Lavez et épongez les cœurs de salade. Effeuillez-les. Coupez le melon en 2, retirez les graines et taillez la pulpe en petits dés.
2 Préparez une vinaigrette avec 5 c. à soupe d'huile, 2 c. à soupe de vinaigre et 1/2 c. à café de sucre. Salez et poivrez. Fouettez.
3 Mélangez salade, melon et raisin. Répartissez-les dans des assiettes de service. Nappez de vinaigrette. Ajoutez 5 tranches de filet d'oie par personne. Poivrez au moulin et servez.

→ autres recettes d'oie à l'index

oignon

→ voir aussi gratinée, sauce, soupe

Cette plante aromatique formée d'un bulbe charnu recouvert de fines pelures se consomme crue ou cuite, comme légume ou comme condiment. Les différentes variétés se distinguent par la couleur, la taille et la saison. Un bon oignon est ferme, brillant, sans germe, sans moisissures, avec des pelures sèches et cassantes. Les oignons se gardent à l'abri de l'humidité, sinon ils moisissent assez rapidement.

Diététique. L'oignon, riche en soufre, peut être mal toléré par les intestins fragiles, surtout s'il est consommé cru. Il est riche en minéraux, vitamines et oligo-éléments, mais aussi en sucre : 100 g = 90 kcal = 100 g de pommes de terre.

oignons grelots jaunes

rouge de Tropea

oignon blanc

oignons blancs frais en botte

oignon rouge d'été

oignon jaune d'hiver

Étuvée d'oignons au vin

Pour **4 personnes**
Préparation **10 min**
Cuisson **1 h 30**

6 gros oignons jaunes ◆ 1 c. à soupe d'huile d'olive ◆ 15 cl de vin rouge, blanc ou rosé ◆ sel ◆ poivre

1 Pelez les oignons. Laissez-les entiers et mettez-les dans une cocotte ou une sauteuse juste assez grande pour les contenir. Arrosez d'huile. Salez et poivrez.

2 Faites chauffer 5 min sur feu moyen. Ajoutez ensuite le vin et portez à ébullition. Versez de l'eau jusqu'à mi-hauteur des oignons et couvrez.

3 Mettez le récipient dans le four et laissez cuire à 170 °C pendant 1 h 15. Les oignons doivent rester entiers.

4 Sortez le récipient, retirez le couvercle et faites réduire le liquide de cuisson sur feu assez vif jusqu'à consistance sirupeuse. Servez ces oignons en garniture de rôti.

Oignons glacés

Pour **4 personnes**
Préparation **5 min**
Cuisson **15 min**

500 g de petits oignons nouveaux bien blancs ◆ 30 g de beurre ◆ 30 g de sucre semoule ◆ sel

1 Pelez les oignons et mettez-les dans une grande sauteuse, pour qu'ils ne forment qu'une seule couche dans le fond. Couvrez juste d'eau.

2 Ajoutez le beurre en parcelles et poudrez de sucre. Salez et faites chauffer sur feu moyen.

3 Laissez cuire à découvert jusqu'à évaporation complète du liquide, en retournant délicatement les oignons de temps en temps. En fin de cuisson, ils doivent être enrobés d'une pellicule bien dorée et brillante.

Commercialisé toute l'année, l'oignon est vendu soit frais (variétés blanches, en général), soit sec (variétés colorées) : en vrac ou en natte, avec au moins 16 bulbes. Il est cultivé dans toute l'Europe, avec une saveur souvent plus marquée dans le Nord que dans le Midi.

Purée Soubise

Pour **4 personnes**
Préparation **20 min**
Cuisson **50 min**

300 g de pommes de terre ◆ 400 g d'oignons ◆ 100 g de beurre ◆ 1 œuf ◆ 3 c. à soupe de parmesan râpé ◆ muscade ◆ sel ◆ poivre

1 Faites cuire les pommes de terre coupées en morceaux 20 min à l'eau bouillante salée. Égouttez-les et passez-les au moulin à légumes.
2 Pelez et hachez les oignons. Faites-les cuire à feu doux pendant 10 min dans 60 g de beurre. Lorsqu'ils sont bien tendres et dorés, ajoutez-les à la purée de pommes de terre. Ajoutez l'œuf battu. Salez et poivrez. Muscadez.
3 Beurrez un plat à gratin. Versez-y la préparation et poudrez le dessus de parmesan. Ajoutez 20 g de beurre en parcelles. Faites cuire 15 à 20 min au four à 200 °C. Servez dans le plat.

Sauce à l'oignon

Pour **50 cl de sauce**
Préparation **10 min**
Cuisson **35 min environ**

6 oignons jaunes ◆ 50 g de beurre ◆ 40 g de farine ◆ 10 cl de vin blanc ◆ 40 cl de bouillon ◆ vinaigre ◆ sel ◆ poivre

1 Pelez et hachez finement les oignons. Faites-les fondre sur feu doux dans une sauteuse avec le beurre en remuant, sans laisser colorer.
2 Au bout de 15 min, poudrez de farine et faites cuire 3 min. Versez le vin, 1 c. à soupe de vinaigre et le bouillon. Salez et poivrez. Faites cuire 15 min sur feu doux en remuant.

Servez cette sauce avec une viande ou une volaille rôtie, des œufs durs ou mollets.

Tarte à l'oignon

Pour **6 personnes**
Préparation **25 min**
Cuisson **50 min**

300 g de pâte brisée ◆ 600 g d'oignons ◆ 60 g de beurre ◆ 20 cl de lait ◆ 20 cl de crème fraîche ◆ 4 œufs ◆ huile ◆ farine ◆ muscade ◆ sel ◆ poivre

Tarte à l'oignon ▲

Cette entrée chaude peut se réaliser en une seule pièce ou sous forme de tartelettes, comme ici. Dans ce cas, la cuisson dans le four sera un peu plus courte. Comptez 12 à 15 min.

1 Abaissez la pâte brisée sur 4 mm d'épaisseur et garnissez-en une tourtière beurrée de 26 cm de diamètre. Piquez le fond.
2 Pelez les oignons et émincez-les. Faites fondre le beurre dans une casserole avec 1 c. à soupe d'huile. Ajoutez les oignons, et faites-les cuire doucement en remuant pendant 20 min.
3 Poudrez avec 2 c. à soupe de farine, remuez et faites cuire encore de 2 à 3 min. Ajoutez le lait et la crème. Mélangez pour obtenir une bouillie très épaisse. Faites mijoter 2 min puis retirez du feu.
4 Cassez les œufs dans une jatte et battez-les. Salez et poivrez. Muscadez. Incorporez les œufs aux oignons et mélangez.
5 Versez cette préparation sur le fond de tarte et lissez le dessus. Faites cuire dans le four à 220 °C pendant 20 min. Servez chaud ou tiède.

Boisson vin blanc d'Alsace ou du Jura

→ autres recettes d'oignon à l'index

olive

→ voir aussi **huile, tapenade**

Le fruit de l'olivier possède une pulpe charnue qui fournit une huile réputée. L'olive, verte ou noire selon sa maturité, est utilisée en cuisine comme condiment ou ingrédient à part entière. Les petites olives noires de Nice sont parfaites pour les salades composées. Les grosses olives à la grecque sont souvent servies en amuse-gueule, parfois farcies au piment ou aux amandes.

Diététique. Les lipides contenus dans ce fruit seraient bénéfiques pour le « bon » cholestérol. 100 g d'olives vertes (1 dizaine) = 130 kcal ; les noires sont deux fois plus caloriques.

Canard aux olives

Pour **6 personnes**
Préparation **25 min**
Cuisson **1 h environ**

300 g d'olives vertes ◆ 200 g de champignons de couche ◆ 4 gousses d'ail ◆ 2 oignons ◆ 150 g de petits lardons ◆ 2 canards de Barbarie de 1,2 kg chacun avec gésiers et foies ◆ 25 cl de vin blanc ◆ huile d'olive ◆ 30 g de beurre ◆ sel ◆ poivre

1 Dénoyautez les olives et plongez-les 5 min dans une casserole d'eau portée à ébullition. Nettoyez et hachez les champignons. Pelez et hachez finement l'ail et les oignons.
2 Faites chauffer 1 c. à soupe d'huile dans une poêle. Faites-y revenir les lardons, les gésiers des canards coupés en petits morceaux ; 2 min plus tard, ajoutez les foies et faites rissoler 1 min.
3 Égouttez ces ingrédients et mettez à la place l'ail et les champignons. Faites bien revenir, ajoutez le 1/3 des olives. Mélangez champignons et olives avec le hachis précédent et farcissez-en les canards. Recousez-les et bridez-les.
4 Faites-les dorer dans une cocotte avec 1 c. à soupe d'huile. Videz la matière grasse et mouillez avec le vin. Ajoutez les oignons et couvrez.
5 Laissez mijoter les canards doucement pendant 30 min en les retournant 1 fois. Ajoutez les olives et poursuivez la cuisson pendant 15 min.
6 Servez les canards découpés, entourés de la farce. Incorporez le beurre au jus de cuisson en fouettant et servez-le en saucière.

Boisson **châteauneuf-du-pape**

Olives farcies

Pour **4 personnes**
Préparation **25 min**
Pas de cuisson

1 petit pot d'anchois au sel ◆ 100 g de beurre ◆ 2 douzaines d'olives vertes dénoyautées très grosses ◆ poivre ◆ paprika

1 Lavez les anchois et épongez-les sur du papier absorbant. Détachez les filets et réduisez-les en purée. Ajoutez le beurre à cette purée et passez le mélange au mixer rapidement. Ne salez pas, poivrez au goût et ajoutez 1 ou 2 pincées de paprika.
2 Remplissez les olives de farce à l'anchois en vous servant d'une poche munie d'une petite douille lisse. Mettez les olives farcies au frais jusqu'au moment de servir.

Salade méditerranéenne

Pour **4 personnes**
Préparation **15 min**
Pas de cuisson

4 grosses tomates ◆ 1 avocat ◆ 1 citron ◆ 5 ou 6 tronçons de cœurs de palmier ◆ 250 g de thon au naturel ◆ 150 g d'olives noires ◆ huile d'olive ◆ vinaigre de vin blanc à l'estragon ◆ moutarde ◆ sel ◆ poivre

1 Lavez les tomates et émincez-les. Coupez l'avocat en 2, retirez le noyau et émincez la pulpe. Citronnez-la. Coupez les cœurs de palmier en rondelles. Citronnez-les.
2 Égouttez le thon et émiettez-le. Dénoyautez les olives. Préparez une vinaigrette avec 6 c. à soupe d'huile, 3 c. à soupe de vinaigre et 1/2 c. à soupe de moutarde. Salez et poivrez.
3 Disposez les rondelles de tomates autour d'un plat rond. Ajoutez par-dessus en les mélangeant les tranches d'avocat, les cœurs de palmier et le thon. Arrosez de sauce. Ajoutez les olives noires. Servez à température ambiante.

→ **autres recettes d'olive à l'index**

Canard aux olives ►

Choisissez de préférence pour cette recette de grosses olives vertes bien charnues. Même si vous les trouvez dénoyautées, faites-les toujours blanchir.

omble chevalier

Ce poisson de lac voisin du saumon est d'une délicatesse extrême, mais il est de plus en plus rare. Il se cuisine comme la truite ou le saumon, le plus simplement possible pour conserver à la chair toute sa finesse.

Ombles chevaliers au four

Pour **4 personnes**
Préparation **15 min**
Cuisson **20 min**

2 ombles de 400 g chacun environ ◆ 50 g de beurre ◆ 300 g de champignons de couche ◆ 20 cl de vin blanc sec ◆ 1 citron ◆ 10 cl de crème liquide ◆ sel ◆ poivre

1 Videz et lavez les poissons. Essuyez-les et assaisonnez-les.
2 Beurrez un plat allant au four et rangez les poissons dedans. Préchauffez le four à 200 °C.
3 Nettoyez les champignons et émincez-les. Faites-les sauter 5 min à découvert dans le reste de beurre. Incorporez le vin, le jus du citron et la crème fraîche. Salez et poivrez.
4 Versez cette préparation sur les poissons. Faites cuire 20 min dans le four à 200 °C. Servez brûlant dans le plat de cuisson.

omelette

Cette préparation est faite avec des œufs battus et cuits dans une poêle avec un corps gras. Ne cuisinez pas d'omelette de plus de 8 œufs et réservez une poêle à cet usage, à fond épais et à bords relevés. La cuisson doit être rapide, sinon l'omelette perd son moelleux. Si vous n'appréciez pas l'omelette baveuse, servez-la plate comme une galette.

L'omelette peut être salée ou sucrée, servie en entrée ou en dessert. La garniture éventuelle est incorporée aux œufs battus ou ajoutée au moment où l'omelette est roulée : fines herbes, champignons sautés, crevettes, purée d'oseille, anchois ou thon émietté, jambon et fromage, fruits de mer, etc.

Diététique. À raison de 5 g de corps gras pour 2 œufs dans une poêle à revêtement antiadhésif, vous limitez l'apport de lipides.

Omelette basquaise

Pour **4 personnes**
Préparation **15 min**
Cuisson **5 min**

1 poivron rouge ◆ 1 poivron vert ◆ 1 gousse d'ail ◆ 8 œufs ◆ 30 g de beurre ◆ huile d'olive ◆ sel ◆ poivre de Cayenne

1 Lavez les poivrons et coupez-les en 2. Éliminez tous les pépins et le pédoncule. Taillez-les en fines languettes. Pelez et hachez l'ail finement.
2 Faites chauffer 2 c. à soupe d'huile dans un poêlon. Ajoutez les poivrons émincés et faites-les fondre doucement en remuant avec une spatule en bois pendant 10 min.
3 Cassez les œufs dans une terrine et battez-les. Salez. Ajoutez l'ail et 1 ou 2 pincées de cayenne.
4 Faites chauffer le beurre dans une poêle. Versez-y les œufs et laissez-les prendre en remuant en surface avec le dos d'une cuiller.
5 Ajoutez les poivrons en les répartissant régulièrement. Poursuivez la cuisson 2 min puis roulez l'omelette et servez aussitôt.

Omelette flambée

Pour **2 personnes**
Préparation **15 min**
Cuisson **5 min**

1 gousse de vanille ◆ 4 œufs ◆ 75 g de sucre semoule ◆ 30 g de beurre ◆ 3 cl de kirsch (ou rhum ou vieux marc)

1 Ouvrez la gousse de vanille en 2 et grattez bien toutes les petites graines à l'intérieur. Récupérez-les soigneusement. Cassez 2 œufs entiers dans une terrine et battez-les, ajoutez les graines de vanille puis le sucre.
2 Cassez les 2 autres œufs et séparez les blancs des jaunes. Ajoutez les jaunes au mélange précédent. Fouettez les blancs en neige et incorporez-les en dernier.
3 Faites chauffer le beurre dans une poêle et versez-y la préparation. Laissez-la cuire sur feu moyen pendant 5 min.
4 Roulez l'omelette sur un plat qui supporte la chaleur. Portez à table.
5 Faites chauffer l'alcool dans une petite louche. Arrosez l'omelette roulée avec l'alcool très chaud. Flambez aussitôt et dégustez dès que la flamme est éteinte.

Omelette nature

Pour **4 personnes**
Préparation **10 min**
Cuisson **3 ou 4 min**

8 œufs ◆ 60 g de beurre ◆ sel ◆ poivre au moulin

1 Cassez les œufs dans une jatte. Veillez à ne pas laisser tomber de débris de coquille. Ajoutez 5 g de sel et 2 ou 3 tours de moulin à poivre. Battez les œufs à la fourchette d'un geste vif et assez longuement pour que de l'air pénètre dans le mélange. Vous pouvez ajouter 1 c. à soupe de crème fraîche ou un peu de lait dans les œufs battus.

2 Posez 25 g de beurre dans une poêle assez grande et parfaitement propre. Mettez-la sur le feu en réglant sur une chaleur assez forte. Certains cuisiniers préfèrent diviser la quantité de beurre par 2 et en incorporer la moitié aux œufs battus. Lorsque le beurre fondu commence à mousser, versez les œufs battus dans la poêle d'un seul coup.

3 Donnez à la poêle un mouvement rapide de va-et-vient avec le manche tout en remuant les œufs avec une spatule et en formant des 8. Les œufs doivent cuire d'une façon homogène et donner une préparation qui ressemble à des œufs brouillés. Attention à ne pas laisser trop cuire l'omelette.

4 Laissez la poêle sur le feu pendant quelques secondes sans la bouger pour qu'une couche croustillante se forme sur une face. Rabattez ensuite les bords de l'omelette de l'extérieur vers l'intérieur, pour recouvrir le centre qui reste légèrement baveux.

5 Beurrez le plat de service avec 25 g de beurre. Glissez la fourchette entre la poêle et le bord externe de l'omelette. Donnez un coup sec sur le manche de la poêle. Prenez le plat de service et tenez-le en oblique contre la poêle. Levez celle-ci et faites glisser l'omelette dans le plat en la roulant. Ajoutez une noix de beurre sur l'omelette pour la lustrer. Servez aussitôt.

Cette technique de l'omelette roulée convient bien à l'omelette aux fines herbes, au fromage râpé ou aux recettes qui prévoient une garniture assez légère.

Si vous utilisez une poêle à revêtement antiadhésif, servez-vous d'une spatule et non d'une fourchette.

→ **autres recettes d'omelette à l'index**

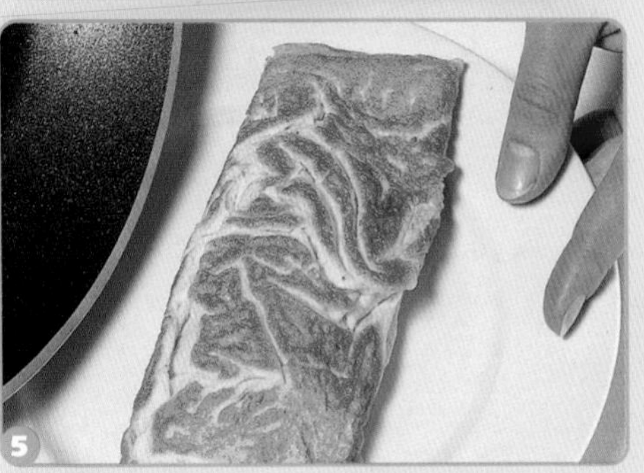

omelettes

Quelques œufs battus et cuits dans une poêle permettent de réaliser des dizaines de variantes différentes, selon les ingrédients que l'on ajoute avant, pendant ou après la cuisson.

Omelette fourrée

Omelettes salées

Les nombreuses variantes des omelettes que proposent les recettes régionales montrent comment utiliser les ingrédients les plus divers et parfois les plus insolites :

▶ **L'omelette picarde**
Décortiquez des crevettes roses « bouquets ». Pilez les têtes et les carapaces. Faites-les chauffer avec de la crème fraîche (10 cl pour 24 bouquets), puis passez, ajoutez les queues et fourrez l'omelette avec ce mélange.

▶ **L'omelette brayaude**
Plate et épaisse, cuite avec des petits dés de pommes de terre rissolées et de jambon cru d'Auvergne (200 g de chaque pour 8 œufs), garnie de lamelles de cantal.

▶ **L'omelette bourguignonne**
Égouttez 200 g d'escargots, rincez-les, essuyez-les et roulez-les dans un peu de farine. Salez et poivrez. Faites-les revenir au beurre avec du persil haché et versez dessus 6 œufs battus.

▶ **L'omelette corse**
Battez les œufs avec du broccio coupé en dés et un petit bouquet de feuilles de menthe ciselées. Comptez 100 g de fromage pour 5 œufs et 8 feuilles de menthe.

▶ **Le gâteau d'omelettes à la niçoise**
Fouettez 8 œufs dans 4 jattes différentes. Salez et poivrez. Dans une poêle, faites revenir 1 gros oignon doux et 1 gousse d'ail hachés dans de l'huile d'olive. Versez-les dans une jatte. Faites fondre 2 petits poivrons épépinés et coupés en dés dans de l'huile d'olive. Versez-les dans une autre jatte. Pelez et concassez 2 tomates. Versez-les dans la troisième jatte. Ajoutez en mélangeant 2 c. à café de tapenade à la dernière jatte. Faites cuire 4 omelettes plates dans une poêle de taille moyenne. Laissez tiédir légèrement avant d'empiler les omelettes dans un plat garni de mesclun. Décorez avec 100 g d'olives noires. Servez tiède ou refroidi.

▶ **L'omelette lyonnaise**
Elle est nature, servie roulée et garnie sur le dessus de rondelles de moelle pochées, arrosée de jus de rôti et garnie de persil haché. Comptez 200 g de moelle environ pour 6 œufs.

▶ **L'omelette basque à la morue**
Le poisson est dessalé, poché, effeuillé (250 g pour 4 personnes), réchauffé avec une fondue de poivrons (1 rouge et 1 vert), le tout mélangé avec 8 œufs cassés dans la poêle.
D'autres garnitures : des coques ou des moules cuites, des huîtres juste pochées.

▶ **L'omelette bressane**
6 foies de volaille coupés en dés, sautés au beurre avec 2 échalotes, déglacés avec un filet de vin blanc, glissés dans une omelette de 6 œufs, roulée et fendue en 2 sur le dessus pour laisser voir la garniture.

Omelette picarde

Omelette plate

Omelette roulée

Des omelettes exotiques

▶ *Les lanières d'omelette pour garnir un riz cantonais*
L'omelette est plate, très fine, découpée en lanières ou en bandelettes, pour garnir en croisillons un riz cantonais (agrémenté de crevettes, lardons, petits pois et pousses de bambou).

▶ *L'omelette indienne à la pomme de terre et au curry*
On confectionne une omelette plate avec 6 œufs, que l'on coupe ensuite en morceaux ; on fait rissoler 2 pommes de terre en dés, avec 1 gros oignon émincé, 1 pincée de piment et de curcuma ; le tout est ensuite mélangé et servi chaud.

▶ *La tortilla espagnole en amuse-gueule*
L'omelette est plate et très épaisse, enrichie de lamelles de pommes de terre, de poivrons ou d'oignons. Une fois refroidie, elle est coupée en dés, que l'on sert sur des pique-olive. À accompagner de jambon serrano et de rondelles de chorizo en guise de tapas.

Les métamorphoses de l'omelette

▶ **Une omelette fourrée**
Garnie après sa cuisson de légumes en ratatouille, de pointes d'asperges ou de cèpes rissolés, puis pliée en 2 sur le tiers de sa surface. On peut aussi garnir le dessus de petits lardons ou de filets d'anchois.

▶ **Une simple omelette plate**
Aux fines herbes ou à l'oseille.

▶ **Une omelette roulée, avec une garniture incorporée**
Des lamelles de fromage ou des dés de jambon ou des petits croûtons ou des pignons de pin.

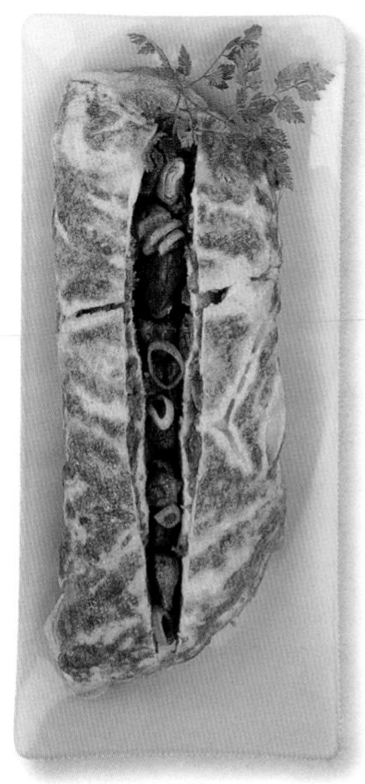

Omelette bressane

Des omelettes sucrées pour le dessert

Simplement au sucre, à la liqueur, à la confiture ou garnie de fruits : dés d'ananas, griottes, lamelles de poires, miel parfumé, etc.

▶ **L'omelette soufflée aux violettes cristallisées**
Fouettez 4 gros blancs d'œufs en neige ferme en incorporant 40 g de sucre semoule quand ils sont déjà bien montés. Travaillez 3 jaunes avec 40 g de sucre. Mélangez les blancs et les jaunes. Versez la préparation dans un plat beurré. Fendez-la sur la longueur avec une spatule en écartant légèrement la fente. Enfournez à 220 °C pendant 10 min. Quelques secondes avant la fin de la cuisson, poudrez de sucre glace. Décorez avec des violettes cristallisées.

▶ **L'omelette aux fleurs d'acacia**
Fouettez 4 jaunes d'œufs avec 2 c. à soupe d'eau, ajoutez les blancs montés en neige. Incorporez 1 c. à soupe de sucre, quelques grappes de fleurs grossièrement hachées et un trait de kirsch. Versez le mélange dans une poêle avec 30 g de beurre. Faites cuire l'omelette et présentez-la roulée.

▶ **L'omelette aux fruits**
Elle est garnie de minces lamelles de pommes cuites au beurre, de rondelles de bananes caramélisées ou de débris de marrons glacés.

Omelette soufflée aux violettes cristallisées

Omelette norvégienne ▲

C'est le contraste entre la meringue brûlante et la crème glacée à l'intérieur qui fait la réussite de cet entremets raffiné. Surveillez de près le passage au four et servez l'omelette dès qu'elle a pris couleur.

omelette norvégienne

Cet entremets est fait de biscuit imbibé de liqueur ou d'alcool, recouvert de glace puis de meringue et passé au four. Servez aussitôt pour apprécier le contraste entre la couverture brûlante et l'intérieur glacé. Sur le même principe, l'omelette surprise peut être une simple omelette soufflée fourrée de glace.

Omelette norvégienne

Pour **6 personnes**
Préparation **30 min, 1 h à l'avance**
Cuisson **10 min**

1 génoise de 20 cm de diamètre ◆ 1 verre de Grand Marnier ◆ 1/2 l de glace à la vanille ◆ 6 œufs ◆ 100 g de sucre semoule ◆ 50 g de sucre glace

1 Coupez la génoise en 2 dans l'épaisseur, rognez les 2 parties pour obtenir des ovales et imbibez-les largement de Grand Marnier. Réservez. Mettez la glace dans le congélateur.
2 Séparez les blancs des jaunes d'œufs. Fouettez les blancs en neige ferme. Ajoutez le sucre puis 2 jaunes. Mettez cette préparation dans une poche à grosse douille cannelée.
3 Placez la partie inférieure de la génoise dans un plat allant au four. Coupez la glace en tranches et disposez-les sur la génoise. Posez la seconde abaisse de génoise en couvercle.
4 Recouvrez d'une épaisse couche de meringue en formant des monticules cannelés. Poudrez de sucre glace. Garnissez la tôle du four de glaçons et posez-y le plat contenant l'omelette norvégienne. Passez au four 10 min à 220 °C. Servez aussitôt, lorsque le meringage est coloré.

onglet

➔ voir aussi **bœuf**

Ce morceau de bœuf de première catégorie donne une viande tendre et savoureuse. Ce « petit filet », comme l'appellent les bouchers, est un morceau assez rare : commandez-le à l'avance.

Diététique. Excellente grillade : 112 kcal pour 100 g.

Onglet à l'échalote

Pour **2 personnes**
Préparation **10 min**
Cuisson **15 min environ**

2 biftecks dans l'onglet, de 150 g chacun ◆ 6 échalotes ◆ 50 g de beurre ◆ vinaigre de vin blanc ◆ sel ◆ poivre

1 Incisez légèrement les onglets en croisillons sur les 2 faces. Pelez et hachez les échalotes.
2 Faites chauffer le beurre dans une poêle. Quand il est bien chaud, mettez-y les onglets et faites-les dorer vivement sur les 2 faces : comptez de 4 à 5 min par face. Salez et poivrez.
3 Égouttez les onglets et tenez-les au chaud. Ajoutez les échalotes dans la poêle et faites-les blondir en remuant pendant 2 min.
4 Versez dans la poêle 3 c. à soupe de vinaigre et portez à ébullition pendant 2 min. Versez cette sauce sur les biftecks. Servez aussitôt.

orange

→ voir aussi crêpe, maltaise, marmelade

Fruit de la famille des agrumes, l'orange possède une pulpe juteuse plus ou moins acidulée sous une peau fine ou granuleuse. Achetez des oranges non traitées si vous utilisez le zeste ou l'écorce. Les meilleures sont disponibles en hiver.

Une bonne orange se choisit mûre, ferme au toucher et bien lourde dans la main, avec une peau unie. Si l'écorce est épaisse, la chair est généralement douce, mais peu juteuse. Ce fruit est fragile et peut moisir assez vite.

On distingue quatre grandes variétés. Les navels sont précoces et sans pépins, moyennement juteuses. Les blondes à peau épaisse sont parfumées et assez juteuses. Parmi les sanguines à pulpe rouge, la maltaise est de loin la meilleure. Viennent en fin de saison les tardives, avec surtout la valencia, juteuse et acidulée.

Fruit de dessert largement utilisé en pâtisserie et en confiserie (salade de fruits, marmelades, crèmes, fruits givrés, sorbets, biscuits), l'orange joue un rôle important en cuisine : canard à l'orange, beurre composé ou sauce maltaise, garniture de gibier ou salades composées. Elle peut également remplacer le citron, avec un goût plus fruité et sucré. Les liqueurs à l'orange – Cointreau, Grand Marnier, curaçao – sont précieuses aussi bien en pâtisserie que pour les cocktails.

Diététique. L'orange est une excellente source de vitamine C. Le besoin quotidien est couvert avec 200 g. 1 orange = 45 kcal.

navel

Importées d'Amérique du Sud, d'Afrique du Sud, d'Espagne, d'Israël, d'Italie, du Maroc, de Tunisie et des États-Unis, les oranges sont disponibles toute l'année. Le jus d'orange, jus de fruits le plus consommé, est fabriqué dans tous les pays producteurs et en France.

Boisson aux fruits

RECETTE LÉGÈRE — 1 portion 110 kcal

Pour **4 personnes**
Préparation **20 min**
Pas de cuisson

4 oranges non traitées • 1 citron non traité • 2 tomates • 4 fruits de la Passion • 1 mangue • sel fin

1 Coupez en 2 les oranges et le citron, passez-les à la centrifugeuse avec leur peau. Ajoutez les tomates lavées et actionnez encore l'appareil. Versez le jus obtenu dans un cruchon.

2 Coupez les fruits de la Passion en 2, récupérez la pulpe avec une petite cuiller, mettez-la dans le bol de la centrifugeuse.

3 Pelez la mangue, ôtez le noyau, découpez la pulpe avec un couteau et ajoutez-la à celle des fruits de la Passion.

4 Passez le tout à la centrifugeuse et versez le liquide obtenu dans le cruchon. Mélangez intimement et ajoutez 1 pincée de sel. Répartissez dans des verres et servez frais mais non glacé.

Vous pouvez aussi ajouter à ce mélange le jus de 2 clémentines au jus des oranges.

salustiana

maltaise sanguine

Fondant à l'orange

Pour **6 personnes**
Préparation **20 min**
Cuisson **30 min**

2 grosses oranges juteuses non traitées ◆ 125 g de beurre ◆ 115 g de sucre semoule ◆ 2 œufs ◆ 115 g de farine ◆ 1 c. à café de levure chimique ◆ 150 g de sucre glace

1 Pressez le jus des oranges et râpez finement le zeste de l'une d'entre elles.
2 Mettez 115 g de beurre dans une terrine tiédie et travaillez-le avec une cuiller en bois jusqu'à ce qu'il soit bien crémeux.
3 Incorporez le sucre semoule petit à petit puis ajoutez les œufs entiers, l'un après l'autre, en continuant de travailler la pâte.
4 Ajoutez ensuite la farine puis la moitié du jus d'orange et le zeste. Terminez par la levure.
5 Graissez un moule à manqué de 24 cm de diamètre avec 10 g de beurre. Versez la pâte dans le moule. Faites cuire le gâteau dans le four à 210 °C pendant 30 min.
6 Pendant ce temps, faites dissoudre le sucre glace avec le reste de jus d'orange pour obtenir une crème épaisse et coulante.
7 Lorsque le gâteau est cuit, démoulez-le sur un plat et nappez-le aussitôt avec la moitié du glaçage. Étalez le reste du glaçage à la spatule lorsque le gâteau est complètement refroidi.

Ce gâteau se conserve très bien 2 ou 3 jours en boîte hermétique dans le réfrigérateur. Vous pouvez décorer le dessus avec des quartiers d'oranges pelés à vif.

Oranges givrées à l'angélique

Pour **4 personnes**
Préparation **30 min, 6 h à l'avance**
Cuisson **5 min**

4 belles oranges à peau assez épaisse ◆ 500 g de sucre semoule ◆ angélique confite

1 Décalottez les oranges en coupant l'écorce du côté du pédoncule. Avec une cuiller à pamplemousse, retirez toute la pulpe sans percer l'écorce. Mettez les écorces évidées et les chapeaux au congélateur.
2 Passez toute la pulpe des oranges à la centrifugeuse et versez cette pulpe dans une jatte. Faites chauffer 50 cl d'eau avec le sucre en remuant de temps en temps jusqu'à l'ébullition.
3 Retirez le sirop du feu et laissez-le refroidir. Mélangez-le ensuite avec la pulpe d'orange. Mettez à glacer pendant au moins 4 h.
4 Lorsque le sorbet à l'orange est pris, garnissez-en les écorces en formant un petit dôme sur le dessus. Mettez le chapeau en place et décorez-le avec des tronçons d'angélique. Remettez dans le congélateur jusqu'au moment de servir.

Oranges soufflées

Pour **6 personnes**
Préparation **45 min**
Cuisson **40 min environ**

6 grosses oranges à peau épaisse ◆ 3 œufs ◆ 8 c. à soupe rases de sucre semoule ◆ 2 c. à soupe rases de fécule de maïs ◆ 1 c. à soupe de liqueur d'orange

1 À l'aide d'un couteau bien tranchant, retirez une calotte sur le dessus de chaque orange. Coupez également une mince rondelle à la base pour que les fruits tiennent debout.
2 Évidez l'intérieur des oranges sans abîmer l'écorce. Pressez la chair et filtrez le jus recueilli.
3 Cassez les œufs en séparant les jaunes des blancs. Travaillez les jaunes avec le sucre et la fécule de maïs. Délayez avec le jus d'orange.
4 Versez-les dans une casserole et faites chauffer sur feu doux en remuant sans arrêt. Retirez du feu au premier bouillon quand le mélange a épaissi. Ajoutez alors la liqueur d'orange.
5 Environ 30 min avant de servir, battez les blancs en neige ferme et incorporez-les à la crème d'orange. Répartissez la préparation dans les écorces. Rangez-les dans un plat allant au four et faites cuire 30 min à 240 °C. Servez.

Si vous prévoyez ce dessert pour des enfants, supprimez la liqueur d'orange. Pour des adultes, vous pouvez utiliser aussi de la liqueur de mandarine.

Fondant à l'orange ►

Pour un dessert plus festif, n'hésitez pas à proposer en même temps que ce fondant des écorces d'orange confites enrobées de chocolat noir.

Salade d'oranges à l'oignon doux

Pour **4 personnes**
Préparation **25 min**
Repos **20 min**
Pas de cuisson

5 oranges maltaises ◆ 1 citron ◆ 2 gros oignons rouges ◆ paprika doux ◆ huile d'olive ◆ miel d'acacia ◆ xérès ◆ cerfeuil frais ◆ sel ◆ poivre

1 Pressez le jus d'une orange dans un bol. Ajoutez-lui le jus du citron, 1 c. à café de paprika, 3 c. à soupe d'huile et 1 c. à café de miel. Salez et poivrez. Ajoutez enfin 1 c. à soupe de xérès. Mélangez bien.
2 Pelez les oranges à vif et taillez-les en tranches fines sans perdre le jus. Pelez les oignons, coupez-les en rondelles et défaites celles-ci en anneaux.
3 Disposez les tranches d'oranges dans un plat creux avec leur jus. Ajoutez les anneaux d'oignons. Nappez de sauce, mélangez et laissez reposer 20 min.
4 Remuez encore 1 fois avant de servir très frais, avec des pluches de cerfeuil.

oreille

Cet abat de boucherie, du porc et du veau essentiellement, est utilisé surtout dans des préparations de charcuterie (museau, fromage de tête). Braisées, farcies ou grillées, les oreilles supportent bien un accommodement assez relevé. Vous pouvez aussi les faire cuire au court-bouillon et les faire gratiner dans une sauce blanche.

Oreilles de porc laquées

Pour **4 personnes**
Préparation **15 min**
Cuisson **2 h 40**

4 oreilles de porc ◆ 2 carottes ◆ 2 branches de céleri ◆ 2 oignons ◆ 2 clous de girofle ◆ 25 g de gingembre frais ◆ 1 gousse d'ail ◆ 25 cl de miel liquide ◆ 2 c. à soupe de sauce soja ◆ gros sel ◆ poivre en grains ◆ vinaigre ◆ huile d'arachide ◆ colorant rouge ◆ fécule ◆ sel ◆ poivre

1 Faites bouillir les oreilles de porc pendant 10 min dans 2 l d'eau salée. Égouttez-les, grattez-les et retirez le cartilage.
2 Pelez et émincez finement les carottes et le céleri. Pelez les oignons et piquez-les chacun avec 1 clou de girofle.
3 Mettez ces ingrédients dans une grande marmite avec 2 l d'eau. Ajoutez 1 c. à soupe de gros sel et 10 grains de poivre.
4 Portez à ébullition et laissez frémir 15 min. Ajoutez les oreilles de porc et faites cuire sur feu doux pendant 2 h. Écumez 2 ou 3 fois.
5 Pelez et hachez finement le gingembre et l'ail. Mélangez le miel et la sauce soja, ajoutez 1 c. à soupe de vinaigre et autant d'huile, quelques gouttes de colorant rouge et 1 c. à café de fécule. Salez et poivrez. Incorporez à cette sauce l'ail et le gingembre. Remuez 5 min pour bien l'homogénéiser.
6 Égouttez les oreilles de porc et essuyez-les. Posez-les sur une grille placée sur un plat creux. Badigeonnez-les plusieurs fois au pinceau avec la sauce aigre-douce.
7 Faites griller les oreilles laquées pendant 15 min au four à 200 °C, en les badigeonnant de sauce toutes les 5 min.
8 Servez brûlant avec une salade de chou chinois et des ciboules fraîches.

Boisson **bière chinoise Tsin-tao**

origan

→ **voir aussi** marjolaine

Ce nom désigne la marjolaine séchée, indispensable dans plusieurs recettes méditerranéennes comme la pizza, la sauce tomate, la daube ou les brochettes d'agneau grillées. Comme tous les aromates séchés, conservez-le au sec dans un flacon bien fermé.

ortolan

Ce petit gibier à plume dont la réputation gastronomique est ancienne est aujourd'hui une espèce protégée. Cependant, certains amateurs continuent de le capturer pour l'engraisser et le déguster rôti. C'est un oiseau que l'on mange entier en le désossant avec ses doigts : il est de tradition de se couvrir la tête d'une grande serviette pour se livrer à cette opération délicate et gourmande.

oseille

→ voir aussi alose

Cette plante potagère à feuilles vertes d'une saveur acide se trouve surtout au printemps. Choisissez-la toujours très fraîche, brillante et ferme. L'oseille à feuilles larges est particulièrement acide : dans un potage ou une purée, mélangez-la avec de la laitue. L'oseille diminue au moins des 3/4 à la cuisson. Elle se prépare et se cuisine comme l'épinard, accompagne surtout le veau, les œufs et les poissons de rivière (alose, anguille).

Diététique. Ce légume est peu calorique, mais très acide : 100 g = 25 kcal.

Conserve d'oseille

Pour **2 bocaux de 250 g**
Préparation **20 min**
Cuisson **5 min**

1,5 kg d'oseille ◆ 100 g de beurre ◆ sel ◆ poivre

1 Triez l'oseille, retirez les queues et lavez les feuilles. Épongez-les et taillez-les en chiffonnade.
2 Faites fondre la moitié du beurre en parcelles dans une casserole. Ne le laissez pas colorer. Ajoutez la moitié de l'oseille et remuez à la spatule. Salez et poivrez. Lorsque les feuilles se ramollissent et s'affaissent dans le fond de la casserole, retirez du feu.
3 Versez cette chiffonnade dans une terrine et pressez les feuilles avec le dos d'une cuiller. Videz le jus. Tassez cette chiffonnade dans un bocal à large orifice.
4 Faites cuire le reste d'oseille avec le reste de beurre de la même façon. Versez-la dans le second bocal. Fermez les bocaux et stérilisez-les. Vous pouvez aussi congeler la fondue d'oseille dans des barquettes en aluminium.

Employez cette préparation nature comme garniture. Vous pouvez aussi la mouiller de crème fraîche pour en faire une sauce.

Omelette à l'oseille

Pour **4 personnes**
Préparation **15 min**
Cuisson **8 min**

200 g d'oseille ◆ 40 g de beurre ◆ 6 gros œufs ◆ cerfeuil ◆ persil ◆ estragon ◆ sel ◆ poivre

1 Lavez les feuilles d'oseille en retirant les queues. Épongez-les. Taillez-les en chiffonnade. Ciselez assez de persil, de cerfeuil et d'estragon pour obtenir 4 c. à soupe.
2 Faites fondre 20 g de beurre dans une casserole, ajoutez l'oseille ciselée et faites cuire en remuant avec une cuiller en bois pendant 3 min. Retirez du feu.
3 Cassez les œufs dans une terrine et battez-les en omelette. Salez et poivrez. Incorporez la fondue d'oseille puis les fines herbes. Battez encore une fois. Faites fondre le reste de beurre dans une grande poêle et versez-y le contenu de la terrine. Mélangez.
4 Faites cuire pendant 3 min puis retournez l'omelette et reposez-la dans la poêle. Poursuivez la cuisson pendant 2 à 3 min.
5 Faites glisser l'omelette comme une galette dans un plat rond. Vous pouvez aussi la faire cuire un peu moins longtemps, ne pas la retourner et la servir pliée en 2.

oseille

Plus l'oseille a des feuilles larges et foncées, plus elle est acide. Elle doit impérativement être fraîche, mais elle se conserve quelques jours dans le bas du réfrigérateur. Achetez-la bien brillante et assez ferme.

Potage à l'oseille

Pour **4 personnes**
Préparation **15 min**
Cuisson **5 min**

300 g d'oseille ◆ 15 g de beurre ◆ 70 cl de bouillon de légumes ◆ 20 cl de crème fraîche épaisse ◆ cerfeuil ◆ sel ◆ poivre

1 Équeutez et lavez les feuilles d'oseille. Épongez-les. Faites fondre le beurre dans une casserole.
2 Ajoutez l'oseille dans le beurre fondu et remuez pendant 2 min. Lorsqu'elle a rendu son eau de végétation, versez le bouillon de légumes en remuant.
3 Portez à ébullition lentement. Retirez du feu et couvrez la casserole. Salez et poivrez la crème fraîche, fouettez-la vivement et versez-la dans une soupière.
4 Versez le bouillon à l'oseille par-dessus en fouettant sans arrêt. Rectifiez l'assaisonnement et ajoutez des pluches de cerfeuil. Servez aussitôt.

→ **autres recettes d'oseille à l'index**

ossau-iraty

Ce fromage à pâte pressée protégé par une appellation d'origine est souvent vendu sous le nom de « fromage de brebis des Pyrénées ». Il se présente comme une petite meule ronde, jaune-orangé ou grise. Sa pâte jaune crème est percée de petits trous. Sa saveur prononcée s'apprécie en fin de repas avec un vin du même terroir.

osso buco

Cette spécialité de la cuisine italienne est un ragoût de jarret de veau en tranches braisées au vin blanc avec des tomates et des aromates. Servez-le avec des pâtes fraîches ou du risotto à la milanaise.

Osso buco à la milanaise

Pour **6 personnes**
Préparation **20 min**
Cuisson **1 h 40 environ**

1 kg de jarret de veau ◆ 2 oignons ◆ 4 grosses tomates ◆ 1 gousse d'ail ◆ 20 cl de vin blanc ◆ 20 cl de bouillon ◆ 1 bouquet garni ◆ 1/2 citron ◆ farine ◆ huile d'olive ◆ persil haché ◆ sel ◆ poivre

1 Demandez au boucher de couper le jarret en tranches épaisses (rouelles) de 4 à 5 cm.
2 Salez et poivrez les rouelles. Farinez-les. Pelez et émincez les oignons. Pelez et concassez les tomates. Pelez et écrasez l'ail.
3 Faites chauffer 3 c. à soupe d'huile dans une cocotte. Mettez-y à dorer les tranches de viande en les retournant plusieurs fois.
4 Ajoutez les oignons et laissez-les blondir. Mouillez avec le vin et laissez réduire à découvert puis ajoutez les tomates et le bouillon. Mélangez.
5 Ajoutez enfin l'ail avec le bouquet garni. Couvrez et faites cuire 1 h 30 au four à 200 °C.

◄ Osso buco à la milanaise

Le nom de cette spécialité italienne signifie littéralement « os à trou ». Pendant la cuisson, placez les os sur la tranche pour que la moelle ne s'échappe pas.

6 Égouttez les morceaux de viande et mettez-les dans un plat creux bien chaud. Jetez le bouquet garni. Faites réduire le fond de cuisson sur feu vif et nappez-en les morceaux. Ajoutez le jus du citron et 2 c. à soupe de persil frais.

Comme condiment, à la place du jus de citron et du persil, vous pouvez présenter un hachis d'ail et de zeste d'orange râpé relevé de muscade et de poivre.

Boisson **vin rouge léger**

oursin

→ **voir aussi** fruits de mer

Cet animal marin possède une carapace hérissée de piquants. Les gros ronds sont moins avantageux que les petits, aplatis avec de longs piquants. C'est à l'intérieur que se trouve la partie comestible : 5 glandes orangées, le « corail », à déguster à la petite cuiller. Vous pouvez aussi en faire une sauce ou un potage, ou bien extraire le corail pour en garnir des œufs à la coque, une omelette ou des œufs brouillés (comptez 2 oursins par personne). En écrasant la valeur d'une cuillerée à soupe de corail, on obtient un accompagnement exquis pour des rougets grillés. Produit cher disponible uniquement d'octobre à avril, l'oursin possède une saveur fortement iodée qui ne plaît qu'aux amateurs. C'est en décembre qu'il est le meilleur, dit-on.

Diététique. L'oursin possède toutes les vertus des coquillages (il est très riche en iode).

Les piquants plus ou moins longs de l'oursin lui valent ses surnoms : « châtaigne de mer » ou « hérisson de mer ».

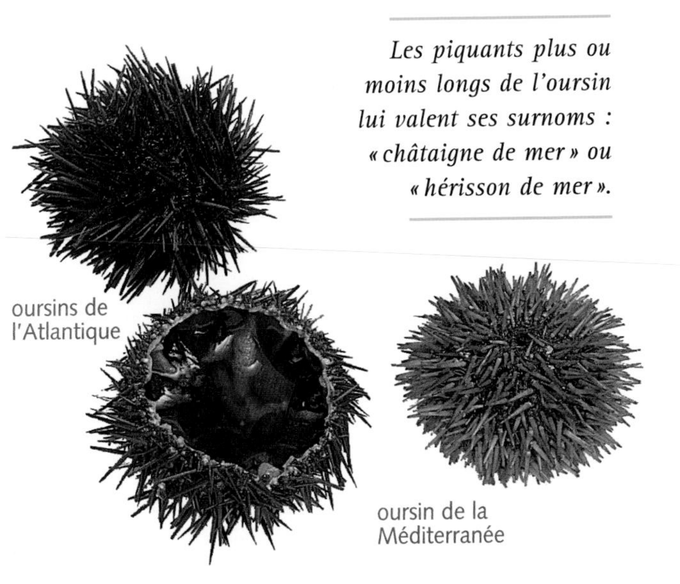
oursins de l'Atlantique

oursin de la Méditerranée

Veloutine aux oursins

Pour **2 personnes**
Préparation **30 min**
Cuisson **15 min environ**

6 oursins bien pleins ◆ 3 échalotes ◆ 15 g de beurre ◆ 20 cl de vin blanc sec ◆ 2 jaunes d'œufs ◆ 15 cl de crème fraîche ◆ thym ◆ sel ◆ poivre

1 Ouvrez les oursins : introduisez la branche d'une paire de ciseaux dans la partie molle sur le dessus, coupez tout autour et videz l'eau dans une jatte. Passez-la à travers une étamine.
2 Pelez et hachez les échalotes. Faites-les fondre avec le beurre dans une casserole en remuant sur feu doux pendant 10 min.
3 Versez l'eau passée des oursins sur les échalotes, ajoutez le vin blanc et 1 bonne pincée de thym. Faites bouillir pendant 5 min.
4 Mélangez les jaunes d'œufs avec la crème fraîche et versez peu à peu cette liaison dans la casserole sans cesser de remuer. Salez modérément et poivrez.
5 Ajoutez alors l'intérieur des oursins et laissez frémir de 2 à 3 min. Goûtez et rectifiez l'assaisonnement. Répartissez cette veloutine aux oursins dans 2 assiettes creuses très chaudes et servez aussitôt.

Boisson **barsac**

ouzo

Cet alcool très apprécié en Grèce est également répandu dans les pays anglo-saxons. Proche du pastis français, à base d'anis, d'eau-de-vie et de sucre, l'ouzo se boit additionné d'eau ou *« on the rocks »*, c'est-à-dire sec sur des glaçons.

Diététique. Même diluée, la dose de base reste la même : 90 kcal pour un verre.

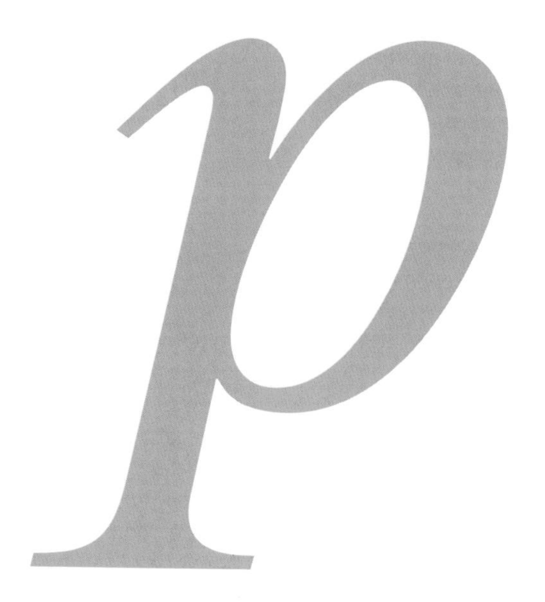

paella

Cette spécialité espagnole est un plat de riz toujours garni d'ingrédients très variés. Le safran, l'ail et le piment sont nécessaires pour lui donner sa couleur et son relief. La garniture classique est composée de poulet, de rondelles de chorizo, de langoustines, de moules, de petits pois et de poivrons. La paella doit son nom au plat dans lequel on la fait cuire traditionnellement : une sorte de grande poêle à haut rebord munie de poignées. Si vous en possédez une, servez la paella directement dedans. À défaut, utilisez un grand plat creux.

Diététique. Une portion de paella apporte environ 630 kcal. C'est un plat assez peu digeste.

Paella de Valence

Pour **6 personnes**
Préparation **1 h**
Cuisson **40 min environ**

1 poulet de 1,3 kg ◆ 200 g de chorizo ◆ 300 g de calmars ◆ 2 poivrons ◆ 350 g de riz à grains longs ◆ 3 oignons ◆ 2 gousses d'ail ◆ 9 langoustines ◆ 3 tomates ◆ 1 kg de petits pois ◆ 1 mesure de safran ◆ 18 moules ◆ huile d'olive ◆ poivre de Cayenne ◆ sel ◆ poivre

1 Coupez le poulet en 12 morceaux et le chorizo en rondelles. Faites chauffer 4 c. à soupe d'huile dans une cocotte. Mettez-y à revenir les morceaux de poulet.

2 Ajoutez le chorizo et mélangez. Salez et poivrez. Laissez cuire doucement pendant 20 min.

3 Faites chauffer 5 c. à soupe d'huile dans un grand plat à paella. Mettez-y les calmars et les poivrons coupés en lanières. Faites-les sauter pendant 10 min. Ajoutez le riz, les oignons pelés et émincés, l'ail pelé et haché et les langoustines décortiquées.

4 Remuez avec une spatule. Lorsque le riz est translucide, ajoutez les tomates en quartiers et poursuivez la cuisson pendant 10 min.

5 Incorporez ensuite les morceaux de poulet et le chorizo avec leur jus de cuisson puis les petits pois. Remuez délicatement pour mélanger les ingrédients. Salez et poivrez. Ajoutez le safran, 2 pincées de poivre de Cayenne et 2 verres d'eau chaude. Mélangez.

6 Portez doucement à ébullition, baissez le feu, couvrez et laissez cuire pendant 20 min. Lorsque le liquide est presque entièrement absorbé, ajoutez les moules bien brossées en les enfonçant dans le riz. Dès que les coquilles sont ouvertes, servez dans le plat de cuisson.

Boisson **vin de la Rioja**

pageot

Ce poisson de Méditerranée appartient à la famille des daurades. Sa chair est presque aussi fine que celle de la daurade royale et il se cuisine comme elle, surtout grillé.

pagre

Poisson de mer voisin de la daurade, mais plus rare et plus grand, le pagre offre une chair savoureuse que vous apprécierez grillée ou cuite au four.

Diététique. 100 g de pagre = 70 kcal.

Pagre grillé au thym

Pour **4 personnes**
Préparation **10 min**
Cuisson **25 à 30 min**

RECETTE LÉGÈRE — 1 portion 205 kcal

1 pagre de 1 kg environ
◆ 1 citron ◆ thym frais
◆ huile d'olive ◆ ciboulette ◆ sel ◆ poivre

1 Demandez au poissonnier d'écailler et de vider le pagre. Lavez et séchez le poisson. Faites 2 incisions obliques dans la chair de chaque côté.
2 Salez et poivrez l'intérieur. Glissez-y 4 brins de thym. Huilez légèrement le pagre. Faites-le griller à feu doux (dans le four ou sur les braises), pendant 12 à 14 min de chaque côté.
3 Préparez une vinaigrette à l'huile d'olive et au jus de citron. Ajoutez 3 c. à soupe de ciboulette hachée et 2 c. à café de thym frais haché. Servez le pagre grillé avec la vinaigrette.

pain

→ **voir aussi** **canapé, chapelure, croque-monsieur, croûton, farine, gratinée, panure, pudding, sandwich**

Produit fait de pâte levée et cuite, le pain est l'une des bases de l'alimentation humaine depuis l'Antiquité. Sa forme, sa saveur et son aspect, la couleur de sa mie et l'épaisseur de sa croûte varient selon la farine utilisée et la manière dont on le façonne. Selon le choix des ingrédients (farine biologique, levain naturel, sel de mer) et le savoir-faire du boulanger (pétrissage à la main, attention portée à la cuisson), c'est une savoureuse gourmandise ou un aliment insipide. Il existe actuellement une trentaine de pains différents. Un pain de qualité se reconnaît à sa bonne cuisson : sa croûte est assez épaisse, sa mie ne colle ni aux doigts ni au palais. Évitez le pain trop frais, qui se digère mal.

Les pains préemballés en tranches, de fabrication industrielle, doivent annoncer leur composition exacte et une date limite de consommation.

Il existe aussi des mélanges tout prêts pour faire son pain soi-même. Enrichissez-les, selon votre goût, d'olives, de lardons, de fines herbes, etc. Les pâtons de pâte crue conditionnée sous vide (à conserver au froid) sont prêts à cuire au four.

pain blanc ordinaire Il varie dans sa présentation : baguette moulée ou non, bâtard, ficelle, etc. Il est fait de farine de froment, d'eau, de sel et de levure. Préférez-le avec une croûte dorée, une mie bien alvéolée et une bonne odeur.

pain de campagne Il comporte une petite proportion de farine de seigle : son goût est un peu plus acide. Servez-le avec de la charcuterie, du foie gras ou du gibier. Il se conserve plus longtemps que le pain blanc et rassit bien dans un endroit tempéré et légèrement humide.

pain de mie Il présente une mie très dense et blanche, presque sans croûte, il peut être rond ou carré. Il est indispensable pour réaliser canapés, toasts, croûtes garnies ou sandwiches. Achetez-le de préférence chez votre boulanger. Il est plus calorique que le pain ordinaire (100 g = 260 kcal).

pain complet Riche en fibres, il comporte la totalité ou presque des grains de blé : il apporte davantage de vitamines B, de sels minéraux et de protéines que le pain blanc. Dégustez-le avec le fromage ou les crustacés, légèrement grillé avec le saumon fumé ou, au petit déjeuner, avec du miel.

pain au son Fabriqué avec de la farine de blé complète enrichie de son, il est excellent pour le transit intestinal.

pain de seigle Il comporte toujours une petite proportion de farine de froment : il est dense et nourrissant. Consommez-le légèrement rassis, avec huîtres et coquillages.

pains spéciaux Le pain aux céréales (blé, seigle, avoine, maïs, orge, sarrasin en proportions variables) se caractérise par un goût original, excellent avec les fromages. Les pains viennois et de gruau, très blancs, comportent aussi du lait et parfois des matières grasses. Les pains bis aux noix, au cumin, aux raisins secs, à l'oignon, etc., sont à la farine complète ou de seigle : très riches en protéines, ce sont les seuls qui sont vraiment caloriques.

Diététique. Le pain est indispensable dans l'alimentation quotidienne. C'est un « carburant » de l'organisme. Quantité quotidienne recommandée sans aucun risque d'embonpoint : 125 g (1/2 baguette) pour la femme et 250 g pour l'homme. Sa valeur nutritionnelle est d'environ 250 kcal pour 100 g quelle que soit sa composition. Plus un pain est complet, plus il est riche en fibres, mais n'en abusez pas, car il peut être irritant pour le tube digestif. Le pain ralentit l'assimilation des autres aliments : la digestion est alors plus facile et la sensation de faim calmée. Si vous avez « un petit creux », mangez un morceau de pain. À une condition : excluez l'association avec un lipide ou un glucide – confiture, beurre. En revanche, un œuf à la coque et des mouillettes constituent un petit déjeuner équilibré.

Pain de froment aux herbes

Pour **2 pains**
Préparation **20 min**
Repos **2 h 30**
Cuisson **35 min**

25 g de levure de boulanger ◆ 400 g de farine de froment ◆ 3 c. à soupe d'huile d'olive ◆ 150 g de fromage blanc ◆ 1 gousse d'ail ◆ 1 bouquet de persil ◆ 1 bouquet de ciboulette ◆ 1 bouquet d'aneth ◆ 50 g de beurre ◆ sel

1 Délayez la levure dans de l'eau tiède et 3 c. à soupe de farine. Tamisez la farine, ajoutez 1 c. à café de sel et versez-la dans une terrine. Faites une fontaine au milieu. Ajoutez le levain et versez doucement 20 cl d'eau en incorporant la farine.
2 Ajoutez l'huile et le fromage et pétrissez le mélange avec vos mains farinées. Laissez reposer pendant 10 min.
3 Hachez l'ail et les fines herbes. Incorporez-les à la pâte et pétrissez encore 5 min. Ramassez la pâte en boule et laissez-la lever dans un endroit tiède pendant 2 h.
4 Beurrez et farinez 2 moules à cake. Versez-y la pâte et laissez encore lever 20 min.
5 Faites cuire dans le four à 220 °C pendant 35 min environ. Démoulez et laissez refroidir.

Pain au maïs à l'américaine

Pour **1 pain de 22 cm de long**
Préparation **15 min**
Cuisson **30 min**

200 g de farine de maïs ◆ 150 g de farine de froment ◆ 40 g de sucre semoule ◆ 1/2 c. à café de levure ◆ 140 g de beurre ◆ 2 œufs ◆ 40 cl de lait ◆ sel

1 Versez les 2 farines dans un saladier. Ajoutez 6 g de sel, le sucre et la levure. Mélangez.
2 Mettez le beurre dans un bol au bain-marie et faites-le fondre.
3 Battez les œufs en omelette puis incorporez le lait et le beurre fondu. Mélangez. Versez ce mélange sur les farines en fouettant sans cesse. Travaillez la pâte jusqu'à consistance homogène.
4 Préchauffez le four à 200 °C. Beurrez un moule à cake. Versez-y la pâte. Enfournez à mi-hauteur et faites cuire 30 min.

Le pain au maïs est cuit lorsque sa couleur est brun doré. Les bords doivent se décoller légèrement des parois du moule.

Servez le pain au maïs tiède au petit déjeuner avec du miel ou des œufs au bacon. Il est également délicieux en accompagnement de foie gras.

Pain de seigle aux noix

Pour **2 pains**
Préparation **25 min**
Repos **2 h 20**
Cuisson **35 min**

25 g de levure de boulanger ◆ 300 g de farine de blé complète ◆ 200 g de farine de seigle ◆ 2 c. à soupe d'huile de noix ◆ 200 g de cerneaux de noix ◆ 50 g de beurre ◆ sel

1 Faites dissoudre la levure de boulanger dans un peu de farine et d'eau tiède. Mettez ce levain de côté. Tamisez la farine de blé complète et la farine de seigle avec 1 c. à café de sel et versez le mélange dans une terrine.
2 Faites une fontaine au milieu. Ajoutez le levain puis les farines et l'huile. Pétrissez la pâte 10 min.
3 Incorporez les cerneaux de noix grossièrement hachés. Mélangez puis laissez lever dans un endroit tiède pendant 2 h.
4 Beurrez et farinez 2 moules à cake. Versez-y la pâte et laissez lever encore 20 min. Faites cuire dans le four à 240 °C pendant 35 min. Démoulez et laissez refroidir.

Servez ce pain de seigle avec un plateau de fromages (chèvres ou bleus), accompagné d'une salade frisée. Il est également excellent en tranches légèrement grillées avec du foie gras de canard.

Pâte à pain

Pour **2 petites miches de pain**
Préparation **1 h environ**
Repos **3 h 30**
Cuisson **50 à 60 min**

1,5 kg de farine (type 44)
◆ 30 g de levure de boulanger ◆ sel

1 Versez la farine dans un saladier. Ajoutez 1 c. à soupe de sel. Délayez la levure en l'écrasant dans un bol avec un peu d'eau tiède. Lorsque le mélange est homogène, versez-le dans la farine avec 80 cl d'eau tiède.

2 Mélangez la pâte en malaxant la farine et l'eau. Vous obtenez une masse grossière que vous renversez sur le plan de travail. Si elle est sèche et dure, ajoutez un peu d'eau ; si elle est trop molle, ajoutez un peu de farine. Étirez la pâte pendant 10 min environ en la déchirant puis en la ramassant jusqu'à ce qu'elle ne colle plus.

3 Lavez le saladier, essuyez-le et mettez la pâte dedans. Couvrez d'un torchon et mettez le saladier dans un endroit tiède. Laissez lever pendant 2 h 30 environ, jusqu'à ce que la pâte ait doublé de volume. Divisez la masse en 2. Laissez l'une à l'abri sous un linge humide pendant que vous travaillez l'autre. Formez une boule et écrasez celle-ci avec la paume de la main en effectuant un geste de torsion. Recommencez l'opération plusieurs fois puis retournez la boule et travaillez-la de l'autre côté. Pétrissez ensuite l'autre boule.

4 Farinez les 2 miches, couvrez-les et laissez-les lever 1 h environ. Préchauffez le four à 230 °C et mettez dans le bas un bol rempli d'eau.

5 Faites 2 entailles en croix sur le dessus de chaque miche et enfournez-les. Vous pouvez également façonner le pain en long, avec des entailles en diagonale. Plus l'incision est profonde, plus la croûte sera épaisse. Faites cuire les pains sur la plaque du four pendant au moins 45 min. Vérifiez la cuisson en tapant du doigt le dessous du pain : il doit sonner creux. Remettez-le éventuellement 10 min au four. Attendez plusieurs heures avant de couper le pain en tranches.

Pour des petites boules, ajoutez à la pâte de base 100 g de beurre : façonnez 15 boules environ et poudrez-les, avant la cuisson, de graines de cumin, de pavot ou de sésame.

1

2

3

4

5

◄ Pain de poisson à l'aurore

Entrée chaude parfaite pour un dîner classique, ce pain de poisson sera par exemple suivi d'un rôti de veau aux champignons et d'une tarte au citron.

pain de cuisine

→ voir aussi **papeton**

Un « pain » de cuisine se prépare avec une farce ou un hachis à base de poisson, de viande ou de légumes. N'hésitez pas à relever la préparation avec des épices ou des fines herbes. C'est un excellent moyen d'utiliser des restes, mais c'est aussi une entrée classique dont vous pouvez faire un plat principal. Servez-le avec une sauce elle aussi bien relevée : sauce tomate, au curry, etc.

Pain de chou-fleur aux olives

Pour **4 personnes**
Préparation **25 min**
Cuisson **30 min**

1 petit chou-fleur ◆ 70 g de beurre ◆ 50 g de farine ◆ 40 cl de lait ◆ 60 g de fromage râpé ◆ 20 olives noires ◆ 3 œufs ◆ muscade ◆ sel ◆ poivre

1 Lavez le chou-fleur et coupez-le en 4. Faites-le cuire à la vapeur en le gardant un peu ferme. Pendant ce temps, préparez une béchamel assez épaisse avec 50 g de beurre, la farine et le lait. Salez et poivrez. Muscadez.
2 Réduisez le chou-fleur en purée et ajoutez la béchamel et le fromage. Dénoyautez les olives et hachez-les.
3 Cassez les œufs et battez-les. Ajoutez les olives. Incorporez cette préparation à la purée de chou-fleur.
4 Beurrez un moule à savarin et versez-y la préparation. Faites cuire au bain-marie pendant environ 30 min. Démoulez sur un plat chaud et servez en garniture de viande.

Vous pouvez aussi faire cuire cette purée dans des petits moules à dariole individuels.

Pain de poisson à l'aurore

Pour **6 personnes**
Préparation **30 min**
Cuisson **50 min**

600 g de filets de merlan ◆ 80 g de beurre ◆ 50 g de farine ◆ 50 cl de lait ◆ 100 g de chair de crabe ◆ 2 œufs entiers ◆ 4 jaunes d'œufs ◆ 25 cl de crème fraîche ◆ paprika ◆ concentré de tomates ◆ muscade ◆ sel ◆ poivre

1 Réduisez les filets de merlan en purée à l'aide d'un mixer ou d'un moulin à légumes équipé d'une grille fine. Préparez une béchamel avec 50 g de beurre, la farine et le lait.
2 Mélangez la purée de poisson avec la chair de crabe. Ajoutez les œufs entiers, 2 jaunes et 1/2 c. à café de paprika. Salez et poivrez. Muscadez.
3 Ajoutez les 2 jaunes d'œufs restants dans la béchamel. Mettez la moitié de cette sauce dans la purée de poisson.
4 Beurrez largement des moules individuels. Versez-y la préparation et faites cuire au bain-marie 30 min à 200 °C. Baissez la chaleur à 180 °C et poursuivez la cuisson 20 min.

5 Démoulez le pain de poisson. Ajoutez la crème fraîche et 1 c. à soupe de concentré de tomates au reste de béchamel. Remuez sur feu doux pendant 3 min et versez cette sauce sur le pain de poisson. Servez aussitôt.

Boisson **chablis**

Pain de viande campagnard

Pour **6 personnes**
Préparation **20 min**
Cuisson **1 h**

300 g de bœuf haché ◆ 300 g de porc maigre haché ◆ 300 g de veau haché ◆ 1 oignon ◆ 2 échalotes ◆ 1 tranche de pain de mie ◆ 1 œuf ◆ 6 fines tranches de lard fumé ◆ sel ◆ poivre

1 Mélangez les 3 viandes dans une terrine et pétrissez-les pendant 3 min. Salez et poivrez. Pelez et hachez finement l'oignon et les échalotes. Émiettez le pain de mie. Ajoutez ces ingrédients à la farce avec l'œuf battu.
2 Avec vos mains mouillées, façonnez la préparation en forme de pain allongé. Posez-le dans un plat à rôtir et faites cuire au four à 180 °C pendant 1 h.
3 Faites rissoler les tranches de lard sans matière grasse dans une poêle à revêtement antiadhésif. Sortez le pain de viande du four et mettez-le dans un plat de service.
4 Ajoutez les tranches de lard sur le dessus et servez très chaud avec de la sauce tomate au basilic ou à l'estragon à part.

Boisson **vin rouge léger**

→ **autres recettes de pain de cuisine à l'index**

Pain d'épices

Pour **6 personnes**
Préparation **15 min, 24 h à l'avance**
Cuisson **1 h**

10 cl de lait ◆ 200 g de miel très parfumé ◆ 80 g de sucre semoule ◆ 2 jaunes d'œufs ◆ 300 g de farine ◆ 100 g de fruits confits hachés ◆ 20 g de beurre ◆ bicarbonate de soude ◆ cannelle en poudre ◆ jus de citron ◆ sel

1 Versez le lait, le miel et le sucre dans une petite casserole. Faites chauffer sur feu doux en remuant.
2 Battez les jaunes d'œufs dans un bol et ajoutez en remuant la moitié du lait au miel. Mélangez 1 c. à soupe de bicarbonate avec le reste de lait au miel.
3 Tamisez la farine dans une terrine. Ajoutez, peu à peu et en alternant, les 2 préparations précédentes, puis incorporez 2 c. à soupe de jus de citron, les fruits confits et 1 c. à café de cannelle.
4 Fouettez vivement cette pâte pendant 10 min. Beurrez un moule à cake et chemisez-le de papier sulfurisé.
5 Versez-y la pâte et faites cuire au four, à mi-hauteur, pendant 1 h à 180 °C. Démoulez et laissez refroidir sur une grille. Attendez au moins 24 h avant de consommer.

pain au lait

Ce petit pain, en pâte levée enrichie de beurre et de lait, est de forme ronde ou allongée. Il est parfois semé de grains de sucre : servez-le au petit déjeuner ou pour le thé. Les navettes sont des petits pains au lait miniatures dont on fait des sandwiches pour les buffets.
Diététique. Un petit pain = 50 kcal environ.

pain d'épices

Cette pâtisserie, à base de farine (blé, seigle, ou un mélange des deux), de miel et d'épices, est enrichie de zestes d'agrumes, de fruits confits ou de confiture. Le pain d'épices, brun, dense et moelleux, est souvent moulé en brique, mais on peut le faire cuire en forme de sujets divers. Il se déguste comme friandise, mais vous pouvez en émietter une tranche dans un ragoût pour en lier la sauce.
Diététique. Riche en sucre. 100 g = 310 à 360 kcal.

pain perdu

Cet entremets familial se prépare avec des tranches de pain rassis trempées dans le lait, enrobées d'œufs battus et de sucre, puis cuites à la poêle. Conçu en principe pour ne pas laisser perdre des restes de pain, il est plus raffiné si vous utilisez du pain de mie ou du pain brioché.
Diététique. Une portion = 400 kcal environ.

Pain perdu brioché

Pour **6 personnes**
Préparation **10 min**
Cuisson **15 min environ**

25 cl de lait ◆ 100 g de sucre semoule ◆ 1 sachet de sucre vanillé ◆ 5 œufs ◆ 200 g de beurre ◆ 12 tranches de pain brioché un peu rassis

1 Versez le lait dans une casserole. Ajoutez le sucre semoule et le sucre vanillé. Faites chauffer doucement.
2 Cassez les œufs dans une jatte et battez-les en omelette. Mettez le beurre dans une petite casserole et faites-le fondre doucement. Lorsqu'une mousse blanche apparaît, écumez-la pour clarifier le beurre. Faites chauffer 1 c. à soupe de beurre clarifié dans une grande poêle.
3 Trempez les tranches de pain brioché les unes après les autres d'abord dans le lait sucré puis dans les œufs battus en les enrobant des 2 côtés.
4 Posez 3 tranches dans la poêle et faites-les rissoler dans le beurre brûlant pendant 2 min de chaque côté.
5 Faites frire les 3 autres fournées de pain perdu de la même façon.

pain-surprise

Gros pain de seigle évidé, dont la mie sert à confectionner des petits sandwiches triangulaires, le pain-surprise constitue un élément attrayant pour un buffet froid. *Voir aussi pages 512-513.*

paleron

➔ **voir aussi** bœuf

Dans la découpe du bœuf, ce terme désigne un morceau de deuxième catégorie situé dans l'épaule. C'est une viande assez maigre et économique, que l'on utilise dans les braisés ou les bouillis : daube, pot-au-feu, bourguignon, etc.

palet

Ce petit biscuit sec, plat et rond est toujours agrémenté d'un parfum : vanille, poudre d'amandes ou zeste d'agrumes. La variante classique appelée « palet des dames » est enrichie de raisins secs. Servez les palets avec le thé ou un entremets glacé.

Palets des dames

Pour **24 biscuits environ**
Préparation **25 min**
Cuisson **25 min**

80 g de raisins de Corinthe ◆ 160 g de beurre ◆ 125 g de sucre semoule ◆ 2 œufs ◆ 170 g de farine ◆ rhum ◆ sel

1 Lavez les raisins secs à l'eau chaude puis faites-les tremper dans 1 petit verre de rhum. Faites ramollir 125 g de beurre.
2 Mélangez le beurre ramolli et le sucre semoule. Travaillez la pâte au fouet puis incorporez les œufs l'un après l'autre.
3 Ajoutez ensuite 150 g de farine, puis les raisins secs avec le rhum et 1 pincée de sel. Mélangez bien la pâte.

◄ Pain perdu brioché
Dessert familial très facile à réaliser au dernier moment, le pain perdu est une vraie gourmandise. Servez-le avec des lamelles de fraises ou de la compote.

4 Beurrez la tôle du four et farinez-la légèrement. Préchauffez le four à 180 °C.
5 Déposez sur la tôle des petits tas de pâte assez espacés. Procédez en 2 ou 3 fournées. Faites cuire au four pendant 25 min. Les palets doivent être dorés sur le pourtour. Laissez refroidir les palets avant de les déguster.

palette

→ voir aussi porc

Dans le porc, cette pièce correspond à l'omoplate. Très souvent traitée en petit salé, parfois fumée, la palette est très appréciée dans une potée ou avec la choucroute. Crue, c'est une viande assez maigre qui fournit un rôti moelleux ou des morceaux à sauter.

Diététique. Bien dégraissée, la palette est une viande riche en vitamine B1 qui facilite la digestion des glucides (haricots secs).

Palette aux légumes

RECETTE LÉGÈRE – 1 portion 390 kcal

Pour **6 personnes**
Préparation **30 min**
Cuisson **1 h 30**

1 palette de porc demi-sel ◆ 2 carottes ◆ 2 blancs de poireaux ◆ 100 g de céleri-rave ◆ 2 oignons ◆ 4 clous de girofle ◆ 2 échalotes ◆ 20 grains de poivre

1 Rincez abondamment la palette à l'eau froide. Laissez-la tremper pendant que vous lavez, nettoyez et pelez les légumes. Piquez les oignons avec les clous de girofle.
2 Mettez tous les légumes et les aromates dans une grande marmite. Versez 4 l d'eau et portez à ébullition.
3 Ajoutez la palette, faites frémir doucement et laissez mijoter 1 h 30. Égouttez la palette et faites-la refroidir. Coupez-la en tranches.

Le bouillon dégraissé vous servira à faire cuire des lentilles ou des haricots en grains, rouges ou blancs, qui seront servis en salade tiède avec une vinaigrette à la moutarde et à l'échalote.

Servez les tranches de palette soit froides avec ketchup et frites, soit chaudes rissolées dans du saindoux, avec du chou vert étuvé.

palombe

→ voir aussi pigeon

On donne ce nom, dans le Sud-Ouest, à un pigeon ramier dont la chair est très fine. La palombe se chasse de la Dordogne au Pays basque entre le début octobre et le début novembre. Elle se fait rôtir ou griller quand elle est jeune, mijoter en sauce ou en salmis si elle est plus vieille.

palourde

Ce coquillage bivalve connaît plusieurs variétés en Manche et en Méditerranée, où il s'appelle clovisse. On reconnaît la palourde aux stries fines qui marquent sa coquille bombée. Dégustez les palourdes crues ou bien farcies, en gratin, en potage ou avec des pâtes.

Diététique. Quans elles sont crues, les palourdes sont hypocaloriques et particulièrement riches en oligo-éléments (100 g = 60 kcal).

Palourdes farcies

Pour **4 personnes**
Préparation **10 min**
Cuisson **5 min environ**

4 gousses d'ail ◆ 1 échalote ◆ 1 bouquet de persil ◆ 125 g de beurre ◆ 2 douzaines de palourdes ◆ chapelure ◆ sel ◆ poivre

1 Pelez et hachez finement l'ail et l'échalote. Hachez menu le persil. Mélangez rapidement au mixer le beurre, l'ail, le persil et l'échalote. Salez et poivrez. Mettez ce beurre composé au frais.
2 Lavez et brossez les palourdes. Mettez-les dans une grande marmite et faites-les ouvrir sur feu vif puis sortez-les.
3 Retirez 1 valve de chaque coquille. Mettez les palourdes dans 2 plats allant au four. Garnissez chaque coquille avec du beurre composé et poudrez de chapelure. Passez 3 ou 4 min sous le gril bien chaud. Servez dès que le beurre grésille.

Cette recette peut aussi être réalisée avec des grosses moules ou avec des pétoncles. Surveillez bien la cuisson : le beurre ne doit absolument pas brûler.

Boisson vin blanc sec

pain-surprise

Il cache bien son jeu sous sa croûte dorée... Mais on devine à l'intérieur d'alléchantes surprises. Plus facile à réaliser qu'on ne le croit, il figure en bonne place sur un buffet de cocktail. Commandez à l'avance chez votre boulanger un pain de seigle ou légèrement brioché, de forme cylindrique.

1 Pour confectionner ce pain-surprise, équipez-vous d'un couteau-scie à longue lame. Commencez par décalotter le dessus du pain pour former un chapeau assez fin. Mettez celui-ci de côté. Enfoncez ensuite la lame à la base, parallèlement au fond. Découpez-le sur la moitié de la circonférence seulement.

4 Lorsque le bloc de mie est extrait du pain, posez-le à plat sur le plan de travail puis coupez-le horizontalement en fines tranches régulières à l'aide du couteau-scie : cette opération n'est possible que si la mie est légèrement rassise, sinon elle s'écrase. Égalisez soigneusement l'intérieur de la croûte.

5 Sortez la garniture du réfrigérateur. Ici, du saumon fumé, du jambon blanc et du jambon cru en tranches fines, ainsi que des rondelles de salami et du beurre de roquefort (mélange mi-beurre, mi-fromage passé au mixer jusqu'à consistance très lisse). Ces ingrédients préparés à l'avance doivent être tenus au frais.

7 Le pain est désormais reconstitué. Il suffit de le découper en parts égales. Appuyez sur le dessus du pain avec la paume de la main pour bien souder les tranches. Procédez avec précaution pour ne pas déformer les tranches superposées en risquant de déplacer la garniture. Coupez le pain en 2. Retaillez chaque moitié en parts pour obtenir des sandwiches triangulaires.

8 L'opération finale la plus délicate : replacer les piles de sandwiches à l'intérieur de la croûte sans les déformer. Il faut les caler soigneusement le long des parois du pain évidé. Vous pouvez commencer par empiler dans le fond une couche de 6 sandwiches et poursuivre le remplissage jusqu'en haut, en ménageant des interstices bien nets entre les piles. Replacez le chapeau.

2 Dans l'ouverture, imprimez au couteau un mouvement circulaire pour dégager la base du pain sur une assez faible épaisseur et sans le traverser complètement. Veillez à ne pas hacher la mie. Le fond doit rester solidaire de la croûte pour obtenir un réceptacle d'un seul tenant.

3 Posez le pain à plat sur le plan de travail et enfoncez la lame verticalement le long de la paroi, en ménageant une épaisseur de 1 cm. Faites glisser le couteau tout autour du bloc cylindrique de mie. Grâce à l'opération précédente qui a détaché le fond, vous allez pouvoir dégager toute la mie sans difficulté.

6 L'opération suivante consiste à confectionner des « sandwiches » avec les rondelles de pain. Tartinez-les chacune de beurre de roquefort, puis placez une garniture au milieu : du saumon, ensuite du jambon cru, puis du jambon blanc et enfin du salami. Empilez ces doubles tranches garnies les unes sur les autres.

Le nœud n'est pas obligatoire. Cependant, une touche de rouge luisant met l'eau à la bouche. Choisissez un ruban large dans un matériau bien raide.

Variations sur un thème

Comptez 60 sandwiches dans un pain-surprise de 20 cm de diamètre sur 12 cm de haut. Autres garnitures : beurre d'amandes, mortadelle, blanc de poulet et jambon de Parme ; beurre de crabe et poissons fumés ; beurre de noix et fromage à pâte cuite en lamelles ; beurre de cerfeuil, langue écarlate et rôti de veau.

pamplemousse

Les agrumes connus et vendus sous le nom de pamplemousses sont en réalité des pomelos. Il en existe trois variétés, disponibles presque toute l'année, sauf en été : le jaune, très juteux et acidulé ; le rose, juteux et plus sucré ; le rouge, plus rare, très sucré. Le pamplemousse agrémente à la fois les hors-d'œuvre et les desserts. S'il est assez acide, il peut accompagner le poulet ou le porc. Servez-vous d'un couteau à lame courbe et dentelée pour extraire plus facilement la chair du pamplemousse une fois qu'il est coupé en 2.

Diététique. Hypocalorique, riche en vitamine C et en potassium, le pamplemousse apporte 43 kcal pour 100 g.

ruby red

marsh seedless

pink marsh

Jus de pamplemousse à la menthe

RECETTE LÉGÈRE — 1 portion 100 kcal

Pour **4 personnes**
Préparation **15 min**
Pas de cuisson

2 pamplemousses jaunes ◆ 2 pamplemousses roses ◆ 1 orange ◆ 4 rondelles d'ananas ◆ sirop de grenadine ◆ 1 bouquet de menthe fraîche

1 Coupez les pamplemousses en 2 et pressez-en tout le jus dans un cruchon. Ajoutez 2 c. à soupe de sirop de grenadine et mélangez.
2 Effeuillez la menthe fraîche et mixez les feuilles avec le jus de l'orange pressée. Rajoutez ce jus au mélange précédent.
3 Coupez les rondelles d'ananas en petits dés et répartissez-les dans quatre grands verres. Ajoutez quelques cuillerées de glace pilée et finissez de remplir avec le contenu du cruchon. Servez frais avec des cuillers à long manche.

Pamplemousses cocktail

RECETTE LÉGÈRE — 1 portion 240 kcal

Pour **4 personnes**
Préparation **20 min**
Pas de cuisson

2 pamplemousses ◆ 8 langoustines cuites ou 16 grosses crevettes ◆ 2 branches de céleri ◆ huile d'olive ◆ vinaigre de vin vieux ◆ sauce soja ◆ feuilles de laitue ◆ sel ◆ poivre

1 Pelez les pamplemousses, séparez les quartiers et ôtez la fine peau qui les recouvre. Décortiquez les crevettes ou les langoustines. Ôtez les fils des branches de céleri et hachez-les.
2 Préparez une vinaigrette relevée en mélangeant 5 c. à soupe d'huile, 2 c. à soupe de vinaigre et 1 c. à soupe de sauce soja. Salez et poivrez.

Le pamplemousse vient surtout du Texas, de la Floride et d'Israël. Consommé toute l'année, il est meilleur d'octobre à juin. Les 3 grandes variétés sont le « marsh seedless » à chair blonde un peu amère, le « pink marsh » à chair rose, plus doux, et le « ruby red », à chair rouge, le plus sucré. Choisissez-le à peau assez fine et lourd pour son volume.

3 Tapissez les coupes de service avec des feuilles de laitue lavées et épongées. Mélangez dans un saladier les quartiers de pamplemousses, les crustacés et le céleri, arrosez de sauce et remuez. Répartissez cette salade sur les feuilles de laitue et servez frais.

Variante : des quartiers de pamplemousses et de pommes, du céleri-rave râpé et une julienne de jambon assaisonnés avec une sauce à la crème et au jus de citron.

Boisson vin rosé frais

Pomelos caramélisés

Pour **4 personnes**
Préparation **5 min**
Cuisson **quelques secondes**

2 beaux pamplemousses bien mûrs ◆ 2 c. à soupe de sucre brun ◆ 4 grosses cerises confites

1 Coupez chaque pamplemousse en 2 dans l'épaisseur. Détachez chaque demi-quartier de l'écorce à l'aide d'un couteau à pamplemousse, mais sans les sortir, pour pouvoir ensuite les déguster facilement.
2 Poudrez les moitiés de pamplemousses de sucre et passez-les quelques secondes sous le gril du four très chaud.
3 Placez une cerise au centre de chaque demi-pamplemousse et dégustez aussitôt, en dessert.

Vous pouvez aussi servir ces pamplemousses en hors-d'œuvre, en utilisant deux fois moins de sucre et en ajoutant en garniture sur le dessus de fines languettes de bacon grillées.

→ **autres recettes de pamplemousse à l'index**

Pomelos caramélisés ▲
Rapide et simple, cette recette peut constituer une entrée légère ou un dessert original. Choisissez un pomelo à chair rose ou rouge dont la saveur plus sucrée s'accorde bien avec celle du fruit confit.

panais

Plante potagère dont la racine jaunâtre se consomme comme légume. Le panais tient de la carotte par sa forme et du navet boule d'or par son goût un peu sucré.

Il est bon en hiver et au printemps et s'utilise dans les soupes, les purées et les potées. S'il est bien tendre, vous pouvez le râper et le servir en crudité. Vous pouvez aussi le faire frire.

Panais aux fines herbes

Pour **4 personnes**
Préparation **15 min**
Cuisson **25 min**

750 g de jeunes panais ◆ 40 g de beurre ◆ 15 cl de bouillon de volaille ◆ cerfeuil ◆ persil plat ◆ sel ◆ poivre au moulin

1 Pelez les panais, lavez-les et épongez-les. Coupez-les en dés. Faites fondre le beurre dans une sauteuse.
2 Ajoutez les panais et faites-les revenir en les remuant à la spatule. Lorsqu'ils sont légèrement dorés, mouillez avec le bouillon. Salez et poivrez. Laissez mijoter à découvert pendant 15 min.
3 Ciselez 2 c. à soupe de cerfeuil et autant de persil. Ajoutez-les dans la sauteuse et mélangez. Couvrez et laissez étuver 2 ou 3 min. Servez aussitôt dans un plat creux, en garniture de viande braisée ou rôtie.

pan bagna

Ce sandwich typiquement niçois est fait d'une boule de pain, dont la mie est imbibée d'huile d'olive, farcie d'un mélange de légumes méditerranéens.

Diététique. Excellent substitut de repas, à condition d'être raisonnable avec l'assaisonnement.

Pan bagna aux olives

RECETTE LÉGÈRE — 1 portion 330 kcal

Pour **4 personnes**
Préparation **20 min**
Cuisson **10 min**

2 œufs ◆ 1 poivron ◆ 2 tomates ◆ 1 oignon doux ◆ 24 olives noires ◆ 1 petite boîte d'anchois à l'huile ◆ 4 boules de pain de 12 cm de diamètre ◆ 1 gousse d'ail ◆ huile d'olive ◆ sel ◆ poivre

1 Faites durcir les œufs, rafraîchissez-les et écalez-les. Passez le poivron à four chaud, pelez-le et taillez la pulpe en lanières. Coupez les tomates en rondelles fines.
2 Pelez l'oignon, coupez-le en rondelles et défaites-le en anneaux. Dénoyautez les olives. Épongez les filets d'anchois. Coupez les œufs durs en rondelles.
3 Fendez les pains en 2 et ouvrez-les sans séparer les 2 moitiés. Retirez les 2/3 de la mie. Frottez d'ail la mie restante et humectez-la avec un peu d'huile d'olive. Salez et poivrez.
4 Garnissez chaque pain avec les rondelles de tomates et d'œufs durs, les anneaux d'oignon, les languettes de poivron et d'anchois, et les olives noires. Refermez les pains.

Selon une recette locale, on tartine le pain avec de la purée d'anchois à l'ail avant de le garnir. À l'origine, c'était une simple salade niçoise sur laquelle on effritait du pain rassis.

panure

Ne confondez pas la chapelure, toujours sèche, et la panure, mie de pain fraîche finement émiettée qui sert à enrober des aliments à paner. La panure peut être additionnée de fromage râpé ou d'un mélange d'ail et de persil hachés. Vous pouvez aussi utiliser la panure à la place du fromage râpé pour poudrer le dessus d'un gratin : arrosez d'un peu de beurre fondu avant de passer au four.

papaye

Ce gros fruit oblong est importé des pays tropicaux. Sa peau côtelée comme celle d'un melon est jaunâtre. Sa chair, semblable à celle de la pastèque, est orangée, parfumée et sucrée. Le centre du fruit est occupé par une cavité remplie de grains noirs. Il en existe de nombreuses variétés. Une bonne papaye est souple au toucher, a une peau lisse et colorée aux deux tiers de jaune. Dégustez-la fraîche, à la petite cuiller, en l'arrosant de jus de citron, au petit déjeuner ou en entrée, avec du jambon cru, comme le melon. Ce fruit, apprécié dans des salades composées, se cuisine aussi en légume : les tranches sont alors frites, mijotées ou revenues au beurre.

Diététique. Hypocalorique et riche en vitamine C.

papayes

Importée d'Amérique du Sud, des Antilles, d'Asie et d'Afrique du Sud, la papaye a une pulpe juteuse et rafraîchissante. Elle se consomme nature, en retirant les pépins, mais elle peut aussi se faire cuire.

Escalopes de dinde aux papayes

RECETTE LÉGÈRE – 1 portion 300 kcal

Pour **4 personnes**
Préparation **15 min**
Cuisson **20 min**

2 papayes de 400 g environ • 1 citron vert • 1 échalote • 4 escalopes de dinde • 40 g de beurre • paprika • farine • huile de tournesol • concentré de tomates • sel • poivre

1 Pelez les papayes et coupez-les en 2. Éliminez toutes les graines et coupez la pulpe en tranches. Arrosez-les de jus de citron. Pelez et hachez l'échalote, ajoutez-la aux papayes et laissez reposer au frais.
2 Aplatissez les escalopes. Salez et poivrez. Mélangez 1/2 c. à soupe de paprika avec 1 c. à soupe de farine. Enrobez les escalopes avec ce mélange. Secouez pour faire tomber l'excédent.
3 Faites chauffer le beurre dans une grande poêle avec 1 c. à soupe d'huile. Mettez-y les escalopes et faites-les dorer des 2 côtés. Ajoutez ensuite les tranches de papaye à l'échalote avec le jus de macération.
4 Faites cuire doucement pendant 12 min en retournant les escalopes 2 ou 3 fois. Égouttez les papayes et mettez-les dans un plat creux. Rangez les escalopes dessus.
5 Versez dans la poêle 1 c. à soupe de concentré de tomates et faites bouillir. Nappez le plat de cette sauce et servez aussitôt.

Boisson **vin blanc fruité**

Salade de crevettes à la papaye

RECETTE LÉGÈRE – 1 portion 275 kcal

Pour **4 personnes**
Préparation **25 min**
Pas de cuisson

1 grosse papaye • 20 grosses crevettes roses • 4 tranches d'ananas au sirop • 2 citrons • 1 cœur de laitue • 1 petit piment rouge • huile d'arachide • vinaigre de xérès • Worcestershire sauce • sel • poivre

1 Pelez la papaye et coupez-la en 2. Retirez toutes les graines et coupez la pulpe en cubes.
2 Décortiquez les crevettes et recoupez les queues en 2.
3 Égouttez les tranches d'ananas et coupez-les en tronçons. Pelez les citrons à vif et coupez-les en rondelles. Ciselez la laitue en chiffonnade.
4 Préparez une vinaigrette avec 5 c. à soupe d'huile, 2 c. à soupe de vinaigre et 1 c. à café de sauce anglaise. Salez et poivrez. Hachez le piment finement. Ajoutez-le à la vinaigrette.
5 Réunissez les ingrédients de la salade dans une coupe basse. Arrosez de vinaigrette et remuez. Servez frais.

→ **autres recettes de papaye à l'index**

papeton

→ **voir aussi** pain de cuisine

Spécialité méridionale à base de purée d'aubergines cuite dans un moule au bain-marie, le papeton s'apparente à un pain de légumes. Servez-le en entrée.

Papeton d'aubergines

Pour **6 personnes**
Préparation **30 min, 1 h à l'avance**
Cuisson **1 h 10**

2 kg d'aubergines • 10 cl d'huile d'olive • 2 gousses d'ail • 7 œufs • 10 cl de lait • 25 g de beurre • farine • sel • poivre • poivre de Cayenne

1 Pelez les aubergines et coupez-les en cubes. Poudrez-les de sel et laissez-les dégorger pendant 1 h. Lavez-les à l'eau froide puis épongez-les à fond. Farinez-les légèrement.
2 Faites chauffer l'huile dans une cocotte et ajoutez les cubes d'aubergines. Laissez-les fondre pendant 10 min sur feu doux en remuant de temps en temps. Salez et poivrez. Laissez refroidir puis passez-les au mixer.
3 Pelez et hachez les gousses d'ail. Cassez les œufs dans une terrine et battez-les en omelette avec le lait. Ajoutez l'ail et 1 pincée de cayenne. Incorporez la purée d'aubergines.
4 Beurrez un moule à manqué et versez-y la préparation. Faites cuire au four au bain-marie à 180 °C pendant 1 h. Démoulez le papeton dans un plat rond et servez aussitôt, avec une fondue de tomates.

Boisson **rosé de Provence**

papillote

On donne ce nom à une friandise enveloppée dans un papier brillant : chocolat fourré, nougat, praline, bonbon, etc. La papillote est également une petite garniture en papier blanc découpé : bande de papier repliée en deux et découpée en franges. On s'en sert pour décorer l'os d'une côte d'agneau ou de veau, le pilon d'une volaille, etc.

papillote (cuisson en)

Cuire en papillote, c'est enfermer un mets dans une feuille d'aluminium ou de papier sulfurisé avant de l'exposer à la chaleur dans le four ou sur les braises. Cette méthode est très simple et avantageuse, car on peut préparer une portion par personne. De plus, cette préparation facile et rapide permet d'obtenir une cuisson sans odeur. L'aliment cuit à l'étouffée et conserve tout son parfum.

Diététique. Très bon procédé de cuisson hypocalorique : l'ajout de matière grasse peut être réduit au minimum.

Légumes en papillote

Pour **4 personnes**
Préparation **30 min**
Cuisson **20 min environ**

4 carottes ◆ 4 navets ◆ 250 g de champignons de couche ◆ 1 citron ◆ 2 courgettes ◆ 60 g de beurre ◆ huile d'olive ◆ cerfeuil frais ◆ persil plat ◆ sel ◆ poivre

1 Grattez ou pelez les carottes. Coupez-les en fines rondelles. Pelez les navets. Coupez-les en lamelles ou en petits dés.
2 Nettoyez les champignons, coupez le pied terreux. Lavez-les à l'eau citronnée, épongez-les. Émincez les chapeaux et hachez les pieds.
3 Lavez les courgettes. Ne les pelez pas si la peau est très fine. Essuyez-les et coupez-les en rondelles fines.
4 Préparez 4 grands rectangles découpés dans une feuille d'aluminium épais. Badigeonnez-les légèrement d'huile d'olive.
5 Répartissez les légumes sur les papillotes : les carottes avec les courgettes et les navets avec les champignons. Ajoutez le beurre en petites parcelles. Salez et poivrez.
6 Ciselez 4 c. à soupe de cerfeuil et de persil et ajoutez-le sur les légumes.
7 Fermez les papillotes sans les serrer, mais hermétiquement. Faites cuire environ 20 min dans le four à 200 °C.

Ouvrez les papillotes à table et servez les légumes en garniture d'un rôti ou d'escalopes de veau, de poisson au four ou au court-bouillon.

Papillotes de lieu

RECETTE LÉGÈRE — 1 portion 180 kcal

Pour **4 personnes**
Préparation **15 min**
Cuisson **20 min**

4 darnes de lieu de 150 g chacune ◆ 1 citron ◆ 20 g de beurre demi-sel ◆ 1 c. à café de raifort ◆ 2 c. à soupe de moutarde à l'ancienne ◆ 1 petit bouquet de persil plat ◆ sel ◆ poivre

1 Rincez et épongez le poisson. Salez-le et poivrez-le. Coupez le citron en 2. Découpez 4 rondelles et pressez le reste.
2 Mélangez dans un bol le jus de citron, le beurre ramolli en parcelles, le raifort et la moutarde. Lavez et ciselez le persil plat.
3 Préchauffez le four à 220 °C. Découpez quatre grands carrés de papier sulfurisé. Posez les filets de lieu dessus et nappez-les du mélange à la moutarde. Ajoutez 1 rondelle de citron. Refermez hermétiquement les papillotes. Enfournez et laissez cuire 20 min.
4 Sortez les papillotes, posez-les sur les assiettes. Fendez le dessus d'un coup de couteau, ajoutez le persil et poivrez. Servez aussitôt.

Comme garniture avec ce poisson, plusieurs solutions légères sont possibles : une purée de céleri ou de navets au cerfeuil ou bien une salade de fenouils à l'huile d'olive et au citron.

Boisson bière blonde

Papillotes de lieu ►

Pour profiter de l'arôme délicieux qui se dégage de la papillote, c'est à chaque convive d'ouvrir la papillote une fois qu'elle est servie.

cuisine en **papillotes**

Encore fermée sur son mystérieux contenu, voici la papillote qui sort du four ou des braises : à peine ouverte, elle se révèle, dans une savoureuse émanation d'arômes. Légèreté, exaltation des saveurs, originalité des présentations : la cuisine en papillotes ressemble à un jeu. Elle excite l'imagination et se prête à toutes les expériences.

Qui dit papillote dit papier mais également feuille ou crêpe de riz. Dans ce cas, mangez tout. Si les feuilles sont très fines, utilisez-les en double ou triple épaisseur.

Médaillons de veau au concombre

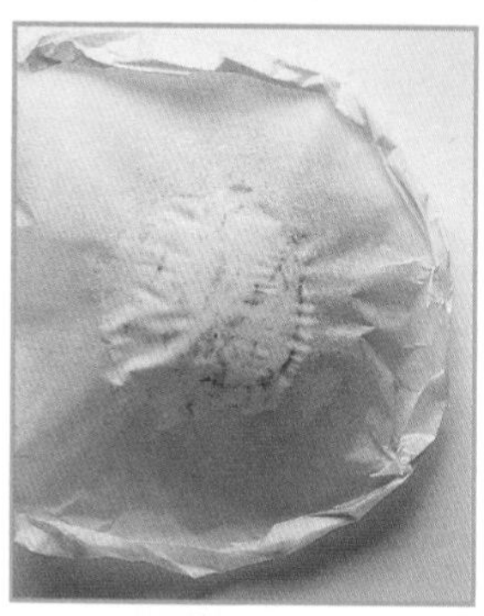

Pour 4 personnes
1 concombre ◆ 12 feuilles d'estragon ◆ 20 g de beurre ◆ 1 c. à soupe d'huile ◆ 4 médaillons de veau de 100 g ◆ 15 cl de crème fraîche ◆ 1 c. à café de curry ◆ sel ◆ poivre

Pelez et émincez le concombre. Ciselez l'estragon. Faites dorer la viande à la poêle dans le beurre et l'huile. Répartissez le concombre sur 4 grands ovales de papier sulfurisé. Posez un médaillon par-dessus. Nappez du mélange crème-curry-estragon. Salez et poivrez. Ourlez les papillotes. Faites cuire 12 min à four chaud.

Maquereaux au poivre vert

▶ Pour 4 personnes
10 filets d'anchois
◆ 1 bouquet de persil plat
◆ 1 c. à soupe de poivre vert ◆ 4 maquereaux vidés
◆ 1 citron ◆ basilic
◆ huile d'olive ◆ moutarde
◆ sel ◆ poivre

Égouttez les filets d'anchois et hachez-les menu. Ciselez le persil et égouttez le poivre vert. Mélangez ces 3 ingrédients. Huilez légèrement 4 grands rectangles de feuille d'aluminium. Placez sur chacun d'eux un maquereau, ventre ouvert. Salez et poivrez. Farcissez chaque maquereau avec un peu du mélange aux anchois. Refermez les maquereaux. Ajoutez en garniture des demi-rondelles de citron, du basilic ciselé et une touche de moutarde. Refermez bien les papillotes. Faites-les cuire au four à 230 °C pendant 15 min.

Carottes aux olives

▶ Pour 4 personnes
500 g de carottes
◆ 300 g d'oignons doux
◆ 1 bouquet de coriandre
◆ 1 bouquet de persil
◆ 2 gousses d'ail ◆ 150 g d'olives noires ◆ huile d'olive ◆ sel ◆ poivre

Pelez les carottes et émincez-les. Pelez les oignons et hachez-les finement. Ciselez la coriandre et le persil. Pelez et hachez l'ail. Dénoyautez les olives et hachez-les grossièrement. Huilez 8 carrés de papier sulfurisé. Mélangez l'oignon, le persil, la coriandre, l'ail et un peu d'huile. Répartissez la moitié de ce mélange sur 4 carrés. Ajoutez les carottes et les olives puis le reste du mélange à l'oignon.
Posez les 4 carrés de papier restants par-dessus et ourlez les bords. Faites cuire dans le four à 200 °C pendant 25 min.

Les papillotes en feuilles

Choisissez la feuille en fonction du contenu. Hachis de jambon ou de bœuf aux fines herbes dans des feuilles de chou ; riz cuit aux raisins secs dans du vert de bettes ou des feuilles de vigne ; rougets ou petits bars en feuilles d'épinard ou de laitue ; truites en feuilles d'oseille ; crevettes en paupiettes d'algues ; hachis de volaille en crêpes de riz. Si les feuilles sont épaisses, blanchissez-les.
Ficelez les papillotes avec du fil de cuisine, du raphia ou des brins de ciboulette.
Faites-les cuire à la vapeur en comptant de 8 à 12 min pour 4 personnes.

Carottes aux olives

Papillote de sardines

Pour **4 personnes**
Préparation **5 min**
Cuisson **15 min**

20 petites sardines très fraîches ◆ beurre demi-sel ◆ pain de campagne ◆ sel ◆ poivre

1 Videz les sardines, ne les écaillez pas. Tapissez la tôle du four d'une double feuille d'aluminium.
2 Rangez les sardines les unes à côté des autres sur la tôle. Salez et poivrez. Recouvrez d'une seconde feuille d'aluminium et repliez hermétiquement les 4 côtés.
3 Faites cuire au four à 240 °C pendant 12 à 15 min. Servez aussitôt avec du pain grillé et du beurre frais.

Cette recette très simple permet de déguster des sardines grillées en appartement (les odeurs désagréables sont totalement éliminées).

Boisson **muscadet bien frais**

Papillotes de veau au jambon

RECETTE LÉGÈRE — 1 portion 335 kcal

Pour **4 personnes**
Préparation **35 min**
Cuisson **25 min**

150 g de champignons de couche ◆ 60 g de beurre ◆ 4 côtes de veau de 150 g ◆ 4 tranches de jambon blanc ◆ huile ◆ sel ◆ poivre

1 Nettoyez les champignons, émincez-les et faites-les sauter rapidement dans 30 g de beurre.
2 Salez et poivrez les côtes de veau. Faites-les dorer dans une poêle avec le reste de beurre. Elles doivent être bien blondes et cuites à cœur (6 à 8 min par face).
3 Découpez 4 rectangles de papier sulfurisé assez grands pour envelopper les côtes de veau. Huilez-les sur une face. Superposez sur la moitié huilée de chaque papier : 1/2 tranche de jambon blanc, 1 côte de veau, 1/4 des champignons et à nouveau 1/2 tranche de jambon. Salez et poivrez.
4 Repliez le papier sur la garniture et ourlez les bords pour que la papillote soit bien hermétique. Rangez les papillotes sur la tôle du four. Faites cuire à 240 °C jusqu'à ce que le papier soit blond doré. Sortez les papillotes et servez aussitôt.

Truites à l'aneth

Pour **4 personnes**
Préparation **10 min**
Cuisson **10 min**

4 truites de 180 g ◆ 1 citron ◆ 2 échalotes ◆ aneth frais ◆ vermouth sec ◆ huile d'olive ◆ sel ◆ poivre

1 Demandez au poissonnier de vider les truites.
2 Lavez-les et essuyez-les. Pelez le citron à vif et coupez-le en fines rondelles. Pelez et hachez finement les échalotes.
3 Salez et poivrez les truites intérieurement. Introduisez dans chacune d'elles 1 c. à café d'aneth frais ciselé.
4 Découpez 4 disques de 35 cm de diamètre dans une feuille d'aluminium.
5 Placez 1 truite au centre de chaque disque. Ajoutez 1 bonne pincée d'échalotes hachées, 1 c. à café de vermouth et un filet d'huile d'olive puis 2 rondelles de citron.
6 Remontez les bords et ourlez les papillotes en les fermant sur le dessus. Faites cuire dans le four à 240 °C pendant 8 à 10 min. Dégustez à la sortie du four.

→ **autres recettes de papillote à l'index**

paprika

Cette variété de piment doux séché réduit en poudre fournit un condiment rouge assez épicé. Typique de la cuisine hongroise (avec le goulache notamment et des préparations à base de légumes), le paprika relève sauces, ragoûts, farces, soupes et sautés, ainsi que le fromage frais. Incorporez-le dans une cuisson hors du feu ou dans un liquide, sinon il risque de brûler en donnant un goût âcre.
Diététique. Le paprika est riche en vitamine C.

parfait

Cet entremets glacé comporte une forte proportion de crème fraîche qui le rend très onctueux et assez ferme. Traditionnellement son parfum est le café, mais on peut également utiliser une purée de fruits frais, une crème anglaise parfumée à l'alcool ou une mousse au chocolat.

Diététique. Vous pouvez alléger le parfait en remplaçant la crème fraîche par du lait concentré non sucré ou même par du fromage frais à 0 % de matières grasses.

Parfait au café

Pour **6 personnes**
Préparation **8 min**
Congélation **1 h 30**
Pas de cuisson

40 cl de crème fraîche épaisse ◆ **100 g de sucre glace** ◆ **10 cl d'extrait de café** ◆ **3 jaunes d'œufs** ◆ **1 c. à soupe de vanille liquide**

1 Fouettez la crème fraîche très froide en chantilly avec 50 g de sucre glace.
2 Délayez dans une terrine l'extrait de café, les jaunes d'œufs, le reste de sucre glace et la vanille. Fouettez jusqu'à l'obtention d'une consistance homogène.
3 Mélangez les 2 préparations et versez-les dans un moule à cake antiadhésif. Faites congeler dans le compartiment conservateur du réfrigérateur. Servez en tranches.

Paris-brest ▲
Pâte à choux et crème au beurre : deux préparations indispensables pour réussir ce classique qui doit être servi bien frais. La couronne évoque une course cycliste qui avait lieu entre Paris et Brest.

paris-brest

Ce gâteau est fait d'une couronne de pâte à choux fourrée de crème pralinée, décorée d'amandes effilées et poudrée de sucre glace.
Diététique. Une part moyenne = 300 kcal.

Paris-brest

Pour **6 personnes**
Préparation **50 min**
Cuisson **35 min environ**

Pour la pâte à choux **70 g de beurre** ◆ **sucre semoule** ◆ **100 g de farine** ◆ **3 œufs** ◆ **1 jaune d'œuf** ◆ **50 g d'amandes effilées** ◆ **sel**
Pour la crème **2 blancs d'œufs** ◆ **125 g de sucre semoule** ◆ **60 g de praliné** ◆ **100 g de beurre** ◆ **sucre glace**

1 Préparez une pâte à choux *(voir page 167)* avec 50 g de beurre, 1 c. à soupe de sucre, 1 pincée de sel et 18 cl d'eau, la farine et les œufs entiers.
2 Mettez la pâte dans une poche à douille unie de 12 mm et faites une couronne de 20 cm de diamètre sur la tôle du four beurrée. Dorez-la au jaune d'œuf et parsemez-la d'amandes effilées.
3 Faites-la cuire 35 min au four à 180 °C. Laissez tiédir porte entrouverte puis sortez la couronne et laissez-la refroidir.
4 Fouettez les blancs d'œufs en neige ferme. Faites un sirop très épais avec le sucre semoule juste mouillé d'eau. Versez-le bouillant sur les blancs en neige en fouettant jusqu'à complet refroidissement.
5 Travaillez le beurre en pommade avec le praliné. Incorporez-le aux blancs. Mettez cette crème dans une poche à douille cannelée.
6 Coupez la couronne de pâte à choux en 2 dans l'épaisseur. Garnissez de crème la partie inférieure en une couche épaisse. Posez le couvercle par-dessus. Poudrez de sucre glace.

parmesan

Ce fromage italien au lait de vache à pâte cuite, dur et friable, possède une saveur fruitée, un peu piquante. Achetez-le de préférence au poids pour le râper vous-même : il sera meilleur que la poudre en sachet. Si vous remplacez dans un gratin le gruyère par du parmesan, salez très peu. En outre, ce fromage ne « file » pas.

Diététique. Fromage très gras : 100 g = 390 kcal.

Bouchées au parmesan

Pour **4 personnes**
Préparation **20 min**
Cuisson **15 min**

5 œufs • 130 g de beurre • 200 g de farine • 180 g de parmesan râpé • muscade • poivre

1 Cassez les œufs en séparant les blancs des jaunes. Fouettez les blancs en neige ferme.
2 Travaillez 100 g de beurre en pommade. Incorporez la farine puis les jaunes d'œufs et 60 g de parmesan. Poivrez et muscadez.
3 Lorsque cette pâte est homogène, ajoutez les blancs d'œufs et façonnez la préparation en boulettes. Roulez-les dans le parmesan en les aplatissant légèrement.
4 Beurrez la tôle du four. Rangez-y les bouchées et poudrez à nouveau de parmesan. Faites cuire pendant 15 min à 220 °C. Servez brûlant en amuse-gueule ou avec une salade verte.

Côtes de veau parmesanes

Pour **2 personnes**
Préparation **10 min**
Cuisson **20 min**

2 côtes de veau de 130 g • 1 œuf • 30 g de chapelure • 80 g de parmesan • 60 g de beurre • farine • sel • poivre

1 Salez et poivrez les côtes de veau. Farinez-les. Mélangez dans une assiette creuse l'œuf battu, la chapelure et 20 g de parmesan.
2 Passez les côtes de veau dans le mélange précédent en les enrobant bien. Faites chauffer 25 g de beurre dans une poêle et faites-y cuire les côtes de veau pendant 8 min de chaque côté.
3 Mélangez le reste de beurre ramolli avec le reste de parmesan. Étalez ce mélange sur les côtes de veau et transférez-les sur 2 assiettes de service allant au four.
4 Faites gratiner 3 à 4 min et servez aussitôt, avec des courgettes ou des aubergines sautées.

→ **autres recettes de parmesan à l'index**

pastèque

→ **voir aussi** melon

Ce gros fruit d'été, sphérique, à écorce verte, possède une chair rose légèrement sucrée, très rafraîchissante, mais sans grand goût. La pastèque est surtout importée d'Espagne. On la déguste en tranches, au naturel, après avoir éliminé toutes les grosses graines noires. Utilisez-la aussi dans des salades de fruits de saison.

Diététique. Fruit particulièrement léger : eau et vitamines. Ne vous en privez pas.

Pastèque à la provençale

Pour **6 personnes**
Préparation **20 min**
Repos **2 h**
Pas de cuisson

1 pastèque bien mûre • 1 bouteille de rosé de Provence

1 Faites une incision circulaire assez large autour de la queue de la pastèque. Décalottez-la. Retirez le maximum de graines avec les filaments qui les entourent. Évidez légèrement la pulpe.
2 Remplissez la pastèque de vin et posez la calotte en couvercle. Mettez la pastèque au réfrigérateur pendant au moins 2 h en la calant debout dans un saladier.
3 Ôtez la calotte, passez le vin et détaillez la chair de la pastèque en cubes réguliers. Répartissez-les dans des coupes de service. Arrosez avec le vin rosé bien frais et servez aussitôt.

Accompagnez ce dessert de fruits frais de saison : pêches, figues, grains de raisin pelés ou grosses framboises, etc.

pastis

Cette boisson alcoolisée à l'anis est le plus populaire des apéritifs français. Il titre entre 40 et 45 % Vol et se boit toujours allongé d'eau. À raison de quelques gouttes, il donne un goût d'anis à un plat de poisson.

Diététique. Jamais plus d'un pastis par jour.

Saumon au pastis

RECETTE LÉGÈRE – 1 portion 330 kcal

Pour **2 personnes**
Préparation **5 min**
Cuisson **10 min**

2 tronçons de saumon frais de 150 g chacun ◆ 300 g d'épinards bien tendres ◆ 1 bouquet de cerfeuil ◆ huile d'olive ◆ pastis ◆ sel ◆ poivre au moulin

1 Salez et poivrez les morceaux de saumon. Lavez les épinards et épongez-les. Badigeonnez d'huile 2 rectangles de feuille d'aluminium.
2 Répartissez les épinards sur les 2 rectangles et ajoutez les tronçons de saumon. Recouvrez de cerfeuil ciselé et arrosez de quelques gouttes de pastis. Salez et poivrez.
3 Refermez les papillotes et ourlez-les hermétiquement. Faites cuire 10 min à 240 °C. Servez.

Boisson **vin blanc sec**

patate douce

Ce gros tubercule ovoïde importé d'Afrique, d'Asie ou des Antilles est disponible toute l'année. Sa peau est beige, jaune ou rose foncé. La pulpe est jaune, orange ou pourpre : plus elle est foncée, meilleure elle est. La patate douce connaît tous les emplois de la pomme de terre.

Diététique. Elle est un peu plus riche en glucides que la pomme de terre : 100 g = 110 kcal.

Une patate douce doit être bien ferme, sans meurtrissures et sans odeur. Plus la chair est pâle, plus elle est sèche ; plus elle est foncée, plus elle sera moelleuse et douce une fois cuite.

Gratin de patates douces aux épices

Pour **4 personnes**
Préparation **15 min**
Cuisson **40 min**

800 g de patates douces ◆ 4 œufs ◆ 40 g de beurre ◆ poivre de Cayenne ◆ chili en poudre ◆ cumin ◆ muscade ◆ sel ◆ poivre

1 Lavez les patates douces en les brossant. Faites-les cuire à la vapeur pendant 20 min. Égouttez-les et laissez-les tiédir. Pelez-les.
2 Écrasez-les à la fourchette. Ajoutez à cette purée les œufs battus en omelette, 2 pincées de cayenne, 1/2 c. à café de chili et 1 c. à café de cumin. Salez et poivrez. Muscadez.
3 Beurrez un plat à gratin. Versez-y la préparation. Ajoutez le reste de beurre en parcelles. Faites cuire dans le four à 180 °C pendant 20 min. Servez le gratin dans le plat de cuisson, en garniture de rôti de porc, d'escalopes de dinde ou de volaille rôtie.

pâte

La pâtisserie demande l'emploi d'un certain nombre de préparations de base : les pâtes y jouent un rôle essentiel.

Diététique. La pâte brisée est la moins calorique : 110 kcal sans garniture pour 1 portion moyenne. Viennent ensuite les pâtes sablée (153 kcal), feuilletée (183 kcal) et levée (210 kcal).

patates douces

Pâte brisée

Pour une tarte de 26 cm de diamètre
Préparation 15 min
Repos 30 min

250 g de farine ◆ 100 g de beurre ◆ sucre semoule ◆ sel

1 Versez 200 g de farine dans une terrine. Faites une fontaine, ajoutez 1/2 c. à café de sel et 1 ou 2 c. à soupe de sucre, selon le goût. S'il s'agit d'un fond de tarte salée, ne sucrez pas trop.

2 Coupez le beurre en très petits morceaux et ajoutez-les à la farine. Effritez le mélange du bout des doigts.

3 Versez peu à peu 1/2 verre d'eau en mélangeant rapidement avec une spatule. Formez ensuite une boule avec vos mains en amalgamant rapidement le tout. La pâte doit être souple, non collante et pas trop molle. Ne la pétrissez pas. Roulez la boule dans un peu de farine et laissez-la reposer 30 min au frais.

4 Remettez la boule de pâte sur le plan de travail fariné et étalez-la avec la paume de la main en écrasant les morceaux de beurre qui restent : cela s'appelle « fraiser » la pâte et a pour but de lui donner de la cohésion.

5 Farinez le rouleau à pâtisserie et abaissez la pâte. Évitez d'avoir à la remettre en boule. Avant de l'étaler, vous pouvez plier la pâte fraisée en 4 pour la rendre plus friable et presque feuilletée.

La cuisson se fait à four chaud (250 °C). Le temps moyen de cuisson, avec la garniture ajoutée dès le début, est de 30 à 35 min. La garniture ne s'ajoute parfois qu'à mi-cuisson. Pour éviter que la pâte ne gonfle pendant cette cuisson « à blanc », piquez-la à la fourchette ou versez dessus des haricots secs.

Cette pâte convient pour les tartes et les tartelettes, les chaussons, les rissoles, les tourtes, les quiches, les flancs, les croustades, les barquettes et les pâtés.

La pâte brisée sèche et durcit au réfrigérateur si elle n'est pas bien emballée. En revanche, elle se congèle très bien, crue ou cuite, garnie ou non, en boule ou étalée.

Pâte feuilletée

Pour une tarte de 26 cm de diamètre
Préparation 40 min
Repos 3 fois 20 min

200 g de farine (type 55)
◆ 150 g environ de beurre ou de margarine ◆ 2 à 3 c. à soupe de sucre semoule ◆ farine ordinaire ◆ sel

1 Versez la farine dans une terrine et faites un puits. Mettez-y le sucre (facultatif), 10 cl d'eau et 1 pincée de sel. Délayez progressivement avec une spatule puis avec la main. Travaillez rapidement cette détrempe, mettez-la en boule et pesez-la pour connaître le poids exact de matière grasse à incorporer (la moitié du poids de la détrempe). Ramassez la pâte en boule et laissez-la reposer 20 min dans la terrine couverte d'un linge.

2 Farinez le plan de travail et abaissez la détrempe en lui donnant la forme d'un rectangle plus épais au centre. Attention : la matière grasse (beurre ou margarine) que vous allez utiliser maintenant doit avoir la même consistance que la détrempe.

3 Placez la matière grasse en une seule masse aplatie au milieu de la pâte. Rabattez celle-ci par-dessus et soudez les bords pour enfermer la matière grasse.

4 Étalez ensuite ce pâton en un rectangle de 1 cm d'épaisseur 3 fois plus long que large.

5 Pliez le rectangle de pâte en 3, en rabattant le premier tiers vers vous et le troisième pardessus en remontant. Tournez la pâte d'un quart de tour vers la droite. Donnez tout de suite le deuxième tour : étalez la pâte en rectangle, pliez-la en 3, donnez 1/4 de tour à droite et laissez reposer 20 min au frais.

La pâte feuilletée classique est à 6 tours (3 séries de 2 tours avec 1 repos tous les 2 tours). Après les 6 tours, la pâte est prête à l'emploi. Si vous préparez la pâte la veille, donnez les 2 derniers tours au moment de l'emploi.

La pâte est plus facile à réussir avec de la margarine, mais elle est moins délicate.

Une pâte feuilletée cuit à blanc pendant 20 min à four chaud (250 °C). Si elle est garnie, la cuisson est plus douce (30 à 35 min à 240 °C).

Emplois : galettes, tartes, palmiers, mille-feuille, allumettes, vol-au-vent, feuilletés, paillettes, bouchées, dartois, pithiviers, etc.

1

2

3

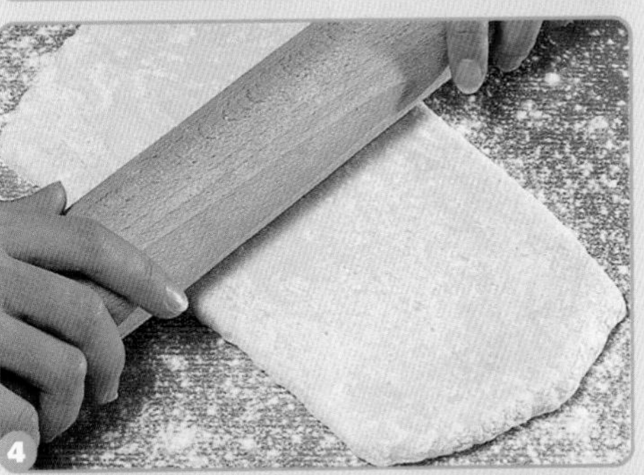
4

5

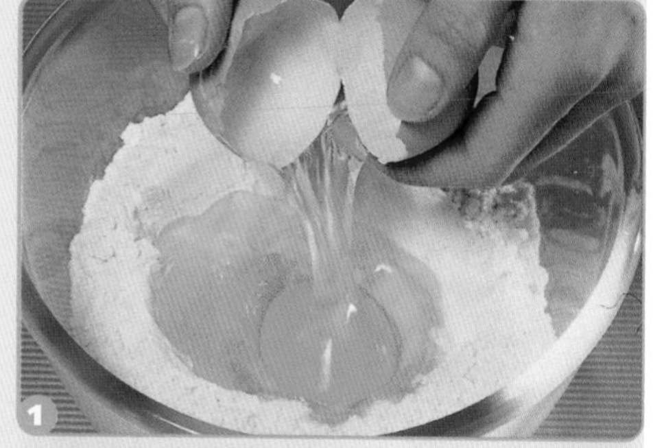

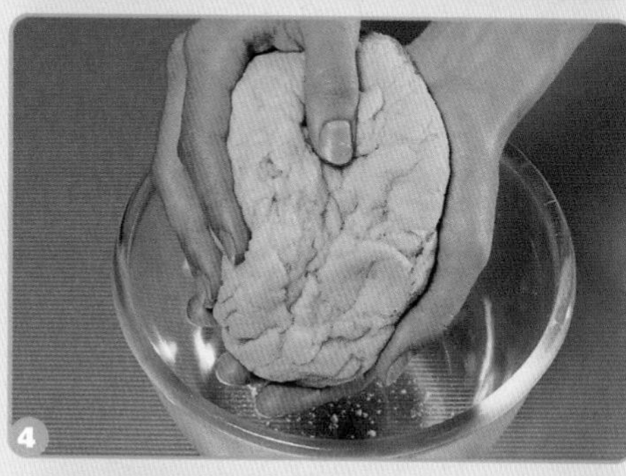

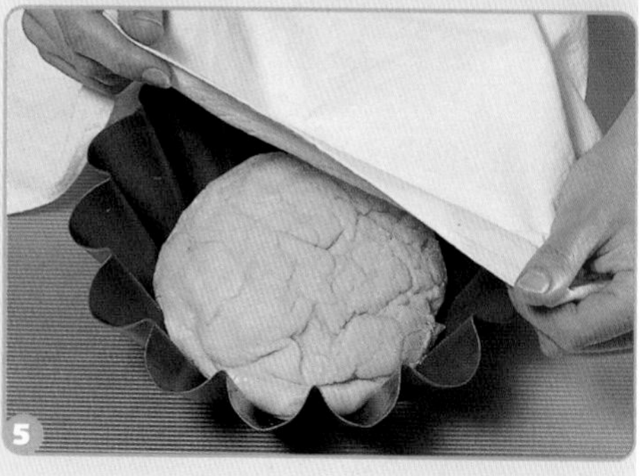

Pâte levée

Pour **6 personnes**
Préparation **20 min**
Repos **2 h 20 min**

150 g de farine ◆ 1 c. à soupe de sucre semoule ◆ 2 œufs de 55 g ◆ 15 g de levure de boulanger ◆ 12 cl de lait ◆ 70 g de beurre fondu ◆ sel

1 Versez la farine dans une terrine et faites un puits au centre. Ajoutez 1/2 c. à café de sel et le sucre semoule. Ajoutez les 2 œufs.

2 Émiettez la levure dans le lait tiède (30 à 35 °C). Délayez ce liquide et ajoutez-le dans le puits. Remuez à la spatule puis incorporez le beurre fondu et mélangez.

3 Lorsque la pâte est bien délayée, couvrez la terrine avec un linge propre et laissez reposer dans un endroit tempéré, ni trop chaud ni trop froid, mais surtout à l'abri des courants d'air, pendant 2 h. La durée exacte de la levée de la pâte dépend de la température ambiante. S'il fait un peu frais, la pâte mettra plus de temps à lever.

4 Lorsque la pâte a fini de lever, elle doit avoir pratiquement doublé de volume. Pétrissez-la délicatement sans la battre, de préférence à la main : cela s'appelle « rompre » la pâte. Elle doit retomber avec une consistance souple et homogène.

5 Remplissez le moule largement beurré à mi-hauteur seulement et laissez reposer encore 20 min avant de faire cuire. La cuisson se fait à four chaud (40 à 45 min à 210 °C) aussitôt que la pâte a atteint son volume maximal.

Cette pâte à la levure de boulanger convient pour les brioches, babas, savarins, kouglofs. Vous pouvez l'enrichir de raisins secs ou de fruits confits. Une fois la pâte cuite, vous pouvez l'imbiber d'un sirop de trempage avec ou sans alcool ou au jus de fruits (pour les enfants).

Utilisez de la levure fraîche ou de la levure conservée par un procédé industriel (levure lyophilisée par exemple). Dans les pâtes levées à la levure chimique (cake, quatre-quarts, biscuit, gâteau roulé), celle-ci s'incorpore en dernier, car le dioxyde de carbone qu'elle produit au contact du milieu humide se dégage très rapidement. Mise trop tôt dans la pâte, elle perd presque tout son pouvoir et le gâteau ne monte pas à la cuisson.

Pâte sablée

Pour **une tarte de 26 cm de diamètre**
Préparation **25 min**
Cuisson **20 min environ**

1 œuf entier ◆ 125 g de sucre semoule ◆ 250 g de farine ◆ 125 g de beurre ◆ sel ◆ parfum au choix (zeste de citron, vanille, rhum)

1 Cassez l'œuf entier dans une terrine et battez-le. Ajoutez 1/4 de c. à café de sel et le sucre.

2 Travaillez le mélange avec une spatule jusqu'à ce qu'il soit mousseux et jaune pâle.

3 Tamisez la farine et ajoutez-la d'un seul coup dans la terrine avec le parfum choisi. Mélangez à la spatule.

4 Prenez la pâte par poignées dans la paume de la main et écrasez-la entre vos doigts. Elle ne doit pas faire corps, mais s'effriter en petits grains.

5 Versez ce « sable » sur le plan de travail fariné et incorporez le beurre à la pâte en pétrissant avec les mains. La pâte ne doit pas coller aux doigts mais former une boule. Farinez le rouleau et abaissez la pâte selon la dimension et l'épaisseur voulues.

Les proportions indiquées conviennent aussi pour 30 à 40 sablés ou galettes de 8 cm de diamètre environ. La cuisson se fait à four moyen (180 °C). Quand ils sont cuits, les gâteaux secs sont blond pâle. Ils se conservent 15 jours dans une boîte métallique. Décollez-les aussitôt cuits et faites-les refroidir sur une grille sans les superposer. S'il s'agit d'une tarte, laissez refroidir avant le démoulage, car la pâte chaude est friable.

La pâte sablée est facile à réaliser. Vous pouvez même incorporer tous les ingrédients ensemble dans un robot ménager. Rappelez-vous que, pour la pâte sablée, il faut 2 fois plus de farine que de sucre et de matière grasse.

Pour réussir la pâte sablée, respectez la proportion de farine et versez-la d'un seul coup. S'il fait chaud ou si vous avez les mains moites, laissez-la reposer 1 h au frais.

Le parfum ajouté à la pâte est superflu si vous utilisez un beurre d'excellente qualité.

Pâte à frire

Pour **4 personnes**
Préparation **15 min**
Repos **1 h**

200 g de farine ◆ 2 blancs d'œufs ◆ levure chimique ◆ huile d'arachide ◆ sel

1 Tamisez la farine et versez-la dans une terrine. Ajoutez-lui 1/4 de sachet de levure. Incorporez ensuite 3 c. à soupe d'huile, 1 pincée de sel et 25 cl d'eau tiède environ.
2 Mélangez intimement cette préparation. Lorsqu'elle est homogène, laissez-la reposer pendant 1 h au moins.
3 Fouettez les blancs d'œufs en neige très ferme avec 1 pincée de sel. Ajoutez-les à la pâte au moment de l'emploi.

pâte d'amandes

→ **voir aussi** datte, pruneau, touron

Cette préparation de confiserie est à base d'amandes douces mondées et séchées, finement broyées et mélangées avec du sucre. Colorée (vert, jaune, beige, rose) et aromatisée, la pâte d'amandes s'achète toute faite en boudins ou en plaques. Utilisez-la pour décorer des gâteaux, fourrer des fruits secs (datte ou pruneau) ou confectionner des petits sujets en forme de fleurs ou d'animaux.

Diététique. Particulièrement calorique sous un volume concentré : 50 g = 250 kcal.

Pâte d'amandes crue

Pour **1 gâteau de 20 cm de diamètre**
Préparation **10 min**
Pas de cuisson

150 g de sucre glace ◆ 100 g de sucre semoule ◆ 170 g d'amandes en poudre ◆ 1 œuf ◆ extrait d'amandes ◆ jus de citron

1 Tamisez ensemble dans une jatte le sucre glace, le sucre semoule et les amandes en poudre.
2 Remuez le mélange avec une spatule. Ajoutez 1/2 c. à café d'extrait d'amandes et 1 c. à café de jus de citron.
3 Battez l'œuf entier et ajoutez-le au mélange. La préparation doit être assez ferme, mais suffisamment coulante pour pouvoir s'étaler.
4 Travaillez-la à la spatule jusqu'à consistance bien lisse. Abaissez-la selon l'épaisseur voulue. Utilisez pour recouvrir une génoise ou un biscuit de Savoie.

Vous pouvez découper la pâte d'amandes pour garnir des petits pavés aux noix ou au chocolat. Pour l'aromatiser, utilisez quelques gouttes de colorant alimentaire, d'extrait de café ou de vanille. Pour fourrer des fruits, achetez de la pâte d'amandes cuite.

→ **autres recettes de pâte d'amandes à l'index**

pâte de fruits

Cette confiserie est à base de pulpe de fruits, de sucre et de pectine. Assez proche de la confiture, la pâte de fruits est beaucoup plus sèche. Elle se découpe en cubes que l'on roule dans du sucre cristallisé. Les pâtes de fruits achetées dans le commerce peuvent contenir un arôme ou un colorant.

Diététique. Moins calorique que les bonbons ou les caramels, mais 50 g = 150 kcal environ.

Pâte de coings

Pour **500 g de pâte de coings**
Préparation **40 min**
Cuisson **30 min environ, 2 h à l'avance**

2 kg de coings ◆ 800 g de sucre semoule environ ◆ sucre cristallisé ◆ huile d'arachide

1 Lavez les coings et pelez-les. Coupez-les en quartiers et retirez les pépins. Enfermez les pépins dans un petit morceau de mousseline.
2 Mettez les coings dans une marmite avec 1 verre d'eau et le sachet de pépins. Faites cuire sur feu très doux jusqu'à ce que les fruits s'écrasent à la fourchette.
3 Pressez le sachet de pépins et retirez-le. Réduisez la pulpe en purée, pesez-la et versez-la dans une bassine à confiture avec 400 g de sucre pour 500 g de pulpe.
4 Mélangez et faites réduire cette marmelade en la remuant à la spatule en bois : une noisette de marmelade versée sur une assiette froide ne doit pas s'étaler.
5 Huilez une plaque à rebords peu élevés. Étalez la marmelade de coings en une couche régulière.

6 Laissez sécher 2 h environ. Vous pouvez accélérer le processus en mettant la plaque dans le four à 150 °C pendant 1 h.
7 Découpez la pâte en cubes ou en rectangles et roulez-les dans du sucre cristallisé. Rangez-les dans une boîte métallique en séparant les couches avec du papier paraffiné.

Cette recette traditionnelle est très ancienne : elle est à l'origine d'une friandise délicieuse vieille de plusieurs siècles, le célèbre cotignac d'Orléans que l'on trouve chez les confiseurs.

pâté

→ voir aussi coulibiac, fromage de tête, pâté pantin, terrine

Cette préparation de cuisine ou de charcuterie est le plus souvent à base de viande : porc, porc et veau, volaille ou gibier, abats. Le pâté proprement dit est une farce cuite dans une croûte de pâte (pâte à pâté, pâte dite « fine », pâte feuilletée ou pâte à brioche non sucrée) : pâté en croûte chaud ou froid, moulé ou non. Mais le même mot désigne aussi le pâté à trancher, à la coupe, cuit en terrine et servi froid, dont le modèle est le « pâté de campagne ». Notez aussi le pâté à tartiner, notamment au foie, dont le hachis est très fin, présenté sous un boyau comme un saucisson.

Diététique. À éviter dans les régimes hypocaloriques, surtout le pâté à trancher, encore plus riche que le pâté en croûte (100 g = 450 kcal).

Pâté de campagne ▲

Symbole d'une cuisine de bistrot bon enfant, la terrine de campagne est une entrée parfaite, accompagnée d'une salade de mâche à la betterave, avant une blanquette ou un navarin.

Pâté de campagne

Pour **8 personnes**
Préparation **40 min, 36 h à l'avance**
Cuisson **1 h 30 environ**

500 g de panne fraîche ◆ 700 g d'échine de porc désossée ◆ 500 g de foie de porc ◆ 300 g de poitrine demi-sel ◆ 3 échalotes ◆ 2 oignons ◆ 1 barde de lard ◆ sauge ◆ thym ◆ persil ◆ mélange quatre-épices ◆ armagnac ◆ laurier ◆ sel ◆ poivre

1 Retirez la peau de la panne. Hachez toutes les viandes et la panne en menus morceaux. Évitez de les passer au mixer : le pâté de campagne doit avoir une texture assez grossière. Pelez et hachez les échalotes et les oignons.
2 Réunissez tous ces ingrédients dans une terrine. Salez et poivrez. Ajoutez 1 c. à soupe de sauge hachée, 2 brins de thym émiettés, 1 c. à soupe de persil, un peu de quatre-épices et 4 c. à soupe d'armagnac. Mélangez bien.
3 Pétrissez ce hachis avec vos mains. Goûtez et rectifiez l'assaisonnement. Versez la préparation dans un plat en terre ovale assez profond.
4 Découpez la barde en lanières et disposez-les en croisillons sur le dessus. Mettez le plat dans le four à 200 °C et faites cuire 1 h 30 environ : la graisse qui entoure le pâté doit légèrement bouillonner.
5 Sortez le plat du four et laissez tiédir. Posez une planchette sur le dessus avec un poids pour tasser le pâté. Mettez au frais et attendez 36 h avant de le servir.

Vous pouvez couler de la gelée tout autour du pâté avant de le laisser refroidir.

Pâté en croûte

Pour **8 personnes**
Préparation **1 h, 24 h à l'avance**
Macération **3 h**
Cuisson **1 h 30**

250 g de farine ◆ 125 g de beurre ◆ 300 g de noix de veau ◆ 300 g de blancs de poulet ◆ 400 g de porc maigre ◆ 300 g de lard gras ◆ 100 g de jambon cru ◆ 1 gousse d'ail ◆ 5 échalotes ◆ 2 œufs ◆ 3 c. à soupe de crème fraîche ◆ thym ◆ laurier ◆ cognac ◆ estragon ◆ persil ◆ sel ◆ poivre

1 Préparez une pâte en mélangeant la farine, le beurre ramolli, 5 g de sel et 2 c. à soupe d'eau froide. Mettez au frais.
2 Détaillez en lanières 1/3 des viandes de veau, de poulet et de porc. Coupez le reste en petits dés. Mettez le tout dans une terrine avec un peu de thym et de laurier émiettés. Salez et poivrez. Arrosez avec 10 cl de cognac. Mélangez et laissez macérer 3 h au frais.
3 Égouttez toutes les viandes, mettez de côté les lanières et réservez le cognac. Hachez les dés de viande avec le lard gras et le jambon. Incorporez à cette farce 1 c. à soupe d'estragon, autant de persil, l'ail et les échalotes hachés. Poivrez largement.
4 Battez dans un bol 1 œuf, la crème fraîche et le cognac. Ajoutez ce mélange à la farce et malaxez-la 2 ou 3 min.
5 Abaissez la pâte sur 3 mm d'épaisseur. Avec les 3/4 de cette pâte, foncez un moule à pâté rond à charnières. Remplissez-le avec des couches alternées de farce et de lanières de viande bien tassées.
6 Faites un couvercle avec le reste de pâte, mettez-le en place et soudez les bords en les pinçant. Badigeonnez le dessus avec 1 jaune d'œuf battu dans un peu d'eau.
7 Percez une petite ouverture au centre et glissez-y un bristol enroulé sur lui-même pour l'échappement de la vapeur.
8 Faites cuire dans le four à 210 °C pendant 1 h 15. Couvrez le pâté d'une feuille de papier sulfurisé huilé. Baissez la chaleur à 180 °C et poursuivez la cuisson pendant 15 min.
9 Sortez le pâté du four, laissez refroidir et démoulez. Laissez en attente 24 h. Quelques minutes avant de servir, repassez le pâté au four.

Boisson **pommard**

Pâté de lapin aux noisettes

Pour **6 personnes**
Préparation **40 min, 2 h à l'avance**
Macération **20 min**
Cuisson **2 h**

500 g de foies de volaille ◆ 10 cl de porto ◆ 1 lapin de 1,5 kg désossé ◆ 500 g de chair à saucisse ◆ 1 œuf ◆ 2 oignons ◆ 1 bouquet de cerfeuil ◆ 16 noisettes mondées ◆ 1 barde de lard ◆ thym ◆ laurier ◆ sel ◆ poivre

1 Coupez les foies de volaille en bouchées, mettez-les dans une jatte, arrosez de porto et laissez macérer 20 min. Coupez la viande de lapin en petits morceaux. Mettez ceux-ci dans un saladier avec la chair à saucisse. Ajoutez l'œuf et mélangez. Salez et poivrez.
2 Pelez et hachez les oignons. Hachez le cerfeuil. Ajoutez ces aromates à la farce avec 1 c. à café de thym, 1/2 feuille de laurier pulvérisée, les noisettes et la moitié du porto de macération.
3 Tapissez une terrine à pâté avec les 3/4 de la barde de lard. Versez-y la moitié de la farce. Ajoutez les foies de volaille et finissez de remplir avec le reste de farce. Garnissez le dessus avec la barde restante découpée en lanières. Faites cuire au four au bain-marie à 190 °C pendant 2 h.

➜ **autres recettes de pâté à l'index**

pâté impérial

➜ **voir aussi** chinoise (cuisine), rouleau de printemps

Spécialité chinoise faite d'une crêpe de riz garnie d'une farce. La crêpe est repliée en rouleau puis frite à l'huile et servie en tronçons, avec des feuilles de laitue et de menthe et de la sauce soja.

pâté pantin

➜ **voir aussi** coulibiac

Cette variante du pâté en croûte, rectangulaire ou oblongue, se fait cuire au four sans moule. La farce est à base de porc, de veau ou de volaille. Le pâté pantin se déguste tiède.

Pâté pantin

Pour **6 personnes**
Préparation **40 min**
Repos **2 h**
Macération **12 h**
Cuisson **1 h 10**

300 g de viande de porc (pointe) ◆ 300 g de noix de veau ◆ 2 échalotes ◆ 250 g de farine ◆ 120 g de beurre ◆ 200 g de chair à saucisse ◆ persil ◆ vin blanc ◆ cognac ◆ laurier ◆ thym ◆ 1 œuf ◆ sel ◆ poivre

1 Coupez les 2 viandes en petites tranches puis retaillez celles-ci en petits morceaux de 2 cm de côté. Mettez-les dans une terrine et mélangez-les. Salez. Donnez 2 tours de moulin à poivre. Pelez et hachez finement les échalotes, ajoutez-les dans la terrine avec 3 c. à soupe de persil haché.

2 Versez sur cette préparation 1 verre de vin blanc et 1 petit verre de cognac. Mélangez. Transvasez le tout dans une terrine à pâté, posez sur le dessus 1 feuille de laurier et 1 brin de thym. Couvrez et laissez reposer au frais pendant 12 h.

3 Versez dans un saladier la farine et 1 pincée de sel. Mélangez. Ajoutez 100 g de beurre ramolli et 20 cl d'eau environ. Amalgamez ces ingrédients du bout des doigts. Formez une boule de pâte et écrasez-la avec la paume de la main sur le plan de travail fariné. Répétez cette opération 2 fois. Remettez la pâte en boule et laissez reposer au frais pendant 2 h.

4 Reprenez les viandes, retirez-en le thym et le laurier et ajoutez la chair à saucisse. Pétrissez à fond. Mettez de côté 1/3 de la pâte et étalez le reste au rouleau en donnant à l'abaisse une forme ovale. Placez-la sur la tôle du four beurrée. Disposez la farce au milieu en un tas régulier.

5 Mouillez les bords de la pâte avec un pinceau humecté d'eau et relevez-les de façon qu'ils se chevauchent légèrement au-dessus des viandes. Rabattez les côtés de la même façon. Étalez le reste de pâte en forme de rectangle pour former le couvercle du pâté. Mouillez les bords pour les souder avant de placer le couvercle sur le dessus du pâté. Dorez la surface à l'œuf battu. Rayez le couvercle en losange avec la pointe d'un couteau, sans trop appuyer, et placez une petite cheminée en bristol au centre : enfoncez-la pour qu'elle atteigne la viande à l'intérieur. Faites cuire au four à 190 °C pendant 1 h 10. Servez le pâté tiède.

1

2

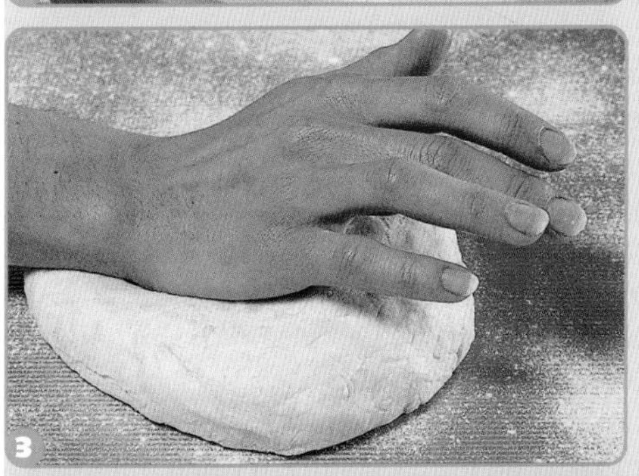
3

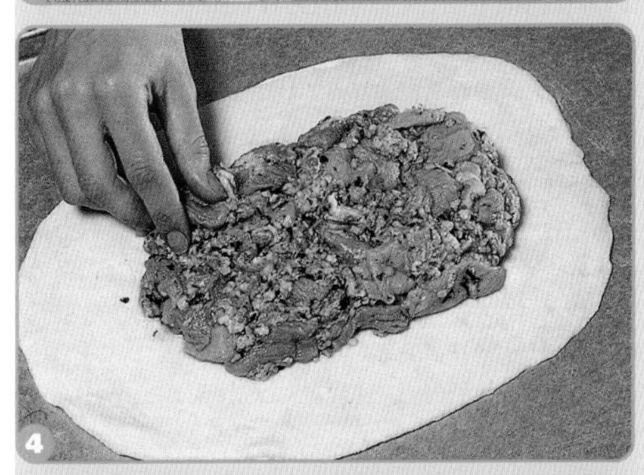
4

5

pâtes alimentaires

→ **voir aussi** cannelloni, farine, fromage, gnocchi, gratin, lasagne, macaroni, nouilles, ravioli, spaghetti, tagliatelle, tortellini

Cette préparation est à base de semoule de blé dur et d'eau si elle est achetée toute faite. Les pâtes comportent souvent des œufs et parfois un légume qui les colore et les aromatise (tomate, épinard). Façonnées en rubans, en fils, en tubes, en coudes, en coquilles, en papillons, en anneaux, etc., elles sont distribuées sous des marques différentes et utilisées comme pâtes à potage, à cuire à l'eau, à gratiner, à farcir, etc.

Des pâtes sèches de bonne qualité se reconnaissent à un aspect lisse et régulier, elles sont d'une teinte ivoire un peu jaune, mais translucide ; la cassure doit être nette et, à la cuisson, elles doivent quadrupler de volume.

Les pâtes fraîches, de fabrication artisanale ou ménagère, sont à base de farine et d'œufs. Leur conservation est limitée. Certaines pâtes sont vendues farcies, en conserve ou en paquets sous vide, surgelées ou en semi-conserve (cannelloni, ravioli, lasagne).

Les pâtes complètes, c'est-à-dire à base de farine complète, se présentent surtout sous forme de spaghetti ou de nouilles plates. Elles ont un goût un peu plus marqué et demandent un assaisonnement bien relevé.

La cuisson des pâtes à l'eau se fait à gros bouillons dans un grand volume d'eau (comptez 4 à 5 minutes pour du vermicelle, 10 à 11 minutes pour des spaghetti, 15 minutes pour de gros macaroni). La gamme des sauces d'accompagnement est très variée, souvent à base de tomates et de fines herbes, avec fromage râpé, viande hachée, champignons, anchois, etc.

Diététique. Les pâtes sont excellentes pour la santé, car elles libèrent lentement dans l'organisme l'énergie des glucides. Elles ne font pas grossir. Une assiette de pâtes = 230 kcal environ.

Pâtes au basilic

Pour **4 personnes**
Préparation **10 min**
Cuisson **6 min environ**

1 bouquet de basilic frais ◆ 2 gousses d'ail ◆ 80 g de parmesan ◆ 250 g de pâtes fraîches ◆ 20 cl de crème fraîche ◆ sel ◆ poivre

1 Lavez le basilic, effeuillez-le et ciselez les feuilles grossièrement. Pelez et hachez l'ail très finement. Mélangez l'ail, le basilic et le parmesan.
2 Faites cuire les pâtes dans une grande quantité d'eau bouillante salée. Égouttez-les au bout de 6 min. Ne les rafraîchissez pas.
3 Ébouillantez un légumier ou un saladier. Versez-y les pâtes. Salez et poivrez. Ajoutez la crème fraîche. Remuez vivement.
4 Incorporez le mélange basilic-ail-parmesan. Remuez encore une fois. Servez aussitôt.

Pâtes fraîches au foie gras

Pour **4 personnes**
Préparation **2 min**
Cuisson **6 min environ**

250 g de pâtes fraîches ◆ 10 cl de crème liquide ◆ 4 tranches de foie gras de canard cru ◆ muscade ◆ sel ◆ poivre au moulin ◆ poivre concassé

1 Faites cuire les pâtes fraîches à l'eau salée pendant 5 à 6 min. Égouttez-les et versez-les dans une grande casserole. Ajoutez la crème liquide, remuez et faites chauffer doucement. Salez et poivrez. Muscadez.
2 Faites chauffer une poêle à revêtement antiadhésif. Posez-y les tranches de foie gras et faites-les chauffer 1 min de chaque côté. Salez.
3 Répartissez les pâtes à la crème dans les assiettes de service très chaudes. Ajoutez pardessus 1 tranche de foie gras et 1 pincée de poivre concassé. Servez aussitôt.

Boisson **médoc**

Salade de coquillettes aux fruits de mer

Pour **4 personnes**
Préparation **30 min**
Cuisson **15 min environ**

300 g de coquillettes ◆ 1/2 l de moules ◆ 1/2 l de coques ◆ 200 g de petits pois en boîte ◆ 100 g d'olives noires ◆ 4 cornichons ◆ 2 jaunes d'œufs ◆ 3 filets d'anchois ◆ 1 citron ◆ 300 g de crevettes décortiquées ◆ huile d'olive ◆ moutarde ◆ concentré de tomates ◆ poivre ◆ sel

1 Faites cuire les coquillettes à l'eau salée pendant 10 min environ. Égouttez-les dans un saladier, arrosez-les avec 2 c. à soupe d'huile, remuez et laissez refroidir.
2 Lavez et brossez les coquillages. Faites-les ouvrir sur feu vif dans un faitout. Décoquillez-les.
3 Égouttez les petits pois. Dénoyautez les olives. Émincez les cornichons.
4 Réunissez dans le bol d'un mixer les jaunes d'œufs, les anchois, 1 c. à soupe de moutarde, le jus du citron et 1 c. à café de concentré de tomates. Réduisez le tout en purée fine. Délayez-la avec 2 c. à soupe d'huile. Salez et poivrez.
5 Mélangez les coquillettes, les crevettes, les moules et les coques, les petits pois et les olives. Ajoutez la sauce et remuez. Servez frais.

pâtisson

Cette variété de petite courge blanche est ronde et bombée, bordée de dentelures arrondies. On la récolte dans le Midi, en automne. Sa chair est ferme et un peu sucrée. Le pâtisson se brosse sous un filet d'eau. Faites-le ensuite blanchir puis mijoter dans une sauce bien relevée avec des aromates. Il se cuisine aussi sauté à la poêle, farci, en gratin ou encore à la vapeur. Les très petits pâtissons sont confits au vinaigre et utilisés comme pickles.

pâtisson

Petits pâtissons en pickles

Pour **2 bocaux de 500 g environ**
Préparation **20 min, 1 mois à l'avance**
Macération **24 h**
Pas de cuisson

700 g de très petits pâtissons • 1 petit concombre • 300 g de chou-fleur bien blanc • 2 piments rouges frais • 1 l de vinaigre de vin vieux • sel

1 Lavez et essuyez les pâtissons. Pelez le concombre et taillez la pulpe en cubes de la même taille que les pâtissons. Défaites le chou-fleur en petits bouquets.
2 Mettez ces légumes dans une grande terrine, poudrez avec 2 c. à soupe de sel et laissez macérer pendant 24 h.
3 Égouttez les légumes et répartissez-les dans 2 bocaux à fermeture hermétique. Ajoutez 1 piment dans chaque bocal.
4 Finissez de remplir les bocaux avec le vinaigre. Veillez à ce qu'il y en ait assez pour que tous les morceaux baignent dans le liquide.
5 Fermez et étiquetez. Attendez 1 mois au moins avant de consommer, avec des viandes froides ou à l'apéritif.

paupiette

Tranche de viande (veau, dinde, bœuf, agneau), feuille de chou ou filet de poisson (merlan, sole), garnis d'une farce et enroulés sur eux-mêmes. Les paupiettes se font généralement braiser.

Après la cuisson, n'oubliez pas de retirer la ficelle qui les maintient enroulées. Servez-les nappées de sauce, avec du riz ou une purée de légumes.

Cette variété de petite courge s'appelle aussi « bonnet-de-prêtre », « bonnet d'électeur » ou « artichaut de Jérusalem ». Son goût rappelle en effet celui de l'artichaut. Les plus gros pâtissons atteignent 25 cm de diamètre. N'hésitez pas à bien en relever la cuisson.

Paupiettes de dinde farcies

Pour **4 personnes**
Préparation **20 min**
Cuisson **20 min**

RECETTE LÉGÈRE 1 portion 180 kcal

4 escalopes de dinde de 125 g chacune ◆ 200 g de champignons de couche ◆ 1 citron ◆ 1 échalote ◆ 1 bouquet de ciboulette ◆ 1 tranche de pain de mie ◆ 1 œuf ◆ 10 cl de bouillon de volaille ◆ 2 c. à soupe d'huile d'olive ◆ 4 petites courgettes ◆ sel ◆ poivre

1 Aplatissez les escalopes. Salez-les et poivrez-les. Nettoyez et hachez les champignons. Citronnez-les et réservez. Pelez et hachez l'échalote. Ciselez la ciboulette. Émiettez le pain dans un bol avec un peu d'eau ou de lait tiède.
2 Faites chauffer la moitié de l'huile dans une poêle, faites-y revenir l'échalote et les champignons. Versez le tout dans une terrine, avec la moitié de la ciboulette, le pain essoré et l'œuf. Mélangez bien. Salez et poivrez.
3 Garnissez chaque escalope de farce et ficelez-les. Faites-les dorer dans le reste d'huile puis versez le bouillon et laissez mijoter 12 min.
4 Lavez et émincez les courgettes sans les peler. Faites-les cuire à la vapeur pendant 8 min et ajoutez-leur le reste de ciboulette. Servez les paupiettes déficelées avec les courgettes.

Paupiettes de merlan

Pour **4 personnes**
Préparation **20 min**
Cuisson **10 min**

RECETTE LÉGÈRE 1 portion 285 kcal

5 filets de merlan de 160 g chacun ◆ 1 boîte de crabe ◆ 3 c. à soupe de fromage blanc maigre ◆ 1 blanc d'œuf ◆ 20 cl de lait ◆ 1 avocat ◆ 1 citron ◆ 1 bouquet de ciboulette ◆ sel ◆ poivre

1 Aplatissez 4 filets de merlan et réservez-les. Égouttez le crabe et ôtez le cartilage. Mixez le filet de merlan restant avec la chair de crabe, le fromage blanc, le blanc d'œuf et 10 cl de lait. Salez et poivrez.
2 Répartissez cette mousse sur les filets de merlan et roulez-les. Fermez-les avec un pique-olive. Posez les paupiettes sur le panier d'une marmite à vapeur et faites cuire 10 min à couvert.
3 Extrayez la pulpe de l'avocat et mettez-la dans le bol d'un mixer avec le jus du citron et la ciboulette. Réduisez en purée et faites chauffer celle-ci dans une petite casserole en la délayant avec 10 cl de lait. Salez et poivrez.
4 Servez les paupiettes nappées de sauce à l'avocat, avec, par exemple, des haricots verts cuits à la vapeur.

Boisson **condrieu**

Paupiettes de veau aux pignons de pin

Pour **6 personnes**
Préparation **25 min**
Cuisson **1 h 10 environ**

6 escalopes de veau de 120 g ◆ 1 c. à soupe de concentré de tomates ◆ 2 tranches de pain de mie ◆ 100 g de chair à saucisse ◆ 100 g de raisins secs ◆ 100 g de pignons de pin ◆ 2 échalotes ◆ 1 œuf ◆ 2 carottes ◆ 1 oignon ◆ 50 g de beurre ◆ 1 bouquet garni ◆ 20 cl de vin blanc sec ◆ huile ◆ sel ◆ poivre

1 Aplatissez les escalopes. Délayez le concentré de tomates dans un peu d'eau et faites-y tremper le pain émietté.
2 Dans une terrine, mélangez la chair à saucisse, les raisins secs et les pignons de pin. Ajoutez les échalote pelées et hachées. Essorez le pain en gardant l'eau à la tomate. Incorporez-le à la farce. Liez avec l'œuf battu. Salez et poivrez.
3 Répartissez la farce sur les escalopes de veau. Roulez-les et ficelez-les.
4 Pelez et émincez les carottes et l'oignon. Faites chauffer le beurre avec 1 c. à soupe d'huile dans une cocotte. Mettez-y à dorer les paupiettes en les retournant. Écartez-les sur les côtés et faites-y revenir carottes et oignon. Ajoutez le bouquet garni et remettez les paupiettes dans la garniture.
5 Mouillez avec la moitié du vin blanc et ajoutez le concentré de tomates dilué dans lequel le pain a trempé. Couvrez et réduisez le feu. Faites mijoter 1 h en ajoutant le reste de vin à mi-cuisson. Pour servir, ôtez le bouquet garni.

Paupiettes de veau aux pignons de pin ►

Le mélange sucré-salé de la farce aux raisins secs et aux pignons est en parfait accord avec le veau. En accompagnement, proposez une ratatouille.

pavé

Le terme de pavé désigne, en boucherie, une épaisse grillade de bœuf de premier choix. Il s'applique aussi à des gâteaux ou des confiseries de forme carrée : pavé au chocolat, petits pavés aux noix, pavés de riz frits, etc.

pavot

Les minuscules petites graines noires de cette plante sont utilisées surtout en boulangerie, parsemées à la surface de pains fantaisie. Leur saveur épicée sert aussi à parfumer du fromage frais ou une crème pâtissière. Utilisez-les également pour relever une salade ou un plat de pâtes fraîches.

Salade au pavot

Pour **4 personnes**
Préparation **20 min**
Cuisson **10 min**

2 œufs ◆ 3 branches de céleri ◆ 1 betterave cuite ◆ 2 carottes ◆ 1 citron ◆ 2 carrés demi-sel ◆ 1 c. à café de graines de pavot ◆ huile de tournesol ◆ sel ◆ poivre

1 Faites durcir les œufs, rafraîchissez-les et écalez-les. Laissez refroidir.
2 Ôtez les fils des branches de céleri. Coupez celles-ci en petits tronçons. Coupez la betterave en petits dés. Pelez et râpez les carottes très grossièrement.
3 Mélangez ces ingrédients dans un saladier. Arrosez de jus de citron et ajoutez 3 c. à soupe d'huile. Salez, poivrez et mélangez.
4 Coupez les œufs durs en rondelles. Coupez les carrés demi-sel en cubes. Roulez-les dans les graines de pavot, ajoutez-les en garniture sur la salade et servez.

La pêche est un fruit très fragile : ne le touchez pas, même pour le choisir, la moindre pression provoque une meurtrissure. Le brugnon, pêche à peau lisse dont le noyau adhère à la chair, résiste mieux aux manipulations.

pêche

→ voir aussi **brugnon**

Ce fruit d'été à chair juteuse connaît une saison assez courte (de fin mai à début septembre). Il est en outre très fragile. De ses deux grandes variétés, les jaunes sont plus abondantes et résistantes, les blanches plus petites, mais plus savoureuses et plus parfumées, surtout les petites pêches de vigne, qui apparaissent en fin de saison. Ce sont les premières qu'il vaut mieux faire cuire. Les secondes sont des fruits de table exquis.

La pêche est surtout un fruit de dessert, nature ou poché au vin, en tarte, en entremets glacé, etc. Découvrez-la aussi pour garnir du foie de veau ou du canard.

Diététique. Ce fruit léger est riche en sels minéraux et en vitamines. 100 g = 40 kcal.

Pêches Melba

Pour **4 personnes**
Préparation **20 min, 1 h à l'avance**
Cuisson **12 min environ**

8 pêches pas trop grosses ◆ 180 g de sucre semoule ◆ 150 g de framboises ◆ 1/2 l de glace à la vanille ◆ 30 g d'amandes effilées ◆ kirsch

1 Ébouillantez les pêches 10 secondes et pelez-les. Coupez-les en 2.
2 Faites bouillir 1 verre d'eau avec 100 g de sucre pendant 2 min. Ajoutez 1 c. à soupe de kirsch, remuez et faites-y pocher les 1/2 pêches pendant 5 min. Retirez du feu. Laissez-les refroidir puis égouttez-les.
3 Pendant ce temps, passez les framboises au mixer. Ajoutez le reste de sucre à la purée obtenue et faites chauffer en remuant pendant 5 min. Laissez refroidir.
4 Répartissez la glace dans 4 coupes de service. Ajoutez les 1/2 pêches, nappez de coulis de framboises et parsemez d'amandes effilées. Servez frais, avec des petites meringues.

Pêches rubis

Pour **6 personnes**
Préparation **20 min**
Cuisson **15 min**

6 grosses pêches jaunes ◆ 200 g de sucre semoule ◆ 1 gousse de vanille ◆ 80 g de beurre ◆ 12 tranches de pain de mie rond ◆ 150 g de groseilles fraîches ◆ gelée de groseille

1 Coupez les pêches en 2. Pelez-les et retirez le noyau. Versez le sucre dans une grande casserole, ajoutez 50 cl d'eau et la gousse de vanille.
2 Faites bouillir ce sirop pendant 4 min, ajoutez les 1/2 pêches et faites-les pocher 10 min. Égouttez les fruits et laissez-les refroidir.
3 Pendant ce temps, faites chauffer le beurre dans une poêle et mettez-y à dorer les tranches de pain de mie des 2 côtés.
4 Faites chauffer 4 c. à soupe de gelée de groseille diluée avec un peu de sirop des pêches.
5 Disposez les croûtes de pain sur un plat. Placez un oreillon de pêche sur chacune d'elles. Nappez de sauce groseille et décorez avec une grappe de groseilles. Servez aussitôt.

→ **autres recettes de pêche à l'index**

Pêches Melba ▲

Servez ce dessert en coupelle à la fin d'un repas léger, car il est assez riche. La pêche Melba, créée à la fin du XIXe siècle par le chef Escoffier, est un classique que vous pouvez adapter selon la saison, avec des poires ou même des bananes.

pecorino

Ce fromage italien au lait de brebis à pâte pressée est surtout produit dans la région de Rome : de saveur piquante, il est généralement utilisé râpé comme le parmesan.

pélardon

Ce petit fromage au lait de chèvre est une spécialité de l'Ardèche et des Cévennes, de 6 à 7 cm de diamètre sur 3 cm d'épaisseur. Fermier, frais et crémeux, il a une délicate saveur noisetée de mars à novembre. Sec, il devient plus corsé et piquant. Dégustez-le en été. Vous pouvez aussi faire macérer des pélardons dans du vin blanc.

Estouffade de perdrix aux lentilles ▲

La cuisson de ce plat d'hiver à l'étouffée dans une cocotte permet une concentration des saveurs et des arômes. Surveillez la cuisson des lentilles, qui ne doivent pas se réduire en purée.

perche

Ce poisson d'eau douce possède une chair excellente et se cuisine comme la carpe, en friture pour les petites perches, en matelote ou cuites au vin blanc pour les plus grosses. La perche noire est un autre poisson d'eau douce aussi délicat, avec moins d'arêtes. Préparez-la à la meunière.

Filets de perche aux courgettes

Pour **4 personnes**
Préparation **15 min**
Cuisson **30 min**

4 filets de perche de 125 g chacun environ ◆ 8 courgettes à peau fine ◆ 3 brins de thym ◆ 2 feuilles de laurier ◆ 2 gousses d'ail ◆ 20 cl de mayonnaise ◆ huile d'olive ◆ sel ◆ poivre

1 Lavez les courgettes, coupez le pédoncule puis détaillez-les en rondelles fines et régulières. Pelez et émincez très finement les gousses d'ail. Rincez les filets de perche, salez-les et poivrez-les.
2 Dans une marmite à vapeur à 2 niveaux, étalez les courgettes dans le compartiment inférieur, ajoutez l'ail, le thym et le laurier. Faites cuire à la vapeur pendant 8 min.
3 Placez le compartiment supérieur, disposez les filets de poisson dedans, arrosez d'un filet d'huile d'olive. Salez et poivrez. Poursuivez la cuisson pendant 20 à 25 min.
4 Répartissez les courgettes à l'ail dans les assiettes de service, en éliminant le thym et le laurier. Posez un filet de perche dessus et donnez un tour de moulin à poivre. Servez la mayonnaise à part.

perdrix

→ **voir aussi** gibier

Ce gibier à plume connaît deux grandes espèces : la grise, au nord de la Loire, et la rouge, dans le Midi.

À moins d'un an, mâle ou femelle sont des perdreaux (fin août à octobre) : le bec est souple, les plumes moins larges et plus pointues avec une tache blanche, la chair tendre et fondante. Bardez le perdreau et faites-le rôtir ou bien coupez-le en deux, aplatissez-le et faites-le griller.

La perdrix (octobre à janvier), dont la chair est plus ferme, se fait braiser en cocotte avec du chou ; elle s'accommode aussi en salmis, en estouffade en chaud-froid ou en pâté.

Estouffade de perdrix aux lentilles

Pour **4 personnes**
Préparation **25 min**
Cuisson **1 h 50**

2 perdrix ◆ 50 g de beurre ◆ 200 g de lard de poitrine maigre ◆ 6 petits oignons ◆ 4 carottes ◆ 15 cl de vin blanc ◆ 15 cl de bouillon ◆ 1 bouquet garni ◆ 250 g de lentilles vertes du Puy ◆ 1 saucisse de Morteau de 200 g ◆ sel ◆ poivre

1 Faites rôtir les perdrix dans une cocotte avec le beurre pendant 20 min environ.

2 Pendant ce temps, taillez 100 g de lard en petits morceaux. Pelez les oignons et les carottes, coupez-les en rondelles.
3 Placez les perdrix dans une cocotte avec les lardons, 50 g d'oignons et 100 g de carottes en rondelles. Ajoutez le vin blanc et le bouillon ainsi que le bouquet garni. Salez et poivrez. Faites mijoter sur feu moyen à couvert pendant 1 h 30.
4 Faites cuire les lentilles à l'eau dans une casserole avec le reste de lard en tranches fines ainsi que le reste des oignons et des carottes. Salez peu. Ajoutez la saucisse 25 min avant de servir.
5 Égouttez les lentilles et versez-les dans un plat chaud. Coupez chaque perdrix en 2, posez-les sur les lentilles, entourez de lardons et de saucisse. Nappez du fond de cuisson. Servez.

Vous pouvez supprimer la saucisse de Morteau et la remplacer par des chipolatas ou des saucisses plates poêlées au dernier moment comme garniture.

Boisson **graves ou pauillac**

Perdreaux forestière

Pour **4 personnes**
Préparation **20 min**
Cuisson **25 min**

2 perdreaux ◆ 2 fines bardes de lard ◆ 200 g de girolles ◆ 100 g de trompettes-des-morts ◆ 10 cl de crème liquide ◆ huile de maïs ◆ eau-de-vie de mirabelle ◆ sel ◆ poivre

1 Salez et poivrez les perdreaux. Bardez-les et ficelez-les. Faites chauffer 3 c. à soupe d'huile dans une cocotte.
2 Mettez-y les perdreaux et faites-les colorer sur toutes les faces. Flambez-les avec l'eau-de-vie chauffée. Couvrez et laissez mijoter 10 min.
3 Nettoyez rapidement les champignons. Faites-les sauter dans une poêle avec 1 c. à soupe d'huile. Ajoutez la crème, remuez et laissez mijoter 5 min. Salez et poivrez.
4 Ajoutez les champignons à la crème dans la cocotte avec les perdreaux et faites cuire encore 8 min. Égouttez les perdreaux et retirez les bardes. Coupez les perdreaux en 2 et mettez-les dans un plat de service. Entourez-les de champignons à la crème mélangée avec le jus de cuisson. Servez aussitôt.

Boisson **bordeaux rouge**

Perdreaux rôtis

Pour **2 personnes**
Préparation **10 min**
Cuisson **20 min environ**

2 perdreaux ◆ 80 g de beurre ◆ 2 bardes de lard ◆ 2 tranches de pain de campagne ◆ cognac ◆ sel ◆ poivre

1 Introduisez dans chaque perdreau 20 g de beurre salé et poivré. Bardez-les et ficelez-les.
2 Placez les perdreaux dans un plat à rôtir pas trop grand. Enfournez environ 18 min à 210 °C. Éteignez le four et couvrez avec une feuille d'aluminium.
3 Faites rissoler les tranches de pain dans 40 g de beurre. Égouttez-les. Salez et poivrez.
4 Déficelez et débardez les perdreaux. Posez-les sur le pain dans un plat de service. Déglacez le plat de cuisson avec 2 ou 3 c. à soupe de cognac et arrosez les perdreaux avec ce jus.

Servez avec des bouquets de cresson frais et des pommes chips.

Boisson **bordeaux léger et fruité**

persil

→ **voir aussi** beurre composé, escargot, persillade

Cette plante aromatique disponible toute l'année est indispensable en cuisine. Pour tous ses emplois comme condiment, choisissez le persil commun, à feuilles plates : il est beaucoup plus parfumé que le persil frisé. Utilisez-le cru ou cuit, haché plus ou moins finement, mélangé ou non avec une pointe d'ail. Ne jetez pas les queues : elles font merveille dans un bouquet garni ou un court-bouillon. Réservez le persil frisé pour les décors et garnitures, avec des hors-d'œuvre, des grillades ou du poisson. Le persil bulbeux, assez rare en France, dont la racine est arrondie ou allongée, se cuisine comme le céleri-rave.

Diététique. En ajoutant systématiquement du persil frais haché dans vos plats, vous absorbez du fer et de la vitamine C à dose homéopathique.

persil frisé

Pour parfumer en profondeur un poulet rôti, glissez 2 bouquets de persil plat à l'intérieur. On trouve du persil toute l'année, car il résiste bien au froid.

persil plat

Sauce persil

Pour **4 personnes**
Préparation **10 min**
Cuisson **10 min**

1 bouquet de persil plat ◆ 130 g de beurre ◆ 30 g de farine ◆ 1/2 citron ◆ sel ◆ poivre

1 Lavez et épongez le persil. Coupez les queues et hachez finement les feuilles pour obtenir 4 c. à soupe.
2 Faites fondre 30 g de beurre dans une casserole. Ajoutez la farine et faites cuire 1 min. Lorsque ce roux est blond, versez 25 cl d'eau bouillante. Salez et poivrez. Fouettez.
3 Incorporez le reste de beurre en parcelles, toujours en fouettant. Lorsque la sauce est lisse, incorporez le persil haché et 1 c. à soupe de jus de citron. Goûtez et rectifiez l'assaisonnement. Servez aussitôt.

Cette sauce accompagne la tête de veau ou du poisson au court-bouillon.

→ **autres recettes de persil à l'index**

pesto

→ **voir aussi** pistou

Condiment italien originaire de Gênes, fait de basilic, de parmesan, d'ail et de pignons de pin pilés en pâte fine avec de l'huile d'olive. Le « vrai » pesto utilise du basilic à très petites feuilles, une variété qui pousse sur la Riviera ligurienne : il agrémente traditionnellement les linguine, des pâtes longues, aplaties et légèrement arrondies, mais on s'en sert pour assaisonner spaghetti ou tagliatelle, ainsi que le minestrone.

Pesto au basilic

Pour **4 personnes**
Préparation **20 min**
Pas de cuisson

6 pieds de basilic ◆ 1 c. à soupe de pecorino râpé ◆ 2 c. à soupe de parmesan râpé ◆ 2 gousses d'ail ◆ 12 cl d'huile d'olive ◆ 1 c. à soupe de pignons de pin

1 Effeuillez soigneusement le basilic. Écrasez les feuilles dans un mortier (ou passez-les rapidement au mixer). Versez la purée dans un bol.
2 Incorporez les fromages râpés en mélangeant bien. Pelez et hachez l'ail menu. Incorporez-le.
3 Versez l'huile d'olive peu à peu en fouettant sans cesse. Salez modérément. Pilez à part les pignons de pin. Ajoutez-les au mélange. Passez encore une fois au mixer jusqu'à l'obtention d'une consistance crémeuse.

Servez avec des pâtes fraîches ou dans une soupe de légumes. Choisissez une variété de basilic à petites feuilles très parfumées.

Ce condiment se congèle bien et se conserve pendant plusieurs mois.

persillade

Ce mélange de persil et d'ail hachés sert à condimenter diverses préparations : reste de bœuf bouilli sauté au beurre, tomates farcies, sauté d'agneau, farce des escargots, pommes de terre sautées, etc. Préparez la persillade au dernier moment, en variant les proportions au goût, sur la base de 1 c. à soupe de persil pour 1 gousse d'ail.

pet-de-nonne

Ce petit beignet de pâte à choux se présente comme une boulette bien gonflée et dorée. Les pets-de-nonne, que l'on appelle aussi « beignets venteux » ou « soupirs de nonne », se servent chauds poudrés de sucre ou avec un coulis de fruits.

On peut aussi les fourrer de crème ou de confiture après la cuisson.

Pets-de-nonne

Pour **4 personnes**
Préparation **20 min**
Cuisson **25 à 30 min**

70 g de beurre ◆ 2 c. à soupe de sucre semoule ◆ 125 g de farine ◆ 3 œufs ◆ sel ◆ huile de friture ◆ sucre glace

1 Préparez une pâte à choux *(voir page 167)* avec le beurre, le sucre, la farine, 25 cl d'eau, les œufs et 1 pincée de sel.
2 Faites chauffer un bain de friture à 180 °C. Prélevez un peu de pâte avec une cuiller à café et laissez-la glisser dans la friture.
3 Continuez ainsi jusqu'à ce que la bassine à friture ne puisse plus contenir de beignets.
4 Quand ils sont dorés d'un côté, au bout de 2 min 30 environ, retournez-les avec une écumoire et faites-les dorer de l'autre côté.
5 Égouttez les beignets sur du papier absorbant et poudrez-les de sucre glace. Faites cuire toute la pâte par fournées successives.

petit four

→ voir aussi amuse-gueule

Pâtisserie ou confiserie de la taille d'une bouchée. Les petits fours se servent toujours en assortiment sur un buffet ou avec le café. Les petits fours secs sont des biscuits : tuiles, cigarettes, macarons, sablés, rochers, etc. Les petits fours frais sont des pâtisseries miniatures, des bouchées en pâte à génoise fourrée, ou bien encore des fruits déguisés.

petits pois

→ voir aussi pois gourmands

Cette graine verte et ronde est extraite d'une gousse qui contient 8 pois au maximum. Vendus sur les marchés de mai à juillet, les petits pois frais à écosser sont tendres et savoureux, légèrement sucrés. La cosse doit être lisse et brillante, cassante et sans tache : écossez les petits pois, mais ne les lavez pas. Ils se congèlent parfaitement bien. Les surgelés sont supérieurs en qualité aux conserves : réservez celles-ci (qualité extra-fin de préférence) pour des salades composées avec des grains de maïs, des miettes de crabe, du riz, etc.

Diététique. Frais, les petits pois sont plus caloriques qu'en conserve, car plus riches en protides et en glucides (100 g = 90 kcal contre 70). Mais ils sont aussi plus riches en fibres.

Cocotte de légumes printaniers

Pour **6 personnes**
Préparation **30 min**
Cuisson **50 min**

1 kg de petits pois ◆ 250 g de haricots verts ◆ 400 g de carottes nouvelles ◆ 400 g de petits navets nouveaux ◆ 1 botte de petits oignons nouveaux ◆ 200 g de petits lardons ◆ 75 g de beurre ◆ 1 cœur de laitue ◆ sel ◆ poivre

1 Écossez les petits pois. Effilez les haricots. Pelez les carottes et les navets, coupez-les en dés. Pelez les oignons. Faites blanchir les lardons 3 min à l'eau bouillante. Égouttez-les bien et épongez-les.
2 Faites fondre le beurre dans une cocotte et faites-y revenir doucement les lardons. Ajoutez les carottes et les oignons. Remuez-les sur feu doux pendant 3 min.
3 Ajoutez les petits pois, les haricots et les navets. Mouillez avec 10 cl d'eau. Salez et poivrez. Portez à ébullition, couvrez et baissez le feu. Laissez mijoter pendant 30 min en remuant de temps en temps.
4 À mi-cuisson, ajoutez le cœur de laitue coupé en 4. Servez dans la cocotte, en garniture de rôti ou de viande grillée.

Le petit pois frais est une production marginale par rapport au petit pois de conserve : la cosse doit être brillante. À l'achat, plongez la main au milieu du tas : si vous ressentez une impression de chaleur, les petits pois commencent à fermenter.

petits pois

Petits pois à la bonne femme

Pour **4 personnes**
Préparation **20 min**
Cuisson **40 min**

12 petits oignons nouveaux ◆ 125 g de lard maigre ◆ 1 kg de petits pois frais ◆ 20 g de beurre ◆ 20 g de farine ◆ 30 cl de bouillon de volaille ◆ 1 bouquet garni ◆ sel ◆ poivre

1 Pelez les petits oignons. Coupez le lard en morceaux et faites-les blanchir 1 min dans une casserole d'eau bouillante. Égouttez-les. Écossez les petits pois.
2 Faites fondre le beurre dans une sauteuse. Ajoutez les oignons et les lardons. Faites-les revenir légèrement puis retirez-les de la sauteuse.
3 Ajoutez la farine dans le beurre de cuisson et laissez-la cuire en remuant pendant 2 min.
4 Versez le bouillon. Salez et poivrez. Laissez bouillonner 5 min en fouettant. Ajoutez les petits pois, le bouquet garni, les oignons et les lardons.
5 Faites cuire à couvert pendant 30 min. Ôtez le bouquet garni. Servez chaud, en garniture de rôti, d'escalopes ou de grenadins de veau, de magrets de canard.

Velouté de petits pois à la menthe ▼

C'est le mélange de petits pois et de menthe qui donne à ce velouté sa saveur et sa couleur. L'ajout de crème fraîche apporte un contraste de couleur et rend sa texture plus savoureuse.

Petits pois à la française

Pour **4 personnes**
Préparation **20 min**
Cuisson **30 min environ**

1 kg de petits pois frais ◆ 1 laitue ◆ 12 petits oignons ◆ 1 bouquet garni ◆ 80 g de beurre ◆ sucre semoule ◆ cerfeuil frais ◆ sel ◆ poivre

1 Écossez les petits pois. Lavez la salade et taillez-la en chiffonnade grossière. Pelez les petits oignons.
2 Réunissez ces ingrédients dans une cocotte. Ajoutez le bouquet garni, 60 g de beurre coupé en morceaux, 2 c. à café de sucre, 1 c. à café de sel et du poivre au moulin.
3 Versez dans la cocotte 15 cl d'eau froide. Remuez, couvrez et portez doucement à ébullition. Maintenez à petits frémissements pendant 30 min. Retirez le bouquet garni, ajoutez le reste de beurre frais et 2 c. à soupe de cerfeuil ciselé finement. Mélangez et servez.

Cette garniture accompagne parfaitement les viandes délicates : veau, agneau, pigeon ou canard rôti.

Velouté de petits pois à la menthe

Pour **4 personnes**
Préparation **15 min**
Cuisson **40 min**

1 kg de petits pois frais ◆ 2 oignons ◆ 1 cœur de laitue ◆ 3 c. à soupe de crème fraîche ◆ 10 feuilles de menthe fraîche ◆ huile ◆ sel ◆ poivre

1 Écossez les petits pois. Pelez et émincez finement les oignons. Effeuillez et lavez la laitue. Épongez-la et ciselez-la.

2 Faites chauffer l'huile dans une cocotte. Mettez-y les oignons et la salade. Couvrez et laissez étuver 10 min sur feu moyen.
3 Ajoutez les petits pois et couvrez à nouveau. Laissez cuire 30 min. Passez le contenu de la cocotte au mixer, puis versez-le dans une soupière. Incorporez la crème fraîche et la menthe ciselée. Mélangez et servez aussitôt.

Ce velouté est également délicieux servi glacé.

→ **autres recettes de** petits pois **à l'index**

petit salé

Le nom de petit salé s'applique à tout morceau de porc qui a été salé : jarret, poitrine, plat-de-côtes, palette, longe, jambonneau, vendus crus avec la mention « demi-sel ». Demandez au boucher de vous préciser le temps de dessalage, de 1 h à 2 h selon la durée de salaison de la viande à l'eau froide renouvelée 2 ou 3 fois. Pour gagner quelques heures, placez la viande dans une casserole d'eau et portez à ébullition, laissez frémir 10 minutes, retirez la viande et jetez l'eau.

Diététique. Si vous laissez le gras de côté, c'est une excellente viande riche en vitamine B. Le petit salé aux lentilles est un plat complet très équilibré.

Petit salé aux lentilles

Pour **6 personnes**
Dessalage **1 à 2 h**
Préparation **20 min**
Cuisson **2 h 20 environ**

1,5 kg de petit salé (morceaux variés) ◆ 2 oignons ◆ 2 clous de girofle ◆ 1 grosse carotte ◆ 600 g de petites lentilles vertes ◆ 1 bouquet garni ◆ persil frais ◆ poivre ◆ sel

1 Faites dessaler les viandes à l'eau froide pendant 1 à 2 h, rincez-les et égouttez-les. Mettez-les dans une grande marmite, couvrez d'eau froide et faites cuire sur feu doux à petits bouillons pendant 2 h.
2 Pelez les oignons. Piquez 2 clous de girofle dans 1 oignon et coupez l'autre en quartiers. Pelez la carotte et coupez-la en tronçons. Mettez ces légumes dans une casserole avec les lentilles.
3 Couvrez largement d'eau froide et ajoutez le bouquet garni. Salez et poivrez. Portez lentement à ébullition et laissez cuire doucement pendant 40 min.
4 Égouttez les lentilles avec les carottes, jetez les oignons et le bouquet garni. Égouttez les viandes et coupez-les en morceaux. Prélevez 4 c. à soupe de la cuisson du petit salé.
5 Réunissez les lentilles et les viandes dans une casserole à fond épais, arrosez de bouillon, poivrez et couvrez. Laissez mijoter doucement pendant 20 min. Servez brûlant en parsemant le dessus de persil frais haché.

Conservez l'eau de cuisson des lentilles pour préparer un potage.

petit-suisse

Ce petit fromage frais de lait de vache, à pâte blanche, molle et lisse, se présente comme un cylindre emballé de papier. Servez-le avec du sucre, de la confiture, du miel et des fruits pochés, ou bien avec du sel, du poivre et des fines herbes. Utilisez-le pour tartiner des canapés, avec du paprika, de la ciboulette ou des raisins secs, mais aussi pour préparer des sauces froides ou encore pour farcir une volaille, ce qui rend la chair plus moelleuse.

Diététique. Fromage riche en protéines, mais c'est le plus pauvre en calcium des fromages frais. 100 g = 200 kcal environ.

pétoncle

Ce coquillage se présente comme une coquille Saint-Jacques miniature (4 à 7 cm environ). Sa meilleure période commence en septembre et dure tout l'hiver. Les amateurs jugent le pétoncle plus fin que la saint-jacques, mais il est assez rare, car il supporte mal le transport.

Les pétoncles se consomment crus, arrosés de jus de citron, ou se font cuire rapidement. Faites-les ouvrir sur feu vif et servez-les avec du beurre fondu ou une persillade. Cuisinez-les aussi comme les moules ou les coques.

Diététique. Pauvre en calories (100 g de pétoncles = 45 kcal) et riche en oligo-éléments : consommez-en sans retenue en période de fatigue ou de remise en forme.

Aumônières de crevettes à la coriandre ▲

Surveillez bien la cuisson des aumônières pour ne pas risquer de laisser roussir la pâte à phyllo. Si la confection demande un peu de minutie, le résultat est toujours spectaculaire.

Salade de pétoncles

RECETTE LÉGÈRE – 1 portion 305 kcal

Pour 4 personnes
Préparation 20 min
Cuisson 2 min

2 échalotes ◆ 1 citron ◆ 12 brins de ciboulette ◆ 4 c. à soupe d'huile de noisette ◆ 300 g de laitue feuille de chêne ◆ 2 kg de pétoncles ◆ 20 cl de vin blanc ◆ sel ◆ poivre

1 Pelez et hachez très finement les échalotes. Pressez le jus du citron. Ciselez la ciboulette. Mélangez dans une jatte l'échalote, le jus de citron, la ciboulette et l'huile. Salez et poivrez.
2 Lavez la laitue, épongez-la et réservez-la dans un torchon. Lavez les pétoncles dans plusieurs bains d'eau froide. Ouvrez-les et détachez les noix avec le corail. Filtrez l'eau des coquillages.
3 Versez cette eau dans une casserole, ajoutez le vin et portez à ébullition. Ajoutez les pétoncles et laissez frémir 2 min. Égouttez-les aussitôt.
4 Versez les pétoncles dans la jatte et remuez-les dans la sauce. Répartissez la salade sur les assiettes de service. Ajoutez les pétoncles avec la sauce et servez aussitôt.

Boisson **entre-deux-mers**

phyllo (pâte à)

Pâte couramment utilisée dans les cuisines moyen-orientales pour confectionner des mets farcis, généralement frits. À base de semoule bouillie à l'eau, puis cuite à l'huile selon une technique très délicate, la pâte à phyllo (ou pâte à filo) se présente sous la forme de feuilles très fines. On les trouve désormais toutes prêtes au rayon frais.

Aumônières de crevettes à la coriandre

Pour 4 personnes
Préparation 25 min
Cuisson 30 min

2 gros oignons doux ◆ 1 bouquet de coriandre ◆ 1 c. à café de graines de fenouil ◆ 16 grosses queues de crevettes ◆ 16 grosses olives noires ◆ 5 feuilles de pâte à phyllo ◆ 25 g de beurre fondu ◆ huile d'olive ◆ sel ◆ poivre

1 Pelez et émincez très finement les oignons. Ciselez finement la coriandre.
2 Faites chauffer un peu d'huile dans une casserole à fond épais et ajoutez les oignons. Salez et poivrez, ajoutez les graines de fenouil et la moitié de la coriandre. Faites chauffer en remuant et laissez fondre doucement jusqu'à coloration légèrement dorée, pendant 20 min environ.
3 Pendant ce temps, lavez et épongez les queues de crevettes. Dénoyautez les olives. Réservez.
4 Prenez 1 feuille de pâte à phyllo et coupez dedans 4 disques de 15 cm de diamètre. Badigeonnez de beurre fondu les 4 autres feuilles. Retournez-les, posez dessus, au centre, un disque de pâte puis répartissez la fondue d'oignons, les queues de crevettes et les olives. Ajoutez le reste de coriandre.

5 Refermez les aumônières (côté beurré à l'extérieur) et serrez-les avec du fil de cuisine. Posez-les sur la tôle du four, tapissée une feuille d'aluminium. Faites cuire 15 min à 180 °C.

Servez les aumônières en entrée chaude, avec une salade de mesclun ou comme plat avec du riz ou de la semoule aux épices.

Tourte d'agneau aux abricots secs

Pour **4 personnes**
Préparation **20 min**
Cuisson **45 min**

2 oignons ◆ 500 g de gigot d'agneau désossé ◆ 4 c. à soupe d'huile d'olive ◆ 8 pruneaux dénoyautés ◆ 8 abricots séchés ◆ 2 c. à soupe de raisins secs blonds ◆ 4 brins de menthe fraîche ◆ 10 cl de bouillon de légumes ◆ 1 c. à café de gingembre en poudre ◆ 1/2 c. à café de cannelle en poudre ◆ 10 feuilles de pâte à phyllo ◆ 50 g de beurre fondu ◆ sel ◆ poivre

1 Pelez et émincez les oignons. Hachez finement la viande d'agneau. Faites chauffer l'huile d'olive dans une sauteuse, ajoutez les oignons et laissez-les blondir. Incorporez la viande. Salez et poivrez. Laissez cuire en remuant de temps en temps pendant 5 min.
2 Ajoutez les pruneaux et les abricots coupés en petits morceaux, les raisins secs et les feuilles de menthe ciselées. Versez le bouillon de légumes et ajoutez le gingembre et la cannelle. Mélangez bien. Laissez mijoter à découvert sur feu doux pendant 15 min.
3 Retaillez les feuilles de pâte à phyllo aux dimensions d'un plat à gratin de taille moyenne. Enduisez chacune de beurre fondu au fur et à mesure que vous les mettrez en place.
4 Beurrez le plat à gratin, posez 2 feuilles de pâte à phyllo beurrées dedans, recouvrez d'une couche de farce d'agneau aux fruits secs. Continuez à remplir le plat en intercalant la farce et les feuilles de pâte à phyllo beurrées (prises 2 par 2). Finissez par une double épaisseur de feuilles de pâte à phyllo.
5 Mettez le plat dans le four préchauffé à 180 °C et comptez 15 min de cuisson environ jusqu'à ce que le dessus soit bien doré. Servez très chaud.

piccata

Cette toute petite escalope de veau se fait sauter au beurre. Comptez-en 3 ou 4 par personne. Les recettes de piccata de veau, d'origine italienne, sont cuisinées au marsala, au citron ou avec un aromate relevé.

Piccata de veau au fenouil

Pour **4 personnes**
Préparation **10 min**
Cuisson **10 min**

600 g de noix de veau ◆ farine ◆ 120 g de beurre ◆ 1 citron ◆ 2 c. à café de graines de fenouil ◆ persil plat ◆ sel ◆ poivre

1 Demandez au boucher de tailler la noix de veau en toutes petites tranches rondes de 25 g chacune.
2 Salez et poivrez les petites tranches de veau. Farinez-les légèrement. Faites fondre 80 g de beurre dans une grande poêle.
3 Faites sauter la viande sur feu vif en comptant 3 min de chaque côté. Égouttez-la et mettez-la dans un plat chaud.
4 Pressez le jus de citron dans la poêle de cuisson et ajoutez le fenouil. Remuez sur feu vif pendant 2 ou 3 min pour déglacer. Ajoutez le reste de beurre en parcelles et fouettez vivement cette sauce.
5 Nappez les escalopes de veau de sauce. Parsemez de persil haché. Servez aussitôt.

Boisson **vin rouge léger**

pickles

Ce condiment anglais est à base de légumes et de fruits variés, conservés au vinaigre avec des épices et des aromates. Il est conditionné en bocaux sous diverses marques, mais vous pouvez en préparer vous-même avec du chou-fleur, du chou, des champignons, des petits oignons ou des tomates, des prunes, des cerises ou des pommes. Les pickles ont exactement les mêmes emplois que les cornichons ou les fruits au vinaigre.

Diététique. À éviter en cas d'ulcère à l'estomac et de régime sans sel.

Pickles au vinaigre

Pour **3 bocaux de 500 g**
Préparation **1 h, 1 mois à l'avance**
Macération **24 h**
Pas de cuisson

225 g de gros sel de mer ◆ 6 oignons ◆ 1 chou-fleur ◆ 1 concombre ◆ 5 tomates vertes ◆ 3 piments rouges ◆ 1 l de vinaigre de cidre ◆ 3 clous de girofle ◆ 1 c. à café de graines de moutarde ◆ 10 grains de poivre

1 Faites dissoudre le sel dans 2 l d'eau bouillante. Laissez reposer.
2 Pelez et hachez les oignons. Lavez et divisez le chou-fleur en bouquets. Pelez le concombre et taillez la pulpe en cubes. Lavez les tomates et coupez-les en tranches.
3 Réunissez ces légumes dans une terrine. Versez la saumure dessus et laissez macérer au frais pendant 24 h.
4 Lavez les piments. Mélangez le vinaigre avec les clous de girofle écrasés, les graines de moutarde et le poivre.
5 Égouttez les légumes et répartissez-les dans les bocaux en ajoutant 1 piment dans chacun. Finissez de remplir les pots avec le vinaigre aromatisé. Tous les légumes doivent être immergés. Couvrez, bouchez hermétiquement et étiquetez. Attendez environ 1 mois avant de consommer.

→ autres recettes de pickles à l'index

picodon

Ce petit fromage de chèvre à pâte molle en forme de palet rond possède une fine croûte bleuâtre ou dorée selon son affinage. Originaire du Dauphiné ou du Languedoc, il est bon de mai à décembre.

pie

Cette spécialité traditionnelle de la cuisine anglo-saxonne se prépare avec des fruits, ou une farce à base de viande, cuits sous une croûte. Le plat de cuisson du pie possède un large rebord sur lequel on fait reposer le couvercle de pâte.

Diététique. Attention, sucré ou salé, le pie est toujours calorique.

Apple pie

Pour **6 personnes**
Préparation **30 min**, pâte **20 min**
Cuisson **40 min**

400 g de pâte brisée ◆ 700 g de pommes ◆ 1 citron ◆ 1 orange non traitée ◆ 100 g de sucre semoule ◆ 20 g de farine ◆ 50 g de raisins secs ◆ 25 g de beurre ◆ muscade ◆ cannelle en poudre

1 Préparez la pâte *(voir page 526)*. Laissez-la reposer au frais. Pelez les pommes, coupez-les en quartiers, retirez-en le cœur et les pépins et citronnez-les. Râpez le zeste de l'orange et pressez-la. Mélangez le sucre, la farine, le zeste d'orange, 1/2 c. à café de muscade et de cannelle.
2 Abaissez la pâte sur 3 mm d'épaisseur et tapissez-en un plat à pie rond. Roulez à nouveau le reste de pâte en boule. Parsemez le plat garni avec 1 c. à soupe du mélange au sucre.
3 Remplissez ce plat avec les pommes en ajoutant à intervalles réguliers le mélange au sucre et les raisins secs. Arrosez de jus d'orange et ajoutez le beurre en parcelles.
4 Abaissez le reste de pâte sur 5 mm d'épaisseur pour faire le couvercle. Placez-le et soudez-le au fond à l'aide d'une bande de pâte. Entaillez le couvercle en 3 endroits. Faites cuire 40 min dans le four à 200 °C. Servez chaud.

Chicken pie

Pour **6 personnes**
Préparation **30 min**, pâte **20 min**
Cuisson **1 h 40**

250 g de pâte brisée ◆ 3 oignons ◆ 3 échalotes ◆ 100 g de champignons de couche ◆ 1 petit bouquet de persil ◆ 25 g de beurre ◆ 5 œufs ◆ 1 poulet de 1,2 kg ◆ 500 g de noix de veau ◆ 100 g de lardons maigres ◆ 15 cl de bouillon de volaille ◆ sel ◆ poivre ◆ muscade

1 Préparez la pâte brisée *(voir page 526)* et réservez-la en boule au frais. Pelez et hachez les oignons et les échalotes. Nettoyez et émincez finement les champignons. Hachez le persil.
2 Faites fondre le beurre dans une casserole, ajoutez les ingrédients précédents. Salez et poivrez. Muscadez. Laissez mijoter 10 min.
3 Faites durcir 4 œufs. Coupez le poulet en 12 morceaux. Désossez-les. Émincez le veau.

4 Tapissez un grand plat à pie avec les lanières de veau. Rangez-y les morceaux de poulet en intercalant les œufs durs écalés et coupés en 2 et les lardons. Recouvrez le tout avec le contenu de la casserole et versez le bouillon.
5 Abaissez la pâte sur 5 mm d'épaisseur. Découpez-y un couvercle un peu plus grand que le dessus du plat, puis, dans les chutes, des bandes de pâte larges comme le rebord du plat.
6 Mouillez au pinceau ce rebord et collez-y les bandes de pâte. Mouillez-les et placez le couvercle de pâte. Appuyez pour souder.
7 Dorez le dessus au jaune d'œuf et rayez-le avec une fourchette. Faites une ouverture au milieu du couvercle et placez-y un bristol enroulé pour faire une cheminée.
8 Faites cuire dans le four à 220 °C pendant 1 h 30. Servez chaud dès la sortie du four, sinon la pâte risque de ramollir en refroidissant.

Boisson vin rouge assez corsé

pièce montée

→ **voir aussi** gâteau

Cette pâtisserie de grande taille, très décorative, se prépare pour un anniversaire, un mariage ou une fête. Elle est généralement commandée chez un pâtissier, qui réalise le décor souhaité. Mais vous pouvez confectionner vous-même un assemblage de choux au caramel en pyramide ou superposer des abaisses de génoise : fourrez celles-ci de crème au beurre, glacez-les de fondant et décorez-les de pâte d'amandes, de dragées ou de fruits confits.

Croquembouche

Pour **15 personnes**
Préparation **1 h 30**, choux **40 min**
Cuisson **10 min**

60 petits choux ◆ 1 l de lait ◆ 1 gousse de vanille ◆ 6 œufs ◆ 125 g de farine ◆ 150 g de sucre semoule ◆ 50 g de beurre ◆ 500 g de sucre en morceaux ◆ 200 g de dragées ◆ rhum ◆ vinaigre

1 Préparez les choux la veille si vous les réalisez vous-même.
2 Préparez une crème pâtissière avec le lait à la vanille, 2 œufs entiers et 4 jaunes, la farine, le sucre semoule et le beurre. Parfumez-la avec 3 c. à soupe de rhum.

Croquembouche ▲
Le montage de cette pâtisserie est délicat : demandez de l'aide pour préparer le caramel au fur et à mesure et le tenir à la bonne température. Collez ensuite les choux le plus rapidement possible.

3 Fourrez les choux de crème avec une poche munie d'une douille très fine qui perce la base des choux.
4 Préparez un caramel clair avec 150 g de sucre en morceaux et 1/2 verre d'eau. Ajoutez 1 c. à café de vinaigre pour retarder le durcissement.
5 Caramélisez une première fournée de choux en les plongeant dans le caramel. Faites-les refroidir sur une grille. Préparez une autre quantité de caramel et caramélisez tous les choux.
6 Sur le plat de service, retournez un saladier de même diamètre que le croquembouche. Collez une couronne de choux caramélisés autour du saladier, la partie caramélisée vers l'extérieur du gâteau.
7 Ôtez le saladier et continuez à monter les rangées de choux en les décalant légèrement les uns par rapport aux autres. Décorez en collant les dragées au caramel.

pied

Cet abat blanc s'achète généralement déjà cuit chez le boucher ou le tripier. Les pieds de veau, riches en gélatine, sont surtout utilisés pour préparer une gelée, enrichir une daube ou un bœuf mode. Vous pouvez aussi les préparer à la poulette ou en sauce tartare, une fois désossés.

Diététique. Le plus calorique de tous les abats, car riche en lipides : 100 g = 350 kcal.

Saladier lyonnais

Pour **4 personnes**
Préparation **15 min**
Cuisson **10 min**

5 c. à soupe d'huile • 2 c. à soupe de vinaigre • 4 foies de volaille • 2 œufs • 4 pieds de mouton cuits • 2 filets de harengs marinés • moutarde • persil • estragon • cerfeuil • ciboulette • sel • poivre

1 Mélangez dans un saladier 4 c. à soupe d'huile, le vinaigre et 1/2 c. à café de moutarde. Salez et poivrez. Fouettez le mélange.

2 Faites sauter les foies de volaille dans une poêle avec le reste d'huile. Faites cuire les œufs durs. Rafraîchissez-les et écalez-les.

3 Désossez les pieds de mouton et coupez les chairs en petits morceaux. Coupez les harengs en bouchées. Mettez-les dans le saladier. Ajoutez 4 c. à soupe de fines herbes mélangées. Remuez et ajoutez sur le dessus les œufs durs en quartiers. Servez.

Boisson **bourgogne aligoté**

pigeon

→ **voir aussi** palombe

Qu'il soit sauvage ou d'élevage, cet oiseau possède une chair sombre, très tendre quand il est jeune : faites-le rôtir, griller ou cuire en papillote. Le pigeon ramier a un goût plus relevé que le pigeon domestique. S'il est un peu vieux, cuisinez-le en compote, en pâté ou en salmis. Les deux saisons du pigeon sont l'automne et le début du printemps.

Diététique. Le pigeon fait partie des viandes très maigres (2 % de matières grasses).

Pigeons à la niçoise

Pour **6 personnes**
Préparation **25 min**
Cuisson **40 min environ**

18 petits oignons blancs • 60 g de beurre • 6 pigeons • 10 cl de vin blanc • 200 g de petites olives noires • 1 kg de pois gourmands • laurier • sarriette • sel • poivre

1 Pelez les oignons. Mettez-les dans une casserole avec 20 g de beurre. Salez et poivrez. Ajoutez 3 c. à soupe d'eau et faites cuire à couvert sur feu moyen pendant 20 min.

2 Faites fondre le reste de beurre dans une cocotte, mettez-y à dorer les pigeons en les retournant sur toutes les faces. Ajoutez 1 feuille de laurier et 2 pincées de sarriette. Versez le vin et ajoutez les oignons égouttés.

◄ Pigeons à la niçoise

Ne retirez pas le foie des pigeons avant de les faire cuire, il ne contient jamais de fiel. Si vous prenez des pigeonneaux, bardez-les légèrement, car la chair est plus fragile. Vous pouvez aussi utiliser de grosses olives vertes.

3 Laissez mijoter pendant 15 min. Ajoutez les olives et faites cuire 5 à 10 min.
4 Faites cuire les pois gourmands à la vapeur. Versez-les dans un plat creux, disposez les pigeons par-dessus avec les olives et les oignons.

Pigeonneaux à la crapaudine

Pour **4 personnes**
Préparation **30 min**
Repos **30 min**
Cuisson **30 min environ**

4 petits pigeons ◆ 2 gousses d'ail ◆ 1 bouquet de persil ◆ huile d'olive ◆ sel ◆ poivre

1 Fendez les pigeons sur le dos sans les séparer complètement. Aplatissez-les avec une batte. Salez et poivrez.
2 Pelez et hachez l'ail. Lavez le persil et hachez-le menu. Mélangez dans un bol l'ail, le persil et 4 c. à soupe d'huile. Mettez les pigeons aplatis dans un plat, arrosez-les de cette sauce, retournez-les dedans et laissez reposer 30 min.
3 Faites-les ensuite griller dans le four, à chaleur modérée, pendant 25 à 30 min, en les retournant plusieurs fois. Servez brûlant.

Pigeonneaux aux petits pois

Pour **4 personnes**
Préparation **30 min**
Cuisson **30 min environ**

1,5 kg de petits pois frais ◆ 1 cœur de laitue ◆ 1 tranche de lard maigre ◆ 20 petits oignons grelots ◆ 1 échalote ◆ 50 de beurre ◆ 4 pigeonneaux ◆ huile de maïs ◆ vin blanc ◆ sucre semoule ◆ sel ◆ poivre

1 Écossez les petits pois. Lavez et épongez la laitue. Coupez le lard en morceaux. Pelez les petits oignons. Pelez et émincez l'échalote.
2 Faites chauffer 25 g de beurre dans une cocotte avec 1 c. à soupe d'huile. Faites-y fondre l'échalote pendant 2 min en remuant. Ajoutez les pigeons et faites-les colorer en les retournant. Salez et poivrez. Ajoutez 1 petit verre de vin blanc. Couvrez et laissez cuire 20 min.
3 Faites rissoler les lardons dans le reste de beurre. Ajoutez les petits pois écossés, la laitue et les petits oignons. Salez. Ajoutez 1 pincée de sucre et 2 verres d'eau. Couvrez et faites cuire 15 min sur feu moyen.
4 Égouttez les pigeonneaux. Enfouissez-les légèrement dans les petits pois et poursuivez la cuisson doucement pendant 5 min. Servez.

pignon

Cette petite graine allongée extraite de la pomme de pin possède un goût d'amande légèrement résineux. Les pignons s'emploient entiers ou concassés : dans des biscuits, des gâteaux secs, une farce de poisson ou de volaille, une sauce pour les pâtes, ou encore en garniture de salade composée ou de riz.

Diététique. Délicieux à grignoter, mais très calorique : 100 g = 600 kcal.

Bucatini aux pignons

Pour **4 personnes**
Préparation **15 min**
Cuisson **25 min environ**

250 g de pointes d'asperges vertes ◆ 1 bouquet de persil plat ◆ 2 tomates ◆ 1 gousse d'ail ◆ 350 g de bucatini ◆ 50 g de pignons de pin ◆ 80 g de pecorino sec ◆ huile d'olive vierge extra ◆ sel ◆ poivre

1 Faites cuire les pointes d'asperges à l'eau bouillante salée en les gardant croquantes. Égouttez-les et versez-les dans un saladier avec 1 c. à soupe d'huile et la moitié du persil ciselé.
2 Ébouillantez les tomates, pelez-les et coupez-les en petits dés en éliminant les pépins. Faites chauffer un peu d'huile dans une poêle, ajoutez l'ail pelé et haché puis les tomates. Faites fondre 5 min en remuant.
3 Faites cuire les bucatini dans une grande quantité d'eau bouillante salée. Faites griller les pignons de pin à sec dans une petite poêle.
4 Versez la fondue de tomates dans un plat creux très chaud, ajoutez les pâtes et mélangez vivement. Salez et poivrez. Ajoutez les pointes d'asperges et mélangez. Garnissez de pignons de pin et du reste de persil ciselé. Arrosez d'un filet d'huile, poivrez au moulin et servez avec le pecorino finement râpé.

Croissants aux pignons

Pour **30 biscuits environ**
Préparation **20 min**
Cuisson **10 min environ**

250 g de sucre semoule ◆ 50 g de farine ◆ 150 g d'amandes en poudre ◆ 5 œufs ◆ huile ◆ 200 g de pignons de pin

1 Versez 50 g de sucre dans une casserole, ajoutez 4 c. à soupe d'eau et mélangez. Faites bouillir 2 min puis retirez du feu.
2 Mélangez dans une terrine la farine, les amandes en poudre et 200 g de sucre semoule. Cassez 3 œufs et séparez les blancs des jaunes.
3 Incorporez ces 3 blancs dans la terrine et mélangez jusqu'à l'obtention d'une consistance homogène. Partagez la pâte en 3 parts puis chacune d'elles en 10.
4 Façonnez ces portions en croissants. Tapissez la tôle du four d'une feuille de papier sulfurisé huilé. Préchauffez le four à 200 °C.
5 Battez 2 œufs entiers en omelette. Trempez-y les croissants 1 par 1. Roulez-les dans les pignons de pin et rangez-les sur la tôle du four. Faites cuire 8 à 10 min.
6 À la sortie du four, badigeonnez les croissants avec le sirop de sucre et laissez tiédir. Décollez-les en faisant passer un peu d'eau froide entre la tôle et le papier.

Conservez les croissants aux pignons au sec dans une boîte en fer hermétique.

Ces petits biscuits sont une spécialité provençale où l'on retrouve les fruits secs typiques de la région ; on peut parfumer la pâte avec un peu d'eau de fleur d'oranger.

→ **autres recettes de pignon à l'index**

pilaf

Ce terme d'origine orientale désigne un plat de riz servi avec une garniture. Le riz est d'abord cuit au gras avec de l'oignon, puis mouillé avec un liquide aromatisé. La garniture est ajoutée en cours de cuisson ou au moment de servir : fruits de mer, volaille émincée, rognons, poisson en sauce, viande hachée. Servi en accompagnement d'une viande ou d'un poisson, le pilaf est souvent moulé en couronne.

Pilaf de mouton

Pour **4 personnes**
Préparation **25 min**
Cuisson **1 h 25**

2 oignons ◆ 600 g d'épaule d'agneau désossée ◆ 2 tomates ◆ 200 g de gombos ◆ 20 g de beurre ◆ 1 bouquet garni ◆ 1,5 l de bouillon de viande ◆ 300 g de riz à grains longs ◆ 1 mesure de safran ◆ huile ◆ sel ◆ poivre

1 Pelez et hachez les oignons. Coupez la viande en morceaux de 50 g. Pelez les tomates et coupez-les en quartiers. Nettoyez les gombos et coupez-les en 2.
2 Faites chauffer le beurre dans une cocotte avec 2 c. à soupe d'huile. Faites rissoler les oignons en remuant puis ajoutez la viande. Salez et poivrez. Faites colorer 2 min.
3 Ajoutez les tomates, les gombos et le bouquet garni. Remuez et versez le bouillon. Mélangez, couvrez et laissez cuire doucement pendant 1 h.
4 Ajoutez le riz et le safran. Poursuivez la cuisson pendant 20 à 25 min. Retirez la cocotte du feu et laissez reposer 5 min à couvert. Dégraissez le dessus, retirez le bouquet garni et servez aussitôt dans un plat creux.

Boisson **vin rosé très frais**

→ **autres recettes de pilaf à l'index**

pilchard

Ce terme désigne une conserve de harengs ou de sardines dans une sauce à l'huile et à la tomate. Le nom de l'espèce doit figurer sur la boîte. Servez les pilchards en hors-d'œuvre froid avec des olives, des champignons à la grecque, des cœurs d'artichauts et des œufs durs.

Diététique. 100 g de pilchards = 177 kcal.

piment

→ **voir aussi** chili con carne, harissa, poivre, Tabasco

Ce terme désigne à la fois une plante, la gousse qu'elle produit, les graines qu'elle renferme et les épices très piquantes qui en sont tirées. Il en existe de nombreuses variétés d'origine exotique.

Le piment des Antilles, rouge vif, très fort, est vendu frais toute l'année. Le piment oiseau, lui aussi très piquant, donne une fois séché et pulvérisé le « poivre de Cayenne ». Le piment rouge, un peu moins fort, est vendu frais et séché. Le piment vert, plus doux, est vendu frais. La poudre de chili est à base de piment mexicain.

Tous les plats à base de tomate, de riz, de bœuf en ragoût peuvent être relevés d'une pointe de piment. Vous pouvez aussi l'utiliser dans des marinades de poisson, des sauces froides ou des condiments. Employez-le prudemment pour ne pas tuer le goût du plat par un excès d'épice trop brûlante.

Diététique. Une cuisine très pimentée est mal tolérée en cas de digestion difficile.

Huile pimentée

Pour **1 litre**
Préparation **10 min**
Macération **2 mois**
Pas de cuisson

6 petits piments rouges frais ◆ 1 l d'huile d'olive extra-vierge

1 Remplissez d'eau une casserole et portez à ébullition. Mettez-y les piments et laissez bouillonner 1 min. Égouttez-les, épongez-les et retirez les queues. Écrasez-les légèrement avec un rouleau à pâtisserie.

2 Mettez les piments dans une bouteille et versez l'huile par-dessus. Bouchez et agitez la bouteille. Laissez macérer 2 mois avant de consommer.

Servez-vous de cette huile pour des vinaigrettes de légumes d'été, pour badigeonner des poissons à griller, pour faire rissoler du bœuf ou du mouton à cuire en ragoût, etc.

Rougail de tomates

Pour **4 personnes**
Préparation **10 min**
Pas de cuisson

1 gros oignon ◆ 25 g de gingembre frais ◆ 4 tomates ◆ 1/2 citron ◆ 1 piment rouge ◆ 1 piment vert ◆ sel ◆ poivre

1 Pelez et hachez l'oignon. Pelez le gingembre et râpez-le. Ébouillantez les tomates, pelez-les et concassez la pulpe.

2 Pressez le jus du citron. Lavez les piments et coupez-les en petits morceaux.

3 Réunissez tous ces ingrédients dans un mixer. Ajoutez 1/2 c. à café de sel et quelques pincées de poivre. Réduisez en purée et mettez celle-ci dans un bol. Servez frais.

Proposez ce condiment antillais avec un plat de riz garni, du poisson grillé ou des beignets salés.

→ **autres recettes de piment à l'index**

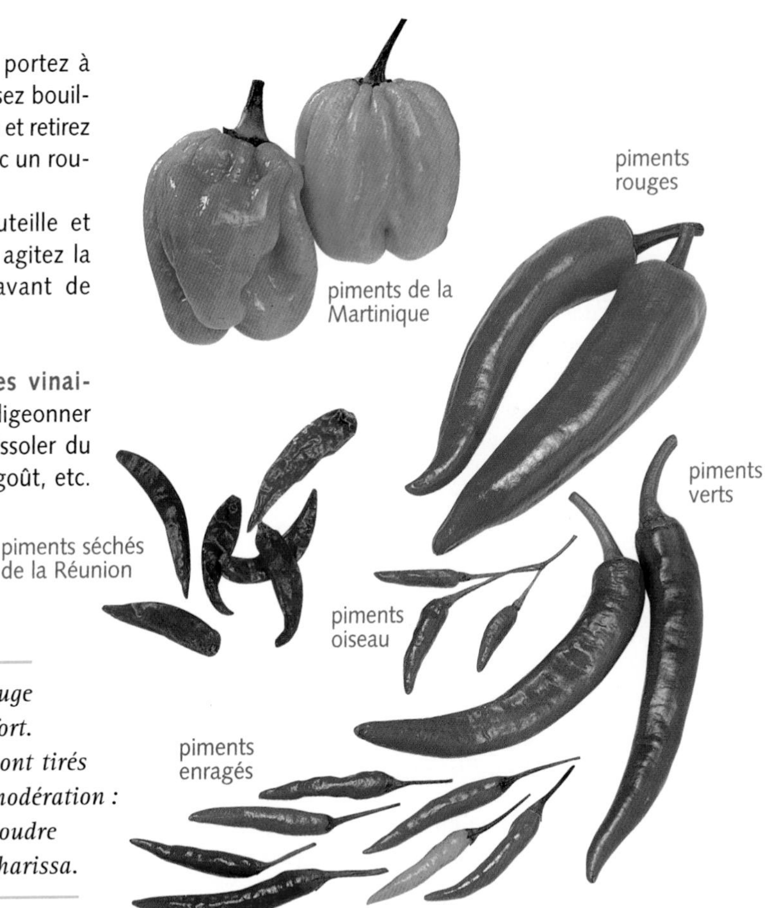

Plus le piment est rouge et séché, plus il est fort. Les produits qui en sont tirés sont à utiliser avec modération : poivre de Cayenne, poudre de chili, Tabasco ou harissa.

Pintade au chou ▲

Choisissez pour cette recette une pintade adulte dont la chair assez ferme supporte une longue cuisson mijotée. Le chou doit être bien moelleux et fondant. Attention à l'assaisonnement, à cause des lardons.

pineau

Le pineau des Charentes est un vin de liqueur originaire de la région de Cognac. Il existe en blanc ou rosé et titre entre 16 % et 22 % Vol. Servez-le frais en apéritif ou avec des crevettes sautées à la poêle. Il se marie bien avec les fruits.

Fruits au pineau

Pour **4 personnes**
Préparation **30 min, 1 h à l'avance**
Pas de cuisson

1 melon mûr ◆ 1 grappe de raisin muscat ◆ 3 pêches blanches ◆ 1 l de pineau blanc ◆ 100 g de fraises des bois

1 Coupez le melon en quartiers. Éliminez les graines avec une petite cuiller et coupez la pulpe en cubes. Mettez-les dans un compotier.

2 Lavez et égrappez le raisin. Pelez les grains. Ajoutez-les au melon. Pelez les pêches, coupez-les en 2, retirez le noyau et coupez-les en lamelles. Ajoutez-les aux autres fruits.

3 Versez le pineau sur les fruits et laissez reposer au frais pendant 1 h. Au moment de servir, éparpillez des fraises des bois sur le dessus et remuez.

pintade

Cette volaille est un animal d'élevage à la chair colorée, assez savoureuse mais souvent un peu sèche. Le pintadeau fermier est particulièrement succulent : faites-le simplement rôtir en comptant 30 minutes par kilo ou sauter en morceaux comme le poulet. Il connaît toutes les recettes et les garnitures du faisan ou du perdreau. La pintade adulte, dont la chair est plus ferme, demande une cuisson plus longue.

- **Diététique.** Viande maigre qui s'inscrit sans problème dans un régime hypocalorique : 100 g = 130 kcal.

Pintade au chou

Pour **4 personnes**
Préparation **30 min**
Cuisson **1 h 45**

1 pintade ◆ 1 petit chou vert frisé ◆ 250 g de lard fumé ◆ 50 g de beurre ◆ sel ◆ poivre

1 Demandez au volailler de vider et de brider la pintade. Il n'est pas nécessaire de la barder.

2 Coupez le chou en 4. Retirez les grosses feuilles de l'extérieur. Faites-le blanchir 5 à 6 min dans une grande casserole d'eau bouillante salée. Égouttez-le à fond.

3 Coupez le lard en gros morceaux. Mettez-les dans une cocotte et faites rissoler en remuant sur feu moyen sans ajouter de matière grasse.

4 Égouttez les lardons. Mettez les quartiers de chou dans la cocotte et faites cuire doucement pendant 10 min. Salez et poivrez. Lorsque le chou a fondu, rajoutez les lardons, couvrez et faites mijoter.

5 Enduisez la pintade avec 25 g de beurre ramolli et faites-la cuire 15 min au four à 220 °C. Lorsqu'elle est dorée, mettez-la dans la cocotte en l'enfonçant au milieu du chou. Couvrez et poursuivez la cuisson doucement 1 h 20.

6 Pour servir, retirez la pintade de la cocotte, ôtez la ficelle et découpez-la. Égouttez le chou et les lardons, mettez-les dans un plat creux et posez les morceaux de pintade dessus.
7 Faites réduire le fond de cuisson sur feu vif, ajoutez le reste de beurre, fouettez. Salez et poivrez. Servez ce jus en saucière.

Boisson **saint-émilion**

Pintade au chou et aux figues

Pour **4 personnes**
Préparation **20 min**
Cuisson **1 h 30 min**

1 petit chou vert frisé ◆ 4 figues séchées ◆ 1 pintade fermière ◆ 15 cl de bouillon de volaille ◆ huile de maïs ◆ thé ◆ sel ◆ poivre

1 Retirez les grosses feuilles et le trognon du chou. Coupez-le en quartiers, faites-les blanchir 10 min dans de l'eau puis égouttez-les et pressez-les. Mettez les figues dans un bol, couvrez-les de thé assez fort et laissez-les gonfler.
2 Salez et poivrez à l'intérieur de la pintade. Badigeonnez-la d'huile et posez-la dans un plat à four. Faites-la rôtir 50 min à 220 °C.
3 Mettez les quartiers de chou blanchi dans une cocotte puis ajoutez le bouillon. Salez et poivrez. Couvrez et laissez mijoter 30 min.
4 Sortez la pintade du four et découpez-la. Posez les morceaux sur le chou, ajoutez autour les figues égouttées, coupées en 2. Couvrez et remettez dans le four à 180 °C pendant 15 à 20 min. Servez dans la cocotte.

Pintadeau à la normande

Pour **2 personnes**
Préparation **20 min**
Cuisson **50 min**

3 pommes ◆ 1/2 citron ◆ 1 pintadeau ◆ 30 g de beurre ◆ 5 cl de crème fraîche ◆ calvados ◆ sel ◆ poivre

1 Pelez les pommes, coupez-les en quartiers, retirez le cœur et les pépins. Citronnez les quartiers. Coupez le pintadeau en 2.
2 Faites fondre le beurre dans une cocotte et faites-y dorer le pintadeau pendant 10 min. Salez et poivrez. Mouillez avec 1 verre d'eau. Couvrez et laissez mijoter 20 min.
3 Ajoutez 2 c. à soupe de calvados puis les pommes. Couvrez et poursuivez la cuisson pendant 15 min.
4 Égouttez les demi-pintadeaux et posez-les dans un plat chaud. Entourez-les de pommes.
5 Ajoutez la crème dans le jus de cuisson et remuez sur feu vif. Nappez le plat de cette sauce et servez aussitôt.

→ **autres recettes de pintade à l'index**

piperade

Cette préparation originaire du Pays basque est à base de poivrons réduits en compote avec des oignons et des tomates. Elle se sert bien relevée avec des œufs, brouillés ou en omelette, et du jambon.

Œufs en piperade

RECETTE LÉGÈRE — 1 portion 50 kcal

Pour **4 personnes**
Préparation **20 min**
Cuisson **50 min environ**

4 poivrons (2 jaunes et 2 rouges) ◆ 4 tomates ◆ 2 oignons doux ◆ 1 gousse d'ail ◆ 2 pincées de piment en poudre ◆ 4 œufs ◆ sel ◆ poivre

1 Préchauffez le four à 200 °C. Lavez et essuyez les poivrons et les tomates. Pelez et émincez les oignons. Mélangez le tout dans un plat à gratin, avec 2 c. à soupe d'eau et faites-les rôtir 15 min.
2 Sortez et égouttez les légumes. Coupez les poivrons en 2, ôtez les graines, détaillez la pulpe en lanières. Pelez et concassez les tomates. Ne jetez pas le jus que contient le plat.
3 Mettez les poivrons et les tomates dans une sauteuse. Ajoutez les oignons et l'ail pelé et émincé, le piment et le jus des légumes. Faites cuire à découvert 30 min.
4 Cassez les œufs dans une jatte et battez-les en omelette. Salez et poivrez. Versez-les sur les légumes mélangés et brouillez-les avec une fourchette jusqu'à ce qu'ils commencent à prendre. Laissez chauffer quelques minutes. Servez directement dans la sauteuse.

pirojki

→ **voir aussi** russe (cuisine)

Ces petits pâtés en forme de chaussons sont garnis d'une farce de viande, de poisson, de fromage ou de chou. Ils accompagnent traditionnellement le borchtch à la russe, mais vous pouvez les servir en entrée chaude avec un coulis de tomates. Préparez-les en pâte brisée, briochée ou feuilletée.

pissaladière

Cette tarte à l'oignon du Midi est garnie de filets d'anchois et d'olives noires. Elle est plus authentique en pâte à pain qu'en pâte brisée ou feuilletée. Servez-la en entrée, chaude ou froide, ou bien en plat principal avec une salade verte.

Pissaladière niçoise

Recette légère — 1 portion 275 kcal

Pour **8 personnes**
Préparation **20 min, 1 h à l'avance**
Cuisson **1 h 15**

700 g de pâte à pain ◆ 1 kg d'oignons ◆ 2 gousses d'ail ◆ 1 c. à soupe de câpres égouttées ◆ 30 filets d'anchois à l'huile ◆ 30 petites olives noires ◆ huile d'olive ◆ thym ◆ laurier ◆ sel ◆ poivre

1 Commandez la pâte à pain chez le boulanger. Pétrissez la pâte pendant 5 min en incorporant 2 c. à soupe d'huile. Roulez-la en boule. Laissez reposer 1 h à température ambiante.
2 Pelez et émincez les oignons. Pelez et hachez l'ail. Faites fondre les oignons dans une sauteuse avec 3 c. à soupe d'huile. Salez et poivrez. Ajoutez l'ail, 1 brin de thym, 1/2 feuille de laurier et les câpres. Laissez cuire doucement 30 min.
3 Aplatissez la boule de pâte à la main sur 1 cm d'épaisseur et garnissez-en la tôle du four légèrement huilée. Étalez les oignons sur cette pâte en 1 seule couche sans aller jusqu'aux bords.
4 Épongez les anchois et disposez-les par-dessus en croisillons. Faites cuire au four à 250 °C pendant 20 min. Baissez la chaleur du four à 200 °C et poursuivez la cuisson pendant 10 min.
5 Disposez les olives en garniture entre les croisillons d'anchois. Remettez au four 10 min et servez chaud ou froid.

pissalat

Ce condiment provençal à base d'anchois, d'huile d'olive et d'aromates a pratiquement les mêmes emplois que la tapenade. Utilisez-le surtout avec des poissons grillés ou pochés et servis froids, des crudités ou de la viande froide (bœuf ou agneau).

pissenlit

Cette plante vivace aux feuilles dentelées fournit une salade d'hiver au goût un peu amer. Elle demande une vinaigrette bien relevée. Vous la garnirez à volonté de croûtons à l'ail, de lardons, ou d'œufs durs. Le pissenlit sauvage, en février et en mars, a davantage de goût que le pissenlit amélioré, plus précoce sur le marché (d'octobre à mars).

Diététique. Relativement nourrissante pour une simple « salade » : 100 g = 48 kcal.

Salade de pissenlit aux œufs durs

Recette légère — 1 portion 240 kcal

Pour **4 personnes**
Préparation **15 min**
Cuisson **10 min**

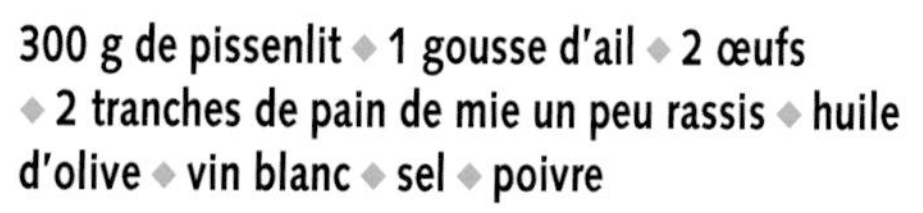

300 g de pissenlit ◆ 1 gousse d'ail ◆ 2 œufs ◆ 2 tranches de pain de mie un peu rassis ◆ huile d'olive ◆ vin blanc ◆ sel ◆ poivre

1 Effeuillez le pissenlit, lavez-le et essorez-le. Pelez l'ail. Faites durcir les œufs 10 min.
2 Écroûtez le pain, frottez-le d'ail et taillez-le en petits dés. Préparez une vinaigrette avec 4 c. à soupe d'huile et 2 c. à soupe de vin blanc. Salez et poivrez.
3 Faites rissoler les petits dés de pain. Écalez les œufs. Coupez-les en grosses rondelles. Mettez le pissenlit dans un saladier, arrosez de vinaigrette et remuez. Ajoutez les croûtons. Garnissez avec les rondelles d'œufs durs. Servez.

→ **autres recettes de pissenlit à l'index**

Pissaladière niçoise ►

Pour être vraiment réussie, la pissaladière doit présenter une couche d'oignons fondus au moins égale à l'épaisseur du fond en pâte à pain.

pistache

Cette graine ovale, vert pâle, est enfermée dans une coquille légère. D'une saveur douce et délicate, elle connaît des emplois variés en cuisine, pour truffer des farces, des galantines ou un rôti de veau. En pâtisserie, sa couleur est souvent accentuée par du colorant, surtout pour les glaces et les crèmes.

- **Diététique.** Supprimez les pistaches des amuse-gueule si vous ne voulez pas absorber plus de 600 kcal en 3 poignées (100 g).

Dessert glacé à la pistache

Pour **4 personnes**
Préparation **20 min**
Prise au froid **4 h**
Pas de cuisson

500 g de fromage frais très ferme ◆ 250 g de sucre glace ◆ 1 melon ◆ 150 g de pistaches mondées ◆ 250 g de pâte d'amandes verte ◆ 150 g de fruits confits

1 Mélangez intimement le fromage frais et le sucre glace. Mettez au froid.

2 Coupez le melon en 2, retirez les graines et extrayez la pulpe. Passez-la au mixer. Mélangez-la avec le fromage sucré en ajoutant 40 g de pistaches concassées. Faites prendre au froid pendant 4 h.

3 Réduisez le reste des pistaches en poudre. Mélangez celle-ci avec la pâte d'amandes et tapissez-en une jatte ronde. Mettez au froid pendant 2 h.

4 Remplissez la jatte de fromage glacé. Lissez le dessus et renversez la jatte pour démouler. Décorez avec les fruits confits et servez.

pistou

→ voir aussi pesto

Ce condiment provençal est une purée de basilic et d'ail, pilés avec de l'huile d'olive. Il est parfois agrémenté de parmesan râpé, comme dans la recette du pesto de Gênes, dont dérive le pistou. Ajoutez-le dans une soupe de légumes ou sur un plat de pâtes juste avant de servir. Le mot pistou désigne parfois soit la soupe, soit le basilic.

Soupe au pistou

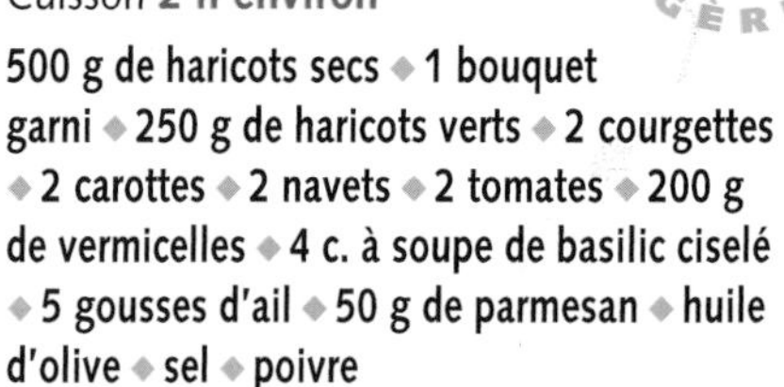

Pour **8 personnes**
Préparation **30 min**
Trempage **12 h**
Cuisson **2 h environ**

500 g de haricots secs ◆ 1 bouquet garni ◆ 250 g de haricots verts ◆ 2 courgettes ◆ 2 carottes ◆ 2 navets ◆ 2 tomates ◆ 200 g de vermicelles ◆ 4 c. à soupe de basilic ciselé ◆ 5 gousses d'ail ◆ 50 g de parmesan ◆ huile d'olive ◆ sel ◆ poivre

1 Faites tremper les haricots en grains pendant 12 h. Égouttez-les et mettez-les dans une marmite avec 2,5 l d'eau froide. Salez. Ajoutez le bouquet garni et portez à ébullition. Faites cuire pendant 1 h 30.

◄ **Soupe au pistou**
C'est le mélange des légumes du jardin qui donne toute sa valeur à cette délicieuse soupe du Midi qui peut constituer le plat de résistance à elle seule.

2 Effilez les haricots verts. Coupez les courgettes en fines rondelles. Pelez les carottes et les navets. Coupez-les en petits dés.
3 Ajoutez les carottes et les navets dans la marmite. Faites cuire pendant 20 min. Ajoutez les haricots verts et les courgettes. Poursuivez la cuisson 10 min.
4 Pelez les tomates. Ajoutez-les dans la marmite avec les vermicelles. Poursuivez la cuisson 10 min.
5 Pilez dans un mortier le basilic et les gousses d'ail pelées. Ajoutez 4 c. à soupe d'huile d'olive en délayant.
6 Versez ce condiment dans la soupe et poivrez. Remuez. Ajoutez le parmesan et servez.

pithiviers (fromage)

Ce fromage de lait de vache à pâte molle en forme de disque épais offre une croûte fleurie blanc-gris. Affiné sous une couche de foin, il possède une saveur prononcée.

pithiviers (gâteau)

Cette pâtisserie ronde en pâte feuilletée et aux bords festonnés est fourrée d'une crème frangipane.
Diététique. Très calorique : 1 portion = 450 kcal.

Pithiviers fourré

Pour 8 personnes
Préparation 30 min
Cuisson 30 min

100 g de beurre ◆ 100 g de sucre semoule ◆ 7 jaunes d'œufs ◆ 40 g de fécule de pomme de terre ◆ 100 g d'amandes en poudre ◆ 2 c. à soupe de rhum ◆ 500 g de pâte feuilletée ◆ sucre glace

1 Travaillez le beurre en pommade puis ajoutez le sucre. Incorporez 6 jaunes d'œufs l'un après l'autre, puis la fécule, les amandes en poudre et le rhum. Mélangez.
2 Partagez le feuilletage en 2 portions inégales : 200 g et 300 g. Abaissez la première en un disque de 22 cm de diamètre. Posez-le sur la tôle du four légèrement mouillée. Avec un couteau pointu, découpez tout le tour en festons.
3 Garnissez ce disque avec la crème aux amandes en laissant une marge de 1,5 cm au bord. Badigeonnez le tour avec la moitié du dernier jaune d'œuf.
4 Abaissez le reste de pâte en un disque identique au premier, mais plus épais. Posez-le sur le premier et soudez les bords. Égalisez les festons. Dorez le dessus.
5 Enfournez à 250 °C et faites cuire 30 min. Poudrez de sucre glace et remettez au four 2 min pour glacer. Servez tiède ou froid.

pizza

Cette spécialité italienne est faite d'une galette de pâte levée, recouverte de coulis de tomates à l'ail poudré de parmesan. Cuite au four, elle offre de multiples variantes au gré de ses garnitures. Dégustez-la brûlante, en entrée ou en plat unique.

Pizza des quatre saisons

Pour 4 personnes
Préparation 30 min, 1 h 30 à l'avance
Cuisson 10 min environ

4 fonds de pizza ◆ 800 g de tomates ◆ 2 gousses d'ail ◆ 4 tranches de jambon cru ◆ 150 g de saucisson fumé ◆ 1 boîte de cœurs d'artichauts ◆ 1 petite boîte de filets d'anchois ◆ 100 g d'olives noires ◆ 150 g de champignons de couche ◆ 80 g de parmesan ◆ huile d'olive ◆ origan ◆ sel ◆ poivre

1 Préparez 4 pizzas *(voir page 560)* et réservez-les. Pelez les tomates et concassez-les. Faites-les mijoter pendant 15 min dans un poêlon avec 1 c. à soupe d'huile, 3 pincées d'origan et l'ail haché. Salez et poivrez.
2 Taillez le jambon en languettes et le saucisson en rondelles. Égouttez les artichauts et coupez-les en 2. Épongez les filets d'anchois. Dénoyautez les olives et émincez les champignons.
3 Étalez la purée de tomates sur les fonds de pizza en ajoutant les filets d'anchois. Garnissez-les avec les autres ingrédients en les regroupant par quartiers : jambon, champignons, saucisson et artichauts. Ajoutez les olives et poudrez de parmesan. Arrosez d'un filet d'huile d'olive.
4 Faites cuire les pizzas dans le four à 250 °C pendant 10 min environ. Servez.

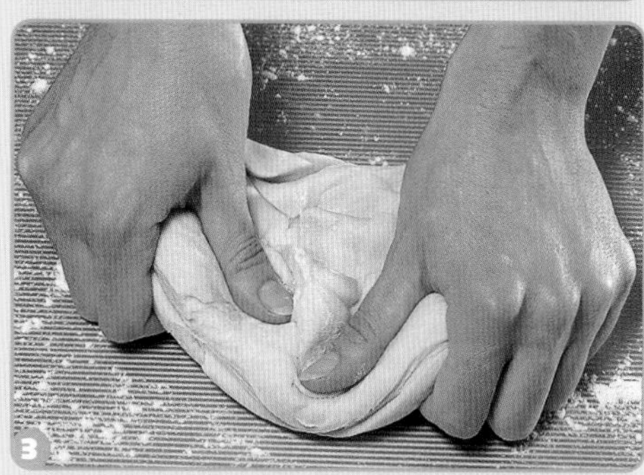

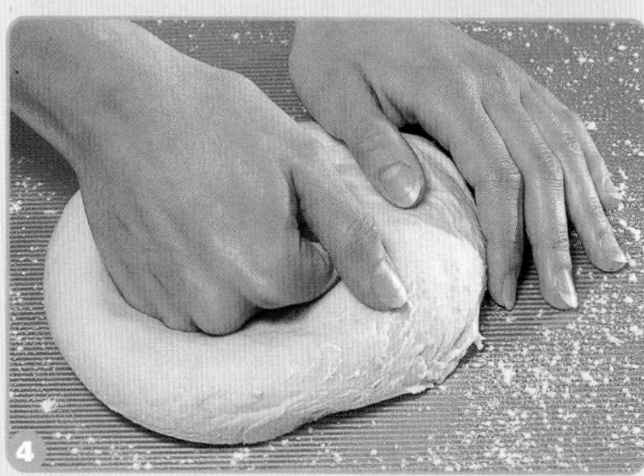

Pizzas

Pour **4 pizzas individuelles**
Préparation **20 min**
Repos **1 h 30**

15 g de levure de boulanger ◆ 400 g de farine ◆ sucre semoule ◆ sel ◆ huile d'olive

1 Faites préchauffer le four à 200 °C pendant 10 min. Versez la levure dans une tasse avec 1 pincée de sucre. Ajoutez 3 c. à soupe d'eau tiède et remuez pour diluer le mélange. Éteignez le four et laissez reposer le levain dans le four éteint pendant 5 min. La levure doit avoir formé des bulles et le mélange, doublé de volume.

2 Versez 350 g de farine dans une terrine. Faites une fontaine au centre, ajoutez 1 c. à café de sel, 2 c. à soupe d'eau, le levain et 4 c. à soupe d'huile. Amalgamez les ingrédients avec les doigts et travaillez le mélange jusqu'à ce que vous obteniez une grosse boule.

3 Farinez le plan de travail et pétrissez la pâte en la poussant en avant à intervalles réguliers avec la main. Poursuivez cette opération pendant 10 min : la pâte doit devenir lisse et élastique.

4 Farinez la pâte, mettez-la en boule dans une terrine propre et couvrez celle-ci avec un plat. Laissez lever dans un endroit chaud, à l'abri des courants d'air, pendant 1 h 30 environ. La pâte doit doubler de volume. Pressez-la alors avec votre poing 1 ou 2 fois, puis prélevez-en le 1/4.

5 Pétrissez cette portion de pâte sur une planche farinée pendant 1 min, en ajoutant un peu de farine si elle colle. Aplatissez-la avec la paume de la main pour former une galette assez épaisse. Étirez-la en faisant tourner la pâte à la verticale devant vous entre vos doigts comme un napperon et en écartant les mains de plus en plus : la galette est assez souple pour s'étendre. Étalez-la sur le plan de travail fariné pour la lisser : elle doit mesurer environ 25 cm de diamètre sur 3 mm d'épaisseur. Redressez légèrement le bord pour former un bourrelet. Laissez-la reposer sur un linge fariné pendant que vous façonnez les 3 autres pizzas.

Garnissez les fonds de pizza avec quelques cuillerées de sauce tomate épaisse, bien relevée d'ail et d'origan (50 cl pour 4 personnes). Poudrez de parmesan (80 g environ) et ajoutez 100 g de mozzarella émincée. Arrosez d'huile d'olive. Enfournez 10 min à 250 °C.

pleurote

Ce champignon de cueillette est disponible toute l'année, car plusieurs variétés sont cultivées industriellement comme le champignon de couche. Le pleurote du panicaut, qui reste sauvage, est de loin le meilleur. Tous les pleurotes ont une chair tendre, épaisse et blanche, d'une saveur douce et agréable, mais ils n'ont jamais un parfum très marqué. Choisissez des petits spécimens, moins aqueux.

Fricassée de poissons aux pleurotes

RECETTE LÉGÈRE — 1 portion 340 kcal

Pour **4 personnes**
Préparation **10 min**
Cuisson **10 min**

500 g de pleurotes ◆ 400 g de filets de turbot ◆ 400 g de lotte ◆ 160 g de beurre ◆ 1 citron ◆ ciboulette ◆ sel ◆ poivre

1 Nettoyez les pleurotes et coupez-les en grosses lamelles. Coupez les filets de turbot en morceaux réguliers et la lotte en médaillons. Salez-les et poivrez-les.
2 Faites chauffer 50 g de beurre dans une poêle. Mettez-y les morceaux de poisson et faites-les dorer pendant 7 ou 8 min en les retournant plusieurs fois. Ils doivent être bien colorés.
3 Faites chauffer 50 g de beurre dans une autre poêle. Mettez-y les pleurotes et laissez rissoler pendant 5 min en les retournant. Égouttez-les.
4 Mettez les champignons dans un plat de service creux avec les morceaux de poisson. Mélangez délicatement car les pleurotes sont fragiles.
5 Ajoutez le reste de beurre en parcelles et le jus du citron dans la poêle de cuisson des pleurotes. Faites bouillonner 2 min puis nappez le plat de cette sauce. Parsemez de ciboulette et servez.

Boisson **meursault**

Fricassée de poissons aux pleurotes ▲
La chair blanche et très tendre des pleurotes n'est pas d'une saveur très marquée, mais c'est une excellente garniture pour les filets de poissons blancs. Relevez l'ensemble de fines herbes ciselées.

plie

→ **voir aussi** carrelet

Ce poisson plat courant dans l'Atlantique est en forme de losange. Il possède une chair assez fine et se cuisine comme la sole ou la barbue, tout en étant nettement moins cher. Comptez au moins 200 g par personne, car les déchets sont importants.
Diététique. Poisson maigre : 100 g = 65 kcal.

pleurotes

Le pleurote en coquille, ou en huître, est l'un des rares champignons sauvages que l'on peut cultiver : il est plat et rond, le dessus beige plus ou moins foncé ou bleu-gris.

Plie au four

Pour **4 personnes**
Préparation **5 min**
Cuisson **7 min**

60 g de beurre ◆ 40 g de farine ◆ 20 cl de lait ◆ 10 cl de vin blanc sec ◆ 3 c. à soupe de persil haché ◆ 4 filets de plie ◆ 1/2 citron ◆ concentré de tomates ◆ sel ◆ poivre

1 Mettez 40 g de beurre dans un grand bol et faites-le chauffer 1 min dans le four à pleine puissance. Ajoutez la farine. Mélangez puis versez le lait et le vin blanc.
2 Faites cuire ce mélange dans le four pendant 3 min en fouettant à chaque minute. Incorporez 1 c. à soupe de concentré de tomates et le persil, mélangez. Salez et poivrez. Réservez à couvert.
3 Rangez les filets de plie dans un plat et ajoutez le reste de beurre en parcelles. Arrosez de jus de citron. Salez et poivrez. Couvrez de film alimentaire, percez-le de quelques trous et faites cuire dans le four 3 min à pleine puissance en faisant pivoter le plat de 1/2 tour à mi-cuisson.
4 Égouttez les filets de plie et mettez-les dans un plat. Incorporez la cuisson de la plie à la sauce. Fouettez vivement et nappez-en le poisson. Repassez 1 min dans le four et servez aussitôt.

Boisson **vin blanc sec**

plum cake

Cette pâtisserie d'origine anglaise est à base de pâte levée. Rhum, fruits confits et raisins secs lui apportent beaucoup de saveur. Préparez le plum cake en une seule pièce ou en petits gâteaux individuels. Il se conserve facilement 48 heures au frais.

Plum cake aux fruits

Pour **6 personnes**
Préparation **25 min**
Cuisson **1 h environ**

280 g de beurre ◆ 250 g de sucre semoule ◆ 4 œufs ◆ 125 g de fruits confits mélangés ◆ 100 g de raisins de Malaga ◆ 75 g de raisins de Corinthe ◆ 75 g de raisins de Smyrne ◆ 250 g de farine ◆ 10 g de levure chimique ◆ 1 citron non traité ◆ 3 c. à soupe de rhum ◆ sel

1 Travaillez 250 g de beurre en pommade dans une terrine. Lorsqu'il est bien crémeux, ajoutez le sucre et 1 pincée de sel. Fouettez à nouveau pendant 2 min. Incorporez les œufs 1 par 1.
2 Égouttez les fruits confits et farinez-les. Incorporez-les ainsi que les raisins secs, en remuant à fond à chaque fois.
3 Ajoutez ensuite la farine tamisée, la levure chimique, puis le zeste du citron finement râpé. Incorporez le rhum.
4 Chemisez un moule à manqué avec du papier sulfurisé beurré. Versez-y la pâte en ne remplissant le moule qu'aux 2/3. Faites cuire 50 min à 1 h dans le four à 180 °C. Démoulez et faites refroidir le plum cake sur une grille.

C'est la qualité des ingrédients qui fait la réussite de ce gâteau : choisissez du cédrat et de l'ananas confit. Les Anglosaxons le dégustent chaud ou à température ambiante.

poire

Ce fruit disponible presque toute l'année possède une chair blanche et fondante, fine ou légèrement granuleuse selon les variétés. La peau est jaune ou verte, brune ou rougeâtre, plus ou moins épaisse. C'est un fruit fragile qui se conserve difficilement une fois qu'il est cueilli mûr. Il se congèle mal, mais supporte très bien la conserve au naturel ou au sirop. Si les fruits sont un peu avancés, faites-en des compotes.

Choisissez de préférence des poires de petite taille car elles pourront mûrir rapidement. Gardez-les à l'air ambiant, pédoncule en l'air. La maturité de ce fruit se juge à son parfum et à la souplesse de sa chair sous le doigt. La peau doit être sans taches ni meurtrissures ; la queue (parfois protégée par un petit bouchon de cire), bien insérée dans le fruit.

N'oubliez pas de lire les étiquettes, car certaines variétés ont subi des traitements : lavez-les et pelez-les avant de les utiliser. Comme pour la pomme, la chair s'oxyde facilement : citronnez-la.

Parmi les meilleures variétés disponibles aujourd'hui, il faut citer la williams, fine et juteuse (très employée en conserverie et qui donne aussi une eau-de-vie, la williamine) ; la beurré-hardy, rare mais agréablement sucrée ; la doyenné du Comice, grosse et très parfumée, et la passe-crassane, poire d'hiver à chair granuleuse qui se conserve assez bien. Pour déguster des poires comme fruits de table, choisissez la catégorie extra. Pour des confitures ou des emplois cuits, la première catégorie donne de très bons résultats. La poire entre dans la composition de nombreux desserts (tartes, fruits pochés, charlotte, etc.) et peut accompagner la volaille, la viande et le gibier.

- **Diététique.** Ce fruit est riche en phosphore, en magnésium et en potassium. Bon contre les rhumatismes et l'hypertension, diurétique, il fournit environ 65 kcal pour 100 g.

passe-crassane

williams

conférence

alexandrine

Réservez les poires à chair ferme pour les tartes ou les fruits pochés. Dégustez les plus fragiles nature. Les poires se gardent à température ambiante, pédoncule en l'air, séparées les unes des autres car elles sont fragiles.

Gratin de poires aux amandes

Pour **4 personnes**
Préparation **10 min**
Cuisson **25 min**

12 poires passe-crassane ◆ 1 citron ◆ 50 g de beurre ◆ 50 g de sucre roux en poudre ◆ 10 cl de vin blanc ◆ 5 cl de liqueur de fraises ◆ 80 g d'amandes effilées

1 Pelez les poires et coupez-les en 2 dans la longueur. Retirez le cœur et les pépins. Citronnez-les légèrement pour qu'elles ne noircissent pas.
2 Beurrez un plat à gratin avec 20 g de beurre. Rangez-y les demi-poires, côté plat contre le fond. Arrosez-les avec le reste de jus de citron.
3 Mélangez dans un bol le sucre roux, le vin blanc et la liqueur de fraises. Nappez les poires de ce mélange.
4 Ajoutez sur chacune d'elles une noisette de beurre. Parsemez-les d'amandes effilées, en les émiettant grossièrement.
5 Faites cuire dans le four à 220 °C pendant 25 min. Servez chaud, tiède ou froid.

Poires Belle-Hélène ▲

Ce dessert créé à Paris doit son nom à une célèbre opérette d'Offenbach de la fin du XIXe siècle. Il se prépare classiquement avec des poires, mais vous pouvez le réaliser avec des pêches ou des abricots.

Poires Belle-Hélène

Pour **6 personnes**
Préparation **20 min**
Cuisson **20 min**

6 poires williams ◆ 50 g de sucre semoule ◆ 125 g de chocolat noir ◆ 30 g de beurre ◆ 1 l de glace à la vanille

1 Pelez les poires en les laissant entières et sans enlever les queues. Faites-les cuire pendant 20 min dans une casserole avec 1 tasse d'eau et le sucre semoule dissous.
2 Lorsqu'elles sont bien tendres, égouttez-les et réservez-les au frais dans un compotier.
3 Faites réduire le sirop de moitié. Mettez-y à fondre le chocolat cassé en petits morceaux. Ajoutez ensuite le beurre et remuez pour obtenir une sauce bien lisse et onctueuse. Retirez aussitôt du feu.
4 Partagez la glace en 6 portions. Placez-les dans des coupes de service très froides. Ajoutez une poire pochée par coupe et nappez aussitôt de sauce chaude au chocolat. Servez.

Vous pouvez aussi réaliser facilement cet entremets avec des poires au sirop : placez la glace à la vanille sans la découper au milieu d'un plat, entourez-la de demi-poires au sirop bien égouttées et présentez la sauce au chocolat à part.

Poires Bourdaloue

RECETTE LÉGÈRE — 1 portion 150 kcal

Pour **4 personnes**
Préparation **15 min**
Cuisson **20 min**

2 grosses poires passe-crassane ◆ 1 citron ◆ 2 gros œufs ◆ 25 cl de lait écrémé ◆ 5 ou 6 biscuits aux amandes

1 Pelez les poires et coupez-les en 2, retirez le cœur et les pépins. Citronnez-les. Coupez-les en quartiers et rangez-les assez serrés les uns contre les autres dans un plat à gratin juste assez grand pour les contenir.
2 Cassez les œufs dans une jatte et battez-les en omelette avec une fourchette.
3 Par ailleurs, faites chauffer le lait dans une casserole. Pilez les biscuits pour les réduire en poudre fine. Versez le lait bouillant sur les œufs en fouettant vigoureusement puis ajoutez les biscuits et mélangez.
4 Nappez les poires de ce mélange et mettez le plat dans le four. Laissez cuire à 160 °C pendant environ 20 min. Sortez le plat et laissez tiédir avant de servir.

Poires à la dijonnaise

Pour **4 personnes**
Préparation **15 min**
Cuisson **20 min**

400 g de cassis en grains ◆ 4 poires ◆ 1 citron ◆ 600 g de sucre semoule ◆ 20 cl de liqueur de cassis ◆ 1 gousse de vanille fendue en 2

1 Lavez les grains de cassis, essuyez-les délicatement et réduisez-en la moitié en purée fine au mixer. Réservez ce coulis et mettez de côté les autres baies.

2 Pelez les poires et coupez-les en 2. Retirez le cœur et les pépins. Citronnez-les.
3 Versez 1,5 l d'eau dans une casserole, ajoutez le sucre, la liqueur de cassis, la vanille et le coulis de cassis. Remuez pour faire dissoudre et portez lentement à ébullition.
4 Plongez les demi-poires dans le sirop en pleine ébullition. Laissez cuire doucement pendant 12 min. Ajoutez les baies de cassis réservées et poursuivez la cuisson pendant 5 min. Laissez refroidir et servez.

C'est le cassis, grande spécialité de la Côte d'Or, qui justifie le nom de ce dessert.

Poires pochées au vin rouge

Pour **6 personnes**
Préparation **20 min**
Cuisson **40 à 60 min, 1 h à l'avance**

50 cl de vin rouge ◆ 1/2 citron ◆ 200 g de sucre semoule ◆ 1 bâton de cannelle ◆ 1 kg de poires assez fermes ◆ muscade

1 Versez le vin rouge dans une casserole en acier inoxydable. Ajoutez le citron coupé en fines rondelles, le sucre semoule, le bâton de cannelle et quelques pincées de muscade râpée. Portez lentement à ébullition.
2 Pendant ce temps, pelez les poires. Laissez-les entières si elles sont petites, en conservant les queues. Sinon, coupez-les en 2 ou en 4 et retirez les pépins.
3 Mettez les poires dans le sirop bouillant. Couvrez la casserole. Faites bouillonner très doucement. Comptez 30 à 40 min de cuisson selon la maturité des poires. Retournez les fruits à mi-cuisson.
4 Piquez les poires à cœur avec une aiguille à brider pour voir si elles sont bien tendres. Égouttez-les et disposez-les sur un plat. Retirez le citron et la cannelle.
5 Faites réduire le sirop en le surveillant attentivement. Lorsqu'il nappe la cuiller, retirez-le du feu et versez-le sur les poires. Laissez reposer.

Ce dessert est particulièrement exquis avec de petites poires bien fermes à chair granuleuse. Préparez-le à l'avance pour le servir bien frais.

Sorbet à la williamine

Pour **6 personnes**
Préparation **15 min**
Cuisson **2 min**
Congélation **2 h 30**

800 g de poires williams ◆ 200 g de sucre spécial pour les confitures ◆ eau-de-vie de poire (williamine)

1 Pelez les poires et retirez les pépins. Passez les poires au mixer pour obtenir 1/2 l de purée.
2 Versez le sucre dans une casserole à fond épais, ajoutez 12,5 cl d'eau et faites bouillir 2 min. Retirez du feu et laissez refroidir.
3 Mélangez ce sirop avec la purée de poires. Versez le mélange dans un bac à glaçons et faites prendre pendant 2 h 30 dans le congélateur.
4 Environ 1 h avant de servir, mettez l'eau-de-vie et 6 flûtes en verre dans le réfrigérateur.
5 Partagez le sorbet en 6 portions et mettez-les dans les flûtes. Arrosez d'eau-de-vie et servez.

→ **autres recettes de poire à l'index**

poire (viande)

→ **voir aussi** bœuf

Rond et charnu, ce morceau de viande de bœuf de première catégorie fournit des biftecks très tendres. Réservez-le chez votre boucher : c'est une pièce rare.

poireau

→ **voir aussi** flamiche, pot-au-feu

Ce légume formé d'un fût blanc couronné de feuilles vertes s'achète pratiquement toute l'année. Les petits poireaux nouveaux de printemps sont les meilleurs, plus parfumés et délicats que les gros poireaux d'hiver. À l'achat, un poireau doit être très frais, lisse, avec le feuillage dressé, crissant au toucher, le blanc ferme et les racines bien adhérentes.

Légume d'accompagnement, plat principal ou garniture aromatique, le poireau possède un peu la saveur de l'oignon, avec davantage de finesse. L'« asperge du pauvre » accompagne aussi bien le bœuf que le poisson, la viande fumée ou la volaille, se mange chaud ou froid, se cuisine en tarte, en gratin, en salade ou en potage.

Seuls les gros poireaux ont besoin d'être blanchis avant leur utilisation. Ne conservez pas des poireaux cuits au réfrigérateur : ils deviennent indigestes.

Diététique. Riche en fibres, en calcium et en fer, ce légume peu calorique (100 g = 42 kcal) est diurétique. Pensez-y souvent pour « nettoyer » votre organisme.

Lotte aux poireaux

Pour **4 personnes**
Préparation **15 min**
Cuisson **15 min**

700 g de queue de lotte ◆ 800 g de poireaux ◆ 120 g de beurre ◆ 15 cl de vin blanc sec ◆ 2 échalotes ◆ concentré de tomates ◆ sel ◆ poivre

1 Détaillez la lotte en 20 petites tranches. Nettoyez et lavez les poireaux. Faites-les cuire pendant 8 min dans une casserole d'eau salée. Égouttez-les.

2 Faites fondre 25 g de beurre dans une sauteuse et ajoutez les poireaux, remuez et faites cuire 5 min avec 2 c. à soupe de vin blanc.

3 Pelez et hachez finement les échalotes. Mettez-les dans une casserole avec le reste de vin blanc. Salez et poivrez. Faites réduire à sec.

4 Faites fondre 25 g de beurre dans une poêle et faites-y sauter les tranches de lotte 3 ou 4 min sur chaque face, en les retournant souvent.

5 Incorporez le reste de beurre en parcelles dans la réduction de vin blanc à l'échalote. Ajoutez pour finir 1 c. à soupe de concentré de tomates. Rectifiez l'assaisonnement.

6 Répartissez les poireaux confits dans le fond des assiettes de service, ajoutez par-dessus 5 tranches de lotte par personne et nappez de sauce. Servez aussitôt.

Boisson **chablis**

Poireaux en terrine

RECETTE LÉGÈRE — 1 portion 190 kcal

Pour **4 personnes**
Préparation **25 min**
Cuisson **20 min, 12 h à l'avance**

10 beaux poireaux ◆ 2 tranches de jambon blanc ◆ 4 œufs durs écalés ◆ 1 sachet de gelée ◆ sel ◆ poivre

1 Nettoyez les poireaux et faites-les cuire 20 min à l'eau bouillante salée. Égouttez-les et épongez-les à fond. Pressez-les dans une terrine et posez une planchette dessus avec un poids.

2 Émincez le jambon. Coupez les œufs durs en rondelles. Préparez la gelée avec 40 cl d'eau.

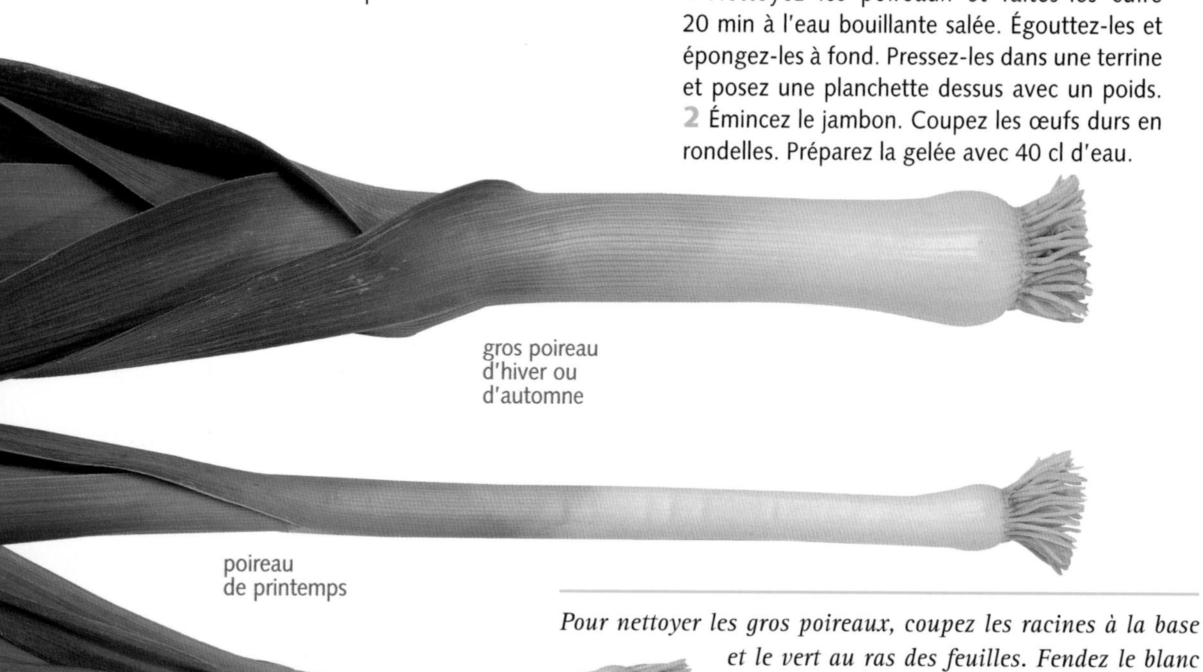

Pour nettoyer les gros poireaux, coupez les racines à la base et le vert au ras des feuilles. Fendez le blanc en 2 ou en 4 pour le rincer abondamment sous l'eau en écartant les feuilles. Gardez le vert pour un potage de verdure ou comme aromate dans un court-bouillon.

3 Chemisez de gelée un moule à cake. Placez-y la moitié des poireaux. Coulez un peu de gelée et répartissez par-dessus le jambon puis les rondelles d'œufs.
4 Recouvrez avec le reste des poireaux et coulez le reste de gelée. Posez une planchette sur le dessus avec un poids et mettez au réfrigérateur pendant 12 h.
5 Pour démouler, plongez le fond du moule dans une bassine d'eau chaude et retournez-le.

Servez les poireaux en terrine avec une vinaigrette ou une sauce au fromage blanc et aux fines herbes.

Poireaux vinaigrette

Pour **4 personnes**
Préparation **10 min**
Cuisson **12 min**

800 g de petits poireaux nouveaux ◆ quelques brins de cerfeuil ◆ quelques brins de persil ◆ huile d'olive ◆ vinaigre de vin à l'estragon ◆ moutarde forte ◆ sel ◆ poivre

1 Préparez les poireaux, lavez-les soigneusement et coupez une partie du vert. Plongez-les dans une grande quantité d'eau bouillante salée et faites-les cuire pendant 12 min environ.
2 Pendant ce temps, lavez et épongez le cerfeuil et le persil. Ciselez-les très finement. Préparez une vinaigrette avec l'huile d'olive et le vinaigre. Salez et poivrez. Ajoutez de la moutarde à votre goût. Incorporez le cerfeuil et le persil.
3 Égouttez les poireaux, passez-les 10 secondes sous l'eau froide puis épongez-les. Déposez-les dans un plat creux et arrosez-les de vinaigrette. Servez tiède.

Potée aux poireaux

Pour **6 personnes**
Préparation **15 min**
Cuisson **1 h 10**

1 kg de poireaux ◆ 2 grosses carottes ◆ 150 g de céleri-rave ◆ 1 oignon ◆ 4 pommes de terre farineuses ◆ 80 g de lard fumé ◆ 30 g de beurre ◆ 1 l de bouillon de bœuf ◆ 6 saucisses fumées à pocher ◆ persil haché ◆ sel ◆ poivre

Poireaux vinaigrette ▲
Pour donner davantage de sophistication à ce plat très simple, assaisonnez les poireaux avec de l'huile de truffe et du vinaigre balsamique, puis parsemez de quelques pluches de cerfeuil.

1 Lavez les poireaux, égouttez-les et coupez les blancs en tronçons de 4 cm. Conservez le vert tendre à la base des feuilles et hachez-le.
2 Pelez les autres légumes : coupez les carottes en rondelles, le céleri en dés, l'oignon en lamelles et les pommes de terre en quartiers. Taillez le lard en languettes.
3 Faites fondre la margarine dans une cocotte, ajoutez l'oignon et les lardons. Faites-les revenir pendant 5 ou 6 min puis mouillez avec le bouillon de bœuf.
4 Portez à ébullition. Ajoutez tous les légumes. Salez et poivrez. Laissez mijoter pendant 30 min environ. Ajoutez les saucisses et poursuivez la cuisson pendant 30 min.
5 Au moment de servir, incorporez 3 c. à soupe de persil haché. Servez brûlant dans des assiettes creuses.

→ **autres recettes de poireau à l'index**

pois cassés

Ce sont des graines de petits pois très mûrs, fendues en deux et séchées, qui donnent les pois cassés. Ce légume sec demi-sphérique vert pâle se conserve plusieurs mois. Vous en ferez une purée, un potage ou une soupe. C'est un accompagnement classique du porc. Avec un four à micro-ondes, inutile de les faire tremper : mettez-les dans un grand plat, couvrez d'eau bouillante et, pour 250 g, comptez de 10 à 12 minutes de cuisson à couvert, puissance maximale, puis laissez reposer 10 minutes.

Diététique. Légume nutritif et énergétique, riche en glucides et en protéines, en sels minéraux et en fibres : 100 g = 330 kcal.

Purée de pois cassés

Pour **6 personnes**
Préparation **10 min**
Trempage **2 h**
Cuisson **1 h**

1 kg de pois cassés ◆ 1 pied de cochon ◆ 1 bouquet garni ◆ 2 oignons ◆ 2 clous de girofle ◆ 20 g de beurre ◆ 2 c. à soupe de crème fraîche épaisse ◆ sel ◆ poivre

1 Faites tremper les pois cassés pendant 2 h à l'eau froide. Égouttez-les, mettez-les dans une grande marmite. Couvrez largement d'eau froide.
2 Ajoutez le pied de cochon, le bouquet garni et les oignons pelés piqués chacun d'un clou de girofle. Mélangez.
3 Portez lentement à ébullition et faites cuire pendant 1 h sur feu moyen en remuant de temps en temps.
4 Retirez le pied de cochon, le bouquet garni et les oignons piqués. Passez le contenu de la marmite dans une casserole à travers une passoire.
5 Passez les pois cuits au moulin à légumes. Mettez la purée obtenue sur feu doux, ajoutez le beurre et faites-le fondre en remuant. Incorporez la crème fraîche. Salez et poivrez. La purée doit être bien onctueuse.

Servez cette purée de pois cassés avec des saucisses grillées ou pochées, du rôti de porc ou du jambon braisé.

Réservez le jus de cuisson des pois cassés pour une soupe, vous y ajouterez le pied de cochon désossé et détaillé en morceaux.

pois chiches

➔ voir aussi couscous

Ces graines arrondies et bosselées de couleur beige sont d'origine méditerranéenne. Les pois chiches sont vendus secs ou en conserve au naturel. Faites-en des salades ou des garnitures, ajoutez-les dans une potée ou un ragoût. Pour les cuisiner, laissez-les tremper pendant 12 heures dans de l'eau froide, puis faites-les cuire à l'eau (comptez 2 litres pour 500 grammes) pendant 2 heures 30 environ, puis rincez-les et égouttez-les.

Diététique. Les pois chiches sont aussi nutritifs et énergétiques que les pois cassés.

Salade de pois chiches

Pour **6 personnes**
Préparation **30 min**
Cuisson **10 min**

1 grande boîte de pois chiches au naturel ◆ 4 œufs ◆ 4 petits oignons ◆ 3 branches de céleri ◆ 1 botte de petits radis ◆ 3 tomates ◆ 1 boîte de thon à l'huile ◆ 12 feuilles de menthe fraîche ciselées ◆ huile d'olive ◆ jus de citron ◆ sel ◆ poivre

1 Égouttez les pois chiches et rincez-les abondamment sous l'eau froide dans une passoire en les remuant avec les mains. Faites cuire les œufs durs, rafraîchissez-les et écalez-les. Laissez-les refroidir.
2 Pelez les oignons et émincez-les finement. Ôtez les fils des branches de céleri et tronçonnez celles-ci en morceaux. Lavez les radis et coupez-les en fines rondelles. Pelez les tomates et coupez la pulpe en petits dés.
3 Dans un grand saladier, mélangez les pois chiches, les oignons, le céleri, les radis et les tomates. Égouttez la boîte de thon et émiettez celui-ci dans le saladier, ajoutez les feuilles de menthe et mélangez.
4 Préparez une vinaigrette avec 6 c. à soupe d'huile et 2 c. à soupe de jus de citron. Salez et poivrez. Versez-la sur la salade et mélangez. Garnissez le dessus avec des rondelles d'œufs durs. Servez à température ambiante.

Vous pouvez préparer cette salade à l'avance avec la vinaigrette : dans ce cas, laissez reposer 30 min et ajoutez les œufs durs en dernier.

Soupe tunisienne

Pour **4 personnes**
Préparation **15 min**
Cuisson **10 min**

1 grande boîte de pois chiches au naturel ◆ 1 citron non traité ◆ 1 gousse d'ail ◆ 50 cl de bouillon de volaille ◆ cumin en poudre ◆ harissa ◆ concentré de tomates ◆ huile d'olive ◆ sel ◆ poivre

1 Égouttez les pois chiches. Mettez-les dans une casserole. Râpez le zeste du citron et pressez son jus. Pelez et hachez l'ail. Ajoutez le tout aux pois chiches avec 3 pincées de cumin et 2 c. à café de harissa.
2 Délayez 2 c. à soupe de concentré de tomates dans le bouillon et versez celui-ci dans la casserole. Salez et poivrez.
3 Mélangez, portez à ébullition et couvrez. Faites cuire 5 min, découvrez et laissez bouillonner 5 min de plus. Ajoutez 3 c. à soupe d'huile d'olive. Poivrez, remuez et servez aussitôt.

Crevettes et pois gourmands en salade ▲

Dès que les pois gourmands arrivent sur les étals, profitez-en pour réaliser cette recette printanière aux saveurs acidulées.

pois gourmands

Bien tendres et d'un vert brillant, ces pois sont un légume de printemps délicat, légèrement sucré. On consomme à la fois les cosses et les petites graines qu'elles contiennent. Ils se cuisinent pratiquement comme les petits pois ou les mange-tout et peuvent se conserver quelques jours dans le réfrigérateur.

Diététique. Ils sont à la fois riches en glucides, en fibres et en vitamines : 100 g = 65 kcal.

Crevettes et pois gourmands en salade

RECETTE LÉGÈRE — 1 portion 150 kcal

Pour **4 personnes**
Préparation **20 min**
Cuisson **8 min**

500 g de pois gourmands ◆ 200 g de crevettes roses cuites et décortiquées ◆ 1 citron non traité ◆ 1 échalote grise ◆ 2 c. à soupe d'huile d'olive ◆ 1 c. à soupe de sauce soja ◆ 1 petit bouquet de ciboulette ◆ sel ◆ poivre

1 Lavez les pois gourmands. Faites-les cuire à la vapeur ou dans une casserole d'eau bouillante pendant environ 8 min.
2 Gardez les pois gourmands un peu croquants. Égouttez-les puis passez-les sous l'eau froide, égouttez-les à nouveau et épongez-les.
3 Rincez et épongez les crevettes. Si elles sont grosses, recoupez-les en 2 dans la longueur. Râpez finement le zeste du citron et pressez son jus. Pelez et émincez l'échalote. Ciselez finement la ciboulette.
4 Dans un bol, mélangez l'huile, la sauce soja, le jus de citron et son zeste râpé, l'échalote, la ciboulette et un filet d'eau tiède. Salez et poivrez. Fouettez vivement pour émulsionner.
5 Répartissez les pois gourmands dans des assiettes plates, ajoutez les crevettes, nappez de sauce et servez à température ambiante.

Pour donner une touche orientale à cette entrée, proposez en garniture de fines lamelles de gingembre marinées au vinaigre.

Comme on consomme à la fois les cosses et les graines de cette variété de petits pois, il faut les choisir jeunes et bien tendres.

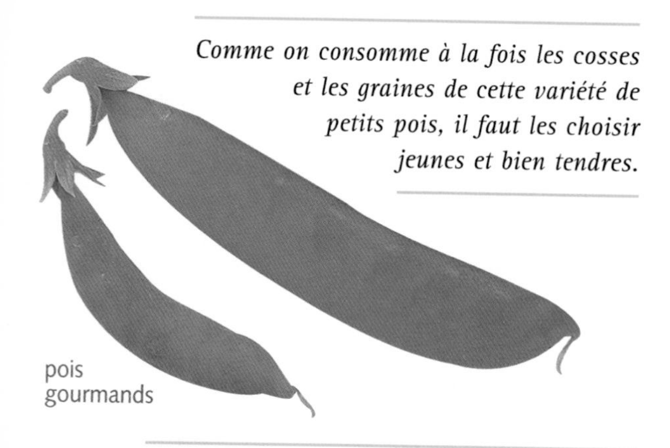
pois gourmands

Pois gourmands au beurre d'amandes

Pour **4 personnes**
Préparation **10 min**
Cuisson **20 min environ**

800 g de pois gourmands ◆ **50 g de beurre** ◆ **80 g d'amandes effilées** ◆ **sel** ◆ **poivre**

1 Retirez les fils des pois gourmands. Lavez ceux-ci et faites-les cuire pendant 12 min à l'eau bouillante légèrement salée.
2 Égouttez-les et versez-les dans une sauteuse, couvrez. Faites fondre le beurre dans une petite poêle et ajoutez les amandes. Faites-les blondir en les remuant doucement sur feu modéré pendant 3 min : ne laissez surtout pas noircir.
3 Versez les amandes et le beurre de cuisson sur les pois gourmands. Remettez sur le feu et remuez délicatement pendant 2 min. Salez et poivrez. Servez aussitôt.

Pois gourmands au crabe en salade

Pour **4 personnes**
Préparation **10 min**
Cuisson **10 min**

500 g de pois gourmands ◆ **1 boîte de chair de crabe** ◆ **1 citron** ◆ **10 cl de crème liquide** ◆ **huile** ◆ **sel** ◆ **poivre**

1 Retirez les fils des pois gourmands. Faites-les cuire 10 min à l'eau bouillante salée puis égouttez-les à fond.
2 Ouvrez la boîte de crabe et égouttez le contenu. Retirez soigneusement le cartilage.
3 Râpez le zeste du citron et pressez son jus. Arrosez la chair de crabe de jus de citron.
4 Mélangez dans un bol la crème liquide, 2 c. à soupe d'huile et le zeste de citron. Salez et poivrez. Fouettez.
5 Dans une coupe, mélangez les pois gourmands et la chair de crabe avec le jus de citron. Ajoutez la sauce. Remuez délicatement et servez.

Vous pouvez ajouter en garniture quelques feuilles de citronnelle ciselées ou, à défaut, de l'estragon.

poisson

On connaît aujourd'hui plus de 30 000 espèces de poissons, dont la majorité vit dans les mers et les océans. Ils se distinguent essentiellement par la forme, qui varie du petit anchois allongé au grand turbot aplati. Selon leur origine (mer, rivière, étang) leur saveur varie considérablement. La fraîcheur est la qualité première d'un poisson (elle est primordiale s'il est consommé cru) : l'odeur doit être peu marquée, la chair ferme et humide, l'œil clair et brillant, les branchies roses ou rouge sang. Un poisson acheté entier comporte de 30 à 60 % de déchets ; étêté ou en tronçons, de 15 à 25 % ; en tranches, 10 % environ. Les filets ne donnent pas de déchets, mais ils sont en général moins savoureux que le poisson entier.

La cuisson est un atout déterminant pour apprécier un poisson : il doit être suffisamment cuit (au minimum « rose à l'arête »), mais pas trop sinon il devient sec et s'effeuille. Les principaux modes de cuisson sont : à la poêle (par exemple meunière, c'est-à-dire légèrement fariné) ; au court-bouillon ou à la vapeur ; au four ou en papillote ; en soupe ou en friture. Les poissons surgelés se cuisinent comme les frais après décongélation, sauf pour certains filets à cuire directement.

Diététique. Le poisson est aussi riche en protéines que la viande. Les diététiciens ne recommandent pas obligatoirement de consommer des poissons maigres : les poissons gras et demi-gras (le hareng surtout) fournissent un acide gras particulier, utile dans la réduction des accidents cardio-vasculaires. Ils sont la base de l'alimentation lors d'un régime amaigrissant. Le poisson le plus gras l'est deux fois moins que la viande de porc. Les poissons sont riches en fer, magnésium, phosphore, iode, vitamines A, B et D.

rascasse
de Méditerranée
daurade royale
merlans
rascasse du nord
harengs
limande sole
pageot
éperlans
saint-pierre
carrelet
barbue
sole
lisette
maquereau
turbot
colinot
colin

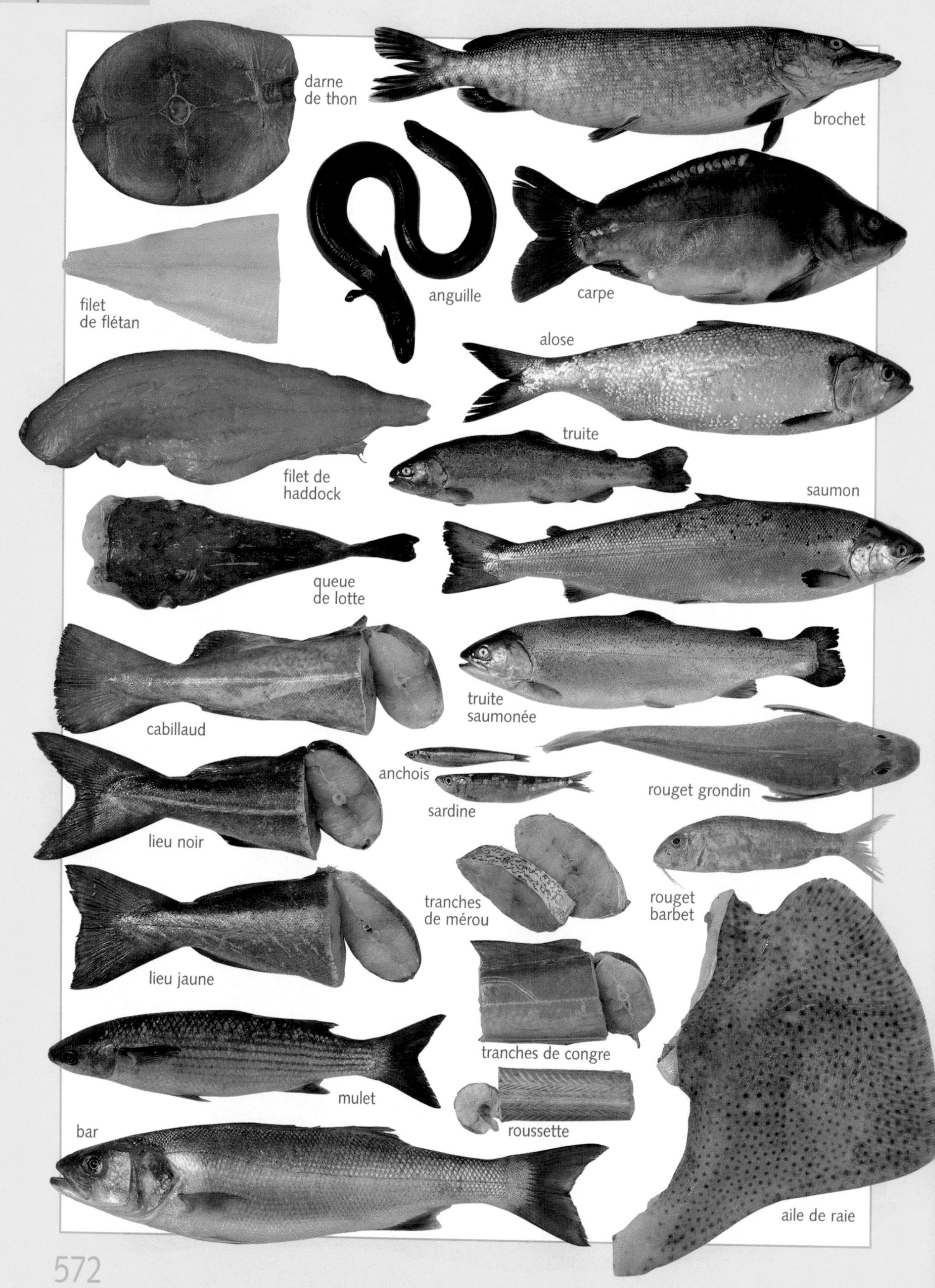
darne
de thon
brochet
anguille
carpe
filet
de flétan
alose
truite
filet de
haddock
saumon
queue
de lotte
truite
saumonée
cabillaud
anchois
rouget grondin
sardine
lieu noir
tranches
de mérou
rouget
barbet
lieu jaune
tranches de congre
mulet
roussette
bar
aile de raie

poitrine

→ voir aussi **épigramme, lard, petit salé**

Cette pièce de boucherie se cuisine différemment selon l'animal. La poitrine de bœuf est toujours détaillée en morceaux et se fait bouillir ou braiser. La poitrine de veau, désossée et farcie, se fait cuire entière, de même que la poitrine d'agneau. Celle-ci fournit aussi des morceaux à faire braiser ou griller. La poitrine de porc fraîche se cuisine en ragoût.

Poitrine d'agneau berrichonne

Pour **6 personnes**
Préparation **30 min**
Cuisson **1 h 45 environ**

1 kg de poitrine d'agneau ◆ 300 g de marrons au naturel ◆ 125 g de lard maigre ◆ 250 g de bœuf haché ◆ 1 oignon ◆ persil ◆ 60 g de beurre ◆ 2 carottes ◆ 1 bouquet garni ◆ 60 cl de bouillon ◆ sel ◆ poivre

1 Demandez au boucher de désosser et d'ouvrir la poitrine d'agneau.
2 Égouttez les marrons et émiettez-les grossièrement. Taillez le lard en petits morceaux et faites-les chauffer dans une poêle. Ajoutez la viande hachée et remuez-la à la spatule dans la graisse des lardons pendant 5 min.
3 Pelez et hachez l'oignon. Mélangez-le avec 3 c. à soupe de persil haché. Faites fondre 20 g de beurre dans un poêlon et ajoutez le hachis précédent. Remuez et ajoutez les marrons. Salez et poivrez. Laissez mijoter 3 min.
4 Garnissez la poitrine d'agneau avec le hachis de viande puis ajoutez les marrons à l'oignon. Roulez la viande et ficelez-la soigneusement en rabattant les extrémités à l'intérieur.
5 Faites chauffer le reste de beurre dans une cocotte et mettez-y la viande. Faites colorer légèrement. Ajoutez les carottes coupées en rondelles et le bouquet garni. Versez le bouillon et couvrez la cocotte. Faites cuire doucement pendant 1 h 15 en surveillant régulièrement.
6 Déficelez la poitrine d'agneau et coupez-la en tranches. Servez le jus passé en saucière.

Garniture : choux de Bruxelles ou purée de céleri.

Boisson vin rouge corsé

Poitrine de porc en cocotte

Pour **4 personnes**
Préparation **20 min**
Cuisson **1 h 40**

800 g de pommes de terre ◆ 2 oignons ◆ 700 g de poitrine de porc fraîche ◆ 25 g de beurre ◆ huile de maïs ◆ cumin ◆ sel ◆ poivre

1 Pelez les pommes de terre, lavez-les et coupez-les en grosses rondelles. Pelez et émincez les oignons. Coupez la viande en morceaux.
2 Faites fondre le beurre avec 1 c. à soupe d'huile dans une cocotte en fonte. Remplissez-la en alternant les pommes de terre, les oignons et les morceaux de viande. Ajoutez 2 c. à soupe de cumin en le parsemant. Versez quelques cuillerées d'eau. Salez et poivrez.
3 Couvrez la cocotte et commencez la cuisson sur le feu pendant 20 min puis enfournez à 180 °C et poursuivez la cuisson pendant 1 h 20. Servez directement dans la cocotte.

poivre

→ voir aussi **piment**

Cette épice d'origine exotique est de loin la plus utilisée en cuisine. Elle provient des baies du poivrier, plus ou moins séchées.

Le poivre vert, cueilli avant maturité, est vendu en grains secs, en grappes ou en conserve (vinaigre ou saumure). Son goût est peu piquant et fruité : utilisez-le pour relever une sauce à la crème, une terrine ou encore une salade composée. Le poivre noir, cueilli juste mûr et séché, est très aromatique.

poivre rose

poivre noir

poivre vert sec

poivre vert frais

Pour conserver les qualités du poivre, il vaut toujours mieux le moudre soi-même au fur et à mesure de ses besoins.

Aiguillettes de canard au poivre vert ▲

Veillez à la cuisson des aiguillettes qui, selon leur épaisseur, cuisent en général assez vite. Laissez-les juste dorer. Le piquant du poivre vert et la pointe d'échalote sont en bel accord de saveurs.

C'est le plus courant. Le poivre blanc, récolté très mûr et décortiqué, est plus pur et plus piquant. Il est souvent plus cher et considéré comme le meilleur. Le poivre gris est un mélange de noir et de blanc. Le poivre rose n'est pas du poivre proprement dit : ces petites baies couleur corail, aromatiques et décoratives, viennent d'un petit arbrisseau sud-américain. Il peut s'employer comme le poivre vert. Quant au poivre de Cayenne, il s'agit de piment pulvérisé.

Évitez le poivre vendu en poudre : il perd peu à peu saveur et arôme. Choisissez un poivre à grains lourds et compacts. Ayez à votre disposition au moins 2 poivriers, un pour la cuisine et l'autre à table, pour moudre le poivre au dernier moment selon vos besoins. Conservez le poivre en grains dans un récipient hermétique ; vous l'utiliserez aussi tel quel pour des marinades et courts-bouillons ou concassé dans certaines recettes (grillades, sauces).

Aiguillettes de canard au poivre vert

Pour **4 personnes**
Préparation **5 min**
Cuisson **25 min**

2 échalotes ◆ 60 g de beurre ◆ 15 cl de vin blanc ◆ 1 c. à soupe de grains de poivre vert ◆ 10 cl de crème fraîche ◆ 1 c. à café de fécule ◆ 12 aiguillettes de canard de 50 g ◆ cognac ◆ sel ◆ poivre

1 Pelez et hachez les échalotes. Faites chauffer 30 g de beurre dans une casserole et ajoutez les échalotes. Salez. Laissez dorer. Ajoutez le vin et 1 c. à soupe de cognac. Remuez. Couvrez et laissez mijoter 10 min sur feu doux.

2 Écrasez grossièrement le poivre vert et incorporez-le à la sauce. Ajoutez la crème et la fécule délayée dans un peu d'eau froide. Mélangez. Laissez mijoter 10 min sur feu modéré.

3 Salez les aiguillettes. Faites chauffer le reste de beurre dans une grande poêle et posez-les à plat dans le beurre chaud. Faites-les dorer 2 min de chaque côté. Égouttez les aiguillettes et rangez-les dans un plat très chaud. Nappez de sauce au poivre vert, poivrez au moulin et servez.

Filet de veau au poivre vert

Pour **4 personnes**
Préparation **10 min**
Repos **1 h**
Cuisson **40 min**

600 g de filet de veau ◆ 2 c. à soupe de poivre vert au vinaigre ◆ 1 c. à soupe de moutarde à l'estragon ◆ 4 tomates ◆ sel ◆ poivre

1 Salez et poivrez le morceau de viande. Égouttez le poivre vert et mélangez-le dans un bol avec la moutarde. Ébouillantez les tomates, pelez-les, coupez-les en 2, retirez les graines et écrasez grossièrement la pulpe.

2 Posez la viande dans un plat à gratin, versez dessus le contenu du bol, retournez-la pour bien l'enrober, ajoutez ensuite les tomates puis couvrez et laissez reposer au frais pendant 1 h.

3 Mettez le plat dans le four, préchauffé à 240 °C, et laissez cuire 10 min.

4 Baissez la température à 180 °C et poursuivez la cuisson 30 min. Sortez le plat du four et laissez reposer la viande 15 min avant de la découper.
5 Déglacez le plat, rectifiez l'assaisonnement et servez la sauce à part.

Mélange de poivre aux épices

Pour **100 g de mélange**
Préparation **5 min**
Pas de cuisson

10 g de thym séché ◆ 10 g de laurier ◆ 5 g de marjolaine séchée ◆ 5 g de romarin séché ◆ 20 g de muscade râpée ◆ 20 g de clous de girofle en poudre ◆ 5 g de poivre de Cayenne ◆ 15 g de poivre blanc en grains ◆ 10 g de poivre noir en grains

1 Réunissez et pilez tous les ingrédients dans un mortier pendant 5 min et mélangez à fond.
2 Versez le mélange dans un petit bocal et bouchez-le avec du liège ou un bouchon en verre. Tenez-le à l'abri de la lumière et au sec.

Utilisez ce mélange pour corser un ragoût, une daube, un court-bouillon, une terrine ou une marinade. Ne le stockez pas plus de 3 mois.

Sauce poivrade

Pour **50 cl de sauce**
Préparation **10 min**
Cuisson **40 min environ**

1 carotte ◆ 2 oignons ◆ 50 g de beurre ◆ 80 g de lardons ◆ 50 g de farine ◆ 50 cl de bouillon de viande ◆ 4 échalotes ◆ 1 c. à café de poivre concassé ◆ 15 cl de vin blanc ◆ sel ◆ thym ◆ laurier

1 Pelez la carotte et taillez-la en petits dés. Pelez et hachez finement les oignons. Faites fondre le beurre dans une casserole, ajoutez la carotte et les oignons. Faites cuire 3 min en remuant. Ajoutez les lardons et faites revenir 2 min.
2 Poudrez de thym et ajoutez 1/2 feuille de laurier émiettée. Poudrez de farine et faites cuire 3 min. Versez le bouillon chaud et remuez vivement pour délayer.
3 Réduisez le feu et laissez mijoter doucement pendant 20 à 25 min. Mettez les échalotes hachées dans une casserole avec le poivre concassé, 2 pincées de thym et le vin blanc. Faites réduire de moitié.
4 Versez la réduction dans la sauce et poursuivez la cuisson pendant 10 à 15 min. Servez cette sauce avec les viandes rouges et le gibier.

Sauce au poivre vert

Pour **4 personnes**
Préparation **5 min, 30 min à l'avance**
Cuisson **10 min**

60 g de poivre vert ◆ 3 jaunes d'œufs ◆ 200 g de beurre ◆ vinaigre de cidre très froid ◆ sel ◆ poivre blanc

1 Mettez le poivre vert dans un bol. Écrasez-le grossièrement. Ajoutez 2 c. à soupe de vinaigre et mélangez. Laissez macérer pendant 30 min.
2 Versez ce mélange dans une casserole. Ajoutez les jaunes d'œufs. Salez et poivrez. Fouettez pendant 1 min.
3 Placez la casserole dans un bain-marie chaud mais non bouillant. Remuez le mélange avec une cuiller en bois. Incorporez le beurre par petits morceaux sans cesser de remuer. Lorsque la sauce présente une consistance de mayonnaise, ajoutez 1 c. à soupe d'eau chaude en fouettant vivement. Servez cette sauce avec les brochettes de fruits de mer et les filets de poissons pochés.

→ autres recettes de poivre à l'index

poivron

→ voir aussi piperade, ratatouille

Ce légume est une variété de piment qui n'en possède pas le goût piquant. Le poivron « carré » est le meilleur, bien charnu, coloré et parfumé, avec quatre lobes bien marqués : il est jaune, rouge, vert ou panaché. Plus il est rouge, plus il est doux. En été, on rencontre aussi une variété de forme plus allongée, moins savoureuse. Le poivron doit toujours être ferme, brillant et lisse, sans tache. Pour ôter facilement la peau, tenez-le quelques instants sur une flamme, piqué au bout d'une fourchette ou bien passez-le au four sous le gril : la peau gonfle et se détache avec un petit couteau pointu.

Diététique. Ce légume léger (100 g = 22 kcal) est riche en vitamines C et A, mais parfois indigeste.

Poivrons et anchois en marinade

MICRO ONDES

Pour **4 personnes**
Préparation **30 min**
Cuisson **7 min**
Repos **2 h**

6 poivrons rouges ◆ 2 gousses d'ail ◆ 1 citron ◆ 12 filets d'anchois à l'huile ◆ 12 olives noires ◆ huile d'olive ◆ thym émietté ◆ persil ◆ sel ◆ poivre

1 Lavez et essuyez les poivrons. Mettez-les sur la tôle du four, sans matière grasse, et enfournez pendant 3 ou 4 min à 200 °C. Lorsque la peau est bien gonflée, retirez les poivrons et pelez-les.
2 Fendez-les en 2, retirez les graines et taillez la pulpe en lanières. Mettez-les dans un plat creux.
3 Pelez et hachez finement l'ail. Pressez le jus de citron, mélangez-le avec 6 c. à soupe d'huile, l'ail et 1 c. à café de thym. Épongez les filets d'anchois et dénoyautez les olives.
4 Arrosez les poivrons avec la sauce au citron. Mélangez bien. Décorez le dessus du plat avec les filets d'anchois et les olives. Ajoutez un peu de persil et laissez reposer au frais pendant au moins 2 h. Servez en hors-d'œuvre avec des petits croûtons à l'ail.

Cette salade se conserve au frais 2 ou 3 jours.

Poivrons farcis à l'italienne

Pour **6 personnes**
Préparation **15 min**
Cuisson **1 h**

6 gros poivrons rouges ◆ 2 oignons ◆ 3 gousses d'ail ◆ 10 cl d'huile d'olive ◆ 2 tranches de jambon blanc ◆ 250 g de chair à saucisse ◆ 200 g de reste de viande cuite hachée ◆ 100 g de riz cuit ◆ 1 œuf ◆ 500 g de tomates ◆ 1 bouquet garni ◆ persil ◆ 1 citron ◆ sel ◆ poivre

1 Décalottez les poivrons du côté du pédoncule. Réservez les chapeaux. Retirez les graines et aplatissez les cloisons. Salez légèrement l'intérieur. Retournez-les sur un linge et réservez.
2 Pelez et hachez les oignons et l'ail. Faites fondre doucement les oignons dans 2 c. à soupe d'huile. Émincez finement le jambon.
3 Ajoutez la chair à saucisse et la viande hachée. Faites revenir 5 min. Retirez du feu. Ajoutez le riz, le jambon émincé, 3 c. à soupe de persil, l'ail et l'œuf battu. Salez et poivrez. Mélangez.
4 Farcissez les poivrons et remettez les chapeaux. Huilez un poêlon en terre allant au four.
5 Pelez les tomates et concassez-les. Versez-les dans le poêlon, ajoutez le bouquet garni et rangez-y les poivrons farcis debout. Arrosez d'huile et de jus de citron. Faites cuire 50 min au four à 180 °C. Servez brûlant dans le poêlon.

Boisson **valpolicella**

→ **autres recettes de poivron à l'index**

On trouve le poivron toute l'année, mais, l'hiver, cultivé sous serre, il a moins de goût. Plus un poivron est coloré, plus sa saveur est douce.

Poivrons farcis à l'italienne ►

Comme reste de viande cuite, vous pouvez utiliser des blancs de volaille, du rôti de veau ou de bœuf. Hachez ces morceaux le plus finement possible.

polenta

→ voir aussi **maïs**

Bouillie de farine de maïs cuite à l'eau, au lait ou au bouillon. La polenta connaît pratiquement tous les emplois du riz : nature ou au fromage comme garniture, mais aussi refroidie et rissolée en tranches, cuisinée en gratin ou en croquettes. Cette spécialité italienne accompagne aussi bien le poisson en sauce que les ragoûts ou les brochettes.

La polenta corse est une bouillie de farine de châtaignes.

Cailles à la polenta

Pour **4 personnes**
Préparation **15 min**
Cuisson **1 h environ**
Repos **20 min**

250 g de farine de maïs ◆ 120 g de beurre ◆ 60 g de parmesan râpé ◆ 4 cailles ◆ sel ◆ poivre

1 Portez à ébullition 1 l d'eau avec 15 g de sel. Versez-y en pluie la farine de maïs. Mélangez et faites cuire pendant 25 à 30 min en remuant avec une cuiller en bois. Salez et poivrez.

2 Ajoutez 60 g de beurre et le parmesan râpé à la bouillie, mélangez et versez-la sur une plaque mouillée. Étalez-la en une couche régulière. Laissez refroidir complètement.

3 Environ 20 min avant de servir, fendez les cailles en 2 sans les couper, aplatissez-les et faites-les sauter dans une cocotte avec 40 g de beurre pendant 15 min. Couvrez et tenez au chaud 5 min.

4 Découpez la polenta refroidie en carrés et faites sauter ceux-ci 10 min dans une poêle avec le reste de beurre. Égouttez-les dans un plat rond, disposez les cailles sautées dessus en les arrosant avec leur jus de cuisson. Servez aussitôt.

pomme

→ voir aussi **beignet, calvados, charlotte, cidre, douillon, pie, tarte**

Ce fruit abondant, parfois d'assez grosse taille, régulier d'aspect et peu fragile, existe toute l'année, notamment la golden delicious et la granny smith. Préférez toutefois les pommes de saison.

Retenez en particulier, de juillet à février : la richared et la starking, rouges et côtelées, croquantes, douces et juteuses (fruits de table) ; les délicieuses reinettes à peau jaune d'or strié de rouge, bonnes à cuire ou à croquer ; la belle de boskoop, rugueuse au toucher, ferme et acidulée, bonne pour les tartes et les charlottes ; la calville à peau jaune citron, très fine, tendre et sucrée, fruit de table rare mais excellent.

Achetez des pommes sans meurtrissures, avec une chair ferme et une peau brillante. Tapez le fruit d'une légère chiquenaude près de la queue : si le son est mat, il est à point. Lavez-le toujours à cause des produits chimiques autorisés pour la culture.

Confitures et gelées, compotes et marmelades permettent d'utiliser des pommes en surplus ou sur le point de se gâter. Mais les emplois de la pomme sont nombreux en cuisine et en pâtisserie : garniture du boudin, du porc, de l'oie ou des harengs, salades composées (avec mâche, betterave, noix, céleri, etc.). Les tartes, les beignets et les chaussons sont des classiques de la pomme en dessert. La cannelle, le jus de citron (qui empêche sa chair de s'oxyder) et la crème fraîche lui sont souvent associés.

Attention : la congélation des pommes fraîches est pratiquement impossible. Elles se conservent quelque temps dans un endroit frais : rangez-les sur une claie, côte à côte.

Diététique. Toutes les pommes sont riches en pectine. Ce fruit est un remède excellent en cas de diarrhée. On lui a prêté des vertus anticholestérolémiantes, mais il faudrait alors en consommer plus de 1 kg par jour, or 100 g = 52 kcal.

reine des reinettes

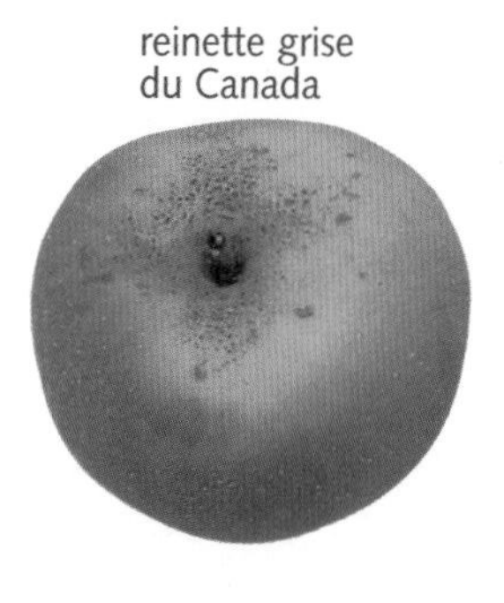
reinette grise du Canada

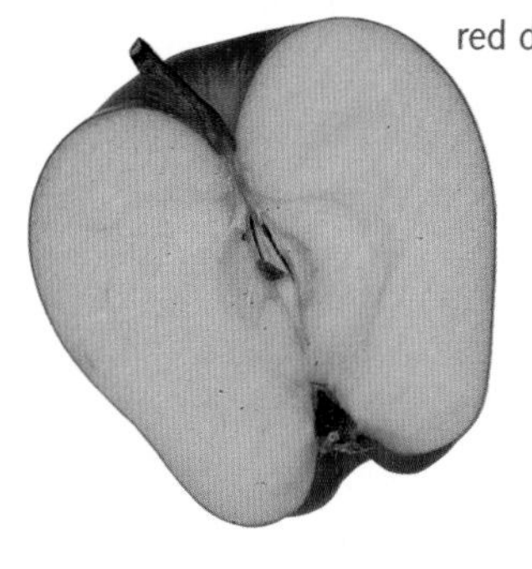

red delicious

Pommes bonne-femme

Pour **4 personnes**
Préparation **10 min**
Cuisson **1 h 30**

4 pommes boskoops ◆ 1 c. à café de cannelle en poudre ◆ 50 g de sucre semoule ◆ 60 g de beurre ◆ gelée de groseilles ◆ amandes effilées

1 Lavez les pommes, ne les pelez pas. Retirez le centre avec un vide-pomme et incisez-les chacune à mi-hauteur circulairement. Préchauffez le four à 170 °C.
2 Mélangez la cannelle, le sucre et 40 g de beurre. Répartissez ce mélange dans le centre évidé des pommes.
3 Beurrez un plat à gratin et rangez-y les pommes. Ajoutez autour quelques cuillerées d'eau. Enfournez et faites cuire pendant 1 h 30.
4 Disposez sur le dessus de chaque pomme 1 c. à café de gelée de groseilles et parsemez de quelques amandes effilées grillées. Servez dans le plat de cuisson.

Vous pouvez poser chaque pomme dans le plat sur une tranche de brioche beurrée. Servez avec un bol de crème liquide bien froide.

Pommes bonne-femme ▲

Très facile à réaliser et toujours savoureux, cet entremets demande des pommes à chair assez ferme et bien parfumées : reinettes ou boskoops. Toutes les confitures rouges sont délicieuses comme accompagnement.

jubilé

granny

royal gala

cox orange

calville

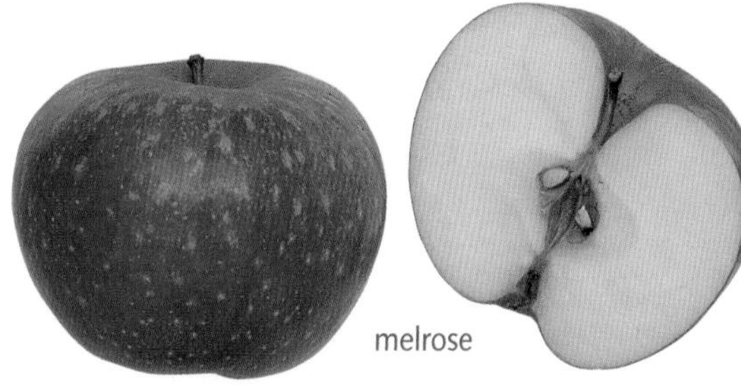

melrose

Les pommes sont normalisées en quatre catégories selon leur taille. Elles se trouvent toute l'année. Une bonne pomme a une peau lisse (elle peut être un peu fripée en hiver) sans meurtrissures, et un pédoncule bien vert. La pomme est aujourd'hui le fruit le plus consommé.

Pommes aux figues

Pour **4 personnes**
Préparation **15 min**
Cuisson **9 min**

4 grosses pommes à chair ferme ◆ 6 figues sèches ◆ 40 g de beurre ◆ 80 g d'amandes en poudre ◆ 3 c. à soupe de miel ◆ 1 sachet de sucre vanillé ◆ 3 c. à soupe de gelée de coings ◆ 8 cerneaux de noix

1 Lavez les pommes, ne les pelez pas. Coupez horizontalement chaque pomme à 2 cm de la queue. Évidez-les pour retirer le cœur et les pépins, en élargissant un peu la cavité.
2 Hachez les figues en petits morceaux et coupez le beurre en parcelles.
3 Mélangez dans une jatte les figues, les amandes en poudre, le miel, le sucre vanillé et le beurre. Couvrez d'un film alimentaire et faites cuire 3 min à pleine puissance.
4 Garnissez les pommes avec cette farce. Rangez-les dans un plat et ajoutez 3 c. à soupe d'eau. Couvrez et faites cuire 6 min à pleine puissance.
5 Retirez le plat du four et versez le jus rendu dans un bol. Incorporez la gelée de coings et délayez en remuant avec une cuiller.
6 Disposez les pommes farcies dans un plat, arrosez de sauce, puis ajoutez en décor les cerneaux de noix. Servez aussitôt.

Avant de hacher les figues, n'oubliez pas d'éliminer la base de la queue, souvent assez coriace. Vous pouvez remplacer les noix par des noisettes concassées.

Salade de novembre

Pour **4 personnes**
Préparation **20 min**
Cuisson **35 min**

200 g de marrons frais ◆ 3 branches de céleri ◆ 4 pommes croquantes ◆ 1/2 citron ◆ huile de noix ◆ vinaigre de cidre ◆ ciboulette ◆ sel ◆ poivre

1 Incisez les marrons en rond. Faites bouillir une grande casserole d'eau. Mettez-y les marrons et faites-les cuire 5 min.
2 Égouttez-les. Décortiquez-les et faites-les cuire pendant 30 min dans l'eau salée et poivrée.
3 Ôtez les fils du céleri et tronçonnez-le en petits morceaux. Pelez les pommes et taillez la pulpe en dés. Citronnez-les.
4 Préparez une vinaigrette avec 4 c. à soupe d'huile et 2 c. à soupe de vinaigre. Salez et poivrez. Hachez 3 c. à soupe de ciboulette.
5 Mélangez dans un saladier les marrons tièdes, les pommes et le céleri. Arrosez de vinaigrette et mélangez. Ajoutez la ciboulette et servez.

Vous pouvez accompagner cette salade de haddock poché ou de jambon braisé chaud.

Tarte aux pommes flambée

Pour **6 personnes**
Préparation **30 min**
Cuisson **35 min**

200 g de farine ◆ 160 g de beurre ◆ 150 g de sucre roux ◆ 1 kg de pommes reinettes ◆ cannelle en poudre ◆ whisky ◆ sel

1 Préparez une pâte brisée avec la farine, 100 g de beurre, 1/2 c. à café de sel, 1 c. à soupe de sucre et 1/2 verre d'eau.
2 Garnissez-en une tourtière de 26 cm de diamètre et piquez le fond. Versez-y 200 g de haricots secs. Faites cuire le fond de pâte à blanc pendant 20 min à 250 °C.
3 Pelez les pommes, retirez le cœur et les pépins. Coupez-les en 8. Faites-les dorer 5 min à la poêle avec le reste de beurre sans les écraser.
4 Ajoutez 125 g de sucre, 1 c. à café de cannelle en poudre, 1/2 verre d'eau et 2 c. à soupe de whisky. Mélangez. Couvrez et laissez cuire doucement 10 min.
5 Disposez cette garniture sur le fond de tarte cuit. Poudrez avec 2 c. à soupe de sucre et 2 ou 3 pincées de cannelle. Réservez au chaud jusqu'au moment de servir.
6 Faites tiédir 10 cl de whisky, versez-le sur les pommes et enflammez. Servez dès que l'alcool est éteint.

Pour ce flambage haut en saveurs, choisissez de préférence un whisky single malt originaire des Highlands (un « Glen »), dont la saveur est moelleuse, mais ni iodée, ni tourbée.

→ autres recettes de pomme à l'index

pomme de terre

→ voir aussi aligot, boudin, croquette, fécule, frite, gnocchi, gratin, hachis, purée

Il existe au moins cent variétés différentes de ce tubercule présent toute l'année sur le marché. Les pommes de terre nouvelles sont commercialisées de novembre au 31 juillet, mais c'est à partir de mars qu'elles sont vraiment bonnes. Suivent les variétés tardives, puis celles de conservation qui prennent le relais jusqu'au printemps suivant.

La plus courante est la bintje, à chair jaune et farineuse : la meilleure pour les frites, excellente pour les potages et la purée, elle convient aussi pour les salades ou les ragoûts. La B.F. 15 possède une chair ferme qui ne se défait pas à la cuisson : choisissez-la pour un sauté ou la cuisson en robe des champs. La belle de Fontenay possède une chair jaune et ferme à grain fin : idéale pour les pommes sautées ou rissolées, les salades ou les pommes vapeur. La roseval (chair jaune et peau rose) est une pomme de terre d'automne qui a une bonne tenue à la cuisson. Les pommes de terre à chair farineuse (bintje, kerpondy, urgenta) sont à réserver pour les gratins, les purées et les soupes. Celles à chair ferme sont bonnes pour les pommes à l'anglaise, à la vapeur, en salade, etc.

Légume populaire et bon marché, la pomme de terre est aussi un régal de gastronome, avec en particulier la ratte, ferme, fine et savoureuse, à cuire toujours à l'eau dans sa peau. Dégustez-la en salade tiède ou à la vapeur. Essayez aussi les pommes de terre de l'île de Ré ou de Noirmoutier.

Légume universel, la pomme de terre se marie avec tout en garniture classique (purée, frites, pommes vapeur), mais peut aussi constituer un plat à elle seule (gratin, criques, pommes de terre farcies, etc.). Les apprêts surgelés sont nombreux et pratiques.

Une bonne pomme de terre saine est ferme, régulière au toucher, sans taches, sans germes et sans traces vertes : retirez-les toujours lors de l'épluchage, de même que les « yeux ». Lavez-les sitôt pelées, mais ne les laissez pas tremper, sinon elles perdent leurs vitamines, l'extérieur durcit et le temps de cuisson est plus long. Si la cuisson se fait à l'eau, démarrez-la à l'eau froide. Pour les pommes sautées, choisissez une cocotte à fond épais ou une poêle en fonte qui emmagasine bien la chaleur.

Diététique. Évitez la pomme de terre en cas de diabète, mais ne croyez pas qu'elle fait grossir, à condition de la faire cuire à l'eau ou à la vapeur, et sans matière grasse : 100 g = 90 kcal, alors que 100 g de frites ou de pommes noisettes = 420 kcal.

Les pommes de terre se conservent très bien. Prévoyez un endroit assez frais, ni trop humide ni trop sec, mais surtout à l'obscurité, sinon elles verdissent. Rejetez celles qui germent.

Crique de pommes de terre

Pour **4 personnes**
Préparation **15 min**
Cuisson **30 à 35 min**

1 kg de pommes de terre à chair ferme ◆ 1 petit bouquet de ciboulette ◆ 2 œufs ◆ 30 g de beurre ◆ 2 c. à soupe d'huile ◆ sel ◆ poivre noir au moulin

1 Pelez les pommes de terre, lavez-les et épongez-les à fond dans un torchon. Râpez-les avec une grosse grille dans un saladier.
2 Ajoutez la ciboulette finement ciselée. Salez et poivrez. Incorporez les œufs battus en omelette et mélangez bien.
3 Faites chauffer la moitié du beurre et de l'huile dans une poêle. Versez-y les pommes de terre liées à l'œuf et aplatissez-les légèrement avec une spatule, pour former une galette régulière.
4 Laissez cuire sur feu moyen pendant 15 min sans remuer. Posez une assiette sur la poêle et retournez le tout. Faites à nouveau glisser la crique dans la poêle après y avoir rajouté le reste de beurre et d'huile. Laissez cuire 15 à 20 min. Faites glisser dans un plat et servez chaud.

Enrichissez les criques de poireau émincé, de vert d'oignon ou de carotte râpée.

Pommes dauphine

Pour **6 personnes**
Préparation **30 min**
Cuisson **30 min environ**

1 kg de pommes de terre farineuses ◆ 130 g de beurre ◆ 250 g de farine ◆ 6 œufs ◆ huile de friture ◆ muscade ◆ sel ◆ poivre

1 Pelez et lavez les pommes de terre. Faites-les cuire à l'eau pendant 20 min environ. Elles doivent être très tendres.
2 Préparez une pâte à choux avec le beurre, la farine, les œufs et de la muscade râpée. Salez et poivrez *(voir page 167)*.
3 Égouttez les pommes de terre et passez-les au presse-purée. Incorporez la purée de pommes de terre à la pâte à choux. Mélangez à fond.
4 Faites chauffer le bain de friture à 175 °C. Faites tomber la pâte à pommes dauphine dans la friture chaude cuillerée par cuillerée. Lorsque les boulettes sont gonflées et dorées, épongez-les sur du papier absorbant et servez très chaud.

Vous pouvez incorporer à la pâte du persil haché, du parmesan ou du jambon de Bayonne finement émincé.

Pommes duchesse

Pour **4 personnes**
Préparation **30 min**
Cuisson **30 min environ**

800 g de pommes de terre farineuses ◆ 50 g de beurre ◆ 1 œuf entier ◆ 2 jaunes d'œufs ◆ huile de friture ◆ muscade ◆ sel ◆ poivre

1 Pelez les pommes de terre. Coupez-les en quartiers et faites-les cuire 15 min à l'eau salée. Égouttez-les et versez-les dans un plat à gratin.
2 Faites-les sécher à l'entrée du four chauffé à 200 °C. Lorsqu'elles ont blanchi, passez-les au presse-purée grille fine.
3 Versez la purée dans une casserole. Salez et poivrez. Muscadez. Incorporez le beurre et remuez 3 min avec une cuiller en bois.
4 Ajoutez l'œuf et les 2 jaunes. Mélangez. Faites chauffer le bain de friture à 175 °C.
5 Mettez la purée dans une poche à douille lisse de 2 cm de diamètre. Pressez la poche au-dessus de la friture en coupant la pâte tous les 4 cm. Laissez dorer puis égouttez les croquettes et épongez-les sur du papier absorbant.

Vous pouvez aussi utiliser une douille cannelée et coucher des couronnes sur une plaque beurrée. Faites cuire au four à 200 °C pendant 10 min. Servez en garniture de rôti ou de pièces de viande sautées.

Pommes noisettes

Pour **4 personnes**
Préparation **20 min**
Cuisson **12 à 15 min**

1 kg de pommes de terre B.F. 15 ◆ 80 g de beurre ◆ huile ◆ sel ◆ poivre

1 Pelez les pommes de terre, lavez-les et essuyez-les. À l'aide d'une petite cuiller ronde spéciale, prélevez des boules et épongez-les.

2 Faites chauffer le beurre dans une grande poêle en fonte en ajoutant 1 c. à soupe d'huile.
3 Versez-y les pommes noisettes et faites-les rissoler en remuant de temps en temps. Salez et poivrez. Surtout ne couvrez pas la poêle, les pommes de terre ramolliraient. Servez brûlant quand elles sont bien dorées.

Variante : faites rissoler les pommes noisettes avec un peu de thym pulvérisé ou une gousse d'ail hachée très finement.

Pommes sautées sarladaises

Pour **4 personnes**
Préparation **20 min**
Cuisson **20 min environ**

800 g de pommes de terre B.F. 15 ◆ 4 ou 5 gousses d'ail ◆ 1 bouquet de persil ◆ 60 g de graisse d'oie ◆ sel ◆ poivre

1 Pelez les pommes de terre. Taillez-les en rondelles de 5 mm d'épaisseur. Lavez-les et essuyez-les bien à fond.
2 Pelez et hachez les gousses d'ail. Ciselez le persil. Faites chauffer la graisse d'oie dans une grande poêle à fond épais.
3 Versez-y les pommes de terre et 1/2 c. à soupe d'ail haché. Faites sauter les pommes de terre en les remuant de temps en temps. Poursuivez cette cuisson sur feu assez vif pendant 15 min.
4 Mélangez le reste d'ail haché et le persil. Ajoutez-le dans la poêle et mélangez. Baissez le feu et couvrez la poêle. Laissez cuire encore de 4 à 5 min. Servez aussitôt, pour accompagner un confit, un rôti ou une grillade.

Pommes sautées sarladaises ▲

Les « vraies » pommes sarladaises ne comportent en principe pas de truffe, mais, si jamais vous disposez d'une truffe fraîche, n'hésitez pas à l'émincer sur le dessus au moment de servir.

Pommes de terre au basilic

Pour **4 personnes**
Préparation **10 min**
Cuisson **30 min**

600 g de petites pommes de terre nouvelles ◆ 50 g de beurre ◆ 1 gousse d'ail ◆ 8 belles feuilles de basilic frais ◆ sel ◆ poivre

1 Grattez les pommes de terre, lavez-les et épongez-les. Faites fondre le beurre dans une cocotte.
2 Versez les pommes de terre dans la cocotte et faites-les rouler dans le beurre chaud. Laissez-les blondir. Salez et poivrez.
3 Enfournez la cocotte à 220 °C et poursuivez la cuisson pendant 20 min en mélangeant les pommes de terre de temps en temps.
4 Pelez et hachez l'ail finement. Ciselez le basilic. Environ 10 min avant la fin de la cuisson, ajoutez l'ail et remuez.
5 Lorsque les pommes de terre sont cuites, versez-les dans un légumier chaud, ajoutez le basilic et mélangez. Servez aussitôt.

Cette recette simple et rapide est exquise avec bien d'autres fines herbes : de l'estragon, de la ciboulette, de l'aneth ou encore de la sauge… Variez les plaisirs.

Pommes de terre au genièvre

Pour **4 personnes**
Préparation **15 min**
Cuisson **25 min**

800 g de pommes de terre régulières ◆ 1 gousse d'ail ◆ 2 échalotes ◆ 12 baies de genièvre ◆ 1 citron ◆ 5 c. à soupe d'huile de tournesol ◆ sel ◆ poivre noir au moulin

1 Lavez les pommes de terre et mettez-les non pelées dans une casserole avec 1 c. à café de sel et 2 l d'eau. Portez à ébullition et faites cuire pendant 25 min environ.
2 Pelez et hachez très finement l'ail et les échalotes. Pilez le genièvre. Pressez le citron.
3 Réunissez dans une jatte l'huile, le jus de citron, l'ail, les échalotes et le genièvre. Fouettez vivement pendant 3 min pour obtenir une émulsion homogène. Salez et poivrez.
4 Égouttez les pommes de terre et pelez-les dès qu'elles ne sont plus brûlantes. Coupez-les en rondelles et arrosez-les aussitôt de sauce. Mélangez délicatement, poivrez et servez.

Ces pommes de terre accompagnent parfaitement la charcuterie fumée, les harengs saurs ou la viande froide.

Pommes de terre farcies

Pour **6 personnes**
Préparation **20 min**
Cuisson **45 min**

3 oignons ◆ 1 gousse d'ail ◆ 3 c. à soupe de lait ◆ 1 petit bol de mie de pain rassis ◆ 80 g de beurre ◆ 250 g de chair à saucisse ◆ 3 c. à soupe de persil haché ◆ 6 grosses pommes de terre allongées à chair ferme ◆ sel ◆ poivre

1 Pelez et hachez finement les oignons et l'ail. Imbibez de lait la mie de pain puis pressez-la bien entre vos mains.
2 Faites blondir les oignons à la poêle dans 25 g de beurre. Ajoutez la chair à saucisse et faites-la revenir 10 min en l'émiettant à la fourchette. Ajoutez l'ail, le persil et la mie de pain. Salez et poivrez. Mélangez.
3 Préchauffez le four à 210 °C. Beurrez largement un plat à gratin.
4 Pelez les pommes de terre, lavez-les et essuyez-les. Coupez une tranche assez épaisse sur la longueur de chaque pomme de terre et évidez-les en forme de barquettes.
5 Remplissez-les de farce et remettez les tranches coupées sur le dessus. Placez les pommes de terre farcies dans le plat beurré. Arrosez du reste de beurre fondu. Faites cuire dans le four pendant 35 min.

Tout reste de viande ou de volaille peut être utilisé à la place de la chair à saucisse.

Pommes de terre sautées

Pour **4 personnes**
Préparation **10 min**
Cuisson **25 à 30 min**

800 g de pommes de terre ◆ beurre ◆ huile ◆ persil plat ◆ sel ◆ poivre

1 Pelez les pommes de terre et coupez-les en petits cubes réguliers. Lavez-les et épongez-les. Salez et poivrez.
2 Faites chauffer la matière grasse dans une poêle : 60 g de beurre, 4 c. à soupe d'huile (arachide ou olive) ou mélange à parts égales d'huile et de beurre.
3 Versez les dés de pommes de terre dans la poêle et faites-les sauter pendant 25 min. Dès que les dés de pommes de terre sont dorés, couvrez la poêle, mais faites-les sauter très souvent pour que la cuisson soit régulière.
4 Versez les pommes de terre sautées dans un légumier chaud et parsemez de persil ciselé.

Salade de pommes de terre

Pour **4 personnes**
Préparation **20 min**
Cuisson **25 min**

800 g de petites pommes de terre nouvelles ◆ 4 c. à soupe de cerfeuil ◆ 3 c. à soupe de crème liquide ◆ 1 c. à soupe de vinaigre de xérès ◆ 150 g d'œufs de saumon ou de truite ◆ sel ◆ poivre

1 Grattez les pommes de terre et faites-les cuire à l'eau salée pendant 20 à 25 min.

2 Pendant ce temps, mélangez dans un bol le cerfeuil, la crème et le vinaigre. Salez et poivrez.
3 Égouttez les pommes de terre et pelez-les. Coupez-les en rondelles et disposez-les dans un saladier. Nappez-les de sauce et remuez.
4 Répartissez cette salade dans des assiettes de service. Ajoutez en garniture les œufs de poisson et servez aussitôt.

→ **autres recettes de pomme de terre à l'index**

pont-l'évêque

Ce fromage normand au lait de vache, à pâte molle et à croûte lavée, jaune d'or, est en forme de pavé carré de 3 cm d'épaisseur. Il existe aussi un demi-pont-l'évêque de forme rectangulaire. Souple sous le doigt, moelleux avec un goût prononcé et un bouquet affirmé, le pont-l'évêque ne doit pas sentir trop fort ni être poisseux. Choisissez-le au lait cru et appréciez-le surtout en automne et en hiver avec un vin rouge corsé.

Diététique. 30 g de pont-l'évêque = 100 kcal.

porc

→ voir aussi **andouille, andouillette, bacon, boudin, chair à saucisse, charcuterie, choucroute, cochon de lait, côte de porc, échine, jambon, lait, lard, petit salé, rillettes, saindoux, saucisse, saucisson**

Cet animal d'élevage dont l'ancêtre sauvage est le sanglier est une source abondante de provisions pour le boucher et le charcutier. Sa viande assez bon marché est largement consommée et sa qualité a nettement progressé.

Une viande de porc fraîche se reconnaît à une chair rose pâle, assez ferme, fine et élastique, sans trace d'humidité. Blanchâtre et mouillée, elle vient d'un porc « industriel », donc fade. Trop rouge, trop grasse et flasque, elle est fournie par un animal médiocre et vieux. La graisse doit être blanche et ferme : une chair enrobée de graisse grisâtre et molle perd beaucoup de son poids à la cuisson. À l'inverse de la viande de bœuf, le porc doit toujours être bien cuit.

Le porc se consomme frais, demi-sel, salé ou fumé. Jusqu'aux oreilles, aux pieds ou aux boyaux, « dans le cochon tout est bon ». Parmi les morceaux de première catégorie à griller ou à poêler, choisissez entre les côtes, la grillade ou le filet mignon. Pour le rôti, prenez la pointe ou le milieu de filet, l'épaule, l'échine ou la palette, morceaux qui peuvent aussi se cuisiner en sauté.

Le porc est une viande grasse. N'hésitez pas à l'accompagner de fruits : ananas, pommes, pruneaux. Une bonne garniture de légumes secs fait du porc un plat d'hiver roboratif. Les épices, la moutarde, l'oignon et les herbes aromatiques font toujours bon ménage avec le porc.

Diététique. Très bonne source de vitamine B1, la viande de porc est grasse : 100 g = 290 kcal. Mais, sur les morceaux de première catégorie, la graisse extérieure est facile à retirer.

Civet de porc au vin rouge

Pour **6 personnes**
Préparation **20 min**
Cuisson **2 h environ**

10 cl de sang de porc (commandé chez le charcutier) ◆ 6 oignons ◆ 150 g de lard salé ◆ 700 g d'échine de porc ◆ 700 g d'épaule de porc ◆ 1 l de vin rouge ◆ 1 bouquet garni ◆ vinaigre ◆ farine ◆ sel ◆ poivre

1 Mélangez le sang de porc dans un bol et 1 c. à soupe de vinaigre. Réservez au frais.
2 Pelez et émincez les oignons. Coupez le lard en lardons. Mettez-les dans une cocotte et laissez-les fondre sur feu modéré. Égouttez-les.
3 Coupez les viandes en morceaux et mettez-les dans la cocotte. Faites-les dorer en les retournant plusieurs fois. Poudrez de farine et faites cuire 3 min. Ajoutez le vin, les oignons et le bouquet garni. Portez à ébullition. Remettez les lardons et couvrez.
4 Laissez cuire doucement pendant 2 h ; 10 min avant de servir, prélevez 4 c. à soupe de jus de cuisson et mélangez-le dans un bol avec le sang.
5 Versez dans la cocotte et poursuivez la cuisson, sans faire bouillir et tout en remuant. Servez très chaud.

Vous pouvez aussi faire mariner les viandes pendant la nuit dans le vin rouge avec du poivre en grains et le bouquet garni.

Boisson **vin rouge corsé**

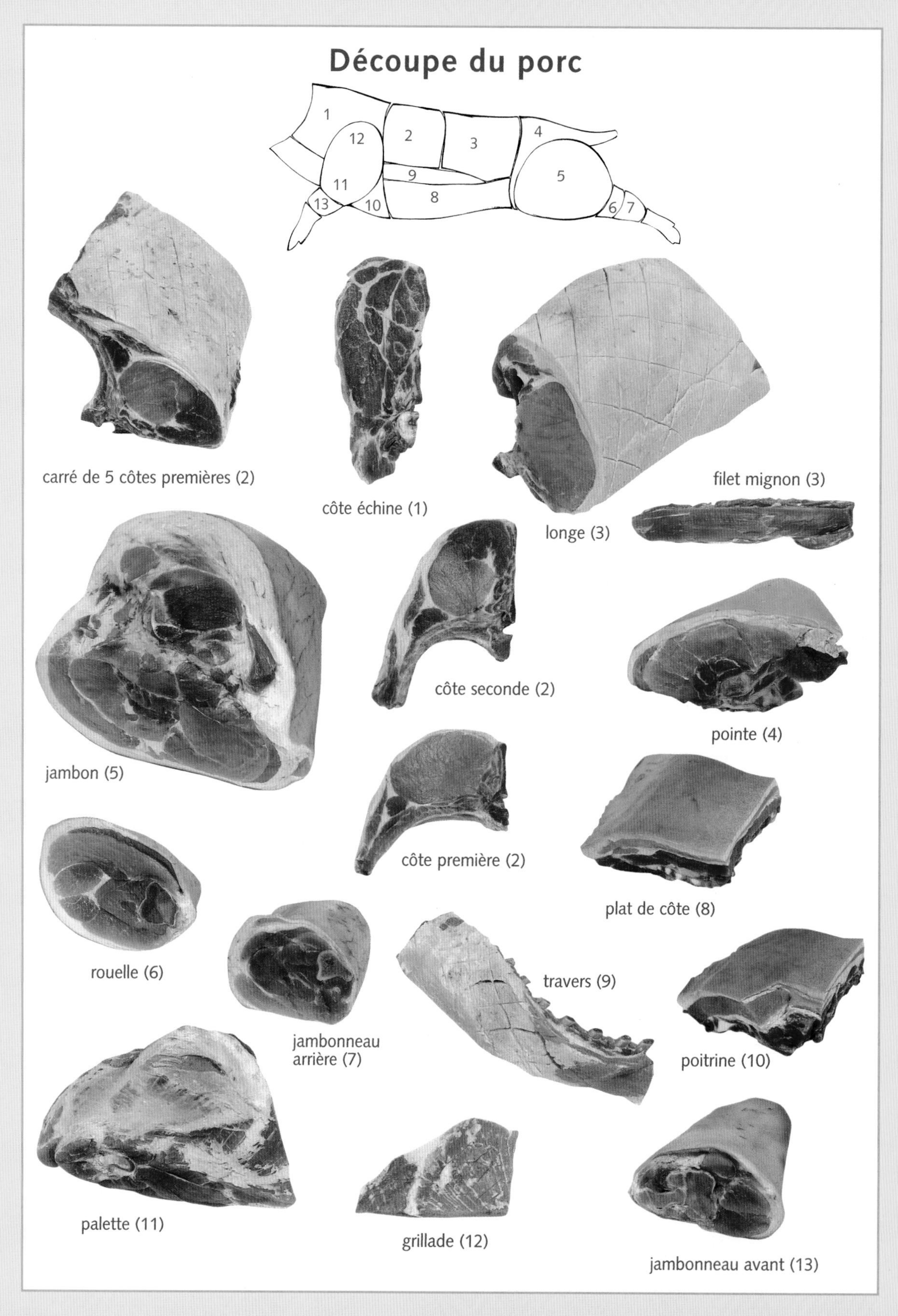
Découpe du porc
1
2
3
4
5
6
7
8
9
10
11
12
13
carré de 5 côtes premières (2)
côte échine (1)
longe (3)
filet mignon (3)
jambon (5)
côte seconde (2)
pointe (4)
côte première (2)
plat de côte (8)
rouelle (6)
jambonneau arrière (7)
travers (9)
poitrine (10)
palette (11)
grillade (12)
jambonneau avant (13)

Côtes de porc au fromage

Pour **4 personnes**
Préparation **5 min**
Cuisson **25 à 30 min**

4 côtes de porc dans la pointe de filet ◆ 20 g de beurre ◆ 100 g de gruyère râpé ◆ 2 c. à soupe de moutarde forte ◆ 10 cl de crème fraîche épaisse ◆ huile ◆ sel ◆ poivre

1 Dégraissez légèrement les côtes de porc. Faites chauffer le beurre avec 1 c. à soupe d'huile dans une grande poêle à fond épais.
2 Faites-y sauter les côtes de porc en comptant 3 min de chaque côté. Réduisez le feu et poursuivez la cuisson pendant encore 5 à 6 min de chaque côté. Salez et poivrez au goût.
3 Pendant ce temps, préchauffez le gril du four. Mélangez dans un bol le fromage râpé, la moutarde et la crème.
4 Égouttez les côtes de porc et mettez-les dans un plat de service allant au four.
5 Nappez les côtes du mélange au fromage en les enrobant complètement. Faites gratiner sous le gril du four pendant 5 min et servez aussitôt.

Comme garniture, vous pouvez proposer des bettes à la crème ou des endives braisées.

Boisson **vin blanc de Savoie**

Côtes de porc au vin blanc

Pour **4 personnes**
Préparation **20 min**
Cuisson **20 min**

4 côtes de porc ◆ 40 g de beurre ◆ 300 g de champignons de couche ◆ 10 cl de vin blanc sec ◆ 10 cl de bouillon ◆ 8 cl de porto ◆ thym ◆ huile ◆ concentré de tomates ◆ fécule ◆ sel ◆ poivre

1 Salez et poivrez les côtes de porc. Parsemez-les avec quelques pincées de thym. Faites chauffer 20 g de beurre et 1 c. à soupe d'huile dans une poêle.
2 Faites cuire les côtes de porc sur feu moyen pendant 8 min de chaque côté, en les retournant plusieurs fois. Égouttez-les.
3 Nettoyez les champignons, coupez le pied terreux. Émincez-les. Faites-les sauter à part dans le reste de beurre.
4 Déglacez la poêle de cuisson des côtes de porc en grattant à la spatule. Ajoutez le vin blanc et le bouillon avec 1 c. à café de concentré de tomates. Faites chauffer pour réduire de moitié.
5 Liez cette sauce avec 1 c. à café de fécule délayée dans le porto, en remuant sans arrêt pendant 5 min. Rectifiez l'assaisonnement.
6 Disposez les côtes de porc entourées de champignons sur un plat chaud. Nappez de sauce et servez aussitôt.

Vous pouvez remplacer le porto par la même quantité de madère ou même de marsala.

Boisson **saint-émilion**

→ **autres recettes de porc à l'index**

Côtes de porc au vin blanc ▼

L'acidité du vin blanc et de la tomate relève bien la sauce des côtes de porc, toujours un peu grasses. Avec des girolles ou des cèpes, le plat sera encore plus savoureux.

porto

Produit au Portugal, ce vin de dessert est célèbre dans le monde entier. Il est plus ou moins doux selon le moment où l'on interrompt la fermentation en ajoutant de l'eau-de-vie au jus de raisin. Si la vendange a été exceptionnelle, il s'agit d'un porto millésimé, dit vintage.

Pour tous les autres portos, on procède à des coupages. Le ruby est le plus jeune, doux, fruité, presque rouge. Le tawny a acquis en séjournant en fût de chêne une couleur dorée et davantage de plénitude. Le porto blanc, couleur topaze, est moins apprécié. Pour déguster un bon porto en digestif, servez-le chambré, de préférence dans un verre tulipe où l'on admire sa couleur et son arôme. Pour un apéritif, choisissez un porto jeune plutôt léger et servez-le frappé.

En cuisine, le porto s'associe bien avec le jambon, le gibier et la volaille. Dans les sauces ou les potages, il s'emploie comme le madère.

potage

→ voir aussi **bisque, bouillon, consommé, crème (potage), soupe**

Préparation liquide à base de légumes. Le potage se sert chaud en début de repas, plus souvent au dîner. Un potage « clair » est fait d'un bouillon servi avec une garniture. Dans un potage-purée, le légume est passé au mixer ; la liaison à la crème, au beurre ou à l'œuf lui donne une consistance veloutée.

Diététique. Le potage est une excellente façon de consommer des légumes : ils apportent tous les minéraux, vitamines, fibres et eau dont l'organisme a besoin.

Potage au cresson

RECETTE LÉGÈRE — 1 portion 120 kcal

Pour **4 personnes**
Préparation **15 min**
Cuisson **30 min**

2 pommes de terre farineuses ◆ 1 botte de cresson ◆ 4 petits oignons blancs ◆ 1 c. à soupe d'huile de maïs ◆ 25 cl de lait écrémé ◆ sel ◆ poivre

1 Pelez les pommes de terre et lavez-les. Coupez-les en rondelles. Triez et lavez le cresson. Pelez et émincez finement les petits oignons.

2 Faites chauffer l'huile dans une grande casserole à revêtement antiadhésif. Ajoutez les oignons et faites-les revenir doucement sans coloration. Versez 1,5 l d'eau. Salez et poivrez.

3 Ajoutez ensuite les pommes de terre et le cresson grossièrement haché. Couvrez et laissez mijoter pendant 20 min. Versez alors le lait et faites chauffer en remuant pendant 5 min.

4 Passez le contenu de la casserole au moulin à légumes et faites réchauffer doucement avant de servir bien chaud.

Potage aux petits pois

RECETTE LÉGÈRE — 1 portion 110 kcal

Pour **4 personnes**
Préparation **15 min**
Cuisson **35 min**

2 poireaux ◆ 1 pomme de terre ◆ 1 oignon ◆ 1 c. à soupe d'huile de maïs ◆ 400 g de petits pois surgelés ◆ 10 cl de lait ◆ 1 petit bouquet de ciboulette ◆ sel ◆ poivre

1 Parez et lavez les poireaux. Émincez finement les blancs en gardant un peu de vert. Pelez la pomme de terre, lavez-la et taillez-la en petits dés. Pelez l'oignon et émincez-le finement.

2 Faites chauffer l'huile dans une casserole, ajoutez l'oignon et faites-le suer sur feu moyen en remuant pendant 5 min.

3 Ajoutez les poireaux et la pomme de terre. Mélangez et versez 1 litre d'eau bouillante. Salez et poivrez. Faites cuire pendant 15 min puis ajoutez les petits pois et poursuivez la cuisson pendant encore 15 min.

4 Passez le contenu de la casserole au mixer, puis faites à nouveau chauffer légèrement en ajoutant le lait et la ciboulette. Rectifiez l'assaisonnement et servez très chaud.

Potage printanier

Pour **4 personnes**
Préparation **15 min**
Cuisson **16 min**

1 gousse d'ail ◆ 400 g d'oignons ◆ 250 g de courgettes ◆ 50 cl de lait ◆ laurier ◆ persil ◆ poivre en grains ◆ huile ◆ fécule de riz ◆ sel ◆ poivre

1 Pelez et hachez l'ail et les oignons. Lavez les courgettes et émincez-les finement.

2 Dans une jatte, mélangez le lait, 1 c. à soupe d'oignon, 1 feuille de laurier, 3 tiges de persil et 1 c. à soupe de poivre. Faites cuire 3 min à pleine puissance, laissez reposer 5 min. Passez le liquide.
3 Versez 1 c. à soupe d'huile dans une soupière, faites chauffer 1 min puis ajoutez l'ail et les oignons. Faites cuire 2 min. Salez. Ajoutez les courgettes et couvrez. Faites cuire 4 min sur puissance maximale, en remuant 2 fois.
4 Ajoutez la fécule et mélangez. Faites cuire 1 min. Versez le lait et couvrez. Faites cuire 5 min à chaleur moyenne en remuant 3 fois.

→ **autres recettes de potage à l'index**

Pot-au-feu ▲

Préparé la veille, le pot-au-feu est encore meilleur : dégraissez-le avant de le faire réchauffer. Si vous servez le bouillon en premier plat, vous pouvez lui ajouter du vermicelle et du fromage râpé.

pot-au-feu

→ **voir aussi** miroton

Ce plat complet réunit un potage, un plat de viande bouillie et des légumes. Pour le réussir, choisissez des morceaux à la fois maigres, gras et gélatineux, sans oublier l'os à moelle. Pour avoir un bouillon très savoureux, mettez les viandes dans l'eau froide, mais, pour préserver davantage le goût de la viande, mettez-la dans l'eau bouillante.

Sur le modèle du pot-au-feu classique, préparez aussi un pot-au-feu de poisson ou de volaille.

Diététique. Excellent plat unique, à condition de dégraisser le bouillon. 100 g de bœuf bouilli = 180 kcal environ.

Pot-au-feu

Pour 8 personnes
Préparation 30 min
Cuisson 4 h environ

800 g de plat de côtes ◆ 1 oignon ◆ 4 clous de girofle ◆ 3 gousses d'ail ◆ 800 g de gîte ◆ 800 g de macreuse ◆ 1 bouquet garni ◆ 6 carottes ◆ 6 navets ◆ 3 panais ◆ 4 poireaux ◆ 3 branches de céleri ◆ 4 tronçons d'os à moelle ◆ poivre en grains ◆ gros sel

1 Versez 3 l d'eau froide dans une grande marmite. Mettez-y le plat de côtes et portez à ébullition 10 min puis laissez cuire 1 h.
2 Pelez l'oignon. Piquez-le de clous de girofle. Écrasez l'ail pelé. Ajoutez-les dans la marmite avec le gîte, la macreuse, le bouquet garni, 8 à 10 grains de poivre et 1 c. à soupe de gros sel.
3 Portez à nouveau à ébullition, écumez puis laissez mijoter sur feu doux à découvert 2 h.
4 Pelez et lavez les carottes, les navets et les panais. Nettoyez les blancs de poireaux et le céleri, tronçonnez-les. Après 3 h de cuisson de la viande, ajoutez le céleri, puis les poireaux (10 min plus tard), et les carottes, les navets et les panais. Laissez cuire doucement pendant 1 h.
5 Environ 20 min avant la fin de la cuisson, faites pocher les tronçons d'os à moelle dans une casserole d'eau légèrement salée. Gardez-les au chaud dans la casserole à couvert.
6 Pour servir, égouttez les viandes et disposez-les dans un grand plat avec les légumes. Ajoutez les tronçons d'os à moelle égouttés. Dégraissez le bouillon et filtrez-le au-dessus d'une soupière. Arrosez le plat de 2 c. à soupe de bouillon.

Boisson **beaujolais ou chinon**

Pot-au-feu de la mer

RECETTE LÉGÈRE — 1 portion 370 kcal

Pour **8 personnes**
Préparation **30 min**
Cuisson **50 min environ**

2 daurades ◆ 4 grondins ◆ 1 tronçon de cabillaud de 800 g ◆ 1 oignon ◆ 1 clou de girofle ◆ 10 carottes ◆ 8 poireaux ◆ 1 bouquet garni ◆ 500 g de haricots mange-tout ◆ 2 l de moules brossées et lavées ◆ gros sel ◆ poivre en grains

1 Demandez au poissonnier de lever les filets des poissons et de vous donner les têtes et les parures.
2 Pelez l'oignon et coupez-le en 2. Piquez le clou de girofle dans une moitié. Pelez les carottes et nettoyez les poireaux.
3 Mettez dans une casserole les têtes et parures de poisson, l'oignon, 1 carotte émincée et le vert des poireaux ciselé, le bouquet garni, 1 c. à soupe de gros sel et 12 grains de poivre. Ajoutez 1,5 l d'eau et faites cuire 30 min.
4 Faites cuire les carottes et les poireaux à part à l'eau salée pendant 20 min. Ajoutez les haricots et faites cuire 20 min.
5 Faites ouvrir les moules dans une grande casserole à couvert sur feu vif (5 min environ). Décoquillez-les et gardez-les au chaud. Filtrez leur jus et ajoutez-le dans le court-bouillon.
6 Environ 10 min avant la fin de la cuisson des légumes, filtrez le court-bouillon et versez-le dans une casserole. Faites-y cuire les filets de poisson à feu doux pendant 8 min.
7 Égouttez les filets de poissons, mettez-les dans un plat creux avec les légumes. Ajoutez les moules en garniture et servez aussitôt.

Boisson **vin blanc sec**

potée

À l'origine, il s'agit d'un apprêt cuit dans un pot en terre. Ce terme désigne plus particulièrement un mélange de viandes et de légumes cuits ensemble dans une marmite. Le porc, le chou et les raves y dominent. C'est un plat complet d'inspiration régionale, copieux et rustique que l'on trouve parfois sous diverses autres appellations (garbure, hochepot, etc.). On trouve l'équivalent dans pratiquement tous les pays du monde. Servez un vin, un fromage et un dessert du même terroir.

Potée auvergnate

Pour **8 personnes**
Préparation **30 min**
Cuisson **3 h environ**

1/2 tête de porc ◆ 500 g de lard demi-sel ◆ 1 palette de porc demi-sel ◆ 1 oignon ◆ 2 clous de girofle ◆ 1 bouquet garni ◆ 1 chou vert pommé ◆ 800 g de carottes ◆ 2 saucissons à cuire ◆ 800 g de pommes de terre ◆ vinaigre ◆ sel ◆ poivre

1 Mettez dans un faitout la tête de porc, le lard et la palette. Couvrez d'eau. Faites cuire 15 min à petits frémissements.
2 Égouttez-les. Mettez-les dans une marmite avec 3 l d'eau chaude. Pelez l'oignon et piquez-le des clous de girofle, ajoutez-le avec le bouquet garni et faites cuire pendant 2 h.
3 Parez le chou, coupez-le en quartiers et rincez ceux-ci à l'eau vinaigrée. Faites-les cuire 2 min à l'eau bouillante salée.
4 Prélevez 30 cl du bouillon de cuisson des viandes et versez-le dans une casserole. Pelez les carottes et mettez-les dans la marmite. Poursuivez la cuisson 30 min.
5 Introduisez enfin les saucissons et le chou blanchi. Poursuivez la cuisson pendant 30 min. Pendant ce temps, pelez les pommes de terre et faites-les cuire dans le bouillon mis de côté dans la casserole.
6 Servez les viandes et les légumes égouttés, réunis dans un grand plat creux.

Potée lorraine

Pour **6 personnes**
Préparation **30 min**
Cuisson **3 h environ**

500 g de palette fraîche ◆ 500 g de lard fumé ◆ 1 petit chou frisé ◆ 6 poireaux ◆ 3 oignons ◆ 6 navets ◆ 6 pommes de terre ◆ 500 g de haricots blancs ◆ 6 saucisses fumées ◆ sel ◆ poivre

1 Mettez dans une marmite la palette et le lard. Couvrez d'eau et portez lentement à ébullition. Laissez cuire doucement 30 min.
2 Parez le chou et coupez-le en quartiers. Faites-les blanchir pendant 3 min à l'eau bouillante. Égouttez-les. Nettoyez les poireaux et coupez le vert. Pelez les oignons, les navets et les pommes de terre.

3 Faites cuire les haricots 2 h à l'eau bouillante salée. Ajoutez les navets et les oignons, puis, 30 min plus tard, le chou, les saucisses et les poireaux. Faites cuire les pommes de terre à part à la vapeur ou à l'eau salée.
4 Égouttez les légumes et disposez-les dans un plat creux. Détaillez le lard et la palette en tranches et placez-les dans un plat chaud avec les saucisses. Servez bien chaud.

Potée de veau printanière

Pour **4 personnes**
Préparation **20 min**
Cuisson **1 h**

750 g de noix de veau maigre ◆ 3 tomates ◆ 2 carottes ◆ 2 navets ◆ 1 petit fenouil ◆ 2 oignons ◆ 2 échalotes ◆ 1 citron non traité ◆ 1 petit bouquet de persil plat ◆ 1 bouquet garni ◆ 1 c. à soupe d'huile d'olive ◆ sel ◆ poivre

1 Détaillez la viande en morceaux. Lavez les tomates et coupez-les en quartiers.
2 Pelez et émincez les carottes et les navets, les oignons et les échalotes. Parez le fenouil et émincez-le. Râpez et hachez finement le zeste du citron. Ciselez le persil.
3 Faites chauffer l'huile dans une cocotte. Faites-y revenir les tomates. Salez et poivrez. Ajoutez les oignons et les échalotes et mélangez. Posez les morceaux de viande dessus. Ajoutez le bouquet garni, couvrez la cocotte et laissez mijoter doucement 45 min.
4 Faites cuire les autres légumes 15 min à la vapeur. Ajoutez-les dans la cocotte. Faites cuire pendant 15 min. Retirez le bouquet garni. Servez le ragoût parsemé de persil et de zeste de citron.

→ **autres recettes de potée à l'index**

potimarron

→ **voir aussi potiron**

Ce légume de la famille des courges tient à la fois du potiron, pour la couleur et la forme (en plus petit), et du marron, pour la consistance un peu farineuse de la chair. Cuisinez-le en soupe ou en gratin. On peut aussi en faire des pickles.

Gratin de potimarron

Pour **4 personnes**
Préparation **20 min**
Cuisson **30 min environ**

800 g de potimarron ◆ 1 bouquet de ciboulette ◆ 30 g de beurre ◆ 60 g de gouda au cumin ◆ huile ◆ sel ◆ poivre

1 Pelez le potimarron et coupez-le en morceaux. Faites-les cuire 20 min à l'eau bouillante salée et égouttez-les. Écrasez-les à la fourchette.
2 Hachez la ciboulette. Mélangez-en la moitié avec le beurre. Beurrez un plat à gratin avec ce mélange. Versez le potimarron écrasé dans le plat. Poivrez.
3 Émincez finement le gouda et étalez-le par-dessus avec le reste de ciboulette. Arrosez d'un filet d'huile et faites gratiner dans le four à 200 °C pendant 10 min. Servez dans le plat, en garniture de volaille rôtie.

Potée de veau printanière ▼
Vous pouvez, selon le marché, remplacer le fenouil par un petit cœur de céleri-branche et les navets par des panais. Choisissez des tomates assez grosses et charnues, mais pas trop mûres.

potiron

→ voir aussi **citrouille, potimarron**

Ce légume volumineux à la chair orangée sous une épaisse écorce côtelée, jaune ou orange, apparaît sur le marché en octobre et dure tout l'hiver. La soupe et la purée sont deux préparations classiques du potiron : faites-en aussi un gratin, une tarte ou un flan sucré.

Diététique. Légume hypocalorique : 100 g = 23 kcal.

Potiron au chou

Pour **6 personnes**
Préparation **25 min**
Cuisson **1 h**

1 kg de potiron • 1 poireau • 2 échalotes • 50 g de beurre • 30 cl de bouillon de volaille • 500 g de chou vert frisé • 100 g de riz • vin blanc sec • huile d'olive • curcuma en poudre • origan séché • ciboulette fraîche • sel • poivre

1 Retirez l'écorce du potiron, les graines et les fibres. Taillez la pulpe en gros cubes, mettez-les dans un plat à gratin, arrosez-les avec un peu d'huile d'olive. Salez et poivrez. Poudrez avec un peu d'origan et de curcuma. Mettez le plat dans le four à 180 °C et laissez cuire 45 min.

2 Lavez et émincez finement le poireau et les échalotes. Mettez-les à fondre dans une grande cocotte avec le beurre puis arrosez de bouillon et laissez chauffer doucement. Parez et émincez le chou, ajoutez-le et laissez mijoter 20 min. Faites cuire le riz.

3 Sortez le potiron du four et déglacez le plat avec un peu de vin. Versez le tout dans un plat creux avec le riz. Écrasez le mélange avec une fourchette, puis incorporez le chou. Salez et poivrez. Parsemez de ciboulette ciselée et servez.

Potiron au four

Pour **6 personnes**
Préparation **20 min**
Cuisson **30 min**

1 kg de potiron • 120 g de beurre • 1 citron • thym • romarin • sarriette • basilic • sel • poivre

1 Retirez l'écorce du potiron, les graines et la partie fibreuse. Coupez la pulpe en tranches régulières de 1 cm d'épaisseur.

2 Coupez 100 g de beurre en petits morceaux dans une jatte. Réduisez-le en pommade. Incorporez 1 c. à soupe bombée d'herbes de Provence mélangées. Salez et poivrez.

3 Préchauffez le four à 150 °C. Beurrez un plat à gratin et rangez-y les tranches de potiron. Tartinez-les largement de beurre aux herbes.

Un petit potiron pas trop fibreux et bien coloré est toujours plus savoureux qu'un gros. La même règle vaut pour les courges et les potimarrons.

4 Enfournez et faites cuire pendant 30 min. Arrosez de temps en temps les tranches de potiron avec le beurre fondu au cours de la cuisson. Salez et poivrez.
5 Arrosez de jus de citron en fin de cuisson. Servez chaud dans le plat.

Cette garniture accompagne très bien du poisson grillé, du jambon braisé ou des saucisses fumées.

Boisson rosé de Provence

Soupe au potiron

Pour **6 personnes**
Préparation **30 min**
Cuisson **1 h 15**

1 kg de potiron ◆ 2 oignons ◆ 2 poireaux ◆ 50 g de beurre ◆ 50 cl de lait ◆ 50 cl de bouillon de volaille ◆ 2 pommes de terre farineuses ◆ 3 c. à soupe de crème fraîche ◆ sucre semoule ◆ sel ◆ poivre

1 Épluchez le potiron et coupez la pulpe en dés. Pelez et émincez finement les oignons. Lavez et parez les poireaux. Émincez le blanc des poireaux et la base du vert.
2 Faites fondre le beurre dans une cocotte sur feu moyen et mettez-y à revenir oignons et poireaux pendant 5 min.
3 Ajoutez les dés de potiron, faites-les revenir 5 min en remuant sur feu doux. Poudrez avec 1 c. à café rase de sucre semoule. Salez et poivrez. Laissez étuver doucement pendant 5 min.
4 Faites chauffer séparément le lait et le bouillon. Pelez les pommes de terre, lavez-les, épongez-les et coupez-les en dés.
5 Versez l'un après l'autre le lait et le bouillon dans la cocotte en remuant puis ajoutez les pommes de terre et laissez cuire 1 h à couvert sur feu doux.
6 Passez le contenu de la cocotte au moulin à légumes, remettez la soupe dans la cocotte et réchauffez-la. Ajoutez la crème. Salez et poivrez. Servez bien chaud.

Pour donner une saveur originale et plus de consistance à cette soupe d'hiver, incorporez quelques cuillerées de comté ou de cantal râpé en même temps que la crème fraîche.

→ autres recettes de potiron à l'index

poularde

→ voir aussi poulet, volaille

La vraie poularde est une volaille femelle engraissée artisanalement pour offrir une chair bien tendre, fine et blanche (de 2 à 3 kg). Plus couramment, la poularde est un simple poulet mâle ou femelle qui pèse plus de 1,8 kg, avec une proportion non négligeable de graisse et une chair blanche, parfois un peu fade. Choisissez une volaille avec un label rouge ou une appellation d'origine : Bresse, Mayenne, Périgord. Faites-la rôtir ou pocher entière, ou bien braiser en morceaux.

Diététique. C'est l'une des volailles les plus caloriques : 100 g = 300 kcal au moins.

Poularde demi-deuil

Pour **8 personnes**
Préparation **20 min, 24 h à l'avance**
Cuisson **3 h**

3 carottes ◆ 3 poireaux ◆ 2 branches de céleri ◆ 4 branches de persil ◆ 2 oignons ◆ 1 clou de girofle ◆ 1 kg d'ailerons de volaille ◆ 1 bouquet garni ◆ 1 poularde de Bresse ◆ 1 truffe ◆ gros sel ◆ poivre en grains

1 Préparez le bouillon de cuisson la veille. Pelez et émincez les carottes, les poireaux et le céleri. Lavez le persil. Pelez les oignons, coupez-en 1 en quartiers, piquez l'autre du clou de girofle.
2 Réunissez ces ingrédients dans une grande marmite, ajoutez les abattis, le bouquet garni, 1 c. à café de gros sel et 15 grains de poivre. Versez 5 l d'eau et portez à ébullition. Écumez, réduisez le feu et laissez cuire 2 h tout doucement. Laissez refroidir. Mettez au frais.
3 Le lendemain, videz la volaille. Salez et poivrez l'intérieur. Remettez dedans le foie, le cœur et le gésier nettoyé. Bridez-la. Incisez la peau sur les cuisses et le long des flancs avec un couteau.
4 Émincez finement la truffe. Faites pénétrer les lamelles sous la peau. Enveloppez la poularde dans une mousseline. Nouez-la serré.
5 Passez le bouillon et versez-le dans une marmite. Plongez-y la poularde. Portez lentement à ébullition et laissez cuire pendant 1 h à tout petits frémissements. Prélevez environ 1 litre de bouillon pour y faire cuire du riz. Préparez une sauce suprême *(voir page 666)*.
6 Égouttez la volaille et retirez la mousseline. Servez le riz et la sauce à part.

poule

→ voir aussi faisan, œuf, poulet, volaille

Nom du poulet femelle abattu lorsque la volaille a au moins 18 mois, après avoir été pondeuse. C'est un animal assez volumineux, jusqu'à 3 kg, dont la chair est assez ferme et plus grasse que celle du jeune poulet. Faites-la pocher ou braiser avec des aromates.

La viande de poule est également utilisée pour la préparation de certains produits de charcuterie cuite, seule ou mélangée avec du porc.

Diététique. 100 g de chair de poule = 300 kcal.

Poule au pot

Pour **8 personnes**
Préparation **35 min**
Cuisson **2 h environ**

1 poule de 2 kg ◆ 100 g de jambon blanc ◆ 2 échalotes ◆ 2 tranches de pain de mie ◆ 1 œuf ◆ 2 pieds de veau ◆ 800 g de cœurs de céleri ◆ 6 carottes ◆ 3 navets ◆ 4 blancs de poireaux ◆ 2 oignons ◆ 1 clou de girofle ◆ 1 bouquet garni ◆ lait ◆ sel ◆ poivre

1 Salez et poivrez la poule vidée. Hachez le foie, le cœur et le gésier bien nettoyé. Pelez et hachez le jambon et les échalotes. Faites tremper le pain dans un peu de lait et essorez-le. Mélangez le hachis d'abats, le jambon, les échalotes, le pain et l'œuf. Salez et poivrez.

2 Farcissez la poule, cousez-la et bridez-la. Mettez-la dans une grande marmite avec les pieds de veau en morceaux. Couvrez largement d'eau froide et portez lentement à ébullition.

3 Parez ou pelez tous les légumes, tronçonnez-les. Piquez l'un des oignons avec le clou de girofle.

4 Écumez le bouillon de cuisson, ajoutez les légumes et le bouquet garni. Salez et poivrez. Portez à nouveau à ébullition. Baissez le feu et laissez cuire doucement pendant 1 h 30 environ.

Servez ce plat complet comme un pot-au-feu, avec le bouillon dégraissé à part, des cornichons, de la moutarde et du gros sel.

Cette recette économique constitue un plat de fête tout trouvé pour une tablée d'amis.

Boisson beaujolais-villages

poulet

→ voir aussi abattis, blanc, bouillon, chapon, chaud-froid, coq, coquelet, curry, foie de volaille, jambalaya, paella, pie, volaille

Cette volaille populaire et bon marché présente des différences de qualité et de goût importantes. Qu'il soit d'élevage ou de ferme, un bon poulet doit avoir la peau fine et lisse, une chair sèche et ferme, le bréchet qui cède sous le doigt et des ergots courts. Un poulet abattu trop jeune est mou et fade.

Labels et appellation permettent de mieux guider votre choix. Évitez le poulet ordinaire « classe A » élevé en batterie et nourri de farines industrielles. Le poulet « Label Rouge » de 12 semaines au moins a meilleure réputation. Le « Label Rouge Fermier » bénéficie d'un élevage plus soigné ; selon son alimentation (blé ou maïs), sa chair est blanche ou jaune. Soyez attentif à certaines espèces régionales : Sud-Ouest, Landes, Loué, Mayenne, Gers, Challans. Retenez le « poulet de Bresse », volaille de choix protégée par une appellation.

Le poulet est vendu soit effilé, sans les intestins, soit éviscéré, débarrassé de tous les abats, ou encore prêt à cuire, sans pattes, sans abats, sans tête et souvent sous Cellophane (c'est le moins recommandable).

Selon sa taille, le poulet connaît des apprêts différents : assez dodu et un peu gras, il sera rôti ; bien ferme, il pourra être cuit en cocotte, ou en morceaux pour une fricassée (prenez plutôt deux petits poulets qu'un gros). N'hésitez pas à varier les aromates, car le poulet accepte les préparations un peu corsées, les fruits en garniture ou les épices. Variez aussi les recettes pour cuisiner les restes : salades, sandwiches, brochettes.

Diététique. Le blanc de poulet sans la peau est une viande de régime idéale : 100 g = 100 kcal.

Poulet en barbouille

Pour **4 personnes**
Préparation **30 min**
Cuisson **1 h 15**

1 poulet de 1,3 kg ◆ 10 cl de sang de porc ◆ 150 g de lard maigre ◆ 12 petits oignons ◆ 200 g de champignons de couche ◆ 2 c. à soupe d'huile ◆ 25 cl de vin rouge ◆ 1 gousse d'ail ◆ 1 bouquet garni ◆ vinaigre ◆ farine ◆ sel ◆ poivre

1 Coupez le poulet en morceaux. Ajoutez un filet de vinaigre au sang et mettez-le de côté.

2 Coupez le lard en lardons. Pelez les oignons. Nettoyez les champignons et émincez-les.
3 Faites chauffer l'huile dans une cocotte. Ajoutez les morceaux de poulet et faites-les revenir pendant 5 min. Retirez-les.
4 Ajoutez les lardons et les oignons. Faites-les rissoler. Retirez-les. Mettez à la place les champignons et faites-les rissoler 5 min.
5 Remettez les lardons et les oignons, poudrez de farine et remuez 2 min. Versez le vin rouge. Salez et poivrez.
6 Portez à ébullition puis baissez le feu. Ajoutez la gousse d'ail écrasée, le bouquet garni et les morceaux de poulet.
7 Rajoutez un peu d'eau pour que le liquide de cuisson ne soit pas trop court. Couvrez et laissez cuire doucement pendant 1 h.
8 Délayez le sang avec un peu de sauce du poulet et versez la liaison dans la cocotte. Remuez 2 min sur feu doux. Rectifiez l'assaisonnement et servez dans un plat creux.

La liaison au sang, comme celle au jaune d'œuf, ne doit jamais bouillir.

Boisson **vin rouge corsé**

Poulet basquaise ▲

Les ingrédients typiques des préparations à la basquaise sont la tomate et le poivron, l'ail et le jambon de Bayonne : un accord parfait pour le poulet sauté en morceaux, que vous garnirez de pâtes fraîches.

Poulet basquaise

Pour **6 personnes**
Préparation **30 min**
Cuisson **1 h**

1 poulet de 1,5 kg en morceaux ◆ 4 oignons ◆ 3 gousses d'ail ◆ 4 tomates fermes ◆ 4 poivrons ◆ 100 g de jambon de Bayonne ◆ 10 cl d'huile d'olive ◆ 1 bouquet garni ◆ 10 cl de vin blanc sec ◆ paprika ◆ persil plat ◆ sel ◆ poivre

1 Salez et poivrez les morceaux de poulet, poudrez-les avec un peu de paprika. Pelez et émincez les oignons et l'ail. Pelez et concassez les tomates. Faites griller les poivrons pour les peler, taillez la pulpe en lanières. Taillez le jambon en languettes.
2 Faites chauffer la moitié de l'huile dans une cocotte et faites-y revenir le jambon en mélangeant pendant 2 min. Ôtez-le.
3 Mettez les morceaux de poulet dans la cocotte et faites-les dorer en les retournant.
4 Faites chauffer 2 c. à soupe d'huile dans un poêlon. Ajoutez les oignons et remuez-les pour faire blondir. Ajoutez les tomates, l'ail et le bouquet garni. Laissez mijoter 15 min.
5 Pendant ce temps, faites revenir les poivrons dans le reste d'huile.
6 Lorsque les morceaux de poulet sont bien dorés, mouillez avec le vin blanc, remettez le jambon dans la cocotte.
7 Ajoutez les tomates à l'oignon puis les lanières de poivrons. Mélangez. Salez et poivrez. Rajoutez 1 pincée de paprika et couvrez la cocotte. Laissez cuire doucement pendant 30 min environ en surveillant régulièrement.
8 Retirez le bouquet garni et servez le poulet basquaise poudré de persil haché.

Pour donner toute son authenticité à ce plat régional, remplacez le paprika par du piment d'Espelette en poudre, plus relevé, mais plus parfumé ; évitez le poivre de Cayenne.

Boisson **bordeaux sec**

Poulet à la casserole

Pour **4 personnes**
Préparation **25 min**
Cuisson **50 min**

1 poulet de 1,5 kg environ ◆ 12 petits oignons ◆ 500 g de champignons de couche ◆ 300 g de girolles ◆ 10 cl d'huile ◆ 100 g de lardons maigres ◆ 2 gousses d'ail ◆ 12 cl de vin blanc ◆ persil plat ◆ sel ◆ poivre

1 Découpez le poulet en 10 morceaux. Pelez les petits oignons. Nettoyez les champignons. Pelez et hachez l'ail.
2 Faites chauffer l'huile dans une grande casserole. Faites-y rissoler les champignons pendant 10 min environ. Égouttez-les.
3 Mettez à la place les petits oignons, les lardons et l'ail haché. Faites sauter 5 min puis retirez-les.
4 Faites revenir les morceaux de poulet en les faisant dorer sur tous les côtés. Remettez dans la casserole les champignons, les oignons et les lardons, ajoutez le persil haché. Salez et poivrez. Mouillez avec le vin, couvrez et laissez mijoter pendant 40 min.

Boisson **pomerol**

Poulet au céleri

Recette légère – 1 portion 220 kcal

Pour **4 personnes**
Préparation **20 min**
Cuisson **30 min**

2 belles cuisses de poulet fermier ◆ 1 sachet de court-bouillon ◆ 1 citron ◆ 3 branches de céleri ◆ 500 g de céleri-rave ◆ 1 bouquet de persil plat ◆ huile de maïs ◆ sel ◆ poivre

1 Rincez et épongez les cuisses de poulet après avoir retiré l'excès de peau ou de graisse.
2 Délayez le court-bouillon dans une casserole avec 50 cl d'eau. Ajoutez quelques rondelles de citron, les branches de céleri parées et grossièrement hachées ainsi que leurs feuilles. Portez à ébullition, ajoutez les cuisses de poulet et faites-les pocher doucement pendant 30 min.
3 Pendant ce temps, pelez le céleri-rave, coupez-le en tranches régulières assez fines et citronnez-les. Faites-les cuire à la vapeur pendant environ 15 min. Égouttez-les bien et épongez-les.
4 Faites chauffer un filet d'huile dans une grande poêle à revêtement antiadhésif. Posez les tranches de céleri dedans et faites-les dorer à feu doux en les retournant plusieurs fois. Salez et poivrez.
5 Lavez, égouttez et ciselez le persil. Sortez les cuisses de poulet de leur jus de cuisson et partagez-les chacune en 2 portions. Servez-les sur des assiettes chaudes, garnies de tranches de céleri poêlées. Parsemez de persil et ajoutez une goutte de jus de citron.

Poulet à l'estragon aux petits oignons

Pour **4 personnes**
Préparation **20 min**
Cuisson **40 min**

4 cuisses de poulet fermier ◆ 12 petits oignons grelots ◆ 8 petites carottes boules ◆ 4 petits navets ◆ 1 bouquet d'estragon ◆ 1 c. à soupe d'huile de maïs ◆ 1 grand verre de bouillon de volaille ◆ sel ◆ poivre

1 Retirez la peau des cuisses de poulet et dégraissez-les.
2 Pelez les petits oignons, les carottes et les navets. Coupez en 2 les carottes et les navets. Lavez et épongez l'estragon. Effeuillez-le, tout en gardant 2 branches entières.
3 Faites chauffer l'huile dans une sauteuse à revêtement anti-adhésif. Posez les morceaux de poulet dedans et saisissez-les des deux côtés. Salez et poivrez. Ajoutez les oignons, les carottes, les navets et les 2 branches d'estragon.
4 Versez le bouillon. Couvrez et laissez mijoter doucement pendant 35 min.
5 Retirez les branches d'estragon. Ajoutez alors le reste d'estragon frais finement ciselé. Couvrez et laissez étuver hors du feu pendant 3 min puis servez bien chaud.

Pour ce plat de printemps à préparer avec un bon poulet fermier, l'estragon est l'aromate idéal : l'infusion finale, hors du feu, en fait ressortir tout le parfum.

Poulet au céleri ►

La saveur affirmée du céleri convient particulièrement bien au poulet poché. Vous pouvez compléter la garniture de persil avec des feuilles de céleri.

Poulet farci

Pour **2 personnes**
Préparation **45 min**
Cuisson **50 min**

3 ou 4 foies de volaille ◆ 1 poulet de 1,2 kg environ ◆ 2 oignons ◆ 3 beaux champignons de couche ◆ 40 g de beurre ◆ 2 tranches de pain de mie ◆ 1 bouquet de persil ◆ 3 c. à soupe de crème liquide ◆ sel ◆ poivre ◆ paprika

1 Coupez les foies de volaille et le foie du poulet en petits morceaux. Pelez et hachez les oignons. Nettoyez et hachez les champignons.
2 Faites fondre le beurre dans une poêle et mettez-y à revenir les oignons et les foies de volaille pendant 5 min. Taillez le pain en dés.
3 Ajoutez dans la poêle le pain, les champignons et le persil haché. Salez et poivrez. Remuez sur le feu pendant 3 min. Préchauffez le four à 225 °C.
4 Farcissez le poulet puis recousez-le bien. Mettez-le dans un plat à four en rabattant les ailes et les cuisses.
5 Badigeonnez le poulet avec un mélange de crème liquide et de paprika. Faites-le cuire au four pendant 40 min. Servez-le coupé en 2.

Boisson **chinon rouge ou bourgueil**

Poulet grillé

Pour **6 personnes**
Préparation **10 min**
Cuisson **25 min environ**

2 poulets de 1 kg ◆ 125 g de beurre demi-sel ◆ 1 gousse d'ail ◆ 3 c. à soupe de persil haché ◆ 2 c. à soupe d'estragon ciselé ◆ poivre au moulin

1 Préchauffez le four à la chaleur maximale. Coupez les poulets en morceaux prêts à servir. Poivrez-les. Rangez-les dans la lèchefrite. Posez sur chacun d'eux une petite noix de beurre.
2 Enfournez et surveillez les morceaux. Au bout de 10 à 12 min, quand les morceaux sont dorés, retournez-les et faites-les griller 10 min.
3 Pendant ce temps, pelez et hachez l'ail. Mélangez-le avec le persil et l'estragon. Travaillez le beurre à la spatule puis incorporez le hachis d'herbes.
4 Servez les morceaux de poulet grillé brûlants avec le beurre composé. Comme garniture, servez des pommes de terre en papillotes.

Vous pouvez aussi faire mariner les morceaux de poulet pendant 24 h au frais dans un mélange de moutarde, d'huile d'olive et de vin blanc, avec du poivre de Cayenne et un peu d'ail.

Boisson **vin rosé bien frais**

Poulet rôti

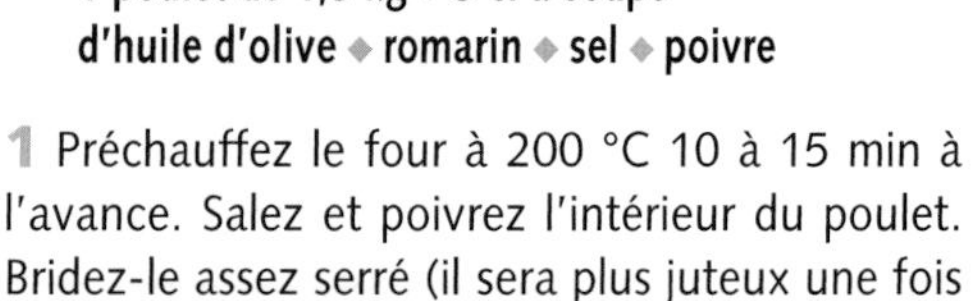

Pour **4 personnes**
Préparation **10 min**
Cuisson **1 h**

1 poulet de 1,3 kg ◆ 3 c. à soupe d'huile d'olive ◆ romarin ◆ sel ◆ poivre

1 Préchauffez le four à 200 °C 10 à 15 min à l'avance. Salez et poivrez l'intérieur du poulet. Bridez-le assez serré (il sera plus juteux une fois cuit). Mettez-le dans un plat à rôtir légèrement graissé avec de l'huile d'olive.
2 Enduisez le poulet avec le reste d'huile. Salez et poivrez. Ajoutez quelques pincées de romarin.
3 Versez 1 verre d'eau au fond du plat et enfournez le poulet. Laissez cuire 1 h.
4 Arrosez le poulet de temps en temps avec son jus de cuisson. Retournez-le à mi-cuisson pour le faire dorer uniformément.
5 Avant de sortir le poulet, laissez-le reposer 10 min dans le four éteint. Découpez-le. Recueillez le jus. Ajoutez-le dans le plat de cuisson pour déglacer. Servez ce jus en saucière avec les morceaux découpés.

Boisson **côtes-du-rhône**

Poulet à la vapeur

Pour **4 personnes**
Préparation **20 min**
Cuisson **40 min**

3 carottes ◆ 2 blancs de poireaux ◆ 2 branches de céleri ◆ 4 cuisses de poulet ◆ 1 l de bouillon de volaille ◆ 2 jaunes d'œufs ◆ 15 cl de crème liquide ◆ cidre ◆ sel ◆ poivre

1 Pelez les carottes et taillez-les en julienne. Nettoyez les blancs de poireaux et émincez-les. Ôtez les fils du céleri et taillez-le en tronçons.
2 Mélangez ces légumes et étalez-les dans le compartiment supérieur d'un cuit-vapeur. Posez les cuisses de poulet dessus. Salez et poivrez. Ajoutez quelques feuilles de céleri.

3 Versez le bouillon dans la partie basse du cuit-vapeur. Faites bouillir. Mettez en place le haut et faites cuire 35 min.
4 Tenez le poulet et les légumes au chaud. Faites réduire le bouillon sur feu vif.
5 Mélangez dans une jatte les jaunes d'œufs et la crème, ajoutez en fouettant 3 c. à soupe de cidre et le bouillon réduit.
6 Placez les cuisses de poulet entourées de légumes sur des assiettes chaudes. Nappez de sauce et servez aussitôt.

Waterzoï de poulet

Pour **4 personnes**
Préparation **15 min**
Cuisson **1 h 40 environ**

150 g de riz ◆ 60 g de beurre ◆ 1 poulet de 1,5 kg ◆ 4 blancs de poireaux ◆ 3 branches de céleri ◆ 2 oignons ◆ 2 jaunes d'œufs ◆ 15 cl de crème ◆ thym ◆ laurier ◆ persil haché ◆ sel ◆ poivre

1 Faites cuire le riz à l'eau pendant 10 min, égouttez-le et ajoutez-lui 30 g de beurre
2 Farcissez le poulet avec le riz et bridez-le assez serré. Faites-le colorer dans une cocotte avec le reste de beurre. Retirez-le.
3 Parez les poireaux et le céleri. Tronçonnez-les. Pelez et émincez les oignons. Ajoutez ces légumes dans la cocotte et laissez-les fondre 10 min en remuant.
4 Remettez le poulet dans la cocotte, ajoutez 2 brins de thym, 1 feuille de laurier et 4 c. à soupe de persil haché. Salez et poivrez. Versez 2 verres d'eau et couvrez la cocotte. Faites cuire pendant 1 h.
5 Retirez le poulet de la cocotte, tenez-le au chaud. Faites bouillir le fond de cuisson pendant 5 min. Découpez le poulet et mettez les morceaux dans un plat creux.
6 Mélangez les jaunes d'œufs et la crème fraîche. Versez cette liaison dans la cocotte et remuez sans laisser bouillir. Versez cette sauce sur le poulet et servez aussitôt.

Cette recette typique de la cuisine flamande se prépare aussi avec des poissons de la mer du Nord. Si vous trouvez du persil bulbeux, ajoutez-le dans la cuisson.

Boisson **bière belge**

pouligny-saint-pierre

Ce fromage de chèvre à pâte molle présente une croûte naturelle fine et bleutée. Bon d'avril à novembre, il a une forme de pyramide allongée. Sa saveur est assez prononcée. Choisissez-le fermier et assez ferme.
Diététique. 100 g de ce fromage = 315 kcal.

poulpe

Ce mollusque, également appelé pieuvre, présente huit tentacules charnus portant des ventouses. On le trouve en abondance sur les côtes de Provence. Sa chair est assez fine mais doit être battue pour devenir tendre. Inutile de battre les petits poulpes : faites-les frire en tronçons. Pour les nettoyer, retournez la calotte pour extraire le bec et les yeux.
Diététique. 100 g de poulpe = 75 kcal.

Daube de poulpes

Pour **4 personnes**
Préparation **30 min**
Cuisson **2 h 30 environ**

1 kg de petits poulpes ◆ 1 poivron ◆ 2 oignons ◆ 100 g de jambon cru ◆ 30 cl de vin rouge ◆ huile d'olive ◆ thym ◆ laurier ◆ persil ◆ sel ◆ poivre

1 Nettoyez les poulpes, coupez-les en tronçons et mettez-les dans une casserole sur feu doux à découvert pendant 15 min pour leur faire rendre leur eau.
2 Épépinez le poivron et émincez-le. Pelez les oignons et hachez-les. Taillez le jambon en languettes. Faites revenir ce hachis dans une cocotte avec 2 c. à soupe d'huile. Ajoutez les poulpes égouttés, 1 brin de thym, 1 feuille de laurier et 4 c. à soupe de persil. Salez et poivrez.
3 Versez le vin rouge, remuez et couvrez la cocotte hermétiquement. Faites cuire au four à 180 °C pendant environ 2 h. Servez dans un plat creux bien chaud.

N'hésitez pas à laver et à rincer les poulpes dans plusieurs bains d'eau froide. Surtout ne les choisissez pas trop gros et coupez-les en tronçons de 6 cm environ.

Boisson **bandol rouge**

Poulpes en cocotte aux oignons ▲

Une cuisson prolongée et une bonne proportion d'aromates font de cette recette méditerranéenne une entrée savoureuse. Vous pouvez la servir chaude ou refroidie en salade.

Poulpes en cocotte aux oignons

Pour **4 personnes**
Préparation **1 h**
Cuisson **2 h**

4 poulpes de 400 g chacun ◆ 4 gros oignons ◆ 4 gousses d'ail ◆ 3 clous de girofle ◆ 25 cl de vinaigre ◆ 10 cl d'huile d'olive ◆ farine ◆ sel ◆ poivre

1 Nettoyez, lavez et dépouillez les poulpes. Battez les tentacules avec une batte en bois pendant 20 min au moins. Coupez-les en morceaux.
2 Pelez et émincez les oignons. Pelez et hachez l'ail. Pilez les clous de girofle.
3 Mettez les poulpes dans une cocotte en fonte avec les oignons, l'ail et les clous de girofle. Salez très peu, poivrez. Ajoutez le vinaigre, l'huile et 2 verres d'eau.
4 Couvrez et démarrez la cuisson sur le feu. Pétrissez 2 c. à soupe de farine avec un peu d'eau pour obtenir une pâte collante. Roulez-la en boudin et servez-vous-en pour souder le couvercle à la cocotte. Poursuivez la cuisson doucement pendant 1 h 50. Servez dans la cocotte avec du riz au safran.

Si la cocotte n'est pas hermétiquement fermée, le poulpe se racornit.

Boisson **côtes-de-provence**

pourpier

Ce légume vert cultivé dans le nord de la France présente des feuilles larges assez charnues que l'on peut cuisiner crues ou cuites. En salade, le pourpier possède une saveur un peu piquante, voisine du cresson. Vous pouvez aussi le préparer comme les épinards.

pourpier

Salade de pourpier

Pour **4 personnes**
Préparation **20 min**
Cuisson **7 à 8 min**

300 g de jeune pourpier ◆ 200 g de radis noir ◆ 4 œufs ◆ 100 g de betterave cuite ◆ huile de tournesol ◆ vinaigre de vin blanc ◆ moutarde douce ◆ sel ◆ poivre

1 Nettoyez le pourpier, coupez le bas des queues et lavez les feuilles. Égouttez-les et épongez-les.
2 Pelez le radis noir. Émincez-en la moitié en fines rondelles. Râpez le reste.
3 Faites cuire les œufs mollets, rafraîchissez-les et écalez-les. Taillez la betterave en petits dés.
4 Préparez une vinaigrette avec 5 c. à soupe d'huile, 2 c. à soupe de vinaigre, 1 c. à café de moutarde, sel et poivre.
5 Réunissez dans un saladier le pourpier, le radis noir râpé et les dés de betteraves, arrosez de sauce et remuez.
6 Tapissez les assiettes de service de rondelles de radis. Répartissez la salade assaisonnée dessus. Posez 1 œuf mollet au milieu. Juste au moment de servir, fendez le blanc jusqu'au jaune. Poivrez.

poutargue

Cette spécialité méditerranéenne est faite d'œufs de mulet séchés, pressés et salés. Débarrassée de son enveloppe de paraffine et de sa peau qui la recouvre, la poutargue se déguste râpée, mélangée avec de l'huile d'olive et du jus de citron sur des croûtons de pain. On peut aussi en parsemer de fins copeaux sur une salade de fruits de mer ou des pâtes.

Poutargue au citron

Pour **4 personnes**
Préparation **10 min**
Pas de cuisson

2 poutargues ◆ 8 fines tranches de pain de campagne ◆ 2 gousses d'ail ◆ 2 citrons ◆ 8 olives vertes

1 Mettez les poutargues au réfrigérateur pour les couper plus facilement. Pendant ce temps, faites griller le pain.
2 Pelez et hachez l'ail finement. Pressez le jus d'un citron et coupez l'autre en fines rondelles. Dénoyautez les olives et hachez-les.
3 Détaillez les poutargues en tranches obliques avec un couteau à large lame bien aiguisée. Étalez l'ail sur le pain en l'écrasant. Répartissez les tranches de poutargue dessus et citronnez.
4 Présentez ces tartines sur des assiettes de service, en les entourant de rondelles de citron et d'olives hachées.

Avec des feuilles de vigne farcies, des croûtons tartinés de tapenade et des quartiers de tomates séchées, vous avez un plateau d'amuse-gueule typiques du Midi.

Boisson **pastis ou vin blanc sec**

praire

Ce coquillage très bombé et gris jaunâtre, de 3 à 6 cm, est abondant sur les côtes de l'Atlantique. Sous une coquille épaisse et striée en profondeur, la noix de chair est délicate. Mangez-la crue, nature (de préférence sans citron ni vinaigre, pour ne pas masquer son goût subtil). Elle s'apprête aussi cuite, comme les moules, marinière, à la crème ou farcie, ou encore en soupe.
Diététique. 100 g de praires nature = 70 kcal.

Praires farcies

Pour **6 personnes**
Préparation **25 min**
Cuisson **15 min**

2 kg de grosses praires ◆ 125 g de beurre ◆ 3 gousses d'ail ◆ 1 bouquet de persil ◆ 1 tranche épaisse de pain de mie rassis ◆ sel ◆ poivre

1 Grattez et brossez les praires sous l'eau courante. Mettez-les dans une grande cocotte et faites-les ouvrir sur feu vif. Retirez-les au bout de 5 min, dès que les coquilles sont ouvertes.
2 Mettez le beurre en parcelles dans une terrine. Pelez et hachez l'ail. Hachez le persil sans les queues. Ajoutez-les au beurre et travaillez le mélange à la fourchette. Salez et poivrez.
3 Écroûtez le pain et ajoutez-le à la farce. Remplissez-en chaque demi-coquille de praire contenant une noix. Lissez le dessus.
4 Rangez les praires dans un plat. Faites gratiner 10 à 12 min au four à 220 °C. Servez chaud.

Soupe de praires à la sauce de soja

Pour **4 personnes**
Préparation **25 min**
Cuisson **12 min environ**

2 douzaines de praires ◆ 2 branches de céleri ◆ 200 g de jeunes feuilles d'épinards ◆ 200 g de champignons de couche ◆ 1 citron ◆ 20 g de beurre ◆ 1 c. à soupe de sauce de soja ◆ sel ◆ poivre au moulin

1 Lavez les praires soigneusement. Mettez-les dans un faitout avec le céleri tronçonné, ajoutez 1 l d'eau et faites chauffer puis bouillonner jusqu'à ce que les coquillages soient ouverts. Retirez-les. Filtrez soigneusement la cuisson. Décoquillez les praires et répartissez les noix dans des bols de service.
2 Équeutez et lavez les épinards, faites-les bouillir dans une casserole d'eau salée, juste pour les flétrir. Émincez très finement les champignons, faites-les cuire rapidement dans le beurre avec le jus de citron.
3 Réunissez dans une casserole la cuisson des praires, les épinards égouttés, les champignons et la sauce de soja. Faites frémir et versez cette soupe sur les praires. Servez aussitôt.

profiterole

Ce petit chou fourré se sert en entrée ou en dessert selon sa garniture. Il existe des profiteroles à la mousse de foie gras ou de saumon, au fromage, etc., ou bien à la crème pâtissière, à la confiture, à la chantilly. Les plus connues sont les profiteroles au chocolat, garnies de glace à la vanille et nappées de sauce au chocolat chaude.

Diététique. 3 ou 4 profiteroles nappées de chocolat = 350 kcal.

Profiteroles au chocolat

Pour **8 personnes**
Préparation **30 min**
Cuisson **20 min**

Pour les profiteroles **20 g de sucre semoule** ◆ **90 g de beurre** ◆ **150 g de farine** ◆ **4 œufs** ◆ **sel** ◆ **1/2 l de glace à la vanille**
Pour la sauce **250 g de chocolat pâtissier** ◆ **40 g de beurre** ◆ **15 cl de lait**

1 Préparez une pâte à choux avec 25 cl d'eau, 1/2 c. à café de sel, le sucre, 75 g de beurre, la farine et les œufs *(voir page 167)*.
2 Faites des petits tas de pâte à l'aide de 2 cuillers à café sur une tôle graissée. Faites cuire au four 20 min à 210 °C. Laissez refroidir.
3 Préparez la sauce au chocolat avec le chocolat cassé en petits morceaux et le beurre fondus ensemble dans le lait.
4 Fendez les choux et garnissez-les de glace à la vanille. Disposez les profiteroles dans une coupe de service ou sur des assiettes individuelles. Nappez-les de sauce chaude et servez aussitôt.

Vous pouvez également fourrer les choux avec de la crème Chantilly : 200 g de crème fraîche bien froide fouettée avec 50 g de sucre vanillé.

Boisson **champagne brut**

progrès

La pâte à progrès est à base de blancs d'œufs battus en neige, avec du sucre et des amandes réduites en poudre. Cuite au four, cette préparation donne un fond léger et croquant comme une meringue. Elle est garnie d'une crème au beurre parfumée.

provolone

Ce fromage italien de lait de vache est à pâte pressée. Compact, lisse et moelleux sous une croûte brillante, il se présente sous la forme d'un gros saucisson, d'une poire ou même de personnage. Doux quand il est jeune, avec un goût généralement fumé, il devient plus piquant une fois affiné et se râpe alors comme le parmesan.

Diététique. Le provolone est un fromage gras : 100 g = 430 kcal.

prune

→ voir aussi **confiture, pruneau, tarte**

Ce fruit d'été aux nombreuses variétés provient surtout du Sud-Ouest, du Sud-Est et de l'Est. Les premières espèces (mi-juin), grosses et rondes, n'ont pas beaucoup de goût. Attendez juillet pour déguster la petite bonne de Bry, bleue, ronde et aplatie, à chair verdâtre sucrée et juteuse ; puis l'excellente reine-claude, verte et très parfumée. La quetsche violette, oblongue, à chair jaune, n'est bonne qu'à partir de septembre, de même que la petite mira-

À la pleine saison des prunes, en août, n'hésitez pas à les congeler, lavées et dénoyautées : au naturel, pour des tartes ou des confitures ; dans du sirop épais avec du jus de citron, pour des desserts.

belle de Nancy ou des Vosges, rouge orangé, parfumée et juteuse.

Choisissez les prunes bien mûres mais fermes. Si elles sont recouvertes de « pruine », une légère buée blanchâtre, c'est le signe qu'elles n'ont pas été trop manipulées.

Conserves au sirop ou au vinaigre, confitures et eaux-de-vie sont des emplois industriels de la prune. Si vous achetez ce fruit à la saison, proposez-le nature en fin de repas, faites-en des tartes, des compotes ou des confitures. Vous pouvez aussi en garnir du porc, du gibier ou du bœuf.

Diététique. La prune est riche en magnésium, en phosphore et en potassium, en fibres et en vitamine A : 100 g = 30 à 80 kcal selon la variété.

Bœuf aux prunes

Pour **4 personnes**
Préparation **15 min**
Cuisson **1 h 40 environ**

800 g de grosses prunes ◆ 25 cl de vin rouge ◆ 25 g de beurre ◆ 2 c. à soupe d'huile ◆ 800 g de macreuse en morceaux ◆ 4 oignons ◆ 2 c. à soupe de vinaigre ◆ 15 cl de crème liquide ◆ 1/2 citron ◆ cannelle en poudre ◆ sel ◆ poivre

1 Faites pocher les prunes dans le vin pendant 8 min. Égouttez-les. Dénoyautez-les.

2 Faites chauffer le beurre et l'huile dans une poêle. Mettez-y à revenir les morceaux de viande pendant 5 min, égouttez-les et mettez-les dans une cocotte.

3 Pelez et émincez les oignons. Faites-les revenir dans la poêle en rajoutant un peu d'huile. Égouttez-les puis ajoutez-les à la viande.

4 Déglacez la poêle avec le vinaigre. Versez ce jus dans la cocotte en ajoutant le vin rouge et 1 c. à café rase de cannelle. Salez et poivrez. Couvrez et faites cuire 1 h 15.

5 Mélangez la crème liquide avec le jus du citron, versez cette liaison dans la cocotte et remuez. Ajoutez les prunes et poursuivez la cuisson pendant 15 min. Goûtez et rectifiez l'assaisonnement.

6 Égouttez les morceaux de viande et mettez-les dans un plat creux, ajoutez les prunes en garniture et nappez de sauce.

Pour compléter la garniture de ce plat aux saveurs aigres-douces, proposez de la semoule de couscous relevée de curry ou de safran.

Prunes au sirop

Pour **3 kilos de fruits**
Préparation **15 min, 1 mois à l'avance**
Cuisson **20 min**

3 kg de prunes pas trop grosses, juste mûres ◆ 1 c. à soupe de graines de coriandre ◆ 20 clous de girofle ◆ 1 l de cidre doux ◆ 1 kg de sucre ◆ semoule ◆ 3 bâtons de cannelle

1 Lavez les prunes et égouttez-les. Réunissez dans un morceau de mousseline la coriandre et les clous de girofle. Nouez-le.

2 Versez le cidre dans une grande casserole, ajoutez le sucre et remuez pour faire dissoudre. Ajoutez le nouet et les bâtons de cannelle.

3 Portez à ébullition et faites cuire 20 min. Retirez du feu et laissez refroidir ; retirez le nouet et la cannelle.

4 Répartissez les prunes dans des bocaux. Versez le sirop par-dessus et fermez. Laissez macérer au frais pendant 1 mois.

Vous pouvez servir ces prunes en garniture avec une glace à la vanille ou à la cannelle.

→ **autres recettes de prune à l'index**

pruneau

Il s'agit d'une variété de prune déshydratée et vendue soit complètement séchée, soit partiellement réhydratée. Le Sud-Ouest (Agen) et la Californie sont deux gros producteurs de pruneaux. Choisissez ceux-ci bien noirs et brillants, souples sans être poisseux. Un bon pruneau n'est pas trop sucré, la pulpe est couleur d'ambre. Ne les gardez pas dans un endroit trop sec.

Il faut compter au moins 2 heures pour les réhydrater lorsqu'ils sont secs : dans de l'eau tiède, du thé ou du vin. Avec un four à micro-ondes, cette opération ne dure que quelques minutes.

Compotes, puddings, chaussons, fruits déguisés : les pruneaux sont très employés en pâtisserie. En cuisine, ils accompagnent volontiers les viandes blanches : lapin, porc, dinde.

Diététique. Ce fruit sec est très riche en sucre : 100 g = 290 kcal. Sa peau est assez irritante pour le tube digestif : une forte consommation améliore le transit intestinal, mais peut aussi provoquer de sérieuses douleurs digestives.

Lapin aux pruneaux

Pour **4 personnes**
Préparation **20 min, 2 h à l'avance**
Cuisson **1 h 10 environ**

350 g de pruneaux ◆ 2 tasses de thé assez fort ◆ 1 lapin avec son foie ◆ 20 g de beurre ◆ huile ◆ 2 échalotes ◆ thym séché ◆ 20 cl de vin blanc sec ◆ vinaigre ◆ sel ◆ poivre

1 Dénoyautez les pruneaux et faites-les tremper pendant 2 h dans le thé.
2 Découpez le lapin en morceaux. Salez-les et poivrez-les.
3 Faites chauffer le beurre et 2 c. à soupe d'huile dans une cocotte. Mettez-y à revenir les morceaux de lapin sur feu assez vif pour les faire dorer sur toutes les faces. Retirez du feu. Pelez et hachez les échalotes.
4 Remettez la cocotte sur le feu, ajoutez les échalotes, 1 c. à café de thym et le vin blanc.
5 Couvrez et laissez mijoter pendant 40 min. Passez le foie du lapin au mixer avec 1 c. à soupe de vinaigre. Ajoutez cette liaison dans la cocotte avec les pruneaux égouttés. Mélangez.
6 Poursuivez la cuisson doucement 15 min. Servez le lapin très chaud dans un plat creux.

Garniture : des pâtes fraîches, du riz nature ou des champignons sautés.

Boisson vin blanc sec

Pruneaux grillés au bacon

Pour **4 personnes**
Préparation **10 min**
Cuisson **8 à 9 min**

20 beaux pruneaux d'Agen demi-secs ◆ 20 pistaches mondées ◆ 10 tranches de bacon

1 Fendez chaque pruneau dans la longueur. Retirez le noyau et glissez à la place une pistache mondée.
2 Enroulez chaque pruneau dans 1/2 tranche de bacon. Maintenez le bacon enroulé avec un pique-olive.
3 Rangez les pruneaux dans un plat allant au four. Enfournez à 250 °C. Laissez cuire de 8 à 9 min, le temps que le bacon fonde et devienne grésillant. Servez brûlant.

Si vous prévoyez de servir cet amuse-gueule en plus grandes quantités, préparez-les à l'avance et faites-les griller par fournées au dernier moment.

→ **autres recettes de pruneau à l'index**

pudding

D'origine anglaise, cet entremets chaud ou froid se présente sous de nombreuses recettes, toujours assez riches, agrémentées de fruits secs ou confits. Le pudding (ou pouding) est à base de pâte, de mie de pain ou de biscuits, parfois de semoule ou de riz. Lié avec des œufs ou une crème, il est moulé et se sert nappé d'une crème anglaise ou d'un coulis de fruits.

Diététique. Une part de pudding = 500 kcal au moins. Attention à l'équilibre du repas.

Pudding au chocolat

Pour **6 personnes**
Préparation **20 min**
Cuisson **50 min**

175 g de beurre ◆ 125 g de chocolat noir ◆ 75 g de sucre semoule ◆ 20 g de sucre vanillé ◆ 8 œufs ◆ farine ◆ fécule ◆ sel

1 Faites ramollir le beurre à température ambiante. Mettez le chocolat dans le four à chaleur douce pour le ramollir également.
2 Travaillez le beurre à la spatule dans une terrine chaude. Ajoutez les 2 sucres et remuez jusqu'à ce que le mélange soit mousseux.
3 Cassez les œufs en séparant les blancs des jaunes. Réservez 5 blancs. Incorporez les 8 jaunes d'œufs.
4 Mélangez par ailleurs le chocolat avec 1 c. à soupe de farine et autant de fécule. Incorporez ce mélange à la préparation précédente.
5 Fouettez les blancs en neige avec 1 pincée de sel. Ajoutez-les à la pâte. Beurrez un moule à charlotte et farinez-le.
6 Versez la pâte dedans. Faites cuire au four au bain-marie à 200 °C pendant 50 min environ.
7 Laissez tiédir le pudding, démoulez-le sur un plat rond.

Servez avec une crème anglaise nature, à la vanille ou au café, ou un coulis à l'orange.

puits d'amour

Cette petite pâtisserie ressemble à une bouchée à la reine dont l'intérieur est garni de crème pâtissière vanillée ou pralinée ou encore de confiture. Vous pouvez faire cuire les croûtes à l'avance et les remplir au dernier moment.

Puits d'amour à la confiture

Pour **4 personnes**
Préparation **30 min**
Cuisson **15 min**

350 g de pâte feuilletée toute prête ◆ 20 g de beurre ◆ 1 œuf ◆ 1 pot de confiture de framboises ◆ sucre glace

1 Abaissez la pâte feuilletée en un rectangle de 30 cm sur 15 cm environ. Découpez-y 8 disques de 8 cm de diamètre. Beurrez la tôle du four et rangez-y 4 disques de pâte. Badigeonnez-les avec la moitié de l'œuf battu.
2 Évidez les 4 autres disques avec un emporte-pièce pour conserver des couronnes de 1,5 cm de large. Posez-les sur les disques de pâte et dorez-les avec le reste d'œuf battu.
3 Faites-les cuire au four à 240 °C pendant 12 à 15 min. Retirez-les et laissez refroidir.
4 Poudrez les puits d'amour de sucre glace et remplissez le milieu de confiture de framboises. Servez aussitôt.

Ce gâteau connaît encore une autre variante typiquement parisienne : une couronne de pâte à choux sur un rond de feuilletage rempli de crème pâtissière caramélisée.

Puits d'amour à la confiture ▲
Cette délicate pâtisserie est l'idéal pour clore un dîner fin au champagne. Elle se garnit à volonté de confiture ou de crème pâtissière caramélisée. Le sucre glace lui apporte son décor final.

punch

Cette boisson alcoolisée, à base de sirop de canne et de rhum, se sert glacée ou brûlante. Il existe de nombreuses recettes de punch où l'on ajoute du jus d'orange, de citron, de goyave, de mangue ou d'ananas, du lait, du thé, de la cannelle, du sirop d'érable, un trait d'angostura, etc.

Diététique. Attention aux quantités facilement absorbées, car le goût du sucre masque l'alcool. 1 verre = 100 kcal.

Punch antillais au citron vert

Pour **6 personnes**
Préparation **10 min**
Pas de cuisson

25 cl de jus d'ananas ou de mangue ◆ 25 cl de jus d'orange non sucré ◆ 5 c. à soupe de sirop de canne ◆ 50 cl de rhum blanc ◆ 1 citron vert

1 Mélangez les 2 jus de fruits dans un broc. Ajoutez le sirop et remuez.
2 Versez 1/4 du mélange précédent dans un shaker. Ajoutez 1/4 du rhum et le jus du citron vert. Agitez vigoureusement pendant 2 min. Versez dans des verres sur des glaçons.
3 Mélangez le reste des ingrédients au fur et à mesure de la demande.

purée

→ voir aussi **coulis, soufflé**

Cette préparation s'obtient en passant au moulin, au tamis ou au mixer des légumes cuits ou des fruits. Les purées de légumes se servent nature ou gratinées. Allongées d'un liquide, elles donnent des potages. D'autres ingrédients comme la chair de poisson ou le foie gras peuvent être réduits en purée pour des farces ou des mousses. La purée instantanée à base de flocons déshydratés ainsi que les purées surgelées sont des solutions de rechange rapides et savoureuses.

Diététique. La valeur nutritionnelle d'une purée de légumes est celle du légume, sauf si on lui ajoute de la crème ou du fromage.

Purée de céleri

RECETTE LÉGÈRE — 1 portion 230 kcal

Pour **6 personnes**
Préparation **20 min**
Cuisson **40 min**

2 boules de céleri-rave ◆ 350 g de pommes de terre ◆ 2 citrons ◆ 10 cl de lait ◆ 60 g de beurre ◆ farine ◆ muscade ◆ sel ◆ poivre

1 Épluchez les boules de céleri. Citronnez-les. Coupez-les en grosses tranches. Pelez les pommes de terre. Pesez-les : il faut avoir 250 g de pommes de terre pour 1 kg de céleri.
2 Faites bouillir 3 l d'eau dans une grande marmite avec 2 c. à soupe de farine et le jus d'un citron. Ajoutez les pommes de terre et le céleri.
3 Faites cuire de 30 à 40 min, jusqu'à ce que les légumes s'écrasent. Égouttez-les et passez-les au moulin à légumes.
4 Mettez la purée dans une casserole et remuez sur feu doux en versant le lait. Poivrez et salez. Muscadez. Incorporez le beurre en parcelles.

Purée de chou-fleur

Pour **4 personnes**
Préparation **15 min**
Cuisson **25 min**

700 g de chou-fleur ◆ 700 g de brocoli ◆ 50 cl de lait ◆ 125 g d'amandes effilées ◆ 200 g de pois gourmands ◆ 25 g de beurre ◆ ciboulette ◆ sel ◆ poivre ◆ muscade

1 Séparez les petits bouquets du chou-fleur et du brocoli et mettez-les dans une casserole, versez le lait et laissez cuire 20 min.
2 Égouttez les légumes, réservez le liquide de cuisson. Passez-les au mixer et versez la purée obtenue dans une casserole, délayez avec le liquide réservé. Salez et poivrez. Muscadez. Tenez au chaud.
3 Faites griller les amandes au four en les surveillant. Faites cuire les pois gourmands à la vapeur. Faites chauffer le beurre dans une poêle, ajoutez les pois gourmands et faites-les revenir. Salez et poivrez.
4 Versez la purée dans un plat creux, parsemez d'amandes et de pois gourmands. Ajoutez la ciboulette ciselée et servez.

Purée de pommes de terre

Pour **6 personnes**
Préparation **15 min**
Cuisson **25 min environ**

1 kg de pommes de terre à chair farineuse ◆ 30 cl de lait ◆ 50 g de beurre ◆ muscade ◆ sel ◆ poivre

1 Pelez les pommes de terre et coupez-les en morceaux. Faites-les cuire 20 min à l'eau bouillante avec 1 c. à café de sel. (Dans un autocuiseur à la pression maximale, la cuisson ne dure que 5 min.)
2 Égouttez les pommes de terre et laissez-les sécher pendant 3 ou 4 min dans la casserole sur feu très doux avec un diffuseur.
3 Passez-les au presse-purée (n'employez pas de mixer). Faites chauffer le lait.
4 Remettez la purée dans la casserole. Posez sur feu modéré et incorporez le lait peu à peu en fouettant. Salez et poivrez. Muscadez.
5 Lorsque la purée est onctueuse, incorporez le beurre en parcelles.

Vous pouvez remplacer le lait par un mélange mi-lait, mi-crème liquide.

Si vous voulez colorer la purée, ajoutez 1 tasse d'épinards hachés, ou agrémentez-la de paprika, de fromage râpé ou de fines herbes hachées.

→ autres recettes de purée à l'index

quasi

→ voir aussi veau

Ce morceau de veau, situé entre le cuisseau et la longe, offre une viande maigre, un peu ferme et nerveuse, mais moins sèche que la noix. Vous pouvez faire rôtir le quasi entier, mais il se fait aussi braiser et fournit des morceaux pour la blanquette et le sauté. On y taille également des escalopes.

Quasi de veau en cocotte

Pour **8 personnes**
Préparation **20 min**
Cuisson **2 h 20**

3 oignons ◆ 8 carottes ◆ 200 g de couennes de porc fraîches ◆ 1,5 kg de quasi de veau ◆ 50 cl de vin blanc sec ◆ 1 bouquet garni ◆ 50 cl de bouillon de bœuf ◆ 15 cl de crème fraîche ◆ sel ◆ poivre

1 Pelez et émincez les oignons. Pelez et coupez les carottes en fines rondelles.
2 Tapissez une cocotte avec les couennes, côté gras contre le fond. Étalez les oignons et les carottes par-dessus. Posez le quasi de veau sur cette couche. Salez et poivrez. Faites cuire dans le four à découvert pendant 20 min à 180 °C.
3 Sortez la cocotte du four, versez le vin, ajoutez le bouquet garni et complétez avec le bouillon. Couvrez et faites cuire 2 h dans le four à 160 °C.
4 Retirez la viande de la cocotte et posez-la sur un plat de service. Enlevez les couennes et ajoutez la crème fraîche dans la cocotte.
5 Mélangez et laissez mijoter pendant que vous coupez la viande. Nappez les tranches de veau avec la sauce et servez.

Boisson **saumur-champigny**

quatre-épices

Ce mélange d'épices, qui s'achète tout préparé, réunit du poivre moulu, de la muscade râpée, du clou de girofle et de la cannelle en poudre. Utilisez-le dans une terrine, un civet ou une daube. Ne le confondez pas avec le cinq-épices, un mélange chinois plus rare (badiane, girofle, fenouil, cannelle et poivre) dilué dans de la sauce soja, dont on enduit une viande avant de la faire rôtir.

quatre-quarts

Cette pâtisserie familiale est faite de farine, de beurre, de sucre et d'œufs à poids égal. Commencez par peser les œufs pour déterminer les trois autres ingrédients. La façon de les mélanger et l'ordre dans lequel on les incorpore varient selon les recettes. Aromatisez la pâte à la vanille, au citron, au cacao ou avec des fruits confits.

Diététique. Une part de 100 g = 400 kcal.

Quenelles à la florentine ▲

Dans la cuisine classique, toutes les préparations qui sont baptisées « à la florentine » sont nécessairement cuisinées avec des épinards, un légume qui s'associe toujours très bien avec le veau.

Quatre-quarts

Pour **6 personnes**
Préparation **20 min**
Cuisson **30 min environ**

200 g de beurre ◆ 180 g de sucre ◆ 3 œufs de 60 g chacun ◆ 180 g de farine ◆ sel

1 Sortez le beurre assez tôt du réfrigérateur pour qu'il soit mou.
2 Travaillez 180 g de beurre à la spatule dans une terrine pour le rendre crémeux. Ajoutez le sucre en 2 ou 3 fois et battez vigoureusement le mélange qui doit être onctueux.
3 Cassez les œufs en séparant les blancs des jaunes. Ajoutez les jaunes à la préparation et mélangez bien.
4 Incorporez la farine tamisée. Battez les blancs en neige avec 1 pincée de sel et incorporez-les en soulevant la pâte.
5 Beurrez un moule à manqué de 20 cm de diamètre. Versez-y la pâte et faites cuire au four à 160 °C pendant 30 min, en plaçant le moule sur la grille à mi-hauteur.
6 Vérifiez la cuisson en enfonçant la lame d'un couteau au milieu du gâteau : elle doit ressortir sèche. Retirez le gâteau du four et attendez 5 min avant de le démouler.

Vous pouvez faire cuire le quatre-quarts dans un moule en couronne et garnir le centre d'une salade de fruits.

quenelle

Cette préparation utilise une farce fine à base de viande, de volaille ou de poisson (veau et brochet surtout). Les quenelles sont ensuite façonnées en petits boudins ou en navettes. Pochées à l'eau, elles sont servies en entrée, en sauce, ou gratinées. Si vous les achetez toutes faites, choisissez les « quenelles supérieures » au beurre (20 % au moins de viande ou de poisson), vendues dans les 10 jours qui suivent leur fabrication.

Diététique. Toutes les quenelles contiennent au moins 12 % de lipides.

Quenelles à la florentine

Pour **4 personnes**
Préparation **20 min**
Cuisson **30 min environ**

1,5 kg d'épinards ◆ 100 g de beurre ◆ 20 cl de lait ◆ 10 cl de crème fraîche ◆ 8 quenelles de veau ◆ farine ◆ parmesan râpé ◆ muscade ◆ sel ◆ poivre

1 Triez les épinards, équeutez-les, lavez-les et essorez-les. Faites-les cuire 5 min à l'eau bouillante salée puis égouttez-les en les pressant dans vos mains.
2 Faites fondre 30 g de beurre dans une casserole et versez-y les épinards. Remuez à la spatule à découvert pendant 5 min sur feu doux.
3 Préparez une sauce Béchamel *(voir page 58)* avec 40 g de beurre, 40 g de farine, le lait et 2 c. à soupe de crème.
4 Faites pocher les quenelles dans une grande casserole d'eau légèrement salée portée à ébullition et maintenue frémissante, pendant 10 min.

5 Beurrez un grand plat à gratin. Incorporez aux épinards le reste de crème fraîche et versez-les dans le plat en formant une couche régulière. Rangez par-dessus les quenelles égouttées. Muscadez et poivrez.
6 Nappez de sauce Béchamel et poudrez de parmesan. Ne salez pas. Faites gratiner dans le four à 250 °C pendant 5 ou 6 min. Servez chaud.

Boisson bordeaux léger

→ autres recettes de quenelle à l'index

quetsche

→ voir aussi prune

Cette variété de grosse prune allongée à peau violette possède une chair jaune assez sucrée et parfumée. Celle d'Italie (août) est insipide : attendez celle d'Alsace, en septembre. Faites-en des tartes, des compotes ou des confitures. La prune d'Alsace donne aussi une eau-de-vie très fruitée.

Tarte aux quetsches

Pour 6 personnes
Préparation 30 min
Repos 20 min
Cuisson 25 min

200 g de farine ◆ 100 g de beurre ◆ 200 g de sucre semoule ◆ 800 g de quetsches ◆ sel

1 Préparez une pâte brisée *(voir page 526)* avec la farine, le beurre, 1 c. à soupe de sucre, 1 pincée de sel et 1/2 verre d'eau. Laissez-la reposer 20 min.
2 Lavez les quetsches, coupez-les en 2 et retirez les noyaux. Abaissez la pâte et garnissez-en un moule à tarte beurré de 26 cm de diamètre. Poudrez le fond avec 50 g de sucre.
3 Disposez les demi-prunes sur le fond en commençant par le bord extérieur du moule, côté bombé contre la pâte : ainsi, le jus ne coulera pas pendant la cuisson et la pâte restera plus croustillante.
4 Poudrez abondamment le dessus avec le reste de sucre. Faites cuire dans le four à 250 °C pendant 20 à 25 min. Les quetsches doivent être légèrement caramélisées. Servez tiède.

→ autres recettes de quetsche à l'index

queue de bœuf

→ voir aussi bœuf, hochepot

La queue de bœuf est un morceau de 3e catégorie assez ferme, que l'on achète coupée en tronçons. Elle entre dans la composition du pot-au-feu, mais, braisée ou bouillie avec des légumes, elle donne d'autres plats très savoureux.

Queue de bœuf braisée

Pour 6 personnes
Préparation 1 h, 24 h à l'avance
Cuisson 2 h

1,8 kg de queue de bœuf ◆ 2 carottes ◆ 2 oignons ◆ 1 bouquet garni ◆ 1,5 l de vin rouge ◆ 300 g de petits oignons blancs ◆ 1 kg de haricots verts ◆ 30 g de beurre ◆ sucre semoule ◆ moutarde ◆ huile d'olive ◆ sel ◆ poivre

1 Coupez la queue de bœuf en tronçons de 5 cm. Pelez et émincez les carottes. Pelez et émincez les gros oignons.
2 Mettez tous ces ingrédients dans une terrine avec le bouquet garni. Ajoutez le vin rouge et laissez mariner 24 h au réfrigérateur.
3 Égouttez les morceaux de viande. Filtrez la marinade et mettez les légumes de côté. Faites bouillir la marinade pendant 10 min.
4 Pendant ce temps, faites chauffer 2 c. à soupe d'huile dans une poêle et mettez-y à dorer les morceaux de viande sur toutes les faces. Égouttez la viande.
5 Mettez les morceaux de viande dans une cocotte, ajoutez les légumes réservés et versez la marinade bouillie. Salez et poivrez. Portez lentement à ébullition, couvrez et baissez le feu. Faites mijoter doucement pendant 1 h 30. Retirez la graisse qui se forme en surface.
6 Pelez les petits oignons blancs et faites-les glacer. Faites cuire les haricots verts à l'eau bouillante salée pendant 10 min.
7 Dégraissez la cuisson du braisé et ajoutez à la sauce 1 c. à soupe de moutarde. Servez en même temps que le braisé en cocotte les haricots verts et les oignons glacés.

Préparez vous-même un bouquet garni riche en queues de persil, avec du vert de poireaux, des brins de thym et une branche de céleri.

Boisson vin rouge corsé

quiche

Tarte salée en pâte brisée, garnie de lardons mélangés avec des œufs et de la crème. Cette entrée chaude est d'origine lorraine, mais le mot « quiche » désigne par extension toutes les tartes salées, au saumon, aux champignons, aux fruits de mer, etc.

Diététique. Comptez 340 kcal pour une part. Avec une salade, un fruit frais et un verre de lait, vous avez un repas rapide et équilibré.

Quiche au chèvre frais

Pour **6 personnes**
Préparation **25 min**
Cuisson **30 min**

250 g de pâte brisée toute prête préétalée ◆ 6 petits oignons nouveaux ◆ 1 petit bouquet de persil ◆ 40 g de beurre ◆ 250 g de fromage de chèvre frais ◆ 3 œufs ◆ 20 brins de ciboulette ◆ muscade ◆ sel ◆ poivre

1 Garnissez une tourtière de pâte brisée. Piquez le fond, faites cuire à blanc dans le four à 200 °C pendant 12 min.
2 Pelez et émincez les oignons. Hachez le persil. Faites chauffer 20 g de beurre dans une casserole avec les oignons et le persil. Faites revenir sans laisser colorer. Versez le chèvre frais dans une terrine. Salez et poivrez. Muscadez. Incorporez les œufs en battant puis le contenu de la casserole.
3 Garnissez le fond de tarte de ce mélange, lissez le dessus et remettez dans le four à 180 °C pendant 16 à 18 min. Parsemez de ciboulette ciselée. Servez chaud ou froid.

Quiche aux fruits de mer

Pour **4 personnes**
Préparation **30 min, 1 h à l'avance**
Cuisson **35 min**

200 g de farine ◆ 100 g de beurre ◆ 1/2 l de moules ◆ 250 g de grosses crevettes décortiquées ◆ 3 œufs ◆ 10 cl de crème fraîche ◆ 20 cl de lait ◆ sel ◆ poivre

1 Préparez une pâte brisée *(voir page 526)* avec la farine, le beurre, 1 pincée de sel et 3 c. à soupe d'eau. Roulez-la et mettez-la au frais 1 h.
2 Faites ouvrir les moules sur feu vif puis décoquillez-les. Coupez les crevettes en 3.
3 Abaissez la pâte sur 3 mm d'épaisseur et garnissez-en un moule de 22 cm de diamètre. Répartissez les moules et les crevettes.
4 Mélangez les œufs battus, la crème et le lait. Salez et poivrez. Versez ce mélange sur la garniture. Faites cuire dans le four à 220 °C pendant 30 min. Servez.

Boisson **vin blanc sec**

Quiche lorraine

Pour **6 personnes**
Préparation **30 min, 2 h à l'avance**
Cuisson **50 min environ**

250 g de farine ◆ 155 g de beurre ◆ 5 œufs ◆ 250 g de poitrine demi-sel ◆ 30 cl de crème fraîche épaisse ◆ muscade ◆ sel ◆ poivre

1 Préparez une pâte brisée *(voir page 526)* avec la farine, 125 g de beurre, 1 pincée de sel, 1 œuf et 3 c. à soupe d'eau froide. Roulez-la en boule et mettez-la au réfrigérateur pendant 2 h.
2 Abaissez-la sur 4 mm d'épaisseur et garnissez-en une tourtière beurrée et farinée de 24 cm de diamètre à rebord un peu haut. Piquez le fond et faites-le cuire à blanc dans le four à 200 °C pendant 12 à 15 min. Laissez refroidir.
3 Coupez la poitrine demi-sel en petits lardons et faites-les blanchir 5 min à l'eau bouillante, rafraîchissez-les et épongez-les, puis faites-les rissoler légèrement dans 10 g de beurre.
4 Répartissez-les sur la croûte. Battez 4 œufs en omelette et mélangez-les avec la crème, salez légèrement, poivrez et muscadez. Versez cette préparation sur les lardons et faites cuire 30 min dans le four à 200 °C. Servez brûlant.

Vous pouvez remplacer les moules par des coques et ajouter au mélange quelques champignons émincés.

Boisson **vin blanc sec ou vin rouge léger**

→ **autres recettes de quiche à l'index**

Quiche aux fruits de mer ►

Pour cette recette, préférez des grosses moules de bouchot. Choisissez plutôt des crevettes congelées que des crevettes cuites par le poissonnier.

râble

→ voir aussi lapin, lièvre

Partie charnue du lapin ou du lièvre, entre les épaules et les cuisses. C'est un morceau idéal à rôtir : piqué de lardons ou bardé pour ne pas être trop sec. Comptez 25 minutes de cuisson en arrosant souvent. Vous pouvez aussi faire sauter le râble coupé en deux ou trois morceaux.

Râble de lièvre à l'allemande

Pour **2 personnes**
Préparation **10 min**
Cuisson **40 min environ**

1 râble de lièvre de 500 g ◆ 1 oignon ◆ 1 gousse d'ail ◆ 25 cl de vin rouge ◆ 2 pommes ◆ 35 g de beurre ◆ poivre en grains ◆ baies de genièvre ◆ huile ◆ laurier ◆ thym ◆ fécule ◆ poivre vert ◆ airelles au naturel ◆ sel ◆ poivre

1 Demandez au volailler de lever les 2 filets du râble et de les dépouiller. Récupérez les os. Concassez-les.

2 Enduisez d'huile les filets de râble et réservez-les. Pelez et hachez l'oignon. Concassez 4 grains de poivre et 4 baies de genièvre. Ajoutez-leur 1/2 feuille de laurier émietté et 1 brin de thym. Pelez la gousse d'ail et écrasez-la.

3 Faites chauffer 1 c. à soupe d'huile dans une cocotte, mettez-y à colorer les os du lièvre. Ajoutez les aromates préalablement préparés. Versez 20 cl de vin. Portez à ébullition. Couvrez. Laissez mijoter doucement pendant 20 min.

4 Passez le contenu de la cocotte. Versez-le dans une casserole.

5 Délayez 2 c. à café de fécule dans le reste de vin. Ajoutez cette liaison dans la casserole en fouettant. Faites cuire 3 min.

6 Incorporez 1 c. à soupe de poivre vert et 1 c. à soupe d'airelles. Salez et poivrez.

7 Pelez les pommes et émincez-les. Faites-les sauter dans une poêle avec 20 g de beurre pendant 10 min.

8 Faites chauffer le reste de beurre dans une autre poêle. Mettez-y les filets de râble et faites-les cuire doucement pendant 3 à 4 min de chaque côté en les retournant. Égouttez-les et mettez-les sur un plat chaud. Entourez-les de pommes. Servez la sauce réchauffée à part.

Si vous ne trouvez pas d'airelles au naturel, vous pouvez les remplacer par de la confiture d'airelles ou de la gelée de groseilles.

Boisson **saint-émilion**

raclette

Ce plat de tradition suisse se prépare avec un fromage spécial à pâte pressée : la demi-meule est placée dans un four à raclette et l'on « racle » le fromage au fur et à mesure qu'il fond. La raclette se prépare aussi dans des petits poêlons individuels, avec du fromage coupé en tranches. Il faut le déguster aussitôt fondu avec des pommes de terre à l'eau, des cornichons, des petits oignons et du jambon cru.

Comme fromages, choisissez du bagnes, de l'appenzell ou de la fontina (200 g par personne). Servez en même temps un vin blanc suisse.

Diététique. Avec la charcuterie et la garniture, sans compter l'alcool, on dépasse facilement 1 000 kcal pour un seul repas.

radis

Légume dont on consomme la racine, le radis présente des formes, des tailles et des couleurs variables. Les petits radis, ronds ou allongés, roses ou rouges, avec ou sans bout blanc, ne sont vraiment bons qu'en avril-mai et en septembre. Ceux de serre sont insipides et ceux de plein été sont souvent creux. D'une saveur légèrement piquante, ils se servent à la croque-au-sel ou agrémentent des salades.

Le gros radis noir d'hiver, beaucoup plus piquant, doit toujours être pelé.

Diététique. Peu calorique, riche en vitamines et en sels minéraux. 100 g = 20 kcal. Excellent coupe-faim.

Canapés de radis noir

Pour **4 personnes**
Préparation **15 min**
Pas de cuisson

1 radis noir ◆ 2 carrés demi-sel ◆ 1 bouquet de ciboulette ◆ 150 g de crevettes décortiquées ◆ persil frisé

1 Pelez le radis noir et taillez-le en rondelles régulières. Mettez le fromage demi-sel dans une jatte et écrasez-le à la fourchette.

2 Ciselez la ciboulette et incorporez-la au fromage. Tartinez les rondelles de radis noir de cette préparation.

3 Ajoutez 1 ou 2 crevettes sur le dessus en garniture. Servez ces rondelles en hors-d'œuvre, entourées de bouquets de persil.

Vous pouvez remplacer le fromage demi-sel par de la purée d'avocats et les crevettes par des rondelles d'œuf dur poudrées de paprika.

Salade aux radis roses

Pour **4 personnes**
Préparation **15 min**
Pas de cuisson

1 botte de radis bien ronds ◆ 2 pommes reinettes ◆ 1 citron ◆ 1 oignon doux ◆ huile d'olive ◆ vinaigre à l'estragon ◆ sel ◆ poivre

1 Coupez les fanes et les radicelles des radis. Lavez ceux-ci, essuyez-les et coupez-les en rondelles dans un saladier.

2 Pelez les pommes, coupez-les en quartiers, retirez-en le cœur et les pépins. Émincez-les finement et citronnez-les. Ajoutez-les aux radis et mélangez bien.

3 Pelez l'oignon et coupez-le en tranches fines. Défaites celles-ci en anneaux. Préparez une vinaigrette avec 4 c. à soupe d'huile et 2 c. à soupe de vinaigre. Salez et poivrez.

4 Versez la sauce sur la salade, mélangez et garnissez avec l'oignon.

→ **autres recettes de radis à l'index**

Les fanes des radis bien vertes et nettes sont un indice précieux de leur fraîcheur. Utilisez-les pour un potage.

ragoût

Cette préparation à base de viande (morceaux de deuxième catégorie) ou de volaille, de légumes ou même de poisson, combine deux modes de cuisson. L'aliment est d'abord rissolé dans un corps gras, puis on le fait mijoter lentement dans un liquide aromatique, après l'avoir poudré de farine, ce qui assure la liaison de la sauce.

Diététique. Le ragoût est un plat complet qu'il faut équilibrer avec une crudité et une salade de fruits ou un yaourt.

▲ Ragoût de mouton

Les navets sont une garniture idéale, parfumée et fondante, pour toutes les viandes grasses, comme le canard et le mouton : complétez-les avec des pois gourmands et quelques pluches de persil plat.

Ragoût de bœuf

Pour **6 personnes**
Préparation **30 min**
Cuisson **2 h 30 environ**

1 kg de bœuf en morceaux (culotte) ◆ 2 oignons ◆ 200 g de lardons fumés ◆ 40 cl de vin blanc ◆ 1 bouquet garni ◆ 1 kg de carottes ◆ 6 pommes de terre ◆ farine ◆ sel ◆ poivre

1 Pelez et émincez les oignons. Faites fondre les lardons dans une grande cocotte puis retirez-les. Ajoutez les morceaux de viande et les oignons. Faites-les dorer.
2 Poudrez avec 1 c. à soupe de farine et laissez-la roussir en remuant 2 min. Versez le vin et ajoutez 1 verre d'eau. Salez et poivrez. Ajoutez le bouquet garni et couvrez.
3 Faites mijoter 1 h 15. Pelez et émincez les carottes. Pelez et essuyez les pommes de terre.
4 Ajoutez les carottes dans la cocotte, mélangez, couvrez et faites mijoter 45 min. Ajoutez les pommes de terre et les lardons. Poursuivez la cuisson pendant encore 20 min.

Ragoût de carottes

Pour **4 personnes**
Préparation **15 min**
Cuisson **1 h 15 environ**

800 g de carottes ◆ 2 oignons ◆ 4 tomates ◆ 40 g de graisse d'oie ◆ 15 g de farine ◆ 50 cl de bouillon ◆ 1 gousse d'ail ◆ 1 échalote ◆ persil haché ◆ cerfeuil ◆ sel ◆ poivre

1 Grattez les carottes et coupez-les en grosses rondelles. Pelez et émincez les oignons. Mondez les tomates et concassez-les.
2 Faites revenir les oignons à la graisse d'oie dans une cocotte, en remuant avec une spatule. Poudrez de farine, laissez blondir et ajoutez les tomates. Mélangez bien et versez le bouillon puis ajoutez les carottes. Salez et poivrez. Couvrez et faites cuire doucement pendant 30 min.
3 Pelez et hachez l'ail et l'échalote. Mélangez-les en ajoutant 2 c. à soupe de persil haché. Ajoutez ce hachis aux carottes. Poursuivez la cuisson pendant 35 à 40 min. Servez le ragoût dans un plat chaud. Décorez avec le cerfeuil en pluches.

Vous pouvez enrichir ce ragoût en y faisant réchauffer quelques tranches épaisses de cou d'oie farci.

Cette recette se cuisine aussi avec des pommes de terre ou un mélange de pommes de terre et de carottes.

Ragoût de mouton

Pour **6 personnes**
Préparation **25 min**
Cuisson **1 h 30 au moins**

1,5 kg d'épaule ou de collier de mouton ◆ 50 g de beurre ◆ 1 bouquet garni ◆ 24 petits oignons blancs ◆ 12 navets moyens ◆ huile ◆ farine ◆ concentré de tomates ◆ sucre semoule ◆ persil plat ◆ sel ◆ poivre

1 Découpez la viande en morceaux réguliers de 5 à 6 cm de côté. Salez-les et poivrez-les.

2 Faites fondre 25 g de beurre avec un filet d'huile dans une cocotte et mettez-y à dorer les morceaux de viande en les retournant. Attention à ne pas les laisser roussir.
3 Videz l'excès de graisse fondue puis poudrez de farine et laissez cuire 2 min en remuant à la spatule. Versez dans la cocotte 1 l d'eau avec 3 c. à soupe de concentré de tomates. Mélangez pour dissoudre le roux, ajoutez le bouquet garni et couvrez. Laissez mijoter au moins 1 h.
4 Pelez les petits oignons et les navets. Faites fondre le reste de beurre dans un poêlon et faites-y colorer les oignons en les poudrant avec 1 c. à café de sucre.
5 Coupez les navets en 2. Ajoutez-les dans la cocotte avec les oignons. Faites cuire pendant encore 30 à 35 min à couvert.
6 Retirez le bouquet garni, dégraissez la cuisson en surface avec une petite louche et poudrez de persil haché. Servez aussitôt.

Si vous trouvez des panais, utilisez-les à la place des navets : leur saveur sucrée s'accorde à merveille avec le goût des petits oignons caramélisés.

Boisson **vin rouge corsé**

→ **autres recettes de ragoût à l'index**

raie

Il existe de nombreuses variétés de ce grand poisson plat sans écailles, courant dans toutes les mers. La raie bouclée et celle vendue sous le nom de pocheteau sont les plus appréciées. Ce poisson disponible toute l'année est vendu en tronçons ou en « ailes », sauf s'il est très petit (raiteau ou raiton). S'il sent l'ammoniaque, lavez-le à l'eau froide et rincez-le à l'eau vinaigrée. Sa chair blanc rosé est très fine. La raie n'a pas d'arêtes, mais un support cartilagineux qui se retire facilement après cuisson.

La raie se sert le plus souvent au court-bouillon, nappée de beurre noisette auquel on peut ajouter des câpres. Elle se prépare aussi meunière ou en friture. Cuite à la vapeur ou pochée, elle s'accompagne d'une sauce hollandaise ou d'une sauce Béchamel. Le foie de raie est une vraie gourmandise, mais rare : à faire frire ou poêler une fois poché.

Diététique. La raie est riche en minéraux. Poisson maigre : 100 g = 90 kcal. Excluez le beurre si vous avez trop de cholestérol.

Raie au beurre noisette

Pour **2 personnes**
Préparation **5 min**
Cuisson **8 à 10 min**

2 ailes de raie de 200 g ◆ 100 g de beurre ◆ 1 citron ◆ 2 c. à soupe de câpres égouttés ◆ vinaigre ◆ sel ◆ poivre

1 Lavez les ailes de raie. Versez 50 cl d'eau dans une casserole, ajoutez 10 cl de vinaigre et 1 c. à café de sel. Portez à ébullition et plongez les ailes de raie dans la casserole. Faites pocher 8 min environ en laissant juste frémir.
2 Pendant ce temps, mettez le beurre à fondre dans une petite poêle. Surveillez bien la cuisson : il doit chauffer jusqu'au moment où il devient couleur noisette sans jamais noircir.
3 Lorsque les ailes de raie sont cuites, égouttez-les et retirez la peau. Mettez-les sur des assiettes chaudes. Pressez sur chacune le jus d'un demi-citron et parsemez-les de câpres. Arrosez de beurre brûlant et servez aussitôt.

Boisson **entre-deux-mers**

Raie au fromage

Pour **4 personnes**
Préparation **20 min**
Cuisson **15 min environ**

800 g d'ailes de raie ◆ 3 échalotes ◆ 150 g de champignons de couche ◆ 50 g de beurre ◆ 10 cl de vin blanc ◆ 2 c. à soupe de crème fraîche ◆ 50 g de gruyère râpé ◆ persil plat ◆ sel ◆ poivre

1 Dépouillez les ailes de raie. Pelez et hachez les échalotes. Hachez 2 c. à soupe de persil. Nettoyez et émincez les champignons.
2 Beurrez un plat à gratin avec 15 g de beurre. Tapissez le fond avec les échalotes, le persil et les champignons mélangés. Posez les ailes de raie par-dessus.
3 Arrosez de vin blanc et ajoutez 25 g de beurre en parcelles. Faites cuire dans le four à 230 °C pendant 10 min environ.
4 Retirez les morceaux de raie du plat. Liez la cuisson avec la crème fraîche puis remettez les morceaux de poisson dedans en les retournant dans la sauce. Poudrez de gruyère râpé et ajoutez le reste de beurre en parcelles. Faites gratiner 5 min dans le four à 230 °C. Servez.

raifort

La racine de cette plante possède une pulpe blanche au goût piquant que l'on utilise comme condiment. Le raifort est surtout vendu râpé en petit flacon, au naturel ou mélangé avec de la crème fraîche et des aromates. Servez-le avec une viande bouillie ou braisée, des pommes de terre, des harengs ou du saumon fumé. La sauce a les mêmes emplois.

Sauce au raifort

Pour **4 personnes**
Préparation **15 min**
Pas de cuisson

1 tranche de pain de mie très frais ◆ 2 c. à soupe de lait ◆ 3 c. à soupe de crème fraîche ◆ 50 g de raifort râpé ◆ sucre semoule ◆ sel ◆ poivre

1 Écroûtez le pain de mie. Mettez la mie dans une soucoupe, imbibez-la de lait puis égouttez-la et pressez-la.

2 Mélangez dans une jatte la crème fraîche et le raifort. Ajoutez la mie de pain et écrasez le tout à la fourchette. Lorsque le mélange est onctueux et homogène, ajoutez 1 pincée de sucre, 1 pincée de sel et 2 tours de moulin à poivre.

→ **autres recettes de raifort à l'index**

raisin

→ **voir aussi fruits, mendiants, pudding**

raisin frais Le fruit de la vigne parvient à maturité entre le début août et la fin novembre. Les variétés de raisin de table sont différentes de celles des cépages vinicoles ; elles viennent essentiellement du sud-est de la France et d'Italie. Le raisin noir est représenté surtout par le muscat de Hambourg (grains peu serrés, croquants et musqués), l'alphonse lavallée et le cardinal (gros grains ronds à peau épaisse, peu parfumés). Le raisin blanc est en général plus sucré et juteux : chasselas à peau fine et petits grains ronds jaune doré, gros-vert un peu plus acide à grains ovoïdes, italia à gros grains lourds jaune-vert plus ou moins sucré.

Achetez le raisin toujours mûr, avec des grapillons bien attachés, des grains uniformes, de préférence givrés d'une légère pruine (substance qui les recouvre naturellement). C'est un fruit qui se conserve mal : éventuellement quelques jours au réfrigérateur, bien emballé (sortez-le 1 h avant de le déguster). Lavez-le toujours avant de le servir. Fruit de dessert qui accompagne aussi les fromages (à pâte cuite ou persillée), le raisin est bien présent dans les recettes d'automne : salades composées, tartes, garnitures de volaille ou de gibier.

raisin sec Ce sont les grains d'un raisin très sucré qui, une fois cueilli mûr et séché, donnent le raisin sec. Le raisin de Corinthe (Grèce) se reconnaît facilement à ses petits grains compacts presque noirs et sans pépins. Ceux de Smyrne (Turquie) et de Malaga (Espagne) sont plus volumineux, moins sucrés, mais plus musqués. Le raisin sec clair, brun ou doré, provient d'une variété dite sultane, produite dans le midi de la France : ses grains sont plus moelleux.

raisins de Smyrne

raisins de Corinthe

Les emplois des raisins secs sont nombreux en pâtisserie : brioche, cake, petits pains, biscuits secs, etc. En cuisine, ils jouent un rôle de condiment dans des farces, des plats de riz ou de semoule, des sauces ou avec du fromage frais. Faites-les tremper au moins 2 heures dans du thé, du rhum ou de l'eau tiède avant emploi. Dans un four à micro-ondes : 3 minutes à pleine puissance pour 100 g dans 15 cl d'eau bouillante, puis repos de 15 minutes.

Diététique. C'est l'un des fruits les plus riches en sucre : 100 g de raisin frais = 80 kcal. Il a des propriétés diurétiques et laxatives. À consommer avec modération. Le raisin sec est calorique : 100 g = 325 kcal.

italia

cardinal

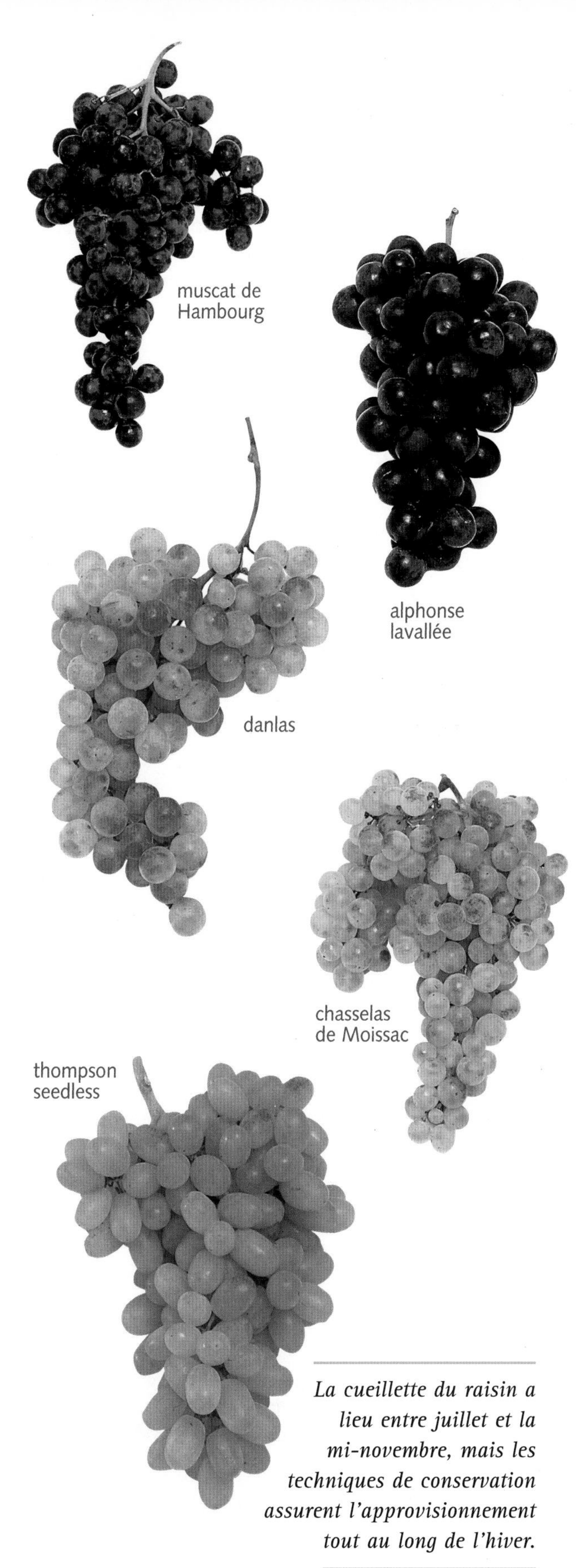

La cueillette du raisin a lieu entre juillet et la mi-novembre, mais les techniques de conservation assurent l'approvisionnement tout au long de l'hiver.

Foies de volaille au raisin

Pour **4 personnes**
Préparation **30 min**
Cuisson **12 min environ**

600 g de foies de volaille ◆ 24 gros grains de raisin blanc ◆ 30 g de beurre ◆ 10 cl de sauternes ◆ sel ◆ poivre

1 Nettoyez les foies de volaille et coupez-les en bouchées régulières. Salez et poivrez. Pelez les grains de raisin et extrayez les pépins en vous aidant d'une aiguille.
2 Faites chauffer le beurre dans une poêle. Mettez-y les foies de volaille et faites-les sauter vivement pendant 7 ou 8 min. Ils doivent être bien colorés. Égouttez-les sur du papier absorbant et mettez-les dans un plat chaud.
3 Videz la moitié du beurre fondu puis versez le sauternes dans la poêle et déglacez sur feu vif.
4 Ajoutez les grains de raisin dans la poêle et faites-les rouler dans la sauce. Rectifiez l'assaisonnement. Versez-les avec la sauce sur les foies de volaille et servez aussitôt en entrée chaude.

Nettoyez bien les foies de volaille avant de les faire cuire en ôtant les petits nerfs ou en grattant au couteau les taches verdâtres.

Boisson **sauternes**

Muscat au citron

Pour **4 personnes**
Préparation **10 min**
Pas de cuisson

1 kg de raisin muscat rouge ◆ 1 citron ◆ 1 bouteille de jus de pomme ◆ crème de cassis

1 Lavez et égrappez le raisin. Passez les grains au moulin à légumes et récupérez tout le jus. Versez-le dans une cruche. Pressez le jus de citron et ajoutez-le.
2 Répartissez le jus de pomme très frais dans quatre grands verres. Ajoutez par-dessus le jus de raisin au citron et mélangez puis ajoutez un trait de crème de cassis par verre. Ne mélangez pas tout de suite. Servez aussitôt.

Si vous trouvez cette boisson trop acidulée, ajoutez 1 c. à soupe de miel par personne.

Tarte au raisin ▲

C'est avec de gros grains de raisin muscat blanc que cette tarte est le plus réussie. Si vous en avez la patience, retirez les pépins avec une aiguille, sans nécessairement les peler.

Petits gâteaux aux raisins secs

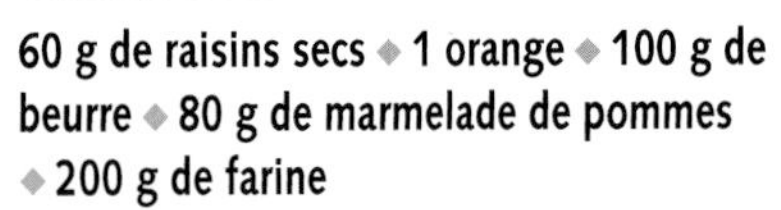

Pour **24 pièces**
Préparation **15 min**
Cuisson **5 min**

60 g de raisins secs ◆ 1 orange ◆ 100 g de beurre ◆ 80 g de marmelade de pommes ◆ 200 g de farine

1 Rincez les raisins secs à l'eau bouillante. Râpez le zeste de l'orange et pressez son jus. Faites ramollir le beurre à température ambiante.
2 Mélangez dans une terrine le beurre ramolli et la marmelade. Lorsque le mélange est mousseux, incorporez la farine et travaillez la pâte. Ajoutez ensuite 2 c. à soupe de jus d'orange, le zeste puis les raisins secs.
3 Lorsque la pâte est homogène, abaissez-la sur 5 mm d'épaisseur et découpez-y des disques de 5 cm de diamètre.
4 Disposez-les en cercle sur une feuille de papier sulfurisé dans le four. Recouvrez-les de papier absorbant. Procédez en 2 fournées. Faites cuire 2 min 30 à puissance maximale. Laissez reposer 5 min et laissez refroidir sur une grille.

Salade composée au muscat

Pour **4 personnes**
Préparation **30 min**
Pas de cuisson

200 g de céleri-rave ◆ 1 citron ◆ 150 g de beaufort ◆ 1 grappe de raisin noir ◆ 1 grappe de raisin blanc ◆ 8 cerneaux de noix ◆ huile d'olive ◆ vinaigre de vin blanc ◆ sel ◆ poivre

1 Pelez le céleri et citronnez-le. Râpez-le dans un saladier avec une râpe à gros trous. Taillez le beaufort en bâtonnets. Ajoutez-les au céleri. Réservez.
2 Lavez le raisin et égrappez-le. Séchez les grains et ajoutez-les dans le saladier.
3 Préparez une vinaigrette avec 4 c. à soupe d'huile et 2 c. à soupe de vinaigre. Salez et poivrez. Fouettez la sauce et versez-la sur la salade. Mélangez délicatement.
4 Ajoutez les cerneaux de noix grossièrement concassés. Servez à température ambiante.

En utilisant du vinaigre de cidre ou de framboise, la salade gagne en arôme.

Boisson monbazillac

Tarte au raisin

Pour **4 personnes**
Préparation **30 min**
Cuisson **30 min**

100 g de farine ◆ 50 g de beurre ◆ 60 g de sucre semoule ◆ 500 g de raisin blanc ◆ 2 œufs ◆ 3 c. à soupe d'amandes en poudre ◆ 10 cl de lait ◆ 5 cl de crème ◆ kirsch ◆ sel

1 Versez la farine dans une terrine, ajoutez le beurre en petits morceaux, 1 pincée de sel, 15 g de sucre et 3 c. à soupe d'eau.

2 Amalgamez ces ingrédients pour former une boule de pâte. Ne la pétrissez pas.
3 Abaissez la pâte et garnissez-en un moule à tarte de 22 cm de diamètre.
4 Lavez le raisin, égrappez-le et séchez bien les grains. Rangez-les en une couche régulière sur le fond de tarte.
5 Mélangez dans une jatte les œufs, le reste de sucre, les amandes en poudre, le lait, la crème et 1 c. à soupe de kirsch.
6 Versez doucement ce mélange sur les grains de raisin. Faites cuire pendant 30 min dans le four à 220 °C.
7 Sortez la tarte du four, laissez refroidir avant de démouler.

À la place du kirsch (que l'on peut supprimer si la tarte est destinée à des enfants), on peut également utiliser de l'alcool de framboise.

→ **autres recettes de raisin à l'index**

ramboutan

Surnommé litchi chevelu, ce fruit exotique importé d'Asie du Sud-Est en hiver et au printemps présente la couleur du litchi. Plus allongé que celui-ci, il a pratiquement la même saveur. On le trouve frais ou en conserve au sirop. Il se déguste nature ou parfume les salades de fruits. On en fait aussi un sorbet. En cuisine, il accompagne la volaille et le porc.

Ce fruit exotique se reconnaît facilement aux filaments raides et crochus qui hérissent sa coque. La pulpe translucide qu'elle renferme entoure un noyau assez facile à retirer. Consommez-le frais en novembre et décembre.

Compote de ramboutans à la menthe

Pour **4 personnes**
Préparation **20 min, 24 h à l'avance**
Cuisson **5 min**

500 g de ramboutans • 2 pêches • 50 g de sucre semoule • 2 verres de muscat • 8 feuilles de menthe fraîche • 8 belles fraises

1 Épluchez les ramboutans, fendez-les en 2 et retirez les noyaux. Mettez les fruits dans une jatte. Pelez les pêches, coupez-les en quartiers et retirez les noyaux. Ajoutez les quartiers aux ramboutans. Poudrez de sucre et arrosez de muscat. Laissez reposer toute la nuit.
2 Environ 1 h avant de servir, versez les fruits et leur macération dans une casserole. Mélangez. Portez doucement à ébullition puis retirez du feu et laissez refroidir.
3 Ciselez les feuilles de menthe. Lavez les fraises, équeutez-les et coupez-les en lamelles. Répartissez la compote de fruits au vin dans des coupes de service, ajoutez les lamelles de fraises et la menthe en décor. Servez frais.

ras al-hanout

Ce mélange d'épices en poudre appartient à la cuisine du Maghreb. Il associe des clous de girofle, de la cannelle, de la cardamome, de la coriandre, du cumin, du curcuma, du gingembre et du poivre noir, parfois des boutons de roses séchés. Il parfume surtout des ragoûts et des bouillons, en particulier celui du couscous.

rascasse

→ **voir aussi** bouillabaisse

Ce poisson de roche méditerranéen possède une tête épineuse et des piquants sur le dos. Il est plutôt vendu en été, souvent en filets. La petite rascasse, assez rare, possède une chair estimée : elle se cuisine comme la daurade. La grosse rascasse, ou chapon, est plus commune mais moins fine. Utilisez-la dans une soupe de poisson.

Diététique. Avec ce poisson maigre au menu (100 g = 100 kcal), autorisez-vous une pâtisserie.

Filets de rascasse à la tomate

Pour **4 personnes**
Préparation **20 min**
Cuisson **25 min**

1 oignon ◆ 500 g de tomates ◆ 2 gousses d'ail ◆ 1 brin de thym ◆ 30 g de beurre ◆ 800 g de filets de petites rascasses ◆ huile d'olive ◆ persil haché ◆ sel ◆ poivre ◆ poivre de Cayenne

1 Pelez et hachez l'oignon. Pelez les tomates et concassez la pulpe. Pelez et hachez l'ail.
2 Faites chauffer 1 c. à soupe d'huile dans une casserole. Ajoutez l'oignon et faites-le revenir 5 min en remuant.
3 Ajoutez les tomates, l'ail et le thym. Remuez, salez et poivrez. Ajoutez une pointe de cayenne et laissez mijoter à découvert sur feu doux pendant 10 min.
4 Faites chauffer le beurre dans une poêle. Salez et poivrez les filets de rascasse. Faites-les cuire 5 min par face dans le beurre chaud.
5 Retirez les filets de rascasse de la poêle et posez-les sur un plat de service chaud. Retirez le brin de thym de la sauce tomate et nappez les filets de rascasse. Saupoudrez de persil haché et servez aussitôt.

Évitez pour cette recette le thym séché, souvent peu parfumé : en saison, la fleur de thym fraîche est nettement plus aromatique.

Boisson côtes-du-roussillon

Rascasse au raifort

Pour **4 personnes**
Préparation **5 min**
Cuisson **25 min environ**

50 g de beurre ◆ 800 g de filets de rascasse ◆ 1 citron ◆ 1 pomme ◆ 80 g de raifort râpé ◆ 15 cl de crème fraîche ◆ 1 pincée de sucre semoule ◆ sel ◆ poivre

1 Enduisez un plat à four avec 20 g de beurre. Mettez-y les filets de rascasse. Salez et poivrez. Arrosez avec 1 c. à soupe de jus de citron et le reste de beurre fondu.
2 Faites cuire 10 min dans le four à 200 °C. Pendant ce temps, pelez la pomme et citronnez-la. Émincez-la finement ou râpez-la.
3 Incorporez le raifort et la crème à la pulpe de pomme. Salez et poivrez. Ajoutez le sucre.
4 Versez cette préparation sur les filets de poisson. Faites cuire encore 15 min et servez dans le plat.

→ **autres recettes de rascasse à l'index**

ratatouille

Ce ragoût de légumes du Midi est originaire de Nice ; il réunit oignons, courgettes, tomates, poivrons et aubergines. Mijotée à l'huile d'olive avec des aromates, la ratatouille accompagne viandes, volailles ou poissons. Elle est aussi délicieuse avec une omelette. Servez-la également froide en entrée, relevée de jus de citron.

Diététique. Pour une ratatouille hypocalorique, faites mijoter les ingrédients sans matière grasse avec 10 cl de bouillon de légumes, 1 bouquet garni et du concentré de tomates.

Ratatouille niçoise

Recette légère – 1 portion 260 kcal

Pour **4 personnes**
Préparation **30 min**
Cuisson **1 h 15 environ**

500 g d'aubergines ◆ 500 g de courgettes ◆ 500 g de poivrons ◆ 500 g de tomates ◆ 3 oignons ◆ 2 gousses d'ail ◆ 1 feuille de laurier ◆ 1 brin de thym ◆ huile d'olive ◆ sel ◆ poivre

1 Lavez les légumes et essuyez-les. Ne pelez ni les aubergines ni les courgettes, coupez-les en rondelles. Coupez les poivrons en 2, retirez les graines et taillez la pulpe en lanières. Pelez les tomates et coupez-les en quartiers. Pelez les oignons et émincez-les. Pelez l'ail et hachez-le.
2 Faites chauffer 2 c. à soupe d'huile dans une poêle et faites-y revenir les aubergines pendant 5 min. Salez et poivrez. Retirez-les.
3 Faites sauter les courgettes dans la poêle comme les aubergines en rajoutant 1 c. à soupe d'huile. Retirez-les et procédez de la même façon avec les poivrons.
4 Faites chauffer 2 c. à soupe d'huile dans une cocotte et faites-y revenir les oignons en remuant pendant 5 min. Ajoutez les tomates et mélangez.

5 Versez alors dans la cocotte les autres légumes déjà revenus. Mélangez sur feu assez vif pendant 5 min. Ajoutez le laurier et le thym. Salez et poivrez. Couvrez et baissez le feu. Laissez mijoter doucement 30 min.
6 Ajoutez l'ail et remuez. Goûtez et rectifiez l'assaisonnement. Poursuivez la cuisson pendant 10 à 15 min. Servez chaud ou refroidi.

La ratatouille se conserve 2 jours au réfrigérateur et 2 mois congelée.

ravigote

Cette sauce froide très relevée est une vinaigrette enrichie de fines herbes, de câpres et d'oignon. Elle peut avoir les mêmes emplois que la simple vinaigrette, mais elle accompagne très bien la tête de veau, les œufs durs, la salade de museau ou même le poisson grillé.

Sauce ravigote

Pour **4 personnes**
Préparation **15 min**
Pas de cuisson

1 petit oignon ◆ 1 c. à soupe de câpres ◆ 3 c. à soupe de vinaigre ◆ 6 c. à soupe d'huile ◆ moutarde ◆ estragon ◆ ciboulette ◆ persil ◆ sel ◆ poivre

1 Ciselez la valeur de 1 c. à soupe d'estragon et 10 brins de ciboulette. Hachez la valeur de 1 c. à soupe de persil.
2 Pelez et hachez finement l'oignon. Égouttez les câpres et hachez-les.
3 Mélangez dans un bol le vinaigre, du sel et du poivre. Ajoutez 1 c. à café de moutarde et l'huile en fouettant.
4 Incorporez ensuite les fines herbes, l'oignon et les câpres. Mélangez intimement et servez.

raviole

Les ravioles sont courantes dans la cuisine provençale : ces poches de pâte à nouilles sont farcies de fromage ou de verdure. Ce sont aussi, en Savoie, des boulettes à base d'épinards et de fromage.

Ravioles savoyardes

Pour **4 personnes**
Préparation **20 min**
Cuisson **25 min**

1 kg d'épinards ◆ 1 tomate ◆ 2 carrés demi-sel ◆ 50 g de farine ◆ 2 œufs ◆ 20 g de beurre ◆ 10 cl de lait ◆ 10 cl de crème fraîche ◆ 100 g de gruyère râpé ◆ sel ◆ poivre

1 Équeutez les feuilles d'épinards, lavez-les et épongez-les. Hachez-les finement. Pelez la tomate et concassez la pulpe.
2 Mélangez les carrés demi-sel, la farine et les œufs. Incorporez les épinards et la tomate.
3 Faites bouillir de l'eau salée. Façonnez la farce en boulettes et faites-les pocher 10 min. Épongez-les. Rangez les boulettes dans un plat à gratin beurré. Mélangez le lait et la crème, poivrez. Versez ce mélange sur les boulettes. Poudrez de gruyère. Faites gratiner 15 min à 180 °C.

Ravioles savoyardes ▼
Servies en entrée avant un poulet aux girolles, ces ravioles seront idéalement accompagnées d'un vin blanc de Savoie, seyssel ou crépy. Terminez avec un crumble aux myrtilles.

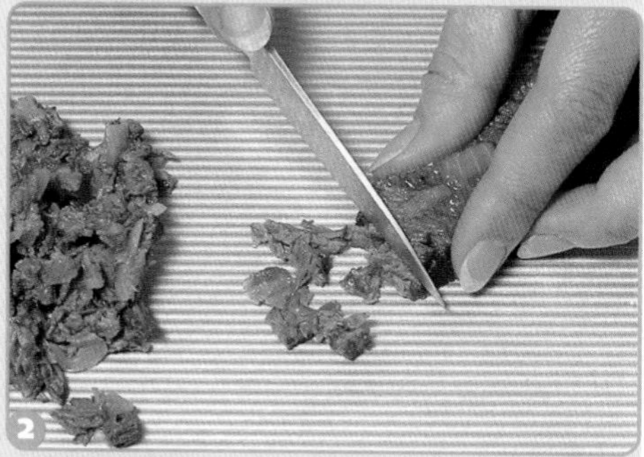

ravioli

Petits carrés de pâte garnis d'une farce à la viande, à la volaille, au fromage ou aux épinards et servis avec de la sauce tomate. Cette spécialité italienne s'achète fraîche ou en boîte de conserve. Vous pouvez aussi préparer les ravioli vous-même, surtout si vous avez un reste de daube, de pot-au-feu, de braisé ou de volaille cuite.

Diététique. Plat équilibré et relativement peu calorique : 100 g = 340 kcal environ.

Ravioli farcis à la viande

Pour **4 personnes**
Préparation **1 h environ**
Cuisson **10 min**

400 g de farine ◆ 4 œufs ◆ 450 g de reste de braisé de bœuf avec les légumes et la sauce ◆ huile d'olive ◆ parmesan râpé ◆ sel

1 Préparez la pâte à nouilles avec la farine, l'eau et les œufs *(voir page 475)*. Mettez-la en boule, couvrez-la et laissez-la reposer à température ambiante.

2 Faites réchauffer doucement le reste de braisé dans une casserole. Filtrez la sauce et mettez-la à part. Hachez la viande et les légumes.

3 Abaissez la pâte à nouilles pour former 2 rectangles allongés, l'un un peu plus grand que l'autre. Répartissez la farce en petits tas à intervalles réguliers sur le rectangle le plus petit. Espacez les tas de 5 cm environ.

4 Humectez d'eau un pinceau et passez-le entre les petits tas de farce. Posez par-dessus le second rectangle de pâte.

5 Appuyez entre les tas pour souder. Découpez les ravioli avec une roulette à pâtisserie. Appuyez fermement sur les côtés de chaque carré. Laissez sécher pendant 10 min. Faites réchauffer le reste de sauce du braisé. Portez à ébullition une grande casserole d'eau légèrement salée additionnée de 2 c. à soupe d'huile. Baissez le feu et faites-y cuire les ravioli pendant 5 min. Égouttez-les. Servez-les très chauds, arrosés de sauce, avec du parmesan à part.

Autre farce : 100 g de veau, 100 g de bœuf et 100 g de jambon cru revenus à l'huile avec 1 oignon haché, du thym, du laurier et un peu de bouillon, et mélangés avec 150 g d'épinards blanchis et hachés. Servez avec de la sauce tomate.

reblochon

Ce fromage savoyard à pâte pressée en forme de disque aplati présente une croûte lavée jaune rosé. Souple et onctueux, il est délicieux avec un vin blanc fruité de Savoie. S'il est fermier, il est meilleur de mai à octobre. Évitez le reblochon industriel.

Diététique. Fromage gras : 100 g = 322 kcal.

reine-claude

→ voir aussi prune

Cette variété de prune à peau verte plus ou moins dorée, parfois violette, possède une chair jaune savoureuse. Souvent cueillie trop tôt, car elle est très fragile à maturité, elle est parfois décevante : attendez fin août pour bien en profiter. Dégustez-la nature ou faites-en une tarte ou bien des confitures.

religieuse

Gros chou surmonté d'un chou plus petit, fourrés de crème pâtissière au café ou au chocolat, cette pâtisserie est glacée au fondant et décorée de crème au beurre.

Diététique. Une religieuse = 250 kcal.

rémoulade

Cette sauce froide est une variante de la mayonnaise relevée de moutarde et d'aromates assez piquants. C'est l'accompagnement classique du céleri-rave, mais aussi de viande ou de poisson froids.

Sauce rémoulade

Pour **4 personnes**
Préparation **15 min**
Pas de cuisson

1 jaune d'œuf dur ◆ 25 cl d'huile de tournesol ◆ 2 cornichons ◆ 2 c. à soupe de cerfeuil, estragon et persil mélangés ciselés ◆ 1 c. à soupe de câpres ◆ sel ◆ poivre

1 Tamisez le jaune d'œuf dans un bol, ajoutez 1 bonne pincée de sel et 1 autre de poivre.

2 Versez l'huile de tournesol en filet et émulsionnez vivement le mélange.

3 Hachez les cornichons très finement. Mélangez-les avec les fines herbes. Égouttez les câpres et hachez-les.

4 Incorporez ces ingrédients à la sauce. Goûtez et rectifiez l'assaisonnement. Gardez au frais jusqu'à l'emploi.

→ autres recettes de rémoulade à l'index

requin

La chair de ce grand poisson des mers chaudes se cuisine comme le thon, mais il est peu courant sur le marché. En revanche, on trouve aujourd'hui des tranches de requin fumé préemballé que l'on peut très bien utiliser comme le saumon.

Salade de requin fumé au bœuf

Pour **4 personnes**
Préparation **15 min**
Pas de cuisson

4 tranches de requin fumé ◆ 400 g de reste de bœuf bouilli ◆ 1 oignon ◆ vinaigre de cidre ◆ ciboulette ◆ huile d'olive ◆ persil plat ◆ sel ◆ poivre

1 Taillez les tranches de requin en languettes. Arrosez-les avec 1 c. à soupe d'huile, poivrez. Réservez.

2 Dégraissez la viande de bœuf en retirant le cartilage et coupez-la en petits cubes. Pelez et hachez l'oignon.

3 Préparez une vinaigrette relevée avec 2 c. à soupe de vinaigre et 4 c. à soupe d'huile. Fouettez. Salez et poivrez. Ajoutez 2 c. à soupe de ciboulette. Mélangez bien.

4 Réunissez dans un saladier le bœuf, l'oignon et la vinaigrette. Remuez. Ajoutez les languettes de requin et remuez encore. Parsemez quelques pluches de persil plat et servez à température ambiante.

Vous pouvez ajouter à cette salade des tranches de tomate ou, pour une saveur plus exotique, des lamelles de mangue.

rhubarbe

Cette plante possède de larges feuilles ornementales, mais ses grosses tiges charnues, fermes et cassantes, sont la seule partie comestible. Il en existe plusieurs variétés, à côtes vertes ou rouge violacé, plus acides en mai-juin qu'en septembre-octobre. Les emplois essentiels de la rhubarbe sont la compote, la confiture ou la garniture de tarte.

Diététique. Faiblement calorique au naturel (100 g = 16 kcal), diurétique, la rhubarbe est toujours additionnée de sucre.

Compote de rhubarbe

Pour **4 personnes**
Préparation **20 min**
Cuisson **35 min**

1 kg de tiges de rhubarbe ◆ 400 g de sucre semoule ◆ 1 orange

1 Lavez les tiges, essuyez-les et coupez-les en tronçons de 3 à 4 cm de long. Retirez au fur et à mesure la peau qui les recouvre.
2 Versez-en une couche dans le fond d'une cocotte allant au four. Poudrez de sucre. Remplissez la cocotte en alternant les tronçons de rhubarbe et le sucre.
3 Râpez finement le zeste de l'orange. Ajoutez-le sur le dessus en versant également le jus de l'orange pressée.
4 Couvrez la cocotte et faites cuire à chaleur moyenne (180 °C) pendant 35 min. Sortez du four, retirez le couvercle et laissez refroidir.

Servez nature, avec de la crème fraîche ou avec un parfum : gingembre confit émincé ou zestes d'orange confits.

Cette compote est aussi une garniture originale pour des filets de sole à la vapeur.

Tourte à la rhubarbe

Pour **6 personnes**
Préparation **30 min**
Repos **20 min**
Cuisson **40 min**

200 g de farine ◆ 130 g de beurre ◆ 750 g de rhubarbe ◆ 300 g de cassonade ◆ 3 biscottes ◆ cannelle en poudre ◆ 1 jaune d'œuf ◆ sel

1 Préparez une pâte brisée *(voir page 526)* avec la farine, 100 g de beurre, 1 pincée de sel et 4 c. à soupe d'eau froide. Laissez reposer 20 min.
2 Lavez les tiges de rhubarbe, ôtez-en les fils et coupez-les en tronçons. Mettez-les dans une casserole avec 200 g de cassonade, remuez et faites cuire pendant 5 min sur feu vif. Égouttez-les et videz l'excès de jus.
3 Abaissez les 2/3 de la pâte et garnissez-en un moule de 22 cm de diamètre. Émiettez les biscottes sur la pâte.
4 Versez la rhubarbe égouttée par-dessus, ajoutez le reste de sucre, 1 c. à café de cannelle et le beurre en parcelles.
5 Étalez le reste de pâte et posez-le en couvercle sur la tarte. Pincez les bords. Découpez une rondelle au centre pour l'évacuation de la vapeur.
6 Badigeonnez le couvercle de jaune d'œuf. Dessinez-y des croisillons avec la pointe d'un couteau. Faites cuire au four à 230 °C pendant 40 min. Servez tiède ou froid.

Vous pouvez accompagner cette tourte à la rhubarbe de crème liquide.

→ **autres recettes de rhubarbe à l'index**

La rhubarbe s'épluche soigneusement et se coupe en petits tronçons. Elle se consomme bien sucrée (pour compenser son acidité), en compote, que l'on relève de zeste d'orange ou de gingembre.

Poulet au rhum ►

Typique de la gastronomie antillaise, cette recette demande un poulet fermier bien en chair. Vous pouvez ajouter dans le mélange final, avant de servir, des foies de volaille sautés au beurre.

rhum

→ **voir aussi** baba, punch

Cette eau-de-vie de canne à sucre provient des Antilles et de la Réunion. Selon les variétés d'alcool, on distille du jus de canne, du sirop de canne (rhum agricole), ou des mélasses utilisées pour la fabrication du sucre de canne (rhum industriel).

Le rhum de consommation courante (rhum jeune, traditionnel ou rhum tout court), coloré ou non au caramel, est largement vendu. C'est celui qui sert pour le grog, le punch, la pâtisserie ou la cuisine. Le rhum vieux séjourne pendant au moins 3 ans en fûts de chêne, ce qui lui donne son arôme, son bouquet et sa teinte ambrée. Il est plus fort en alcool et se déguste comme un cognac, sec ou allongé.

Le rhum est l'un des parfums les plus utilisés en pâtisserie : pâtes à crêpes ou à biscuits, crèmes, salades de fruits, babas, fruits secs macérés, etc. En cuisine, il se marie bien avec les fruits utilisés en légumes (bananes, ananas), qui accompagnent le poulet, le porc ou certains poissons comme la lotte.

Diététique. Alcool + sucre = mélange très riche.

Poulet au rhum

Pour **4 personnes**
Préparation **30 min**
Repos **12 h**
Cuisson **35 min**

1 ananas frais de 1 kg ◆ 20 cl de rhum ◆ 1 poulet de 1,3 kg ◆ 1 bouquet de persil ◆ 2 gousses d'ail ◆ 30 g de beurre ◆ huile d'arachide ◆ sel ◆ poivre de Cayenne ◆ poivre

1 Pelez l'ananas et coupez la pulpe en dés. Éliminez-en le cœur. Mettez les morceaux dans une jatte, ajoutez quelques pincées de cayenne et le rhum. Remuez et laissez macérer une nuit.

2 Coupez le poulet en morceaux. Salez et poivrez. Hachez le persil. Pelez et hachez l'ail.

3 Faites chauffer dans une cocotte le beurre et 2 c. à soupe d'huile. Faites revenir les morceaux de poulet en les retournant plusieurs fois. Ajoutez le persil et l'ail, remuez 5 min.

4 Ajoutez dans la cocotte 4 c. à soupe de la marinade de l'ananas. Baissez le feu, couvrez et laissez mijoter pendant 20 min en y versant à intervalles réguliers le reste de la marinade par cuillerées.

5 Ajoutez les morceaux d'ananas dans la cocotte et poursuivez la cuisson très doucement pendant 5 min. Servez dans un plat creux.

Vous pouvez compléter la garniture avec une purée de patates douces relevée de noix de muscade râpée.

→ **autres recettes de rhum à l'index**

ricotta

Fromage frais italien, à base de petit-lait de vache ou de brebis. Blanche et granuleuse, la ricotta se sert en entremets avec du sucre ou de la confiture, des fruits secs ou du zeste d'orange. Elle s'emploie aussi en cuisine (salades composées, canapés, sauce pour les pâtes, farce de ravioli) et en pâtisserie.

rigotte

Ce fromage du Lyonnais au lait de vache, disponible toute l'année, a la forme d'un petit cylindre de 50 g environ. Sa croûte naturelle est jaune, mais elle peut être aussi colorée en rouge. De saveur très douce, la rigotte se déguste avec un côtes-du-rhône ou un beaujolais bien fruité.

rillettes

Cette préparation de charcuterie, à base de viande de porc ou d'oie cuite dans sa propre graisse, se présente comme une pâte onctueuse. Il existe aussi des rillettes de lapin ou de volaille, faciles à préparer soi-même, et, par analogie, des rillettes de poisson (thon, saumon, anguille, sardine).

À l'aspect, vous reconnaîtrez, parmi les rillettes de porc, celles du Mans ou de la Sarthe, de couleur claire, avec des morceaux de viande assez gros. Celles de Tours ont une texture plus fine et sont plus foncées. Les rillettes d'oie sont plus grasses et plus molles : on les trouve surtout en hiver. La mention « qualité supérieure » indique un produit un peu moins gras que les rillettes dites « traditionnelles ».

Les rillettes se conservent non entamées plusieurs semaines au réfrigérateur. Un pot entamé doit être consommé rapidement. Servez les rillettes en hors-d'œuvre froid, avec du pain de campagne légèrement grillé, après avoir retiré la couche de saindoux du dessus. Utilisez-les aussi pour des sandwiches ou des canapés.

- **Diététique.** L'un des aliments les plus riches en lipides : 1 simple portion de 30 g = 180 kcal, avec un fort pourcentage de cholestérol.

Rillettes de lapin au porc

Pour **8 personnes**
Préparation **30 min**
Cuisson **4 h environ, 12 h à l'avance**

1 lapin de 1,8 kg environ ◆ 300 g de poitrine de porc désossée ◆ 2 oignons ◆ 1 bouquet garni ◆ mélange quatre-épices ◆ 300 g de saindoux ◆ sel ◆ poivre

1 Coupez le lapin en morceaux. Détaillez le porc en cubes. Pelez et émincez les oignons.

2 Réunissez ces ingrédients dans une cocotte en fonte. Ajoutez le bouquet garni et 1/2 c. à café de quatre-épices. Salez et poivrez. Couvrez d'eau à hauteur et portez à ébullition.

3 Couvrez la cocotte, baissez le feu et laissez cuire doucement 3 h 30 à 4 h. Versez le contenu de la cocotte dans une passoire et réservez le bouillon. Jetez le bouquet garni.

4 Prélevez les morceaux de lapin et désossez-les. Mettez-les dans une jatte et ajoutez la viande de porc et les oignons. Mélangez en effilochant les ingrédients à la fourchette.

5 Faites fondre 200 g de saindoux sur feu doux. Versez-le dans la jatte et ajoutez 3 ou 4 c. à soupe de bouillon. Travaillez le mélange pendant 5 min jusqu'à consistance homogène. La pâte doit être bien souple : rajoutez éventuellement un peu de bouillon. Rectifiez l'assaisonnement.

6 Versez la préparation dans une terrine. Faites fondre le reste de saindoux et versez-le sur le dessus. Laissez refroidir complètement. Conservez ces rillettes au frais (jusqu'à une semaine).

Boisson **bourgogne aligoté**

Rillettes de saumon

Pour **4 personnes**
Préparation **25 min**
Cuisson **10 min, 4 h à l'avance**

400 g de saumon frais dépouillé ◆ 1 sachet de court-bouillon ◆ 2 œufs ◆ 200 g de saumon fumé ◆ 150 g de beurre ◆ sel ◆ poivre

1 Mettez le saumon dans une casserole, ajoutez le court-bouillon et suffisamment d'eau froide pour le recouvrir. Faites bouillir et laissez pocher 5 min. Laissez refroidir.

2 Faites durcir les œufs, écalez-les et prélevez les jaunes. Hachez le saumon fumé au couteau.

3 Émiettez le saumon poché en éliminant les arêtes. Écrasez-le à la fourchette dans une terrine en incorporant peu à peu le beurre en parcelles, les jaunes d'œufs et le saumon fumé. Salez modérément et poivrez.

4 Répartissez la préparation dans des ramequins. Lissez le dessus. Couvrez de film alimentaire et mettez au réfrigérateur pendant 4 h.

Servez ces rilletttes en entrée froide avec des brins d'aneth en garniture sur le dessus.

Boisson **vin blanc sec**

rillons

Morceaux de poitrine ou d'épaule de porc macérés dans du sel et cuits au saindoux. Colorés au caramel, les rillons offrent l'aspect de gros cubes bruns. Achetez cette spécialité de Touraine chez un bon charcutier et servez-la en hors-d'œuvre froid avec un assortiment de charcuteries.

Les rillauds, encore plus riches en lard, sont une variante angevine très voisine des rillons.

- **Diététique.** Gourmandise délicieuse, interdite dans les régimes hypocaloriques ou sans sel.

ris

Le ris est un abat blanc surtout fourni par le veau, parfois l'agneau. Il s'agit du thymus, une glande située devant la trachée, dont la partie ronde (la noix) constitue un mets délicat particulièrement apprécié par les gastronomes. Pour débarrasser les ris de leurs impuretés et traces de sang, faites-les tremper plusieurs heures à l'eau froide ou lavez-les et mettez-les sous presse.

- **Diététique.** Aliment interdit à ceux qui souffrent de la goutte ou d'un excès de cholestérol. Sinon, il est faiblement calorique : 100 g = 115 kcal.

Ris de veau à la crème et aux morilles

Pour **4 personnes**
Trempage **3 h**
Préparation **25 min**
Cuisson **30 à 35 min**

4 noix de ris de veau ◆ 2 oignons ◆ 2 carottes ◆ 200 g de beurre ◆ 400 g de morilles ◆ 25 cl de crème fraîche ◆ sel ◆ poivre

1 Choisissez des ris de veau bien blancs et demandez au tripier de retirer la membrane gélatineuse et la gorge, trop filandreuse. Faites-les dégorger pendant 3 h à l'eau froide.

2 Pelez et émincez les oignons. Pelez et coupez les carottes en rondelles. Rincez les ris de veau à l'eau froide et épongez-les soigneusement.

3 Faites fondre 150 g de beurre dans une cocotte qui contient juste les ris. Ajoutez les carottes et les oignons. Remuez sur feu moyen pendant 5 min puis versez-y les ris.

4 Faites cuire 25 min sur feu doux, en couvrant la cocotte à moitié et en retournant souvent les ris pour qu'ils blondissent sur tous les côtés.

5 Passez rapidement les morilles sous l'eau froide et épongez-les. Coupez les queues. Faites-les sauter doucement dans une casserole avec le reste de beurre.

6 Ajoutez la crème et laissez étuver doucement pour qu'elle enrobe bien les champignons. Salez et poivrez.

7 Lorsque les ris sont cuits, égouttez-les et passez le jus de cuisson. Ajoutez-les avec leur jus dans les morilles à la crème.

8 Remuez et faites étuver à couvert pendant 5 min. Rectifiez l'assaisonnement. Servez dans un plat chaud.

Veillez à bien débarrasser les alvéoles des morilles du sable qu'elles peuvent contenir en les passant plusieurs fois sous le robinet d'eau froide, mais ne les laissez pas tremper.

Ris de veau à la crème et aux morilles ▼

L'accord parfait des ris de veau et des morilles à la crème demande une cuisson attentive. Avant ce plat délicat, servez une entrée raffinée : foie gras sur canapés ou terrine de poisson.

Ris de veau aux légumes

Pour 4 personnes
Préparation 20 min, 1 h à l'avance
Cuisson 30 min environ

800 g de ris de veau ◆ 400 g de poireaux ◆ 300 g de navets ◆ 300 g de carottes ◆ cerfeuil ◆ 60 g de beurre ◆ sel ◆ poivre au moulin

1 Débarrassez les ris de veau de la peau qui les recouvre. Lavez-les en éliminant le sang. Rincez-les et enveloppez-les dans un linge propre. Mettez-les ensuite dans une assiette, posez une planchette et un poids par-dessus. Laissez en attente pendant 1 h.
2 Nettoyez les poireaux. Coupez le vert et taillez les blancs en julienne. Pelez les navets et les carottes, taillez-les en bâtonnets.
3 Déballez les ris de veau et mettez-les dans une cocotte. Ajoutez 25 cl d'eau. Salez et poivrez. Couvrez la cocotte et faites cuire sur feu moyen pendant 10 min.
4 Ajoutez les poireaux, les carottes et les navets. Couvrez et faites cuire encore 15 à 20 min.
5 Ciselez le cerfeuil et coupez le beurre en parcelles. Environ 3 min avant de servir, ajoutez le cerfeuil et le beurre, couvrez à nouveau et laissez fondre. Donnez un tour de moulin à poivre et servez dans la cocotte.

Vous pouvez lier la cuisson avec 20 cl de crème liquide.

Boisson bourgogne rouge

→ autres recettes de ris à l'index

risotto

→ voir aussi riz

Cette préparation du riz est d'origine italienne. Les grains de riz sont d'abord mis à revenir dans une matière grasse avec de l'oignon haché, puis on ajoute le liquide de cuisson.

Divers condiments et ingrédients parfument et garnissent le risotto pour en faire soit un plat complet (risotto aux fruits de mer, aux foies de volaille, au jambon et aux champignons, etc.), soit un accompagnement de viande blanche ou de volaille, surtout si elle est préparée en sauce.

Risotto de veau à l'orange

Pour 4 personnes
Préparation 15 min
Cuisson 30 min

1 orange douce non traitée ◆ 400 g de noix de veau détaillée en fines lamelles ◆ 280 g de riz arborio ou carnaroli ◆ 1 petite carotte ◆ 1 oignon ◆ 1 petite échalote ◆ 50 g de parmesan ◆ 75 cl de bouillon de volaille ◆ 10 cl de vin blanc ◆ 40 g de beurre ◆ farine ◆ huile d'olive ◆ sel ◆ poivre

1 Prélevez le zeste de l'orange en fines languettes et faites-les blanchir pendant 1 min dans une casserole d'eau bouillante. Égouttez-les. Séparez les quartiers et retirez la peau blanche, réservez. Salez et poivrez. Saupoudrez légèrement les lamelles de veau avec 1 c. à soupe de farine. Réservez.
2 Faites chauffer un filet d'huile dans une sauteuse, ajoutez la carotte pelée et coupée en petits dés, l'oignon et l'échalote pelés et finement émincés. Faites revenir en remuant puis versez le riz. Mélangez jusqu'à ce que les grains deviennent translucides. Versez le vin et laissez-le s'évaporer entièrement.
3 Versez ensuite la moitié du bouillon, mélangez, couvrez et laissez cuire 15 min.
4 Pendant ce temps, faites dorer vivement les lamelles de veau dans une poêle avec un peu d'huile. Lorsque le bouillon du riz a bien réduit, versez le reste, mélangez, couvrez à nouveau et laissez la cuisson s'achever.
5 Incorporez ensuite le beurre en parcelles, le parmesan puis les languettes de zeste d'orange.
6 Éteignez le feu, attendez 2 min à couvert puis mélangez intimement. Versez ce risotto dans un plat creux, ajoutez au centre les lamelles de veau bien dorées et sur le pourtour les quartiers d'orange. Servez aussitôt.

Boisson arbois blanc

→ autres recettes de risotto à l'index

Risotto de veau à l'orange ►
Le principe du risotto, qui consiste à faire absorber aux grains de riz tous les parfums de la cuisson, est ici parfaitement mis en valeur.

rissole

Le mot désigne un petit chausson de pâte feuilletée ou brisée, farci d'un hachis à la viande, à la volaille ou aux légumes, cuit au four ou frit. Servez les rissoles bien chaudes en entrée ou en amuse-gueule. **Diététique.** Elles sont toujours riches en lipides.

Rissoles à la volaille

Pour **4 personnes**
Préparation **30 min, 1 h à l'avance**
Cuisson **1 h environ**

250 g de farine ◆ 1 œuf ◆ 250 g de blancs de poulet ◆ 1 sachet de court-bouillon ◆ 250 g de tomates ◆ 2 gousses d'ail ◆ huile d'olive ◆ persil plat ◆ sel ◆ poivre

1 Préparez une pâte en mélangeant dans une terrine la farine, 1 pincée de sel, l'œuf entier et 5 cl d'huile. Ajoutez 3 c. à soupe d'eau. Remuez avec une fourchette puis pétrissez avec les mains. Ramassez la pâte en boule et laissez-la reposer 1 h à température ambiante.

2 Faites pocher les blancs de poulet pendant 10 à 15 min dans le court-bouillon. Égouttez-les et laissez-les tiédir. Pelez et concassez les tomates. Pelez et hachez l'ail. Hachez 2 c. à soupe de persil.

3 Faites cuire les tomates avec 1 c. à soupe d'huile, le persil et l'ail pendant 20 min sur feu doux à découvert. Salez et poivrez.

4 Hachez le poulet cuit en très petits morceaux. Mélangez-les avec la fondue de tomates. Rajoutez 1 c. à soupe de persil haché.

5 Abaissez la pâte sur 4 mm d'épaisseur. Découpez-y des ronds avec un emporte-pièce cannelé de 6 à 7 cm de diamètre. Garnissez chaque rond de pâte avec 1 c. à soupe de farce.

6 Repliez les ronds de pâte en chaussons et soudez les bords en les pinçant. Badigeonnez-les avec un peu d'huile d'olive et rangez-les sur la tôle du four. Faites-les cuire à 200 °C pendant 15 à 20 min. Servez-les chauds et bien dorés.

riz

→ voir aussi **céréales, croquette, fécule, paella, pâté impérial, pilaf, risotto, rouleau de printemps, saké, vermicelle**

Cette céréale largement cultivée dans le monde fournit des grains plus ou moins ronds ou allongés que l'on consomme toujours cuits, chauds ou froids, dans des plats sucrés ou salés. Le riz que nous consommons est produit à 95 % par la Chine, l'Inde, le Pakistan, le Japon, la Thaïlande et la Birmanie ; le reste provient surtout des États-Unis, de Camargue (France) et du Piémont (Italie).

Avant d'être commercialisé, le riz subit divers traitements qui modifient son aspect et son goût. À l'état brut, le riz dit « paddy » est inconsommable. Nettoyé et décortiqué, il devient le riz cargo : riz brun ou riz complet. Le riz blanc (parfois poli) a été débarrassé de la dernière enveloppe que comporte encore le riz cargo. Le riz paddy décortiqué après avoir été étuvé donne un riz prétraité « qui ne colle pas » ; c'est l'un des plus répandus aujourd'hui. On trouve également sur le marché des variétés de riz plus rares, comme le riz basmati (Inde), aux grains longs et fins d'un goût très particulier, ou le riz gluant de Thaïlande très riche en amidon. Le riz sauvage est une plante qui pousse au Canada : ses petites graines noires sont souvent mélangées au riz blanc à grains longs pour en renforcer le goût.

Outre des grains, le riz fournit divers autres produits : farine et fécule, galettes de riz, vermicelles et nouilles employés dans la cuisine asiatique, riz soufflé et flocons de riz, eau-de-vie de riz ou saké.

Originaire de l'Inde et cultivé en Chine depuis 5000 ans, le riz est la céréale la plus importante du monde. Il se différencie selon les traitements qu'il subit après la récolte.

riz à grains longs

riz complet

riz à grains ronds

Choisissez le riz en fonction du plat que vous désirez préparer. Le riz long se consomme comme les pâtes, additionné de beurre, parfois de fromage. Il accompagne traditionnellement la blanquette de veau, les brochettes, le mouton, les poissons grillés et le poulet. Il est la base de nombreuses recettes : salades composées, légumes farcis (aubergines, courgettes, feuilles de vigne, poivrons, tomates), cari, paella, risotto, etc. Le riz rond se consomme tel quel et entre aussi dans la composition de farces, de croquettes ou encore d'entremets (gâteaux de riz, couronnes, tarte au riz, puddings, etc.). Il sert aussi de garniture ou de liaison de potage.

Le riz blanc cru se conserve de 7 à 8 mois au frais et au sec. Le riz complet se garde un peu moins longtemps. Il est préférable de ne pas conserver du riz cuit plus de 24 heures. Un riz acheté en paquet n'a pas besoin d'être lavé.

Grâce à son pouvoir absorbant, le riz s'imbibe facilement de liquide ou de matière grasse : il triple de volume à la cuisson. L'art consiste à obtenir en fin de cuisson des grains fermes qui se détachent bien les uns des autres et conservent leur saveur. Seule exception : le riz au lait, qui donne une pâte crémeuse. Les modes de cuisson de base du riz sont la vapeur (de 25 à 30 minutes), l'ébullition (riz à la créole) ou l'emploi d'un corps gras (pilaf, risotto, riz à la grecque).

Crème et farine de riz s'utilisent pour préparer des liaisons et s'emploient aussi en pâtisserie.

Diététique. 100 g de riz cuit = 90 kcal. C'est une bonne source de glucides, mais le riz n'a jamais fait maigrir. Plus il est complet, plus il est calorique. Il est également riche en fibres.

riz gluant

riz basmati

riz sauvage

Riz cantonais

Pour **6 personnes**
Préparation **30 min**
Cuisson **35 min environ**

300 g de riz long ◆ 60 g de beurre ◆ 1 tranche de filet de porc ◆ 1 escalope de dinde ◆ 200 g de champignons de couche ◆ 3 carottes ◆ 3 oignons ◆ 200 g de petits pois en conserve ◆ 1 tranche de jambon épaisse ◆ 200 g de crevettes décortiquées ◆ sel ◆ poivre

1 Faites cuire le riz 15 min à l'eau bouillante salée. Mettez 25 g de beurre dans une poêle, faites-y cuire le filet de porc (6 min par face) puis l'escalope de dinde (4 min par face). Salez et poivrez. Égouttez le riz et les viandes.
2 Nettoyez et émincez les champignons. Faites-les sauter 5 min à la poêle dans 15 g de beurre. Égouttez-les.
3 Pelez et émincez finement les carottes et les oignons. Faites-les cuire dans 20 g de beurre pendant 10 min. Égouttez-les.
4 Égouttez les petits pois en réservant 10 cl de jus. Taillez le jambon en dés. Coupez la viande de porc et l'escalope de dinde en fines languettes.
5 Réunissez dans une cocotte le riz cuit, tous les légumes, les viandes et les crevettes. Mélangez et ajoutez le jus des petits pois. Faites chauffer doucement à couvert pendant 6 ou 7 min.

Riz créole

Pour **4 personnes**
Préparation **2 min**
Cuisson **25 min environ**

250 g de riz long ◆ sel fin

1 Mesurez le volume du riz dans un verre. Versez dans une casserole un peu plus du double de son volume en eau. Salez. Portez à ébullition.
2 Versez le riz et faites reprendre l'ébullition. Couvrez la casserole en intercalant un linge plié entre le couvercle et le récipient. Baissez la chaleur. Poursuivez la cuisson pendant 15 à 20 min, sans remuer.
3 Ôtez le couvercle et le linge, égrenez le riz à la fourchette et servez aussitôt. Les grains doivent avoir absorbé toute l'eau.

Le riz créole est la garniture classique de nombreux plats en sauce et du poisson au four.

◄ Salade de riz au poulet

Facile et vite préparée, cette salade composée peut constituer un plat complet. Elle est aussi parfaite pour un buffet froid. Vous pouvez utiliser à la place du poulet un reste de volaille rôtie ou pochée.

Riz au lait

Pour **4 personnes**
Préparation **2 min**
Cuisson **35 min environ**

250 g de riz rond ◆ 1 l de lait ◆ 1 gousse de vanille ◆ 50 g de beurre ◆ 100 g de sucre semoule ◆ sel

1 Faites bouillir le riz pendant 3 min dans 1,5 l d'eau. Faites bouillir le lait avec la vanille.
2 Égouttez le riz. Retirez la vanille du lait. Versez le riz dans le lait, ajoutez 50 g de beurre et 1 pincée de sel. Faites cuire 15 min sur feu doux en mélangeant.
3 Incorporez le sucre et faites cuire encore 20 min. Servez tiède ou froid, avec des fruits pochés ou en compote.

Vous pouvez aussi lier le riz au lait avec 2 jaunes d'œufs ou le faire cuire dans un moule caramélisé.

Salade de riz au poulet

Pour **6 personnes**
Préparation **20 min**
Cuisson **40 min, 1 h à l'avance**

300 g de riz blanc ◆ 2 blancs et 2 cuisses de poulet ◆ 1 bouquet garni ◆ 2 poivrons rouges ◆ 1 petite boîte de petits pois ◆ 1 c. à soupe d'estragon ciselé ◆ huile d'olive ◆ vinaigre à l'estragon ◆ moutarde ◆ sel ◆ poivre

1 Faites cuire le riz 15 min à l'eau bouillante salée. Égouttez-le et conservez l'eau. Faites cuire les morceaux de poulet dans l'eau de cuisson du riz pendant 20 min en ajoutant le bouquet garni.
2 Égouttez le poulet, retirez la peau et les os. Taillez la chair en petits dés. Passez les poivrons 5 min à four très chaud. Passez-les sous l'eau froide et pelez-les. Coupez-les en 2, épépinez-les. Taillez la pulpe en petits dés.
3 Égouttez les petits pois. Préparez une vinaigrette avec 6 c. à soupe d'huile, 3 c. à soupe de vinaigre, 1 c. à café de moutarde et la moitié de l'estragon. Salez et poivrez.
4 Réunissez dans un saladier le riz, le poulet, le poivron et les petits pois. Arrosez de vinaigrette et remuez à fond. Mettez au frais jusqu'au moment de servir. Ajoutez le reste d'estragon.

Vous pouvez ajouter des rondelles d'œufs durs, des olives noires ou des câpres.

Sauté de riz aux crevettes

Pour **6 personnes**
Préparation **15 min**
Cuisson **20 min environ**

2 branches de céleri ◆ 1 oignon ◆ 40 g de beurre ◆ 2 c. à soupe d'huile d'olive ◆ 250 g de riz brun étuvé ◆ 250 g de grosses crevettes roses décortiquées ◆ 2 c. à soupe de coriandre ciselée ◆ sel ◆ poivre

1 Épluchez, lavez et émincez le céleri et quelques feuilles vertes. Pelez et hachez l'oignon.
2 Faites chauffer le beurre et l'huile dans une cocotte. Ajoutez les légumes précédents et faites étuver 3 min en remuant.
3 Versez le riz et mélangez jusqu'à ce que les grains soient imprégnés. Ajoutez 50 cl d'eau. Salez et poivrez. Laissez cuire à découvert sur feu doux jusqu'à ce que le liquide soit presque complètement absorbé.
4 Coupez les crevettes et ajoutez-les. Remuez délicatement. Poursuivez la cuisson pendant 5 min. Ajoutez la coriandre. Servez aussitôt.

Timbale de riz farcie

Pour **6 personnes**
Préparation **30 min**
Cuisson **1 h 40 environ**

300 g de riz ◆ 120 g de beurre ◆ 3 jaunes d'œufs ◆ 2 oignons ◆ 1 gousse d'ail ◆ 250 g de veau maigre haché ◆ 200 g de jambon haché ◆ 200 g de foies de volaille hachés ◆ 125 g de petits pois frais écossés ◆ 2 tomates mûres ◆ chapelure ◆ parmesan ◆ vin blanc ◆ origan ◆ sel ◆ poivre

1 Faites cuire le riz à l'eau bouillante salée pendant 15 min. Égouttez-le et versez-le dans un saladier. Incorporez 40 g de beurre, 3 c. à soupe de parmesan râpé et les jaunes d'œufs. Salez et poivrez. Mélangez.
2 Graissez un grand moule à charlotte avec 50 g de beurre. Enduisez le fond et les parois d'une couche régulière de chapelure.
3 Versez dans le moule les 2/3 du riz au parmesan et pressez-le bien contre le fond. Ménagez un large puits au milieu.
4 Faites fondre le reste de beurre dans un poêlon. Faites-y revenir les oignons et l'ail hachés. Ajoutez les 3 viandes et faites cuire doucement 10 min en remuant.
5 Ajoutez les petits pois, les tomates pelées et concassées, 2 c. à soupe de vin et 3 pincées d'origan. Salez et poivrez.
6 Faites cuire cette farce doucement, en remuant, pendant 15 min. Elle doit être assez épaisse. Versez-la au centre du moule chemisé de riz. Tassez et mettez le reste de riz par-dessus. Faites cuire au four pendant 1 h 10 à 180 °C. Démoulez la timbale. Servez chaud.

→ **autres recettes de riz à l'index**

rognon

Cet abat rouge est fourni par le rein d'un animal de boucherie. Choisissez les rognons d'un animal jeune, d'une saveur plus fine. Ceux du veau sont particulièrement délicats. Retirez la pellicule qui recouvre les rognons, ainsi que les parties nerveuses et la graisse logée au centre. Grillés en brochettes ou sautés, les rognons sont cuits en 5 minutes. Seul le rognon de bœuf doit être braisé assez longuement.

Diététique. Peu calorique : 100 g = 100 kcal, mais riche en cholestérol.

Rognons de veau en cocotte

Pour **6 personnes**
Préparation **15 min**
Cuisson **15 min environ**

3 rognons de veau ◆ 40 g de beurre ◆ 10 cl de calvados ou de cognac ◆ 20 cl de crème fraîche ◆ fécule ◆ moutarde ◆ sel ◆ poivre

1 Dépouillez et nettoyez les rognons. Laissez-les entiers ou coupez-les en 2 dans la longueur. Faites fondre le beurre dans une cocotte sans le laisser colorer. Mettez-y les rognons et laissez-les dorer tout doucement en les retournant plusieurs fois avec une cuiller en bois.
2 Au bout de 6 à 8 min, versez l'alcool, couvrez et retirez la cocotte du feu. Laissez macérer pendant 10 min.
3 Égouttez les rognons et mettez-les dans un plat creux recouvert d'une feuille d'aluminium. Faites réduire la sauce de moitié. Salez et poivrez.
4 Mélangez la crème avec 1 c. à café de fécule et versez-la dans la cocotte. Remuez à la spatule sur feu moyen pendant 5 min.
5 Remettez les rognons dans la cocotte et ajoutez 1 c. à café de moutarde. Faites chauffer très doucement pendant 5 min. Servez aussitôt.

Garniture : des champignons ou une jardinière.

Vous pouvez remplacer le calvados ou le cognac par du porto. Soyez attentif à la cuisson des rognons : ils doivent rester légèrement saignants. S'ils sont trop cuits, ils deviennent durs et caoutchouteux.

Boisson **bourgueil ou chinon**

Rognons de veau grillés

Pour **4 personnes**
Préparation **10 min,**
20 min à l'avance
Cuisson **12 min environ**

2 rognons de veau ◆ 1 échalote ◆ 1 botte de cresson ◆ 2 grosses tomates ◆ huile d'olive ◆ thym ◆ sel ◆ poivre

1 Dépouillez et nettoyez les rognons. Coupez-les en 2. Pelez et hachez finement l'échalote. Mélangez 4 c. à soupe d'huile, 1/2 c. à café de thym et l'échalote. Salez et poivrez.
2 Faites macérer les rognons dans ce mélange pendant 20 min. Préchauffez le gril du four. Triez et lavez le cresson. Épongez-le.
3 Égouttez les rognons et épongez-les. Enfilez-les sur 2 brochettes en les ramassant sur eux-mêmes. Faites-les griller à mi-hauteur pendant 8 à 10 min en les retournant plusieurs fois. Éteignez le four. Laissez-y les rognons 5 min.
4 Faites sauter les demi-tomates dans une poêle avec 2 c. à soupe d'huile. Salez et poivrez. Servez les rognons grillés avec les tomates coupées en 2 et des bouquets de cresson.

→ **autres recettes de rognon à l'index**

rollmops

Cette préparation du hareng est d'origine allemande. Les filets de poisson sont garnis d'un hachis d'oignon et d'un demi-concombre aigre-doux, roulés et maintenus avec un bâtonnet en bois, puis marinés au vinaigre avec des épices. Achetez-les chez un traiteur ou en bocal (semi-conserve) et servez-les en hors-d'œuvre froid avec du pain de seigle, de la moutarde et de la bière.

Diététique. 100 g = 220 kcal environ, mais cette préparation est assez riche en cholestérol.

romaine

→ **voir aussi** laitue

Cette salade est une variété de laitue dont les feuilles oblongues et bien raides ont une grosse nervure centrale. Le cœur de la salade est allongé et peu serré. La romaine est surtout bonne en été.

Salade César

Pour **4 personnes**
Préparation **25 min**
Cuisson **10 min**

2 cœurs de romaine ◆ 2 œufs ◆ 3 tranches de pain de mie épaisses ◆ 2 gousses d'ail ◆ 1/2 citron ◆ 4 filets d'anchois ◆ 80 g de parmesan râpé ◆ huile d'olive ◆ sel ◆ poivre

1 Effeuillez la romaine et lavez les feuilles. Faites durcir les œufs, rafraîchissez-les et écalez-les. Écroûtez les tranches de pain et coupez-les en petits carrés. Pelez et hachez l'ail.
2 Faites chauffer 2 c. à soupe d'huile dans une poêle. Mettez-y l'ail et remuez. Ajoutez les croûtons et faites-les dorer 5 min. Égouttez-les.
3 Mélangez le jus du demi-citron avec 4 c. à soupe d'huile. Salez et poivrez. Coupez les œufs en quartiers et les anchois en languettes.
4 Assaisonnez la romaine avec la vinaigrette. Ajoutez les quartiers d'œufs durs, les croûtons et les anchois. Poudrez de parmesan et servez.

romarin

Cette plante aromatique du Midi possède une odeur et une saveur très prononcées et persistantes. Ses petites feuilles en forme d'aiguilles sont aussi parfumées fraîches que sèches. Le romarin est tout indiqué pour une grillade. Utilisez-le dans un ragoût ou une marinade, mais à doses modérées.

romarin

Sauté de veau au romarin

Pour **4 personnes**
Préparation **20 min**
Cuisson **1 h 15 environ**

1 kg d'épaule de veau désossée ◆ 3 oignons ◆ 2 poivrons verts ◆ 3 grosses tomates ◆ 1 c. à soupe de romarin séché ◆ 10 cl de vin blanc sec ◆ 1/2 feuille de laurier ◆ huile d'olive ◆ sel ◆ poivre

1 Coupez la viande en morceaux réguliers. Pelez et émincez les oignons.

2 Lavez les poivrons, coupez-les en 2, retirez les graines et taillez la pulpe en lanières. Pelez les tomates et coupez-les en quartiers.
3 Faites chauffer 2 c. à soupe d'huile dans une cocotte. Ajoutez la moitié du romarin puis les oignons. Remuez 10 min sur feu moyen.
4 Pendant ce temps, faites dorer les morceaux de viande à la poêle dans 2 c. à soupe d'huile en les retournant 2 ou 3 fois.
5 Égouttez-les et ajoutez-les dans la cocotte. Faites revenir rapidement les lanières de poivron dans la poêle et versez-les dans la cocotte avec les tomates et le reste de romarin. Mélangez.
6 Ajoutez le vin blanc et le laurier. Salez et poivrez. Couvrez et faites mijoter 1 h sur feu doux.
7 En fin de cuisson, la sauce doit être bien réduite, le poivron et les oignons réduits en compote avec les tomates. Retirez le laurier et servez le sauté de veau dans un plat creux avec du riz nature en garniture.

Boisson **châteauneuf-du-pape**

romsteck

→ **voir aussi** bœuf

Ce morceau de bœuf de première catégorie provient de l'aloyau. À la fois tendre et goûteux, il fournit des tranches à poêler ou, mieux encore, à griller, des morceaux pour les brochettes ou la fondue bourguignonne. Vous pouvez aussi demander à votre boucher un rôti dans le romsteck, ou dans l'aiguillette de romsteck, plus étroite : sa viande est assez maigre, serrée et saignante. Le mot s'écrit aussi « rumsteck ».

Romsteck grillé sauce exotique

RECETTE LÉGÈRE — 1 portion 325 kcal

Pour **6 personnes**
Préparation **15 min**
Cuisson **5 à 8 min**

6 romstecks de 150 g chacun ◆ 1 tomate ◆ 1 avocat ◆ 1/2 citron ◆ 1 petit piment rouge ◆ 1 œuf dur ◆ huile d'olive ◆ vinaigre ◆ persil plat ◆ coriandre fraîche ◆ sel ◆ poivre

1 Salez et poivrez les romstecks. Ébouillantez la tomate, pelez-la et coupez-la en 2. Épépinez-la et coupez la pulpe en petits dés.
2 Coupez l'avocat en 2, retirez le noyau et évidez la pulpe avec une cuiller, écrasez-la à la fourchette et citronnez-la. Réservez. Lavez le piment et hachez-le finement.
3 Mélangez dans une jatte 4 c. à soupe d'huile d'olive, 1 c. à soupe de vinaigre et le reste de jus de citron. Ajoutez la tomate, l'avocat et le piment. Mélangez.
4 Hachez grossièrement l'œuf dur puis hachez finement 2 c. à soupe de persil et 3 c. à soupe de coriandre.
5 Incorporez ces ingrédients au mélange précédent et fouettez vivement.
6 Faites griller les romstecks en comptant de 2 à 4 min par face selon le goût. Vous pouvez aussi les faire poêler, mais ils sont meilleurs grillés. Servez les romstecks sur des assiettes très chaudes, avec la sauce à part.

Pour retourner les romstecks, servez-vous d'une spatule et non d'une fourchette : le jus ne coulera pas.

Comme garniture, proposez un gratin de courgettes ou du riz blanc.

Boisson **vin rouge corsé**

roquefort

→ **voir aussi** fromage

Ce fromage de brebis est une spécialité de l'Aveyron. Le lait peut provenir de Corse ou des Pyrénées, mais un roquefort véritable est toujours affiné trois mois dans les caves naturelles de la commune de Roquefort : l'atmosphère humide favorise l'apparition des veines bleues qui le caractérisent.

Choisissez-le avec une croûte saine, une pâte persillée dans toute la masse, ferme, lisse et « beurreuse », une légère odeur de moisissure. Onctueux, il a une saveur à la fois fine et relevée. Sa meilleure saison va de mai à décembre. Achetez-le à la coupe et servez-le en fin de repas avec un vin rouge bien charpenté (madiran, cahors), voire un sauternes ou du porto. Il faut le déguster « chambré », c'est-à-dire mis à température ambiante 1 heure à l'avance.

Le roquefort entre également dans de nombreuses préparations culinaires : amuse-gueule, beurre composé, sauces, soufflés, crêpes farcies, feuilletés, salades composées, soupes, etc.

Diététique. C'est l'un des fromages les plus gras : 100 g = 400 kcal.

Feuilleté au roquefort

Pour **6 personnes**
Préparation **20 min**
Cuisson **35 min**

500 g de pâte feuilletée ◆ 200 g de roquefort ◆ 150 g de fromage frais ◆ 10 cl de crème fraîche ◆ 3 c. à soupe de ciboulette hachée ◆ 3 œufs ◆ poivre

1 Partagez la pâte feuilletée en 2 et abaissez une moitié sur 3 mm pour garnir une tourtière de 24 cm de diamètre. Piquez le fond.
2 Émiettez le roquefort dans une terrine. Ajoutez le fromage frais et la crème. Mélangez. Incorporez la ciboulette et les œufs entiers en fouettant. Poivrez.
3 Versez la garniture sur le fond de tarte. Abaissez le reste de pâte feuilletée pour former un disque. Recouvrez la garniture avec ce second disque de pâte et soudez les bords en les pinçant fortement.
4 Faites cuire dans le four préchauffé à 230 °C pendant 20 min.
5 Posez une feuille d'aluminium sur la tourte et poursuivez la cuisson 15 min. Découpez-la en parts et servez.

Boisson **barsac**

Poires fourrées au roquefort

Pour **4 personnes**
Préparation **10 min, 1 h à l'avance**
Pas de cuisson

8 petites poires williams ◆ 1/2 citron ◆ 100 g de roquefort ◆ 25 g de beurre ◆ 20 cl de crème fraîche épaisse ◆ paprika

1 Pelez les poires et coupez-les en 2. Retirez-en les pépins et évidez-les légèrement au centre. Arrosez-les d'eau citronnée.
2 Malaxez le roquefort avec le beurre pour obtenir une pâte lisse. Farcissez les demi-poires de ce mélange en le montant en dôme.
3 Rangez les poires farcies dans un plat creux. Fouettez la crème et nappez-en les poires. Poudrez de paprika et mettez au frais jusqu'au moment de servir en hors-d'œuvre.

Boisson **vin rouge**

Sauce au roquefort

Pour **2 personnes**
Préparation **2 min**
Cuisson **5 min**

1 échalote ◆ 30 g de beurre ◆ 80 g de roquefort ◆ 3 c. à soupe de crème fraîche ◆ poivre

1 Pelez et hachez finement l'échalote. Faites chauffer le beurre dans un poêlon.
2 Ajoutez l'échalote et laissez-la juste blondir en remuant à la spatule. Incorporez le roquefort en l'émiettant et faites chauffer 2 min.
3 Ajoutez enfin la crème fraîche et portez à la limite de l'ébullition en remuant. Poivrez et retirez du feu. Servez cette sauce avec de la viande rouge sautée.

➜ autres recettes de roquefort à l'index

roquette

Petite salade d'origine méditerranéenne, cette plante possède un goût typé, assez poivré, parfois moutardé, qui la différencie des autres jeunes pousses consommées en verdure, souvent en mélange, comme dans le mesclun. La roquette (qui pousse à l'état sauvage en Italie et dans le sud de la France) se reconnaît à ses feuilles de forme dentelée. C'est une des composantes traditionnelles du mesclun. Les jeunes feuilles les plus tendres et les plus douces ont une saveur moins amère. Le parmesan et l'huile d'olive sont ses compagnons naturels.

Salade de roquette au poulet

Pour **4 personnes**
Préparation **15 min**
Cuisson **20 min**

4 blancs de poulet ◆ 150 g de roquette ◆ 2 c. à soupe de graines de sésame ◆ 150 g de parmesan en un seul morceau ◆ huile d'olive ◆ vinaigre balsamique ◆ sel ◆ poivre

1 Faites cuire les blancs de poulet à la vapeur pendant environ 20 min, égouttez-les et laissez-les refroidir. Lavez les feuilles de roquette et épongez-les.

2 Préparez une vinaigrette avec 4 c. à soupe d'huile d'olive et 1 c. à soupe de vinaigre balsamique. Salez et poivrez.
3 Détaillez les blancs de poulet en fines languettes. Versez un peu d'huile d'olive dans une assiette, posez les languettes de poulet dedans et retournez-les plusieurs fois. Parsemez-les de graines de sésame en appuyant légèrement dessus pour bien les incruster.
4 Assaisonnez la roquette avec la vinaigrette. Répartissez-la sur des assiettes, disposez les languettes de poulet au sésame dessus. Prélevez des copeaux de parmesan avec un couteau économe. Parsemez-les sur la salade. Servez aussitôt.

Pour une vinaigrette plus originale, mélangez 2 c. à soupe d'huile d'olive et autant d'huile de noisette avec 1 c. à café de vinaigre balsamique et autant de jus de citron.

rosbif

→ **voir aussi** bœuf, rôti

Rôti de bœuf paré, bardé et ficelé par le boucher. Les rôtis vendus sous le nom de rosbif sont en principe des morceaux de tranche grasse, de tende de tranche, de rond de gîte ou de gîte à la noix : viandes un peu fermes qui demandent de 18 à 20 minutes de cuisson par livre à four chaud. Les rôtis « de luxe » sont taillés dans des viandes de première catégorie : filet, faux-filet, romsteck. La cuisson doit être très vive et rapide (de 12 à 15 minutes par livre). Laissez reposer le rôti de 10 à 15 minutes au chaud avant de le découper : le jus sera ainsi bien réparti à l'intérieur de la viande.

Diététique. Ne vous en privez pas : 100 g = 120 kcal.

Rosbif au four

RECETTE LÉGÈRE — 1 portion 300 kcal

Pour **6 personnes**
Préparation **5 min**
Cuisson **35 à 40 min**

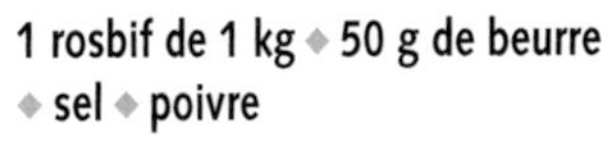

1 rosbif de 1 kg • 50 g de beurre • sel • poivre

1 Sortez le rosbif du réfrigérateur au moins 1 h avant la cuisson. Salez-le et poivrez-le. Vous pouvez piquer la viande de quelques petits éclats d'ail. Préchauffez le four à 260 °C.

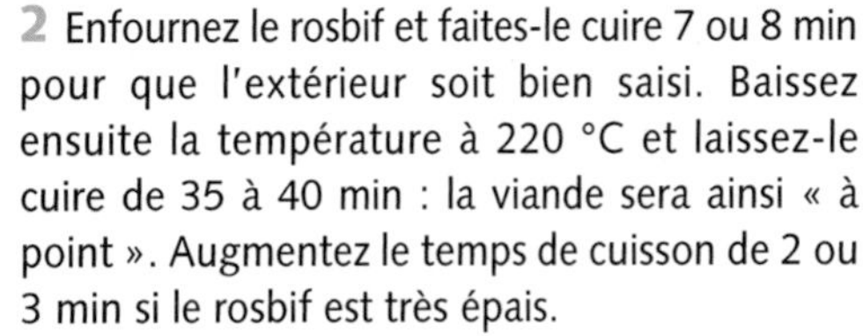

2 Enfournez le rosbif et faites-le cuire 7 ou 8 min pour que l'extérieur soit bien saisi. Baissez ensuite la température à 220 °C et laissez-le cuire de 35 à 40 min : la viande sera ainsi « à point ». Augmentez le temps de cuisson de 2 ou 3 min si le rosbif est très épais.
3 Laissez reposer le rosbif 10 min dans le four éteint, porte entrouverte. Sortez-le et mettez-le sur une planche à découper.
4 Déficelez le rosbif et retirez la barde. Découpez-le en tranches. Recueillez le jus. Salez et poivrez les tranches.
5 Versez le jus de la découpe dans celui de la lèchefrite et grattez les sucs en ajoutant le beurre par fractions. Mélangez bien. Versez ce jus en saucière et servez aussitôt.

La garniture classique du rosbif est la purée de pommes de terre. Prévoyez pour changer 2 ou 3 purées différentes : céleri, carottes et brocoli. Vous pouvez aussi accompagner le rosbif d'un gratin dauphinois.

Boisson bordeaux rouge

rosette

→ **voir aussi** saucisson

Ce saucisson sec originaire du Beaujolais est à base de pur porc. La rosette forme un fuseau ficelé (ou mis sous filet) de 30 cm de long environ. Coupez-la en rondelles fines, retirez la peau et servez en amuse-gueule ou en hors-d'œuvre.

Diététique. 100 g = 500 kcal environ.

rôti

→ **voir aussi** rosbif

Toute pièce de viande cuite au four ou à la broche porte le nom de rôti. Elle est servie chaude ou froide. La viande est plus savoureuse et plus facile à découper si le rôti repose 10 minutes au chaud. Retirez toujours la ficelle et les bardes. Déglacez le plat à rôtir avec un peu d'eau et servez ce jus à part en saucière. Pour le bœuf, le terme « rôti », sans autre qualificatif, désigne généralement le rosbif. Pour les autres viandes, on accompagne le mot « rôti » du nom de l'animal : rôti de veau, de porc ou de dindonneau. Par extension, on appelle aussi rôti un gros tronçon de queue de lotte ficelé.

Rôti de bœuf en croûte ▲

Ce plat de fête ne présente pas de difficultés à condition de bien suivre la cuisson. Vérifiez que le rôti est juste cuit en enfonçant une aiguille à cœur : elle doit être très chaude jusqu'à la pointe.

Rôti de bœuf en croûte

Pour **8 personnes**
Préparation **1 h 20, 24 h à l'avance**
Repos **2 h**
Cuisson **40 min**

Pour la pâte à brioche **500 g de farine ◆ 400 g de beurre ◆ 1 c. à soupe de lait ◆ 20 g de levure de boulanger ◆ 7 œufs**
Pour le rôti **1,5 kg de filet de bœuf ◆ 15 g de beurre ◆ 1 œuf ◆ sel ◆ poivre**

1 Préparez la pâte à brioche *(voir page 94)* 24 h à l'avance. Vous pouvez aussi la commander.
2 Environ 3 h avant le service, faites chauffer une poêle sur feu vif. Posez-y le filet de bœuf sans matière grasse et faites-le dorer sur toutes les faces. Retirez-le de la poêle. Salez et poivrez. Laissez reposer 2 h.
3 Préchauffez le four à 200 °C. Abaissez la pâte sur 5 mm d'épaisseur. Beurrez la tôle du four et posez la pâte dessus. Égalisez les côtés et réservez les chutes.
4 Posez le rôti sur la pâte, enveloppez-le en remontant les bords. Soudez-les en les mouillant avec un peu d'œuf battu.
5 Décorez le dessus avec les chutes de pâte disposées en croisillons. Dorez la croûte avec le reste d'œuf battu.
6 Enfournez le rôti et laissez dorer la croûte pendant 10 min. Protégez-la ensuite avec une feuille d'aluminium et poursuivez la cuisson au four pendant 15 min.
7 Éteignez le four, laissez reposer le rôti 10 min, puis sortez-le et découpez-le en tranches.

Servez le rôti de bœuf en croûte avec de la sauce madère et du poivre au moulin, des endives braisées ou un gratin de chou-fleur.

Boisson **saint-émilion**

Rôti de porc à la dijonnaise

Pour **6 personnes**
Préparation **10 min**
Cuisson **1 h 15 environ**

1,5 kg de filet de porc désossé ◆ 5 c. à soupe de moutarde forte ◆ 1 crépine ◆ 20 cl de vin blanc sec

1 Demandez au boucher de ficeler le filet de porc désossé.
2 Préchauffez le four à 220 °C. Enduisez le rôti de moutarde le plus régulièrement possible. Emballez-le ensuite dans la crépine.
3 Mettez le rôti ainsi préparé dans un plat creux. Enfournez. Au bout de 20 min de cuisson, arrosez le rôti avec 5 cl de vin blanc. Répétez cette opération 4 fois au cours de la cuisson, qui dure de 20 à 25 min par livre.
4 Laissez le rôti pendant encore 5 min dans le four éteint. Coupez-le en tranches.
5 Déglacez le plat de cuisson avec 1 c. à soupe d'eau bouillante et servez ce jus en saucière.

Présentez en même temps que ce rôti de porc une purée de pommes de terre au céleri.

→ **autres recettes de rôti à l'index**

rouelle

→ voir aussi osso buco, veau

Ce mot désigne une tranche ronde et épaisse (comme une roue). Taillée dans la noix de veau, la rouelle se fait braiser ou rôtir. Le jarret de veau se coupe aussi en rouelles à braiser.

Par extension, le mot s'applique également à des tranches rondes de légumes et, parfois, à des darnes de maquereau ou d'autres petits poissons ronds.

rougail

Ce condiment de la cuisine créole est très épicé. Il est préparé avec une purée d'aubergines, de tomates ou de morue, des aromates et du piment. Vous le servirez chaud ou froid avec du poisson ou de la viande grillée.

Rougail d'aubergines

Pour **4 personnes**
Préparation **30 min**
Cuisson **20 min**

300 g d'aubergines ◆ 1 oignon ◆ 20 g de gingembre frais ◆ 1 piment ◆ 1/2 citron ◆ huile d'olive ◆ sel ◆ poivre de Cayenne

1 Retirez le pédoncule des aubergines. Faites-les cuire 20 min à l'eau bouillante salée.
2 Pelez l'oignon et coupez-le en quartiers. Pelez le gingembre. Lavez le piment. Réduisez ces 3 ingrédients en purée au mixer.
3 Ajoutez à cette purée le jus du 1/2 citron, 1/2 c. à café de sel et 3 pincées de cayenne.
4 Égouttez les aubergines, coupez-les en 2 et retirez la pulpe avec une cuiller.
5 Mélangez la pulpe d'aubergines avec la purée à l'oignon et travaillez-la pendant 5 min en incorporant 4 c. à soupe d'huile d'olive.
6 Goûtez pour rectifier l'assaisonnement, qui doit être assez relevé. Réservez au frais jusqu'à l'emploi.

Choisissez selon votre goût un piment rouge ou vert, frais, mais prenez soin cependant de le fendre en 2 et de retirer les graines, car ce sont elles qui apportent le plus de piquant.

→ autres recettes de rougail à l'index

rouget

→ voir aussi grondin

Le rouget de roche et le rouget de sable portent tous les deux l'appellation normalisée de rouget-barbet : ces poissons de mer réputés, truffés tous deux d'arêtes, se différencient par la couleur. Le premier est rose vif. Nommé aussi surmulet, il vient de Vendée et de la Manche. Il est plus fin que le second, brun-rouge, pêché surtout en Méditerranée. On trouve aussi sur le marché un petit rouget importé du Sénégal, moins coloré et avec une chair plus sèche et moins fine. La saison du rouget va de février à juin. Ce poisson fragile est généralement écaillé par le poissonnier. S'il est de toute première fraîcheur et assez petit, il n'a pas besoin d'être vidé et se déguste grillé. Les rougets de taille moyenne se font poêler ou cuire en papillotes.

Diététique. 100 g de rouget = 125 kcal.

Rougets aux anchois

RECETTE LÉGÈRE — 1 portion 250 kcal

Pour **4 personnes**
Préparation **25 min**
Cuisson **10 min**

12 petits rougets ◆ 8 filets d'anchois au sel ◆ 2 gousses d'ail ◆ 1 bouquet de persil ◆ 1 petit fenouil ◆ 2 c. à soupe de menthe fraîche ciselée ◆ huile d'olive ◆ chapelure ◆ poivre noir

1 Rincez et essuyez les rougets, ne les videz pas et mettez-les au frais. Rincez abondamment les anchois pour les débarrasser de tout leur sel, épongez-les et hachez-les avec un couteau.
2 Pelez et hachez les gousses d'ail. Lavez et ciselez le bouquet de persil. Parez le fenouil et hachez-le.
3 Mélangez dans une jatte les anchois, l'ail, le persil, le fenouil et la menthe. Ajoutez un peu de poivre au moulin et un filet d'huile d'olive. Préchauffez le four à 220 °C.
4 Étalez la préparation dans un petit plat à gratin. Rangez les rougets par-dessus, tête bêche. Arrosez-les d'un filet d'huile d'olive et poudrez-les légèrement de chapelure.
5 Faites cuire dans le four pendant 10 min et servez directement dans le plat.

Vous pouvez supprimer la chapelure et ajouter sur le dessus du plat quelques olives noires dénoyautées grossièrement concassées.

Rougets grillés

RECETTE LÉGÈRE 1 portion 250 kcal

Pour **4 personnes**
Préparation **10 min**
Cuisson **6 ou 7 min**

800 g de petits rougets ◆ 1 branche de romarin ◆ 1 citron ◆ huile d'olive ◆ sel ◆ poivre

1 Ne videz pas les rougets. Ciselez-les légèrement. Versez 4 ou 5 c. à soupe d'huile dans une jatte. Trempez la branche de romarin dedans et badigeonnez-en les rougets.
2 Tapissez le gril d'une double épaisseur de feuille d'aluminium et faites-le chauffer. Rangez les rougets dessus et faites-les griller 3 ou 4 min à chaleur moyenne.
3 Retournez les rougets et badigeonnez-les à nouveau avec la branchette de romarin. Faites griller encore 3 min. Salez et poivrez. Servez aussitôt avec des rondelles de citron.

Servez ces rougets grillés avec des oursins : les deux saveurs se complètent très bien.

Rougets en papillotes ▼

Cette cuisson est parfaite pour préserver la saveur d'un poisson fin comme le rouget. Prévoyez en garniture, une ratatouille un peu sèche ou un tian de tomates aux aubergines.

Rougets en papillotes

RECETTE LÉGÈRE 1 portion 370 kcal

Pour **4 personnes**
Préparation **10 min**
Cuisson **10 min**

4 rougets de 200 g chacun ◆ 80 g de beurre ◆ 2 c. à soupe de pâte d'anchois ◆ 2 citrons ◆ huile d'olive ◆ vin blanc sec ◆ sel ◆ poivre

1 Videz les rougets et mettez le foie de côté. Ne les écaillez pas et ne coupez pas la tête.
2 Mettez dans une jatte les foies des rougets, le beurre ramolli et la pâte d'anchois. Malaxez.
3 Garnissez le ventre des poissons avec la préparation aux anchois. Découpez 4 grands carrés de papier sulfurisé et badigeonnez-les d'huile d'olive. Placez 1 rouget sur chaque carré. Arrosez avec 1 c. à soupe de vin blanc par papillote. Salez et poivrez.
4 Refermez soigneusement les papillotes en les ourlant. Placez-les sur la tôle du four. Faites cuire dans le haut du four à 240 °C pendant 10 min. Servez avec des rondelles de citron.

Boisson **vin blanc sec**

rouille

Cette sauce typiquement provençale est à base de mie de pain ou de pomme de terre cuite, pilée avec de l'ail et du piment, puis délayée avec du bouillon de poisson. C'est l'accompagnement classique des soupes de poisson et notamment de la bouillabaisse.
Diététique. 1 c. à soupe = 90 kcal.

Sauce rouille

Pour **6 personnes**
Préparation **15 min**
Pas de cuisson

2 gousses d'ail ◆ 2 petits piments rouges ◆ 1 tranche épaisse de pain de mie ◆ 1 jaune d'œuf ◆ 20 cl d'huile d'olive ◆ 2 c. à soupe de bouillon de poisson

1 Pelez les gousses d'ail. Lavez les piments, essuyez-les et coupez-les en morceaux. Pilez ces 2 ingrédients ensemble dans un mortier.
2 Écroûtez la tranche de pain de mie. Trempez la mie dans un peu d'eau tiède.

3 Essorez la mie et ajoutez-la dans le mortier. Pilez pendant 2 min. Ajoutez le jaune d'œuf. Continuez à travailler le mélange en incorporant peu à peu l'huile comme pour une mayonnaise.
4 Délayez la sauce obtenue avec le bouillon. Goûtez et rectifiez l'assaisonnement.

La rouille est un condiment très fort. Utilisez-la à doses modérées. Vous pouvez remplacer la mie de pain par une petite pomme de terre bouillie écrasée et le jaune d'œuf par un foie de daurade.

5 Passez une crêpe de riz à la surface d'une cuvette remplie d'eau et posez-la à plat sur un linge. Posez au milieu le quart de la farce, rassemblez-la en forme de boudin.
6 Rangez sur le dessus 6 crevettes. Rabattez les bords de la crêpe pour enfermer la farce, puis roulez le tout. Humectez la jonction avec un peu d'eau pour souder le rouleau. Confectionnez les autres rouleaux de la même façon.
7 Servez-les en hors-d'œuvre avec des feuilles de menthe fraîche, une coupelle de nuoc-mâm et une autre de sauce soja, dans laquelle vous pouvez ajouter un peu d'échalote hachée.

rouleau de printemps

Ce hors-d'œuvre typique de la cuisine sino-vietnamienne se prépare avec une crêpe de riz garnie d'une farce aux crevettes et aux germes de soja, roulée sur elle-même et servie froide.
Diététique. Plat équilibré : 1 rouleau = 280 kcal.

Rouleaux de printemps

Pour **4 personnes**
Préparation **30 min, 1 h à l'avance**
Cuisson **5 min**

RECETTE LÉGÈRE — 1 portion 180 kcal

30 g de champignons noirs séchés ◆ 200 g de jambon blanc ◆ 1 oignon doux ◆ 3 c. à soupe de ciboulette ◆ 200 g de germes de soja ◆ 2 jaunes d'œufs ◆ 1/2 c. à café de gingembre râpé ◆ 4 crêpes de riz séchées ◆ 24 petites crevettes roses décortiquées ◆ sauce soja ◆ xérès ◆ nuoc-mâm ◆ menthe fraîche ◆ échalote ◆ poivre

1 Faites tremper les champignons dans de l'eau tiède pendant 1 h.
2 Hachez le jambon. Pelez et hachez finement l'oignon et la ciboulette. Mélangez-les. Lavez les germes de soja et faites-les blanchir 5 min à l'eau bouillante. Égouttez-les puis épongez-les.
3 Mélangez dans une terrine les jaunes d'œufs, 2 c. à soupe de sauce soja, le gingembre, 1 c. à soupe de xérès, 1/2 c. à café de nuoc-mâm et 2 pincées de poivre.
4 Ajoutez le jambon, l'oignon et la ciboulette, les germes de soja et les champignons essorés.

roux

→ voir aussi béchamel

Le mot désigne un mélange à parts égales de beurre et de farine, cuit plus ou moins longtemps en remuant selon la coloration souhaitée : blanc ou roux, parfois brun. C'est la première étape de nombreuses sauces, blanches ou brunes. Le roux est en effet mouillé, une fois cuit, de lait, d'eau, de bouillon, de fumet, de court-bouillon, etc.

Roux blanc

Pour **50 cl de sauce**
Préparation **2 min**
Cuisson **3 ou 4 min**

50 g de beurre ◆ 50 de farine

1 Coupez le beurre en morceaux et mettez-les dans une casserole à fond épais. Faites chauffer doucement puis retirez avec une cuiller la mousse blanche qui s'est formée en surface. Tamisez la farine.
2 Versez la farine dans la casserole et mélangez sur feu modéré avec une cuiller en bois. Remuez constamment, assez énergiquement et sur toute la surface du récipient pour éviter la coloration du roux et la formation des grumeaux.
3 Faites cuire ainsi pendant 3 min, jusqu'à ce que le roux commence à mousser légèrement. Retirez du feu et laissez refroidir.

Le liquide de liaison qui doit donner la sauce sera versé bouillant sur le roux froid. Le roux blond doit cuire 6 ou 7 min et le roux brun de 12 à 15 min, sans cesser de remuer.

cuisine **russe**

Le plaisir de bien manger est aussi inné chez les Russes que l'art de bien recevoir. De Saint-Pétersbourg à Tachkent et de la mer Caspienne au Kamtchatka, l'Orient et l'Occident se sont heureusement mariés pour une réussite gastronomique dont voici un avant-goût.

La « petite eau »

C'est ainsi que les Russes appellent leur alcool national : ils la boivent glacée, cul sec, dans un petit verre. La vodka se parfume facilement : laissez-y macérer par exemple un zeste de citron ou d'orange, un piment rouge, des griottes, des framboises ou du gingembre.

Les zakouski

Si abondants, si riches parfois qu'ils peuvent se transformer en un lunch fastueux, les zakouski sont conçus en réalité pour « éveiller l'appétit » : chaleureuse expression de l'hospitalité russe. Disposés sur un plateau ou une table ronde, ces mets variés doivent donner une impression de profusion accueillante et colorée.
Les œufs de poisson sont indispensables : saumon ou truite à défaut de caviar, mais évitez les œufs de lump. Proposez aussi des **œufs durs farcis** : malaxez le jaune avec un peu de raifort, de l'aneth ou de l'estragon ciselé.
Les pirojki sont des petits pâtés ovales farcis de viande, de poisson, de choucroute ou de fromage aux fines herbes. Servez-les tièdes juste passés au four. Ils sont aussi traditionnels que **les cornichons malossol** à l'aigre-doux et **les betteraves** (ou les champignons) marinées au vinaigre.
Variez **les poissons** : harengs à la crème ou marinés et tranches de poissons fumés, saumon, esturgeon, anguille, truite, flétan, etc.
Le caviar d'aubergines et **le pâté de foies de volaille** se tartinent sur des canapés.

Le coulibiac

Limitez les zakouski à un assortiment modeste en amuse-gueule si vous servez ensuite un « vrai » plat comme le coulibiac *(voir page 209)*.
La farce au saumon de ce pâté en croûte est souvent garnie de 2 ou 4 œufs durs entiers, surtout pour Pâques.

Servez le coulibiac chaud, coupé en tranches épaisses, avec une salade de champignons à la crème : petits champignons de couche entiers ou finement émincés, citronnés, additionnés de crème fraîche et d'aneth frais ciselé, salés et poivrés.

Les côtelettes Pojarski

Parmi les grands classiques de la cuisine russe figurent ces côtelettes composées qui portent, dit-on, le nom d'un prince connu pour le faste de sa table.

Pour 4 personnes

Mélangez 6 blancs de volaille hachés, 20 cl de crème fraîche, 50 g de chapelure et 1 œuf. Salez et poivrez. Façonnez cette farce en palets, roulez-les dans la chapelure et faites-les poêler pendant 6 min de chaque côté dans du beurre chaud. Servez-les avec des dés de concombre sautés au beurre avec des fines herbes ciselées.

Servez les zakouski avec du pain noir ou du pain de seigle en tranches très fines. Complétez-les avec du cantal, qui ressemble le plus aux fromages russes.

Le vatrouchka

Le répertoire de la pâtisserie russe est vaste : puddings, biscuits et brioches s'enrichissent de noix, de fruits confits ou de pavot. Le fromage blanc est un ingrédient de base des gâteaux, comme dans la paskha du jour de Pâques (dôme de fromage blanc farci de fruits confits), et surtout le fameux vatrouchka (*voir page 743*), truffé de raisins secs et abondamment poudré de sucre glace. Pour sa garniture, le fromage blanc doit être parfaitement égoutté. Servez-le bien froid.

sabayon

Cet entremets d'origine italienne se prépare avec des jaunes d'œufs et du sucre fouettés ensemble à chaleur douce, auxquels on ajoute du vin, généralement un vin doux ou liquoreux, du vin blanc ou un alcool. Cette crème onctueuse se sert tiède ou frappée. Par extension, on appelle aussi sabayon une sorte de sauce mousseline qui accompagne les poissons ou les crustacés.

Diététique. Le dessert est un peu plus calorique que la sauce, mais attention aux jaunes d'œufs, riches en cholestérol.

Sabayon au marsala

Pour **4 personnes**
Préparation **5 min**
Cuisson **8 à 10 min environ**

5 jaunes d'œufs ◆ 120 g de sucre semoule ◆ 1 pincée de vanille en poudre ◆ 15 cl de vin blanc ◆ 10 cl de marsala ◆ jus de citron ◆ sucre cristallisé

1 Mettez les jaunes d'œufs dans une casserole à fond épais. Ajoutez le sucre semoule et la vanille. Travaillez vigoureusement avec une cuiller en bois. Le mélange doit être blanc et mousseux.
2 Mettez la casserole au bain-marie sur feu doux. Incorporez progressivement le vin et le marsala, sans cesser de mélanger avec un fouet.
3 Le sabayon est prêt lorsqu'il fait le ruban en le soulevant avec le fouet. Retirez du feu.
4 Givrez 6 coupes en verre en passant le bord dans du jus de citron puis dans du sucre cristallisé. Remplissez les coupes de sabayon et servez à peine tiède avec des petits fours secs.

Sauce sabayon

Pour **4 personnes**
Préparation **5 min**
Cuisson **10 min**

20 cl de court-bouillon ◆ 20 cl de vin blanc ◆ 4 jaunes d'œufs ◆ 1 c. à soupe de cerfeuil ciselé ◆ sel ◆ poivre

1 Filtrez le court-bouillon en le passant à travers une mousseline. Ajoutez le vin blanc. Faites réduire le mélange de moitié sur feu vif.
2 Mettez les jaunes d'œufs dans une autre casserole. Ajoutez 3 c. à soupe d'eau froide et 1 pincée de poivre. Fouettez les jaunes pendant environ 2 min.
3 Placez la casserole des jaunes d'œufs au bain-marie. Continuez à fouetter en incorporant petit à petit la réduction de vin blanc. La sauce doit être très mousseuse et bien liée.
4 Ajoutez le cerfeuil et rectifiez l'assaisonnement. Fouettez encore 1 min et servez.

Cette sauce accompagne des filets de poisson ou des coquilles Saint-Jacques.

sablé

→ voir aussi pâte

Ce gâteau sec, rond et friable, est à la fois riche en beurre et en sucre. Son diamètre va de 5 à 12 cm. Les sablés ont souvent un bord dentelé. Vous pouvez parfumer la pâte au citron ou au rhum, parsemer le dessus de raisins secs ou d'amandes effilées, le glacer au chocolat.

Diététique. Très calorique : 1 sablé = 40 kcal.

Sablés à l'orange

Pour **40 pièces environ**
Préparation **25 min, 30 min à l'avance**
Cuisson **15 min**

250 g de farine ◆ 190 g de beurre ◆ 1 œuf ◆ 1 jaune d'œuf ◆ 125 g de sucre semoule ◆ 2 petites oranges à peau fine non traitées ◆ 1 sachet de levure chimique ◆ sel

1 Mettez la farine dans une terrine. Faites fondre 170 g de beurre à feu doux.
2 Cassez l'œuf et ajoutez-le à la farine. Incorporez ensuite le jaune d'œuf et mélangez.
3 Ajoutez le beurre fondu et le sucre. Râpez finement le zeste des oranges et ajoutez-le avec la levure et 1 pincée de sel.
4 Travaillez tous ces ingrédients avec les doigts en les pétrissant pendant 10 min. Lorsque la pâte est de consistance sableuse mais homogène, laissez-la reposer au frais pendant 30 min.
5 Abaissez la pâte sur le plan de travail fariné sur une épaisseur de 5 mm. Découpez-y des disques de 6 ou 7 cm avec un emporte-pièce lisse ou cannelé.
6 Beurrez la tôle du four et déposez les sablés à intervalles réguliers. Vous pouvez procéder en 2 fournées.
7 Faites cuire 15 min à 200 °C. Lorsque les sablés sont dorés, détachez-les avec une spatule et laissez-les refroidir sur une grille.

Sachertorte

Ce gâteau au chocolat est le plus célèbre de la pâtisserie viennoise. C'est une pâte à biscuit au chocolat fourrée de marmelade d'abricots et recouverte d'un glaçage au chocolat noir. Servez la Sachertorte avec un capuccino.

Sachertorte

Pour **8 personnes**
Préparation **30 min, 2 h à l'avance**
Cuisson **1 h 30**

500 g de chocolat de couverture ◆ 8 œufs ◆ 225 g de beurre ◆ 350 g de sucre semoule ◆ 230 g de farine ◆ 8 c. à soupe de marmelade d'abricots ◆ liqueur à l'orange ◆ sel

1 Cassez 250 g de chocolat en morceaux et faites-les fondre très doucement au bain-marie. Cassez les œufs en séparant les blancs des jaunes.
2 Mettez 200 g de beurre ramolli dans une terrine avec 200 g de sucre et 1 pincée de sel. Travaillez le mélange jusqu'à consistance de crème. Incorporez ensuite le chocolat fondu et les jaunes d'œufs.
3 Fouettez les blancs d'œufs en neige ferme. Ajoutez-les à la pâte en soulevant celle-ci de bas en haut. Ajoutez la farine en la tamisant au-dessus de la terrine.
4 Garnissez un moule à manqué de papier sulfurisé et beurrez-le. Versez-y la pâte en lissant le dessus. Faites cuire ce gâteau à 180 °C pendant 1 h 20. Sortez du four, laissez refroidir.
5 Pendant ce temps, mélangez dans un bol la marmelade d'abricots et 1 petit verre de liqueur. Coupez le gâteau au chocolat dans l'épaisseur en 2 parties égales. Tartinez la partie inférieure avec les 3/4 de la marmelade diluée. Reposez dessus l'autre moitié. Versez le reste de marmelade et étalez-la régulièrement.
6 Mettez le reste de chocolat en morceaux et le reste de sucre dans une casserole avec 2 c. à soupe d'eau chaude.
7 Faites fondre en remuant sur feu moyen. Baissez le feu et poursuivez la cuisson en remuant sans arrêt pendant 5 min.
8 Retirez la casserole du feu et continuez à fouetter pendant 2 min.
9 Versez ce glaçage au chocolat sur le gâteau et étalez-le à la spatule sur le dessus. Laissez-le couler sur les côtés pour les recouvrir également, le plus rapidement possible. Laissez sécher. Servez la Sachertorte froide.

safran

→ **voir aussi** curcuma, curry, paella

Cette épice de couleur jaune-orangé provient d'une plante bulbeuse d'origine arabe, cultivée en France et dans les pays méditerranéens depuis le Moyen Âge. Le safran est très coûteux, surtout si on l'achète sous forme de filaments séchés, mais on ne l'utilise qu'à très petites doses. On le trouve aussi en poudre, mais il est de moins bonne qualité. La couleur jaune que prennent les préparations safranées est aussi caractéristique que leur saveur.

Diététique. Comme toutes les épices, le safran peut être irritant pour les muqueuses.

Moules au safran

Pour **6 personnes**
Préparation **30 min**
Cuisson **40 min environ**

3 oignons ◆ 2 têtes de poissons ◆ 1 bouquet garni ◆ 3 l de moules ◆ 3 échalotes ◆ 1 carotte ◆ 2 tomates ◆ vin blanc ◆ 1 dose de safran ◆ 20 cl de crème fraîche ◆ huile d'olive ◆ sel ◆ poivre

1 Pelez les oignons, coupez-en 1 en rondelles. Mettez-le dans une casserole avec les têtes de poissons, le bouquet garni et 1 l d'eau. Faites cuire ce bouillon 20 min. Filtrez-le.
2 Lavez les moules en les grattant sous l'eau froide. Pelez et hachez les échalotes. Coupez les 2 oignons restants en petits dés. Pelez et émincez finement la carotte. Pelez les tomates.
3 Faites chauffer 1 c. à soupe d'huile dans une sauteuse. Ajoutez les oignons, les échalotes et la carotte. Laissez cuire doucement à couvert pendant 5 min. Ajoutez 15 cl de vin blanc, les tomates en quartiers, le safran et 50 cl de bouillon de poisson. Laissez cuire doucement pendant 15 min.
4 Faites ouvrir les moules sur feu vif avec 1 verre de vin blanc. Décoquillez-les et filtrez le jus de cuisson. Ajoutez dans la sauteuse les moules, leur jus et la crème fraîche. Faites chauffer 1 ou 2 min et servez aussitôt dans des assiettes creuses, en entrée chaude.

Le safran peut être incorporé dans un liquide chaud mais ne doit jamais chauffer directement dans un corps gras.

Boisson **meursault**

Riz au lait et au safran

Pour **4 personnes**
Préparation **5 min**
Cuisson **40 min**

250 g de riz rond ◆ 1 l de lait ◆ 2 doses de safran en poudre ◆ 60 g d'amandes effilées ◆ cassonade ◆ jus de citron ◆ cannelle ◆ sel

1 Lavez le riz. Faites bouillir une grande casserole d'eau froide. Versez-y le riz. Faites reprendre l'ébullition et laissez bouillonner 2 min.
2 Versez le riz dans une passoire, rincez-le à l'eau froide puis égouttez-le.
3 Faites bouillir le lait en lui ajoutant 1/2 c. à café de sel et 1 grosse c. à soupe de cassonade.
4 Versez-y le riz et baissez le feu. Laissez cuire doucement à couvert pendant 35 min environ : le riz doit avoir absorbé tout le lait et être bien moelleux. Retirez la casserole du feu.
5 Ajoutez au riz 1 c. à soupe de jus de citron et le safran. Remuez avec une cuiller en bois pour bien mélanger et répartir le safran, qui doit colorer tout le riz.
6 Versez ce riz dans des coupes individuelles, parsemez-le d'amandes effilées et poudrez très légèrement de cannelle.
7 Laissez refroidir complètement. Servez avec des biscuits à la cannelle.

Si vous utilisez du safran en filaments, faites-le tremper 5 min dans 1 c. à soupe d'eau tiède pour extraire le maximum de colorant avant de l'incorporer.

→ **autres recettes de safran à l'index**

saindoux

→ **voir aussi** rillettes

Ce corps gras est obtenu par fusion du lard gras ou de la panne de porc. C'est une substance fine et blanche d'une saveur assez prononcée. Son goût affirmé se reconnaît aussi parce que le saindoux « colle » au palais. Il supporte parfaitement bien les températures élevées (pour la friture) et sert surtout à cuisiner des ragoûts à base de chou ou de porc. Le saindoux s'associe traditionnellement à des plats du Nord et de l'Est, ainsi qu'à des mets auvergnats. Il est aussi utilisé pour la pâtisserie (pâte à pâté, pie).

Diététique. Le saindoux renferme 99 % de lipides, en grande partie des graisses saturées. N'en utilisez pas plus de deux fois par an.

saint-florentin

Ce fromage de lait de vache à pâte molle originaire de l'Yonne est le plus souvent vendu avant d'être affiné : il est blanc et très doux. S'il est affiné, de novembre à juin, son goût est nettement plus relevé. Il présente alors une croûte lavée, brun-rouge.

saint-honoré

Cette pâtisserie parisienne est formée d'un fond de pâte qui porte une couronne de pâte à choux : le centre est garni de crème chiboust, une crème pâtissière à la vanille allégée de blancs d'œufs. On peut aussi le garnir simplement de chantilly.

Diététique. 1 part de saint-honoré = 250 kcal.

Saint-honoré à la chantilly

Pour **8 personnes**
Préparation **2 h environ**
Cuisson **1 h**

Pour la pâte brisée **125 g de farine** ◆ **1 jaune d'œuf** ◆ **60 g de beurre** ◆ **15 g de sucre semoule** ◆ **sel**
Pour la pâte à choux **60 g de beurre** ◆ **15 g de sucre semoule** ◆ **125 g de farine** ◆ **4 œufs** ◆ **sel**
Pour la garniture **150 g de sucre semoule** ◆ **50 cl de crème fraîche** ◆ **1 sachet de sucre vanillé** ◆ **3 c. à soupe de sucre glace** ◆ **violettes en sucre**

1 Préparez une pâte brisée *(voir page 526)* avec la farine, le jaune d'œuf, le beurre ramolli, 1 pincée de sel, le sucre et 2 c. à soupe d'eau. Ramassez-la en boule et réservez-la au frais.
2 Confectionnez la pâte à choux *(voir page 167)* avec 25 cl d'eau, le beurre, le sucre et 1 pincée de sel, la farine et les œufs incorporés 1 par 1.
3 À l'aide d'un rouleau à pâtisserie, abaissez la pâte brisée sur 4 mm d'épaisseur. Posez-la sur la plaque du four légèrement mouillée et découpez-y un disque de 22 cm de diamètre.
4 Remplissez une poche à douille de pâte à choux (douille n°12). Déposez un boudin de pâte sur le pourtour du disque, puis un second à 5 cm d'écart du premier.
5 Beurrez légèrement la plaque autour du disque garni et déposez-y le reste de pâte en boulettes grosses comme des noix. Enfournez le tout et faites cuire pendant 25 min environ à 200 °C. Laissez refroidir.
6 Préparez un caramel en faisant cuire lentement le sucre semoule humecté d'eau. Retirez du feu lorsqu'il est blond doré.
7 Piquez les petits choux 1 à 1 au bout d'une aiguille et plongez-les dans le caramel encore chaud. Collez-les au fur et à mesure sur la couronne de pâte à choux.

Saint-honoré à la chantilly ▲
Ce gâteau typiquement parisien est, dit-on, dédié au saint patron des pâtissiers. Vous pouvez le servir avec du champagne, mais n'hésitez pas à proposer du marsala ou même un vin blanc liquoreux comme le monbazillac.

8 Préparez la chantilly en fouettant la crème fraîche avec 10 cl d'eau glacée, le sucre vanillé et le sucre glace. Disposez-la au centre du gâteau à l'aide d'une poche à douille cannelée. Décorez avec des violettes en sucre ou des copeaux en chocolat. Mettez le saint-honoré au frais jusqu'au moment de servir, mais il ne doit jamais attendre trop longtemps.

saint-marcellin

Ce petit fromage au lait de vache de la région lyonnaise forme un palet de 90 g. Sa pâte molle est souple au doigt, avec une saveur douce. Ce fromage est bon toute l'année.

Diététique. 100 g de saint-marcellin = 200 kcal.

Filets de saint-pierre aux courgettes ▲

Le saint-pierre est un poisson d'une qualité exceptionnelle. Les cuissons les plus simples lui conviennent le mieux, mais il accepte des garnitures très variées : tomates, épinards, poivron ou même melon.

saint-nectaire

Ce fromage auvergnat de lait de vache à pâte pressée forme un disque plat de 20 cm de diamètre. Affiné en cave, traditionnellement sur de la paille de seigle, le saint-nectaire acquiert une légère odeur de champignon. Choisissez-le fermier, souple sous le doigt, pour apprécier son bouquet prononcé. Sa meilleure saison est l'été. Le saint-nectaire industriel est souvent sec et amer.

Diététique. 100 g de saint-nectaire = 330 kcal.

saint-paulin

Fabriqué dans toute la France avec du lait de vache pasteurisé, ce fromage à pâte pressée sous une croûte orangée, très doux et moelleux, n'a pas une grande réputation gastronomique. Utilisez-le éventuellement dans une salade composée ou un croque-monsieur.

Diététique. 100 g de saint-paulin = 330 kcal. Il en existe des versions allégées à 25 %.

saint-pierre

Ce poisson de mer des côtes rocheuses, pêché toute l'année, est l'une des meilleures espèces qui soient, mais, à cause des déchets très importants, il est coûteux. Sa chair blanche et ferme est particulièrement savoureuse. Il se cuisine comme la barbue ou le turbot. Veillez surtout à ne pas trop le cuire.

Diététique. Aussi délicieux que maigre : 100 g = 70 kcal.

Filets de saint-pierre aux courgettes

RECETTE LÉGÈRE — 1 portion 330 kcal

Pour **4 personnes**
Préparation **20 min**
Cuisson **8 min environ**

800 g de filets de saint-pierre • 1 citron non traité • 450 g de courgettes à peau fine • 80 g de beurre fin • ciboulette • sel • poivre

1 Coupez les filets de saint-pierre en morceaux de 2 cm de côté. Râpez le zeste du citron et pressez son jus.
2 Lavez les courgettes, émincez-les en rondelles. Découpez 4 morceaux carrés de papier sulfurisé et beurrez-les légèrement.
3 Répartissez les courgettes en une couche épaisse sur chaque carré de papier sulfurisé. Posez par-dessus les dés de saint-pierre. Parsemez de zeste de citron et arrosez de jus.
4 Ajoutez 15 g de beurre en parcelles par papillote. Salez et poivrez. Fermez les papillotes hermétiquement et faites cuire dans le four à 240 °C pendant 8 ou 9 min.
5 Ouvrez les papillotes et parsemez de ciboulette hachée et de zestes de citrons blanchis. Servez avec des pommes vapeur.

Vous pouvez aussi tailler les courgettes en tagliatelle avec un couteau économe.

Boisson **vin blanc pas trop sec**

Filets de saint-pierre à la rhubarbe

RECETTE LÉGÈRE — 1 portion 320 kcal

Pour **4 personnes**
Préparation **20 min**
Cuisson **25 min environ**

1 saint-pierre de 1,5 kg ◆ 300 g de rhubarbe ◆ 30 g de beurre ◆ 10 cl de crème fraîche ◆ huile ◆ sucre semoule ◆ sel ◆ poivre

1 Demandez au poissonnier de lever les filets du saint-pierre et de les dépouiller.
2 Épluchez la rhubarbe et émincez-la le plus finement possible.
3 Faites chauffer le beurre dans une poêle avec 1 c. à soupe d'huile. Mettez-y les filets de saint-pierre et faites-les cuire 4 min de chaque côté. Salez et poivrez. Retirez-les de la poêle et réservez-les au chaud.
4 Mettez la rhubarbe dans la poêle et laissez-la étuver doucement 10 min dans le jus de cuisson du poisson.
5 Ajoutez 1 pincée de sucre semoule puis la crème fraîche, mélangez bien. Réglez sur feu plus vif et remuez pendant 5 min avec une cuiller en bois pour faire épaissir le mélange.
6 Remettez les filets de saint-pierre dans cette sauce pour les réchauffer. Goûtez et rectifiez l'assaisonnement. Servez aussitôt.

Pour équilibrer la saveur acide de la rhubarbe, proposez en garniture une purée de carottes ou des concombres sautés.

Choisissez pour cette recette des tiges de rhubarbe très jeunes et tendres afin qu'elles ne soient pas trop acides. La pincée de sucre est fonction de votre goût.

Boisson **côtes-de-provence blanc**

sainte-maure

Ce fromage de chèvre de Touraine est en forme de cylindre allongé, parfois traversé par un brin de paille. Il n'est vraiment bon que fermier, en été et en automne : sous une croûte assez fine et bleutée, la pâte est très blanche, ferme et fondante, avec une odeur caprine et un bouquet affirmé. Dégustez-le avec un vouvray sec.

Diététique. 100 g de sainte-maure = 250 kcal.

saké

Cette boisson alcoolisée est fabriquée au Japon avec du riz fermenté. Le saké est incolore, doux ou sec selon les variétés, mais toujours avec un petit goût amer. Il atteint de 14 à 15 % Vol. On l'utilise pour cuisiner du poisson ou des fruits de mer, pour accompagner des crudités ou des grillades. Certains en boivent en alternance avec de la bière. La meilleure manière de l'apprécier consiste à le déguster en apéritif, tiédi voire chaud, servi dans des gobelets en porcelaine.

Diététique. Un petit verre = 25 kcal.

salade

→ **voir aussi** **batavia, chicorée, concombre, endive, laitue, mâche, mayonnaise, mesclun, pissenlit, pomme de terre, riz, romaine, scarole, vinaigrette**

Lorsque ce mot est employé seul, il désigne la salade verte : le plus souvent de la laitue à la vinaigrette, servie en hors-d'œuvre, en garniture de grillade ou avant le fromage.

Le terme de salade s'applique également à un plat de crudités ou un aliment froid assaisonné d'une sauce froide et servi en entrée ; dans ce cas, on précise toujours en quoi consiste l'ingrédient principal de ce plat : salade de bœuf, de moules, de riz, de lentilles, de crabe, de tomates, etc. Il s'agit là en principe de salades « simples », par rapport aux salades composées qui font intervenir des éléments beaucoup plus variés.

Servie en entrée, la salade composée réunit en effet des ingrédients très divers, crus ou cuits : légumes, viande, volaille, coquillages, crustacés, abats, foie gras. Choisissez-les de manière à réussir un accord de saveurs et de couleurs.

Veillez à l'assaisonnement, qui doit être en harmonie avec cette composition. La présentation est également un élément important de la salade composée : servez-la de préférence à l'assiette pour soigner le décor.

Diététique. Consommée nature ou avec un filet de citron, la salade verte est un aliment très peu calorique (100 g = 15 kcal) ; elle possède en outre des vertus digestives et calmantes. La valeur nutritive d'une salade-crudité dépend surtout de la sauce : dans 100 g de salade de tomates à la vinaigrette, les premières valent 22 kcal et la seconde plus de 100 kcal.

Salade Beaucaire

Pour **4 personnes**
Préparation **30 min,**
30 min à l'avance
Cuisson **20 min**

3 pommes de terre • 2 branches de céleri • 100 g de céleri-rave • 1/2 citron • 1 pomme • 2 endives • 4 tranches de jambon • 1 grosse betterave cuite • huile • vinaigre • moutarde • sel • poivre

1 Faites cuire les pommes de terre à l'eau sans les peler pendant 20 min. Réservez-les.
2 Lavez le céleri-branche et tronçonnez-le en petits morceaux. Pelez le céleri-rave et taillez-le en julienne. Citronnez celle-ci.
3 Pelez la pomme et coupez-la en quartiers, retirez le cœur et les pépins. Émincez les quartiers et citronnez-les. Nettoyez les endives puis émincez-les.
4 Coupez le jambon en languettes. Pelez la betterave et coupez-la en petits dés. Préparez une vinaigrette moutardée avec 4 c. à soupe d'huile, 1 c. à soupe de vinaigre et 1/2 c. à café de moutarde. Salez et poivrez.
5 Pelez les pommes de terre et coupez-les en rondelles. Rangez-les sur le pourtour d'un plat rond. Disposez les dés de betterave sur la bordure du plat.
6 Réunissez dans un saladier les céleris, la pomme, le jambon et les endives. Arrosez de vinaigrette et remuez. Versez le tout au centre du plat et servez aussitôt.

Cette salade d'hiver est délicieuse avec de la volaille cuite : pensez-y le lendemain de Noël si vous avez un reste de dinde.

Salade de bœuf au pissenlit

Pour **2 personnes**
Préparation **15 min**
Cuisson **10 min**

2 œufs • 150 g de pissenlit • 250 g de bouilli de bœuf • 1 betterave cuite • 1 échalote • huile de tournesol • vinaigre de vin blanc • sel • poivre

1 Faites durcir les œufs. Rafraîchissez-les et écalez-les. Lavez le pissenlit et épongez-le.
2 Détaillez le bœuf bouilli en dés, en éliminant le maximum de gras. Pelez la betterave et découpez-la en dés.
3 Pelez et émincez l'échalote. Mélangez dans un bol 2 c. à soupe d'huile et 1 c. à soupe de vinaigre. Salez et poivrez. Ajoutez l'échalote et fouettez vivement.
4 Réunissez le pissenlit, le bœuf et la betterave. Arrosez de vinaigrette à l'échalote. Remuez. Garnissez avec des quartiers d'œufs durs.

Avec le pissenlit, la vinaigrette doit toujours être très relevée : n'hésitez pas à lui ajouter également une petite gousse d'ail finement hachée et quelques feuilles d'estragon.

Salade Francillon

Pour **4 personnes**
Préparation **30 min, 1 h à l'avance**
Cuisson **20 min**

600 g de pommes de terre nouvelles • 1 l de moules • 1 truffe en boîte • vin blanc sec • ciboulette • cerfeuil • huile d'olive • sel • poivre

1 Faites cuire les pommes de terre dans leur peau pendant 15 à 20 min. Pendant ce temps, brossez et lavez soigneusement les moules. Faites-les ouvrir dans une grande casserole sur feu vif avec 10 cl de vin blanc.
2 Égouttez la truffe en récupérant son jus. Égouttez les pommes de terre, pelez-les dès qu'elles ne sont plus brûlantes et coupez-les en rondelles dans un saladier. Poivrez. Arrosez-les aussitôt avec 2 c. à soupe de vin blanc et 1 c. à soupe de jus de truffe. Salez.
3 Décoquillez les moules. Hachez 2 c. à soupe de ciboulette et 1 c. à soupe de cerfeuil. Ajoutez ces ingrédients dans le saladier avec 3 c. à soupe d'huile. Remuez et laissez refroidir (cette salade doit être servie froide).
4 Répartissez la salade dans des assiettes de service. Ajoutez la truffe en lamelles.

Cette salade est en réalité la transcription d'une recette donnée sous forme de dialogue dans une pièce écrite par Alexandre Dumas fils, intitulée *Francillon*, créée en 1887 et qui remporta un vif succès.

Boisson **chablis**

Salade de fruits de mer

Pour **4 personnes**
Préparation **25 min,**
1 h à l'avance
Cuisson **10 min**

RECETTE LÉGÈRE 1 portion 305 kcal

1,5 l de moules ◆ 1,5 l de coques ◆ 1 laitue ◆ 100 g de crevettes décortiquées ◆ 150 g de champignons de couche ◆ 2 citrons ◆ 1 échalote ◆ 1 c. à soupe de câpres ◆ curry ◆ persil ◆ huile d'olive ◆ moutarde ◆ sel ◆ poivre

1 Lavez les moules et les coques. Faites-les ouvrir sur feu vif dans 2 casseroles séparées. Décoquillez-les et filtrez le jus de cuisson.
2 Mettez-les dans une terrine et arrosez-les de ce jus en ajoutant 1/2 c. à café de curry. Laissez reposer 1 h.
3 Effeuillez et lavez la laitue, essorez-la. Coupez les crevettes en petits tronçons. Nettoyez les champignons, émincez-les et citronnez-les.
4 Pelez et hachez l'échalote. Hachez 2 c. à soupe de persil. Égouttez les câpres. Mélangez dans un bol 6 c. à soupe d'huile d'olive, le jus des citrons et 1 c. à café de moutarde. Salez et poivrez. Ajoutez l'échalote, le persil et les câpres.
5 Tapissez un saladier bas avec les grandes feuilles de la laitue. Réunissez dans une terrine les coques et les moules avec 2 c. à soupe de leur macération, les crevettes, les champignons et le cœur de laitue émincé.
6 Versez la vinaigrette à l'échalote sur ce mélange et remuez-le. Versez la salade sur les feuilles de laitue et servez.

Outre le curry, vous pouvez ajouter quelques fines lamelles de gingembre frais.

Boisson **muscadet**

Salade de haricots verts

Pour **4 personnes**
Préparation **30 min**
Cuisson **10 min**

RECETTE LÉGÈRE 1 portion 160 kcal

500 g de haricots verts ◆ 1 oignon ◆ 1 gousse d'ail ◆ 150 g de fromage frais de brebis ◆ huile d'olive ◆ vinaigre ◆ basilic frais ◆ 2 grosses tomates ◆ sel ◆ poivre

1 Effilez les haricots verts et coupez-les en tronçons. Lavez-les et faites-les cuire 10 min à l'eau bouillante salée.
2 Égouttez les haricots verts et laissez-les refroidir. Réservez 2 c. à soupe de la cuisson. Pelez et hachez l'oignon et l'ail.
3 Écrasez le fromage à la fourchette dans un bol. Ajoutez l'oignon et l'ail, le jus de cuisson réservé, 3 c. à soupe d'huile et 2 bonnes c. à soupe de vinaigre. Salez modérément et poivrez. Fouettez vivement.
4 Ciselez 4 feuilles de basilic. Lavez les tomates et coupez-les en rondelles. Rangez-les en couronne sur le pourtour d'un plat.
5 Versez les haricots verts au milieu. Nappez de sauce au fromage bien fouettée et ajoutez le basilic en garniture. Servez frais.

Pour cette salade aux saveurs délicates, utilisez de préférence un vinaigre assez léger, de cidre ou de malt. Pour détendre le fromage frais, ajoutez 1 c. à soupe de crème liquide.

Boisson **bourgueil**

Salade de fruits de mer ▼

Suivie d'un plateau de fromages de chèvre assortis et d'une tarte aux fraises ou d'une salade de fruits de saison, cette salade colorée suffit largement pour un repas d'été.

Salade italienne

RECETTE LÉGÈRE — 1 portion 120 kcal

Pour **4 personnes**
Préparation **20 min**
Pas de cuisson

2 cœurs de laitue ◆ 4 grosses tomates mûres ◆ 4 fines tranches de jambon cru ◆ 4 fines tranches de fontina ou de tomme ◆ vinaigre balsamique ◆ huile d'olive ◆ 1 gousse d'ail ◆ quelques feuilles de basilic ◆ sel ◆ poivre

1 Effeuillez et lavez les cœurs de salade, essorez-les et réservez-les au frais. Lavez et essuyez les tomates. Coupez-les en fines rondelles, mettez-les dans un plat creux, arrosez-les de 1. c. à soupe de vinaigre, salez et poivrez. Réservez.
2 Retirez la couenne et le gras du jambon, taillez-le en lanières.
3 Écroûtez le fromage et taillez-le en bâtonnets. Pelez et ciselez finement la gousse d'ail.
4 Mélangez dans un bol 2 c. à soupe d'huile, 1 c. à soupe d'eau, 1 c. à soupe de vinaigre et l'ail. Fouettez vivement cette vinaigrette.
5 Tapissez les assiettes de service avec les cœurs de laitue taillés en grosse chiffonnade. Disposez dessus les fines rondelles de tomates, puis le jambon et le fromage. Arrosez de sauce vinaigrette et décorez de basilic frais.

Salade niçoise

RECETTE LÉGÈRE — 1 portion 295 kcal

Pour **4 personnes**
Préparation **20 min**
Cuisson **10 min**

2 œufs ◆ 1 petit concombre ◆ 6 tomates ◆ 100 g de fèves fraîches ◆ 1 poivron vert ◆ 3 petits oignons nouveaux ◆ 1 gousse d'ail ◆ 10 filets d'anchois à l'huile ◆ 5 feuilles de basilic ◆ 24 petites olives noires ◆ huile d'olive ◆ vinaigre de vin blanc ◆ sel ◆ poivre au moulin

1 Faites durcir les œufs pendant 10 min à l'eau bouillante. Pelez le concombre et coupez-le en rondelles. Salez et laissez dégorger au frais. Coupez les tomates en rondelles, salez-les et laissez-les aussi dégorger au frais. Rafraîchissez les œufs durs et écalez-les.
2 Dérobez les fèves. Lavez le poivron, coupez-le en 2, retirez les graines et taillez la pulpe en languettes. Pelez et émincez les oignons. Pelez la gousse d'ail. Épongez les anchois.
3 Préparez une vinaigrette avec 5 c. à soupe d'huile et 2 c. à soupe de vinaigre. Salez et poivrez. Ciselez le basilic.
4 Frottez d'ail les parois d'un saladier. Mettez-y le concombre et les tomates égouttés, les oignons, les fèves et le poivron.
5 Arrosez de vinaigrette et ajoutez le basilic. Mélangez bien.
6 Ajoutez en garniture les œufs durs en rondelles, les olives et les filets d'anchois enroulés sur eux-mêmes. Servez frais.

Vous pouvez ajouter à cette salade 150 g de haricots verts cuits à l'eau bouillante et tenus croquants, quelques cœurs d'artichauts en quartiers ou 1/2 fenouil émincé. N'y mettez pas de pommes de terre.

Boisson **vin rosé bien frais**

Salade russe

Pour **6 personnes**
Préparation **30 min,** mayonnaise **15 min**
Cuisson **10 min, 1 h à l'avance**

400 g de petites carottes ◆ 250 g de navets nouveaux ◆ 400 g de haricots verts ◆ 3 œufs ◆ 1 boîte de petits pois de 400 g ◆ 30 cl de mayonnaise ◆ moutarde ◆ cerfeuil

1 Pelez ou grattez les carottes et les navets. Taillez-les en petits dés. Effilez les haricots et tronçonnez-les.
2 Faites cuire séparément à l'eau bouillante les haricots verts pendant 15 min, les carottes et les navets 20 min. Égouttez-les, rafraîchissez-les et égouttez-les à nouveau. Laissez-les refroidir.
3 Faites durcir les œufs, écalez-les et coupez-les en rondelles. Égouttez les petits pois. Préparez la mayonnaise. Ajoutez 1/2 c. à café de moutarde et 2 c. à soupe de cerfeuil ciselé.
4 Réunissez dans un saladier les légumes et la mayonnaise aromatisée. Mélangez bien. Ajoutez en garniture les rondelles d'œufs durs. Servez froid.

→ **autres recettes de salade à l'index**

Salade niçoise ►

Utilisez les ingrédients les plus frais, choisissez une huile d'olive et du vinaigre de qualité. Tous les ingrédients peuvent être préparés à l'avance, puis assaisonnés et remués au moment de servir.

Salade d'oranges au Grand Marnier ▲

Veillez à peler soigneusement les oranges à vif pour éliminer la moindre peau blanche. Vous pouvez présenter en même temps des orangettes, écorces d'orange confites enrobées de chocolat.

salade de fruits

→ **voir aussi** macédoine

Cet entremets froid est composé d'un mélange de fruits macérés dans un sirop ou un jus de fruits, généralement parfumé avec un alcool ou une liqueur. On les laisse entiers s'ils sont petits ou on les coupe diversement s'ils sont plus gros. Utilisez, selon la saison, des fruits frais, crus ou pochés, en conserve ou séchés, européens ou exotiques.

Ne sucrez pas trop la salade de fruits. Servez-la nature, en dessert après un repas copieux. Vous pouvez aussi l'associer avec une glace à la vanille, des sorbets aux fruits, un gâteau de riz, une brioche ou un kouglof.

Diététique. La valeur calorique est fonction du sucre ou du sirop qui agrémente les fruits. L'édulcorant en poudre permet de réaliser un dessert très léger.

Salade fraîche aux fruits exotiques

Pour **4 personnes**
Préparation **25 min,**
2 h à l'avance
Pas de cuisson

RECETTE LÉGÈRE – 1 portion 185 kcal

2 pamplemousses roses ◆ 1 banane ◆ 1 citron vert ◆ 20 litchis ◆ 1 mangue ◆ 4 kiwis ◆ 20 cl de jus d'orange ◆ gin ◆ sucre vanillé

1 Pelez les pamplemousses et dégagez les quartiers de la pellicule fine qui les recouvre. Pelez la banane, coupez-la en rondelles et arrosez-la de jus de citron vert. Décortiquez les litchis.

2 Pelez la mangue, coupez-la en 2, retirez le noyau et taillez la pulpe en cubes. Pelez les kiwis et coupez-les en rondelles.

3 Réunissez les fruits dans un grand saladier, ajoutez le jus d'orange, 4 c. à soupe de gin et 1 sachet de sucre vanillé. Remuez et laissez reposer 2 h au frais.

4 Mettez les coupes de service au réfrigérateur. Répartissez la salade de fruits dans les coupes fraîches et servez.

Boisson **jus de litchi**

Salade d'oranges au Grand Marnier

Pour **4 personnes**
Préparation **20 min**
Macération **1 h**
Pas de cuisson

8 belles oranges juteuses non traitées ◆ 3 c. à soupe de sucre semoule ◆ 1 sachet de sucre vanillé ◆ 12 noisettes ◆ cognac ◆ Grand Marnier ◆ poivre blanc au moulin

1 Pelez les oranges à vif, en retirant le zeste et la partie blanche située en dessous. Coupez les oranges horizontalement en tranches épaisses. Retirez les pépins.

2 Disposez les tranches d'oranges en couches dans un saladier en parsemant le sucre semoule peu à peu entre chaque couche.

3 Arrosez les oranges avec 4 c. à soupe de cognac. Couvrez avec du film alimentaire et laissez macérer au frais pendant 1 h.

4 Taillez le zeste des oranges en filaments. Plongez-les 3 min dans une casserole d'eau bouillante et égouttez-les. Roulez-les dans le sucre vanillé. Concassez les noisettes.
5 Égouttez les tranches d'oranges et mettez-les dans une coupe de service. Recueillez le jus de macération, ajoutez-lui 6 c. à soupe de Grand Marnier, les noisettes pilées, le zeste d'orange et 2 pincées de poivre. Mélangez et versez cette préparation sur les oranges. Servez.

→ **autres recettes de salade de fruits à l'index**

salami

Ce saucisson sec de gros diamètre est d'origine italienne. La farce de porc haché est parsemée de parcelles de gras. Le meilleur salami italien vient de Lombardie. Il existe d'autres variétés, généralement fumées : le salami de Strasbourg, où le porc est mélangé avec du bœuf ; le salami hongrois, qui est parfumé au paprika, et le salami danois, le plus gras et le plus salé.

Servez le salami dans un assortiment de hors-d'œuvre. Utilisez-le aussi pour garnir des sandwiches, des canapés ou une pizza.

Diététique. 3 rondelles de salami = 410 kcal.

salers

Ce fromage auvergnat au lait de vache est une variété de cantal fermier fabriqué avec du lait cru. Sa meilleure saison est l'automne. De saveur noisetée avec une légère odeur de cave, il est délicieux avec un vin rouge léger et fruité.

salicorne

Cette petite plante marine pousse dans les anfractuosités des rochers le long des côtes. La salicorne, ou « corne à sel », a des tiges charnues vert tendre, gonflées d'un suc salé et qui ressemblent à des cornes. Elle a un goût un peu piquant et très aromatique. Surnommée pousse-pierre ou perce-pierre, elle se récolte en été et se vend fraîche ou en conserve, au naturel ou au vinaigre.

salicorne

La salicorne fraîche doit être lavée, et les sommités, séparées des tiges que l'on jette. Elle se prépare comme le haricot vert et se cuit à l'eau ou à la vapeur. Il ne faut surtout pas la saler. Servez-la en salade avec des coquillages ou en garniture de poisson. La salicorne au vinaigre s'utilise comme les cornichons avec des volailles ou des viandes froides.

Diététique. La salicorne est très riche en minéraux et en oligoéléments, mais aussi en sel. Elle soit donc être proscrite dans les régimes sans sel.

Salade de coques aux salicornes

Pour 4 personnes
Préparation 20 min, 2 h à l'avance
Cuisson 6 à 8 min

3 l de coques ◆ 400 g de salicornes fraîches ◆ 2 échalotes grises ◆ vin blanc ◆ huile ◆ poivre

1 Lavez les coques à grande eau. Rincez les salicornes. Pelez et hachez les échalotes.
2 Faites cuire les salicornes à l'eau bouillante non salée pendant 6 à 8 min. Égouttez-les et laissez-les refroidir.
3 Mettez les coques dans une grande casserole avec 25 cl de vin blanc. Couvrez et faites chauffer sur feu vif.
4 Lorsque la vapeur s'échappe de la casserole, ôtez le couvercle, remuez les coques avec une cuiller en bois et retirez du feu.
5 Mélangez dans un bol 6 c. à soupe d'huile, 3 c. à soupe de vin blanc, les échalotes hachées et 2 pincées de poivre. Fouettez.
6 Décoquillez les coques et mettez-les dans un saladier avec les salicornes. Arrosez de vinaigrette et remuez. Servez aussitôt.

Il est inutile de rajouter du sel : les coques et les salicornes sont assez salées.

Boisson **vin blanc sec**

salmis

Ce ragoût de gibier se prépare en principe avec un canard sauvage, un faisan ou une bécasse. L'oiseau est partiellement rôti puis découpé : il finit de cuire dans une sauce au vin. Par extension, on applique cette recette au canard domestique et à la pintade.

Salmis de canard

Pour **4 personnes**
Préparation **20 min**
Cuisson **1 h 20**

1 canard de 1,5 kg avec le foie et le cœur ◆ 4 échalotes ◆ 10 petits oignons ◆ 1 gousse d'ail ◆ 15 g de beurre ◆ huile ◆ 1 bouquet garni ◆ 50 cl de chambertin ◆ sel ◆ poivre

1 Salez et poivrez le canard. Faites-le rôtir au four à 240 °C pendant 30 min.
2 Pelez les échalotes, les oignons et l'ail. Hachez finement les échalotes et l'ail.
3 Découpez le canard. Mettez de côté le foie et le cœur. Hachez-les.
4 Faites chauffer le beurre et 1 c. à soupe d'huile dans une sauteuse. Faites-y revenir les échalotes et les petits oignons en remuant pendant 5 min. Ajoutez le bouquet garni et l'ail, versez le chambertin. Salez et poivrez.
5 Mettez les morceaux de canard dans cette sauce. Couvrez, baissez le feu et faites mijoter pendant 40 min. Ajoutez le foie et le cœur hachés. Poursuivez la cuisson pendant 5 min. Servez chaud, avec une purée de céleri.

Boisson **chambertin**

salsifis

Ce légume d'automne et d'hiver est une racine allongée dont il existe deux variétés : le salsifis à peau blanche et le salsifis noir, ou scorsonère. On les trouve aussi en conserve, pelés et tronçonnés.

Choisissez-les fermes, sans rides et lourds pour leur volume. Ils ont tous les deux une chair blanche et fondante, avec une saveur affirmée, plus prononcée chez le noir. Les salsifis doivent être pelés : cette opération fastidieuse est plus facile si vous les laissez tremper à l'eau froide pendant au moins 2 heures. Rincez-les à l'eau citronnée pour les garder blancs. Ils accompagnent la volaille, le veau ou le mouton.

Diététique. 100 g de salsifis = 76 kcal. Légume riche en fibres et en minéraux.

Beignets de salsifis

Pour **4 personnes**
Préparation **30 min, 1 h à l'avance**
Cuisson **20 min**

800 g de salsifis ◆ 1 citron ◆ 100 g de farine ◆ 1 jaune d'œuf ◆ 2 blancs d'œufs ◆ bière ◆ huile d'arachide ◆ persil haché ◆ sel ◆ poivre

1 Pelez les salsifis et coupez-les en tronçons de 5 ou 6 cm de long. Lavez-les dans de l'eau additionnée du jus de 1/2 citron.
2 Versez 1 l d'eau dans une casserole, ajoutez 1 c. à soupe de farine, 1 c. à soupe de jus de citron et 1 pincée de sel. Portez à ébullition, ajoutez les salsifis, baissez le feu et laissez cuire doucement pendant 10 min. Égouttez-les.
3 Mélangez dans un plat creux 1 c. à soupe d'huile, 1 c. à soupe de jus de citron et 1 c. à soupe de persil. Salez et poivrez. Mettez les salsifis dans cette marinade et laissez reposer pendant 1 h en les retournant régulièrement.
4 Environ 30 min avant de faire les beignets, mélangez dans une terrine le jaune d'œuf, le reste de farine et 2 c. à soupe de bière. Fouettez les blancs en neige ferme et incorporez-les à la pâte. Réservez.
5 Faites chauffer 1 l d'huile d'arachide. Égouttez les tronçons de salsifis, trempez-les dans la pâte à beignets et faites-les cuire 3 ou 4 min par fournée. Quand ils sont bien dorés, égouttez-les et poudrez-les de sel fin.

Ces beignets accompagnent parfaitement toutes les viandes rôties.

salsifis noir (scorsonère)

salsifis pelé

Les gros salsifis sont souvent creux au centre. Les petits sont les meilleurs ; ils doivent être bien fermes. Mieux vaut les choisir bien droits : ils sont plus faciles à préparer. Pelez-les avec des gants, car ils tachent les doigts.

Salsifis au persil

Pour **6 personnes**
Préparation **30 min**
Cuisson **35 min**

1,5 kg de salsifis ◆ 1 citron ◆ 70 g de beurre ◆ 1 bouquet de persil ◆ farine ◆ sel ◆ poivre

1 Pelez les salsifis et coupez-les en bâtonnets. Rincez-les aussitôt dans une bassine d'eau froide citronnée.
2 Mettez 2 c. à soupe de farine dans une casserole, ajoutez un peu d'eau et délayez puis versez 2 l d'eau en fouettant. Portez à ébullition.
3 Ajoutez les bâtonnets de salsifis, couvrez, baissez le feu et laissez cuire doucement pendant 15 min. Quand ils sont cuits, égouttez-les et rafraîchissez-les. Égouttez-les à nouveau et épongez-les soigneusement.
4 Faites fondre le beurre dans une sauteuse. Hachez finement le persil. Versez les salsifis dans la sauteuse et faites-les cuire au beurre à découvert pendant 15 min en les remuant souvent. Salez et poivrez.
5 Ajoutez les 3/4 du persil et mélangez. Laissez étuver encore 5 min. Ajoutez le reste de persil frais et servez aussitôt.

Saltimbocca à la romaine ▲

Si la paternité du saltimbocca est revendiquée aussi bien à Rome qu'à Brescia, l'étymologie ne fait pas de doute. « Saltimbocca » veut dire littéralement « saute en bouche », ce qui qualifie parfaitement ces fines tranches de veau doucement braisées au vin blanc.

saltimbocca

Ce mot italien signifie littéralement « saute en bouche » : il désigne une préparation du veau en fines escalopes cuites au beurre, recouvertes de jambon cru et de sauge, et parfumées au vin blanc.

Saltimbocca à la romaine

Pour **4 personnes**
Préparation **15 min**
Cuisson **35 à 40 min**

8 fines escalopes de veau de 100 g chacune ◆ 8 feuilles de sauge fraîche ◆ 8 fines tranches de jambon cru ◆ 75 g de beurre ◆ vin blanc sec ◆ poivre

1 Aplatissez chaque escalope en un rectangle de 10 à 12 cm de long. Posez une feuille de sauge sur chacune. Poivrez, mais ne salez pas.
2 Taillez les tranches de jambon aux mêmes dimensions que les escalopes.
3 Posez une tranche de jambon sur chaque escalope. Maintenez le tout avec un pique-olive en bois.
4 Faites fondre le beurre dans une sauteuse. Mettez-y les escalopes et laissez-les dorer pendant 7 à 8 min.
5 Versez 2 c. à soupe de vin blanc dans la sauteuse, faites cuire 10 min sur feu assez vif. Couvrez, baissez le feu et poursuivez la cuisson pendant 15 à 20 min. Mettez les saltimbocca sur un plat de service et retirez les pique-olives.
6 Versez 1 c. à soupe de vin blanc dans la sauteuse, déglacez sur feu moyen et arrosez les saltimbocca de sauce. Servez aussitôt.

Boisson **costières-de-nîmes rouge ou rosé**

sandre

Ce grand poisson d'eau douce originaire d'Europe centrale se pêche surtout l'été dans les rivières et dans les étangs (Camargue et Landes, notamment). Sa chair fine, ferme et blanche contient peu d'arêtes. Il se cuisine comme le brochet, en agrémentant la cuisson de champignons ou d'oignons.

Diététique. Comme la plupart des poissons de rivière, le sandre est demi-gras : 100 g = 120 kcal.

Sandre à la bière

Pour **4 personnes**
Préparation **15 min**
Cuisson **35 min environ**

4 tranches de sandre de 200 g chacune ◆ 250 g d'oignons ◆ 60 g de beurre ◆ 10 cl de bière blonde amère ◆ 20 cl de crème fraîche ◆ paprika ◆ sel ◆ poivre

1 Épongez les tranches de poisson. Salez-les et poivrez-les. Pelez et émincez les oignons.
2 Faites fondre la moitié du beurre dans une poêle et mettez-y les tranches de sandre. Faites-les cuire 3 min de chaque côté et retirez-les.
3 Jetez le beurre fondu et remettez la poêle sur feu doux. Ajoutez le reste de beurre et les oignons émincés. Faites cuire en remuant régulièrement pendant 8 min.
4 Poudrez avec 1 c. à café de paprika, mélangez et versez la bière. Laissez mijoter doucement 10 min. Incorporez la crème fraîche.
5 Versez la moitié de cette préparation dans un plat allant au four. Posez par-dessus les tranches de sandre et recouvrez-les du reste d'oignons à la crème. Rajoutez 1 pincée de paprika. Couvrez avec une feuille d'aluminium et passez au four 10 min à 180 °C.

Boisson **bière blonde**

sandwich

→ **voir aussi** croque-monsieur, hamburger, pan bagna

Préparation froide, faite de deux tranches de pain tartinées de beurre frais, d'un beurre composé, de mayonnaise ou d'une sauce épaisse, entre lesquelles on place une garniture. Celle-ci est souvent composée, à base de crudités, de viande, de charcuterie, de fromage, etc. Variez le pain : vous avez le choix entre le pain de mie, le pain de seigle, la baguette, le pain au lait. *Voir aussi pages 712-713.*

sanglier

→ **voir aussi** marcassin, marinade

Ce gibier à poil est l'ancêtre du cochon domestique. C'est une bête de chasse mais aussi d'élevage. Le goût de sa chair évolue en fonction de son âge, qui détermine des modes de cuisson différents. Jusqu'à 6 mois, il s'agit du marcassin, à rôtir. C'est ensuite la bête rousse, jusqu'à 1 an, puis la bête de compagnie (de 1 an à 2 ans) : il se fait mariner et se cuisine comme le chevreuil ou le porc. Les sangliers de 3, 4 ou 5 ans ont une chair de plus en plus coriace, avec un goût assez fort : une cuisson prolongée après une longue marinade au vin rouge est indispensable. Vous pouvez aussi en faire des pâtés.

Diététique. La viande de sanglier est très maigre : 100 g = 110 kcal. Attention, la sauce au vin augmente l'apport calorique.

Daube de sanglier

Pour **10 personnes**
Préparation **20 min, 24 h à l'avance**
Cuisson **5 h**

200 g de lard gras ◆ 1 cuissot de jeune sanglier de 3 kg environ ◆ 3 gousses d'ail ◆ 5 échalotes ◆ 1,5 l de vin rouge corsé ◆ 4 oignons ◆ 5 carottes ◆ 2 couennes de porc ◆ 5 clous de girofle ◆ 10 cl de cognac ◆ huile ◆ baies de genièvre ◆ laurier ◆ thym ◆ persil plat ◆ sel ◆ poivre

1 Taillez le lard en languettes et piquez-en le cuissot sur toutes les faces. Versez 3 c. à soupe d'huile dans un grand plat creux.
2 Pelez et hachez l'ail et les échalotes. Mettez-les dans l'huile. Ajoutez 10 baies de genièvre concassées, 3 feuilles de laurier émiettées et 2 brins de thym. Mélangez.
3 Hachez finement 1 bouquet de persil. Ajoutez-en la moitié aux aromates précédents, avec les queues. Placez le cuissot de sanglier dans le plat et arrosez-le de vin rouge. Laissez mariner au moins 12 h. Retournez le cuissot dans la marinade 3 ou 4 fois.
4 Pelez les oignons et les carottes. Émincez-les. Étalez les couennes dans une cocotte en fonte.

5 Ajoutez les carottes et les oignons. Retirez le cuissot de la marinade. Posez-le dans la cocotte.
6 Filtrez la marinade et versez-la dans la cocotte. Ajoutez les clous de girofle écrasés, le reste de persil et le cognac. Salez et poivrez. Couvrez. Faites cuire dans le four à 170 °C pendant 5 h.
7 Sortez le cuissot de la cocotte et découpez-le en tranches épaisses. Passez le jus de cuisson. Servez les tranches de sanglier nappées de jus, avec comme garniture des pâtes fraîches.

Tranches de filet de sanglier aux lentilles

Pour **4 personnes**
Préparation **15 min**
Cuisson **45 min**

4 belles tranches taillées dans le filet d'un sanglier ◆ 1 oignon piqué d'un clou de girofle ◆ 2 carottes ◆ 250 g de lentilles du Puy ◆ 1 c. à soupe de graisse d'oie ◆ 1 c. à soupe de gelée de coing ◆ sel ◆ poivre

1 Salez et poivrez les tranches de filet de sanglier, couvrez-les et réservez-les à température ambiante.
2 Mettez l'oignon piqué dans une casserole, ajoutez les carottes pelées et taillées en petits dés. Ajoutez les lentilles et couvrez d'eau. Portez à ébullition. Baissez le feu, couvrez et laissez mijoter 45 min. Égouttez-les et retirez l'oignon piqué. Tenez-les au chaud.
3 Faites chauffer la graisse d'oie dans une grande poêle. Saisissez-y les tranches de filet de sanglier pendant 20 min en les retournant à mi-cuisson.
4 Dégraissez la cuisson et ajoutez la gelée de coing pour lier. Salez et poivrez. Servez les tranches de filet de sanglier garnies de lentilles et nappées de leur jus de cuisson.

sangria

Cette boisson alcoolisée d'origine espagnole est servie frappée, en apéritif. La base de la sangria est toujours un vin rouge assez corsé (cahors, corbières). On lui ajoute des fruits d'été ou des agrumes, un alcool parfumé et parfois des épices. Le mélange doit macérer au frais plusieurs heures.

Sangria andalouse

Pour **4 personnes**
Préparation **20 min, 2 h à l'avance**
Pas de cuisson

1 citron non traité ◆ 1 orange non traitée ◆ 1 pomme ◆ 50 g de sucre semoule ◆ 1 bouteille de vin rouge corsé ◆ cognac ◆ eau gazeuse

1 Lavez les agrumes. Coupez-les en rondelles fines et mettez-les dans un grand saladier.
2 Pelez la pomme, coupez-la en quartiers, émincez ceux-ci en retirant le cœur et les pépins. Ajoutez-les dans le saladier avec le sucre. Versez le vin, ajoutez 4 c. à soupe de cognac et mélangez.
3 Mettez le saladier au réfrigérateur pendant 2 h. Mettez aussi au frais l'eau gazeuse.
4 Au moment de servir, ajoutez 50 cl d'eau gazeuse glacée au mélange de vin et de fruits. Mélangez et servez sur des glaçons dans des verres bien froids, en répartissant les fruits.

sardine

→ **voir aussi** escabèche, papillote (cuisson en)

Ce petit poisson de mer est pêché en grandes quantités dans l'Atlantique et la Méditerranée, surtout au printemps et en été. Quand vous achetez des sardines fraîches, vérifiez que le corps soit très rigide, l'œil brillant et qu'il n'y ait pas de trace de sang aux ouïes. Les sardines de petite taille, un peu sèches, se font frire ou cuire en escabèche. Les plus grosses et les plus grasses, en été, sont délicieuses grillées.

L'industrie de la conserve en a fait un produit de grande consommation. Les sardines bretonnes ont meilleure réputation que les italiennes. Les meilleures sardines en boîte sont étiquetées « extra » (non congelées), avec une mention de l'origine, de la nature de l'huile ou des aromates (purée de tomates). Les sardines à l'huile deviennent plus savoureuses en vieillissant : elles sont commercialisées après 6 mois et durent facilement 10 ans. Certaines marques sont d'ailleurs millésimées. Retournez les boîtes 1 ou 2 fois par an. Ne les stockez jamais au réfrigérateur. Servez-vous-en aussi pour confectionner des rillettes, farcir un feuilleté, accompagner des pommes de terre en robe des champs, etc.

Diététique. La sardine fraîche est un poisson demi-gras : 100 g = 175 kcal. Conservée à l'huile, elle n'est pas beaucoup plus calorique : 100 g = 190 kcal. Et ces lipides sont bons pour la santé.

Sardines crues à la bretonne

Pour **4 personnes**
Préparation **20 min, 8 h à l'avance**
Pas de cuisson

16 sardines moyennes ◆ gros sel de mer ◆ pain de campagne ◆ beurre demi-sel

1 Coupez la tête des sardines et videz-les. Essuyez-les et mettez-les tête-bêche dans un plat creux. Poudrez-les avec 1 grosse c. à soupe de sel. Laissez-les reposer au frais pendant 8 h.
2 Essuyez délicatement chaque sardine avec du papier absorbant : la salaison décolle la peau, qui part toute seule.
3 Avec un couteau pointu, séparez les 2 filets et retirez l'arête centrale. Rangez les filets de sardine dans un plat creux. Servez en même temps des tranches de pain de campagne grillé et du beurre demi-sel.

Boisson **muscadet**

Sardines grillées

Pour **6 personnes**
Préparation **2 min**
Cuisson **8 à 10 min**

24 sardines assez grasses ◆ huile ◆ sel

1 Choisissez des sardines très fraîches. Ne les écaillez pas et ne les videz pas. Ne coupez pas non plus la tête : elles ne risqueront pas de se briser quand vous les retournerez.
2 Huilez légèrement un gril en fonte ou la grille du barbecue. Si vous disposez d'un gril double spécial pour les petits poissons, vous pourrez les retourner plus facilement.
3 Posez les sardines sur le gril et faites-les cuire 5 min à chaleur moyenne.
4 Retournez les sardines. Faites-les cuire encore de 3 à 5 min : la peau doit commencer à se fendiller. Salez et servez.

Des pommes de terre sous la cendre et du beurre frais accompagnent très bien ces sardines. Vous pouvez aussi proposer des quartiers de citron et de l'huile d'olive.

Boisson **bordeaux blanc ou cidre bouché**

Sardines au vin blanc

Pour **4 personnes**
Préparation **20 min**
Cuisson **12 min**

12 grosses sardines ◆ 3 échalotes ◆ 40 g de beurre ◆ 1/2 citron ◆ vin blanc ◆ ciboulette hachée ◆ sel ◆ poivre

1 Écaillez, videz et étêtez les sardines. Essuyez-les. Pelez et émincez les échalotes.
2 Beurrez un plat à gratin avec 10 g de beurre. Étalez les échalotes et rangez les sardines par-dessus. Salez et poivrez.
3 Pressez le jus du 1/2 citron sur les sardines et ajoutez 4 c. à soupe de vin blanc. Ajoutez 30 g de beurre en parcelles et faites cuire 12 min au four à 250 °C. Sortez le plat du four, ajoutez 2 c. à soupe de ciboulette hachée. Servez dans le plat.

Boisson **entre-deux-mers**

→ **autres recettes de sardine à l'index**

sarrasin

→ **voir aussi** crêpe

Cette céréale est également appelée « blé noir », car la farine qu'elle donne est de couleur grise avec des petits points noirs. Elle sert à préparer des crêpes – les galettes de sarrasin –, des nouilles ou des bouillies, mais on ne peut pas en faire du pain.

Diététique. La farine de sarrasin est riche en matières minérales, bien pourvue en vitamines B et moins énergétique que les autres céréales : 100 g = 290 kcal.

Galettes de sarrasin

Pour **4 personnes**
Préparation **20 min, 2 h à l'avance**
Cuisson **30 min**

350 g de farine de sarrasin ◆ 3 œufs ◆ 50 cl de lait ◆ 20 cl de crème fraîche ◆ beurre ◆ sel

1 Versez la farine dans une terrine et faites un puits au milieu. Cassez 2 œufs en séparant les blancs des jaunes.
2 Versez le lait et la crème dans la terrine et mélangez avec la farine en tournant avec une spatule en bois.

3 Incorporez 1 œuf entier et les 2 jaunes. Ajoutez 1/2 c. à café de sel. Mélangez intimement et laissez reposer pendant 2 h à température ambiante.
4 Faites chauffer une grande poêle à crêpes plate sans rebord. Ajoutez une noix de beurre et versez une petite louche de pâte.
5 Confectionnez la crêpe en la retournant à mi-cuisson. Comptez 3 ou 4 min de cuisson par crêpe. Servez-les chaudes au fur et à mesure, en proposant en même temps simplement du beurre frais.

Vous pouvez ajouter à la pâte 1 c. à soupe de calvados, mais les galettes de sarrasin ne se font pas flamber.

sarriette

Cette plante aromatique méditerranéenne est très parfumée. On la trouve fraîche, en été, ou sèche. Utilisez-la surtout pour faire cuire les légumes secs, mais aussi pour relever une marinade, une daube ou une farce de pâté. Une variété de sarriette vivace, à très petites feuilles raides, sert à aromatiser le fromage frais de chèvre ou de brebis.

sarriette

Fèves à la sarriette

Pour **4 personnes**
Préparation **20 min**
Cuisson **35 min**

500 g de fèves fraîches ◆ 1 bouquet de sarriette ◆ 30 g de beurre ◆ 10 cl de crème fraîche ◆ sel

1 Écossez et dérobez les fèves. Mettez-les dans une grande casserole. Ajoutez la sarriette, 1/2 c. à café de sel et couvrez d'eau.
2 Faites cuire pendant 30 min sur feu moyen en surveillant : les fèves doivent rester entières.
3 Égouttez les fèves en éliminant la sarriette et versez-les dans une sauteuse. Réglez sur feu doux et laissez-les sécher 2 ou 3 min.
4 Ajoutez le beurre en parcelles, laissez-le fondre en remuant, puis ajoutez la crème pour lier. Mélangez doucement pour ne pas écraser les fèves. Servez aussitôt.

Une garniture idéale pour l'agneau ou le veau.

sauce

→ **voir aussi** **béarnaise, béchamel, beurre blanc, chaud-froid, chocolat, crème fraîche, dip, duxelles, fond, gelée, glace, hollandaise, madère, mayonnaise, mirepoix, moutarde, roux, vinaigrette**

La sauce est un assaisonnement plus ou moins liquide, chaud ou froid. Soit elle fait partie de la préparation parce qu'elle a été cuisinée en même temps qu'elle : daube, civet, gratin, poulet chasseur, poisson braisé ; soit elle est confectionnée séparément et accompagne le plat, incorporée au dernier moment ou servie à part.

Le choix du matériel utilisé est important. Les casseroles sont à bord haut, en métal épais, pour assurer une bonne répartition de la chaleur. Le bain-marie est un accessoire indispensable, de même que le fouet métallique.

Le terme de sauce sous-entend le plus souvent un condiment salé, mais les sauces de dessert jouent aussi un rôle important : coulis de fruits et sauce au chocolat par exemple.

Selon sa composition, son goût, sa texture, sa facilité d'exécution, on dispose d'une gamme très diversifiée de sauces, complétée par les préparations du commerce : ketchup, Tabasco, sauce soja, etc.

Le choix d'une sauce est toujours lié à un accord de saveurs. Certaines associations sont classiques : langue de bœuf sauce piquante, rognons sauce madère, tête de veau gribiche, vol-au-vent financière, poireaux à la vinaigrette, spaghetti à la bolognaise, œufs durs à l'aurore, morue à l'aïoli, turbot à la hollandaise, brochet beurre blanc, poulet mayonnaise, chateaubriand béarnaise, etc.

Les sauces simples sont des mélanges d'ingrédients à froid (vinaigrette) ou à chaud (béchamel, coulis, sauce tomate). L'émulsion donne une texture onctueuse : mayonnaise, beurre blanc. La préparation d'un fond ou d'un fumet permet de réaliser des sauces plus complexes dont la saveur est riche et concentrée. Les liaisons à la crème, à la farine, au jaune d'œuf, au sang, etc., fournissent aussi le moyen de préparer une sauce à partir de la cuisson d'un aliment.

Diététique. Tenue longtemps pour une préparation lourde, peu digeste et calorique, la sauce fait aujourd'hui partie de la cuisine légère, grâce au fromage blanc à 0 % de matières grasses ou au yaourt nature. La liaison à la fécule de maïs à la place de la farine donne des sauces deux fois moins caloriques. 1 c. à soupe de sauce non allégée = 45 kcal.

Sauce aigre-douce

Pour **50 cl de sauce (4 à 6 personnes)**
Préparation **20 min**
Cuisson **15 min**

4 pruneaux • 30 raisins secs • 6 cerises à l'eau-de-vie • 1 gousse d'ail • 1 c. à soupe de pignons de pin • 50 g d'écorce d'orange confite • 80 g de sucre semoule • 10 cl de vinaigre de vin rouge

1 Dénoyautez les pruneaux. Versez-les dans une jatte avec les raisins secs. Recouvrez d'eau très chaude et laissez tremper pendant 20 min.
2 Égouttez les cerises, dénoyautez-les et hachez-les. Pelez et hachez l'ail. Concassez les pignons de pin et hachez l'écorce d'orange.
3 Dans une casserole, faites fondre le sucre dans le vinaigre et ajoutez l'ail. Laissez chauffer en remuant. Portez à ébullition, puis retirez du feu.
4 Égouttez les raisins secs et les pruneaux. Hachez-les grossièrement. Mettez-les dans la casserole avec l'écorce d'orange et les pignons de pin. Mélangez bien.
5 Faites chauffer à nouveau en remuant jusqu'à ébullition. Goûtez et rectifiez l'assaisonnement en ajoutant soit un peu de sucre, soit un peu de vinaigre.

Servez cette sauce chaude ou froide avec du gibier, du jambon ou un rôti de veau.

Sauce blanche

Pour **50 cl de sauce (4 à 6 personnes)**
Préparation **5 min**
Cuisson **15 min environ**

50 g de beurre • 50 cl de bouillon ou d'eau • 50 g de farine • muscade • sel • poivre

1 Faites fondre le beurre dans une grande casserole sans le laisser colorer.
2 Pendant ce temps, faites chauffer le liquide sur feu doux : le court-bouillon ou le bouillon filtré (de poisson, de volaille ou de légumes, selon l'aliment à accompagner).
3 Lorsque le beurre est fondu, ajoutez la farine en pluie et mélangez avec une cuiller en bois pendant 2 ou 3 min.
4 Versez le liquide chaud et délayez en remuant vivement. Laissez cuire pendant 10 à 12 min. Évitez toute ébullition, sinon la sauce aura un goût de colle. Salez, poivrez, et muscadez.

Sauce bolognaise

Pour **50 cl de sauce (4 à 6 personnes)**
Préparation **20 min**
Cuisson **40 min**

1 carotte • 3 oignons • 1 gousse d'ail • 1 branche de céleri • 500 g de tomates très mûres • 125 g de champignons de couche • 80 g de lard maigre • 200 g de bœuf haché • 1 bouquet garni • 15 cl de bouillon de bœuf • 15 cl de vin blanc • huile d'olive • concentré de tomates • sel • poivre

1 Pelez la carotte et taillez-la en très petits dés. Pelez et hachez finement les oignons et l'ail. Émincez le céleri. Pelez les tomates et concassez la pulpe. Nettoyez et hachez les champignons. Coupez le lard en petits dés.
2 Faites chauffer 4 c. à soupe d'huile dans une casserole et faites revenir les lardons. Ajoutez tous les légumes sauf les tomates et remuez pendant 5 min avec une cuiller en bois.
3 Ajoutez la viande hachée et faites-la rissoler en l'émiettant à l'aide d'une fourchette jusqu'à ce qu'elle ne soit plus rouge.
4 Ajoutez la pulpe des tomates et le bouquet garni. Salez et poivrez. Faites réduire en remuant pendant 10 min sur feu modéré.
5 Mélangez dans un bol le bouillon, le vin et 1 c. à soupe de concentré de tomates. Versez ce mélange dans la casserole, remuez et poursuivez la cuisson doucement pendant 20 min. Retirez le bouquet garni et rectifiez l'assaisonnement.

Servez avec des pâtes ou des croquettes de riz.

Sauce bordelaise

Pour **50 cl de sauce (4 à 6 personnes)**
Préparation **20 min**
Cuisson **40 min environ**

1 carotte • 1 oignon • 6 échalotes • 100 g de beurre • 1 bouquet garni • 40 g de farine • 40 cl de bouillon de viande • 1 bouquet de persil • 50 cl de bordeaux rouge • laurier • thym • poivre en grains • extrait de viande • jus de citron • sel • poivre

1 Pelez la carotte, l'oignon et les échalotes. Taillez la carotte en dés. Hachez l'oignon et les échalotes. Faites-les revenir dans une cas serole avec 50 g de beurre et le bouquet garni.

2 Lorsqu'ils ont bien rissolé, poudrez avec la farine et laissez roussir 4 min. Faites chauffer le bouillon. Versez le bouillon chaud sur le roux et mélangez vivement. Salez et poivrez. Laissez cuire doucement pendant 30 min.
3 Mettez dans une autre casserole 4 échalotes hachées, 1 feuille de laurier, 1 brin de thym, les tiges du bouquet de persil et 5 grains de poivre concassés. Ajoutez le vin et faites réduire de moitié. Passez le liquide. Réincorporez éventuellement les échalotes hachées.
4 Passez le contenu de la première casserole dans une passoire fine en pressant bien, jetez le bouquet garni. Remettez le liquide sur le feu et ajoutez-lui la réduction de vin rouge.
5 Incorporez 1 c. à soupe d'extrait de viande, 2 c. à soupe de persil haché et 1 c. à soupe de jus de citron. Continuez à faire cuire doucement en remuant pendant 5 min.
6 Coupez le reste de beurre en petits morceaux et ajoutez-le à la sauce en fouettant. Goûtez et rectifiez l'assaisonnement.

Cette sauce accompagne traditionnellement les viandes rouges poêlées ou grillées. Vous pouvez aussi incorporer 60 g de moelle de bœuf pochée, coupée en petits dés. Elle se prépare également au vin blanc.

Sauce bourguignonne

Pour **50 cl de sauce (4 à 6 personnes)**
Préparation **15 min**
Cuisson **40 min environ**

4 échalotes ◆ 2 oignons ◆ 1 clou de girofle ◆ 130 g de champignons de couche ◆ 1/2 citron ◆ 75 cl de bourgogne rouge ◆ 1 bouquet garni ◆ poivre concassé ◆ 100 g de beurre ◆ 25 cl de bouillon de viande ou de volaille ◆ 40 g de farine ◆ sel ◆ poivre

1 Pelez et hachez finement les échalotes. Pelez les oignons. Piquez le clou de girofle dans l'un et hachez finement l'autre. Nettoyez les champignons et émincez-les. Citronnez-les.
2 Mettez dans une casserole les échalotes, l'oignon piqué, le vin rouge, le bouquet garni et 1/2 c. à café de poivre concassé. Faites réduire de moitié sur feu doux.
3 Faites chauffer 50 g de beurre dans une autre casserole et mettez-y à revenir les champignons pendant 10 min. Égouttez-les.
4 Mettez l'oignon haché dans ce même beurre et laissez-le colorer légèrement. Faites chauffer le bouillon. Poudrez de farine l'oignon rissolé et laissez cuire 4 min. Mouillez avec le bouillon, remuez et laissez mijoter de 15 à 20 min.
5 Retirez le bouquet garni et l'oignon piqué de la réduction de vin rouge. Versez-la avec les échalotes dans la sauce brune et ajoutez les champignons. Laissez cuire 15 min.
6 Coupez le reste de beurre en petits morceaux et incorporez-les en fouettant dans la sauce. Goûtez et rectifiez l'assaisonnement.

Cette sauce accompagne les œufs mollets ou pochés, la volaille et les viandes.

Sauce chasseur

Pour **50 cl de sauce (4 à 6 personnes)**
Préparation **15 min**
Cuisson **30 min**

150 g de champignons de couche ◆ 80 g de beurre ◆ 5 échalotes ◆ 35 cl de bouillon de volaille ◆ 15 cl de vin blanc ◆ thym ◆ farine ◆ concentré de tomates ◆ persil haché ◆ sel ◆ poivre

1 Nettoyez les champignons et coupez le pied sableux. Lavez-les rapidement, épongez-les et émincez-les. Faites fondre 20 g de beurre dans une casserole et faites revenir les champignons en remuant pendant 5 min. Égouttez-les.
2 Pelez et hachez finement les échalotes. Mettez le reste de beurre dans la casserole. Lorsqu'il est bien chaud, ajoutez les échalotes et 1 brin de thym. Remuez pendant 2 min puis poudrez avec 1 c. à soupe bombée de farine.
3 Faites cuire ce roux pendant 2 à 3 min. Mouillez avec le bouillon chaud en remuant vivement. Incorporez le vin blanc dans lequel vous avez délayé le concentré de tomates. Faites cuire pendant environ 20 min en établissant une légère ébullition.
4 Retirez le thym, puis ajoutez les champignons dans la sauce et poursuivez la cuisson pendant 2 à 3 min. Goûtez pour rectifier l'assaisonnement. Ajoutez 1 c. à soupe de persil haché, remuez et servez.

Cette sauce accompagne le poulet ou le lapin sauté, les escalopes de veau ou les légumes braisés.

Sauce au curry

Pour **50 cl de sauce (4 à 6 personnes)**
Préparation **20 min**
Cuisson **50 min environ**

3 oignons ◆ 15 g de beurre ◆ 30 cl de vin blanc ◆ 20 cl de crème liquide ◆ huile ◆ curry en poudre ◆ sel ◆ poivre

1 Pelez et émincez finement les oignons. Faites fondre le beurre dans une casserole avec 1 c. à soupe d'huile.
2 Faites cuire les oignons en les laissant fondre doucement sans coloration pendant 20 à 25 min.
3 Poudrez les oignons avec 1 c. à soupe bombée de curry. Versez le vin blanc et ajoutez 4 c. à soupe d'eau chaude (ou de fumet de poisson ou de champignon). Délayez. Salez et poivrez.
4 Laissez cuire doucement pendant 20 min puis passez la sauce en appuyant bien avec le dos d'une cuiller.
5 Remettez la sauce sur feu doux et ajoutez 1 c. à soupe de curry. Incorporez la crème liquide et fouettez la sauce pendant 5 min sur feu un peu plus vif. Servez aussitôt.

Cette sauce est délicieuse avec de la volaille ou du poisson, des œufs ou un plat de riz aux champignons.

Sauce financière

Pour **50 cl de sauce (4 à 6 personnes)**
Préparation **15 min**
Cuisson **35 min**

150 g de champignons de couche ◆ 80 g de beurre ◆ 100 g de jambon de pays ◆ 40 g de farine ◆ 40 cl de bouillon de volaille ◆ 10 cl de vin blanc sec ◆ 1 bouquet garni ◆ 1 petite boîte de pelures de truffe ◆ 8 cl de madère ◆ sel ◆ poivre

1 Nettoyez les champignons et émincez-les. Faites fondre le beurre dans une casserole, ajoutez les champignons et laissez-les légèrement blondir pendant 5 min en remuant. Égouttez-les. Réservez.
2 Hachez finement le jambon de pays et mettez-le dans le beurre de cuisson des champignons. Faites-le cuire 2 min en remuant puis poudrez de farine et laissez cuire 3 min en remuant. Faites chauffer le bouillon.
3 Versez le bouillon sur le roux et délayez en remuant vivement. Ajoutez le vin blanc et le bouquet garni. Salez et poivrez. Laissez mijoter pendant 20 min en évitant toute ébullition.
4 Ouvrez la boîte de pelures de truffe et ajoutez-les à la sauce avec leur jus et le madère. Incorporez les champignons.
5 Poursuivez la cuisson pendant 3 min, tout doucement. Rectifiez l'assaisonnement.

Cette sauce est classique pour accompagner les ris de veau, les blancs de volaille ou les quenelles. Elle sert aussi de liaison pour les garnitures de bouchées ou de vol-au-vent. Si vous disposez d'une truffe entière, utilisez-la finement émincée.

Sauce aux fruits

Pour **50 cl de sauce environ (4 à 6 personnes)**
Préparation **10 min**
Pas de cuisson

250 g d'abricots au sirop ◆ 200 g de fraises ◆ 1/2 mangue ◆ sucre semoule ◆ alcool de framboise

1 Égouttez les abricots et réduisez-les en purée au mixer. Lavez les fraises, équeutez-les. Coupez la demi-mangue en dés. Passez ces fruits ensemble au mixer.
2 Mélangez les 2 coulis en ajoutant 1 c. à soupe de sucre et 1 c. à café d'alcool. Fouettez 2 min et mettez au frais.

Utilisez cette sauce-coulis pour napper un pudding, un gâteau de riz ou une glace. Autre formule : 250 g de kiwis, 200 g de framboises et 300 g de pêches.

Sauce gribiche

Pour **50 cl de sauce (4 à 6 personnes)**
Préparation **15 min**
Cuisson **10 min**

3 œufs ◆ 1 jaune d'œuf ◆ moutarde blanche ◆ 50 cl d'huile ◆ jus de citron ◆ estragon frais ◆ persil plat ◆ câpres ◆ sel ◆ poivre

1 Faites durcir 3 œufs, rafraîchissez-les et écalez-les. Coupez-les en 2 et extrayez délicatement les jaunes. Réservez les blancs.

2 Mettez dans un bol les jaunes d'œufs durs et le jaune d'œuf cru. Écrasez-les en ajoutant 1 c. à soupe de moutarde. Salez et poivrez.
3 Incorporez ensuite l'huile en fouettant le mélange vigoureusement. Ajoutez 1 c. à soupe de jus de citron.
4 Hachez suffisamment d'estragon et de persil pour en avoir 2 c. à soupe mélangées. Égouttez 1 c. à soupe de câpres et hachez-les. Coupez les blancs d'œufs en petits dés.
5 Incorporez ces ingrédients à la sauce. Mélangez bien et rectifiez l'assaisonnement.

Cette sauce accompagne la tête de veau, le poisson ou le poulet froids.

Sauce Mornay

Pour **50 cl de sauce (4 à 6 personnes)**
Préparation **5 min**
Cuisson **20 min**

50 g de beurre ◆ 50 g de farine ◆ 50 cl de lait ◆ 50 g de fromage râpé ◆ muscade ◆ sel ◆ poivre

1 Préparez un roux blanc avec le beurre et la farine *(voir page 641)*. Faites chauffer le lait.
2 Mouillez avec le lait chaud et délayez en remuant. Faites cuire 15 min environ. Salez et poivrez. Incorporez le fromage râpé (tous les fromages à pâte cuite, gruyère, comté, beaufort, parmesan, etc., conviennent). Muscadez.

Cette sauce est très souvent utilisée pour les gratins. Vous pouvez l'enrichir de 15 à 20 cl de crème fraîche épaisse. Salez avec prudence à cause du fromage, surtout si vous employez du parmesan. La sauce Mornay accompagne également les légumes cuits à l'eau, les œufs et le poisson.

Sauce piquante

Pour **50 cl de sauce (4 à 6 personnes)**
Préparation **15 min**
Cuisson **25 min environ**

6 échalotes grises ◆ 1 bouquet garni ◆ 15 cl de vin blanc sec ◆ 10 cl de vinaigre ◆ 40 cl de bouillon de viande ◆ 40 g de beurre ◆ 40 g de farine ◆ 5 cornichons ◆ persil plat ◆ poivre concassé ◆ sel

1 Pelez et hachez finement les échalotes. Mettez-les dans une casserole avec le bouquet garni, 1/2 c. à café de poivre concassé, le vin et le vinaigre.
2 Portez à ébullition. Baissez le feu et faites réduire de moitié. Faites chauffer le bouillon.
3 Dans une autre casserole, préparez un roux blond avec le beurre et la farine *(voir page 641)*. Mouillez-le avec le bouillon et faites cuire doucement pendant 15 min.
4 Hachez les cornichons. Retirez le bouquet garni de la réduction au vin blanc. Versez-la dans la sauce au roux, ajoutez les cornichons et 3 c. à soupe de persil haché. Rectifiez l'assaisonnement.

La sauce piquante est traditionnelle avec la langue de veau et les côtes de porc ou le rôti de porc. Vous pouvez ajouter un peu de concentré de tomates et remplacer les cornichons par des câpres.

Sauce pizzaiola

Pour **50 cl de sauce (4 à 6 personnes)**
Préparation **15 min**
Cuisson **40 min**

2 oignons ◆ 3 gousses d'ail ◆ 4 grosses tomates juteuses ◆ 6 ou 7 feuilles de basilic frais ◆ 1 boîte de concentré de tomates ◆ huile d'olive ◆ laurier ◆ marjolaine séchée ◆ sucre semoule ◆ sel ◆ poivre

1 Pelez et hachez les oignons et les gousses d'ail. Lavez les tomates, essuyez-les et hachez-les en récupérant tout leur jus.
2 Faites chauffer 3 c. à soupe d'huile dans une casserole. Ajoutez les oignons et faites-les revenir sur feu doux en remuant pendant 8 min.
3 Quand ils sont bien tendres, ajoutez l'ail haché. Salez et poivrez. Poursuivez la cuisson en remuant 2 min. Ciselez le basilic.
4 Ajoutez dans la casserole les tomates et leur jus, le concentré de tomates, 1 feuille de laurier, 1 c. à soupe de marjolaine et le basilic ciselé. Laissez mijoter tout doucement pendant 30 min en remuant régulièrement.
5 Retirez la feuille de laurier, ajoutez 1 pincée de sucre semoule. Salez et poivrez.

Utilisez cette sauce pour garnir une pizza ou pour accommoder spaghetti, macaroni, ravioli ou croquettes de viande.

Sauce poulette

Pour **50 cl de sauce (4 à 6 personnes)**
Préparation **10 min**
Cuisson **20 min**

50 cl de fumet ou bouillon ◆ 50 g de beurre ◆ 50 g de farine ◆ 1 citron ◆ 2 jaunes d'œufs ◆ persil plat ◆ sel ◆ poivre

1 Faites chauffer le bouillon. Faites un roux blanc avec le beurre et la farine *(voir page 641)*. Délayez ce roux blanc avec le bouillon en fouettant. Laissez cuire 15 min sur feu très doux.
2 Pressez le citron dans un bol en ôtant les pépins. Incorporez les jaunes d'œufs. Salez et poivrez. Ajoutez 2 c. à soupe de sauce chaude. Versez cette liaison dans la sauce et remuez sur feu très doux sans laisser bouillir.
3 Hachez finement 1 ou 2 c. à soupe de persil et incorporez-le à la sauce, mélangez.

Cette sauce accommode les abats blancs, les champignons, du poisson blanc ou du veau.

Sauce suprême

Pour **50 cl de sauce (4 à 6 personnes)**
Préparation **20 min**
Cuisson **30 min**

250 g de champignons de couche ◆ 1/2 citron ◆ 90 g de beurre ◆ 30 cl de bouillon de volaille ◆ 40 g de farine ◆ 12 cl de crème fraîche ◆ 2 jaunes d'œufs ◆ sel ◆ poivre

1 Nettoyez les champignons, hachez-les et citronnez-les. Faites-les cuire 10 min sur feu doux avec 40 g de beurre. Passez cette préparation dans une passoire en pressant bien : il faut obtenir environ 10 cl de fumet.
2 Faites chauffer le bouillon. Faites fondre le reste de beurre dans une casserole et ajoutez la farine. Mélangez sur feu doux pendant 2 min.
3 Mouillez le roux avec le bouillon et fouettez vivement pour bien lier. Faites réduire de moitié, puis ajoutez le fumet de champignon. Mélangez dans un bol la crème, les jaunes d'œufs et 2 c. à soupe de sauce. Versez cette liaison dans la casserole et remuez sur feu doux en évitant toute ébullition. Rectifiez l'assaisonnement.

Cette sauce accompagne la volaille, les œufs pochés ou mollets, ou des asperges.

Sauce tartare

Pour **50 cl de sauce (4 à 6 personnes)**
Préparation **10 min**
Cuisson **30 min environ**

3 oignons ◆ 2 gousses d'ail ◆ 1 petite boîte de concentré de tomates ◆ 15 cl de vin blanc sec ◆ 5 cl de Worcestershire sauce ◆ huile d'olive ◆ laurier ◆ thym ◆ vinaigre de cidre ◆ miel ◆ sel ◆ poivre

1 Pelez et hachez finement les oignons et l'ail. Faites chauffer 3 c. à soupe d'huile dans une casserole. Ajoutez le hachis précédent, 1 feuille de laurier et 2 brins de thym. Faites cuire en remuant pendant 10 min.
2 Mélangez le concentré de tomates, 10 cl d'eau, 4 c. à soupe de vinaigre et 2 c. à soupe de miel. Salez et poivrez. Versez dans la casserole et poursuivez la cuisson pendant 3 min jusqu'à ce que la sauce commence à bouillir.
3 Ajoutez le vin blanc et la Worcestershire sauce. Faites cuire à découvert en remuant de temps en temps pendant 15 min. La préparation doit être assez épaisse. Rectifiez l'assaisonnement. Retirez le laurier et le thym. Servez chaud.

Sauce vierge

Pour **50 cl de sauce (4 à 6 personnes)**
Préparation **15 min, 2 h à l'avance**
Pas de cuisson

4 tomates ◆ 2 gousses d'ail ◆ 1 bouquet de ciboulette ◆ 12 feuilles d'estragon ◆ 8 feuilles de basilic ◆ 1 citron ◆ 25 cl d'huile d'olive ◆ sel ◆ poivre

1 Ébouillantez les tomates, coupez-les en 2 et retirez les graines. Taillez la pulpe en petits dés. Pelez l'ail et hachez-le. Hachez finement la ciboulette, l'estragon et le basilic. Pressez le jus du citron en éliminant les pépins.
2 Réunissez dans un bol les tomates, l'ail, les fines herbes, le jus du citron et l'huile. Salez et poivrez. Mélangez et laissez mariner pendant 2 h. Remuez encore avant de servir.

Cette sauce accompagne parfaitement les légumes cuits servis froids et le poisson poché ou cuit à la vapeur.

→ **autres recettes de sauce à l'index**

saucisse

➜ voir aussi **chipolata, chorizo, merguez, saucisson**

Ce produit de charcuterie est à base de viande hachée plus ou moins fin (porc ou bœuf) et mise dans un boyau. La saucisse est vendue crue ou étuvée, parfois fumée : il faut toujours la faire cuire avant de la déguster.

Les saucisses à griller ou à poêler sont les chipolatas, les crépinettes, la saucisse de Toulouse et les merguez. Piquez-les en plusieurs endroits avant de les faire cuire.

Les saucisses à cuire à l'eau sont celle de Morteau (reconnaissable à la cheville de bois qui traverse le boyau à une extrémité) ou celle de Montbéliard, fumée et d'assez gros calibre : elles sont délicieuses pochées dans un bouillon avec des légumes de pot-au-feu ou braisées avec du chou au vin blanc. Les saucisses de Francfort ou de Strasbourg, minces et dont la farce est de texture très fine, se font pocher à l'eau frémissante.

saucisse de Morteau

Il existe également des spécialités de saucisses, à travers la France ou dans les autres pays, dont la farce est agrémentée de fines herbes, d'oignon haché, de paprika, etc. Goûtez notamment celles que l'on fabrique en Auvergne, en Alsace ou en Corse, ainsi qu'en Allemagne. Renseignez-vous à l'achat sur leur mode de cuisson exact.

Diététique. La valeur calorique moyenne d'une saucisse est de 200 à 500 kcal pour 100 g. Sa teneur en cholestérol est toujours assez élevée.

Saucisses au chou

Pour **4 personnes**
Préparation **25 min**
Cuisson **30 min**

1 petit chou vert pommé ◆ 30 g de beurre ◆ 4 saucisses de Toulouse ◆ huile ◆ sel ◆ poivre

1 Retirez les grosses feuilles extérieures du chou. Coupez celui-ci en 4. Lavez-le. Faites blanchir les quartiers pendant 5 min à l'eau salée. Égouttez-les à fond, puis émincez-les finement. Épongez cette julienne de chou.

2 Faites fondre 15 g de beurre et 1 c. à soupe d'huile dans une sauteuse. Ajoutez le chou et faites-le cuire sur feu doux 25 min à découvert en remuant. Poivrez.

3 Pendant ce temps, piquez les saucisses et faites-les cuire doucement dans une poêle avec le reste de beurre et un peu d'huile en les retournant de temps en temps. Il faut compter environ 15 min de cuisson.

4 Versez le chou cuit dans un plat creux très chaud. Égouttez les saucisses et mettez-les sur le chou. Servez aussitôt.

Vous pouvez ajouter au chou braisé 1/2 c. à café de graines de cumin ou 2 clous de girofle écrasés.

Boisson **vin blanc sec**

➜ **autres recettes de saucisse à l'index**

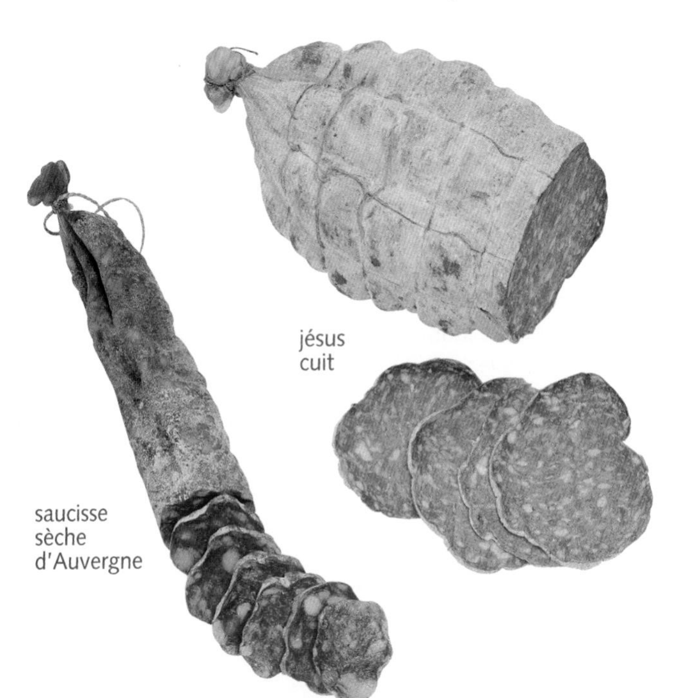

jésus cuit

saucisse sèche d'Auvergne

saucisson

➜ voir aussi **mortadelle, rosette, salami**

Ce produit de charcuterie est préparé avec un hachis de viande (porc et bœuf, parfois veau) mis dans un boyau. Il en existe deux grandes variétés : les saucissons secs, que l'on consomme crus, et les saucissons cuits, que l'on consomme froids ou pochés.

Un saucisson sec pur porc bien affiné est ferme au toucher, avec un arôme bien marqué. Selon les variétés, il est court et épais ou très allongé, plus ou moins gros, présenté à cru, frotté de farine ou emballé dans un filet. Parmi les meilleures origines, il faut citer l'Auvergne, l'Ardèche et les Pyrénées.

Le saucisson de ménage, avec un hachage assez gros, se consomme à peine sec ; le saucisson de montagne possède un boyau irrégulier ; la saucisse sèche se présente souvent en forme de fer à cheval ou par chapelets de petites bouchées. Le saucisson sec craint l'excès de chaleur et le grand froid ; si vous n'avez pas de cave, conservez-le roulé dans une feuille d'aluminium dans le bas du réfrigérateur. Servez-le en tranches fines, coupées perpendiculairement s'il est de gros diamètre, en biseau s'il est mince. Pique-nique, hors-d'œuvre, buffet campagnard : le saucisson sec se déguste avec un vin rouge bien corsé.

Parmi les saucissons cuits, les produits les plus courants sont le saucisson de Paris, à l'ail, le saucisson de Lyon, dont la farce est parfois agrémentée de truffe ou de pistaches, et les saucissons de foie à pâte fine, qui se tartinent sur du pain.

Diététique. En moyenne, 100 g de saucisson sec = 500 kcal environ ; 2 tranches = 150 kcal. Le saucisson cuit est moins riche : 280 kcal pour 100 g environ.

Saucisson chaud en brioche

Pour **4 personnes**
Préparation **5 min, 30 min à l'avance**
Cuisson **55 min**

250 g de pâte à brioche ◆ 1 saucisson de Lyon truffé ◆ 1 jaune d'œuf ◆ farine

1 Préparez vous-même la pâte à brioche *(voir page 94)* ou achetez-la chez votre boulanger.
2 Versez 2 l d'eau dans une grande casserole, salez légèrement et portez à ébullition. Mettez-y le saucisson et faites-le cuire 30 min à petits frémissements. Égouttez-le et laissez-le refroidir.
3 Abaissez la pâte à brioche sur un plan de travail fariné pour obtenir un rectangle de longueur légèrement supérieure à celle du saucisson.
4 Dépouillez le saucisson en vous servant d'un petit couteau pointu. Farinez-le légèrement et posez-le sur la pâte. Enroulez-le dedans et rabattez les extrémités en soudant délicatement les 2 côtés de la pâte.
5 Laissez lever le saucisson en brioche pendant 30 min. Badigeonnez-le ensuite au pinceau avec le jaune d'œuf.
6 Enfournez à 210 °C et laissez cuire de 20 à 25 min. Servez chaud accompagné d'une salade de chicorée frisée.

Boisson côtes-du-rhône

→ autres recettes de saucisson à l'index

sauge

Cette plante aromatique possède des feuilles assez larges et épaisses, parfois veloutées, dont la saveur et l'odeur sont pénétrantes, presque piquantes. On l'utilise fraîche, l'été, ou sèche pour parfumer des soupes de légumes. La sauge se marie très bien avec le veau : paupiettes, osso buco, rôti, etc. Utilisez-la dans une farce à l'oignon pour l'oie ou la dinde.

Foie de veau à la sauge

Pour **4 personnes**
Préparation **10 min**
Cuisson **35 min environ**

4 tranches de foie de veau de 130 g ◆ 3 oignons ◆ 250 g de champignons de couche ◆ 20 g de beurre ◆ 100 g de lardons fumés ◆ 20 cl de vin blanc sec ◆ 16 feuilles de sauge ◆ 15 cl de crème liquide ◆ farine ◆ sel ◆ poivre

1 Salez et poivrez les tranches de foie. Farinez-les. Réservez.
2 Pelez et émincez les oignons. Nettoyez les champignons et émincez-les. Faites revenir les champignons 5 min avec le beurre dans un poêlon. Salez et poivrez. Retirez du feu.
3 Faites fondre doucement les lardons dans une grande poêle à revêtement antiadhésif sans y ajouter de matière grasse. Ajoutez les oignons, mélangez et laissez cuire 10 min.
4 Repoussez les lardons et les oignons sur le bord de la poêle. Mettez-y les tranches de foie farinées et faites-les cuire 4 min de chaque côté. Égouttez-les et tenez-les au chaud sur un plat de service, avec les oignons et les lardons.
5 Déglacez la poêle avec le vin blanc. Ajoutez 12 feuilles de sauge ciselées et faites réduire de moitié sur feu moyen.
6 Ajoutez les champignons et la crème. Fouettez sur feu vif. Nappez les tranches de foie de cette sauce et posez sur chacune une feuille de sauge entière. Servez aussitôt.

Boisson vin blanc sec

Foie de veau à la sauge ►

C'est avec le foie de veau que cette recette est le plus réussie, mais vous pouvez aussi la réaliser avec des foies de volaille ou du foie de génisse.

Porc à la sauge

Recette légère – 1 portion 200 kcal

Pour **4 personnes**
Préparation **15 min**
Cuisson **35 min**

600 g de filet de porc maigre, paré et dégraissé ◆ 1 petit bouquet de sauge fraîche ◆ 2 gousses d'ail ◆ 1 verre de vin blanc sec ◆ 2 c. à soupe de moutarde de Meaux ◆ sel ◆ poivre

1 Préchauffez le four à 150 °C. Salez et poivrez la viande. Effeuillez la sauge. lavez, épongez et ciselez les feuilles. Pelez et émincez l'ail.
2 Posez le morceau de viande dans un plat allant dans le four et faites-le rôtir pendant 10 à 12 min. Sortez-le. Parsemez-le de sauge, ajoutez l'ail et le vin blanc. Remettez le plat dans le four pour 20 à 25 min.
3 Sortez le plat, retirez la viande et posez-la sur une planche à découper. Couvrez d'une feuille d'aluminium et laissez en attente.
4 Ajoutez dans le plat de cuisson quelques cuillerées à soupe d'eau et la moutarde. Grattez avec une spatule pour déglacer, puis passez la sauce obtenue et rectifiez l'assaisonnement. Découpez la viande et servez la sauce à part.

Proposez en garniture des haricots verts à la vapeur ou une purée de brocoli.

→ **autres recettes de sauge à l'index**

saumon

→ **voir aussi barbecue, coulibiac, œufs de poisson, rillettes**

saumon frais Ce poisson migrateur naît en eau douce, descend vivre en mer et remonte les rivières pour y pondre. Seul le saumon de moins de 3 ans est un mets de choix, avec une chair rose et savoureuse, assez grasse et très nourrissante. La pollution et la construction des barrages ont largement réduit la pêche du saumon sauvage, mais des élevages ont pris la relève, notamment en Norvège ou en Bretagne.

Parmi les différentes espèces, le saumon de l'Atlantique – écossais ou scandinave, mais aussi celui que l'on peut encore pêcher dans la Loire, l'Allier ou l'Adour – est supérieur à celui du Pacifique, souvent vendu en conserve.

Le saumon entier se cuit au court-bouillon ; servez-le avec une sauce chaude (aux câpres, mousseline, aux crevettes) ou froide (tartare, ravigote, verte). Les darnes ou les escalopes sont excellentes grillées, poêlées ou pochées.

saumon fumé Soumis au procédé traditionnel du salage et de la fumaison, le saumon acquiert une saveur et un moelleux remarquables. Il est ensuite débité en tranches : soit à la coupe chez un traiteur, soit prétranché au rayon des semi-conserves. Ce sont les plus beaux saumons qui sont réservés à la fumaison, mais on reconnaît des différences de goût et de qualité selon l'origine du poisson et le traitement qu'il subit. Comme pour le frais, le saumon d'Atlantique est supérieur à celui du Pacifique. Plus le fumage intervient rapidement, meilleur est le produit, à condition que le poisson soit frais et non congelé. L'écossais et l'irlandais fumés artisanalement sont les plus réputés, moelleux et fondants, suivis par le norvégien, plus pâle de couleur, et le danois, plus gras. Le canadien, plus rouge, est moins goûteux et plus sec.

C'est le milieu du poisson qui donne les meilleures tranches ; celles de la queue sont plus sèches et salées. Si vous achetez un saumon fumé entier, choisissez-le d'un poids minimal de 1,3 kg, toujours plus savoureux qu'un petit poisson.

Le saumon fumé se sert en entrée froide, avec de la crème fraîche relevée de raifort, du citron, des toasts et des blinis. On l'utilise aussi dans toutes sortes de recettes chaudes ou froides. Il s'associe très bien avec les œufs, les asperges, etc.

Diététique. 100 g de saumon frais = 200 kcal. Le saumon fumé est plus calorique que le frais : 100 g = 270 kcal environ.

Darnes de saumon à l'aneth

Recette légère – 1 portion 260 kcal

Pour **4 personnes**
Préparation **10 min**
Cuisson **5 min**

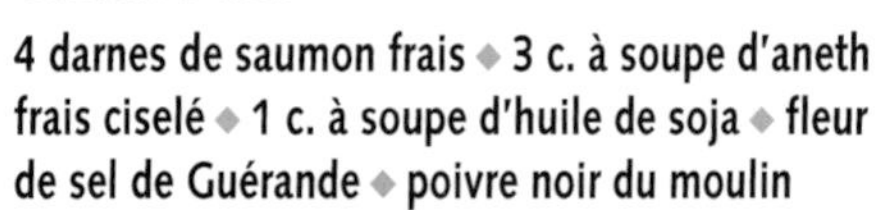

4 darnes de saumon frais ◆ 3 c. à soupe d'aneth frais ciselé ◆ 1 c. à soupe d'huile de soja ◆ fleur de sel de Guérande ◆ poivre noir du moulin

1 Rincez les darnes, épongez-les avec du papier absorbant puis badigeonnez-les d'huile sur les deux faces. Poivrez-les.
2 Faites chauffer une poêle à revêtement anti-adhésif. Saisissez les darnes 2 min sur une face.

3 Retournez-les, poudrez-les de sel et faites-les cuire encore 2 min sur le feu vif.
4 Parsemez les darnes de saumon d'aneth ciselé, hors du feu, laissez le poisson dans la poêle encore 1 min. Servez aussitôt.

Garniture : des demi-fenouils cuits à la vapeur.

Darnes de saumon grillées

RECETTE LÉGÈRE – 1 portion 350 kcal

Pour **4 personnes**
Préparation **5 min**
Cuisson **8 à 10 min**

4 darnes de saumon frais de 2 cm d'épaisseur ◆ 1 bouquet de persil frisé ◆ huile de tournesol ◆ sel ◆ poivre

1 Faites chauffer le gril au maximum : ainsi, les darnes de poisson seront bien marquées. Huilez les darnes de saumon sur chaque côté (elles doivent être juste humectées). Salez et poivrez. Lavez le persil et épongez-le.
2 Faites griller les darnes en comptant 4 ou 5 min de chaque côté.
3 Dès que la chair du poisson est cuite, retirez-le du feu, sinon il aura tendance à se dessécher. Les darnes doivent être bien saisies mais encore moelleuses.
4 Rangez les darnes sur un plat de service chaud. Servez aussitôt avec, en décor, des petits bouquets de persil.

Outre des pommes de terre à l'anglaise, vous pouvez servir une purée de brocoli et un beurre composé à la moutarde.

Boisson **côtes-de-provence**

Méli-mélo de poissons

RECETTE LÉGÈRE – 1 portion 180 kcal

Pour **4 personnes**
Préparation **25 min**
Cuisson **10 min**

300 g de filet de cabillaud ◆ 300 g de filet de saumon ◆ 1 botte de cresson ◆ 150 g de mesclun ◆ 2 petites courgettes ◆ 3 c. à soupe de vin blanc ◆ 3 c. à soupe d'huile d'olive ◆ 1 c. à soupe de vinaigre balsamique ◆ sel ◆ poivre

Méli-mélo de poissons ▲
Légère et parfumée, cette recette « minceur » peut prendre place dans un menu hypocalorique, avec pamplemousse en entrée et mousse de fromage blanc aux framboises en dessert.

1 Rincez et épongez les filets de poissons. Détaillez-les en tranches. Lavez et essorez le mesclun et le cresson. Mélangez ces salades.
2 Lavez les courgettes sans les peler, détaillez-les en longs rubans. Faites-les cuire à la vapeur pendant 8 min. Réservez-les. Préparez une vinaigrette. Assaisonnez-en le mesclun.
3 Dans une poêle chaude, saisissez les filets de poissons 2 min de chaque côté. Garnissez les assiettes de salade. Posez les filets de poissons poêlés dessus. Entourez de courgettes.
4 Déglacez la poêle avec le vin blanc et laissez réduire, puis arrosez les courgettes avec ce jus.

Outre le cabillaud et le saumon, vous pouvez ajouter à ce duo de poissons des filets de daurade ou de saint-pierre.

Boisson **meursault**

Mousse de saumon fumé

Pour **4 personnes**
Préparation **15 min**
Pas de cuisson

500 g de saumon fumé ◆ 10 cl de crème fraîche ◆ 1 botte de cresson ◆ jus de citron ◆ moutarde ◆ poivre

1 Passez au mixer 400 g de saumon fumé. Incorporez à cette purée la crème fraîche, 1 c. à café de jus de citron et 1 c. à soupe de moutarde en fouettant vivement. Poivrez légèrement et mettez la préparation au réfrigérateur.
2 Triez le cresson, lavez-le et épongez-le. Ciselez le reste de saumon fumé. Tapissez de cresson un plat de service.
3 Versez la mousse de saumon bien froide sur le cresson et décorez-la de languettes de saumon. Servez en même temps de fines tranches de pain de seigle.

Vous pouvez aussi incorporer à la mousse 4 feuilles de gélatine dissoutes dans un peu d'eau et la mouler dans des ramequins. La garniture peut être complétée avec des rondelles d'avocat cornichon citronnées.

Pâtes fraîches au saumon fumé

Pour **4 personnes**
Préparation **5 min**
Cuisson **10 min**

200 g de saumon fumé ◆ 250 g de pâtes fraîches ◆ 10 cl de crème liquide ◆ huile d'olive ◆ sel ◆ poivre

1 Découpez le saumon en petits morceaux. Versez 2 l d'eau dans une casserole, ajoutez 1 c. à soupe d'huile et portez à ébullition. Salez très légèrement.
2 Faites cuire les pâtes à l'eau salée pendant 7 ou 8 min. Égouttez-les à fond et versez-les aussitôt dans une casserole.
3 Ajoutez la crème et les miettes de saumon fumé. Faites chauffer 2 ou 3 min sur feu doux en remuant délicatement. Poivrez et servez aussitôt.

Vous pouvez utiliser des pâtes vertes et remplacer le poivre par 2 pincées de paprika.

Quiche au saumon fumé

Pour **6 personnes**
Préparation **25 min, 30 min à l'avance**
Cuisson **35 min environ**

200 g de farine ◆ 100 g de beurre ◆ 250 g de saumon fumé ◆ 4 œufs ◆ 10 cl de crème fraîche ◆ 15 cl de lait ◆ 20 g de beurre ◆ sel ◆ poivre

1 Préparez une pâte brisée *(voir page 526)* en mélangeant la farine, le beurre ramolli, 1 pincée de sel et 1/2 verre d'eau. Lorsqu'elle est homogène, ramassez-la en boule et mettez-la au frais pendant 30 min.
2 Coupez 180 g de saumon en petits dés et taillez le reste en languettes. Cassez les œufs dans une jatte, ajoutez la crème, le lait et la moitié des dés de saumon. Mélangez. Poivrez, ne salez pas.
3 Abaissez la pâte et garnissez-en un moule beurré de 26 cm de diamètre. Répartissez sur ce fond de tarte le reste des miettes de saumon. Versez par-dessus la préparation aux œufs.
4 Faites cuire dans le four à 220 °C pendant 25 min. Sortez la quiche et disposez sur le dessus les languettes de saumon. Remettez dans le four et poursuivez la cuisson pendant 10 min. Servez.

Boisson **riesling ou pinot d'Alsace**

Saumon au champagne

Pour **5 à 8 personnes**
Préparation **30 min**
Cuisson **40 min**

1 saumon entier de 2 kg ◆ 30 g de beurre ◆ 6 échalotes grises ◆ 50 cl de champagne brut ◆ 35 cl de crème liquide ◆ sel ◆ poivre

1 Videz le poisson, lavez-le et essuyez-le. Salez-le et poivrez-le intérieurement et extérieurement. Enveloppez la tête et la queue dans une feuille d'aluminium.
2 Beurrez un grand plat à four (ou la lèchefrite). Pelez les échalotes et hachez-les. Posez le saumon dans le plat et ajoutez les échalotes autour. Arrosez avec le champagne et nappez avec la crème liquide.
3 Faites cuire au four à 220 °C pendant 20 min puis baissez à 180 °C. Poursuivez la cuisson pendant 20 min. Pour vérifier la cuisson, enfoncez un couteau pointu le long de l'arête à l'endroit le plus charnu : la chair se détache facilement.

4 Sortez le saumon du plat et posez-le sur un plat long. Retirez soigneusement la peau de ce côté. Posez un plat à l'envers sur le poisson et retournez le tout : retirez la peau de l'autre côté, ainsi que l'aluminium. Remettez le poisson au chaud entre les 2 plats.
5 Videz tout le jus du plat de cuisson dans une petite casserole en le filtrant.
6 Fouettez sur feu vif pendant quelques minutes, puis ajoutez 2 ou 3 c. à soupe de champagne brut. Fouettez encore et servez en saucière.

Boisson **champagne brut**

Saumon aux champignons

Pour **4 personnes**
Préparation **10 min**
Cuisson **20 min environ**

4 darnes de saumon de 150 g ◆ 12 champignons de couche bien fermes ◆ 1/2 citron ◆ 40 g de beurre ◆ 20 cl de crème liquide ◆ farine ◆ madère ◆ sel ◆ poivre

1 Salez et poivrez les darnes de saumon. Farinez-les. Nettoyez les champignons. Séparez les têtes des queues : réservez celles-ci pour une farce ou une salade. Citronnez les têtes.
2 Faites fondre le beurre dans une poêle et mettez-y les darnes. Laissez-les cuire 7 min en les retournant une fois.
3 Ajoutez les têtes des champignons et poursuivez la cuisson pendant 6 ou 7 min. Égouttez les darnes de saumon et les champignons et tenez-les au chaud.
4 Déglacez la poêle avec 1 petit verre de madère, puis ajoutez la crème et laissez réduire sur feu vif pour que la sauce soit onctueuse. Versez-la sur les darnes de saumon et servez.

Si les champignons ont rendu trop de jus en cuisant, égouttez celui-ci ou faites-le réduire avant d'ajouter le madère et la crème.

Boisson **vin blanc fruité**

Saumon à l'oseille

Pour **4 personnes**
Préparation **15 min**
Cuisson **15 min**

4 tronçons de saumon frais de 200 g ◆ 3 échalotes ◆ 400 g d'oseille ◆ 10 cl de vin blanc ◆ 10 cl de fumet de poisson ◆ 40 cl de crème fraîche ◆ 35 g de beurre ◆ huile ◆ sel ◆ poivre

1 Salez et poivrez les tronçons de saumon. Réservez. Pelez et hachez les échalotes. Lavez l'oseille, coupez les queues, ciselez les feuilles.
2 Versez dans une casserole le vin blanc et le fumet. Ajoutez les échalotes et faites chauffer 15 min sur feu vif en remuant.
3 Ajoutez la crème et remuez pendant 5 min Incorporez l'oseille et mélangez. Tenez au chaud.
4 Faites chauffer le beurre dans une poêle avec 1 filet d'huile. Mettez-y les tronçons de saumon et faites-les cuire doucement pendant 7 ou 8 min de chaque côté. Le saumon doit être cuit rosé.
5 Répartissez la fondue d'oseille dans les assiettes très chaudes. Posez les tronçons de saumon par-dessus. Servez aussitôt.

→ **autres recettes de saumon à l'index**

Saumon à l'oseille ►

Ce sont les frères Troisgros, cuisiniers à Roanne, qui ont créé l'escalope de saumon à l'oseille. Il en existe des versions différentes, où l'acidité de l'oseille accompagne la chair grasse et succulente du saumon frais.

◄ Savarin à la crème

Le savarin est simplement un baba sans raisins secs. Également imbibé de sirop parfumé à l'alcool, il peut être moulé en grosse pièce ou en petits gâteaux individuels. Vous pouvez très bien le préparer longtemps à l'avance.

savarin

Cette pâtisserie en forme de couronne est faite d'une pâte à baba sans raisins secs. Imbibé de sirop de sucre au rhum, le savarin est servi froid, avec le centre garni de crème pâtissière, de chantilly ou de fruits frais ou pochés. Le moule à savarin sert aussi à mouler les préparations en forme de couronne.

Diététique. La pâte levée des babas et des savarins est la plus calorique.

Savarin à la crème

Pour **6 personnes**
Préparation **20 min**
Cuisson **25 min, 1 h à l'avance**

65 g de beurre ◆ 3 c. à soupe de lait ◆ 3 œufs ◆ 400 g de sucre semoule ◆ 120 g de farine ◆ 1 c. à café de levure chimique ◆ 1 sachet de sucre vanillé ◆ 6 c. à soupe de rhum ◆ 12 cerises confites ◆ 100 g de crème fraîche ◆ 20 g de sucre glace ◆ 40 g d'angélique confite ◆ sel

1 Beurrez un moule en couronne avec 15 g de beurre. Faites fondre le reste de beurre et chauffer le lait.
2 Préchauffez le four à 210 °C. Cassez les œufs en séparant les blancs des jaunes. Versez les jaunes dans une terrine, ajoutez 150 g de sucre semoule et 1 pincée de sel. Mélangez à la spatule pendant 10 min.
3 Lorsque le mélange est blanc et onctueux, ajoutez le lait chaud puis la farine et enfin le beurre fondu.
4 Battez les blancs en neige et incorporez-les au mélange. Ajoutez la levure et 1 pincée de sel.
5 Versez la pâte dans le moule beurré. Faites cuire pendant 25 min.
6 Mélangez dans une casserole 250 g de sucre semoule, 50 cl d'eau, le sucre vanillé et le rhum. Faites chauffer en remuant. Retirez du feu au moment où commence l'ébullition.
7 Démoulez le savarin sur un plat rond, arrosez-le aussitôt de sirop au rhum chaud. Il doit complètement l'absorber. Laissez refroidir puis décorez le pourtour de cerises.
8 Préparez la chantilly en fouettant la crème fraîche et le sucre glace. Versez-la au centre du savarin. Décorez de petits tronçons d'angélique. Servez le savarin froid.

Pour garnir le centre du savarin, vous pouvez également utiliser une crème pâtissière parfumée au rhum et agrémentée de fruits confits.

scampi

→ **voir aussi** langoustine

Ce mot italien désigne une variété de langoustines que l'on cuisine surtout frites, trempées dans une pâte à beignets et servies avec une sauce tomate : les *scampi fritti*. Vous pouvez aussi les faire griller ou les utiliser dans un mélange de fruits de mer pour garnir un risotto. On les sert aussi froids avec une vinaigrette citronnée.

Diététique. 100 g de scampi nature = 90 kcal.

Grillade de scampi au parmesan

RECETTE LÉGÈRE 1 portion 350 kcal

Pour 4 personnes
Préparation 20 min
Cuisson 12 à 15 min

1 kg de langoustines crues ◆ 2 échalotes ◆ 3 gousses d'ail ◆ 40 g de beurre ◆ 2 citrons ◆ 30 g de parmesan ◆ persil frisé ◆ huile d'olive ◆ sel ◆ poivre

1 Décortiquez les langoustines à cru, lavez-les et épongez-les. Pelez et hachez finement les échalotes et les gousses d'ail.
2 Faites fondre le beurre dans un grand plat allant au four, assez grand pour contenir les langoustines décortiquées sur une seule couche. Ajoutez 2 c. à soupe d'huile, le jus d'un citron, l'ail et les échalotes. Faites chauffer ce mélange.
3 Étalez les langoustines dans le plat et retournez-les dans la matière grasse. Salez et poivrez. Placez le plat sous le gril du four allumé au maximum. Faites griller 5 min. Retournez les langoustines dans la cuisson et faites-les encore cuire 7 ou 8 min.
4 Prélevez les langoustines grillées et rangez-les sur un plat chaud. Poudrez de parmesan, entourez-les de quartiers de citron et de persil. Servez très chaud.

Boisson **vin rosé très frais**

scarole

→ **voir aussi** chicorée

Cette salade verte excellente en automne est une variété de chicorée à feuilles très croquantes. Les feuilles du cœur sont blanches, ourlées de jaune. Son assaisonnement doit toujours être bien relevé.
Diététique. 100 g de scarole nature = 22 kcal.

Salade verte aux fruits

RECETTE LÉGÈRE 1 portion 100 kcal

Pour 4 personnes
Préparation 15 min
Pas de cuisson

1 scarole ◆ 10 radis ◆ 2 branches de céleri ◆ 1 pomme ◆ 1 citron ◆ 2 kiwis ◆ 2 yaourts ◆ moutarde ◆ sel ◆ poivre au moulin

1 Épluchez, lavez et épongez la salade. Coupez les feuilles en petits morceaux. Parez les radis et coupez-les en rondelles. Ôtez les fils du céleri et tronçonnez-le finement.
2 Pelez la pomme et coupez la pulpe en petits dés. Citronnez-les. Pelez les kiwis et coupez-les en rondelles.
3 Préparez une sauce en fouettant les yaourts avec le reste de jus de citron et 1 c. à soupe de moutarde. Salez et poivrez.
4 Réunissez dans un saladier la scarole, la pomme, le céleri et les radis. Ajoutez la sauce et mélangez bien. Disposez sur le dessus les rondelles de kiwis. Servez aussitôt.

scone

Ce petit pain mollet et rond en pâte levée est d'origine écossaise. Les scones se servent de préférence chauds, avec du beurre, du miel ou de la confiture. Traditionnels avec le thé, ils sont les bienvenus au petit déjeuner ou pour un brunch.
Diététique. 100 g de scones = 90 kcal.

Scones

Pour 12 scones
Préparation 25 min
Cuisson 15 à 20 min

300 g de farine ◆ 2 c. à café de levure ◆ 1 c. à soupe de sucre ◆ 3 c. à soupe de saindoux ◆ 2 œufs ◆ 10 cl de lait ◆ beurre ◆ sel

1 Mélangez dans une terrine la farine, la levure, le sucre et 1 c. à café de sel. Incorporez le saindoux très froid en petits morceaux.
2 Travaillez le mélange comme une pâte sablée. Ajoutez 1 œuf, 1 jaune et le lait. Amalgamez les ingrédients solides et liquides jusqu'à ce que la pâte se rassemble en une boule assez compacte. Abaissez cette pâte sur 1,5 cm d'épaisseur environ. Découpez-y des rondelles de 6 ou 7 cm de diamètre.
3 Préchauffez le four à 210 °C. Beurrez la plaque du four. Rangez-y les scones sans trop les serrer. Badigeonnez-les avec le blanc d'œuf restant battu à la fourchette.
4 Faites cuire au four de 15 à 20 min jusqu'à ce que le dessus des scones soit légèrement doré. Servez à la sortie du four.

seiche

Ce mollusque marin, pêché et consommé surtout dans les pays méditerranéens et le sud-ouest de la France, mesure environ 30 cm de long. Son corps est formé d'une poche qui renferme une partie dure, l'os de seiche. La tête porte 10 tentacules.

Vendue entière ou nettoyée, la seiche se cuisine comme le calmar. La cuisson doit être assez longue pour attendrir la chair.

Diététique. 100 g de chair de seiche = 100 kcal.

Seiches dans leur encre

Pour **4 personnes**
Préparation **30 min**
Cuisson **1 h 20 environ**

1 kg de petites seiches • 2 oignons • 3 gousses d'ail • 2 tomates • 2 tranches de pain de mie • huile d'olive • persil plat • cognac • sel • poivre

1 Nettoyez et lavez les seiches, retirez l'os de chacune et jetez-le. Extrayez les poches d'encre et réservez-les dans un bol.
2 Pelez et hachez finement les oignons et les gousses d'ail. Pelez et concassez les tomates. Faites chauffer 3 c. à soupe d'huile dans une sauteuse sur feu moyen.
3 Faites revenir les oignons et les tomates dans l'huile chaude. Ajoutez les seiches et faites-les revenir en remuant jusqu'à ce que la chair soit opaque.
4 Retirez les seiches de la sauteuse et mettez-les dans un plat à gratin assez profond. Hachez 2 c. à soupe de persil. Émiettez les tranches de pain de mie écroûtées.
5 Ajoutez dans la sauteuse l'ail haché, le persil, la mie de pain, 4 c. à soupe de cognac et 2 c. à soupe d'eau.
6 Mélangez sur feu vif avec les oignons et les tomates. Salez puis ajoutez l'encre des seiches. Poivrez et remuez.
7 Versez cette sauce sur les seiches, couvrez le plat avec une feuille d'aluminium. Faites cuire dans le four à 170 °C pendant 1 h. Servez dans le plat de cuisson avec du riz nature.

Pour une présentation plus raffinée, vous pouvez mouler le riz en couronne et verser le ragoût de seiches à l'encre au milieu.

Boisson vin rouge assez corsé

seigle

→ **voir aussi** céréales, pain, pain d'épices, whisky

Cette céréale, cultivée à l'origine dans les régions pauvres ou de montagne, fournit essentiellement une farine utilisée en boulangerie.

Le pain de seigle, le plus souvent fait de blé et seigle mélangés, possède une mie dense et brune qui se conserve bien. Il est d'ailleurs toujours meilleur légèrement rassis. Son goût un peu acide accompagne parfaitement les fruits de mer et la charcuterie fumée. Servez aussi du pain de seigle aux noix avec les fromages à pâte cuite et des petites boules de seigle aux raisins secs au petit déjeuner.

Le seigle est en outre utilisé comme matière première pour la fabrication des alcools de grain, comme le whisky ou la vodka.

Diététique. Moins riche en protéines que les autres céréales, mais bien fourni en sels minéraux, le seigle apporte 335 kcal pour 100 g.

Pain de seigle au carvi

Pour **1 pain de 20 cm sur 10 cm environ**
Préparation **30 min**
Repos **4 h environ**
Cuisson **1 h**

75 g de cassonade • 1 c. à soupe de carvi • 30 g de beurre • 1 c. à café de zeste d'orange râpé • 15 g de levure de boulanger • 350 g de farine de seigle • 100 g de farine de froment • sel

1 Versez 40 cl d'eau dans une casserole. Ajoutez la cassonade, le carvi, 10 g de beurre et le zeste d'orange. Portez à ébullition 3 min. Retirez du feu, laissez tiédir et ajoutez la levure. Mélangez.
2 Versez la préparation dans une terrine. Incorporez la farine de seigle et pétrissez 10 min. Lorsque cette pâte est souple, couvrez la terrine et laissez reposer 1 h 15 dans un endroit tiède.
3 Rompez la pâte plusieurs fois. Incorporez la farine de froment et 1 c. à café de sel. Pétrissez pendant 5 min. Quand la pâte est ferme, laissez-la reposer 2 h (elle doit doubler de volume).
4 Placez la pâte dans un moule beurré. Laissez à nouveau lever pendant 45 min dans un endroit chaud. Faites cuire 1 h dans le four à 180 °C.

Pour vérifier si le pain est cuit, tapotez-le sur le dessus : il doit sonner creux.

→ **autres recettes de seigle à l'index**

sel

→ voir aussi **charcuterie, fromage, jambon, morue, nuoc-mâm**

Ce condiment essentiel, qui sert aussi de moyen de conservation, est du chlorure de sodium : une substance friable et inodore, grise ou blanche si elle est raffinée et d'un goût piquant. Le sel marin est extrait de la mer par évaporation de l'eau dans les marais salants, surtout dans le Midi, mais aussi sur l'Atlantique (Guérande, Noirmoutier, île de Ré). Le sel gemme, considéré comme moins savoureux, est extrait de mines.

Le sel se présente sous plusieurs formes. Le gros sel, gris ou raffiné, utilisé pour la cuisson en croûte de sel et diverses préparations comme le bœuf gros sel, est réputé plus gastronomique que le sel de cuisine, cristallisé plus finement. Le sel de table, encore plus fin et toujours raffiné, s'utilise surtout pour la finition des plats, en pâtisserie et dans la salière sur la table.

Conservez toujours le sel à l'abri de l'humidité dans une boîte ou un récipient qui ferme hermétiquement. Deux ou trois grains de riz dans la salière empêchent les trous de se boucher, car ils absorbent l'humidité.

Le sel de céleri, mélange de sel fin et de poudre de céleri-rave séché, relève le jus de tomate et les cocktails de légumes.

Diététique. Indispensable à l'organisme à raison de 5 g par jour environ, le sel est souvent absorbé en trop grandes quantités dans une alimentation riche (jusqu'à 20 g), qui favorise l'hypertension artérielle chez les personnes génétiquement prédisposées. Le sel ne fait pas grossir. La fluoruration ou l'iodation du sel de cuisine compense un manque éventuel en fluor ou en iode de l'alimentation.

Poulet en croûte de sel ▲

La cuisson dans une épaisse gangue de gros sel est l'une des plus spectaculaires : lorsque vous cassez la carapace de sel après la cuisson, le poulet apparaît doré et juteux comme s'il avait rôti au four.

Poulet en croûte de sel

Pour **6 personnes**
Préparation **10 min**
Cuisson **1 h 30**

RECETTE LÉGÈRE — 1 portion 250 kcal

1 poulet de 1,8 kg ◆ 7 kg de sel de mer gris

1 Demandez au volailler de vider, de parer et de brider le poulet.
2 Tapissez une grande cocotte avec une feuille d'aluminium. Versez-y une couche de gros sel de 4 cm d'épaisseur.
3 Posez la volaille dessus, le bréchet contre le sel. Remplissez la cocotte de sel en le tassant tout autour du poulet.
4 Recouvrez celui-ci d'une couche de sel de 3 à 4 cm d'épaisseur. Il doit être entièrement dissimulé. Ne couvrez pas.
5 Faites cuire dans le four préchauffé à 240 °C pendant 1 h 30. Renversez la cocotte sur une planche en bois.
6 Cassez délicatement la croûte de sel avec un marteau. Découpez le poulet bien doré et servez aussitôt.

Vous pouvez glisser à l'intérieur du poulet quelques brins de thym et de romarin et mélanger le gros sel avec 1 c. à soupe d'herbes de Provence. Arrosez le poulet sitôt sorti de sa croûte avec le jus d'un citron.

Truite en croûte de sel

Pour **2 personnes**
Préparation **20 min**
Cuisson **18 min environ**

1 truite saumonée de 500 g environ ◆ 1 kg de gros sel ◆ 1 citron ◆ 10 brins de ciboulette ◆ huile d'olive ◆ sel ◆ poivre

1 Préchauffez le four à 220 °C. Videz la truite et coupez la nageoire dorsale. Ne l'écaillez pas. Étalez le tiers du gros sel dans le fond d'un plat en fonte ovale.
2 Posez la truite dessus et recouvrez-la complètement avec le reste de sel. Faites cuire dans le four pendant 18 min.
3 Préparez une vinaigrette avec 2 c. à soupe d'huile d'olive, 1 c. à soupe de jus de citron et la ciboulette hachée. Salez et poivrez.
4 Cassez la croûte de sel durci qui recouvre le poisson. Dégagez-le et posez-le sur un plat. Retirez la peau et levez les filets. Disposez-les sur des assiettes de service, poivrez-les et nappez-les de vinaigrette à la ciboulette. Servez aussitôt.

selle

→ **voir aussi** agneau, chevreuil

Ce morceau de l'agneau est constitué par une partie du gigot. Désossée et ficelée, parfois farcie, elle constitue un excellent rôti. Ne confondez pas cette selle de gigot avec la selle anglaise, qui comprend l'ensemble des doubles côtelettes-filets non séparées : ce morceau de choix se fait également rôtir.

Diététique. La viande d'agneau est toujours grasse : 100 g = 280 kcal.

Selle d'agneau bonne femme

Pour **6 personnes**
Préparation **10 min**
Cuisson **45 min environ**

1 selle désossée de 1,5 kg ◆ 1 kg de haricots verts ◆ 1 bouquet de persil ◆ 100 g de beurre ◆ sel ◆ poivre

1 Demandez au boucher de ficeler la selle désossée sans la barder.
2 Préchauffez le four à 250 °C. Effilez et lavez les haricots verts. Égouttez-les. Placez la selle d'agneau sur la grille de la lèchefrite et mettez-la au four. Retournez-la 3 ou 4 fois pour qu'elle dore sur toutes les faces.
3 Salez et poivrez le rôti. Lorsqu'il est bien coloré, baissez la température du four sur 200 °C et laissez cuire de 35 à 40 min.
4 Le temps exact de cuisson dépend de la forme de la selle : plus elle est épaisse, plus elle cuit longtemps. Enfoncez une aiguille dedans : le jus doit couler clair si elle est cuite. Éteignez le four et laissez reposer le rôti de 8 à 10 min pour que le jus reste à l'intérieur de la viande.
5 Environ 10 min avant de servir, faites cuire les haricots verts à l'eau bouillante salée. Hachez finement le persil. Malaxez 50 g de beurre avec ce persil et tenez-le au réfrigérateur.
6 Déglacez la lèchefrite avec un peu d'eau. Incorporez au jus obtenu le reste de beurre en fouettant et versez-le dans une saucière. Découpez la selle d'agneau et ajoutez le jus de découpage dans la saucière.
7 Servez la selle découpée accompagnée de la sauce et des haricots égouttés avec le beurre persillé.

Boisson **châteauneuf-du-pape rouge**

→ **autres recettes de selle à l'index**

selles-sur-cher

Ce fromage de chèvre à pâte molle est en forme de tronc de cône aplati. Fabriqué en Sologne, il présente une croûte poudrée de cendre. Sa pâte bien blanche possède une saveur noisetée très fine. Il est bon surtout de mai à novembre. Son défaut est d'être parfois trop salé.

Diététique. 100 g de ce fromage = 250 kcal environ.

semoule

→ **voir aussi** céréales, couscous, polenta, tabboulé

Ce produit céréalier est fabriqué avec des grains de blé dur, de riz ou de maïs, humidifiés, puis moulus, séchés et tamisés. On obtient ainsi des semoules plus ou moins fines. La semoule est la matière première des pâtes alimentaires industrielles, mais cet aliment

à la fois léger et nourrissant sert aussi à préparer des potages, des gnocchi et des entremets sucrés. C'est également l'élément de base du couscous et du tabboulé : les grains de semoule sont alors cuits à la vapeur ou imbibés d'eau pour gonfler.

Diététique. 100 g de semoule = 380 kcal.

Gnocchi au parmesan

Pour **4 personnes**
Préparation **30 min**
Cuisson **30 min**

25 cl de lait • 160 g de beurre • 250 g de semoule • 4 œufs • 225 g de parmesan • 25 cl de crème fraîche • muscade • sel • poivre

1 Versez le lait dans une casserole, ajoutez 1 pincée de sel et 150 g de beurre. Portez à ébullition et retirez du feu. Versez la semoule en pluie. Remuez.
2 Remettez la casserole sur le feu et faites cuire pendant 8 à 10 min en remuant. Laissez tiédir puis incorporez les œufs 1 par 1 en battant la préparation. Ajoutez le 1/4 du parmesan. Poivrez et muscadez.
3 Remplissez une casserole d'eau légèrement salée et faites-la bouillir. Mettez la pâte dans une poche à douille unie et poussez des tronçons de pâte au-dessus de l'eau.
4 Laissez pocher les gnocchi 3 ou 4 min une fois qu'ils sont remontés à la surface. Égouttez-les et mettez-les dans un plat à gratin beurré.
5 Faites chauffer la crème fraîche avec le reste de parmesan sur feu doux.
6 Versez la crème au parmesan sur les gnocchi. Faites cuire dans le four à 200 °C pendant 20 min. Servez dans le plat de cuisson.

Boisson **vin blanc fruité**

→ autres recettes de semoule à l'index

sésame

Cette plante oléagineuse cultivée en Orient produit une huile d'une saveur très fine utilisée surtout pour l'assaisonnement. Avec les graines de sésame, on prépare aussi au Moyen-Orient une friandise – le halva (les graines sont pilées avec du sucre et des amandes) –, ainsi qu'un condiment appelé tahina, pour les salades, les viandes grillées ou les crudités. Les graines servent aussi à agrémenter des pains ou des biscuits.

Carrés au miel et au sésame

Pour **6 personnes**
Préparation **10 min**
Cuisson **20 min**

125 g de flocons d'avoine • 100 g de farine de soja • 150 g de farine de blé levante • 200 g de miel • 12 cl d'huile de maïs • 150 g de graines de sésame • 1 c. à café de graines de pavot • huile d'amande douce • sel

1 Huilez avec un peu d'huile d'amande douce un moule à gâteau carré de 26 cm de côté environ ou un moule rectangulaire.
2 Mélangez dans un saladier les flocons d'avoine et les 2 farines. Faites chauffer le miel au bain-marie pour le rendre liquide puis versez-le dans le saladier. Ajoutez l'huile et 100 g de graines de sésame. Mélangez intimement.
3 Versez les 3/4 de la pâte dans le moule, lissez bien le dessus, ajoutez les graines de sésame restantes puis les graines de pavot. Versez le reste de pâte. Mettez le moule dans le four à 190 °C. Laissez cuire pendant 20 min, jusqu'à ce que le dessus soit bien doré.
4 Sortez le moule du four et laissez tiédir. Découpez la pâte en grands carrés et démoulez-les. Laissez refroidir complètement sur une grille et servez les carrés froids.

Flan de carottes au sésame

Pour **4 personnes**
Préparation **15 min**
Cuisson **7 min 30**

600 g de carottes ◆ 100 g de fromage blanc très bien égoutté (ou cottage cheese) ◆ 3 c. à soupe d'huile de sésame ◆ 2 c. à soupe de graines de sésame ◆ sel ◆ poivre

1 Pelez les carottes et coupez-les en petits dés. Mettez-les dans une jatte avec 2 c. à soupe d'eau. Couvrez et faites cuire 5 min au four à micro-ondes à puissance maximale. Laissez reposer 2 min puis égouttez.
2 Passez les carottes au mixer en ajoutant le fromage blanc et l'huile. Salez et poivrez.
3 Étalez les graines de sésame dans le fond d'un plat rond à rebord. Faites chauffer 2 min à puissance maximale, en secouant le plat à mi-cuisson. Versez la purée de carottes dans le plat, sur les graines grillées et repassez 30 secondes dans le four. Démoulez le flan sur un plat.

Hoummos libanais

Pour **6 personnes**
Préparation **25 min, à commencer la veille**
Cuisson **3 h 30**

500 g de pois chiches ◆ 3 gousses d'ail ◆ 20 cl d'huile de sésame ◆ 2 citrons ◆ 12 olives noires ◆ bicarbonate de soude ◆ gros sel ◆ paprika

1 Faites tremper les pois chiches une nuit à l'eau froide avec 1/2 c. à café de bicarbonate.
2 Égouttez les pois chiches, rincez-les et faites-les cuire 3 h 30 à l'eau avec 1 pincée de gros sel et 1 pincée de bicarbonate sur feu doux.
3 Pelez l'ail et pilez-le avec 1 pincée de gros sel et 2 c. à soupe d'huile. Égouttez les pois chiches et réduisez-les en purée fine dans le moulin à légumes. Incorporez en remuant sans arrêt le reste d'huile, l'ail pilé et le jus d'un citron.
4 Versez le hoummos dans une coupe de service. Poudrez légèrement de paprika. Coupez le dernier citron en rondelles fines et dénoyautez les olives. Garnissez le hoummos de rondelles de citron et d'olives. Servez en hors-d'œuvre froid.

→ **autres recettes de sésame à l'index**

sherry

Ce mot anglais désigne le xérès. Ne le confondez pas avec le cherry, qui est une liqueur de cerise anglaise.

sirop

→ **voir aussi crème au beurre, glace**

Mélange de sucre dissous dans de l'eau, préparé à chaud ou à froid. Le sirop de sucre sert à préparer des confitures ou des glaces, à imbiber des gâteaux ou des biscuits. Il est alors aromatisé au rhum ou au kirsch. Les sirops de fruits sont des mélanges de sucre, de jus de fruits ou d'arôme dissous dans de l'eau. Ils sont servis allongés d'eau ou de lait. On les utilise aussi pour parfumer des cocktails.

Diététique. 1 verre de sirop de fruits = 100 kcal. Diluez-le pour baisser son apport calorique.

Sirop de mûre

Pour **1 kg de mûres**
Préparation **30 min, 12 h à l'avance**
Cuisson **15 min**

1 kg de mûres ◆ 800 g de sucre semoule

1 Triez et équeutez les mûres. Mettez-les dans une terrine avec 1 verre d'eau et laissez macérer pendant 12 h.
2 Écrasez les mûres au pilon et versez le tout dans un linge propre. Pressez celui-ci au-dessus d'un saladier.
3 Versez le jus obtenu dans une bassine et ajoutez le sucre. Faites chauffer doucement et écumez. Le sirop doit atteindre une densité de 1,23 (utilisez un pèse-sirop). Versez le sirop dans des flacons et bouchez-les. Conservez au frais.

Sirop d'orgeat

Pour **1 litre**
Préparation **20 min**
Repos **48 h**
Cuisson **10 min**

200 g d'amandes douces ◆ 60 g d'amandes amères ◆ 1,5 kg de sucre semoule ◆ 1 citron non traité ◆ 2 c. à soupe d'eau de fleur d'oranger

1 Mondez toutes les amandes, rincez-les et épongez-les. Pilez-les dans un mortier en ajoutant le zeste du citron et quelques gouttes d'eau. Versez le tout dans un saladier avec 80 cl d'eau de source. Laissez reposer 2 jours.
2 Passez le mélange au tamis dans une grande casserole. Ajoutez le sucre et l'eau de fleur d'oranger. Faites chauffer en remuant sur feu doux pendant 10 min puis versez dans une terrine froide et continuez à remuer jusqu'à refroidissement complet.

soja

→ **voir aussi huile, rouleau de printemps, tofu**

Cette légumineuse est un aliment de base au Japon et en Chine. Ses gousses renferment des grains gros comme des petits pois, dont on extrait des produits très variés : huile, farine, lait, fromage (tofu).

Les différentes variétés de soja fournissent d'une part des haricots, frais ou secs (jaunes, verts ou noirs), à faire cuire comme des haricots en grains traditionnels ; d'autre part des germes de soja, formés par la graine et sa tige. La variété mungo est la plus répandue en France : dégustez ces germes en salade, en légume cuit à l'eau, pour farcir des crêpes de riz.

soja germé

La sauce soja, ou shoyu, est un condiment à base de graines cuites, d'anchois, de gingembre et de sucre. Elle relève de très nombreux plats de la cuisine extrême-orientale. Dans un flacon bien bouché, elle se conserve indéfiniment.

Diététique. Les haricots de soja sont très riches en protéines végétales ; ils fournissent 422 kcal pour 100 g. Les germes sont bien moins caloriques : 100 g = 35 kcal.

Hors-d'œuvre mungo

Pour **4 personnes**
Préparation **20 min**
Cuisson **13 min**

RECETTE LÉGÈRE — 1 portion 320 kcal

500 g de germes de soja ◆ 4 c. à soupe d'huile d'olive ◆ 4 œufs ◆ 2 blancs de poulet cuit ◆ 1 bouquet de cerfeuil frais ◆ 8 tomates cerises ◆ vinaigre de xérès ◆ poivre de Cayenne ◆ sel

1 Lavez les germes de soja, égouttez-les puis faites-les blanchir 1 min dans une casserole d'eau bouillante. Égouttez-les.
2 Faites chauffer 2 c. à soupe d'huile dans une grande poêle. Versez-y les germes de soja et faites-les revenir rapidement en les retournant souvent pendant 2 min. Égouttez-les et laissez-les refroidir.
3 Faites durcir les œufs, rafraîchissez-les et écalez-les. Détaillez les blancs de volaille en petites languettes.
4 Préparez une vinaigrette avec le reste d'huile, 1 c. à soupe de vinaigre, 1 pincée de cayenne et le cerfeuil finement ciselé. Salez. Lavez et essuyez les tomates cerises.
5 Mettez les germes de soja dans un saladier, ajoutez la vinaigrette et les lamelles de blancs de poulet. Mélangez. Versez cette salade au centre d'un plat rond.
6 Coupez les œufs durs en rondelles et disposez-les sur la salade. Entourez-la de tomates cerises et servez en entrée froide.

Salade de soja au crabe

Pour **4 personnes**
Préparation **20 min**
Cuisson **1 min**

RECETTE LÉGÈRE — 1 portion 150 kcal

500 g de germes de soja ◆ 8 bâtonnets au crabe ◆ 200 g de crevettes décortiquées ◆ 2 petits oignons blancs ◆ sauce soja ◆ moutarde douce ◆ sucre ◆ xérès ◆ vinaigre ◆ huile de soja ◆ poivre de Cayenne ◆ coriandre fraîche

1 Lavez les germes de soja puis faites-les blanchir 1 min à l'eau bouillante salée. Rafraîchissez-les aussitôt et égouttez-les à fond.
2 Coupez les bâtonnets au crabe en tronçons. Mélangez-les avec les crevettes et les germes de soja dans un saladier.
3 Pelez et émincez les oignons. Mettez-les dans une jatte. Ajoutez 1 c. à soupe de sauce soja, 1 c. à café de moutarde, 1 pincée de sucre, 1 c. à soupe de xérès et autant de vinaigre, 3 c. à soupe d'huile et 2 pincées de cayenne.
4 Fouettez pour émulsionner cette sauce et versez-la sur la salade. Remuez à fond. Servez frais avec de la coriandre fraîche en garniture.

Choisissez pour cette recette de la sauce soja foncée, en général plus douce que la claire.

Salade de soja au pamplemousse

Pour **4 personnes**
Préparation **20 min**
Pas de cuisson

200 g de germes de soja ◆ 2 pamplemousses roses ◆ 1 petit concombre ◆ 150 g de champignons de couche ◆ 1 citron ◆ 1 bouquet de ciboulette ◆ 1 petit bouquet de persil ◆ huile d'olive ◆ huile de noix ◆ vinaigre framboisé ◆ sel ◆ poivre

1 Ébouillantez les germes de soja dans une passoire sous le robinet d'eau brûlante. Laissez-les s'égoutter. Pelez les quartiers de pamplemousses. Recoupez-les en 2.
2 Pelez le concombre, coupez-le en 2 dans la longueur, ôtez les graines et taillez la pulpe en demi-lunes. Nettoyez et émincez les champignons. Citronnez-les.
3 Préparez une sauce en mélangeant 4 c. à soupe d'huile d'olive, 1 c. à soupe d'huile de noix, 1 c. à soupe de vinaigre. Salez et poivrez. Lavez, épongez et ciselez les fines herbes.
4 Réunissez dans un saladier les germes de soja, le pamplemousse, le concombre et les champignons, avec le jus du citron.
5 Ajoutez ensuite les fines herbes et la sauce. Mélangez et servez aussitôt.

sole

Ce poisson de mer plat de forme ovale présente une face blanche et une face brune ou grisâtre, qui porte les yeux. Son poids va de 180 g à plus de 800 g, mais la « sole portion » pèse 250 g environ. Comme on pêche la sole aussi bien dans la mer du Nord qu'au Sénégal ou au Maroc, on trouve ce poisson pratiquement toute l'année sur le marché. Elle est vendue entière et vidée ou en filets. Achetez-la de préférence entière et levez les filets vous-même pour conservez les parures.

La variété la plus connue est la sole franche (Manche, Atlantique, mer du Nord), très savoureuse, surtout s'il s'agit d'une « sole de ligne », à la fois ferme et moelleuse. La sole perdrix, plus petite, est moins délicate. La sole de Dakar est souvent plus fade. Le séteau, ou « langue d'avocat », est une petite sole exquise que l'on trouve dans l'Atlantique.

La cuisson d'une sole est fonction de sa taille : friture pour les petites, poêlage ou grillade pour les moyennes, pochage ou braisage pour les plus grosses. Les filets, éventuellement farcis, se font pocher ou cuire à la vapeur ; ils sont souvent servis avec une sauce délicate.

La sole est bordée de nageoires armées de petites arêtes droites et pointues qu'il faut éliminer avant de la déguster.

Diététique. La sole est un poisson maigre (100 g = 75 kcal) et riche en vitamines B1 et B2.

Filets de sole bonne femme

Pour **6 personnes**
Préparation **15 min**
Cuisson **25 min**

3 soles de 700 g ◆ 3 échalotes ◆ 50 g de beurre ◆ 50 cl de vin blanc ◆ 20 cl de crème fraîche ◆ farine ◆ concentré de tomates ◆ sel ◆ poivre

1 Levez les filets de sole ou demandez au poissonnier de le faire pour vous. Pelez et hachez les échalotes.
2 Faites chauffer 20 g de beurre dans un plat long allant au feu. Ajoutez les échalotes et faites-les cuire sans les laisser colorer pendant 5 min. Versez le vin. Salez et poivrez.
3 Faites pocher les filets de sole dans ce liquide juste frémissant pendant 3 min de chaque côté. Égouttez-les délicatement et réservez-les au chaud. Passez la cuisson.
4 Faites fondre le reste de beurre dans une casserole. Ajoutez 1 c. à soupe de farine et faites cuire en remuant 2 min. Ajoutez la crème et portez à ébullition en remuant. Versez la cuisson au vin blanc et 1 c. à café de concentré de tomates. Goûtez et rectifiez l'assaisonnement.
5 Placez les filets de sole dans un plat chaud, nappez de sauce et servez aussitôt.

Présentez le surplus de sauce en saucière et accompagnez ces filets de sole d'épinards.

Boisson pouilly-fumé

Salade de soja au pamplemousse ►

Inspirée de la cuisine orientale, qui mélange les parfums et les textures, cette salade peut être agrémentée de lamelles de papaye verte.

Paupiettes de sole farcies

Pour **4 personnes**
Préparation **20 min**
Cuisson **20 min**

8 filets de sole ◆ 200 g de filets de merlan ◆ 20 cl de crème fraîche ◆ 1 œuf ◆ 12 feuilles d'estragon ◆ 60 g de beurre ◆ 40 cl de bisque de homard en boîte ou surgelée ◆ 120 g de crevettes décortiquées ◆ cognac ◆ muscade ◆ sel ◆ poivre ◆ poivre de Cayenne

1 Aplatissez les filets de sole. Passez au mixer les filets de merlan. Ajoutez-leur la crème, l'œuf entier et l'estragon ciselé. Salez et poivrez. Muscadez et ajoutez 1 pointe de cayenne.
2 Répartissez cette farce sur les filets de sole et roulez-les en paupiettes. Ficelez-les.
3 Faites chauffer le beurre dans une sauteuse. Ajoutez les paupiettes et faites-les dorer.

Paupiettes de sole farcies ▼

Les filets de sole roulés en paupiettes avec une garniture constituent un plat raffiné à préparer pour un nombre restreint de convives. Soignez la présentation à l'assiette et choisissez un bon vin : meursault, chablis ou pouilly-fuissé.

4 Faites chauffer 1 c. à soupe de cognac puis versez-le sur les paupiettes. Faites flamber. Couvrez et laissez cuire 15 min.
5 Égouttez les paupiettes et rangez-les dans un plat de service creux. Retirez les fils. Versez le contenu de la boîte de bisque dans la sauteuse et ajoutez les crevettes.
6 Faites chauffer sans laisser bouillir. Nappez les paupiettes de sole de cette sauce.

Boisson **meursault**

Soles grillées

Pour **2 personnes**
Préparation **10 min**
Cuisson **8 min environ**

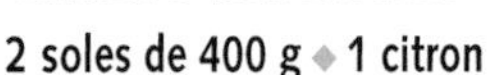

2 soles de 400 g ◆ 1 citron ◆ huile d'olive ◆ persil frisé ◆ sel ◆ poivre

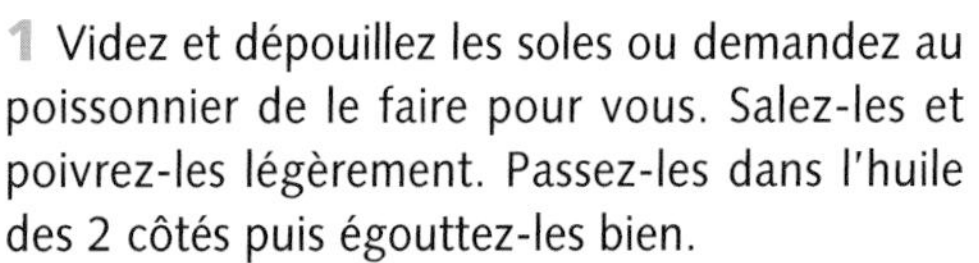

1 Videz et dépouillez les soles ou demandez au poissonnier de le faire pour vous. Salez-les et poivrez-les légèrement. Passez-les dans l'huile des 2 côtés puis égouttez-les bien.
2 Faites griller les soles doucement dans le four ou sur les braises, en comptant 3 ou 4 min de chaque côté.
3 Lavez le persil et épongez-le. Défaites-le en petits bouquets. Coupez le citron en quartiers. Servez les soles grillées avec le persil et le citron.

Proposez comme garniture une ratatouille bien chaude ou des tomates grillées. Vous pouvez servir en même temps de la tapenade.

Boisson **entre-deux-mers**

Soles meunière

Pour **4 personnes**
Préparation **10 min**
Cuisson **8 min environ**

4 soles de 200 g environ ◆ 120 g de beurre ◆ farine ◆ huile d'arachide ◆ persil plat ◆ 1 citron ◆ sel ◆ poivre

1 Demandez au poissonnier de vider, de parer les soles et de retirer la peau foncée.
2 Lavez les soles, épongez-les soigneusement et poudrez-les de farine. Secouez-les pour faire tomber l'excédent.
3 Faites chauffer 30 g de beurre et 1 c. à soupe d'huile dans une poêle.

4 Quand la poêle est bien chaude, faites-y cuire 2 soles sur feu modéré pendant 3 ou 4 min de chaque côté. Salez et poivrez.
5 Égouttez les soles et mettez-les sur un plat de service dans le four chauffé à 180 °C. Faites cuire les autres soles avec 30 g de beurre et 1 c. à soupe d'huile. Mettez-les sur le plat de service.
6 Jetez la graisse de cuisson et nettoyez la poêle. Hachez 2 c. à soupe de persil. Faites fondre le reste de beurre dans la poêle. Écumez la mousse blanche puis ajoutez le jus du citron pressé. Incorporez le persil haché.
7 Versez ce beurre fondu sur les soles et servez. Accompagnez de rondelles de citron et de haricots verts ou de laitue braisée.

Soles normandes

Pour **4 personnes**
Préparation **30 min**
Cuisson **30 min**

4 soles de 200 g environ ◆ 60 g de beurre ◆ 25 cl de vin blanc sec ◆ 50 grosses moules de bouchot ◆ 150 g de queues de crevettes roses décortiquées ◆ 25 cl de crème fraîche ◆ farine ◆ sel ◆ poivre

1 Demandez au poissonnier d'ébarber les soles, de les dépouiller et de les vider.
2 Rincez les soles et épongez-les puis rangez-les dans un grand plat creux bien graissé avec 20 g de beurre. Salez et poivrez.
3 Ajoutez sur le dessus 20 g de beurre en parcelles puis mouillez avec 20 cl de vin blanc. Couvrez avec une feuille d'aluminium et faites cuire dans le four à 160 °C pendant 25 min en les arrosant de temps en temps.
4 Pendant la cuisson des soles, faites ouvrir les moules bien grattées sur feu vif avec le reste de vin blanc. Décoquillez-les et filtrez leur jus de cuisson, versez-le dans une casserole. Réservez. Faites tiédir les queues de crevettes à la vapeur.
5 Égouttez les soles et tenez-les au chaud. Versez le liquide de cuisson dans la casserole contenant le jus de cuisson des moules. Laissez réduire pendant 5 min sur feu vif puis liez avec le reste de beurre manié avec 20 g de farine.
6 Incorporez à cette sauce la crème fraîche et laissez mijoter jusqu'à bonne consistance.
7 Disposez les soles cuites sur un plat chaud, ajoutez les queues de crevettes et les moules en garniture. Nappez de sauce à la crème et servez.

sorbet

Cet entremets glacé est à base de sirop de sucre et d'une purée ou d'un jus de fruits, d'un vin (champagne), d'un alcool (vodka), d'une liqueur ou parfois d'une infusion aromatique (thé, menthe) qui lui donne son parfum. On lui incorpore quelquefois de la meringue italienne pour lui donner du volume. Le sorbet, dessert idéal pour clore un repas un peu riche, se prépare rapidement à la maison (à la sorbetière ou au congélateur). Vous pouvez aussi l'arroser d'un alcool en accord avec son parfum : citron/vodka, melon/muscat. Il fait office de « trou normand » dans un dîner copieux.

Diététique. Un sorbet est toujours moins riche en calories qu'une glace. Les sorbets à base de purée de fruits contiennent une très grande partie des vitamines du fruit. Pour obtenir un sorbet hypocalorique, faites glacer un mélange de blancs d'œufs, de purée de fruits et d'édulcorant en poudre.

Sorbet exotique

Pour **6 personnes**
Préparation **10 min**
Congélation **2 h 30**
Pas de cuisson

400 g de fruits de la Passion ◆ 1 mangue mûre ◆ 1 poire ◆ 200 g de sucre pour confitures

1 Coupez les fruits de la Passion en 2 et extrayez-en la pulpe. Passez-la au tamis pour éliminer tous les pépins.
2 Pelez la mangue, coupez-la en 2 et détaillez la pulpe en cubes. Pelez la poire et coupez-la en quartiers.
3 Réduisez ces 2 fruits en purée au mixer. Mélangez la purée obtenue avec la pulpe des fruits de la Passion.
4 Mélangez le sucre avec 12,5 cl d'eau. Faites bouillir pendant 2 min, puis laissez refroidir. Mélangez le sirop de sucre tiède avec la purée de fruits. Faites prendre au froid dans le congélateur pendant 2 h 30.

Cette recette peut être réalisée avec n'importe quel fruit frais ou une purée de fruits achetée toute prête. Servez le sorbet dans un verre, nappé d'un coulis de fruits : fraise et abricot, ananas et cerise, pêche et mangue, etc.

Sorbet au citron

Pour **6 personnes**
Préparation **45 min**,
5 h à l'avance
Congélation **3 h 30**
Pas de cuisson

10 citrons non traités ◆ **300 g de sucre semoule** ◆ **55 cl d'eau minérale faiblement minéralisée** ◆ **1 blanc d'œuf** ◆ **50 g de sucre glace**

1 Lavez soigneusement les citrons et essuyez-les. Prélevez le zeste de chaque agrume avec un couteau économe. Pressez ensuite les citrons et filtrez le jus pour éliminer les pépins. Mesurez le jus obtenu : il en faut 25 cl. Si vous n'en avez pas assez, ne le diluez pas avec de l'eau : pressez un autre citron. Versez le sucre semoule dans une jatte, ajoutez 15 cl d'eau minérale et mélangez pour faire dissoudre. Ajoutez le jus des citrons, le reste d'eau et les zestes de citron.

2 Laissez macérer ce mélange au réfrigérateur pendant 5 h. Filtrez-le ensuite à travers une passoire fine. Mettez les zestes de côté.

3 Versez la préparation dans une sorbetière et faites prendre le mélange pendant 1 h.

4 Pendant ce temps, battez au fouet électrique le blanc d'œuf en neige très ferme. Mettez-le dans une petite casserole au bain-marie et ajoutez le sucre glace en remuant. Laissez refroidir.

5 Incorporez cette meringue au sorbet puis remettez à prendre au réfrigérateur pendant au moins 2 h 30. Sortez le sorbet environ 30 min avant de servir pour qu'il ait une consistance bien moelleuse. Servez-le en boules dans des coupes très froides.

Vous pouvez aussi utiliser des citrons verts : dans ce cas, augmentez la proportion de sucre semoule (350 g environ), pour équilibrer l'acidité des fruits. **Vous pouvez servir ce sorbet arrosé de vodka glacée.**

Les meilleurs citrons pour réaliser des sorbets à la fois acidulés et fruités sont les citrons siciliens ou ceux de Menton. Quoi qu'il en soit, choisissez-les bien lourds, à peau lisse.

Pour faire rendre le maximum de jus aux citrons, faites-les rouler sur une planche à découper en appuyant légèrement avec la paume de la main avant de les presser.

Sorbet melon-porto

Pour 6 personnes
Préparation 15 min
Congélation 3 h
Pas de cuisson

1 melon bien mûr de 800 g environ ◆ 150 g de sucre glace ◆ 5 cl de porto ◆ 12 belles fraises

1 Coupez le melon en quartiers. Éliminez les graines et taillez la pulpe en cubes. Réduisez-la en purée au mixer. Mélangez la purée de melon, le sucre glace et le porto.
2 Faites prendre la préparation dans une sorbetière. Servez dans de grands verres avec les fraises coupées en lamelles en décor.

Si vous n'avez à votre disposition que des bacs à glaçons, ajoutez à la purée de melon 1 ou 2 c. à soupe de crème fraîche et fouettez-la avant de faire glacer.

→ **autres recettes de sorbet à l'index**

soufflé

Cette préparation salée ou sucrée est servie toute chaude et bien gonflée, à la sortie du four. Les blancs d'œufs battus en neige, qui font toujours partie des ingrédients, provoquent à la cuisson une augmentation de volume caractéristique.

La méthode de base des soufflés de cuisine consiste à préparer une béchamel. On incorpore ensuite la garniture – jambon haché, purée de crabe, de volaille ou de légumes, etc. – puis des jaunes d'œufs et enfin les blancs d'œufs battus en neige.

Les soufflés d'entremets sont faits en général avec une crème anglaise aromatisée ou une purée de fruits parfumée avec un peu d'alcool.

Le moule à soufflé est cylindrique, en porcelaine ou en verre à feu. Remplissez-le aux trois quarts seulement et n'ouvrez jamais la porte du four pendant la cuisson. N'oubliez pas de préchauffer le four pendant la préparation du soufflé. Pour des soufflés individuels, utilisez des ramequins.

Diététique. Le soufflé salé peut constituer un excellent plat de résistance : accompagnez-le d'une salade verte et de fruits frais pour en faire un repas complet. Une portion de soufflé au fromage = 350 kcal.

Mini-soufflés au saumon

Pour 4 personnes
Préparation 20 min
Cuisson 15 min environ

400 g de saumon fumé ◆ 4 œufs entiers ◆ 25 cl de crème fraîche ◆ 4 blancs d'œufs ◆ 20 g de beurre ◆ sel ◆ poivre

1 Hachez le saumon fumé en très petits morceaux, sans le passer au mixer. Mettez-le dans une jatte et placez celle-ci sur de la glace pilée dans une terrine plus grande.
2 Ajoutez au saumon les œufs entiers légèrement battus et la crème fraîche. Salez modérément et poivrez. Travaillez ce mélange à la spatule pendant 7 ou 8 min.
3 Battez les blancs d'œufs en neige très ferme avec 1 pincée de sel. Beurrez 4 moules à soufflé individuels.
4 Préchauffez le four à 200 °C. Incorporez délicatement les blancs en neige à la préparation au saumon. Versez le tout dans les moules. Faites cuire au four 15 min environ. Servez.

Soufflé au chocolat

Pour 6 personnes
Préparation 30 min
Cuisson 30 min environ

200 g de chocolat noir ◆ 6 œufs ◆ 40 g de fécule ◆ 120 g de sucre semoule ◆ 1 sachet de sucre vanillé ◆ 15 g de beurre ◆ sucre glace

1 Cassez le chocolat en morceaux et mettez-les dans une casserole à fond épais avec 1 c. à soupe d'eau. Faites-les fondre au bain-marie.
2 Cassez les œufs en séparant les blancs des jaunes. Tamisez la fécule et mélangez-la avec 60 g de sucre semoule.
3 Incorporez au chocolat fondu les jaunes d'œufs 2 par 2, le sucre vanillé et enfin le mélange de fécule et de sucre.
4 Battez les blancs d'œufs en neige très ferme. Ajoutez 50 g de sucre semoule. Beurrez un moule à soufflé de 16 cm de diamètre jusqu'en haut et poudrez-le avec 10 g de sucre.
5 Préchauffez le four à 220 °C. Incorporez les blancs en neige à la préparation au chocolat en soulevant la masse sans trop la battre. Versez-la dans le moule et faites cuire au four 25 à 30 min. Poudrez le soufflé de sucre glace et servez.

Soufflé au fromage

Pour **4 personnes**
Préparation **20 min**
Cuisson **30 min environ**

150 g de comté ou de beaufort ◆ 60 g de beurre ◆ 40 g de farine ◆ 40 cl de lait ◆ 4 œufs ◆ muscade ◆ sel ◆ poivre

1 Râpez finement le fromage. Faites fondre 40 g de beurre dans une casserole. Ajoutez la farine et mélangez. Faites cuire en remuant pendant 2 min pour obtenir un roux blond. Versez le lait petit à petit sur ce roux sans arrêter de remuer avec la spatule. Faites cuire pendant 6 ou 7 min jusqu'à ce que le mélange devienne assez épais. Goûtez. Salez modérément, poivrez et muscadez.

2 Incorporez le fromage râpé à cette béchamel, mélangez intimement puis retirez la casserole du feu.

3 Beurrez un moule à soufflé de 22 cm de diamètre. Préchauffez le four à 200 °C. Cassez les œufs 1 par 1 en séparant les blancs des jaunes. Incorporez les jaunes d'œufs à la béchamel lorsqu'elle est refroidie.

4 Fouettez par ailleurs les blancs d'œufs en neige bien ferme en leur ajoutant 1 pincée de sel. Incorporez-les en dernier à la préparation en évitant de trop travailler le mélange pour lui conserver le maximum de légèreté et de moelleux.

5 Versez la pâte dans le moule beurré. Enfournez à mi-hauteur et faites cuire pendant 30 min environ. Servez le soufflé à la sortie du four lorsqu'il est bien gonflé, avec le dessus doré.

N'importe quelle variété de fromage à pâte cuite peut convenir : choisissez-le toujours bien fruité, comme le fribourg, l'appenzell ou même un édam assez affiné. Vous pouvez aussi utiliser un fromage persillé émietté : roquefort ou bleu d'Auvergne. Faites attention ensuite à l'assaisonnement en sel.

Prévoyez le temps réservé à l'apéritif en fonction de la cuisson du soufflé. Vous pouvez très bien préparer la pâte au fromage à l'avance et enfourner le moule juste 30 min avant de passer à table. N'oubliez pas qu'un soufflé n'attend jamais.

Si vous faites cuire ce soufflé dans des ramequins individuels, réduisez le temps de cuisson (15 à 20 min). La porcelaine à feu donne de meilleurs résultats à la cuisson que le verre à feu, qui est un peu plus long à chauffer.

Soufflé aux fruits

RECETTE LÉGÈRE 1 portion 80 kcal

Pour **4 personnes**
Préparation **20 min**
Cuisson **30 min**

4 poires de 150 g ◆ 1 citron ◆ 150 g de framboises ◆ 4 blancs d'œufs ◆ 10 g de beurre ◆ édulcorant en poudre ◆ sel

1 Pelez et évidez les poires. Coupez-les en 4 et mettez-les dans une casserole en les arrosant avec le jus du citron.
2 Ajoutez 10 cl d'eau et faites cuire à découvert pendant 15 min. Passez au mixer et laissez refroidir.
3 Faites juste chauffer les framboises avec 1 c. à café d'eau et 1 c. à soupe d'édulcorant. Écrasez-les et ajoutez-les à la purée de poires. Préchauffez le four à 180 °C.
4 Fouettez les blancs d'œufs en neige ferme avec 1 pincée de sel. Incorporez-les délicatement au mélange précédent.
5 Faites fondre le beurre et badigeonnez-en au pinceau un moule à soufflé de 22 cm de diamètre. Poudrez-le légèrement d'édulcorant.
6 Versez la préparation dans le moule et faites cuire au four pendant 15 min. Servez aussitôt.

Selon le même principe, remplacez les poires par des pêches et les framboises par des fraises.

Choisissez de préférence des poires williams. Les framboises surgelées conviennent également pour cette recette.

Soufflé au Grand Marnier

Pour **6 personnes**
Préparation **15 min**
Cuisson **30 min environ**

25 cl de lait ◆ 70 g de sucre ◆ 90 g de beurre ◆ 50 g de farine ◆ sucre vanillé ◆ 3 œufs ◆ Grand Marnier

1 Faites chauffer le lait avec 40 g de sucre. Faites fondre 70 g de beurre dans une grande casserole. Quand il commence à mousser, ajoutez la farine. Mélangez à fond, puis ajoutez 1 sachet de sucre vanillé et versez le lait bouillant et sucré d'un seul coup.
2 Portez à ébullition puis baissez le feu et faites cuire 8 min en remuant pour bien faire dessécher la pâte.
3 Cassez les œufs en séparant les blancs des jaunes. Hors du feu, incorporez les jaunes à la préparation. Ajoutez 1 petit verre de liqueur. Préchauffez le four à 200 °C.
4 Battez les blancs en neige et incorporez-les en soulevant la pâte délicatement. Beurrez et poudrez de sucre un moule à soufflé de 18 cm de diamètre. Versez-y la pâte. Faites cuire pendant 20 min. Servez aussitôt.

Servez ce soufflé parfumé à l'orange avec des orangettes au chocolat ou décorez-le par exemple avec des écorces d'orange ou de cédrat confites, taillées en fines lamelles.

Soufflé au jambon et aux champignons

Pour **6 personnes**
Préparation **30 min**
Cuisson **30 min**

120 g de jambon cuit ◆ 125 g de champignons de couche ◆ 80 g de beurre ◆ 25 cl de lait ◆ 50 g de farine ◆ 3 œufs ◆ muscade ◆ sel ◆ poivre

1 Hachez finement le jambon. Nettoyez et hachez les champignons. Faites-les sauter sur feu vif avec 10 g de beurre pendant 5 min. Égouttez-les à fond. Mélangez-les avec le jambon.
2 Faites bouillir le lait avec 1 pincée de sel. Poivrez et muscadez. Faites fondre 50 g de beurre dans une grande casserole, ajoutez la farine et remuez avec un fouet. Versez le lait, portez à ébullition et retirez du feu.
3 Cassez les œufs en séparant les blancs des jaunes. Ajoutez à la pâte les jaunes 1 par 1 puis le jambon aux champignons en mélangeant.
4 Préchauffez le four à 200 °C. Fouettez les blancs d'œufs en neige et incorporez-les délicatement à la préparation.
5 Beurrez un moule à soufflé et versez-y la pâte. Faites cuire pendant 30 min et servez aussitôt.

Si vous disposez d'une poignée de girolles ou de chanterelles, n'hésitez pas à les utiliser, en leur ajoutant une petite échalote finement ciselée.

Boisson **vin du Jura**

soufflé glacé

Cet entremets glacé tient son nom d'une ressemblance avec le vrai soufflé, parce que la préparation déborde du moule où elle est présentée : il s'agit en fait d'une crème ou d'une mousse glacée, décorée de fruits ou de chantilly, parfois intercalée avec des biscuits imbibés de liqueur ou d'alcool.

Soufflé glacé aux fraises

Pour **6 personnes**
Préparation **30 min, 3 h à l'avance**
Cuisson **3 min**

250 g de sucre semoule ◆ 600 g de fraises ◆ 5 blancs d'œufs ◆ 25 cl de crème liquide ◆ liqueur de framboise ◆ sel

1 Préparez un sirop avec 200 g de sucre et 7 cl d'eau. Faites-le cuire jusqu'au « soufflé » (densité : 1,319) : il forme des bulles à l'écumoire. Lavez et équeutez les fraises. Passez-en 350 g au mixer. Réservez.

2 Montez les blancs d'œufs en neige très ferme avec 1 pincée de sel.

3 Incorporez la purée de fraises aux blancs en neige puis le sirop et 1 c. à soupe de liqueur.

4 Battez la crème liquide très froide en chantilly et ajoutez-la à la préparation précédente.

5 Découpez 6 bandes de papier sulfurisé de 3 cm de large et un peu plus longues que le périmètre d'un ramequin. Chemisez chaque ramequin avec le papier sulfurisé sur toute sa hauteur pour en prolonger le bord vers l'extérieur. Répartissez la mousse de fraises dans les ramequins : elle doit parvenir presque en haut du papier. Faites congeler pendant 3 h. Réservez 6 belles fraises. Réduisez le reste en purée fine avec 50 g de sucre et 1 c. à soupe de liqueur. Au moment de servir, retirez les bandes de papier qui maintenaient les soufflés glacés pendant la congélation. Ajoutez les fraises entières en décor et proposez le coulis à part.

Pour une formule de soufflé glacé allégé (90 kcal par personne) : mélangez pour 4 personnes 600 g de fraises réduites en purée, le jus d'un citron, 2 blancs d'œufs en neige ferme, 100 g de fromage blanc à 0 % de matières grasses et de l'édulcorant. Faites congeler pendant 10 h.

À la place des fraises, utilisez des framboises, des pêches ou des poires.

soupe

→ **voir aussi** borchtch, bouillabaisse, cotriade, gratinée, minestrone, potage, pistou

À l'origine, la soupe était une tranche de pain sur laquelle on versait du bouillon, du vin ou une sauce. Aujourd'hui, ce mot désigne en principe un bouillon où les ingrédients complémentaires (légumes, poissons, viandes, etc.) sont cuits en morceaux plus ou moins gros. Ils ne sont pas passés, comme dans le potage, et le liquide n'est pas lié, comme dans un velouté. Par extension, on appelle soupe de fruits un dessert fait de fruits pochés servis avec le liquide de cuisson ou un coulis fluide.

Diététique. La valeur nutritionnelle de la soupe est très variable. Avec une soupe bien garnie, une salade et du fromage, vous avez un dîner bien équilibré.

Soupe de crevettes

Pour **4 personnes**
Préparation **20 min**
Cuisson **10 min**

400 g de queues de crevettes roses cuites ◆ 250 g de champignons de couche ◆ 1 citron ◆ 200 g de pousses de bambou ◆ 100 g de petits pois surgelés ◆ 2 ciboules ◆ 1 l de bouillon de volaille ◆ 1 bouquet de coriandre ◆ sauce soja ◆ sel ◆ poivre

1 Rincez les queues de crevettes à l'eau tiède, recoupez-les en 2 si elles sont grosses. Nettoyez les champignons de couche et émincez-les finement. Citronnez-les.
2 Égouttez et rincez les pousses de bambou. Mettez les petits pois dans un bol d'eau bouillante pour les décongeler. Pelez et émincez finement les ciboules.
3 Versez le bouillon de volaille dans une grande casserole. Ajoutez les ciboules. Salez et poivrez modérément.
4 Faites bouillir pendant 5 min. Ajoutez ensuite les champignons, les pousses de bambou et les petits pois. Mélangez. Faites cuire encore 5 min sur feu moyen.
5 Ajoutez enfin les crevettes et la coriandre finement ciselée. Couvrez et éteignez le feu. Laissez infuser pendant 5 min.
6 Répartissez cette soupe bien chaude dans des petits bols, ajoutez un trait de sauce soja et servez aussitôt.

Soupe d'été

Pour **6 personnes**
Préparation **15 min**
Cuisson **50 min**

2 aubergines ◆ 2 courgettes ◆ 2 oignons ◆ 4 tomates mûres ◆ 4 gousses d'ail ◆ 4 pincées de thym frais ◆ 1 baguette de pain ◆ 30 cl de bouillon de légumes ◆ huile d'olive ◆ sel ◆ poivre

1 Lavez les aubergines et les courgettes non pelées et coupez-les en cubes. Pelez les oignons, émincez-les. Coupez les tomates en quartiers. Pelez et émincez 2 gousses d'ail.
2 Faites chauffer 2 c. à soupe d'huile dans une sauteuse. Ajoutez les aubergines, les courgettes et les oignons. Faites revenir 10 min. Ajoutez l'ail et les tomates, 1 c. à soupe d'huile et laissez mijoter 20 min. Salez et poivrez. Ajoutez le thym, couvrez et poursuivez la cuisson 15 min.
3 Coupez le pain en rondelles, faites-les dorer 10 min dans une poêle avec un peu d'huile et 2 gousses d'ail pelées et coupées en 2.
4 Mixez la préparation, versez la purée obtenue dans un plat de présentation et ajoutez le bouillon. Servez avec les croûtons.

Soupe de fèves

Pour **4 personnes**
Préparation **30 min**
Cuisson **35 min**

1 kg de fèves fraîches en gousses ◆ 2 petites courgettes à peau fine ◆ 1 grosse poignée d'épinards frais ◆ 1 bouquet de persil plat ◆ 1 gros oignon ◆ huile d'olive ◆ sel ◆ poivre

1 Écossez les fèves et retirez leur peau fine. Parez les courgettes, ne les pelez pas. Équeutez et lavez les épinards, taillez-les en chiffonnade. Lavez et épongez le persil. Ciselez les feuilles.
2 Faites revenir l'oignon émincé dans une cocotte avec un filet d'huile. Ajoutez les épinards et faites-les fondre. Versez 1,5 l d'eau, ajoutez les tiges de persil liées en botte.
3 Laissez frémir pendant 15 min puis ajoutez les fèves et les courgettes. Rajoutez un peu d'eau pour compenser l'évaporation. Laissez cuire doucement à couvert pendant 20 min. Retirez les tiges de persil. Ajoutez un filet d'huile d'olive. Servez la soupe parsemée de persil.

Soupe de fruits

Pour **4 personnes**
Préparation **25 min, 2 h à l'avance**
Cuisson **10 min**

3 fruits de la Passion ◆ 1 citron ◆ 8 feuilles de menthe ◆ 1 gousse de vanille ◆ 4 c. à soupe d'édulcorant en poudre ◆ 2 mangues ◆ 2 poires ◆ 2 oranges ◆ 2 kiwis

1 Prélevez la pulpe des fruits de la Passion. Prélevez le zeste du citron et pressez le jus. Mettez ces ingrédients dans une casserole avec les feuilles de menthe et la gousse de vanille.
2 Ajoutez 1 l d'eau et faites chauffer. Laissez cuire à très petite ébullition pendant 10 min. Retirez du feu et laissez refroidir complètement.
3 Ajoutez l'édulcorant, mélangez et filtrez cette préparation dans une passoire fine.
4 Pelez les mangues et retirez les noyaux. Coupez la pulpe en lamelles. Pelez les poires, retirez les pépins et coupez la pulpe en tranches fines. Pelez les oranges à vif et coupez-les en rondelles en récupérant le jus.
5 Réunissez ces fruits dans un saladier, ajoutez le sirop et laissez reposer 1 h au frais.
6 Pelez les kiwis et émincez-les. Servez la soupe de fruits dans des assiettes creuses et décorez avec les rondelles de kiwis. Dégustez frais.

Soupe de légumes

Pour **5 personnes**
Préparation **30 min**
Cuisson **50 min environ**

3 pommes de terre ◆ 300 g de chou-fleur ◆ 1 poireau ◆ 2 carottes ◆ 4 navets ◆ 2 oignons ◆ 80 g de beurre ◆ 1,5 l de bouillon de volaille ◆ 1 bouquet de ciboulette ◆ 10 cl de crème liquide ◆ sel ◆ poivre

1 Pelez les pommes de terre et coupez-les en cubes. Détaillez le chou-fleur en bouquets. Lavez le poireau et émincez-le. Pelez les carottes et les navets, coupez-les en dés. Pelez les oignons et émincez-les.
2 Faites fondre le beurre dans une casserole. Ajoutez tous les légumes par petites quantités en les mélangeant et laissez-les cuire 10 min. Versez le bouillon. Salez et poivrez. Laissez cuire doucement pendant 40 min.
3 Ciselez la ciboulette dans une soupière et ajoutez la crème. Mélangez. Versez doucement le contenu de la casserole par-dessus en mélangeant. Servez aussitôt.

Veillez à la variété du mélange : chou-fleur ou brocoli, navet ou panais, poireau ou céleri.

Soupe à l'oignon

Pour **4 personnes**
Préparation **10 min**
Cuisson **30 min**

500 g d'oignons jaunes ◆ 2 gousses d'ail ◆ 60 cl bouillon de volaille ◆ 6 feuilles de sauge ◆ 1 tranche de pain complet rassis ◆ 100 g d'emmental ◆ huile de tournesol ◆ sel ◆ poivre

1 Pelez et émincez les oignons et les gousses d'ail. Versez 2 c. à soupe d'huile dans un grand plat creux et faites-la chauffer 1 min à pleine puissance. Ajoutez les oignons, mélangez et faites chauffer pendant 2 min puis ajoutez l'ail et faites chauffer 5 min.
2 Réglez la température sur puissance moyenne. Poursuivez la cuisson pendant 15 min. Ajoutez le bouillon et la sauge. Salez et poivrez. Faites cuire encore 6 ou 7 min à pleine puissance.
3 Écroûtez et émiettez le pain et râpez le fromage. Mélangez-les. Versez la soupe dans des assiettes creuses. Ajoutez le mélange de pain et de fromage. Servez.

Vous pouvez ajouter au pain quelques noisettes concassées.

Soupe de poires

Pour **4 personnes**
Préparation **15 min**
Cuisson **20 min**
Repos **1 h**

2 grosses poires passe-crassane ◆ 1 citron ◆ 25 cl de vin rouge ◆ 1 c. à soupe de liqueur de cassis ◆ 100 g de baies de cassis surgelées

1 Pelez les poires, coupez-les en 2, retirez le cœur et les pépins. Citronnez-les.
2 Mettez-les dans une casserole, ajoutez le vin rouge et, si besoin, complétez le mouillement avec un peu d'eau tiède.

Soupe à la romaine ►

Le parmesan vieux, taillé en fins copeaux avec un couteau bien aiguisé et semé sur les assiettes au moment du service, donne tout son caractère à cette soupe de verdure aux gnocchi.

3 Portez à ébullition, baissez le feu et laissez pocher pendant 20 min. Égouttez les fruits, puis coupez-les en dés réguliers.
4 Répartissez les dés de poires dans des coupes de service, ajoutez les baies de cassis. Mélangez le liquide de cuisson avec la liqueur de cassis et versez ce mélange sur les poires. Mettez au frais 1 h avant de servir.

Soupe de poissons

Pour **6 personnes**
Préparation **1 h**
Cuisson **35 min environ**

2 kg de poissons mélangés (rascasse, merlan, grondin, tronçon de congre) ◆ 2 poireaux ◆ 2 oignons ◆ 2 carottes ◆ 4 tomates ◆ 2 ou 3 gousses d'ail ◆ 1 bouquet garni ◆ 1 dose de safran ◆ huile d'olive ◆ croûtons ◆ sel

1 Écaillez, videz et lavez tous les poissons. Coupez-les en gros morceaux.
2 Nettoyez les poireaux et émincez-les. Pelez et émincez les oignons. Grattez les carottes et coupez-les en rondelles. Pelez les tomates. Pelez les gousses d'ail et écrasez-les.
3 Faites chauffer 15 cl d'huile d'olive dans une marmite. Ajoutez l'ail et remuez avec une spatule pendant 2 min.
4 Mettez ensuite dans la marmite les poireaux, les carottes et les oignons. Mélangez. Faites cuire 10 min en remuant.
5 Ajoutez tous les poissons et poursuivez la cuisson 5 min. Incorporez les tomates et montez le feu. Remuez 5 min sur feu vif.
6 Versez 2,5 l d'eau dans la marmite, ajoutez le bouquet garni et faites bouillir pendant 10 min. Retirez du feu, enlevez le bouquet garni et passez au mixer.
7 Remettez la soupe sur le feu, ajoutez le safran et salez selon votre goût. Faites mijoter 5 min et servez brûlant dans une soupière. Servez avec les petits croûtons grillés.

Si vous craignez qu'il ne reste des arêtes dans la soupe, passez-la dans un tamis.

Soupe à la romaine

Pour **4 personnes**
Préparation **20 min**
Cuisson **15 min**

300 g de pissenlit ◆ 300 g d'épinards ◆ 2 oignons ◆ 50 cl de bouillon de légumes ◆ 250 g de gnocchi frais ◆ ciboulette ◆ huile d'olive ◆ parmesan ◆ sel ◆ poivre

1 Parez et lavez la verdure. Hachez-la. Ciselez la ciboulette. Pelez et émincez les oignons. Faites chauffer 2 c. à soupe d'huile. Ajoutez les oignons et faites-les fondre en remuant.
2 Incorporez la verdure. Couvrez et faites cuire 5 min sur feu moyen. Versez la moitié du bouillon et mélangez. Mixez. Ajoutez le reste de bouillon et laissez chauffer. Salez et poivrez.
3 Faites bouillir un grand volume d'eau, salez et ajoutez les gnocchi. Laissez-les remonter à la surface puis égouttez-les. Répartissez la soupe dans des assiettes creuses. Ajoutez les gnocchi, parsemez de ciboulette et de copeaux de parmesan.

→ **autres recettes de soupe à l'index**

soupes

Rustique ou chic, la soupe existe depuis que l'homme a inventé la marmite. Il suffit de cuire ce que l'on veut dans un grand volume d'eau. Elle peut se contenter d'apparaître en entrée, mais elle peut constituer à elle seule le plat de résistance.

Soupe de carottes et de lentilles corail

Des soupes de tous les horizons

▸ **Une soupe au crabe et aux champignons parfumés**
Faites revenir quelques cives, ajoutez de la chair de crabe et des champignons chinois trempés et essorés, mouillez de bouillon avec un peu de xérès, ajoutez des petits pois cuits, des pointes d'asperges et du riz blanc cuit nature. Terminez avec quelques gouttes d'huile de sésame.

▸ **Une soupe grecque à l'agneau et au citron**
Préparez une sorte de pot-au-feu avec de l'épaule d'agneau. Désossez la viande et remettez-la dans le bouillon filtré, ajoutez des petites pâtes et finissez avec une liaison à la crème fraîche et au jus de citron. Mélangez. Parsemez d'aneth ciselé.

▸ **Une soupe tyrolienne au pain de seigle**
Préparez une soupe au chou enrichie de gros lardons. Servez-la dans une soupière garnie de tranches de pain de seigle dorées à la poêle. Parsemez de fromage en fines lamelles et de persil ciselé.

Des plats uniques sur une base de bouillon de légumes

▸ **Avec des moules**
Les moules sont cuites à la marinière et décoquillées. Les pommes de terre en rondelles sont cuites dans un bouillon de légumes au vin blanc.
Ajoutez en fin de cuisson les moules et leur fumet de cuisson. Terminez avec de la crème fraîche et du persil ciselé.

▸ **Avec de la viande**
Du jambon cuit en dés et de la choucroute pochée ; un reste de bœuf bouilli, du concentré de tomates et une poignée de riz cuit ; des lamelles de longe de porc rôtie, des nouilles chinoises et une poignée d'épinards ; du jarret de veau bouilli, du céleri-branche haché et du boulghour cuit.

▸ **Avec des légumes secs**
Une soupe de lentilles du Puy mijotée avec du vin rouge, enrichie de rondelles de saucisse pochée ; une soupe aux pois chiches avec de petits dés de jambon et de l'ail haché ; une soupe de pois cassés agrémentée de petits pois verts et de rondelles de saucisses de Francfort ; une soupe de carottes épaissie avec des lentilles corail et des pommes de terre.

▸ **Avec des pâtes**
Une soupe de brocoli aux tortellini : faites cuire des bouquets de brocoli dans de l'eau bouillante et réduisez-les en purée. Allongez cette purée avec un peu de bouillon de légumes. Concassez une poignée de cerneaux de noix. Faites pocher 5 ou 6 tortellini par personne. Servez le potage dans des assiettes chaudes, ajoutez les tortellini bien égouttés. Parsemez de noix concassées et de persil finement ciselé.

Soupe au crabe et aux champignons parfumés

Des plats uniques sur une base de bouillon de volaille

Soupe de tomates aux ravioli
Faites-y pocher des ravioli farcis à la viande, ajoutez 2 tomates concassées, parsemez de basilic, ciselez et poudrez de parmesan.

Soupe de poulet au curry
Ajoutez 1 grosse pomme acide en fines lamelles, 1 c. à soupe de curry et des blancs de poulet en minces languettes.

Soupe à la provençale
Ajoutez une bonne poignée de macaroni et des blancs de poulet en petits dés, 2 courgettes en rondelles et 1 gousse d'ail émincée.

Soupe de poulet au maïs
Ajoutez quelques cuillerées de grains de maïs égouttés, 1 piment finement émincé et 2 oignons pelés et coupés en fines rondelles, puis des blancs de poulet cuits et coupés en dés. Relevez avec quelques gouttes de Tabasco et décorez avec 1 rondelle de citron vert. Servez avec des tortillas chips et des crackers au fromage.

Soupe de tomates aux ravioli

Soupe de poulet au curry

Soupe à la provençale

Des garnitures toujours appréciées

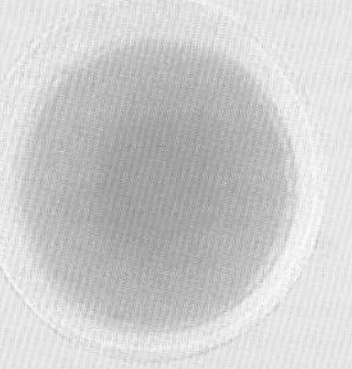

Un filet d'huile d'olive ou d'huile de sésame avec l'assaisonnement final.

Quelques pincées de paprika, de curry ou de piment d'Espelette.

Des fines herbes ciselées : basilic, menthe, estragon, cerfeuil ou coriandre.

Une rondelle de citron ou d'orange sur une soupe de poissons.

Des croûtons tartinés de tapenade avec une soupe de légumes.

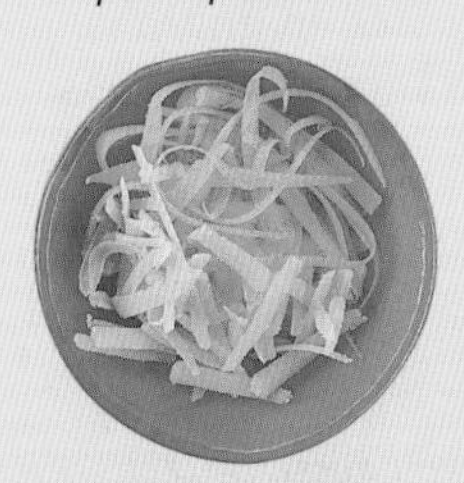

Du fromage râpé : comté, parmesan, brebis des Pyrénées ou mimolette.

spaghetti

Cette variété de pâtes sèches d'origine italienne se présente en longs filaments pleins (le mot *spago* signifie « ficelle »). Cuits *al dente*, les spaghetti sont servis en général avec une sauce tomate plus ou moins riche en viande hachée et du parmesan, à la napolitaine ou à la bolognaise, pour accompagner une volaille ou du veau. Ces pâtes peuvent aussi se cuisiner selon de nombreuses recettes inspirées de la cuisine régionale italienne.

Diététique. 100 g de spaghetti cuits = 112 kcal. Comptez en plus le fromage, la sauce ou le beurre.

Spaghetti alla carbonara

Pour **4 personnes**
Préparation **5 min**
Cuisson **10 min**

200 g de lard fumé ◆ 20 cl de crème liquide ◆ 30 g de beurre ◆ 250 g de spaghetti ◆ 2 jaunes d'œufs ◆ 100 g de parmesan ◆ sel ◆ poivre

1 Taillez le lard en petits dés ou en languettes. Faites-les fondre doucement dans une sauteuse pendant 3 min sans ajouter de matière grasse. Égouttez-les. Faites chauffer une grande quantité d'eau salée.
2 Mettez les lardons dans une casserole. Ajoutez la crème et le beurre. Salez et poivrez. Laissez chauffer doucement.
3 Faites cuire les spaghetti à l'eau bouillante pendant 10 min.
4 Un peu avant la fin de la cuisson des pâtes, mélangez les jaunes d'œufs et le parmesan et versez-les dans la casserole avec les lardons. Remuez doucement sans laisser bouillir.
5 Égouttez les spaghetti et versez-les dans un plat creux très chaud. Ajoutez la sauce aux lardons, poivrez et mélangez. Servez.

Si vous servez ces spaghetti en entrée, prévoyez un plat léger (poisson grillé) et un dessert aux fruits.

La sauce carbonara, aux lardons, aux œufs et à la crème, convient également pour d'autres formes de pâtes comme les rigatoni ou même les penne.

Spaghetti aux olives noires

Pour **6 personnes**
Préparation **10 min**
Cuisson **15 min environ**

2 oranges non traitées ◆ 1 gros oignon ◆ 100 g d'olives noires ◆ 400 g de spaghetti ◆ huile d'olive ◆ sel ◆ poivre

1 Prélevez le zeste des oranges et taillez-les en fines languettes. Faites-les bouillir 2 min dans 25 cl d'eau. Égouttez-les.
2 Pelez et émincez l'oignon. Faites chauffer 2 c. à soupe d'huile dans une casserole. Ajoutez l'oignon et faites-le cuire doucement pendant 5 min. Retirez du feu.
3 Dénoyautez les olives et mettez-les dans la casserole ainsi que les zestes d'oranges. Mélangez bien.
4 Faites cuire les spaghetti 10 min dans une grande quantité d'eau bouillante salée avec 2 c. à soupe d'huile. Environ 5 min avant de servir, faites réchauffer le mélange d'olives à l'orange.
5 Égouttez les spaghetti et versez-les dans un plat creux très chaud. Ajoutez le mélange précédent et remuez. Servez aussitôt en entrée chaude ou en garniture de rôti de veau.

Boisson vin blanc sec

sprat

Ce poisson abondant dans la mer du Nord et la Manche est voisin du hareng mais ne mesure que de 12 à 15 cm. On le pêche surtout pendant l'été. Frais, les sprats se font seulement frire. On les trouve le plus souvent fumés ou marinés : utilisez-les dans des salades composées avec des betteraves ou des radis, en canapés (sur beurre de raifort) ou pour agrémenter un gratin de pommes de terre.

Diététique. 100 g de sprats = 160 kcal.

steak

→ **voir aussi bifteck, bœuf, tartare**

Le mot lui-même veut dire « tranche » en anglais. Il est synonyme de bifteck. Mais il s'applique aussi aux préparations du bœuf haché.

Steaks hachés au roquefort

Pour **4 personnes**
Préparation **10 min**
Cuisson **7 min**

500 g de bifteck haché ◆ 1 c. à soupe de poivre vert ◆ 8 baies de genièvre ◆ 50 g de beurre ◆ 40 g de roquefort

1 Mettez le bifteck haché dans un plat creux. Écrasez légèrement le poivre vert et les baies de genièvre. Incorporez-les à la viande hachée et mélangez bien.
2 Mouillez vos mains et façonnez la viande en 4 palets aplatis compacts.
3 Faites fondre 30 g de beurre dans une poêle et mettez-y à cuire les steaks hachés pendant 3 min de chaque côté sur feu pas trop vif.
4 Malaxez à la fourchette le reste de beurre avec le roquefort.
5 Retirez les steaks de la poêle et mettez-les dans un plat de service allant au four. Tartinez-les de beurre de roquefort et passez-les sous le gril pendant 1 min. Servez aussitôt avec, en garniture, une purée de céleri-rave.

Boisson **madiran**

Steaks au poivre

Pour **4 personnes**
Préparation **10 min, 15 min à l'avance**
Cuisson **8 min environ**

4 tranches de filet de bœuf de 180 g sur 3 cm d'épaisseur ◆ cognac ◆ 4 c. à soupe de poivre noir concassé ◆ 30 g de beurre ◆ 15 cl de crème fraîche ◆ sel

1 Sortez les steaks du réfrigérateur 30 min à l'avance. Versez 3 c. à soupe de cognac dans un plat creux et passez-y les steaks des 2 côtés.
2 Versez le poivre concassé dans une assiette creuse et passez-y chaque steak une face après l'autre en appuyant pour que les grains adhèrent à la viande. Laissez reposer 15 min.
3 Faites fondre le beurre dans une poêle et mettez-y à dorer les steaks 2 ou 3 min de chaque côté sur feu vif. Salez-les.
4 Versez 1 c. à soupe de cognac dans la poêle et flambez-le quand il est chaud. Retirez les steaks de la poêle et réservez-les au chaud.
5 Jetez le beurre de cuisson et versez la crème dans la poêle. Mélangez à la spatule et portez à ébullition. Retirez du feu. Ajoutez dans cette sauce le jus des steaks. Mettez chaque steak dans une assiette et nappez de sauce.

Boisson **bordeaux rouge**

→ **autres recettes de steak à l'index**

stilton

Ce fromage anglais de lait de vache à pâte persillée possède une saveur très affirmée. Il se présente en haut cylindre que l'on découpe en tranches horizontales. Sa bonne saison est l'hiver. Dégustez-le avec des crackers nature, du raisin frais ou des noix et un verre de porto. Vous pouvez aussi le faire macérer dans du porto, du xérès ou du madère.

Steaks au poivre ►

Pour réussir un bon steak au poivre, choisissez une tranche de bœuf épaisse et utilisez de la mignonnette : du poivre en grains grossièrement concassé. Vous pouvez aussi prendre du poivre vert.

stockfisch

Ce terme désigne le poisson séché en général, mais plus spécialement la morue séchée à l'air libre, utilisée dans plusieurs recettes du sud-est ou du centre de la France.

Stoficado niçois

Pour **6 personnes**
Préparation **25 min, 48 h à l'avance**
Cuisson **1 h 45 environ**

1 kg de stockfisch • 1 kg de tomates très mûres • 2 gousses d'ail • 1 bouquet garni • 400 g de pommes de terre • 250 g d'olives noires • 8 feuilles de basilic • huile d'olive • sel • poivre

1 Faites dessaler le stockfisch à l'eau froide pendant 48 h en renouvelant l'eau plusieurs fois.
2 Lavez les tomates et coupez-les en quartiers. Pelez et hachez l'ail. Faites chauffer 3 c. à soupe d'huile dans une casserole.
3 Faites-y revenir l'ail pendant 2 min. Ajoutez les tomates et le bouquet garni. Salez et poivrez. Réglez le feu sur chaleur douce et laissez cuire tout doucement à découvert pendant 20 min.
4 Retirez le bouquet garni et passez cette fondue de tomates dans une passoire fine en pressant bien.
5 Dépouillez la morue et coupez-la en morceaux. Mettez-les dans une cocotte et versez la fondue de tomates dessus. Faites cuire pendant 50 min à couvert.
6 Pelez les pommes de terre et coupez-les en rondelles épaisses. Dénoyautez les olives. Ajoutez-les dans la cocotte et poursuivez la cuisson 25 min.
7 Répartissez le stoficado dans des assiettes creuses très chaudes, ajoutez le basilic ciselé et servez aussitôt.

Boisson **vin blanc de Provence**

strudel

Le strudel est l'un des chefs-d'œuvre de la pâtisserie autrichienne. C'est un roulé en pâte feuilletée d'une extrême finesse que seul un professionnel peut réussir. La garniture est souvent faite de pommes en compote à la cannelle et aux raisins secs.

sucre

→ **voir aussi** **caramel, cassonade, confiture, érable, glaçage, miel, pèse-sirop, punch, sirop, vergeoise**

Ce produit cristallisé de saveur douce est extrait soit de la canne à sucre, soit de la betterave. Blanc s'il est raffiné, roux dans le cas contraire (il n'est alors pas plus « naturel » mais possède un petit goût de rhum), le sucre se présente sous plusieurs formes. Il joue un rôle de base en pâtisserie et en confiserie, mais aussi en cuisine. Il exalte en effet la saveur des autres aliments (petits oignons glacés, sauce brune caramélisée). Le sucre joue enfin un rôle notable de conservateur (confitures et gelées, fruits confits, fleurs cristallisées, marmelades et pâtes de fruits).

sucre en morceaux Les morceaux (cubes, parallélépipèdes, formes fantaisie ou petits rochers) servent à sucrer les boissons mais aussi à préparer le sirop ou le caramel : sucre blanc classique n° 3 (7 g) ou n° 4 (5 g) ; sucre de canne de luxe n° 2 (gros cristaux scintillants) ou n° 1 (très longs morceaux) ; sucre pure canne, en cubes irréguliers blancs ou bruns, etc.

sucre en poudre Le sucre en poudre le plus courant est le sucre « semoule » : il se dissout rapidement et sert à confectionner les gâteaux, crèmes, meringues, salades de fruits, à sucrer les crêpes et les beignets, etc. Le sucre cristallisé, en poudre un peu plus grosse, est à utiliser plutôt pour les confitures ou les pâtes de fruits. Prenez-le aussi pour parsemer un moule beurré avant d'y verser une pâte (celle-ci n'attachera pas) ou versez-en une fine couche sur un fond de tarte avant d'y ranger des fruits aqueux : il absorbera leur humidité.

sucre glace Le sucre glace, en poudre impalpable, est très sensible à l'humidité. Il sert à décorer les gâteaux ou à confectionner les glaçages, à préparer les glaces et les sorbets (il empêche la formation des paillettes), à sucrer la chantilly, à préparer les mousses ou certaines confiseries.

sucre spécial confitures Le sucre spécial pour confitures, additionné de pectine et d'acide citrique, est à réserver à cet emploi : la cuisson est moins longue, la confiture prend mieux et se conserve plus longtemps. Il est également utile pour confectionner des sorbets maison d'une texture onctueuse agréable.

sucre vanillé Le sucre vanillé se vend en petits sachets, mais vous pouvez le préparer vous-même : 30 g de gousses de vanille hachées, mélangées avec 250 g de sucre en morceaux, le tout pilé au mortier et passé au tamis fin.

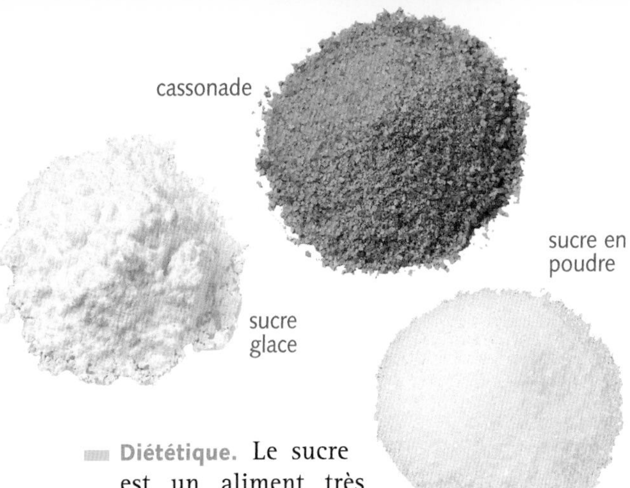

Diététique. Le sucre est un aliment très calorique qui ne contient que des glucides : son énergie donne un « coup de fouet » immédiat à l'organisme (100 g = 400 kcal ; 1 morceau de sucre = de 25 à 30 kcal). La proportion raisonnable est de 80 g par jour environ. Il est recommandé d'en limiter la consommation, mais sans tomber dans l'excès inverse. Ce sont les sources « invisibles » de sucre qui sont les plus néfastes : alcool, boissons aux fruits, préparations industrielles.

Tarte au sucre

Pour **6 personnes**
Préparation **30 min, 2 h à l'avance**
Cuisson **20 min**

10 g de levure de boulanger ◆ 5 cl de lait ◆ 200 g de farine ◆ 140 g de beurre ◆ 1 c. à soupe de sucre semoule ◆ 2 œufs ◆ 125 g de sucre roux en poudre ◆ sel

1 Délayez la levure dans 2 c. à soupe de lait tiède. Versez la farine dans une terrine. Faites-y un puits et mettez-y 80 g de beurre en petits morceaux.
2 Travaillez vivement du bout des doigts le beurre et la farine puis ajoutez le sucre semoule.
3 Ménagez un creux dans la pâte, ajoutez 1 œuf, 1 pincée de sel et la levure délayée dans le lait. Travaillez la pâte et formez une boule. Laissez-la reposer 2 h dans un endroit tiède.
4 Beurrez une tourtière de 24 cm avec 20 g de beurre. Abaissez la pâte au rouleau et garnissez-en la tourtière. Poudrez le fond avec le sucre roux. Versez 1 c. à soupe de lait battu avec 1 œuf puis ajoutez le reste de beurre en parcelles.
5 Mettez à four chaud et faites cuire 20 min environ. Démoulez et servez, chaud ou tiède.

→ **autres recettes de sucre à l'index**

suprême

→ **voir aussi blanc de volaille**

Ce mot désigne un blanc de volaille ou un filet de gibier. Par extension, il s'applique aussi parfois à un filet de poisson. Les suprêmes sont toujours cuits rapidement : pochés dans très peu de bouillon, rissolés au beurre, panés à l'anglaise ou cuits à sec. Ils sont servis avec une présentation raffinée, une sauce et des légumes frais, liés au beurre ou à la crème. Les suprêmes de poisson sont la plupart du temps pochés et présentés avec une garniture et une sauce au vin blanc, Nantua, à l'américaine...

La sauce suprême est une variante de sauce blanche à la crème qui accompagne les volailles pochées ou poêlées.

Suprêmes de volaille aux épices

MICRO ONDES — RECETTE LÉGÈRE — 1 portion 325 kcal

Pour **4 personnes**
Préparation **20 min**
Cuisson **12 min environ**

4 blancs de poulet dépouillés de 180 g chacun ◆ 4 biscottes complètes ◆ 600 g de concombre ◆ 1 citron vert ◆ moutarde forte ◆ miel ◆ concentré de tomates ◆ mélange quatre-épices ◆ paprika ◆ sel de céleri ◆ sel ◆ poivre de Cayenne

1 Salez et poivrez les blancs de poulet. Mélangez dans une assiette creuse 2 c. à soupe de moutarde, 1 c. à soupe de miel et 1 c. à soupe de concentré de tomates.
2 Écrasez les biscottes et versez-les dans un plat. Ajoutez 1/2 c. à café de quatre-épices, autant de paprika et autant de sel de céleri. Mélangez.
3 Passez chaque blanc de poulet d'abord dans la sauce moutarde puis dans la chapelure de biscottes. L'enrobage doit être régulier.
4 Disposez les suprêmes ainsi préparés sur un plat. Faites cuire sur puissance maximale pendant 11 à 13 min, en retournant les morceaux de poulet à mi-cuisson. Laissez reposer 5 min.
5 Pendant ce temps, pelez le concombre et émincez-le. Garnissez-en un plat de service. Coupez le citron vert en rondelles.
6 Posez les suprêmes aux épices sur le concombre et garnissez de rondelles de citron.

Boisson **vin rosé fruité**

Tabasco

Ce condiment d'origine mexicaine est fait de piments rouges macérés dans du sel, du vinaigre, des épices et du sucre. Vendu en petit flacon, il sert à pimenter une sauce ou un cocktail, relever une salade, un ragoût ou même des œufs sur le plat.

Diététique. À éviter dans un régime sans sel.

Tomates mexicaines

Pour **4 personnes**
Préparation **20 min, 1 h à l'avance**
Cuisson **10 min**

1 œuf ◆ 4 grosses tomates rondes pas trop mûres ◆ 2 avocats ◆ 1 citron vert ◆ 1 oignon doux ◆ 1 gousse d'ail ◆ 2 c. à soupe de coriandre hachée ◆ Tabasco ◆ huile d'olive ◆ persil frisé ◆ sel

1 Faites durcir l'œuf. Rafraîchissez-le et écalez-le. Hachez-le.
2 Lavez les tomates. Coupez le haut et évidez l'intérieur. Poudrez-les de sel. Renversez-les sur un torchon et laissez-les en attente.
3 Coupez les avocats en 2, retirez les noyaux et extrayez la pulpe. Citronnez-la en l'écrasant à la fourchette dans une jatte.
4 Pelez et hachez finement l'oignon et l'ail. Ajoutez la coriandre. Réunissez-les avec l'avocat et mélangez intimement. Ajoutez 1 c. à soupe de Tabasco et 1 c. à soupe d'huile d'olive.
5 Épongez les tomates et farcissez-les avec ce mélange. Décorez de persil frisé et d'œuf dur haché. Servez très frais sur de la laitue.

tabboulé

→ **voir aussi** blé, semoule

Cette spécialité d'origine libanaise servie en entrée froide est à base de blé concassé (boulghour), auquel on ajoute des tomates, de la menthe, du persil, de l'oignon et du citron. Si vous n'avez pas de boulghour, prenez de la semoule de blé ou du couscous.

Diététique. Suivi de poisson grillé et d'un fruit, ce plat constitue un repas équilibré.

Boulghour garni

Pour **4 personnes**
Préparation **25 min**
Pas de cuisson

400 g de boulghour aux épices précuit ◆ 5 petits oignons blancs ◆ 2 tomates ◆ 4 branches de céleri très tendres ◆ 200 g de concombre ◆ 1 bouquet de persil plat ◆ 1 citron ◆ huile d'olive ◆ sel ◆ poivre

1 Versez la graine de boulghour dans un saladier. Couvrez-la à hauteur d'eau bouillante, couvrez et laissez la graine absorber l'eau. Ajoutez ensuite 2 c. à soupe d'huile d'olive, mélangez et réservez au frais à couvert.
2 Pelez et émincez les oignons. Ébouillantez, pelez, épépinez et concassez les tomates. Parez et hachez le céleri. Pelez le concombre, coupez-le en deux, retirez les graines et taillez la pulpe en petits dés. Lavez, épongez et ciselez le persil.
3 Ajoutez tous ces légumes et le persil, mélangez en rajoutant 2 ou 3 c. à soupe d'huile et le jus du citron. Salez et poivrez. Servez frais.

Tabboulé libanais

Pour **4 personnes**
Préparation **30 min, 3 h à l'avance**
Pas de cuisson

250 g de boulghour ◆ 500 g de tomates juteuses ◆ 250 g d'oignons doux ◆ 6 c. à soupe d'huile d'olive ◆ 3 citrons ◆ 8 petits oignons blancs ◆ menthe fraîche ◆ persil plat ◆ sel ◆ poivre

1 Versez le boulghour dans un saladier. Arrosez-le doucement avec 20 cl d'eau bouillante. Réservez.
2 Lavez les tomates et coupez-les en dés. Pelez et hachez les oignons doux. Ciselez 4 c. à soupe de menthe et autant de persil.
3 Ajoutez au boulghour les tomates et les oignons, la menthe et le persil. Salez et poivrez. Mélangez bien.
4 Versez l'huile, ajoutez le jus des citrons. Mélangez et laissez reposer au frais 3 h en remuant 4 ou 5 fois.
5 Au moment de servir, pelez les petits oignons et coupez-les en quartiers. Ajoutez-les sur le taboulé avec des feuilles de menthe.

tagliatelle

Ces pâtes italiennes aux œufs sont en forme de rubans plats assez larges, souvent colorés en vert, à l'épinard. À Rome, on les appelle des fettuccine. Les tagliatelle sont parfois façonnées en forme de petits nids, les pappardelle. Nature, elles servent de garniture. Avec une sauce ou un condiment, elles constituent souvent un plat principal.

Diététique. 100 g de tagliatelle sans sauce = 112 kcal.

Tagliatelle aux fruits de mer

Pour **6 personnes**
Préparation **20 min**
Cuisson **20 min**

1 l de coques ◆ 1 l de moules ◆ 400 g de tagliatelle ◆ 18 grosses crevettes roses ◆ 50 g de beurre ◆ 25 cl de crème liquide ◆ 40 g de parmesan ◆ sel ◆ poivre

1 Faites ouvrir les coques et les moules séparément dans des casseroles sur feu vif. Jetez celles qui ne s'ouvrent pas. Décoquillez les autres. Réservez l'eau des coques et filtrez-la. Faites-la réduire : il vous en faut 5 c. à soupe environ.
2 Faites cuire les tagliatelle dans une grande quantité d'eau légèrement salée à gros bouillons jusqu'à ce qu'elles soient *al dente*. Pendant ce temps, décortiquez les queues de crevettes et coupez-les en 2.
3 Égouttez les pâtes et versez-les dans une casserole avec le beurre en parcelles. Mélangez sur feu doux pour le faire fondre. Ajoutez la crème et le parmesan. Remuez. Salez et poivrez.
4 Incorporez ensuite les coques, les moules et les crevettes. Mélangez en ajoutant l'eau de cuisson des coques. Rectifiez l'assaisonnement sans trop saler à cause des coquillages et du fromage. Servez aussitôt.

Boisson **vin blanc sec**

▼ Tagliatelle aux fruits de mer
D'autres coquillages s'associent très bien avec les pâtes, notamment les vanneaux et les pétoncles. Utilisez également de la chair de crabe ou des scampi à la place des crevettes.

Tagliatelle aux pleurotes

Pour **4 personnes**
Préparation **10 min**
Cuisson **15 min**

RECETTE LÉGÈRE — 1 portion 320 kcal

300 g de tagliatelle ◆ 400 g de pleurotes ◆ 2 gousses d'ail ◆ 10 feuilles d'estragon ◆ huile d'olive ◆ sel ◆ poivre

1 Faites cuire les tagliatelle 8 min dans une grande quantité d'eau légèrement salée avec 1 c. à soupe d'huile. Égouttez-les.
2 Nettoyez les pleurotes et émincez-les. Pelez et hachez l'ail.
3 Faites chauffer 2 c. à soupe d'huile dans une grande poêle. Ajoutez l'ail et remuez-le à la spatule pendant 2 min. Ajoutez les pleurotes et faites-les sauter 7 ou 8 min.
4 Ajoutez les tagliatelle et l'estragon ciselé. Mélangez délicatement, baissez le feu et laissez chauffer 3 min. Poivrez. Servez aussitôt.

Boisson **vin blanc italien « soave »**

→ **autres recettes de tagliatelle à l'index**

tajine

Ragoût portant le nom du plat dans lequel il est préparé et servi. Cet ustensile de cuisson en terre cuite vernissée possède un couvercle conique dont le diamètre s'adapte au rebord du plat creux. Le tajine est traditionnel dans les pays du Maghreb pour cuisiner des ragoûts très aromatiques à base de légumes, de viande, de poisson ou de volaille.

Tajine d'agneau

Pour **4 personnes**
Préparation **25 min**
Cuisson **2 h 30**

1 kg d'épaule d'agneau désossée ◆ 300 g de carottes ◆ 300 g d'oignons ◆ 200 g de navets ◆ 300 g de tomates ◆ 200 g de raisins secs ◆ 1/2 citron ◆ huile d'olive ◆ sel ◆ poivre

1 Découpez la viande en morceaux moyens. Pelez les carottes, les oignons et les navets. Coupez-les en rondelles ou en petits dés. Coupez les tomates en quartiers. Mettez les raisins dans un bol d'eau chaude et laissez tremper.
2 Faites chauffer 3 c. à soupe d'huile dans une cocotte et mettez-y la viande.
3 Ajoutez les carottes, les navets et les oignons. Salez et poivrez. Mélangez et laissez cuire sur feu moyen pendant 5 min.
4 Versez le contenu de la cocotte dans un plat à tajine. Ajoutez les tomates et le jus de citron. Réglez le feu sur chaleur très douce et intercalez un diffuseur entre le plat en terre et la flamme.
5 Couvrez et faites mijoter pendant 1 h 45. Ajoutez les raisins secs égouttés. Poursuivez la cuisson sur feu très doux 45 min. Servez directement dans le plat.

Boisson **vin rouge fruité**

Tajine de poulet aux artichauts et au citron

Pour **6 personnes**
Préparation **20 min**
Cuisson **50 min environ**

6 hauts de cuisse de poulet ◆ 1,2 l de bouillon de volaille ◆ 1 c. à café de gingembre frais râpé ◆ 1 dose de safran ◆ 12 petits artichauts poivrade ◆ 1 citron confit ◆ 24 olives vertes cassées ◆ huile d'olive ◆ sel ◆ poivre

1 Rincez les hauts de cuisse de poulet. Salez-les et poivrez-les. Rangez-les dans le fond d'une cocotte bien huilée. Versez le bouillon et ajoutez les épices. Couvrez et laissez cuire sur feu très doux pendant 20 min.
2 Pendant ce temps, parez les artichauts et coupez-les en 2 ou en quartiers, ajoutez-les dans la cocotte.
3 Ajoutez également le citron confit coupé en petits dés et les olives dénoyautées. Couvrez à nouveau la cocotte et poursuivez la cuisson pendant 20 min.
4 Rangez tous ces ingrédients dans un plat à tajine. Salez et poivrez. Arrosez avec un filet d'huile d'olive.
5 Couvrez et laissez compoter doucement dans le four à 220 °C pendant 10 min environ. Servez directement dans le plat.

Tajine de poulet aux artichauts et au citron ►

Le plat à tajine favorise une cuisson mijotée. Son couvercle conique retient les arômes et les saveurs jusqu'au service.

tandoori

→ voir aussi indienne (cuisine)

Cette spécialité de la cuisine indienne consiste à faire griller des morceaux de poulet qui ont mariné dans une sauce à base de yaourt et d'épices colorées en rouge. Elle doit son nom au tandour, sorte de four en terre cuite traditionnel en Inde.

Poulet tandoori

Pour **4 personnes**
Préparation **20 min**
Repos **12 h**
Cuisson **40 min environ**

1 oignon ◆ 2 gousses d'ail ◆ 2 yaourts nature ◆ 1 poulet ◆ 1 citron ◆ gingembre en poudre ◆ coriandre en poudre ◆ paprika ◆ cumin en poudre ◆ poivre de Cayenne ◆ colorant alimentaire rouge ◆ sel ◆ poivre

1 Pelez et hachez l'oignon et l'ail. Mettez-les dans un plat creux. Ajoutez les yaourts, 1 c. à café de gingembre, autant de coriandre, de paprika et de cumin, quelques pincées de cayenne et 3 gouttes de colorant. Mélangez.

2 Coupez les ailes du poulet. Fendez la peau sur la poitrine et dépouillez le poulet entièrement. Coupez-le en morceaux. Incisez légèrement les morceaux de volaille, arrosez-les de jus de citron et mettez-les dans la marinade au yaourt. Réservez au frais une nuit.

3 Allumez le gril du four et rangez les morceaux de poulet enrobés sur la grille en glissant la lèchefrite par-dessous. Enfournez à mi-hauteur et faites griller de 35 à 40 min en retournant les morceaux 3 fois.

Servez le tandoori sur des feuilles de laitue avec une salade de concombre au yaourt.

Boisson **vin rosé fruité**

tangelo

Ce fruit de la famille des agrumes est né du croisement entre la mandarine et le pamplemousse. On le reconnaît au petit téton que porte le pédoncule. Disponible en hiver, en provenance des États-Unis ou d'Israël, le tangelo est juteux avec un goût assez prononcé.

tangerine

Issu du croisement entre la mandarine et l'orange, ce fruit porte aussi le nom de tangor. La variété topaz (de mars à mai) est aussi succulente que le temple (février-mars), très parfumé. Ces agrumes faciles à peler se dégustent nature ou en salade de fruits.

tapas

Ce mot désigne, en Espagne, un assortiment d'amuse-gueule dégustés avec du xérès ou du malaga. Les tapas sont toujours très variés : olives farcies, crevettes frites, calmars dans leur encre, cubes de jambon entourés de languettes de poivron, haricots blancs ou chou-fleur à la vinaigrette, champignons marinés, moules en sauce piquante.

tapenade

Ce condiment provençal est à base d'olives noires, de câpres (*tapeno* en provençal), d'anchois et de thon, pilés avec de l'huile d'olive, des aromates et du jus de citron. Cette purée noire accompagne aussi bien les crudités que les poissons ou les viandes grillés. Tartinez-la également sur des croûtons toastés ou garnissez-en des œufs durs, en lui ajoutant le jaune des œufs.

Diététique. 100 g de tapenade = 480 kcal.

Tapenade niçoise

Pour **2 pots de 300 g environ**
Préparation **10 min**
Pas de cuisson

250 g d'olives noires ◆ 1 gousse d'ail ◆ 100 g d'anchois à l'huile ◆ 100 g de miettes de thon ◆ 100 g de câpres ◆ thym ◆ huile d'olive ◆ poivre

1 Dénoyautez les olives. Pelez et hachez l'ail. Épongez les anchois. Égouttez le thon et les câpres. Réunissez tous ces ingrédients dans un mixer et réduisez-les en purée fine.

2 Ajoutez 2 ou 3 pincées de thym puis versez 10 cl d'huile en filet. Mélangez en fouettant, poivrez mais ne salez pas.

3 Répartissez la tapenade dans des pots. Conservez-les au frais 3 à 4 semaines.

tapioca

Cette fécule issue de l'amidon extrait du manioc se présente comme une poudre plus ou moins fine. Le tapioca sert surtout à préparer des potages ou des entremets, mais aussi des timbales salées.

Il se révèle également très utile pour ne pas rater une crème anglaise (ajoutez 1 c. à café aux jaunes d'œufs), faciliter la prise d'une gelée de fruits (1 c. à soupe) ou poudrer le fond d'une croûte à tarte (pour des fruits très juteux).

Diététique. Produit très riche en glucides (100 g = 340 kcal), mais à utiliser en petites quantités.

Tapioca au lait vanille

Pour **4 personnes**
Préparation **10 min**
Cuisson **12 min**
Repos **4 h environ**

1 l de lait entier ◆ 60 g de sucre semoule ◆ 1 gousse de vanille ◆ 80 g de tapioca ◆ sel

1 Versez le lait dans une casserole, ajoutez 1 pincée de sel et portez à ébullition. Ajoutez le sucre et la gousse de vanille fendue en 2.

2 Mélangez puis versez le tapioca en pluie. Laissez cuire sur feu doux pendant environ 10 min en remuant régulièrement.

3 Retirez la casserole du feu, ôtez la gousse de vanille et grattez les petites graines dans la crème. Répartissez-la dans des coupes de service. Mettez au frais pendant quelques heures avant de servir.

tarama

→ **voir aussi** œufs de poisson

Cette spécialité grecque est à base d'œufs de poisson (mulet ou cabillaud) émulsionnés avec de l'huile d'olive. Elle se présente comme une purée rose, lisse et onctueuse. Dégustez le tarama, ou taramosalata, en hors-d'œuvre avec des olives noires, du pain grillé et des rondelles de citron.

Diététique. 100 g de tarama = 320 kcal environ.

Taramosalata

Pour **4 personnes**
Préparation **10 min**
Pas de cuisson

300 g d'œufs de cabillaud fumés ◆ 100 g de pain de mie ◆ 1 citron ◆ lait ◆ huile d'olive ◆ poivre

1 Sortez les œufs de cabillaud de leur poche et mettez-les dans une jatte. Écroûtez le pain de mie dans une assiette et mouillez-le avec 2 c. à soupe de lait. Pressez-le, puis égouttez-le et ajoutez-le aux œufs de cabillaud.

2 Versez de l'huile d'olive en filet sur le mélange en le battant vivement avec une spatule. Il en faut de 10 à 15 cl, selon que le taramosalata est de consistance plus ou moins souple.

3 Pressez le jus du citron et ajoutez-en 2 ou 3 c. à soupe. Poivrez au goût. Servez très frais.

taro

Ce tubercule cultivé en Afrique, en Asie et aux Antilles se trouve toute l'année au rayon des produits exotiques. De forme allongée, jusqu'à 30 cm, avec une peau brune et une pulpe blanche, jaune ou rose, le taro se cuisine comme la patate douce ou la pomme de terre. Il accompagne très bien le curry. Vous pouvez aussi en faire un gâteau.

Diététique. 100 g de taro = 120 kcal.

taros

La peau rugueuse du taro doit être retirée sur une bonne épaisseur.

tartare

Ce terme désigne une préparation de viande de bœuf, ou de cheval, hachée et servie crue avec des aromates et des condiments. Par extension, on prépare aussi des tartares de poisson cru, le plus souvent à base de saumon, de thon, de daurade ou de cabillaud.

La viande du steak tartare ne se conserve pas : le boucher doit la hacher devant vous. Utilisez-la ensuite le plus tôt possible.

Steak tartare

Pour **4 personnes**
Préparation **10 min**
Pas de cuisson

600 g de bifteck haché ◆ 4 c. à soupe d'huile d'olive ◆ 4 oignons ◆ 100 g de câpres ◆ 4 œufs ◆ moutarde blanche ◆ Worcestershire sauce ◆ persil ◆ estragon ◆ ciboulette ◆ ketchup ◆ sel ◆ poivre

1 Versez le bifteck haché dans une jatte. Ajoutez 1 c. à soupe de moutarde, l'huile et 1 c. à café de Worcestershire sauce. Salez et poivrez, mélangez avec une cuiller en bois pendant 3 min.
2 Hachez la valeur de 4 c. à soupe de fines herbes. Incorporez-en 1 à la viande. Pelez et hachez les oignons, mettez-les dans une coupe. Égouttez les câpres dans une autre coupe.
3 Répartissez la viande dans les assiettes de service en la modelant en tas. Creusez le dessus. Cassez les œufs 1 par 1 en séparant les blancs des jaunes. Mettez un jaune d'œuf au centre de chaque tas de viande.
4 Servez les steaks à l'assiette avec, à part, l'oignon cru, les câpres, de la moutarde et le reste des fines herbes, les flacons de Worcestershire sauce et de ketchup.

La saveur d'un steak tartare dépend d'une appréciation très personnelle. Proposez aussi du Tabasco.

Tartare aux deux poissons

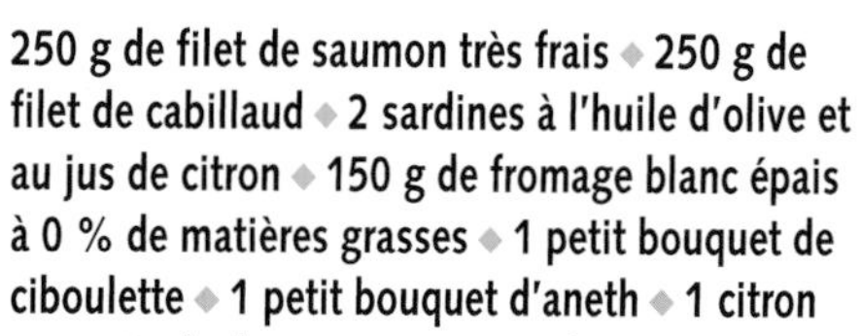

Pour **4 personnes**
Préparation **20 min**
Repos **1 h**
Pas de cuisson

250 g de filet de saumon très frais ◆ 250 g de filet de cabillaud ◆ 2 sardines à l'huile d'olive et au jus de citron ◆ 150 g de fromage blanc épais à 0 % de matières grasses ◆ 1 petit bouquet de ciboulette ◆ 1 petit bouquet d'aneth ◆ 1 citron ◆ moutarde douce ◆ Worcestershire sauce ◆ sel ◆ poivre

1 Découpez les filets de poisson en tranches fines transversales, recoupez-les dans l'autre sens en petits dés. Mettez-les au frais 30 min.
2 Désarêtez les sardines, écrasez-les dans une terrine, ajoutez le fromage blanc, 1 c. à soupe de moutarde et 1 c. à café de Worcestershire sauce. Salez modérément et poivrez.

◄ Steak tartare

La viande du steak tartare, bœuf ou cheval, doit être de toute première fraîcheur et hachée au dernier moment. Le tartare se sert bien frais, mais vous pouvez l'accompagner de frites chaudes et croustillantes.

3 Lavez et ciselez les fines herbes. Incorporez à la préparation au fromage blanc les filets de saumon et de cabillaud et les fines herbes. Mettez au frais 30 min.
4 Répartissez le tartare sur des assiettes de service froides et garnissez de rondelles de citron, avec un petit brin d'aneth.

Pour une saveur plus originale, vous pouvez remplacer la moutarde douce par du raifort ou du radis noir râpé mélangé avec un peu de crème fraîche.

Tartare de saumon

Pour **4 personnes**
Préparation **20 min, 1 h à l'avance**
Pas de cuisson

400 g de saumon frais ◆ 200 g de grosses crevettes décortiquées ◆ 4 filets d'anchois ◆ 2 cornichons ◆ 8 câpres ◆ 2 c. à soupe de persil haché ◆ 2 jaunes d'œufs ◆ 200 g de concombre ◆ poivre vert ◆ huile d'olive ◆ Worcestershire sauce ◆ Tabasco ◆ vinaigre de xérès ◆ cognac ◆ cerfeuil

1 Retirez la peau du saumon et hachez-le finement. Hachez également les crevettes et les filets d'anchois épongés, les cornichons et les câpres.
2 Mélangez ces ingrédients dans une terrine. Ajoutez le persil, les jaunes d'œufs et 1 c. à soupe de poivre vert. Mélangez intimement avec une spatule.
3 Incorporez en remuant 5 c. à soupe d'huile, 1 c. à café de Worcestershire sauce, 3 gouttes de Tabasco, 1 c. à soupe de vinaigre et 1 c. à café de cognac.
4 Lorsque le mélange est bien homogène, façonnez-le en 4 portions bien tassées. Mettez-les au réfrigérateur.
5 Pelez le concombre et taillez-le en fines rondelles. Tapissez-en des assiettes de service. Posez les tartares de saumon dessus et décorez avec des pluches de cerfeuil.

Pour façonner facilement ces tartares, pressez la préparation dans des ramequins individuels très légèrement huilés ou tapissés d'un film alimentaire pour les démouler facilement en les renversant.

Boisson vin blanc sec

tarte

→ **voir aussi** flamiche, flan, oignon, pâte, pissaladière, quiche

Formée d'une croûte de pâte qui reçoit une garniture salée ou sucrée, la tarte, généralement ronde, est l'une des préparations les plus courantes et les plus variées.

La tarte salée se sert en entrée chaude. La tarte sucrée, généralement garnie de fruits, et parfois d'une crème parfumée, d'un appareil à base de fromage blanc, de riz, de chocolat, etc., se propose en dessert, tiède ou refroidie.

Diététique. 1 part de tarte aux pommes = 230 kcal.

Linzertorte

Pour **6 personnes**
Préparation **20 min, 2 h à l'avance**
Cuisson **30 min**

100 g de beurre ◆ 1 citron non traité ◆ 175 g de farine ◆ 80 g d'amandes en poudre ◆ 70 g de sucre semoule ◆ 1 œuf ◆ 200 g de confiture de framboises ◆ cannelle en poudre ◆ sel

1 Faites ramollir 80 g de beurre. Râpez le zeste du citron. Versez la farine en tas sur le plan de travail et faites-en une fontaine.
2 Ajoutez dans le puits les amandes en poudre, le sucre, l'œuf entier et 1 c. à café de cannelle. Mélangez puis ajoutez le beurre ramolli, 1 c. à soupe de zeste de citron et 1 pincée de sel. Pétrissez la pâte pendant 3 min puis ramassez-la en boule et mettez-la 2 h au frais.
3 Beurrez un moule à tarte de 24 cm de diamètre. Abaissez la pâte sur 4 mm d'épaisseur. Garnissez-en le moule et coupez l'excédent.
4 Piquez le fond de pâte et versez-y la confiture de framboises. Lissez le dessus. Réunissez les chutes de pâte en boule et abaissez celle-ci en rectangle sur 2 mm d'épaisseur.
5 Découpez des bandelettes de pâte de 1 cm de large et disposez-les en croisillons sur la tarte. Soudez les extrémités aux bords en les pinçant.
6 Faites cuire la tarte 30 min dans le four à 200 °C. Sortez-la et laissez tiédir. Démoulez et servez froid.

Vous pouvez badigeonner le dessus de la Linzertorte avec 2 c. à soupe de gelée de framboises pour le rendre bien brillant.

Tarte aux cerises

Pour **8 à 10 personnes**
Préparation **30 min**
Repos **30 min**
Cuisson **1 h**

200 g de farine ◆ 100 g de beurre ◆ 100 g de sucre semoule ◆ 1 kg de cerises ◆ 200 g de macarons secs aux amandes ◆ 15 cl de crème fraîche ◆ 1 c. à soupe de kirsch ◆ sel

1 Préparez une pâte brisée avec la farine, le beurre, 1 pincée de sel et 1 c. à soupe de sucre *(voir page 526)*. Amalgamez la pâte avec un 1/2 verre d'eau. Ramassez-la en boule et mettez-la au réfrigérateur 10 min.
2 Abaissez cette pâte et garnissez-en un moule à tarte de 26 cm de diamètre. Laissez reposer. Lavez et dénoyautez les cerises.
3 Rangez les cerises sur le fond de tarte en les serrant bien. Poudrez avec 80 g de sucre. Faites cuire 1 h au four à 240 °C.
4 Laissez refroidir et démoulez. Émiettez finement les macarons. Fouettez la crème fraîche en chantilly. Ajoutez les macarons en poudre et le kirsch. Étalez ce mélange sur la tarte. Servez.

Tarte fine meringuée

Pour **6 personnes**
Préparation **20 min, 30 min à l'avance**
Cuisson **1 h 20 environ**

250 g de farine ◆ 140 g de beurre ◆ 1 jaune d'œuf ◆ 265 g de sucre semoule ◆ 150 g de groseilles ◆ 150 g de myrtilles ◆ 6 blancs d'œufs ◆ 100 g de noisettes ◆ 3 c. à soupe de sucre glace ◆ sel

1 Préparez une pâte brisée avec la farine, 125 g de beurre, 1 pincée de sel, le jaune d'œuf et 1 c. à soupe de sucre semoule *(voir page 526)*. Abaissez-la et garnissez-en un moule à tarte beurré de 24 cm de diamètre. Mettez-la au réfrigérateur pendant 30 min.
2 Pendant ce temps, égrappez les groseilles, mélangez-les avec les myrtilles. Si vous utilisez des fruits rouges surgelés, égouttez-les bien.
3 Garnissez le fond de tarte d'un disque de papier sulfurisé, piquez-le à travers le papier et recouvrez-le de haricots secs.
4 Faites cuire le fond de tarte au four à 200 °C pendant 15 min. Retirez les haricots et le papier. Poursuivez la cuisson pendant 5 à 10 min sans laisser colorer la pâte.
5 Fouettez les blancs d'œufs en neige. Incorporez le sucre semoule cuillerée après cuillerée. Fouettez encore jusqu'à ce qu'ils soient bien fermes. Concassez les noisettes.
6 Mettez de côté 6 c. à soupe de blancs d'œufs battus. Mélangez le reste avec les fruits rouges. Étalez les noisettes concassées sur le fond de tarte cuit. Recouvrez-les avec les fruits mélangés aux blancs d'œufs.
7 Nappez la tarte avec le reste de blancs d'œufs en formant des croisillons. Poudrez de sucre glace. Faites cuire 1 h au four à 100 °C.

Vous pouvez parsemer la meringue une fois cuite d'une poignée d'amandes effilées grillées.

Choisissez une garniture de fruits différente : par exemple des fraises mélangées à des petits dés d'ananas.

◄ Tarte fine meringuée
Le contraste entre le meringage juste croquant et les fruits juteux de la garniture fait de cette tarte un délicieux dessert d'été. N'hésitez pas à mélanger plusieurs baies rouges bien parfumées.

Tarte fine aux pommes

Pour **4 personnes**
Préparation **15 min**
Cuisson **15 min**

RECETTE LÉGÈRE – 1 portion 180 kcal

150 g de pâte feuilletée toute prête ◆ 2 pommes boskoops ◆ 1 citron non traité ◆ 10 g de beurre ◆ cannelle en poudre ◆ miel liquide

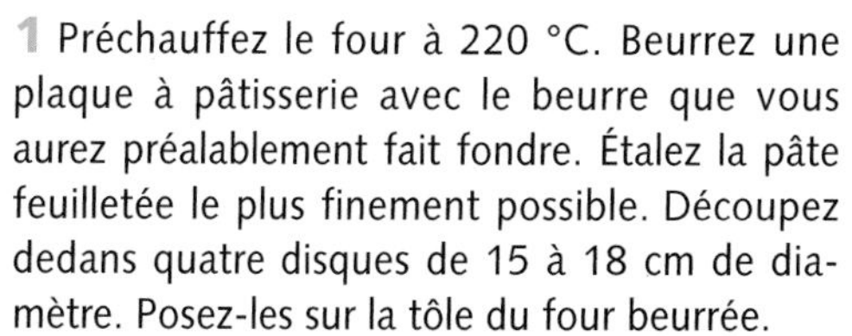

1 Préchauffez le four à 220 °C. Beurrez une plaque à pâtisserie avec le beurre que vous aurez préalablement fait fondre. Étalez la pâte feuilletée le plus finement possible. Découpez dedans quatre disques de 15 à 18 cm de diamètre. Posez-les sur la tôle du four beurrée.
2 Pelez les pommes, retirez le cœur et les pépins. Râpez le zeste du citron et pressez son jus. Détaillez les quartiers de pommes en lamelles régulières et citronnez-les. Mélangez dans un bol le reste du jus de citron et 2 c. à soupe de miel.
3 Garnissez les disques de pâte feuilletée de lamelles de pommes disposées en rosace.
4 Badigeonnez-les du mélange jus de citron-miel puis poudrez-les avec le zeste de citron mélangé avec un peu de cannelle.
5 Faites cuire les tartes 15 min au four. Sortez-les à l'aide d'une spatule et faites-les glisser sur une grille pour les laisser tiédir.

Tarte au pamplemousse et au potiron

Pour **6 personnes**
Préparation **30 min**
Cuisson **35 min**

RECETTE LÉGÈRE – 1 portion 380 kcal

600 g de potiron ◆ 300 g de pâte brisée sans sucre ◆ 1 pamplemousse rose ◆ 30 cl de lait demi-écrémé ◆ 1 c. à café de sucre vanillé ◆ 2 œufs ◆ 2 jaunes d'œufs

1 Pelez le potiron et coupez-le en dés. Faites-le cuire à la vapeur 15 min. Garnissez une tourtière avec la pâte brisée et faites cuire à blanc pendant 12 min dans le four à 190 °C.
2 Égouttez bien le potiron cuit, mélangez-le avec le jus du pamplemousse, le lait, le sucre vanillé, les œufs entiers et les jaunes d'œufs.
3 Versez cette purée onctueuse sur le fond de tarte précuit et remettez la tourtière au four à 180 °C pendant 20 min. Servez tiède ou froid.

Tarte aux poireaux et saumon fumé

RECETTE LÉGÈRE – 1 portion 320 kcal

Pour **4 personnes**
Préparation **20 min**
Cuisson **1 h**

250 g de pâte brisée toute prête ◆ 1 kg de blancs de poireaux ◆ 10 cl de bouillon de volaille ◆ 150 g de saumon fumé en tranches fines ◆ huile de maïs ◆ sel ◆ poivre

1 Abaissez la pâte et garnissez-en un moule à tarte. Posez dessus un disque de papier sulfurisé puis une couche de haricots secs. Faites cuire à blanc 20 min dans le four à 210 °C.
2 Parez les poireaux et émincez-les. Faites chauffer un peu d'huile dans une grande casserole à fond épais. Ajoutez les poireaux. Salez et poivrez. Faites-les revenir sans coloration 5 min puis versez le bouillon.
3 Couvrez et laissez cuire doucement 30 min jusqu'à ce que le liquide de cuisson soit complètement évaporé.
4 Détaillez le saumon fumé en languettes. Retirez les haricots secs et le papier sulfurisé du fond de tarte. Garnissez-le de la fondue de poireaux et disposez sur le dessus les languettes de saumon. Repassez la tarte dans le four pour la servir bien chaude.

Tarte à la tomate

Pour **6 personnes**
Préparation **20 min**
Cuisson **1 h environ**

250 g de pâte feuilletée toute prête ◆ 6 œufs ◆ 10 cl de crème fraîche ◆ 30 g de beurre ◆ 50 g de gruyère râpé ◆ 1 kg de tomates ◆ huile d'olive ◆ sel ◆ poivre

1 Abaissez la pâte feuilletée sur 5 mm d'épaisseur. Huilez légèrement un moule à tarte et garnissez-le de pâte. Piquez le fond.
2 Cassez les œufs dans une terrine et battez-les. Ajoutez la crème fraîche, le beurre et le gruyère. Salez et poivrez.
3 Ébouillantez les tomates et pelez-les. Coupez-les en 2 et retirez les graines. Concassez la pulpe.
4 Mélangez la concassée de tomates à la préparation précédente. Versez le mélange sur le fond de tarte. Faites cuire 1 h à 200 °C. Servez.

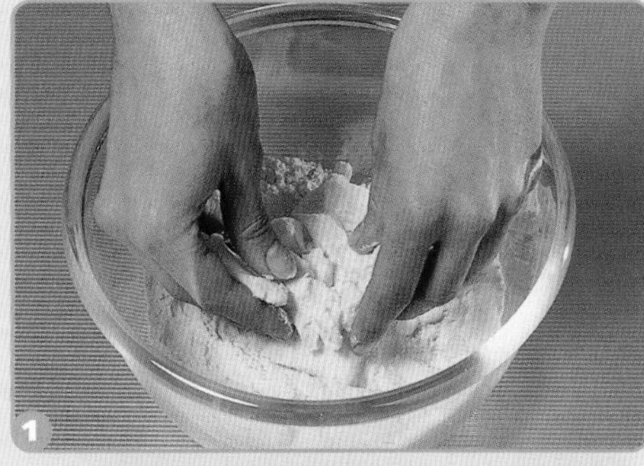

Tarte Tatin

Pour **6 personnes**
Préparation **30 min**
Pâte **20 min**
Cuisson **30 min**

200 g de farine ◆ 120 g de beurre ◆ 2 c. à soupe de sucre semoule ◆ 100 g de sucre en morceaux ◆ 1 kg de pommes (boskoops ou reinettes) ◆ sel

1 Préparez une pâte brisée avec la farine, 100 g de beurre, 1/2 c. à café de sel, 1 c. à soupe de sucre semoule et 1/2 verre d'eau environ *(voir page 526)*. Ramassez-la en boule et mettez-la au frais.

2 Pendant ce temps, préparez un caramel blond en faisant fondre les morceaux de sucre sur feu vif avec 3 c. à soupe d'eau. Versez ce caramel dans un moule rond assez profond de 18 à 20 cm de diamètre. Si vous avez un moule en verre ou en porcelaine à feu, vous pouvez préparer le caramel directement dedans.

3 Pelez les pommes. Coupez-les en quartiers et retirez le cœur et les pépins. Retaillez les quartiers en tranches pas trop fines. Rangez-les en cercles concentriques dans le moule sur le caramel refroidi. Poudrez-les avec 1 c. à soupe de sucre et ajoutez 20 g de beurre en parcelles.

4 Abaissez la pâte brisée sur 4 mm d'épaisseur. Posez ce disque de pâte sur les pommes et bordez-les en enfonçant délicatement la pâte le long du moule, en allant le plus loin possible.

5 Faites cuire la tarte 25 à 30 min à 230 °C. La croûte doit être bien dorée sans être roussie. Démoulez la tarte en la retournant sur le plat alors qu'elle est encore chaude. Dégustez-la tiède, en proposant à part de la crème liquide bien froide.

Une autre méthode de préparation de la tarte Tatin consiste à ne pas caraméliser le moule : il suffit de beurrer celui-ci très largement puis de le garnir de tranches épaisses de pommes en les poudrant abondamment de sucre. Ajoutez quelques parcelles de beurre et couvrez du disque de pâte. Faites cuire 25 min au four. Démoulez la tarte et retournez-la sur un plat : poudrez de sucre et passez 5 min sous le gril pour caraméliser. Servez tiède.

Cette recette porte le nom des sœurs Tatin qui tenaient un restaurant à Lamotte-Beuvron.

→ autres recettes de tarte à l'index

tartelette

→ voir aussi tarte

Cette petite pâtisserie individuelle, salée ou sucrée, utilise les mêmes recettes que les tartes. Vous pouvez les mouler en rond ou en forme de barquettes.

Tartelettes aux champignons

Pour **15 tartelettes**
Préparation **1 h**
Cuisson **15 min**

230 g de farine ◆ 160 g de beurre ◆ 500 g de champignons ◆ 10 cl de lait ◆ 10 cl de crème fraîche ◆ 40 g de parmesan ◆ muscade ◆ sel ◆ poivre

1 Préparez une pâte brisée avec 200 g de farine, 100 g de beurre et 1 pincée de sel *(voir page 526)*. Nettoyez et émincez les champignons. Faites-les sauter 10 min avec 30 g de beurre.
2 Abaissez la pâte sur 4 mm d'épaisseur et garnissez-en des moules à tartelette. Faites-les cuire 10 min à 240 °C.
3 Préparez une béchamel avec 30 g de beurre, 30 g de farine et le lait. Ajoutez la crème fraîche. Salez et poivrez et muscadez.
4 Mélangez la béchamel avec les champignons et le parmesan. Démoulez les tartelettes.
5 Garnissez les tartelettes du mélange aux champignons et passez-les 5 min dans le four à 250 °C. Servez chaud.

Tartelettes aux fruits

Pour **6 tartelettes**
Préparation **30 min**
Cuisson **12 min environ**

250 g de farine ◆ 125 g de beurre ◆ 125 g de sucre semoule ◆ 1 œuf ◆ 24 framboises ◆ 24 fraises ◆ 24 cerises au sirop ◆ 24 mirabelles au sirop ◆ sel

1 Préparez une pâte sablée avec la farine, le beurre, le sucre, l'œuf et 1 pincée de sel *(voir page 529)*.
2 Abaissez la pâte et garnissez-en des moules à tartelette. Piquez les fonds de pâte et faites-les cuire 10 à 12 min dans le four à 200 °C.
3 Sortez les tartelettes du four, laissez-les tiédir puis démoulez-les.
4 Essuyez les framboises si nécessaire. Équeutez les fraises. Égouttez les fruits au sirop. Garnissez le quart des tartelettes avec chacun des fruits.

Agrémentez les tartelettes aux framboises et aux fraises avec de la chantilly, celles aux fruits au sirop avec des amandes effilées.

→ autres recettes de tartelette à l'index

tartine

→ voir aussi canapé, goûter d'enfants, pain, sandwich, toast

Tranche de pain destinée à recevoir une garniture. Celle-ci a comme base un produit qui s'étale facilement : beurre, confiture, miel, rillettes, fromage blanc, etc. Les tartines sont servies au petit déjeuner ou au goûter, mais vous pouvez aussi en proposer comme en-cas ou petit repas.

Tartines aux radis

RECETTE LÉGÈRE — 1 portion 240 kcal

Pour **4 personnes**
Préparation **15 min**
Cuisson **10 min**

3 œufs ◆ 1 botte de radis ◆ 100 g de fromage demi-sel ◆ 4 tranches de pain de seigle de 50 g chacune ◆ poivre noir au moulin ◆ paprika ◆ ciboulette

1 Faites durcir les œufs 10 min à l'eau bouillante, rafraîchissez-les et écalez-les.
2 Nettoyez et lavez les radis, épongez-les et émincez-les. Coupez les œufs durs en rondelles.
3 Écrasez le fromage demi-sel à la fourchette. Ajoutez-lui en malaxant 1/2 c. à café de poivre et 1 c. à café de paprika.
4 Tartinez les tranches de pain avec ce mélange. Garnissez-les avec les rondelles d'œufs durs. Rangez par-dessus les rondelles de radis en les faisant se chevaucher. Parsemez les tartines de ciboulette ciselée et servez frais.

Pour des tartines plus raffinées, remplacez les œufs de poule par des œufs de caille durs et les radis par du concombre émincé en très fines lamelles.

tartines et sandwiches

Avalés au comptoir ou croqués dans la rue, sandwiches et tartines sont la bonne réponse au repas rapide. Amusez-vous : variez les formes, les garnitures et la présentation.
C'est de toute manière une excellente façon de consommer du pain, source d'énergie indispensable.

Un petit pain rond aux crevettes

Tartinez de céleri rémoulade (*voir page 130*), garnissez d'une chiffonnade de trévise, de crevettes décortiquées et d'aneth frais.

Un sandwich complet

Beurrez un morceau de baguette. Garnissez avec laitue, blanc de poulet, miettes de thon, olives noires et rondelles de tomates à la vinaigrette.

Le pumpernickel

Tartinez de beurre de raifort. Ajoutez 2 fines tranches de rosbif, des lamelles de cornichon, des anneaux d'oignon cru et 1 jaune d'œuf dur émietté.

Un petit pain rond au crabe

Mélangez de la chair de crabe à de la mayonnaise aux fines herbes. Tartinez. Ajoutez 3 rondelles d'œuf dur. Décorez avec câpres et ciboulette.

Trois tartines sur pain de campagne

▸ **À gauche :**
cottage cheese saupoudré de paprika, languettes de jambon blanc intercalées avec des rondelles de kiwis.

▸ **Au milieu :**
beurre maître d'hôtel *(voir page 66)*, rondelles de saucisson à l'ail et lamelles de champignons, ketchup.

▸ **À droite :**
beurre aux fines herbes, lamelles de concombre, foie gras et jambon cru.

Les triangles de pain de mie au poisson fumé

Prenez du pain de mie légèrement rassis. Tartinez de foie de morue, puis garnissez de lamelles d'anguille fumée parsemées de graines de cumin. Tartinez de saumon fumé mixé avec un peu de crème fraîche, puis garnissez de lamelles de haddock et de rondelles de citron cannelées.

Le petit pain au maquereau fumé

Ouvrez un pain au lait en 2. Tartinez chaque moitié de beurre malaxé avec du zeste d'orange finement râpé. Garnissez avec des filets de maquereaux fumés. Ajoutez des rondelles de radis et quelques grains de poivre vert.

Conseils pratiques

Le pain de seigle et le pain de mie sont meilleurs s'ils sont un peu rassis. La baguette en revanche doit être bien fraîche et croustillante. Le pain de campagne est délicieux légèrement grillé. Préparez les garnitures à l'avance, mais tartinez les sandwiches au dernier moment.

tendron

→ voir aussi **bœuf, côte de veau, veau**

Cette pièce de viande moelleuse fait partie de la découpe du bœuf ou du veau. Le tendron de bœuf fournit des morceaux à braiser ou à bouillir. Les tendrons de veau se cuisinent en blanquette ou en braisé. S'ils sont assez maigres, faites-les soit mijoter en tranches avec des carottes ou des oignons, soit poêler doucement ; garnissez-les alors d'épinards ou de pâtes fraîches.

Tendrons de veau aux carottes

MICRO ONDES

RECETTE LÉGÈRE 1 portion 350 kcal

Pour **4 personnes**
Préparation **15 min**
Cuisson **30 min**

600 g de tendrons de veau • 3 échalotes • 5 carottes • 20 g de beurre • 10 cl de crème fraîche à 15 % de matières grasses • 20 g de farine • persil • thym • laurier • sel • poivre

1 Coupez les tendrons en morceaux pas trop gros et réguliers. Salez-les et poivrez-les. Pelez et émincez les échalotes. Pelez les carottes et coupez-les en rondelles.

2 Mettez 10 g de beurre dans un grand récipient avec les échalotes et les carottes. Couvrez et faites cuire 2 min à pleine puissance. Ajoutez la viande et faites cuire 2 min à couvert à la même puissance en remuant à mi-cuisson.

3 Versez de l'eau bouillante dans le plat juste à hauteur des ingrédients, ajoutez 1 brin de thym et 1 feuille de laurier. Poivrez et mélangez. Faites cuire 10 min à puissance moyenne. Retirez le thym et le laurier. Réservez au chaud.

4 Faites chauffer la crème fraîche dans un bol 5 min à pleine puissance.

5 Dans un autre bol, faites chauffer 10 g de beurre et la farine pendant 2 min en réglant le four sur la position décongélation. Mélangez puis ajoutez 8 c. à soupe du liquide de cuisson de la viande. Fouettez et remettez dans le four sur décongélation pendant 2 min. Fouettez à nouveau. Incorporez la crème fraîche et 2 c. à soupe de persil haché.

6 Versez cette sauce sur les tendrons. Mélangez, couvrez et repassez 8 min dans le four à puissance maximale. Servez aussitôt.

tequila

Cette eau-de-vie mexicaine résulte de la distillation de la sève d'une plante tropicale : l'agave. La tequila titre environ 40 % Vol.

Dégustez-la selon la tradition : léchez une pincée de sel, buvez une gorgée d'alcool puis sucez une rondelle de citron vert, d'orange ou de concombre frotté de citron. La tequila entre aussi dans la composition de cocktails classiques comme le margarita (tequila, jus de citron, sucre et curaçao blanc), servi dans un verre givré de sel, ou le tequila sunrise (tequila, jus d'orange et sirop de grenadine).

terrine

→ voir aussi **pain de cuisine, pâté**

Classiquement, les terrines sont des pâtés à trancher à base de viande (porc, volaille ou gibier). La cuisine moderne propose de nombreuses recettes de terrines à base de poisson, de crustacés ou de légumes, parfois pris en gelée.

On sert la terrine en entrée froide, généralement avec des condiments et souvent avec une sauce pour les terrines de poisson ou de légumes.

On prépare aussi des terrines d'entremets faites de fruits pris en gelée, à servir avec de la crème fraîche ou un coulis de fruits.

Diététique. 100 g de pâté en terrine = 450 kcal. Les terrines de légumes ou de poisson sont généralement deux fois moins caloriques.

Terrine de courgettes

RECETTE LÉGÈRE 1 portion 250 kcal

Pour **6 personnes**
Préparation **30 min**
Cuisson **1 h 30,**
24 h à l'avance

1 kg de courgettes • 150 g d'oignons • 100 g de mie de pain • 10 cl de lait • 3 œufs • 200 g d'épinards • estragon frais • 25 g de beurre • huile d'olive • muscade • sel • poivre

1 Lavez les courgettes. Ne les pelez pas si la peau est très fine. Émincez-les. Pelez et hachez les oignons.

2 Faites chauffer 2 c. à soupe d'huile dans une poêle. Versez-y les oignons et laissez-les dorer pendant 5 min.

3 Ajoutez les courgettes et mélangez-les avec les oignons. Laissez-les fondre doucement pendant 5 min. Retirez du feu et écrasez le mélange à la fourchette.
4 Imbibez la mie de pain de lait et écrasez-la. Ajoutez-la aux légumes. Incorporez les œufs battus en omelette. Salez et poivrez. Muscadez.
5 Lavez les épinards, épongez-les et ciselez-les. Faites-les fondre 5 min avec 15 g de beurre. Égouttez-les bien.
6 Beurrez une terrine en porcelaine à feu. Versez-y la moitié des courgettes. Ajoutez les épinards et un peu d'estragon. Versez le reste du mélange.
7 Faites cuire la terrine dans un bain-marie au four à 160 °C pendant 1 h 15. Éteignez le four et laissez la terrine reposer 15 min. Sortez-la, faites-la refroidir puis mettez-la au réfrigérateur. Démoulez avant de servir.

N'hésitez pas à bien presser la mie de pain imbibée de lait pour ne pas risquer de détremper le mélange, sinon la farce sera trop molle et la terrine ne tiendra pas.

Terrine de poisson ▲

Avec une terrine de poisson, le choix du vin est vaste, à condition de le choisir plutôt blanc, sec et bien frais : riesling d'Alsace, graves ou entre-deux-mers du Bordelais.

Terrine de poisson

Pour **4 ou 5 personnes**
Préparation **30 min, 24 h à l'avance**
Cuisson **1 h 10**

300 g de petites carottes nouvelles ◆ 300 g de pois gourmands ◆ 200 g de petits pois écossés ◆ 150 g de mie de pain ◆ 10 cl de lait ◆ 3 œufs ◆ 500 g de filets de poissons (merlan, cabillaud, saumon) ◆ 20 cl de crème fraîche ◆ persil ◆ ciboulette ◆ 20 g de beurre ◆ sel ◆ poivre

1 Grattez les carottes. Lavez les pois gourmands et ôtez-en les fils. Faites cuire les 3 légumes à l'eau bouillante séparément : 10 min pour les carottes et les petits pois, 5 min pour les pois gourmands. Égouttez tous ces légumes.
2 Trempez la mie de pain dans le lait. Cassez les œufs et séparez les blancs des jaunes. Passez les filets de poissons dépouillés au mixer. Fouettez les blancs d'œufs en neige ferme.
3 Écrasez la mie de pain. Incorporez ensuite les jaunes d'œufs puis les blancs en neige et la crème fraîche. Salez et poivrez.
4 Ajoutez à ce mélange la purée de poissons, 2 c. à soupe de persil haché et autant de ciboulette ciselée.
5 Tapissez un moule à cake avec une feuille d'aluminium, beurrez-la. Versez-y 1/3 de farce au poisson en une couche. Rangez par-dessus les carottes et les petits pois. Recouvrez-les avec la moitié du reste de farce. Rangez les pois gourmands et versez ensuite le reste de farce.
6 Couvrez avec une feuille d'aluminium et faites cuire au four à 180 °C pendant 1 h. Le dessus doit être ferme. Laissez refroidir et mettez au réfrigérateur.

Servez la terrine le lendemain en entrée froide avec une mayonnaise aux fines herbes.

Pour donner une consistance différente à votre terrine, gardez quelques bouchées de filets de poisson et répartissez-les dans la première couche de farce.

Boisson **chablis**

Terrine au porto et aux foies de volaille

Pour **6 personnes**
Préparation **15 min**
Cuisson **10 min, 2 h à l'avance**

600 g de foies de poulets ou de canards ◆ 100 g d'oignons ◆ 2 échalotes ◆ 60 g de beurre ◆ thym ◆ laurier ◆ porto ◆ sel ◆ poivre

1 Nettoyez les foies de volaille et coupez-les en petits morceaux. Pelez les oignons et les échalotes. Hachez-les finement.
2 Faites fondre le beurre dans une poêle et mettez-y les oignons et les échalotes, 1 brin de thym et 1 feuille de laurier. Faites revenir le mélange pendant 3 min.
3 Ajoutez les foies de volaille et faites-les cuire pendant 8 min environ sur feu doux en les remuant constamment.
4 Retirez le laurier et le thym de la poêle. Passez le contenu au mixer puis versez le mélange dans une jatte.
5 Ajoutez 2 c. à soupe de porto. Salez et poivrez. Mélangez. Versez la préparation dans une terrine et tassez bien. Mettez au réfrigérateur pendant 2 h.

Servez cette terrine bien fraîche en entrée avec des toasts grillés et des petits oignons au vinaigre.

Boisson **saint-nicolas-de-bourgueuil**

→ **autres recettes de terrine à l'index**

tête

→ **voir aussi** fromage de tête, hure, langue, museau, oreille

Cet abat blanc des animaux de boucherie est riche en parties gélatineuses. C'est surtout la tête du veau que l'on cuisine. Entière, coupée en deux ou en morceaux, elle est cuite au court-bouillon et servie chaude ou froide avec une sauce relevée. Ses apprêts sont nombreux : tête de veau sauce poulette, sauce ravigote ou tout simplement tiède et en vinaigrette avec un œuf dur haché. Vous pouvez l'acheter cuite chez le tripier, désossée et roulée.

Diététique. 100 g de tête de veau = 350 kcal environ.

Tête de veau gribiche

Pour **4 personnes**
Préparation **20 min**
Cuisson **1 h 30**

800 g de tête de veau en morceaux désossés ◆ 2 sachets de court-bouillon ◆ 2 citrons ◆ 2 branches de céleri ◆ 4 œufs durs ◆ moutarde ◆ huile d'olive ◆ estragon ◆ persil plat ◆ câpres ◆ persil frisé ◆ sel ◆ poivre

1 Mettez les morceaux de tête dans un faitout. Ajoutez le court-bouillon, 2 l d'eau et le jus d'un citron. Portez lentement à ébullition.
2 Ôtez les fils des branches de céleri et coupez celles-ci en tronçons. Ajoutez-les dans le bouillon et faites cuire à petite ébullition pendant 1 h 30.
3 Préparez une sauce gribiche avec les œufs durs, 1 c. à café de moutarde, 4 c. à soupe d'huile d'olive et le jus d'un citron, et, au goût, de l'estragon, du persil plat et des câpres hachés *(voir page 664)*.
4 Égouttez les morceaux de tête de veau et mettez-les dans un plat creux. Garnissez-les de bouquets de persil frisé et servez avec la sauce gribiche à part.

tex-mex

Relevée et colorée, la cuisine tex-mex s'inspire de la cuisine que l'on rencontre dans le Texas, à la frontière mexicaine. *Voir aussi pages 718-719.*

thé

→ **voir aussi** punch

Feuilles du théier utilisées pour préparer une infusion, servie chaude, parfois glacée. Le thé désigne la boisson elle-même et la légère collation de pâtisseries servie avec celui-ci dans l'après-midi.

Originaire de Chine, le thé est produit également en Inde, au Sri Lanka, au Japon et en Indonésie. Il en existe deux grandes variétés : le « chine » à petites feuilles et l'« assam » à grandes feuilles.

Le thé le plus courant est noir : les feuilles sont déshydratées, roulées, fermentées et desséchées, puis triées. Les thés de Ceylan sont assez forts et francs de goût : retenez en particulier l'orange pekoe, fin et ambré, et le flowery pekoe, plus corsé. Les thés des

Indes sont très parfumés, à l'image du prestigieux darjeeling dont la saveur varie selon le « jardin » d'origine. Les thés de Chine sont généralement corsés et souvent fumés, comme le lapsang souchong et plus encore le tarry souchong.

Le thé vert est soumis à un chauffage intense des feuilles, qui ne sont pas fermentées. C'est une spécialité de Chine et du Japon, très consommée dans les pays musulmans. Le oolong de Formose, intermédiaire entre le noir et le vert, est rare mais délicat et velouté. Les thés parfumés, dont le plus célèbre est le earl grey à la bergamote, sont très variés : à part les arômes classiques (jasmin, rose, agrumes, lotus, menthe), ces infusions n'ont plus grand-chose à voir avec le « vrai » thé.

Un amateur de thé l'achète au poids dans un magasin spécialisé et le conserve au sec et à l'abri de la lumière. Les sachets sont préparés avec des brisures de feuilles ou des poussières de thé : leur qualité est nettement inférieure à celle du thé en feuilles.

La préparation du thé obéit à quelques règles simples : faites bouillir une eau peu calcaire et non javellisée ; ébouillantez une théière, de préférence en terre non vernissée ; versez-y une cuillerée à café de thé par tasse, plus « une pour la théière » ; versez l'eau frémissante ; laissez infuser de 4 à 5 minutes ; remuez avant de servir. Si vous aimez le lait, ajoutez-le froid. Évitez le citron.

Diététique. Le thé doit ses propriétés stimulantes à la théine qu'il contient : de 0,04 à 0,08 mg par tasse ; c'est dans le thé de Ceylan qu'il y en a le plus. Il existe aussi des thés déthéinés.

Boisson chaude épicée

Pour **4 personnes**
Préparation **15 min**
Pas de cuisson

4 sachets de thé de Ceylan assez fort • 1 orange non traitée • 1 pomme reinette • 1 citron • 4 clous de girofle • 1 bâton de cannelle • 1 petit tronçon de gingembre • édulcorant en poudre

1 Faites bouillir de l'eau pour préparer une infusion de thé.
2 Pelez très finement le zeste de l'orange. Pelez et hachez finement le gingembre. Pelez la pomme, taillez-la en petits dés et citronnez-les.
3 Versez l'eau bouillante dans une théière où vous aurez placé les sachets de thé et tout le zeste de l'orange. Laissez infuser pendant 3 ou 4 min puis passez le thé.
4 Versez-le dans un pot et ajoutez les clous de girofle, le gingembre et la cannelle. Laissez infuser à nouveau pendant 5 min.
5 Répartissez les petits dés de pomme dans des tasses et filtrez le thé parfumé et épicé dessus. Sucrez à votre goût et dégustez.

Œufs aux feuilles de thé

Pour **4 personnes**
Préparation **15 min**
Cuisson **2 h environ, 8 h à l'avance**

4 gros œufs • 1 étoile de badiane • thé noir de Chine • sauce soja • sel

1 Mettez les œufs dans une casserole. Ajoutez 50 cl d'eau froide et portez à ébullition. Laissez cuire 12 min.
2 Retirez les œufs de la casserole et laissez-les refroidir. Tapotez-les avec le dos d'une cuiller pour craqueler régulièrement la coquille.
3 Remettez-les dans une casserole avec 50 cl d'eau froide. Ajoutez 1 c. à soupe de sel, 2 c. à soupe de sauce soja, la badiane et 3 c. à café de thé. Portez à ébullition puis réduisez au minimum et laissez cuire 2 h. Rajoutez de l'eau pour que les œufs soient toujours couverts.
4 Retirez la casserole du feu et laissez les œufs dans le liquide pendant 8 h. Pour servir, écalez les œufs et coupez-les en 2.

Thé glacé

Pour **4 personnes**
Préparation **5 min, 2 h à l'avance**
Cuisson **2 min**

1 citron • 5 c. à café de thé noir • sucre semoule • rhum

1 Faites bouillir 1 l d'eau. Prélevez le zeste du citron. Ébouillantez la théière. Mettez-y le thé.
2 Versez l'eau frémissante sur le thé et couvrez. Laissez infuser 4 min.
3 Passez l'infusion et versez-la dans une carafe. Ajoutez le zeste du citron et 3 ou 4 c. à soupe de sucre semoule. Remuez et laissez refroidir. Mettez au réfrigérateur pendant 2 h.
4 Pour servir, retirez le zeste de citron. Mettez des glaçons dans les verres, ajoutez 1 ou 2 c. à soupe de rhum, versez le thé froid et mélangez. Ajoutez une fine rondelle de citron.

cuisine tex-mex

Colorée et épicée, la cuisine tex-mex a des airs de fête. Elle vient du Texas et du nord du Mexique. Les haricots, le maïs et les piments « chiles » en sont les ingrédients principaux. Voici quelques plats dans la pure tradition tex-mex.

Tortillas

Le chili con carne

Ce plat complet *(voir page 157)*, à base de haricots rouges, de viande de bœuf, de tomates et de piment, est le fleuron de la cuisine tex-mex. Préparez-le à l'avance : il est encore meilleur réchauffé.

Le guacamole

Cette purée d'avocats se sert en entrée avec des tortillas chips et des bâtonnets de crudités. Le guacamole accompagne également de nombreux plats typiques.

▶ **Pour 4 personnes**

Pelez 2 avocats bien mûrs et coupez-les en petits cubes. Coupez en morceaux le plus fins possible 1 piment d'Espelette et 1 échalote. Écrasez 1 gousse d'ail. Ciselez 1 petit bouquet de coriandre. Salez et poivrez. Ajoutez le jus d'un citron. Passez le tout au mixer. Placez le mélange dans un petit bol et ajoutez 1 oignon finement haché. C'est la quantité du piment qui fera la « force » du guacamole, dosez-le en conséquence.

Les tortillas

Base de nombreux plats, la tortilla est une mince galette ronde de pain non levé, confectionnée à partir de farine de maïs ou de blé. Nature, elle est servie en accompagnement d'un plat. Les tortillas sont généralement destinées à la friture : c'est le cas des tacos et des tortillas chips. Les tortillas sont également utilisées pour confectionner les burritos (tortillas molles farcies, repliées puis passées à la poêle, qui doivent contenir des haricots) et les enchilladas (tortillas farcies, repassées dans la friture ou mijotées dans une sauce chile avec des tomates et des oignons).

▶ **Pour 12 tortillas**

Mélangez 500 g de farine de maïs, 1 c. à café de sel et 1 pincée de levure chimique. Ajoutez 10 g de margarine ramollie et versez 15 cl d'eau chaude. Travaillez le mélange jusqu'à obtenir une pâte lisse. Formez des boules de 5 cm de diamètre. Sur une surface farinée, étalez des galettes de 15 cm de diamètre. Faites cuire à la poêle antiadhésive non graissée pendant 2 min chaque côté.

Salsa cruda

Guacamole

La salsa cruda

Cette « sauce crue » est un condiment classique de la cuisine tex-mex.

▶ **Pour 20 cl de sauce environ**

Mélangez 1 grosse tomate pelée et coupée en dés, 1 oignon, 1 gousse d'ail et 1 blanc de poireau hachés, 3 piments en dés. Salez et poivrez. Laissez reposer 30 min avant de servir.

Les tacos

Le « sandwich mexicain », composé d'une galette de tortilla pliée et frite, est garni de viande de bœuf, de volaille, de porc, de crudités et de fromage.

Tacos au bœuf
Pour 12 tortillas

Faites chauffer de l'huile dans une poêle et faites-y revenir à feu vif 1 oignon et 1 gousse d'ail hachés. Quand ils sont translucides, ajoutez 500 g de viande de bœuf en fines lamelles. Faites rissoler en remuant. Incorporez 1 c. à soupe de chapelure et 10 cl de *salsa cruda*. Poursuivez la cuisson 1 min. Laissez tiédir la préparation. Faites réchauffer les tortillas au four. Farcissez chaque tortilla tiède avec des lanières de laitue, quelques dés de tomate, puis 2 c. à soupe du mélange au bœuf.

Tacos à la volaille
Pour 12 tortillas

Découpez en fines lamelles 400 g de blanc de volaille cuit à la vapeur. Hachez 1 poivron rouge, 1 gousse d'ail et 1 oignon nouveau avec une partie du vert et ajoutez-les à la volaille. Faites revenir dans 1 c. à soupe d'huile pendant 3 minutes. Laissez tiédir la préparation. Faites réchauffer les tortillas au four. Pelez et écrasez 2 avocats. Citronnez-les. Farcissez chaque tortilla tiède avec la préparation à base de volaille, la purée d'avocats, quelques lamelles d'emmental, des dés de tomates et des lanières de laitue.

Les piments

Rouges, verts ou jaunes, les *chiles* entrent dans la préparation de toutes les sauces, dont la *salsa cruda*, plus ou moins piquantes suivant le type de *chile* utilisé. On les trouve également dans les salades et dans les plats cuisinés.

Préparer des coques de tortillas

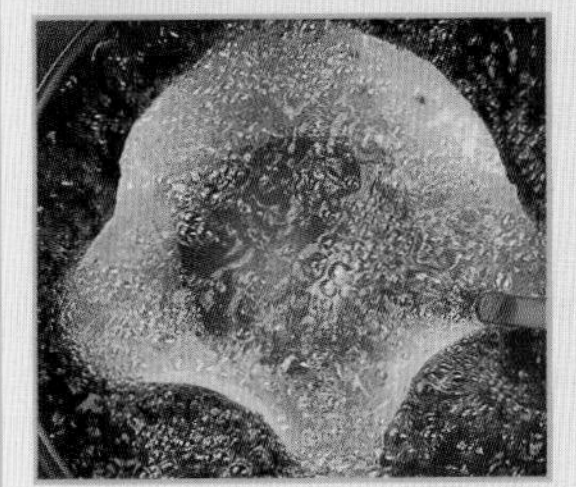

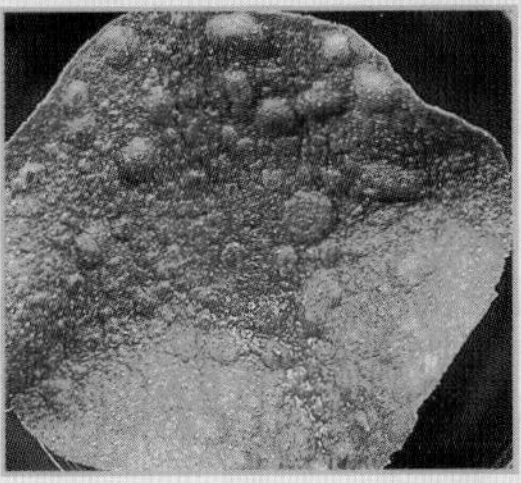

1 *Préparez des tortillas de blé (voir page 718). Faites chauffer de l'huile de friture. À l'aide d'une louche, poussez une tortilla dans l'huile chaude. Faites dorer pendant 35 secondes.*

2 *Ôtez la louche de l'huile et laissez-y la tortilla jusqu'à ce qu'elle soit bien dorée. Égouttez-la sur du papier absorbant. La coque se déguste avec la salade qu'elle contient.*

La taco salad

Les coques de tortillas frites doivent rester croustillantes, garnissez-les au dernier moment. Servez-les avec du guacamole et de la *salsa cruda*.

Quelques idées de garnitures

- Crevettes décortiquées, coupées en 2 et sautées quelques minutes dans un peu d'huile, lanières de salade, tranches d'oranges pelées à vif, un peu de piment rouge.
- Tomates et poivron vert coupés en petits dés, coriandre fraîche, lanières de salade et haricots rouges assaisonnés de jus de citron et de *salsa cruda*.
- Cactus *(nopales)* émincé et égoutté, lanières de salade, tranches de tomates, feta émiettée, vinaigrette et coriandre fraîche ciselée.

Taco salad aux crevettes

thon

On donne ce nom à plusieurs gros poissons de mer pêchés en Méditerranée ou dans l'Atlantique, jusqu'en Afrique ou aux Antilles. Le thon est vendu frais de mai à octobre, mais ce poisson est essentiellement destiné à la conserverie industrielle.

Le germon, thon blanc, est le plus savoureux. Rare frais, il approvisionne des conserves de qualité. L'albacore est le plus courant en conserve. Le thon rouge est le seul vendu presque toujours frais, en tranches ou en morceaux : sa chair dense doit être rouge vif et brillante, elle est meilleure un peu rassise. On pêche aussi le patudo, à la chair blanc rosé, moins fin que le thon blanc, ainsi que le listao, très utilisé en conserverie.

Le thon frais se fait griller, braiser, selon des recettes souvent bien relevées.

Le thon en conserve se présente sous plusieurs formes : en bloc, en miettes ou en filets ; au naturel, à l'huile ou cuisiné (sauce tomate, marinade, ravigote). Évitez les salades à base de thon en boîte, en général médiocres. Lisez les étiquettes : la mention thon blanc ou germon précise que ce poisson plus fin est utilisé. Le thon à l'huile se bonifie en vieillissant, à la différence du thon au naturel : consommez celui-ci rapidement.

Diététique. 100 g de thon frais = 230 kcal ; 100 g de thon à l'huile = 280 kcal.

Darne de thon basquaise

Pour **6 personnes**
Préparation **30 min**
Cuisson **1 h environ**

2 poivrons rouges • 1 aubergine • 4 tomates • 2 oignons • 1 gousse d'ail • 1 darne de thon rouge de 800 g environ • farine • huile d'olive • thym • laurier • sel • poivre de Cayenne

1 Coupez les poivrons en 2, retirez les graines et taillez la pulpe en lanières. Coupez l'aubergine en petits dés. Pelez les tomates et concassez la pulpe. Pelez et hachez les oignons et l'ail.
2 Farinez la darne de thon. Faites chauffer 2 c. à soupe d'huile dans une cocotte sur feu vif. Mettez-y la darne de thon et laissez-la dorer sur les 2 faces. Retirez-la.
3 Ajoutez un peu d'huile dans la cocotte et mettez-y les poivrons. Faites cuire 3 min.
4 Ajoutez ensuite l'aubergine, l'ail et les oignons hachés. Mélangez bien.
5 Ajoutez enfin la concassée de tomates, 1 brin de thym, 1 feuille de laurier, 1 pincée de sel et 1 pincée de poivre de Cayenne. Laissez cuire jusqu'à l'ébullition.
6 Remettez la darne de thon dans la cocotte et couvrez. Faites mijoter 45 min environ. Servez très chaud avec des courgettes à la vapeur ou des pommes vapeur.

Boisson **vin rouge fruité**

Darne de thon au curry

Pour **6 personnes**
Préparation **30 min, 1 h à l'avance**
Cuisson **1 h 50**

1 darne de thon blanc de 1 kg • 10 filets d'anchois • 4 branches de céleri • 3 oignons • 3 tomates • 1 citron • thym • laurier • vin blanc sec • huile d'olive • curry • safran • sel • poivre

1 Faites des incisions régulières dans la darne de thon et glissez-y les filets d'anchois coupés en 2. Mettez-la dans un plat creux. Ajoutez 2 brins de thym, 1 feuille de laurier émiettée et 35 cl de vin blanc. Laissez mariner 1 h au frais.
2 Ôtez les fils du céleri et coupez-le en petits morceaux. Pelez et hachez les oignons. Pelez les tomates. Coupez-les en tranches.
3 Faites chauffer 1 c. à soupe d'huile dans une cocotte. Ajoutez le céleri et les oignons, remuez sur feu moyen pendant 3 min. Ajoutez les tomates, le curry et 1 dose de safran. Salez et poivrez. Laissez mijoter sur feu doux à découvert pendant 40 min.
4 Égouttez la darne de thon et épongez-la bien. Faites chauffer 1 c. à soupe d'huile dans une poêle et faites dorer la darne des 2 côtés pendant 3 min.
5 Mettez la darne dans la cocotte et ajoutez la marinade au vin. Couvrez et faites cuire doucement pendant 1 h. Ajoutez le jus du citron. Servez très chaud.

Darne de thon basquaise ►

Si vous avez le temps, n'hésitez pas à peler les poivrons en les passant dans le four pendant quelques minutes avant de les épépiner et de les tailler.

Mousse de thon

Pour **6 personnes**
Préparation **15 min, 6 h à l'avance**
Cuisson **8 min**

1 jaune d'œuf ◆ 12 cl d'huile d'olive ◆ 5 cl de crème fraîche ◆ 450 g de thon à l'huile ◆ 400 g de haricots verts extrafins ◆ vinaigre ◆ huile ◆ sel

1 Préparez une mayonnaise très ferme avec le jaune d'œuf, 2 pincées de sel et l'huile d'olive *(voir page 437)*. Fouettez la crème. Égouttez le thon et passez-le au mixer.
2 Mélangez la mayonnaise, la crème fouettée et la purée de thon. Remplissez-en un moule à manqué à revêtement antiadhésif. Lissez le dessus et mettez le moule 6 h au réfrigérateur.
3 Effilez les haricots verts et faites-les cuire 8 min à l'eau bouillante légèrement salée. Rafraîchissez-les, égouttez-les et laissez-les refroidir. Préparez une vinaigrette *(voir page 753)*. Assaisonnez les haricots verts.
4 Démoulez la mousse de thon sur un plat. Disposez les haricots verts sur le dessus et ajoutez le reste en garniture autour. Servez frais.

Poivrons farcis au thon

RECETTE LÉGÈRE – 1 portion 300 kcal

Pour **4 personnes**
Préparation **25 min**
Cuisson **30 min**

4 petits poivrons jaunes ◆ 4 petits poivrons rouges ◆ 4 petites tranches de pain de mie rassis ◆ 1 boîte de thon au naturel (200 g environ) ◆ 16 olives noires ◆ 1 c. à soupe de câpres égouttés ◆ 2 tomates ◆ 8 feuilles de menthe ◆ huile d'olive ◆ origan séché ◆ sel ◆ poivre

1 Lavez et essuyez les poivrons. Coupez-les en 2 dans le sens de la longueur, retirez les graines.
2 Émiettez le pain de mie dans un bol, mouillez-le avec un peu d'eau et laissez reposer. Égouttez le thon, versez-le dans une jatte et émiettez-le avec une fourchette. Dénoyautez les olives et hachez-les grossièrement.
3 Mélangez les câpres et les olives, ajoutez-les au thon. Ébouillantez et pelez les tomates. Concassez-les grossièrement.
4 Ajoutez au thon les tomates, le pain de mie, la menthe ciselée et 1 c. à soupe d'huile. Mélangez.
5 Préchauffez le four à 200 °C.
6 Farcissez les moitiés de poivron de la préparation au thon. Rangez-les dans un plat à gratin à revêtement antiadhésif. Arrosez d'un filet d'huile et saupoudrez d'origan. Enfournez le plat à mi-hauteur et laissez cuire 30 min.

→ **autres recettes de thon à l'index**

thym

→ **voir aussi** bouquet garni

Cette plante aromatique se reconnaît à ses petites feuilles gris-vert, utilisées fraîches ou séchées. Le thym d'hiver est plus amer que le thym du Midi, surnommé farigoule, à feuilles plus petites. C'est un aromate essentiel en cuisine, qui sert aussi à préparer des infusions. Ses meilleures alliances se font avec les tomates, les légumes secs, les daubes, les potées et le cassoulet. Plus rare frais, il peut relever des œufs brouillés, une volaille rôtie ou du fromage blanc. Évitez les grosses tiges, au goût amer.

thym sauvage

Canard au thym

Pour **4 personnes**
Préparation **20 min**
Cuisson **1 h 20 environ**

1 canard de 1,5 kg environ ◆ 4 branches de thym frais ◆ 60 g de beurre ◆ 800 g de pommes de terre nouvelles ◆ 2 oignons ◆ 10 cl de bouillon de volaille ◆ huile ◆ thym séché ◆ sel ◆ poivre

1 Salez et poivrez le canard. Glissez à l'intérieur les branches de thym et 20 g de beurre.
2 Lavez les pommes de terre et faites-les cuire 15 min à l'eau bouillante salée.
3 Pelez les oignons et coupez-les en quartiers. Préchauffez le four à 210 °C. Beurrez un grand plat à four et versez-y le bouillon.
4 Égouttez les pommes de terre et pelez-les. Coupez-les en morceaux réguliers. Badigeonnez le canard d'huile et poudrez-le avec 1 c. à soupe de thym sec.
5 Posez-le dans le plat et entourez-le avec les quartiers d'oignons et les pommes de terre. Parsemez celles-ci avec 1 c. à soupe de thym sec.

6 Faites cuire dans le four pendant 1 h environ en arrosant de temps en temps avec le jus de cuisson. Servez brûlant.

Boisson **vin blanc sec**

→ **autres recettes de thym à l'index**

tian

Gratin de légumes portant le nom du plat carré ou rectangulaire, en terre vernissée ou non, dans lequel il a cuit. Cette préparation est courante dans la cuisine provençale.

Tian aux courgettes

Pour **6 personnes**
Préparation **20 min**
Cuisson **50 min**

RECETTE LÉGÈRE 1 portion 195 kcal

6 courgettes moyennes ◆ 3 pommes de terre ◆ 2 oignons ◆ 2 tomates ◆ persil plat ◆ 60 g de parmesan ◆ basilic ◆ huile d'olive ◆ thym ◆ laurier ◆ sel ◆ poivre

1 Lavez les courgettes et coupez-les en rondelles. Pelez les pommes de terre, lavez-les et coupez-les en tranches. Pelez les oignons et émincez-les. Pelez les tomates et coupez-les en tranches.
2 Préchauffez le four à 180 °C. Badigeonnez un tian (ou un plat à gratin) avec 2 c. à soupe d'huile. Étalez-y les pommes de terre et les oignons mélangés. Poudrez avec 1 c. à café de thym, salez et poivrez.
3 Rangez par-dessus les rondelles de courgettes intercalées avec les tomates. Ajoutez 1 feuille de laurier émiettée et 1 c. à soupe de persil haché. Arrosez avec 2 c. à soupe d'huile.
4 Faites cuire au four pendant 40 min. Ciselez finement 1 c. à soupe de basilic et mélangez-le avec le parmesan râpé.
5 Sortez le tian du four, saupoudrez du mélange parmesan-basilic, remettez dans le four à 240 °C pendant 10 min. Servez dans le plat.

Remplacez les courgettes par du potiron ou des aubergines tranchées et dégorgées au sel.

Boisson **vin blanc sec**

→ **autres recettes de tian à l'index**

tilsit

Ce fromage suisse de lait de vache est à pâte pressée non cuite. Il présente des petits trous réguliers et possède une saveur très fruitée. Dans les gratins ou les soufflés, il remplace avantageusement l'emmental en parfumant plus fortement la préparation. Appréciez-le aussi en fin de repas avec un vin suisse.

toast

Ce mot anglais signifie « pain grillé ». Il possède le même sens en français et désigne en général une tranche de pain de mie passée sous le gril ou dans un grille-pain pour être servie chaude au petit déjeuner ou au thé, avec du beurre et de la confiture, ou en accompagnement de certains mets : foie gras, caviar, poisson fumé, etc. Servez ces toasts debout dans un porte-toasts ou dans les plis d'une serviette sur une assiette. Le toast peut également être garni et servi en amuse-gueule ou en hors-d'œuvre chaud : œufs brouillés, bacon grillé, anchois, etc.

Toasts au gruyère

Pour **4 personnes**
Préparation **15 min**
Cuisson **20 min**

3 oignons ◆ 4 tranches de pain de mie épaisses ◆ 40 g de beurre ◆ 200 g de gruyère ◆ paprika ◆ sel ◆ poivre

1 Pelez et émincez finement les oignons. Faites griller légèrement les tranches de pain.
2 Faites fondre 20 g de beurre dans un poêlon, ajoutez les oignons et faites-les cuire 10 min. Salez et poivrez.
3 Taillez le gruyère en 4 tranches égales. Beurrez un plat à gratin. Rangez-y les tranches de pain. Répartissez dessus les oignons et poudrez de paprika. Placez enfin les tranches de gruyère.
4 Passez dans le four à 220 °C pendant 10 à 12 min. Servez aussitôt, avec une salade de pissenlits ou une frisée.

Les oignons doivent être bien cuits, et surtout pas roussis, puis réduits en une purée assez fine, que vous pouvez en outre passer rapidement au mixer.

tofu

→ voir aussi soja

Couramment appelé « fromage de soja », le tofu est fait de haricots de soja trempés, puis réduits en une purée qui est ensuite bouillie et tamisée. On lui ajoute un coagulant pour la gélifier. Le tofu, blanchâtre et de goût neutre, est un produit de base des cuisines asiatiques, surtout japonaise et chinoise (où il porte le nom de doufu). Coupé en petits cubes, il intervient dans des salades, des soupes, des mélanges de légumes ; on en fait également des pâtés, des boulettes frites ou des brochettes grillées. Il se marie aussi bien à la viande qu'au poisson ou à la volaille, mais c'est surtout un ingrédient majeur de la cuisine végétarienne.

Diététique. Le tofu est très riche en protéines végétales.

Brochettes de légumes au tofu

Pour **4 personnes**
Préparation **20 min**
Cuisson **12 min**

250 g de tofu • 8 gros champignons de couche • 1 échalote • 1 citron • 1 bouquet de ciboulette • 2 poivrons rouges • 8 tomates cerises • 2 pommes • 1 bulbe de fenouil • huile d'olive

1 Égouttez le tofu et coupez-le en cubes. Mettez-les dans un plat creux, ajoutez les champignons nettoyés et coupés en 2 puis l'échalote pelée et ciselée.

2 Pressez le jus du citron par-dessus, ajoutez la ciboulette ciselée et 2 c. à soupe d'huile. Mélangez et laissez reposer. Lavez et équeutez les poivrons, coupez-les en 2 et retirez les graines. Taillez la chair en carrés. Lavez les tomates.

3 Pelez les pommes, ôtez le cœur et les pépins, coupez la pulpe en dés. Parez et coupez le fenouil en quartiers.

4 Confectionnez des brochettes en alternant les ingrédients sur des piques. Faites-les griller 10 min sous le gril du four préchauffé à 180 °C, en les arrosant deux ou trois fois avec la marinade. Servez les brochettes chaudes.

Choisissez un fromage de soja assez ferme : s'il est un peu mou, laissez-le s'égoutter 30 min dans une passoire tapissée de mousseline.

Potée de légumes au tofu

Pour **4 personnes**
Préparation **30 min**
Cuisson **40 min**

250 g de tofu • 4 blancs de poireaux • 250 g de champignons de couche • 1 citron • 250 g de brocoli • 2 ciboules • 100 g de pousses de bambou • 2 ou 3 fines rondelles de gingembre • 35 cl de bouillon de légumes • huile d'arachide • 1 c. à soupe d'huile de sésame • sel • poivre

1 Rincez le tofu à l'eau froide puis coupez-le en cubes réguliers. Ébouillantez-les rapidement et égouttez-les. Parez et lavez les blancs de poireaux et coupez-les en rondelles.

2 Parez et émincez les champignons. Citronnez-les. Séparez le brocoli en tout petits bouquets. Parez, lavez et hachez les ciboules. Égouttez les pousses de bambou et coupez-les en morceaux.

3 Faites chauffer 1 c. à soupe d'huile d'arachide dans un grand wok ou une sauteuse. Ajoutez les ciboules hachées et le gingembre. Faites revenir pendant 1 min en remuant puis ajoutez les poireaux, les champignons et le brocoli.

4 Faites sauter 5 min sur feu assez vif puis versez 25 cl de bouillon et poursuivez la cuisson sur feu doux pendant 20 min.

5 Versez le tout dans une cocotte en terre, ajoutez les pousses de bambou, le tofu et un peu de bouillon.

6 Mélangez bien. Salez et poivrez. Laissez mijoter 10 min. Versez l'huile de sésame au moment de servir.

Tofu aux fruits secs

Pour **4 personnes**
Préparation **15 min**
Cuisson **12 min**

500 g de tofu • 1 bouquet de coriandre • 75 g d'amandes effilées • 50 g de pignons de pin • 25 cl de bouillon de légumes • 1 c. à soupe de vinaigre balsamique • huile de tournesol • fécule de maïs • sel • poivre au moulin

1 Rincez le tofu, égouttez-le et coupez-le en cubes de 3 cm de côté. Faites bouillir 2 l d'eau avec la moitié de la coriandre en bouquet.

2 Ajoutez les cubes de tofu et laissez bouillonner 1 min. Égouttez et réservez. Ciselez le reste de coriandre.
3 Étalez les amandes et les pignons sur une plaque. Faites-les dorer dans le four à 180 °C.
4 Faites chauffer 2 c. à soupe d'huile dans une poêle. Ajoutez les cubes de tofu et faites chauffer un instant. Versez le bouillon. Laissez mijoter 2 min. Ajoutez le vinaigre. Salez et poivrez.
5 Délayez 1 c. à café de fécule dans 1 c. à soupe d'eau et liez la sauce dans la poêle avec ce mélange. Servez avec le reste de coriandre ciselée, les amandes et les pignons.

tomate

→ **voir aussi** confiture, coulis, jus de fruits, sauce, velouté

Ce légume originaire d'Amérique du Sud est en réalité le fruit d'une plante dont la culture est très répandue en Italie, en Grèce et en France (Sud-Est et Sud-Ouest), en Espagne, au Maroc et aux Pays-Bas. Il est disponible toute l'année sur le marché, mais, pour éviter les tomates de serre, farineuses ou insipides et onéreuses, soyez attentifs au calendrier de la production française.

Les premières tomates à apparaître sont rondes et lisses, plutôt fermes. Ne négligez pas non plus les tomates en grappes, petites ou moyennes, qui sont pratiquement disponibles toute l'année. Septembre et octobre sont la meilleure saison des tomates, juteuses, pulpeuses et parfumées comme la saint-pierre, ou allongées comme l'olivette.

Choisissez les tomates bien mûres, lisses et sans taches. Vous pouvez les conserver quelques jours sans les entasser, dans un endroit sec et frais. Pour cuisiner des tomates, ébouillantez-les, pour les peler, puis retirez les graines. Elles se préparent en crudité, en hors-d'œuvre froid, en plat principal ou en garniture, ainsi qu'en sauce et en potage.

Diététique. Légume léger, riche en vitamines : 100 g = 22 kcal.

Fondue de tomates

Pour **400 g environ**
Préparation **20 min**
Cuisson **25 min**

2 oignons ◆ 800 g de tomates ◆ 1 gousse d'ail ◆ 1 bouquet garni ◆ 3 c. à soupe d'huile d'olive ◆ 1 c. à café d'origan ◆ sel ◆ poivre

1 Pelez et hachez finement les oignons. Ébouillantez les tomates, pelez-les et coupez-les en 2. Épépinez-les et taillez la pulpe en dés. Pelez et hachez la gousse d'ail.
2 Faites chauffer l'huile dans une casserole à fond épais. Ajoutez les oignons et laissez-les blondir. Ajoutez les tomates et mélangez. Salez et poivrez. Ajoutez l'ail et le bouquet garni.
3 Couvrez et laissez cuire très doucement jusqu'à ce que les tomates aient fondu. Retirez le couvercle et remuez avec une spatule jusqu'à ce que la fondue devienne pâteuse.
4 Retirez le bouquet garni, passez la fondue au tamis ou au mixer. Incorporez l'origan.

Cette fondue de tomates se conserve quelques jours au réfrigérateur. Utilisez-la comme fond de sauce ou comme condiment.

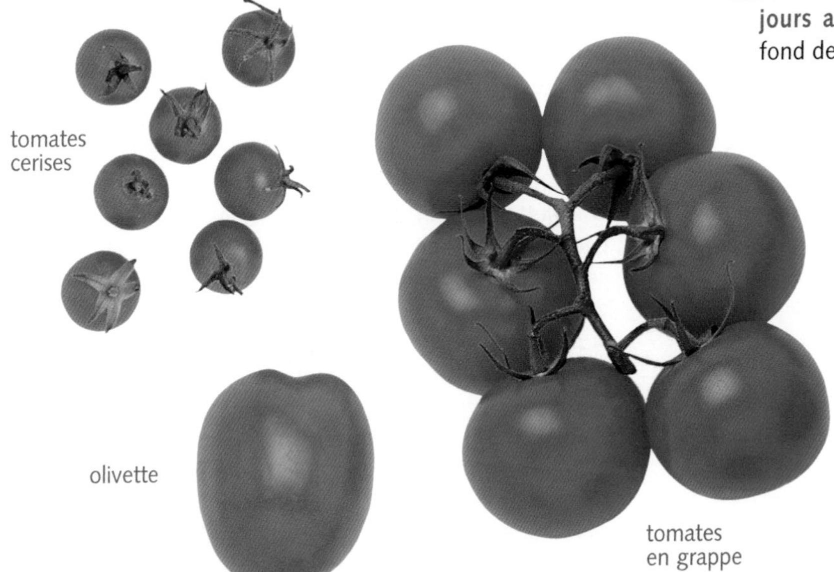

Surnommée « pomme d'amour » ou « pomme d'or » dans le Midi, la tomate se reconnaît à sa forme et à sa taille.

Granité à la tomate

Recette légère – 1 portion 315 kcal

Pour **4 personnes**
Préparation **20 min**
Congélation **3 h environ**
Pas de cuisson

1 kg de tomates bien mûres ◆ 250 g de sucre spécial confitures ◆ 1 blanc d'œuf ◆ 50 g de sucre glace ◆ vodka

1 Pelez les tomates, pressez-les et filtrez le jus : il en faut 25 cl environ.
2 Mélangez le sucre pour confitures et 15 cl d'eau froide jusqu'à dissolution complète.
3 Mélangez le sirop et le jus de tomate. Ajoutez 1 verre à liqueur de vodka. Versez le tout dans un moule à glace. Faites congeler pendant 1 h.
4 Battez vigoureusement le blanc d'œuf avec le sucre glace en chauffant le mélange au bain-marie sur feu doux.
5 Sortez la préparation à la tomate, remuez-la à la fourchette et incorporez le blanc battu. Remettez dans le congélateur pendant 2 h.

Servez ce granité à la tomate en trou normand ou encore en dessert.

Salade provençale

Pour **6 personnes**
Préparation **20 min**
Pas de cuisson

1/2 bulbe de fenouil bien tendre ◆ 6 belles tomates mûres ◆ 6 pélardons affinés ◆ huile d'olive ◆ jus de citron ◆ sel ◆ poivre noir

1 Parez le fenouil et émincez-le. Lavez les tomates, essuyez-les et retirez le pédoncule. Coupez-les chacune en 8 quartiers.
2 Écroûtez légèrement les fromages de chèvre. Coupez-les en petits cubes.
3 Mélangez dans un plat creux les tomates et le fromage. Dans un bol, fouettez 6 c. à soupe d'huile d'olive et 3 c. à soupe de jus de citron. Salez et poivrez. Arrosez la salade de cette sauce. Ajoutez le fenouil émincé. Servez.

Un autre fromage s'associe bien à la tomate en salade : la mozzarella en tranches, présentée sur des rondelles de tomate, nappées d'un filet d'huile d'olive, avec poivre au moulin et basilic ciselé en garniture.

Tian de tomates

Recette légère – 1 portion 185 kcal

Pour **6 personnes**
Préparation **10 min**

Cuisson **25 min**

1 kg de tomates ◆ 3 gousses d'ail ◆ 10 cl d'huile d'olive ◆ 3 branches de romarin ◆ persil plat ◆ sel ◆ poivre

1 Lavez et essuyez les tomates. Coupez-les en tranches épaisses. Hachez 3 c. à soupe de persil. Pelez et hachez l'ail.
2 Badigeonnez un plat en terre avec la moitié de l'huile. Placez dans le fond 2 branches de romarin. Rangez les tomates en couches régulières sur le romarin. Salez et poivrez. Ajoutez le persil, l'ail et le reste de romarin émietté.
3 Arrosez avec le reste d'huile. Faites cuire au four à 210 °C pendant 25 min. Servez très chaud dans le plat de cuisson.

Tomates farcies aux champignons

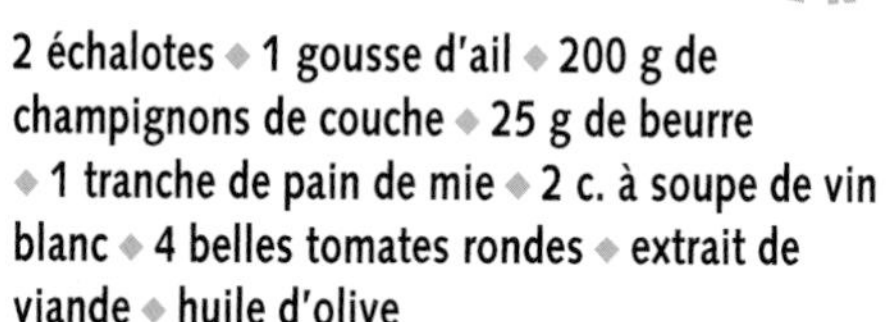
Pour **4 personnes**
Préparation **20 min**
Cuisson **40 min**

2 échalotes ◆ 1 gousse d'ail ◆ 200 g de champignons de couche ◆ 25 g de beurre ◆ 1 tranche de pain de mie ◆ 2 c. à soupe de vin blanc ◆ 4 belles tomates rondes ◆ extrait de viande ◆ huile d'olive

1 Pelez et hachez finement les échalotes et l'ail. Nettoyez les champignons et coupez-les en petits morceaux.
2 Faites chauffer le beurre dans un poêlon. Ajoutez les ingrédients précédents et faites-les revenir en remuant sur feu moyen à découvert pendant 15 min. Retirez du feu.
3 Émiettez le pain dans une poêle. Ajoutez le hachis aux champignons. Versez le vin et 1 c. à café d'extrait de viande. Faites chauffer sur feu doux en remuant. Retirez du feu.
4 Lavez les tomates et essuyez-les. Coupez le dessus de celles-ci à l'horizontale et évidez-les sans percer la peau.
5 Remplissez-les de farce et rangez-les dans un plat à gratin huilé. Arrosez d'un filet d'huile et faites cuire au four à 220 °C pendant 20 min environ. Servez chaud.

Tomates farcies charcutières

Pour **6 personnes**
Préparation **20 min**
Cuisson **30 min environ**

6 tomates fermes bien rondes assez grosses ◆ 1 gousse d'ail ◆ 80 g d'oignon ◆ 40 g de beurre ◆ 320 g de chair à saucisse fine ◆ 1 œuf ◆ persil plat ◆ chapelure ◆ thym ◆ huile ◆ sel ◆ poivre

1 Coupez un chapeau dans le haut de chaque tomate du côté du pédoncule. Videz les graines avec une petite cuiller sans percer la peau et aplatissez les cloisons. Salez et poivrez les tomates à l'intérieur, retournez-les sur du papier absorbant et laissez-les en attente.

2 Pelez et hachez finement l'ail et l'oignon. Faites fondre le beurre dans une sauteuse et versez-y l'ail et l'oignon. Remuez pendant 3 min, puis ajoutez la chair à saucisse. Faites cuire en remuant de temps en temps pendant 10 min.

3 Hachez la valeur de 4 c. à soupe de persil. Ajoutez-les au hachis avec 2 c. à soupe de chapelure et 1 c. à café de thym émietté. Salez et poivrez. Retirez du feu.

4 Incorporez l'œuf entier et mélangez. Garnissez les tomates avec cette farce. Rangez-les dans un plat et reposez les chapeaux en place. Arrosez d'un filet d'huile et poudrez légèrement de chapelure. Faites cuire au four à 220 °C pendant 20 min. Servez.

On peut aussi farcir les tomates avec de la chair à saucisse crue (la cuisson sera alors de 40 min) ou avec 300 g de reste de bœuf braisé ou bouilli, ou bien de veau rôti hachés.

→ autres recettes de tomate à l'index

tomme

→ voir aussi cantal

On appelle tomme, ou tome, des fromages différents en forme de disques plus ou moins épais. Les uns sont au lait de chèvre ou de brebis, le plus souvent à pâte molle plus ou moins affinée. Les autres sont au lait de vache, à pâte pressée. Ils sont en général originaires de régions de montagne : Savoie, Dauphiné, Franche-Comté. La tomme de Savoie au lait de vache est l'une des plus courantes : c'est souvent un fromage maigre (de 20 à 40 % de matières grasses), à saveur noisetée, meilleure en été et en automne.

Diététique. 100 g de tomme = de 230 à 335 kcal selon la teneur en matières grasses.

topinambour

Ce légume d'hiver et de printemps originaire d'Amérique du Nord se présente comme un tubercule bosselé, d'une consistance assez ferme. Assez difficile à éplucher, il possède une saveur d'artichaut délicate. Faites cuire les topinambours à l'eau, à la vapeur ou en papillotes. Servez-les à la crème avec du persil, en salade ou en purée.

Diététique. 100 g de topinambours = 80 kcal. Ce légume nourrissant est riche en phosphore et en potassium.

Tomates farcies charcutières ▼

Si vous avez un reste de viande cuite, passez-le au hachoir pour l'incorporer à la farce, en diminuant la proportion de chair à saucisse. Du basilic ou du thym frais relèvent bien le mélange.

Ce tubercule alimentaire a longtemps souffert d'un préjugé antigastronomique. Il se marie bien avec toutes les fines herbes.

topinambours

Salade de topinambours

Pour **4 personnes**
Préparation **10 min**
Cuisson **30 min**

800 g de petits topinambours nouveaux ◆ 3 échalotes grises ◆ 5 c. à soupe d'huile de tournesol ◆ 2 c. à soupe de vinaigre de vin blanc ◆ persil plat ◆ sel ◆ poivre

1 Faites cuire les topinambours à l'eau bouillante légèrement salée pendant 30 min. Égouttez-les et laissez-les tiédir.
2 Pelez et hachez finement les échalotes. Préparez une vinaigrette avec l'huile et le vinaigre. Salez et poivrez.
3 Pelez les topinambours et coupez-les en morceaux réguliers. Mettez-les dans un saladier avec les échalotes. Arrosez de vinaigrette et remuez.
4 Ajoutez 3 c. à soupe de persil haché. Remuez encore et servez aussitôt.

Vous pouvez ajouter dans cette salade du jambon émincé, des olives noires ou des filets d'anchois.

tortellini

Cette spécialité italienne est faite de petites abaisses de pâte garnies d'une farce, repliées et façonnées en anneaux. Selon leur taille, on distingue les tortellini et les tortelloni, plus gros. La farce est à base d'épinard et de fromage ou de poulet et de jambon. Achetez-les frais chez un traiteur italien ou en semi-conserve au rayon réfrigéré. Faites-les cuire à l'eau bouillante et servez-les à la crème, en sauce tomate, avec du parmesan ou du beurre fondu ; vous pouvez aussi en garnir un bouillon de volaille.

Tortellini à la crème

Pour **4 personnes**
Préparation **2 min**
Cuisson **10 min environ**

100 g de champignons de couche ◆ 1/2 citron ◆ 30 g de beurre ◆ 500 g de tortellini ◆ 60 g de parmesan ◆ 50 cl de crème fraîche épaisse ◆ cannelle ◆ sel ◆ poivre

1 Nettoyez et émincez les champignons. Citronnez-les.
2 Faites fondre le beurre dans un poêlon. Égouttez les champignons et faites-les cuire 5 min en remuant.
3 Portez à ébullition une grande casserole d'eau légèrement salée. Mettez-y les tortellini et faites-les cuire à gros bouillons pendant 8 min environ.
4 Pendant ce temps, ajoutez 30 g de parmesan aux champignons. Poivrez puis incorporez la crème fraîche et faites mijoter en remuant jusqu'à consistance épaisse. Ajoutez alors 1/2 c. à café de cannelle et mélangez.
5 Égouttez les tortellini. Versez-les dans un plat creux très chaud. Ajoutez la sauce crémeuse aux champignons et mélangez. Poudrez avec le reste de parmesan. Servez aussitôt, avec du poivre au moulin à part.

La sauce est également excellente avec des cèpes séchés, trempés plusieurs heures dans de l'eau tiède avant emploi.

tortilla

→ **voir aussi** tex-mex

Ce terme désigne dans la cuisine espagnole une omelette plate aux pommes de terre. Il a été adopté en Amérique latine pour baptiser la galette de farine de maïs traditionnelle, qui sert de pain, soit nature, soit fourrée d'une farce à la sauce piquante, comme un sandwich. Dans certains magasins spécialisés, vous pouvez trouver des tortillas nature : servez-les avec une salade de poulet et de la purée d'avocats relevée de piment.

Tortilla de patata

Pour 4 personnes
Préparation 15 min
Cuisson 30 min environ

1 petit piment vert ◆ 1 oignon ◆ 3 grosses pommes de terre ◆ 15 cl d'huile d'olive ◆ 5 œufs ◆ 12 fines rondelles de chorizo doux ◆ sel ◆ poivre

1 Hachez finement le piment. Pelez et émincez l'oignon. Pelez les pommes de terre, lavez-les et coupez-les en rondelles.
2 Faites chauffer 10 cl d'huile dans une poêle. Versez-y les pommes de terre et salez-les. Faites-les sauter 15 min.
3 Ajoutez le piment et l'oignon. Poursuivez la cuisson en remuant pendant 10 min. Égouttez le tout dans une passoire.
4 Cassez les œufs dans une terrine, salez-les et poivrez-les. Battez-les vivement pendant 2 min. Pelez les rondelles de chorizo doux. Ajoutez-les aux œufs ainsi que les pommes de terre sautées.
5 Faites chauffer le reste d'huile d'olive dans la poêle sur feu moyen. Versez-y le contenu de la terrine et faites-le cuire sur feu doux pendant 5 min en l'étalant bien avec une spatule. Secouez la poêle de temps en temps.
6 Couvrez la poêle d'une assiette et retournez l'omelette dessus. Faites-la glisser dans la poêle et laissez dorer 2 min. Servez chaud ou refroidi.

Une autre formule très courante de tortilla consiste à remplacer le chorizo par de la morue cuite finement effeuillée.

Boisson **vin rouge de la Rioja**

Tourin de Viève

Pour 4 personnes
Préparation 15 min
Cuisson 45 min environ

2 gros oignons ◆ 2 gousses d'ail ◆ 2 grosses tomates ◆ 1,5 l de bouillon de volaille ◆ 2 jaunes d'œufs ◆ graisse d'oie ◆ farine ◆ pain de campagne ◆ sel ◆ poivre

1 Pelez et émincez finement les oignons. Pelez et hachez l'ail. Ébouillantez et pelez les tomates.
2 Faites chauffer 2 c. à soupe de graisse d'oie dans une poêle. Ajoutez les oignons et faites-les blondir en remuant. Ajoutez l'ail et mélangez. Poudrez de farine et faites cuire en remuant pendant 3 min.
3 Faites chauffer le bouillon dans une casserole et mettez-y les tomates. Portez à ébullition puis égouttez les tomates et mettez-les dans la poêle. Écrasez-les grossièrement et mélangez avec la fricassée à l'oignon.
4 Versez tout le contenu de la poêle dans le bouillon en remuant. Baissez le feu et faites cuire pendant 30 min.
5 Mélangez les jaunes d'œufs dans un bol avec un peu de bouillon chaud. Versez cette liaison dans la soupe et retirez du feu. Mélangez et rectifiez l'assaisonnement.
6 Taillez de fines lamelles de pain et répartissez-les dans les assiettes de service. Versez le tourin par-dessus et servez aussitôt.

Boisson **bergerac rouge**

tourin

Cette soupe à l'oignon et à l'ail préparée à la graisse d'oie est parfois colorée à la tomate. Elle est courante dans le Périgord et le Bordelais. Il est de tradition de « faire chabrot » avec les dernières cuillerées : on verse un peu de vin rouge dans le fond de l'assiette pour le déguster.

Dans le Quercy, on prépare également un « tourin à l'aoucou » (qui est cuit avec une cuisse d'oie confite), un « tourin à la poulette » (oignon et farine sont roussis à la graisse d'oie avant le mouillement) et un « tourin aux raves » (chou-rave émincé revenu dans du saindoux).

tournedos

→ **voir aussi** bœuf

Cette tranche ronde de filet de bœuf mesure 8 cm de diamètre environ. Épaisse de 2 cm, elle est entourée d'une barde et se fait griller ou poêler. Les sauces et garnitures sont très variées : sauces tomate ou béarnaise, beurre d'anchois, déglaçage au porto ou à la crème ; champignons sautés, pointes d'asperges, pommes paille, etc. Le tournedos Rossini reste un grand classique de la cuisine française. Le tournedos se cuit tout aussi bien sans barde.

Les bouchers taillent également des tranches « façon tournedos » dans d'autres morceaux de viande de première catégorie.

Diététique. Préférez le tournedos grillé au tournedos poêlé dans un corps gras.

Tournedos chasseur ▲

En cuisine, qui dit « chasseur » dit champignons : c'est une garniture classique pour des petites pièces de viande sautées. Vous pouvez remplacer les fonds d'artichauts par des tranches de céleri-rave.

Tournedos chasseur

Pour **6 personnes**
Préparation **10 min**
Cuisson **35 min**

120 g de champignons de couche ◆ 5 échalotes ◆ 100 g de beurre ◆ 35 cl de bouillon de viande ◆ 6 tournedos de 200 g chacun ◆ 15 cl de vin blanc sec ◆ farine ◆ concentré de tomates ◆ thym ◆ persil haché ◆ sel ◆ poivre

1 Nettoyez les champignons et émincez-les finement. Pelez et hachez les échalotes.
2 Faites revenir les champignons dans 20 g de beurre. Égouttez-les et mettez dans la casserole 50 g de beurre.
3 Ajoutez les échalotes et faites-les fondre en remuant sur feu doux. Faites chauffer le bouillon de viande.
4 Poudrez avec 40 g de farine et faites-la blondir en remuant. Versez alors le bouillon chaud mélangé avec 1 c. à soupe de concentré de tomates.
5 Lorsque le tout est bien délayé, ajoutez le vin blanc et 1 brin de thym. Laissez cuire doucement pendant 20 min. Retirez le thym et incorporez les champignons revenus.
6 Faites fondre le reste du beurre dans une grande poêle et saisissez-y les tournedos 2 à 3 min de chaque côté. Égouttez-les et placez-les sur un plat chaud. Nappez de sauce, parsemez de persil et servez aussitôt.

Garniture : des fonds d'artichauts passés au beurre, des aubergines sautées ou une fricassée de champignons de cueillette.

Boisson **bourgogne rouge**

Tournedos Rossini

Pour **4 personnes**
Préparation **5 min**
Cuisson **8 min environ**

1 truffe ◆ 30 g de beurre ◆ 4 tranches de pain rondes ◆ 4 tournedos de 130 g ◆ 4 escalopes de foie gras ◆ huile ◆ madère ◆ sel ◆ poivre

1 Pelez la truffe et taillez-y 8 rondelles fines (conservez les pelures et les chutes pour un autre emploi : sauce madère, œufs brouillés ou velouté de champignons).
2 Faites chauffer 15 g de beurre dans une poêle et passez-y les tranches de pain pour les dorer. Tenez-les au chaud.
3 Ajoutez dans la poêle le reste de beurre et 1 c. à soupe d'huile. Faites-y sauter les tournedos 3 min de chaque côté sur feu vif. Égouttez-les.
4 Faites chauffer dans la poêle les tranches de foie gras et les lames de truffe.
5 Disposez les croûtons sur un plat de service. Posez les tournedos sautés par-dessus. Garnissez-les chacun avec une tranche de foie gras et 2 lames de truffe.
6 Déglacez la poêle avec 4 c. à soupe de madère. Salez et poivrez. Liez en remuant sur feu vif. Nappez les tournedos et servez aussitôt.

Proposez comme garniture des fonds d'artichauts garnis de petits pois.

Boisson **pomerol**

touron

Cette confiserie à base d'amandes pilées avec des blancs d'œufs et du sucre ressemble à une sorte de nougat tendre. Le touron est d'origine espagnole. Il peut être aromatisé et coloré, parfois enrichi d'amandes non pilées, de noix ou de fruits secs. Le touron de Bayonne offre l'aspect d'un damier aux carrés de couleurs différentes.

Diététique. 100 g de touron = 420 kcal environ.

tourte

Cette préparation de cuisine ou de pâtisserie de forme ronde est formée d'une croûte, brisée ou feuilletée, garnie d'une farce ou de fruits. Sa caractéristique est d'être recouverte par un couvercle de pâte. La tourte salée est servie en entrée, comme un pâté en croûte, tandis que la tourte sucrée constitue un dessert rustique.

Diététique. Attention à l'équilibre du menu : évitez un autre plat en croûte, des féculents ou des légumes secs.

Tourte au jambon

Pour **6 personnes**
Préparation **25 min**
Cuisson **1 h environ**

650 g de pâte feuilletée ◆ 300 g de comté ◆ 6 fines tranches de jambon à l'os ◆ 1 jaune d'œuf ◆ huile ◆ farine ◆ cerfeuil frais ◆ poivre noir au moulin

1 Partagez la pâte feuilletée *(voir page 527)* en 2. Abaissez une moitié sur 4 mm d'épaisseur. Huilez légèrement la tôle du four et poudrez-la de farine. Posez la pâte dessus et découpez-y un rond de 25 cm de diamètre.
2 Détaillez le comté en lamelles. Retirez le gras du jambon et coupez celui-ci en languettes.
3 Garnissez l'abaisse de pâte en superposant le fromage et le jambon en couches régulières. Poivrez à intervalles réguliers, en ajoutant 3 c. à soupe de cerfeuil ciselé entre les couches. Laissez une marge de 1 cm sur les bords.
4 Battez le jaune d'œuf dans un bol avec une fourchette. Badigeonnez-en le bord laissé libre.
5 Abaissez l'autre moitié de pâte sur 4 mm d'épaisseur et posez-la en couvercle.
6 Soudez les bords. Dorez le dessus de la tourte avec le reste d'œuf battu. Piquez le couvercle en plusieurs endroits et dessinez-y des rayures avec la pointe d'un couteau.
7 Faites cuire la tourte 30 min à 250 °C. Baissez la chaleur à 200 °C et poursuivez la cuisson de 25 à 30 min. Servez chaud.

Comme accompagnement, vous pouvez proposer une salade d'endives en chiffonnade avec des grains de raisin et des petits dés de betterave.

Boisson vin blanc du Jura

Tourte aux poires

Pour **6 personnes**
Préparation **10 min, 30 min à l'avance**
Cuisson **1 h 10**

750 g de poires ◆ 60 g de sucre semoule ◆ 250 g de farine ◆ 125 g de beurre ◆ 1 jaune d'œuf ◆ 10 cl de crème fraîche ◆ cognac ◆ sel ◆ poivre

1 Pelez les poires, coupez-les en 2 et retirez les pépins. Taillez-les en tranches épaisses. Faites-les macérer pendant 30 min au frais dans une jatte avec 2 c. à soupe de cognac, le sucre semoule et 1 pincée de poivre.
2 Préparez une pâte brisée avec la farine, 100 g de beurre, 1 pincée de sel et 1/2 verre d'eau. Laissez-la reposer 30 min *(voir page 526)*.
3 Abaissez les 2/3 de la pâte sur 7 mm d'épaisseur. Garnissez-en un moule en porcelaine à feu beurré de 22 cm de diamètre. Coupez la pâte au ras du bord du moule.
4 Égouttez les poires et rangez-les sur le fond de tarte. Abaissez le reste de pâte et recouvrez-en les poires. Soudez les bords en les humectant avec un peu d'eau. Découpez une petite rondelle de pâte au milieu du couvercle.
5 Dorez le dessus de la tourte avec le jaune d'œuf et faites cuire au four 1 h 10 à 210 °C.
6 Lorsque la tourte est bien dorée, versez délicatement par le trou la crème fraîche diluée avec 3 c. à soupe du jus de macération des poires. Servez tiède.

Choisissez de préférence des poires passe-crassane, juteuses, à chair un peu granuleuse, qui tiennent bien à la cuisson. Vous pouvez remplacer le cognac par du calvados.

tourteau

Le tourteau est reconnaissable à sa carapace ovale, plus large que longue et légèrement festonnée sur le pourtour. Lorsque vous avez fait cuire le tourteau, ne le mettez pas au réfrigérateur, la chair deviendrait sèche et filandreuse.

Tourte sicilienne

Pour **6 personnes**
Préparation **30 min**
Cuisson **25 min**

4 bocaux de petits cœurs d'artichauts à l'huile ◆ 1 bouquet de persil plat ◆ 1 gousse d'ail ◆ 400 g de pâte feuilletée toute prête ◆ 80 g de pignons de pin ◆ 150 g de parmesan râpé ◆ 1 œuf ◆ feuilles de basilic ◆ huile d'olive ◆ poivre

1 Égouttez les cœurs d'artichauts. Lavez le persil et le basilic. Ciselez les feuilles. Mélangez-les avec l'ail pelé et émincé.

2 Partagez la pâte feuilletée en 2 parts inégales. Abaissez la plus grande dans un moule huilé de 27 cm, laissez déborder les côtés.

3 Étalez sur la pâte une couche de cœurs d'artichauts coupés en 2, parsemez de persil et de basilic à l'ail. Ajoutez un peu de pignons de pin et poudrez de parmesan. Remplissez le moule en alternant les ingrédients. Poivrez.

4 Abaissez le reste de pâte pour former le couvercle de la tourte, mettez-le en place et pincez les bords tout autour. Badigeonnez le dessus à l'œuf battu et faites cuire pendant 25 min dans le four à 230 °C. Laissez tiédir avant de découper.

Vous pouvez remplacer les petits cœurs d'artichauts à l'huile par des petits poivrades, à faire macérer une nuit dans une vinaigrette.

→ autres recettes de tourte à l'index

tourteau

→ voir aussi crabe, fruits de mer

Nom que porte le gros crabe « dormeur », reconnaissable à ses grosses pinces qui renferment une chair délicate. Il peut atteindre 40 cm d'envergure et se pêche surtout en mer du Nord et dans l'Atlantique. Le tourteau s'achète de préférence vivant. Il doit être bien lourd, bien plein avec toutes ses pattes. Faites-le cuire au court-bouillon et servez-le nature avec de la mayonnaise.

Vous trouverez aussi des pinces surgelées à demi décortiquées, pour des beignets.

tranche

→ voir aussi bœuf

Morceau correspondant à la région antérieure de la cuisse de bœuf, qui était auparavant appelée « tranche grasse ». La tranche est formée de trois muscles qui fournissent d'excellents rôtis, des biftecks assez tendres et des tournedos, des morceaux pour brochettes, carpaccio ou à fondue, ainsi que de la viande hachée de premier choix.

travers

→ voir aussi chinoise (cuisine), petit salé, porc

La partie supérieure de la poitrine de porc fraîche, taillée en bandes, porte le nom de travers : la chair et le gras entourent les os des côtes. Choisissez un travers assez charnu et maigre. Vendu salé, il se fait bouillir et entre dans la composition des potées et de la choucroute. Le travers se fait aussi griller et se prépare à l'aigre-doux ou laqué à la chinoise, après avoir mariné dans des épices et de la sauce soja.

Travers de porc marinés et grillés ►

Si vous faites cuire ces travers de porc au barbecue, profitez-en pour faire également griller des épis de maïs frais et faites cuire dans la cendre des pommes de terre en papillotes.

Travers de porc marinés et grillés

Pour **6 personnes**
Préparation **10 min**
Marinade **4 h**
Cuisson **15 min environ**

2 kg de travers de porc ◆ 2 gousses d'ail ◆ 1 petite boîte de concentré de tomates ◆ 1 citron ◆ huile d'olive ◆ sucre semoule ◆ chili en poudre ◆ origan ◆ sel ◆ poivre

1 Découpez le travers de porc en 6 morceaux de 300 g environ. Pelez et hachez l'ail.
2 Mélangez dans un plat creux le concentré de tomates, le jus du citron, 3 c. à soupe d'huile, 2 c. à café de sucre, 1 c. à café de chili et 1/2 c. à soupe d'origan. Salez et poivrez. Ajoutez l'ail.
3 Mettez les travers de porc dans ce mélange, retournez-les plusieurs fois pour bien les enrober. Laissez reposer au frais 4 h.
4 Faites cuire les travers de porc enrobés de sauce sous le gril en comptant 8 min de chaque côté. C'est un plat idéal à réaliser au barbecue.

Si vous aimez la cuisine chinoise, faites mariner les travers de porc dans une « sauce à laquer » : 5 c. à soupe de sauce soja, 1 c. à soupe de cinq-épices, 1 c. à soupe de miel, 2 gousses d'ail hachées, 1 c. à soupe de gingembre haché, 1 c. à soupe de cognac, 1 c. à café d'huile et 1 c. à café de vinaigre.

trévise

→ voir aussi **chicorée, mesclun, salade**

On appelle couramment trévise la chicorée de Trévise ou de Vérone, originaire d'Italie. C'est une variété de salade d'hiver aux feuilles rouges veinées de blanc, en forme de petits cœurs pommés, bien croquants, avec une saveur poivrée. La trévise entre dans la composition des petites salades mélangées. On peut aussi la faire cuire.

Trévise aux lardons

Pour **4 personnes**
Préparation **10 min**
Cuisson **5 min**

350 g de trévise ◆ 1 bouquet de ciboulette ◆ 2 échalotes grises ◆ 100 g de lard fumé ◆ vinaigre de vin rouge ◆ huile de maïs ◆ sel ◆ poivre

1 Nettoyez la trévise. Défaites les feuilles et lavez-les. Essorez-les à fond et mettez-les dans un saladier.
2 Ciselez la ciboulette. Pelez et émincez les échalotes. Ajoutez-les à la trévise.
3 Taillez le lard en petites languettes. Faites-les chauffer dans une poêle à revêtement anti-adhésif sans rajouter de matière grasse. Égouttez-les et ajoutez-les sur la salade.
4 Déglacez la poêle avec 2 c. à soupe de vinaigre. Versez-le sur la salade, ajoutez 3 c. à soupe d'huile. Salez et poivrez. Remuez rapidement et servez aussitôt.

Cette salade accompagne très bien les pâtés ou les terrines de gibier.

Trévises grillées

Pour **4 personnes**
Préparation **15 min**
Cuisson **10 min environ**

8 têtes de trévise ◆ huile d'olive ◆ sel ◆ poivre au moulin

1 Nettoyez les têtes de trévise sans séparer les feuilles de la base de chaque pomme. Lavez-les avec soin et épongez-les. Coupez-les en 2 dans la longueur. Épongez-les à nouveau.
2 Rangez-les dans un plat, face coupée dessus. Arrosez-les avec 4 ou 5 c. à soupe d'huile d'olive.
3 Pendant ce temps, faites chauffer un gril sur des braises bien rouges. Rangez-y les demi-trévises et faites-les griller pendant 10 min en les retournant plusieurs fois.
4 Mettez-les sur un plat, salez et poivrez au moulin. Servez aussitôt.

Ces têtes de trévise font une excellente garniture de rôti de porc ou de poisson grillé.

tripes

→ voir aussi **abats, tripous**

Fragments d'abats fournis par l'estomac du bœuf, cuits dans une sauce gélatineuse avec des aromates et des légumes. Les tripes sont souvent vendues déjà cuisinées, chez le tripier ou en conserve. Faites-les réchauffer lentement sur feu doux ou au bain-marie. Parmi les nombreuses spécialités régionales, les tripes à la mode de Caen sont les plus connues, mijotées au cidre avec des poireaux et des carottes. Les tripes à la provençale sont parfois relevées de sauce tomate et celles d'Auvergne sont complétées par du pied de porc.

Diététique. C'est un plat peu calorique, mais parfois difficile à digérer : 100 g de tripes = 95 kcal environ.

tripous

→ voir aussi **tripes**

Cette spécialité de tripes de mouton est courante dans le Rouergue et en Auvergne. Les abats sont roulés en petits paquets, ficelés et mijotés en sauce avec beaucoup d'aromates.

trompette-des-morts

Nom usuel de la craterelle, champignon de cueillette brun ou gris foncé. Également appelée corne d'abondance ou truffe du pauvre, la trompette-des-morts pousse en été et en automne. Elle se cuisine comme la girolle. Si votre cueillette est abondante, faites-les sécher : les craterelles parfumeront un potage, une farce ou un jus de rôti.

La trompette-des-morts, ou trompette-de-la-mort, se cuisine comme la girolle. Séchée, elle dégage un parfum délicieux.

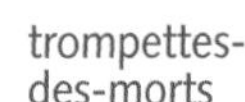
trompettes-des-morts

Chiffonnade d'endives aux trompettes

Pour **4 personnes**
Préparation **15 min**
Cuisson **10 min environ**

500 g d'endives ◆ 500 g de trompettes-des-morts ◆ 2 échalotes ◆ huile d'olive ◆ jus de citron ◆ sel ◆ poivre

1 Nettoyez les endives. Retirez le petit cône à la base. Émincez-les en languettes.
2 Coupez le pied des champignons. Lavez-les rapidement. Faites-les blanchir 1 min dans une casserole d'eau bouillante. Égouttez-les et épongez-les.
3 Pelez et hachez les échalotes. Faites chauffer 1 c. à soupe d'huile dans une poêle. Mettez-y les échalotes et remuez pendant 1 min. Ajoutez les trompettes-des-morts et faites-les cuire 5 min en remuant. Réservez.
4 Faites chauffer 2 c. à soupe d'huile dans un poêlon. Mettez-y les languettes d'endives. Salez et poivrez. Faites-les cuire à découvert sur feu assez vif pendant 5 ou 6 min.
5 Versez les endives dans la poêle avec les champignons et mélangez.
6 Remettez sur le feu et ajoutez 2 c. à soupe de jus de citron. Réchauffez et servez aussitôt en garniture de viande blanche ou de poisson à chair ferme.

truffe

Ce champignon souterrain forme des fructifications plus ou moins grosses à la base de certains arbres ; elles sont noires, brun sombre ou grisâtres selon la variété. Ce comestible très recherché, dont le prix au kilo varie de 300 à 600 €, échappe encore à toute tentative de culture : son ramassage reste artisanal dans certaines régions privilégiées.

La truffe la plus réputée est celle du Périgord, la truffe noire (de 20 à 50 g), que l'on trouve aussi en Provence. On la récolte de la mi-novembre à février. Sa chair est très dense, avec un arôme profond. La truffe d'été, récoltée de juin à novembre mais qui pousse aussi en hiver, est brun foncé veiné de blanc (de 20 à 30 g). Quant à la truffe blanche du Piémont, en forme de pomme de terre bosselée à peau lisse, elle est très cassante (de 30 à 50 g) ; sa saison va de la fin septembre à janvier.

On trouve aujourd'hui dans le commerce des truffes en conserve « surchoix », « extra » ou « premier choix » selon que la qualité décroît. Elles sont entières, en morceaux, en pelures ou en brisures. Ce sont les truffes brossées et crues, uniquement salées, qui sont les meilleures. Mais elles n'ont jamais la saveur et le parfum de la truffe fraîche, champignon très délicat qui se conserve frais 3 ou 4 jours au maximum pour la truffe blanche, un peu plus pour la noire, dans un récipient hermétique au réfrigérateur : mettez en même temps dans ce récipient des œufs extra-frais qui se parfumeront à son contact.

Une « bonne » truffe fraîche est lourde, sèche et ferme. Ne la lavez pas, brossez-la doucement ou au besoin pelez-la soigneusement (gardez les pelures pour parfumer une sauce). La meilleure façon de tirer parti d'une seule truffe consiste à l'émincer finement sur un plat au moment de servir, par exemple avec des pâtes fraîches ou un risotto, une salade de pommes de terre ou de fonds d'artichauts, des œufs brouillés ou une brandade de morue, du foie gras frais ou un perdreau rôti, ou encore dans une sauce madère.

Diététique. La truffe est deux fois plus calorique que le champignon de couche. 100 g = 90 kcal.

Lorsque vous achetez une truffe fraîche, vérifiez qu'elle n'est pas creusée de trous de vers où se loge de la terre.

truffe

Rêve noir et blanc

Pour 2 personnes
Préparation 10 min, 1 h à l'avance
Cuisson 4 min

1 truffe noire ◆ 1 truffe blanche ◆ armagnac ◆ 30 g de beurre ◆ 2 tranches de pain de campagne ◆ sel ◆ poivre

1 Brossez soigneusement les truffes. Coupez-les en tranches et disposez-les dans 2 coupelles différentes. Arrosez-les chacune avec 1 c. à café d'armagnac. Laissez mariner 1 h.

2 Faites fondre le beurre dans une casserole sans le laisser brunir. Ajoutez les truffes et l'armagnac. Salez et poivrez.

3 Couvrez et laissez mijoter doucement pendant 4 min. Faites griller légèrement les tranches de pain. Placez-les sur des assiettes de service. Recouvrez-les de tranches de truffes avec la sauce et servez aussitôt.

Tagliatelle à la truffe

Pour 4 personnes
Préparation 10 min
Cuisson 6 min environ

1 truffe blanche ou noire de 30 g environ ◆ 400 g de tagliatelle fraîches ◆ 80 g de beurre ◆ huile d'olive ◆ sel

1 Brossez soigneusement la truffe pour éliminer la moindre particule de terre. Coupez-la en petits dés ou en lamelles. Mettez-les dans un récipient et fermez hermétiquement.

2 Remplissez d'eau une grande casserole, ajoutez 1 pincée de sel et 2 c. à soupe d'huile. Portez à ébullition. Ajoutez les pâtes et faites-les cuire à gros bouillons pendant 6 min environ.

3 Égouttez les pâtes et versez-les dans un plat chaud. Ajoutez le beurre frais en parcelles et mélangez. Dès qu'il est fondu, ajoutez les dés de truffe, remuez et servez.

→ **autres recettes de truffe à l'index**

truffe en chocolat

Cette friandise à base de chocolat fondu façonné en boulette peut être parfumée à la vanille, au café, au whisky, au rhum, etc. Elle est roulée dans du cacao en poudre ou du vermicelle en chocolat. Les truffes en chocolat ne se conservent que 24 heures. Offrez-les par exemple avec le café.

Diététique. 1 truffe en chocolat = 110 kcal environ.

Truffes en chocolat

Pour **20 truffes environ**
Préparation **25 min**
Cuisson **3 min environ, 2 h à l'avance**

300 g de chocolat noir ◆ 100 g de beurre ◆ 2 jaunes d'œufs ◆ 125 g de sucre glace ◆ lait ◆ crème fraîche ◆ cacao en poudre ◆ noix hachées ◆ vermicelles en chocolat

1 Cassez le chocolat noir en petits morceaux dans une jatte. Placez celle-ci dans une casserole au bain-marie et faites fondre le chocolat en ajoutant 1 c. à soupe de lait. Il doit être parfaitement lisse.

2 Incorporez le beurre en parcelles au chocolat fondu en mélangeant à chaque adjonction. Ajoutez ensuite les jaunes d'œufs 1 par 1 puis environ 4 cl de crème fraîche versée en filet.

3 Incorporez le sucre glace. Ajoutez éventuellement un parfum : 1 c. à soupe de cognac, de whisky, de rhum ou de curaçao. Fouettez vigoureusement la pâte pendant 5 min. Mettez-la au réfrigérateur pendant 2 h environ pour la laisser épaissir et durcir.

4 Versez 2 c. à soupe de cacao dans un plat. Pilez quelques cerneaux de noix dans un second plat et versez 2 c. à soupe de vermicelles en chocolat dans un troisième.

5 Prélevez des portions de pâte au chocolat avec une petite cuiller. Faites-les glisser sur une surface plane, de préférence un marbre, et roulez-les en boules avec votre paume. Vous pouvez aussi enrober vos doigts de cacao et rouler rapidement chaque boulette entre vos doigts.

6 Enrobez ensuite chaque boulette soit de cacao, soit de noix hachées, soit de vermicelles en chocolat. Mettez les truffes dans une coupe de service et réservez au frais jusqu'au moment de servir. Vous pouvez aussi les disposer dans des caissettes en papier plissé.

Truffes moka

Pour **25 truffes environ**
Préparation **20 min**
Cuisson **10 min**
Repos **4 h**

300 g de chocolat de couverture noir ◆ 150 g de cacao amer en poudre ◆ 5 c. à soupe de café noir très fort ◆ 25 cl de crème fraîche

1 Cassez le chocolat en petits morceaux. Mettez-les dans une casserole à fond épais, ajoutez 80 g de cacao et 4 c. à soupe de café. Placez la casserole au bain-marie et faites fondre doucement jusqu'à consistance homogène. Retirez du feu.

2 Faites chauffer la crème dans une autre casserole. Dès les premiers bouillons, retirez du feu et versez la crème dans un petit saladier. Ajoutez la pâte au chocolat et mélangez intimement, en versant le reste de café.

3 Laissez reposer 4 heures au réfrigérateur.

4 Façonnez des boulettes avec deux petites cuillers ou en utilisant une poche à douille. Roulez les boulettes dans le reste de cacao.

truite

→ **voir aussi** œufs de poisson

Ce poisson de rivière fait partie de la famille des salmonidés. La petite truite fario est la plus recherchée des pêcheurs, mais elle n'est pas commercialisée. La truite arc-en-ciel, plus grosse (de 180 à 300 g), est un poisson d'élevage très courant. La truite de mer à chair rosée, en provenance de Bretagne ou des Landes (avril à juillet), peut atteindre 2,5 kg : c'est une pièce de choix (nourrie de petits crustacés) qui se cuisine comme le saumon. La truite fumée concurrence quant à elle le saumon fumé par sa saveur et ses emplois.

La truite est un poisson délicat à la chair ferme, plus ou moins teintée de rose selon son alimentation. Elle est disponible surtout du printemps à l'automne. C'est sa taille qui détermine son mode de cuisson : meunière, en papillote ou au bleu pour les plus petites ; au court-bouillon ou en braisé au vin rouge pour les plus grosses par exemple. Les filets fumés composent des salades raffinées. On la sert aussi froide, préalablement pochée, et en gelée.

Diététique. 100 g de truite = 140 kcal ; la truite sauvage est moins riche en lipides et en protides.

Truites aux amandes

Pour **4 personnes**
Préparation **3 min**
Cuisson **8 min**

4 truites vidées de 200 g chacune ◆ 40 g de beurre ◆ 60 g d'amandes effilées ◆ 2 citrons ◆ sel ◆ poivre

1 Rincez les truites et épongez-les. Salez et poivrez l'intérieur.
2 Mettez le beurre en morceaux dans un grand plat ovale. Faites fondre au four 1 min à pleine puissance. Ajoutez les amandes, remuez-les dans le beurre fondu et remettez 1 min au four à pleine puissance.
3 Rangez les truites dans le plat, tête-bêche. Enrobez-les de beurre aux amandes et arrosez avec le jus d'un citron.
4 Couvrez de film alimentaire et percez-le en 2 ou 3 endroits. Faites cuire 6 min à pleine puissance. Si votre four ne possède pas de plateau tournant, faites pivoter le plat d'un demi-tour à mi-cuisson.
5 Sortez le plat du four et disposez les truites sur un plat de service. Arrosez-les de la cuisson avec toutes les amandes. Garnissez de rondelles de citron et servez.

En utilisant du beurre salé ou demi-sel, vous donnerez à ce plat une saveur plus originale. Vous pouvez aussi remplacer les citrons par des oranges.

Boisson vouvray

Truites au bleu

RECETTE LÉGÈRE 1 portion 160 kcal

Pour **4 personnes**
Préparation **15 min**
Cuisson **30 min environ**

4 truites fraîchement pêchées de 200 g ◆ 2 carottes ◆ 2 oignons ◆ 3 brins de persil ◆ 30 cl de vin blanc ◆ 20 cl de vinaigre ◆ 1 citron ◆ thym ◆ laurier ◆ gros sel ◆ poivre en grains

1 Videz les truites et passez-les rapidement sous l'eau. Ne les essuyez pas. Mettez-les dans un plat creux en porcelaine à feu. Réservez au frais.
2 Pelez les carottes et coupez-les en fines rondelles. Pelez et émincez les oignons.

Truites aux amandes ▲

Servez-les brûlantes : le beurre ne doit pas avoir le temps de roussir. Vous pouvez réaliser la même recette avec des noisettes concassées à la place des amandes.

3 Mettez les carottes et les oignons dans une grande casserole avec le persil, 1 brin de thym et 1 feuille de laurier, 1 c. à café de poivre en grains et 2 pincées de gros sel. Versez 1 l d'eau et le vin blanc. Portez à ébullition et laissez cuire 20 min.
4 Environ 10 min avant de servir, versez le vinaigre dans une petite casserole et faites-le bouillir sur feu moyen. Versez-le sur les truites. Portez le court-bouillon à ébullition et plongez-y les truites avec le vinaigre. Faites cuire sur feu vif pendant 7 ou 8 min.
5 Égouttez les truites : elles doivent être bien arquées et offrir une peau qui a viré au bleu. Servez-les sur un plat tapissé d'une serviette, avec des quartiers de citron.

Il est indispensable que les truites soient tuées 3 h au maximum après leur sortie de l'eau : c'est le mucus dont elles sont naturellement recouvertes qui permet la cuisson au bleu.

Truite de mer à la bretonne

Pour **4 personnes**
Préparation **20 min**
Cuisson **50 min environ**

800 g de pommes de terre ◆ 60 g de beurre ◆ 200 g de lard fumé ◆ 1 truite de mer de 1 kg ◆ 3 échalotes ◆ 250 g de champignons de couche ◆ 30 cl de vin blanc ◆ 10 cl de crème fraîche ◆ court-bouillon ◆ huile ◆ sel ◆ poivre

1 Pelez les pommes de terre, lavez-les et épongez-les. Coupez-les en cubes. Faites chauffer 20 g de beurre avec 2 c. à soupe d'huile dans une poêle. Faites-y sauter les pommes de terre.
2 Taillez le lard fumé en languettes. Faites-les rissoler sans matière grasse dans une poêle à revêtement antiadhésif.
3 Faites cuire la truite pendant 25 à 30 min dans le court-bouillon dilué avec 2 l d'eau, à petits frémissements.
4 Pelez et hachez les échalotes. Faites-les cuire dans un poêlon avec le reste de beurre pendant 5 min. Nettoyez et émincez les champignons. Ajoutez-les aux échalotes et faites cuire 5 min. Versez le vin, faites bouillonner 10 min. Ajoutez la crème. Salez et poivrez.
5 Réunissez les lardons et les pommes de terre dans la même poêle. Faites sauter vivement le mélange et répartissez-le sur des assiettes de service très chaudes. Égouttez la truite, levez les filets et placez-les sur les pommes de terre aux lardons. Nappez de sauce et servez aussitôt.

Truites en papillotes

RECETTE LÉGÈRE — 1 portion 275 kcal

Pour **6 personnes**
Préparation **20 min, 1 h à l'avance**
Cuisson **15 min**

6 truites de 200 g prêtes à cuire ◆ 1 citron ◆ 3 branches de céleri ◆ 3 échalotes ◆ thym séché ◆ persil plat ◆ coriandre en grains ◆ huile ◆ sel ◆ poivre

1 Salez et poivrez les truites à l'intérieur et à l'extérieur. Mettez-les dans un plat creux. Ajoutez 1 c. à café de thym, 3 c. à soupe de persil haché et 1/2 c. à café de coriandre. Arrosez de jus de citron. Laissez mariner 1 h.
2 Pendant ce temps, ôtez les fils des branches de céleri et hachez celles-ci. Pelez les échalotes et émincez-les. Découpez 6 rectangles de feuilles d'aluminium. Huilez-les.
3 Répartissez sur chaque rectangle le hachis de céleri à l'échalote puis placez une truite. Fermez bien chaque papillote.
4 Faites cuire les papillotes 15 min à 200 °C, en les retournant à mi-cuisson.

→ **autres recettes de truite à l'index**

tuile

Ce petit biscuit sec est en forme de tuile arrondie : il suffit de faire sécher la pâte cuite mais encore chaude sur un rouleau à pâtisserie ou une bouteille. Les tuiles « plates » portent le nom de mignons. Servez-les avec une glace ou un entremets froid.

Tuiles aux amandes

Pour **24 tuiles environ**
Préparation **20 min**
Cuisson **5 min**

125 g de sucre semoule ◆ 1 sachet de sucre vanillé ◆ 75 g de farine ◆ 2 œufs ◆ 40 g de beurre ◆ 75 g d'amandes effilées

1 Mélangez au fouet dans une terrine le sucre, le sucre vanillé et la farine.
2 Ajoutez les œufs battus. Faites fondre le beurre et ajoutez-en 2 c. à soupe à la pâte. Incorporez enfin les amandes finement émiettées.
3 Préchauffez le four à 275 °C. Beurrez la plaque du four. Déposez-y des petites masses de pâte bien espacées les unes des autres. Étalez-les légèrement avec le dos d'une cuiller préalablement trempé dans de l'eau froide.
4 Faites cuire au four 5 min : le pourtour des biscuits doit être brun doré et le centre jaune pâle. Décollez les palets encore chauds de la plaque et posez-les au fur et à mesure sur un rouleau à pâtisserie bien propre.
5 Laissez refroidir jusqu'à ce qu'ils aient pris la forme d'une tuile. Retirez-les délicatement.

Servez les tuiles aux amandes avec le thé, pour accompagner une glace ou bien un entremets aux fruits.

turbot

Ce grand poisson de mer plat pêché en Atlantique et dans la Méditerranée est l'un des meilleurs qui soient. Plus fréquent en hiver qu'en été, il a la forme d'un losange avec une face brune et une face claire : plus elle est blanche, meilleur est le poisson, avec une chair blanche, fine et ferme. Il est vendu entier et vidé, en filets ou en tronçons selon sa taille, toujours cher, car les déchets sont importants. Il pèse couramment de 2 à 4 kg, mais peut aller jusqu'à 20 kg. Les turbotins de 1 à 1,5 kg, parfois plus avantageux, sont aussi délicats.

Le turbot entier se cuisine comme la barbue ou le saint-pierre, éventuellement dans un récipient spécial, la turbotière ; les filets s'apprêtent comme ceux de la sole. Surveillez toujours la cuisson d'assez près, sinon la chair risque de perdre son moelleux et sa saveur. Souvent la préparation la plus simple suffit à le mettre en valeur : poché avec une sauce hollandaise, grillé avec une sauce béarnaise et accompagné de pommes de terre cuites à la vapeur. Si vous voulez garder sa chair très blanche, faites-la pocher dans du lait.

Diététique. Poisson classé parmi les demi-gras : 100 g = 120 kcal.

Filets de turbot à la vapeur

Pour **4 personnes**
Préparation **20 min**
Cuisson **50 min environ**

800 g de filets de turbot avec les parures • 2 carottes • 2 oignons • 1 branche de céleri • 1 gousse d'ail • 3 branches d'estragon • 1 œuf • 1 citron • 10 cl de crème liquide • 30 g de beurre • sel • poivre

1 Demandez au poissonnier la tête et les arêtes de turbot en même temps que les filets. Lavez-les à l'eau courante.
2 Pelez et émincez les carottes et les oignons. Ôtez les fils du céleri et tronçonnez-le. Pelez la gousse d'ail, émincez-la.
3 Mettez tous ces ingrédients avec les parures de turbot dans le bas d'un cuiseur à vapeur, ajoutez 1 l d'eau. Couvrez et faites cuire 30 min.
4 Prélevez 12 belles feuilles d'estragon et étalez le reste sur la grille du cuiseur à vapeur. Posez dessus les filets de turbot.
5 Filtrez le fumet et remettez-en 50 cl dans le bas du récipient. Posez la partie haute en place. Faites cuire de 15 à 20 min en vérifiant que le fumet se maintienne à petite ébullition.
6 Mélangez dans une petite casserole le jaune d'œuf, 2 c. à soupe de jus de citron et la crème. Égouttez les filets de turbot et tenez-les au chaud sur un plat de service.
7 Versez le fumet sur la liaison à la crème en fouettant vivement sur feu moyen. Remuez jusqu'à ce que la sauce épaississe. Retirez du feu et incorporez le beurre en parcelles. Mélangez. Salez et poivrez. Nappez les filets de turbot de sauce. Décorez avec les feuilles d'estragon. Servez aussitôt.

Garniture : des poireaux ou des champignons étuvés.

Turbot braisé aux poireaux

Pour **4 personnes**
Préparation **20 min**
Cuisson **25 min environ**

1 turbot de 1,5 kg • 1 carotte • 6 blancs de poireaux • 15 cl de vin blanc • 20 cl de crème fraîche • 25 g de beurre • sel • poivre au moulin

1 Demandez au poissonnier de préparer le turbot en retirant la tête et en le coupant en gros morceaux. Rincez-les et épongez-les. Portez à ébullition une grande casserole d'eau.
2 Pelez la carotte et coupez-la en fines rondelles. Lavez soigneusement les blancs de poireaux et taillez-les également en rondelles. Versez le tout dans la casserole et laissez cuire à l'eau bouillante pendant 6 à 7 min. Égouttez les légumes bien à fond. Préchauffez le four à 220 °C.
3 Versez le vin et la crème fraîche dans une petite casserole et faites chauffer en remuant jusqu'à consistance onctueuse. Salez et poivrez.
4 Beurrez un grand plat à four et étalez les légumes dans le fond. Posez les morceaux de turbot sur les légumes. Salez et poivrez. Versez le mélange de crème et de vin blanc dessus. Couvrez avec une feuille d'aluminium. Faites cuire pendant 25 min environ.
5 Servez dans le plat, après avoir retiré la peau sombre visible des morceaux de turbot en glissant un couteau dessous.

Turbot poché hollandaise ▲

La chair de ce grand poisson que les Romains surnommaient « roi de la mer » est si succulente qu'elle doit être accommodée de la manière la plus simple. Vous pouvez ajouter une pointe de moutarde dans la hollandaise.

Turbot grillé

RECETTE LÉGÈRE — 1 portion 280 kcal

Pour **4 personnes**
Préparation **10 min**
Cuisson **15 min**

4 tronçons de turbot de 200 g chacun ◆ 2 grosses tomates mûres ◆ 1 citron ◆ 1 petit bouquet de ciboulette ◆ huile d'olive ◆ extrait de viande ◆ sel ◆ poivre

1 Badigeonnez légèrement d'huile les tronçons de turbot. Salez et poivrez. Mettez-les dans un plat et faites-les cuire sous le gril du four préchauffé pendant 15 min.
2 Pendant ce temps, ébouillantez les tomates, pelez-les et taillez la pulpe en très petits dés. Râpez finement le citron et extrayez-en le jus. Ciselez la ciboulette. Délayez 1 c. à soupe d'extrait de viande dans 20 cl d'eau tiède.
3 Réunissez dans une casserole la concassée de tomates, le zeste et le jus de citron, la ciboulette et le jus de viande. Fouettez le mélange sur feu doux. Rectifiez l'assaisonnement.
4 Retirez la peau des tronçons de turbot et mettez-les sur des assiettes de service chaudes. Arrosez-les d'un petit filet d'huile d'olive. Nappez-les de sauce tomate à la ciboulette. Servez aussitôt.

Boisson **chablis**

Turbot poché hollandaise

Pour **8 personnes**
Préparation **30 min**
Cuisson **20 min**

1 turbot de 2 kg environ ◆ 3 jaunes d'œufs ◆ 2 c. à soupe de vinaigre de vin blanc ◆ 250 g de beurre ◆ 1 citron ◆ court-bouillon ◆ persil frisé ◆ sel ◆ poivre

1 Demandez au poissonnier d'ôter la peau du turbot et de le couper en portions régulières.
2 Posez les morceaux de turbot dans une grande casserole ou même deux pour qu'ils ne se chevauchent pas. Saupoudrez de court-bouillon et versez de l'eau froide pour recouvrir largement le poisson.
3 Portez à ébullition puis baissez le feu au maximum et couvrez. Laissez cuire à tout petits frémissements pendant 15 min.
4 Préparez la sauce. Mettez les jaunes d'œufs dans une casserole. Ajoutez le vinaigre et 2 ou 3 pincées de poivre. Délayez le mélange et placez la casserole au bain-marie.
5 Incorporez le beurre en parcelles tout en remuant comme pour une mayonnaise. Lorsque la sauce a pris, ajoutez le jus du citron petit à petit. Rectifiez l'assaisonnement.
6 Égouttez le turbot et disposez les morceaux sur un grand plat chaud. Entourez-les de bouquets de persil frisé. Servez la sauce hollandaise en même temps, dans une saucière chaude.

Préparez la sauce hollandaise au tout dernier moment pour la servir très chaude : elle doit attendre le moins possible.

Boisson **vin blanc sec**

→ autres recettes de turbot à l'index

vacherin (entremets)

Ce dessert est fait d'une croûte en meringue garnie de glace et surmontée de chantilly, avec un décor de grains de café, fruits confits, marrons glacés ou amandes grillées.

Vacherin glacé aux myrtilles

Pour **6 personnes**
Préparation **20 min, 1 h à l'avance**
Pas de cuisson

25 cl de crème fraîche ◆ 1 sachet de sucre vanillé ◆ 50 g de sucre glace ◆ 1 blanc d'œuf ◆ 250 g de petites meringues rondes à la vanille ◆ 1/2 l de glace à la myrtille ◆ 150 g de myrtilles

1 Mélangez la crème fraîche et le sucre vanillé. Fouettez vivement et ajoutez le sucre glace.
2 Battez le blanc d'œuf en neige et incorporez-le à la crème fouettée. Réservez cette préparation au réfrigérateur pendant 1 h. Faites également refroidir le plat de service.
3 Disposez la moitié des meringues, serrées les unes contre les autres, dans le fond d'un plat de service très froid. Recouvrez rapidement les meringues de glace à la myrtille, en fractionnant celle-ci en portions bien régulières.
4 Disposez sur la glace le reste des meringues. Nappez de crème fouettée et décorez avec les myrtilles. Servez très froid.

Pour rehausser le contraste des couleurs et des saveurs, vous pouvez aussi utiliser des petites meringues rondes roses à la fraise.

Vacherin aux marrons

Pour **8 personnes**
Préparation **30 min**
Cuisson **3 h, 24 h à l'avance**

225 g de sucre semoule ◆ 225 g d'amandes en poudre ◆ 25 g de farine ◆ 5 blancs d'œufs ◆ 140 g de sucre glace ◆ 15 g de beurre ◆ 1 l de glace aux marrons ◆ 4 beaux marrons glacés

1 Mélangez dans une terrine le sucre semoule, les amandes en poudre et la farine.
2 Battez les blancs en neige très ferme avec 125 g de sucre glace. Incorporez cette mousse à la première préparation en les mélangeant bien.
3 Introduisez cette pâte dans une poche à douille unie n° 14. Dessinez 2 cercles de 22 cm de diamètre sur une feuille de papier sulfurisé. Coupez celle-ci en 2 et beurrez chaque 1/2 feuille. Préchauffez le four à 180 °C.
4 Façonnez un disque de pâte meringuée sur l'un des papiers en la poussant en spirale à partir du centre. Enfournez à 160 °C et faites cuire pendant 30 min puis baissez la chaleur à 140 °C et faites cuire encore 1 h. Façonnez et faites cuire le second disque comme le premier.
5 Laissez refroidir complètement les 2 disques, décollez-les du papier en posant celui-ci sur une surface froide et humide.
6 Le lendemain, sortez la glace du congélateur 1 h avant de servir pour qu'elle soit assez souple. Disposez-la en une seule couche épaisse sur le premier disque à l'aide d'une spatule. Recouvrez-la du second disque et poudrez de sucre glace. Posez au milieu, sur le dessus, les marrons glacés en décor. Servez aussitôt.

Boisson **clairette de Die**

vacherin (fromage)

Nom de plusieurs fromages à pâte molle fabriqués en Suisse, en Savoie et en Franche-Comté. En forme de galette épaisse, les vacherins sont sertis dans une écorce et souvent présentés dans une boîte en bois. Celui d'Abondance et le mont-dore sont les plus connus, avec une croûte rosée parfois plissée, une pâte crémeuse et parfumée. Ces fromages d'hiver riches et savoureux se conservent peu de temps. Dégustez-les à la petite cuiller.

valençay

Ce fromage de chèvre à pâte molle du centre de la France est en forme de pyramide tronquée. La croûte est naturelle ou cendrée. Choisissez-le de préférence fermier, d'avril à novembre.

vanille

→ **voir aussi** crème anglaise

Gousse séchée d'une plante grimpante originaire du Mexique, la vanille possède un parfum chaud et pénétrant surtout utilisé en dessert et en pâtisserie, mais aussi dans quelques plats salés : soupe de moules, volaille rôtie, nage de crustacés, par exemple. L'une des meilleures vanilles est celle de Madagascar, pas trop sèche et duveteuse. Ce sont les cristaux de vanilline, formant un givre à la surface de la gousse brun foncé, qui lui donnent son arôme. La vanille se présente en gousse, par paires ; en poudre (plus elle est foncée, plus elle est pure) ; en sucre vanillé (à ne pas confondre avec le sucre vanilliné, synthétique) ou en extrait liquide.

Épice la plus employée en pâtisserie, la vanille a une saveur douce et parfumée. Elle aromatise les crèmes, pâtes à biscuit, compotes, fruits pochés, entremets et glaces. Elle est aussi très utilisée en confiserie et chocolaterie.

vanille

Pour utiliser une gousse de vanille sans rien en perdre, fendez-la en deux et grattez les graines : celles-ci se gardent 2 ou 3 jours et servent à parfumer une pâte à biscuit, un gâteau ou un flan. Avec la gousse, aromatisez un sirop, du lait (1/2 litre), une compote. Après emploi, rincez-la, séchez-la et passez-la au mixer pour parfumer du sucre.

Beurre blanc à la vanille

Pour **4 personnes**
Préparation **10 min**
Cuisson **15 min environ**

2 gousses de vanille ◆ 250 g de beurre ◆ 6 échalotes ◆ vinaigre de vin blanc ◆ vin blanc sec ◆ sel ◆ poivre blanc

1 Fendez les gousses de vanille en 2. Réservez-les. Coupez le beurre en morceaux et tenez-les au réfrigérateur.
2 Pelez et hachez très finement les échalotes. Mettez-les dans une casserole avec 2 c. à soupe de vinaigre et 4 c. à soupe de vin blanc. Faites cuire en remuant jusqu'à consistance de purée.
3 Grattez l'intérieur des demi-gousses de vanille pour récupérer les petites graines.
4 Incorporez par morceaux le beurre à la purée d'échalotes, en fouettant sans arrêt. Salez et poivrez. Ajoutez la vanille et mélangez.

Cette sauce originale accompagne les crustacés : homard, langouste, langoustines et crevettes, ou même les ris de veau.

Neige à la vanille

Pour **4 personnes**
Préparation **10 min**
Cuisson **5 min, 1 h à l'avance**

50 cl de lait ◆ 1 gousse de vanille ◆ 4 blancs d'œufs ◆ 40 g de sucre semoule ◆ 1 sachet de sucre vanillé

1 Versez le lait dans une casserole, ajoutez la gousse de vanille fendue en 2 et faites chauffer jusqu'à la limite de l'ébullition. Retirez du feu, couvrez et laissez tiédir.
2 Pendant ce temps, fouettez les blancs d'œufs en neige très ferme.

3 Retirez la gousse de vanille du lait. Incorporez à celui-ci le sucre semoule et le sucre vanillé. Remuez avec une cuiller en bois pour bien les faire dissoudre.
4 Versez ce lait sucré sur les blancs d'œufs en neige. Mélangez. Remettez le mélange sur le feu et remuez à la spatule jusqu'à ce que la crème épaississe.
5 Retirez du feu et laissez refroidir. Servez cet entremets bien froid avec des tuiles aux amandes, des langues-de-chat ou des macarons.

Après avoir retiré la gousse de vanille du lait, grattez l'intérieur avec une petite cuiller pour récupérer les petites graines noires.

→ **autres recettes de vanille à l'index**

vanneau (mollusque)

→ **voir aussi** pétoncle

Ce mollusque a la forme d'une petite coquille Saint-Jacques. Très voisin du pétoncle, mais un peu plus grand, le vanneau se prépare de la même façon. Vous pouvez aussi le cuisiner comme la moule ou la coque. Consommez-le en hiver.

vanneau (oiseau)

Ce petit oiseau de la taille d'un pigeon est un gibier rare et savoureux. Il se cuisine surtout rôti, comme la grive : comptez un vanneau par personne et prévoyez de 15 à 18 minutes de cuisson à four chaud. Les œufs de vanneau se préparent comme les œufs de caille.

vatrouchka

→ **voir aussi** russe (cuisine)

Ce gâteau russe au fromage blanc parfumé à l'orange ou au citron est farci de raisins secs. Il se présente comme une tourte ronde ou carrée d'une épaisseur de 5 ou 6 cm. Le dessus doit être bien doré ; il est parfois décoré de croisillons de pâte.

Diététique. Prévoyez ce gâteau très riche pour clore un repas léger : poisson à la vapeur ou salade composée.

Vatrouchka

Pour **6 personnes**
Préparation **30 min**
Cuisson **40 min**

500 g de fromage blanc (cottage cheese) ◆ 1 citron ◆ 350 g de farine ◆ 285 g de sucre semoule ◆ 1 sachet de levure ◆ 170 g de beurre ◆ 6 œufs ◆ 10 cl de vin blanc ◆ 1 sachet de sucre vanillé ◆ 150 g de raisins secs ◆ sel

1 Égouttez le fromage blanc. Râpez finement le zeste du citron.
2 Tamisez la farine et versez-la dans une grande terrine. Faites une fontaine et mettez-y 160 g de sucre, 1 pincée de sel, la levure et le zeste de citron. Mélangez puis incorporez 160 g de beurre et 2 jaunes d'œufs.
3 Travaillez la pâte puis ajoutez le vin blanc. Abaissez cette pâte sur 3 mm d'épaisseur et partagez-la en 2. Tapissez un moule à manqué beurré avec une moitié de pâte.
4 Mélangez le fromage blanc égoutté, 125 g de sucre semoule, le sucre vanillé, 3 œufs entiers et les raisins secs.
5 Versez ce mélange sur le fond de pâte. Mettez en place le couvercle et soudez les bords en les humectant. Badigeonnez le dessus avec le dernier œuf battu. Faites cuire 40 min dans le four à 130 °C. Servez froid.

veau

→ **voir aussi** abats, blanquette, escalope, fricandeau, grenadin, osso buco, paupiette, piccata, saltimbocca

Ce jeune bovin non sevré est abattu avant l'âge de 5-6 mois. Sa viande que l'on qualifie de blanche est tendre et délicate, mais la qualité d'un veau dépend strictement de la manière dont il a été nourri. Le veau « élevé sous la mère » et le « veau de lait », que l'on appelle aussi veau fermier ou veau d'élevage, sont des productions coûteuses et limitées, mais de grande qualité : les meilleurs bouchers s'approvisionnent dans la Creuse, la Corrèze et le Limousin, notamment. Dans l'élevage en « batterie », les veaux sont nourris de lait écrémé en poudre et de divers compléments. La qualité de la viande diffère selon l'alimentation et les produits reçus par l'animal (les hormones, stimulatrices de croissance, sont interdites en France). La réaction des consommateurs et

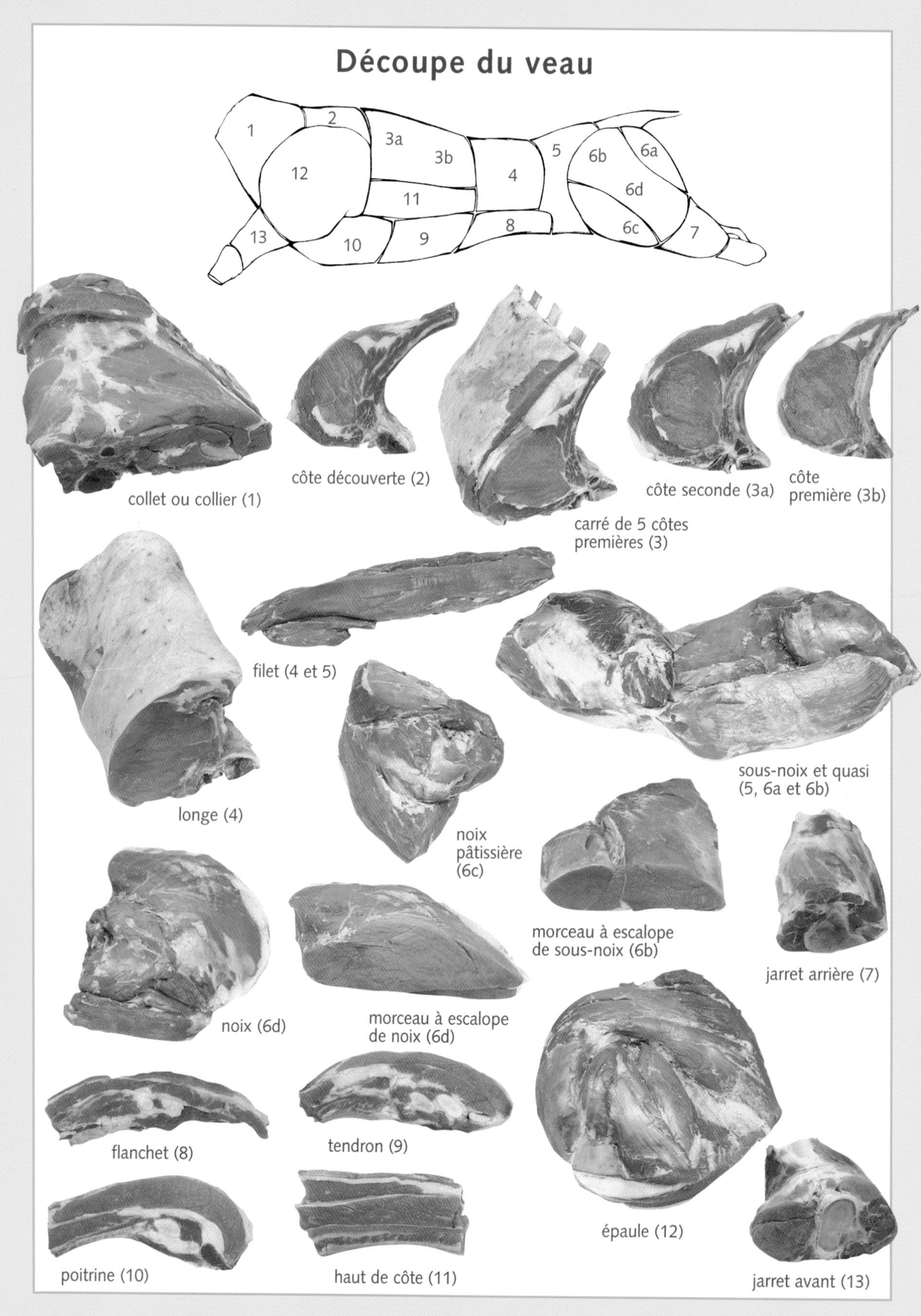
Découpe du veau
1
2
3a
3b
4
5
6b
6a
6d
6c
7
8
9
10
11
12
13
collet ou collier (1)
côte découverte (2)
carré de 5 côtes
premières (3)
côte seconde (3a)
côte
première (3b)
longe (4)
filet (4 et 5)
sous-noix et quasi
(5, 6a et 6b)
noix
pâtissière
(6c)
morceau à escalope
de sous-noix (6b)
jarret arrière (7)
noix (6d)
morceau à escalope
de noix (6d)
flanchet (8)
tendron (9)
épaule (12)
poitrine (10)
haut de côte (11)
jarret avant (13)

des professionnels a permis cependant d'améliorer la production de cette viande qui demeure, surtout en France et en Italie, l'une des plus appréciées. Ne négligez pas non plus le broutard, le veau le moins jeune qui a mangé de l'herbe et dont la chair est plus foncée : il est également meilleur que le veau de batterie bien blanc.

Une bonne viande de veau est ferme, d'un blanc nacré légèrement rosé, avec un aspect satiné et lisse, ni trop sèche ni trop humide, avec un grain le plus fin possible. La graisse doit être assez abondante, blanche et ferme. Sachez choisir les bons morceaux en fonction de la recette. Pour rôtir ou poêler en tranches : la noix et la sous-noix, la culotte, le filet ou la longe. Pour poêler en tranches : les côtes premières, secondes ou découvertes. Pour des plats en sauce, braisés, ragoûts ou sautés : le collier, l'épaule, la poitrine, les tendrons, le flanchet, le jarret. Évitez d'acheter des morceaux prédécoupés, car ceux-ci ont tendance à être secs. Les abats du veau sont particulièrement recherchés : foie, rognons, ris, tête, cervelle, pied. Jugée parfois un peu fade, cette viande s'accommode bien d'un accompagnement ou d'un condiment relevé.

La viande de veau se congèle assez bien, mais sa texture a tendance à ramollir à la décongélation.

Diététique. Viande considérée comme plutôt maigre : 100 g = 170 kcal. Attention aux sauces à la crème.

Cocotte de veau aux fines herbes

Pour **4 personnes**
Préparation **20 min**
Cuisson **1 h 10 environ**

1 kg d'épaule de veau désossée ◆ 80 g de beurre ◆ 15 cl de vin blanc ◆ 1/2 citron ◆ persil plat ◆ estragon ◆ cerfeuil ◆ crème fraîche ◆ sel ◆ poivre

1 Détaillez la viande de veau en morceaux de 5 cm de côté. Hachez 2 c. à soupe de persil, d'estragon et de cerfeuil.
2 Faites fondre le beurre dans une cocotte sans le laisser roussir. Mettez-y les morceaux de veau et ajoutez-y petit à petit les fines herbes. Retournez la viande dans le hachis.
3 Ajoutez 10 cl de vin blanc, couvrez et mettez la cocotte dans le four. Faites cuire pendant 30 min à 200 °C.
4 Sortez la cocotte, retournez les morceaux de veau dans la sauce, couvrez à nouveau et faites cuire encore 30 min à 180 °C.
5 Sortez la cocotte, ajoutez le reste de vin blanc, le jus du 1/2 citron et 2 ou 3 c. à soupe de crème fraîche. Faites encore cuire sur feu assez vif pendant 7 ou 8 min. Servez aussitôt dans un plat creux très chaud.

Garniture : des champignons de cueillette ou des épinards mélangés avec un peu d'oseille.

Boisson **vin blanc fruité**

Cocotte de veau à la provençale

Pour **6 personnes**
Préparation **20 min**
Cuisson **1 h 15**

1,5 kg d'épaule de veau désossée ◆ 6 petits oignons ◆ 1 poivron vert ◆ 1 poivron rouge ◆ 150 g d'olives noires ◆ 6 tomates ◆ 10 cl d'huile d'olive ◆ 2 feuilles de sauge ◆ 1 c. à café de romarin séché ◆ 20 cl de vin blanc ◆ 1 bouquet garni ◆ sel ◆ poivre

1 Coupez la viande en morceaux. Pelez et émincez les oignons. Lavez les poivrons, épépinez-les et émincez-les. Dénoyautez les olives. Coupez les tomates en tranches.
2 Faites chauffer 2 c. à soupe d'huile dans une cocotte. Ajoutez les oignons, la sauge et le romarin. Laissez fondre doucement en remuant.
3 Pendant ce temps, faites dorer les morceaux de veau à la poêle avec 2 c. à soupe d'huile. Quand ils ont bien pris couleur, égouttez-les et mettez-les dans la cocotte. Couvrez.
4 Faites revenir les rondelles de poivron dans la poêle pendant 3 min puis ajoutez-les dans la cocotte. Procédez de même avec les tomates.
5 Mouillez le contenu de la cocotte avec le vin. Salez et poivrez. Ajoutez le bouquet garni et les olives. Poursuivez la cuisson doucement pendant 45 min environ. Servez dans la cocotte.

Servez ce plat d'été avec des pâtes fraîches au basilic ou des spaghetti au pesto. Vous pouvez remplacer les olives noires par de grosses olives vertes.

Boisson **pouilly fumé**

Médaillons de veau aux herbes

Pour **6 personnes**
Préparation **15 min**
Cuisson **15 min environ**

2 œufs ◆ 6 c. à soupe d'herbes mélangées (romarin, thym, sauge, origan) ◆ 150 g de chapelure ◆ 6 côtes de veau premières désossées ◆ 100 g de beurre ◆ 2 citrons ◆ sel ◆ poivre

1 Battez les œufs dans une jatte avec 1 pincée de sel. Mélangez les herbes hachées avec la chapelure et réservez-les dans un plat creux.
2 Parez chaque côte de veau désossée pour ne garder que la noix. Passez ces noix 1 par 1 dans les œufs battus, des 2 côtés. Passez-les ensuite dans la chapelure pour les enrober. Appuyez pour bien faire adhérer la panure.
3 Faites fondre le beurre dans une poêle. Mettez-y les médaillons de veau panés et faites-les cuire doucement pendant 15 min environ en les retournant à mi-cuisson. Salez et poivrez. Ils doivent être bien dorés et croustillants.
4 Servez les médaillons de veau sur des assiettes chaudes, entourés des quartiers de citrons.

Garniture : des pointes d'asperges au beurre ou des courgettes émincées aux fines herbes.

Boisson **vin blanc sec ou rouge léger**

Minutes de veau au fenouil

Pour **4 personnes**
Préparation **15 min**
Cuisson **10 min**

400 g de filet de veau ◆ 1 bulbe de fenouil ◆ 1 bouquet de persil ◆ 25 cl de crème liquide ◆ 20 g de gruyère râpé ◆ 40 g de beurre ◆ huile d'olive ◆ sel ◆ poivre

1 Demandez au boucher de détailler le filet de veau en petites tranches rondes et minces.
2 Salez et poivrez les tranches. Parez le bulbe de fenouil et hachez-le très finement. Hachez finement le persil.
3 Faites chauffer 1 c. à soupe d'huile dans un poêlon. Ajoutez le fenouil et laissez-le cuire doucement en remuant de temps en temps.
4 Pendant ce temps, versez la crème dans une casserole et ajoutez le gruyère. Faites cuire en remuant sans arrêt sur feu doux pendant 5 min. Ajoutez alors le persil haché et le beurre en parcelles. Fouettez le mélange et retirez du feu.
5 Faites chauffer 2 c. à soupe d'huile dans une poêle. Placez-y les petites tranches de veau et faites-les saisir 30 secondes de chaque côté. Baissez le feu et laissez-les cuire encore 2 min, en les retournant une fois.
6 Répartissez les minutes de veau sur des assiettes. Ajoutez le fenouil étuvé et nappez de sauce crème au persil. Servez aussitôt.

Vous pouvez compléter la garniture avec des pommes vapeur ou des pâtes fraîches.

Boisson **bourgogne blanc**

Veau braisé à l'orange

Pour **4 personnes**
Préparation **25 min**
Cuisson **1 h**

RECETTE LÉGÈRE — 1 portion 270 kcal

800 g d'épaule de veau désossée ◆ 2 oignons ◆ 1 gousse d'ail ◆ 1 orange non traitée ◆ 3 grosses tomates ◆ 40 cl de bouillon de légumes ◆ 1 bouquet garni ◆ quelques brins de persil haché ◆ sel ◆ poivre

1 Découpez la viande en morceaux assez gros. Pelez et émincez les oignons. Pelez la gousse d'ail. Râpez le zeste de l'orange, pressez son jus.
2 Ébouillantez les tomates, égouttez-les et pelez-les. Coupez-les en 2, retirez les graines et concassez la pulpe.
3 Mettez dans une grande cocotte les oignons et la viande, les tomates, le jus de l'orange, le bouillon ainsi que le bouquet garni. Salez et poivrez. Couvrez et faites cuire 1 h à feu moyen.
4 Hachez l'ail. Ciselez 3 c. à soupe de persil. Mélangez l'ail, le persil et le zeste d'orange.
5 Égouttez les morceaux de viande et déposez-les dans un plat creux, retirez le bouquet garni et faites éventuellement réduire le jus de cuisson. Versez-le sur la viande puis ajoutez le condiment au persil. Servez aussitôt.

Veau braisé à l'orange ►
Dans cette recette italienne, le condiment à l'ail, au persil et à l'orange porte le nom de « gremolata » : vous pouvez l'utiliser pour de simples escalopes.

Veau Marengo

Pour **6 personnes**
Préparation **30 min**
Cuisson **1 h 20**

800 g d'épaule de veau désossée ◆ 700 g de flanchet ◆ 3 oignons ◆ 4 tomates ◆ 200 g de champignons de couche ◆ 2 gousses d'ail ◆ 15 g de beurre ◆ 40 cl de vin blanc ◆ 1 bouquet garni ◆ 24 olives noires ◆ concentré de tomates ◆ huile d'olive ◆ sel ◆ poivre

1 Coupez les viandes en cubes réguliers. Pelez et émincez les oignons. Pelez les tomates et concassez la pulpe. Nettoyez les champignons et coupez-les en morceaux. Pelez et hachez l'ail.
2 Faites fondre le beurre dans une cocotte avec 2 c. à soupe d'huile. Mettez-y les cubes de viande et laissez-les revenir doucement pendant 8 min. Retirez-les.
3 Mettez les oignons dans la cocotte et faites-les revenir 3 min. Ajoutez les tomates et l'ail. Faites cuire pendant 5 min.
4 Ajoutez les champignons, le vin blanc, le bouquet garni et 1 c. à soupe de concentré de tomates. Salez et poivrez. Faites mijoter pendant 10 min sur feu doux.
5 Remettez les morceaux de veau dans la cocotte et couvrez. Laissez cuire doucement pendant 40 min.
6 Dénoyautez les olives et ajoutez-les. Poursuivez la cuisson pendant 10 min. Servez dans la cocotte ou dans un plat creux.

Si vous préférez utiliser des olives vertes, faites-les tremper dans de l'eau tiède dès le début de la cuisson.

Veau Orloff

Pour **6 personnes**
Préparation **30 min**
Cuisson **1 h environ**

1 rôti de veau de 1,2 kg environ ◆ 400 g de champignons de couche ◆ 1/2 citron ◆ 60 g de beurre ◆ 1 oignon ◆ 25 cl de lait ◆ 2 œufs ◆ muscade ◆ farine ◆ sel ◆ poivre

1 Faites cuire le rôti de veau au four préchauffé à 220 °C pendant 50 min environ.
2 Nettoyez les champignons et émincez-les finement. Citronnez-les bien.
3 Faites fondre 20 g de beurre dans une casserole et mettez-y les champignons. Laissez cuire sur feu vif à découvert pendant 10 min. Égouttez-les. Pelez et hachez l'oignon.
4 Préparez une béchamel assez épaisse avec 25 g de beurre, 25 g de farine et 25 cl de lait. Incorporez l'oignon. Salez et poivrez. Muscadez.
5 Cassez les œufs en séparant les blancs des jaunes. Mélangez la béchamel (sauf 2 c. à soupe), les champignons et les jaunes d'œufs.
6 Découpez le rôti de veau cuit en tranches pas trop fines. Retirez les ficelles. Recueillez le jus. Badigeonnez chaque tranche avec la béchamel aux champignons. Reconstituez le rôti en collant les tranches les unes aux autres. Maintenez-le avec 1 ou 2 tours de ficelle dans la longueur.
7 Battez les blancs d'œufs en neige ferme avec 1 pincée de sel. Incorporez-y le reste de béchamel et le jus du rôti.
8 Placez le rôti de veau reconstitué dans un plat à gratin beurré. Tartinez-le avec le mélange précédent et passez à four chaud pendant 7 ou 8 min. Servez aussitôt.

Boisson vin blanc fruité

→ **autres recettes de veau à l'index**

velouté

Ce potage lisse et onctueux est en principe préparé avec une purée de légumes, de viande, de poisson ou de crustacés, liée ensuite avec de la crème, du jaune d'œuf et du beurre. Il s'agit parfois d'un potage très crémeux.

Velouté aux champignons

Pour **4 personnes**
Préparation **10 min**
Cuisson **14 min**

25 g de cèpes séchés ◆ 4 gousses d'ail ◆ 400 g de champignons de couche ◆ 50 cl de bouillon de volaille ◆ 10 cl de crème fraîche épaisse ◆ huile d'olive ◆ persil plat ◆ sel ◆ poivre

1 Mettez les cèpes séchés dans un bol, couvrez d'eau bouillante et faites cuire 3 min à pleine puissance. Laissez reposer pendant 10 min.

2 Pelez et écrasez les gousses d'ail. Nettoyez et émincez les champignons de couche le plus finement possible.
3 Faites chauffer 1 c. à soupe d'huile dans un plat puis le bouillon dans une jatte, en ajoutant à celui-ci 2 c. à soupe de l'eau de trempage des cèpes. Comptez 1 min à pleine puissance.
4 Ajoutez l'ail dans le plat et faites chauffer 2 min à puissance moyenne. Ajoutez ensuite les champignons et le bouillon brûlant. Couvrez et faites cuire 6 min à puissance moyenne.
5 Fouettez la crème fraîche avec 2 c. à soupe de persil haché. Salez et poivrez. Versez cette liaison dans le potage et faites encore cuire 1 min à puissance moyenne.
6 Incorporez enfin les cèpes hachés et faites chauffer 1 ou 2 min avant de servir.

Velouté à la tomate

RECETTE LÉGÈRE — 1 portion 170 kcal

Pour **6 personnes**
Préparation **15 min**
Cuisson **30 min**

1 kg de tomates mûres ◆ 2 oignons ◆ 1 gousse d'ail ◆ 30 g de beurre ◆ 4 c. à soupe de fécule ◆ 10 cl de crème fraîche épaisse ◆ sucre semoule ◆ cerfeuil frais ◆ sel ◆ poivre

1 Lavez les tomates et coupez-les en quartiers. Pelez et hachez les oignons et l'ail. Faites fondre 15 g de beurre dans une casserole et mettez-y les oignons.
2 Remuez les oignons sur feu doux. Quand ils sont transparents, ajoutez l'ail et les tomates avec le reste de beurre.
3 Remuez sur feu doux pendant 5 min, puis versez 1,5 l d'eau. Laissez cuire pendant 20 min à petits bouillons.
4 Passez le contenu de la casserole et versez à nouveau le potage obtenu dans la casserole. Ajoutez la fécule délayée dans un peu d'eau froide avec 1 c. à café de sucre. Portez à ébullition en remuant. Salez et poivrez.
5 Incorporez la crème fraîche et fouettez sur feu très doux jusqu'à l'obtention d'une liaison onctueuse. Versez le potage bien chaud dans une soupière et parsemez de pluches de cerfeuil. Servez aussitôt.

Boisson **chablis**

→ **autres recettes de velouté à l'index**

vergeoise

Cette variété de sucre de canne ou de betterave provient d'un sirop plus ou moins coloré et parfumé. La vergeoise brune a un arôme plus prononcé que la blonde. De consistance moelleuse, elle s'emploie en pâtisserie comme le sucre semoule.

vermicelle

Les vermicelles sont des filaments de pâte très minces présentés enroulés sur eux-mêmes ou en écheveaux. Le mot s'emploie au singulier ou au pluriel pour désigner à la fois les pâtes et le plat que l'on prépare avec : soupe, potage ou bouillon dans lequel on ajoute le vermicelle pour le faire cuire. Les vermicelles chinois à la farine de soja, très fins et translucides, ont le même emploi. Les vermicelles de riz se font aussi sauter ou frire.

Velouté à la tomate ▼

Ce potage peut être préparé à l'avance et réchauffé au dernier moment. Si le goût des tomates est un peu trop acide, ajoutez un peu de sucre. Basilic ciselé, menthe ou ciboulette hachée peuvent remplacer le cerfeuil.

Vermicelles à la chinoise ▲

Proposez ces vermicelles à la chinoise en entrée, après des nems en amuse-gueule. Servez ensuite un curry de crevettes et un sorbet à la mangue : vous aurez ainsi un vrai menu asiatique.

Vermicelles à la chinoise

Pour **4 personnes**
Préparation **10 min**
Cuisson **20 min environ**

250 g de vermicelles de riz chinois ◆ 250 g de grosses crevettes décortiquées ◆ 150 g de jambon blanc ◆ 200 g de chair de crabe ◆ huile d'arachide ◆ huile de sésame ◆ vinaigre ◆ sel ◆ poivre

1 Faites cuire les vermicelles dans une grande casserole d'eau portée à ébullition pendant 3 min. Égouttez-les, rafraîchissez-les et égouttez-les à nouveau. Réservez.
2 Coupez les crevettes en 2, taillez le jambon en cubes et émiettez la chair de crabe.
3 Faites chauffer 2 c. à soupe d'huile d'arachide dans une grande poêle à rebords.
4 Mettez-y à revenir à tour de rôle les crevettes pendant 5 min puis le jambon pendant 5 min, enfin le crabe pendant 2 min. Réservez tous ces ingrédients.
5 Remettez un filet d'huile d'arachide dans la poêle et mettez-y à rissoler pendant 3 min les vermicelles cuits et égouttés. Quand ils sont bien dorés, réincorporez les crevettes, les cubes de jambon et le crabe.
6 Mélangez le tout délicatement sur feu modéré pendant 5 min. Arrosez avec un filet d'huile de sésame et 1 c. à soupe de vinaigre. Salez et poivrez. Remuez. Servez aussitôt dans des bols en porcelaine.

Pour ce type de recette, les grosses crevettes roses congelées sont de loin préférables à celles, déjà cuites, du poissonnier.

vermouth

→ **voir aussi** cocktail

Cet apéritif à base de vin est fabriqué à la fois en France et en Italie. C'est un mélange de vin, de sirop de sucre, de jus de raisin non fermenté, d'eau-de-vie et de plantes aromatiques. Le vermouth français est en général plus sec que l'italien : les marques sont nombreuses (Noilly Prat, Cinzano, Martini, etc.). Le vermouth se sert en apéritif, sur des glaçons, avec du citron ou dans un cocktail.

En cuisine, utilisez-le pour déglacer des escalopes de veau ou un sauté de poulet, pour agrémenter un poisson en papillote ou une farce, à raison de 1 cuillerée à soupe pour 4 personnes.

Diététique. 1 verre de vermouth = 400 kcal.

vernis

Ce grand coquillage de couleur fauve se reconnaît à son aspect vernissé. Il vit assez loin des côtes. Il est moins courant que le clam, mais se déguste et se cuisine comme lui. Sa chair, assez ferme, a un goût très iodé. On achète les vernis bien fermés ou qui se referment immédiatement dès qu'on les touche. Décoratifs sur un plateau de fruits de mer, ils n'ont pas la finesse des praires ni celle des palourdes. Ils se consomment également farcis.

viande

→ voir aussi agneau, bœuf, gibier, mouton, porc, veau, volaille

Ce mot désigne en cuisine les morceaux de la découpe du bœuf, du veau, de l'agneau, du mouton et du porc frais, à l'exclusion des abats et de la charcuterie. On distingue la viande rouge (bœuf, cheval, agneau, mouton) et la viande blanche (veau et porc), qui comprend aussi les volailles et le lapin. Le gibier est considéré comme de la viande « noire ».

Ne confondez pas la qualité et la catégorie d'une viande. La première est fonction de la race, de l'âge et des conditions d'élevage. La seconde correspond aux emplois des morceaux en cuisine : première catégorie à rôtir ou à griller, deuxième et troisième catégories à braiser ou à bouillir.

La viande est vendue traditionnellement chez le boucher, auprès duquel vous pouvez prendre conseil pour le choix des morceaux et la manière de les cuisiner. La viande vendue prédécoupée et emballée doit mentionner la nature du morceau, la date de conditionnement et la date limite de consommation : comme la précédente, elle se conserve jusqu'à 48 heures au réfrigérateur, retirée de son emballage et réemballée dans du film alimentaire (pour éviter la macération dans le jus qui s'en écoule).

Diététique. Toutes les viandes sont de bonnes sources de protéines, de fer et de vitamines. Leur teneur en graisse dépend surtout du morceau et de la manière dont il est préparé ou cuisiné : le filet ou le romsteck peuvent être quatre fois moins gras qu'une entrecôte ; le porc est gras, mais la noix de porc ne l'est pas plus que du blanc de poulet ; la volaille est maigre, à condition de ne pas manger la peau rôtie... Il est recommandé de ne pas manger de viande deux fois par jour et de remplacer aussi souvent que possible la viande de boucherie par de la volaille, des œufs ou du poisson. Une consommation de 100 à 150 g de viande par jour permet de couvrir notamment une partie des besoins en fer.

vichyssoise

Ce potage aux poireaux et aux pommes de terre lié de crème fraîche a la particularité d'être servi froid, avec des fines herbes ciselées. Par extension, on appelle aussi vichyssoise un potage froid à base de légumes différents (des courgettes, par exemple) et de pommes de terre.

Vichyssoise

Pour 4 personnes
Préparation 15 min
Cuisson 40 min environ, 2 h à l'avance

250 g de blancs de poireaux ◆ 250 g de pommes de terre ◆ 40 g de beurre ◆ 20 cl de crème fraîche ◆ 1 petit bouquet de cerfeuil ◆ sel ◆ poivre

1 Lavez les poireaux et émincez-les. Pelez les pommes de terre et émincez-les.

2 Faites fondre le beurre dans une casserole, ajoutez les poireaux émincés et faites-les cuire pendant 5 min.

3 Ajoutez les pommes de terre. Versez 1,5 l d'eau. Salez et poivrez. Portez à ébullition et faites cuire pendant 30 min.

4 Égouttez les pommes de terre, écrasez-les. Égouttez les poireaux et mixez-les. Remettez le tout dans la casserole. Liez avec la crème fraîche.

5 Retirez du feu, laissez refroidir. Parsemez de pluches de cerfeuil et servez bien glacé.

vieille

Ce poisson de mer, assez courant surtout l'été, possède une chair un peu molle et souvent pleine d'arêtes. La vieille de Manche et d'Atlantique est la meilleure : cuisinez-la au four. Les vieilles de Méditerranée s'utilisent plutôt dans des soupes.

Diététique. Poisson maigre : 100 g = 75 kcal.

vin

→ voir aussi alcool

Boisson d'accompagnement classique de la plupart des mets, le vin obéit à certaines règles de service.

L'emploi du vin dans la cuisine est une pratique qui remonte à l'Antiquité et qui existe dans d'innombrables traditions culinaires à travers le monde. Les marinades ont existé d'abord pour conserver les viandes plus longtemps. Les techniques du déglaçage et de la réduction sont à l'origine de la plupart des sauces cuisinées. Quant au civet ou au bœuf bourguignon, à la daube ou au court-bouillon, ce sont des inventions culinaires nées du hasard ou de la nécessité du jour où l'on s'est aperçu que l'on pouvait cuire un aliment directement dans le vin.

Quelques principes de base sont à respecter quand on cuisine au vin. Ne jamais utiliser un vieux millésime ou un grand cru classé. C'est inutilement coûteux. A contrario, ne prenez pas non plus un vin ordinaire : il participe à l'élaboration du plat au même titre que les autres ingrédients, tous choisis avec un certain soin. Il faut aussi qu'il puisse être bu en accompagnement du plat. N'utilisez pas non plus un vin trop léger : il doit être un peu corsé. Choisissez de préférence un vin d'appellation qui aura le mérite de bien résister à la cuisson et de pouvoir accompagner le mets à table.

Le vin rouge est indispensable pour la daube, le civet, le coq au vin, la matelote, etc., mais il joue aussi un rôle certain dans la cuisson des haricots rouges, la macération des fraises, la cuisson des poires pochées ou des œufs en meurette. Si le vin rouge se retrouve dans les sauces en compagnie des lardons, petits oignons et champignons, le vin blanc se marie de préférence à l'estragon, aux fines herbes et à la crème fraîche.

Les vins blancs que l'on utilise en cuisine pour les cuissons longues sont en général secs et acides. Il est parfois utile de réduire cette acidité en faisant bouillir le vin à découvert. Les blancs s'imposent dans la cuisine des poissons, mais on les emploie aussi dans les fricassées de volaille ou de viande blanche.

Diététique. On estime que la consommation ne devrait pas dépasser 0,5 l de vin à 10 % Vol par jour pour un homme, moins pour une femme. Le vin blanc est moins calorique que le rouge : 60 kcal pour 1 verre contre 80 kcal.

Vin chaud

Pour **4 personnes**
Préparation **10 min**
Cuisson **10 min**

1 bouteille de vin rouge assez corsé (bordeaux ou bourgogne) ◆ 1 orange ◆ 1 citron ◆ 1 bâton de cannelle ◆ 4 clous de girofle ◆ macis ◆ sucre roux en poudre

1 Versez 15 cl de vin dans une petite casserole et le reste dans une grande. Prélevez le zeste de l'orange et celui du citron.

2 Mettez les zestes dans la grande casserole et faites chauffer.

3 Mettez dans la petite casserole la cannelle, les clous de girofle et 1/2 c. à café de macis. Portez rapidement à ébullition et faites bouillir 2 min.

4 Versez le contenu de la petite casserole dans la grande et continuez à faire chauffer très doucement pendant 7 ou 8 min. Retirez du feu.

5 Versez 3 ou 4 c. à soupe de sucre roux dans un cruchon en grès. Ajoutez le contenu de la casserole en le filtrant dans une passoire. Remuez et servez aussitôt.

vinaigre

→ **voir aussi chutney, cornichon, marinade, moutarde, œufs pochés, pickles, sauce, vinaigrette**

Liquide à base de vin, ou d'une solution alcoolisée, modifié par une fermentation acétique et utilisé comme condiment ou assaisonnement. La qualité d'un vinaigre dépend de celle du vin, rouge ou blanc, mais léger et acide : l'acétification se produit au contact de l'air et fait apparaître une masse grise et veloutée, la « mère de vinaigre ». Les vinaigres à l'ancienne ainsi que le vinaigre de xérès, vieillis en fût, sont parfumés et acides sans être âcres, tandis que les vinaigres industriels et le vinaigre d'alcool, incolore mais teinté au caramel, sont mordants et sans bouquet.

D'autres produits de base sont également utilisés pour produire des vinaigres aromatiques, comme le cidre, le poiré, la bière ou le saké. On fabrique aussi des vinaigres parfumés à l'échalote, à l'estragon, à la menthe ou à l'ail et même à la framboise.

Poulet au vinaigre

Pour **4 personnes**
Préparation **15 min**
Cuisson **30 min environ**

1 poulet de 1,5 kg ◆ 4 échalotes ◆ 15 g de beurre ◆ 25 cl de vinaigre de vin rouge à l'ancienne ◆ 20 cl de crème fraîche ◆ huile ◆ sel ◆ poivre

1 Coupez le poulet en morceaux ou demandez au volailler de le faire. Salez-les et poivrez-les. Pelez et émincez les échalotes.

2 Faites chauffer le beurre et 3 c. à soupe d'huile dans une grande cocotte. Mettez-y les morceaux de poulet et faites-les dorer sur feu moyen 12 min de chaque côté.

3 Retirez les morceaux de poulet de la cocotte et mettez-les dans un plat. Couvrez avec une feuille d'aluminium.

4 Mettez les échalotes dans la cocotte et remuez sur feu moyen pendant 2 min. Versez le vinaigre et portez à ébullition. Faites réduire.
5 Ajoutez la crème fraîche, remuez et poursuivez la cuisson 5 min. Rectifiez l'assaisonnement. Nappez les morceaux de poulet de cette sauce et servez.

Vinaigre à l'estragon

Pour **1 bouteille de 1 litre**
Préparation **20 min, 1 mois à l'avance**
Pas de cuisson

2 belles branches d'estragon frais ◆ 1 c. à café de grains de poivre noir ◆ 1 l de vinaigre de vin blanc

1 Ébouillantez une bouteille munie d'une fermeture hermétique. Laissez-la s'égoutter.
2 Lavez délicatement l'estragon sans arracher les feuilles. Placez les branches à plat sur du papier absorbant. Épongez-les.
3 Introduisez les branches dans la bouteille avec les grains de poivre noir. Versez le vinaigre et fermez hermétiquement. Laissez macérer au moins un mois dans un endroit sombre et frais.

→ **autres recettes de vinaigre à l'index**

vinaigrette

→ **voir aussi huile, salade, sauce**

Cette sauce froide est un mélange d'huile, de vinaigre, de sel et de poivre. On peut lui ajouter des ingrédients complémentaires : échalote, fines herbes, moutarde, œufs durs, etc.

Diététique. 1 c. à soupe = 105 kcal, 40 si elle est allégée.

Sauce vinaigrette

Pour **4 personnes**
Préparation **5 min**
Pas de cuisson

vinaigre ◆ huile ◆ sel ◆ poivre

1 Mettez 2 pincées de sel dans un saladier. Ajoutez 2 c. à soupe de vinaigre et remuez pour faire dissoudre.
2 Ajoutez 3 ou 4 tours de moulin à poivre, puis versez de 4 à 6 c. à soupe d'huile. Fouettez pour émulsionner. Le sel ne peut se dissoudre que dans le vinaigre : ne l'ajoutez pas en dernier.

Vous pouvez remplacer le vinaigre par du jus de citron et le sel par du sel de céleri. Si vous ajoutez de la moutarde, attention aux proportions : 1 c. à café plus ou moins bombée pour 4 personnes.

Incorporez à la vinaigrette classique : 60 g de roquefort émietté pour une salade d'endives ; 1 c. à café de pâte d'anchois et du basilic ciselé pour une salade de tomates ; 1 c. à café de pastis pour une salade de fruits de mer ; 1 c. à soupe de pignons de pin grillés pour une salade de poulet.

Pour une vinaigrette allégée : utilisez 2 c. à soupe d'huile et 2 c. à soupe d'eau ou remplacez l'huile par la même proportion de yaourt à 0 % de matières grasses.

→ **autres recettes de vinaigrette à l'index**

violet

Cet animal marin a une apparence brunâtre avec des reflets violacés. Le violet vit fixé sur les algues. Pêché en Méditerranée, il se consomme cru, fendu en deux. Son goût est très iodé.

vodka

→ **voir aussi russe (cuisine)**

Cet alcool originaire de Pologne, largement consommé dans toute l'Europe de l'Est, est à base de grain, de pomme de terre ou de betterave. La vodka est un alcool fort qui atteint facilement 50 % Vol. De nombreuses vodkas sont parfumées avec des herbes aromatiques, des baies ou des épices, comme la fameuse zubrowka à l'« herbe de bison ». On en trouve aussi à la cannelle ou au gingembre. La vodka est l'accompagnement classique du caviar, des hors-d'œuvre aux œufs de poisson et des poissons fumés. Elle se boit aussi en apéritif ou en digestif, toujours frappée, ou en cocktail, notamment dans le bloody mary au jus de tomate.

Sorbet ananas-vodka

Pour **8 personnes**
Préparation **20 min**
Cuisson **30 min,**
3 h à l'avance

RECETTE LÉGÈRE 1 portion 245 kcal

2 ananas de 800 g ou 1 gros ananas de 1,5 kg ◆ 300 g de sucre semoule ◆ 1 citron ◆ vodka nature

1 Pelez les ananas, coupez-les en 4 et retirez la partie centrale. Coupez la pulpe en cubes.
2 Versez le sucre dans une casserole, ajoutez 30 cl d'eau et faites bouillir 10 min.
3 Ajoutez les cubes d'ananas dans le sirop et faites cuire sur feu doux pendant 20 min en les retournant de temps en temps dans la cuisson.
4 Égouttez les cubes d'ananas et réservez le sirop. Passez l'ananas cuit au mixer pour obtenir 90 cl de purée. Laissez-la refroidir.
5 Ajoutez à cette purée 3 c. à soupe de jus de citron et le sirop. Versez la préparation dans une sorbetière et faites congeler. Lorsque le sorbet est bien pris, battez-le pour le rendre mousseux.
6 Répartissez le sorbet dans des coupes de service et mettez-les dans le congélateur. Au moment de servir, arrosez les coupes avec la vodka bien glacée : 2 c. à soupe par coupe.

volaille

→ **voir aussi** abattis, blanc de volaille, bouillon, farce, foie de volaille, suprême

On désigne par ce terme l'ensemble des oiseaux de basse-cour : poulet, dinde, canard, oie, pintade. On leur ajoute aussi le lapin domestique, mais les recettes de « volaille » sont le plus souvent à base de poulet. Dans les autres cas, on précise le nom de l'animal.

Disponible toute l'année, avec des oiseaux entiers ou prédécoupés, la volaille est une source de recettes très variées et souvent économiques. La volaille se cuisine généralement rôtie, bouillie ou braisée. Les restes de volaille rôtie ou pochée permettent de préparer des salades, des croquettes ou des farces. Les garnitures de fruits frais ou secs et les sauces aigres-douces sont souvent les bienvenues avec la volaille.

Diététique. La volaille fournit les mêmes protéines que la viande de boucherie. Elle offre l'avantage d'être nettement moins riche en lipides, canard et oie exclus.

vol-au-vent

Sorte de tourte en pâte feuilletée garnie d'une préparation en sauce. Faites l'assemblage au dernier moment avant de servir pour que le feuilletage ne se détrempe pas.

Diététique. Le feuilletage et la sauce rendent la préparation très riche.

Vol-au-vent financière

Pour **6 personnes**
Préparation **1 h 30**
Cuisson **40 min**

540 g de farine ◆ 540 g de beurre ◆ 1 œuf ◆ 150 g de champignons de couche ◆ 300 g de blanc de poulet cuit ◆ 200 g de jambon blanc ◆ 25 cl de bouillon de volaille ◆ 1 petite boîte de pelures de truffe ◆ madère ◆ sel ◆ poivre

1 Préparez la pâte feuilletée avec 500 g de farine et 500 g de beurre *(voir page 527)*. Partagez-la en 2 et abaissez chaque moitié sur 5 mm d'épaisseur. Découpez-y 2 disques de 18 cm de diamètre.
2 Posez 1 disque de pâte sur la plaque du four humectée d'eau. Évidez le centre de la seconde abaisse en retirant un rond de 13 cm de diamètre. Humectez d'eau le disque entier et posez dessus l'anneau de pâte évidé.
3 Abaissez le rond de pâte retiré pour obtenir un disque de 18 cm de diamètre. Posez-le sur l'anneau de pâte précédent en l'humectant d'eau également. Tracez avec un couteau le pourtour du rond évidé. Dorez à l'œuf. Faites cuire dans le four à 240 °C pendant 15 min.
4 Pendant ce temps, nettoyez et émincez les champignons, taillez le blanc de poulet en petits dés et le jambon en cubes. Préparez une sauce blanche avec 40 g de farine, 40 g de beurre et le bouillon de volaille. Salez et poivrez.
5 Ajoutez à cette sauce 3 c. à soupe de madère et le contenu de la petite boîte de pelures de truffe. Faites réchauffer cette sauce doucement dans une grande casserole en lui incorporant le poulet, le jambon et les champignons.
6 Sortez la croûte à vol-au-vent et retirez délicatement le couvercle. Remplissez-la de la garniture. Posez à nouveau le couvercle sur la croûte et servez aussitôt.

Boisson meursault

u w x y z

welsh rarebit

Cette spécialité anglaise est faite d'une tranche de pain de mie grillée recouverte de fromage fondu avec de la bière. Passé au four, le welsh rarebit est servi en entrée chaude. Son nom veut dire littéralement « gourmandise galloise ».

Welsh rarebit

Pour **4 personnes**
Préparation **20 min**
Cuisson **10 min environ**

50 g de beurre ◆ 4 tranches de pain de mie assez épaisses de 10 cm de côté ◆ 250 g de cheshire ◆ 20 cl de bière blonde anglaise ◆ 1 c. à café de moutarde ◆ 1 jaune d'œuf ◆ poivre de Cayenne

1 Faites fondre le beurre dans une grande poêle et faites-y dorer les tranches de pain sur les 2 faces. Égouttez-les sur du papier absorbant.
2 Détaillez le cheshire en fines lamelles et mettez-les dans une casserole. Ajoutez la bière, la moutarde et 1 pincée de cayenne. Mélangez. Faites chauffer en remuant 5 ou 6 min sans laisser bouillir.
3 Incorporez le jaune d'œuf hors du feu. Goûtez et rectifiez l'assaisonnement. Ajoutez éventuellement un peu de bière si la pâte est trop épaisse. Faites à nouveau chauffer doucement pour homogénéiser en remuant.
4 Mettez les tranches de pain dans des petits plats à œufs individuels. Nappez de la préparation au fromage et passez dans le four à 250 °C pendant 4 min. Servez brûlant.

Si vous ne trouvez pas de cheshire, vous pouvez le remplacer par du cheddar.

Boisson **bière anglaise « pale ale »**

whisky

Cette eau-de-vie née en Écosse est fabriquée à partir d'orge maltée, de blé, de seigle ou d'avoine. Lorsque l'orge est séchée sur un foyer de tourbe, l'alcool prend un parfum caractéristique. C'est en grande partie la pureté de l'eau qui détermine la qualité d'un whisky. D'où la supériorité des fameux « Glen » distillés dans les petites vallées des Highlands. On distingue le *single malt* whisky, issu d'une seule distillerie, et le *pure malt*, qui peut associer plusieurs malt whiskies. Ne confondez pas ces alcools nobles et parfumés, plus ou moins corsés, vieillis parfois 20 ans, ayant chacun une personnalité marquée, avec les blended whiskies, ou blends, meilleur marché, mélanges de whisky de malt et de whisky de grain, dont la qualité est variable selon la marque mais qui sont toujours plus pauvres en goût. Les meilleurs sont vieillis de 8 à 12 ans.

Outre ce scotch whisky, il existe aussi un whisky irlandais, le whiskey, un whisky canadien et des whiskies américains, à base de seigle comme le rye ou de maïs comme le bourbon.

Le whisky se boit en toute occasion, sec ou sur des glaçons. Évitez l'eau gazeuse, surtout avec un *single* ou un *pure malt*. En cuisine, il donne une note originale à des recettes de volaille ou de fruits de mer (crevettes, pétoncles, etc.).

Irish coffee

Pour **1 personne**
Préparation **10 min**
Cuisson **2 min**

crème liquide ◆ café ◆ whisky irlandais

1 Mettez la crème liquide au réfrigérateur pour qu'elle soit bien froide.
2 Préparez une tasse de café noir très fort. Faites chauffer un verre assez grand qui résiste à la chaleur. Versez-y 1/2 tasse à café de whisky. Versez le café dessus : il doit arriver à 3 cm du bord.
3 Ajoutez enfin la crème très froide pour former une couche assez large en surface. Ne remuez pas. Dégustez aussitôt.

→ **autres recettes de whisky à l'index**

wok

Ustensile de cuisson originaire de Chine et d'Inde, cette poêle à fond arrondi à une seule ou deux poignées permet de réussir des sautés et des petites fritures en conservant le maximum de saveur aux aliments et en utilisant un minimum de matière grasse *(voir pages 758-759)*.

xérès

Vin espagnol originaire d'Andalousie. Le xérès est un vin viné, c'est-à-dire additionné d'eau-de-vie, ce qui le rend plus fort en alcool. Il se boit en apéritif, bien frais. Le *fino*, couleur paille très pâle, est le plus typique et le plus délicat, avec un goût d'amande, mais très sec (de 15 à 16 % Vol). Le *manzanilla* possède un arôme plus fruité avec un petit goût salé. L'*amontillado* est plus souple et doré (18 % Vol environ). L'*oloroso* est moelleux et puissant (de 18 à 22 % Vol). L'*amoroso* est ambré et suave.

Rognons au xérès

Pour **4 personnes**
Préparation **25 min**
Cuisson **15 min environ**

2 rognons de veau ◆ 4 champignons de couche ◆ 1 gousse d'ail ◆ 60 g de beurre ◆ laurier ◆ farine ◆ bouillon de bœuf ◆ xérès ◆ persil plat ◆ sel ◆ poivre

1 Retirez la pellicule qui entoure les rognons. Coupez-les en 2, retirez les parties nerveuses et la graisse du centre. Détaillez chaque demi-rognon en tranches.
2 Nettoyez et émincez finement les champignons. Pelez et hachez l'ail. Faites chauffer 40 g de beurre dans une petite casserole.
3 Faites revenir les champignons avec l'ail et 1 feuille de laurier pendant 5 min. Poudrez avec 1 c. à soupe de farine et remuez. Salez et poivrez. Versez 5 c. à soupe de bouillon et faites cuire en remuant pendant 5 min. Retirez le laurier et réservez.
4 Faites chauffer le reste de beurre dans une poêle et mettez-y à sauter les tranches de rognons sur feu assez vif pendant 5 min en tout. Égouttez-les.
5 Déglacez la poêle avec 5 c. à soupe de xérès et portez à ébullition en remuant. Versez dans la poêle la sauce aux champignons et remettez-y les rognons. Faites réchauffer pendant 2 min sur feu doux.
6 Versez le tout dans un plat creux. Parsemez de persil haché. Servez avec du riz.

→ **autres recettes de xérès à l'index**

Boisson **bordeaux assez corsé**

yaourt

Lait coagulé à l'aide de ferments lactiques plus ou moins acidifiants. Cette préparation d'origine turque est aujourd'hui industrielle, mais vous pouvez en fabriquer vous-même à l'aide d'une yaourtière. Les différences de goût et de consistance selon les marques dépendent de l'équilibre entre les ferments utilisés. L'étiquetage doit mentionner la composition et la date limite de vente. La valeur nutritionnelle est souvent indiquée.

Le yaourt nature est au lait entier ou demi-écrémé. Le yaourt maigre est moins moelleux.

Le yaourt velouté ou bulgare est plus onctueux, mais plus gras ; il est parfois fluidifié pour pouvoir être bu. Les yaourts aromatisés, sucrés ou additionnés de fruits, augmentent la gamme des yaourts consommés en dessert. Les yaourts au bifidus, un ferment spécial, sont moelleux et peu acides.

Les yaourts sont abondamment consommés avec du sucre, du miel, de la confiture ou des fruits, en dessert ou au petit déjeuner. Ils sont également utilisés pour préparer des entremets et des boissons. La cuisine y fait aussi largement appel, surtout pour des sauces et des liaisons légères où il peut remplacer la crème fraîche, mais aussi dans des spécialités d'origine turque ou moyen-orientale.

Lorsque vous incorporez du yaourt dans une préparation chaude, sortez-le du réfrigérateur 1 heure avant emploi : il ne doit pas être trop froid. Pour qu'il ne se dissocie pas en cuisant, délayez une pincée de fécule dans un peu d'eau et ajoutez-la doucement dans le yaourt avant de le faire chauffer.

Diététique. 1 pot de yaourt nature = 60 kcal ; entier = 80 kcal ; maigre = 50 kcal ; aux fruits = 120 kcal. Pour chaque cuillerée à café de sucre, ajoutez 15 kcal. Le yaourt est un antiseptique de l'intestin : il régularise la flore intestinale, surtout en cas de prise d'antibiotiques.

Boisson épicée au yaourt

RECETTE LÉGÈRE — 1 portion 120 kcal

Pour **4 personnes**
Préparation **15 min**
Repos **1 h**
Pas de cuisson

5 pots de yaourt liquide ◆ 1 dose de safran ◆ 3 c. à soupe d'édulcorant en poudre ◆ 2 gousses de cardamome ◆ 2 bananes mûres ◆ quelques pistaches

1 Versez le yaourt dans une cruche. Ajoutez un verre d'eau glacée, le safran et l'édulcorant en poudre. Fouettez à la fourchette.
2 Décortiquez et pilez la cardamome, ajoutez-la au mélange et fouettez. Pelez les bananes et passez-les au mixer pour les réduire en purée fluide. Décortiquez et concassez les pistaches.
3 Ajoutez la purée de banane à la boisson au yaourt. Mélangez en fouettant vivement, puis mettez-la 1 h dans le réfrigérateur.
4 Au moment de servir dans des verres, fouettez et garnissez le dessus de pistaches concassées.

Glace au yaourt

Pour **4 personnes**
Préparation **10 min**
Congélation **2 h au moins**

4 yaourts nature au lait entier ◆ 1 sachet de sucre vanillé ◆ 1 citron ◆ 1 orange ◆ édulcorant en poudre

1 Videz les pots de yaourt dans une terrine. Ajoutez le sucre vanillé et battez le mélange pendant au moins 2 min.
2 Râpez finement le zeste du citron et celui de l'orange. Pressez les fruits et mélangez leurs jus. Ajoutez les zestes et 3 c. à soupe de jus puis de l'édulcorant selon votre goût. Fouettez pendant 5 min. Versez la préparation dans une sorbetière et faites congeler pendant 2 h.
3 Servez cette glace en prélevant des quenelles avec une cuiller à soupe. Agrémentez d'un coulis de fruits ou de fruits secs hachés.

Sauce au yaourt

RECETTE LÉGÈRE — 1 portion 60 kcal

Pour **4 personnes**
Préparation **5 min, 20 min à l'avance**
Pas de cuisson

300 g de concombre ◆ 1 oignon ◆ 25 cl de yaourt nature velouté ◆ paprika ◆ ciboulette ◆ sel ◆ poivre

1 Pelez et épépinez le concombre et coupez la pulpe en très petits dés. Poudrez-les de sel et laissez dégorger au frais pendant 20 min.
2 Pelez et hachez finement l'oignon. Versez le yaourt dans une jatte.
3 Égouttez le concombre et ajoutez-le au yaourt avec l'oignon. Incorporez en fouettant 1/2 c. à café de paprika et 1 c. à soupe de ciboulette. Poivrez au goût.

Remplacez le concombre par du poivron pelé et haché, de la tomate concassée ou du cresson ciselé. À la place de la ciboulette, essayez la menthe ou le basilic.

Servez la sauce avec un assortiment de crudités, des poireaux en salade, du poisson froid, en accompagnement d'un plat relevé.

→ **autres recettes de yaourt à l'index**

cuisine au wok

D'origine chinoise, le wok a conquis la moitié de la planète. Cette grande poêle au haut bord évasé offre de multiples fonctions et permet de limiter l'apport de matière grasse en préservant le goût et la valeur nutritive des aliments.

Wok, grille, spatule et pince

Germes de soja sautés au jambon

Faites chauffer un wok, versez 2 c. à soupe d'huile d'arachide et ajoutez 2 gousses d'ail pelées entières. Quand elles commencent à dorer, retirez-les, ajoutez 250 g de jambon cuit, en grosses tranches coupées en dés. Faites-les rissoler 2 min et retirez-les. Faites à nouveau chauffer le wok avec un filet d'huile, ajoutez 1 c. à café de pâte de crevettes, faites chauffer 10 secondes en remuant, ajoutez 700 g de germes de soja et 2 c. à café de sauce soja. Faites sauter 4 min en remuant. Remettez le jambon et mélangez pendant 1 min avant de servir. Pour changer, remplacez les germes de soja par des pousses de bambou taillées en lamelles et le jambon blanc par des queues de crevettes décortiquées.

Soupe vietnamienne

Soupe vietnamienne

Mettez dans un wok 3 cubes de bouillon de volaille, ajoutez 2 l d'eau bouillante, délayez et faites chauffer. Ajoutez quelques lamelles de gingembre, 2 oignons finement émincés et 12 feuilles de menthe ciselées. Faites bouillir 10 min, retirez du feu, couvrez et laissez infuser. Filtrez le bouillon et versez-le à nouveau dans le wok, ajoutez 1 carotte et 1 courgette en très fines rondelles, faites bouillonner 10 min. Ajoutez 200 g de filet de bœuf taillé en fines languettes. Faites bouillir 8 min. Ajoutez 2 tranches de jambon blanc en lanières et 5 c. à soupe de vermicelles. Faites cuire 5 min. Ajoutez 1 c. à soupe de sauce soja et servez.

Fruits sautés au caramel et à la vanille

Pelez et épépinez 1 pomme et 1 poire. Coupez-les en dés. Faites fondre 30 g de beurre dans un wok sur feu doux. Fendez 1 gousse de vanille en 2 et grattez l'intérieur. Ajoutez les graines de vanille au wok. Parsemez 50 g de sucre semoule et mélangez. Lorsque le sucre est dissous, ajoutez les dés de pomme et de poire. Faites-les sauter doucement en les retournant pendant 2 min. Ajoutez 8 mirabelles dénoyautées, quelques grains de raisin blanc muscat et 1 banane en rondelles. Continuez à faire sauter doucement en retournant les morceaux de fruits pendant 3 min. Ajoutez 30 g de beurre en parcelles. Quand les fruits sont bien dorés, retirez-les avec une écumoire et versez-les dans une coupe de service. Montez le feu pour faire caraméliser le jus de cuisson, arrosez-en les fruits et saupoudrez 1 sachet de sucre vanillé. Servez chaud.

Fruits sautés au caramel et à la vanille

Les atouts du wok

Le wok est particulièrement recommandé pour une cuisine saine et diététique. Son premier avantage est de pouvoir saisir des ingrédients en les remuant constamment sur feu vif et en évitant qu'ils n'absorbent trop de matières grasses. Sa forme de bassine arrondie permet une diffusion de chaleur régulière, ce qui diminue considérablement le temps de cuisson. Ainsi, la préparation des ingrédients coupés en petits morceaux égaux ou en julienne est-elle souvent plus longue que la cuisson elle-même. Parfait pour les sautés, le wok offre de nombreuses autres possibilités : blanchir des légumes verts (feuilles d'épinards, haricots verts ou brocoli), préparer une soupe ou même mijoter un ragoût. Il est également très utile pour faire cuire à la vapeur et préparer des fritures : la quantité d'huile n'a pas besoin d'être très importante et la profondeur de l'ustensile suffit à une bonne immersion. Enfin, le wok permet de préparer de petites comme de grandes quantités.

Le wok et ses accessoires

Il possède soit deux anses, soit une queue. La taille moyenne (35 cm de diamètre environ) est celle qui convient le mieux. Son matériau de prédilection est la tôle d'acier ; l'aluminium ou l'inoxydable sont trop légers et résistent mal aux fortes températures. Il existe aussi des woks à revêtement antiadhésif qui permettent de supprimer l'apport de matière grasse.
Le couvercle, en verre, est en forme de dôme et sert surtout pour les soupes ou les cuissons à la vapeur. La spatule à long manche, en forme de petite pelle, est indispensable pour remuer ou retourner les ingrédients.

Réussir la cuisine au wok

- *Coupez les aliments en dés égaux ou en julienne.*
- *Faites chauffer le wok sur feu vif et jetez-y les ingrédients lorsque l'huile fume.*
- *Mélangez constamment les ingrédients avec la spatule. Remontez-les ensuite sur les côtés du wok (voir photo 1).*
- *Faites cuire les ingrédients fermes en premier. Réservez-les sur la grille puis faites cuire les ingrédients plus tendres (voir photo 2).*
- *Pour une cuisson à l'étouffée, réglez le feu sur température moyenne.*

Sauté de poulet aux légumes

Faites bouillir 2 carottes coupées en rondelles dans une grande casserole d'eau pendant 10 min. Ajoutez 100 g de pousses de bambou émincées, 2 branches de céleri effilées et coupées en dés, 150 g de haricots verts effilés et coupés en 2 puis 25 g de champignons noirs réhydratés et égouttés. Faites cuire 5 min. Égouttez. Faites chauffer 2 c. à soupe d'huile d'arachide dans un wok, ajoutez 1 gousse d'ail pelée et écrasée et 3 lamelles de gingembre. Faites revenir 30 secondes. Ajoutez 300 g de blancs de poulet cuits et taillés en petits dés. Faites sauter pendant 1 min. Ajoutez 100 g de germes de soja. Faites revenir pendant 30 secondes. Incorporez tous les autres légumes. Salez et poivrez. Faites sauter délicatement en remuant pendant 2 min. Mélangez 1 c. à soupe de sauce soja et 1 c. à café de fécule, versez cette liaison dans le wok. Mélangez pendant 1 min.
Servez bien chaud.

Sauté de poulet aux légumes

zakouski

→ voir aussi russe (cuisine)

Cet assortiment de petites préparations chaudes et froides est traditionnel dans la cuisine russe où il est servi en hors-d'œuvre avant le repas, avec de la vodka. Il est si abondant et si riche qu'il peut se transformer en un repas fastueux. Les zakouski réunissent en général du caviar ou des œufs de poisson, des canapés garnis de poisson fumé, de caviar d'aubergines ou de tranches d'oie fumée, des pirojki diversement farcis, du pâté de hareng, des légumes marinés à l'aigre-doux, des cornichons malossol, etc. L'assortiment des pains est très varié, au seigle, au cumin, au pavot ou à l'oignon. Proposés sur un plateau, les zakouski sont toujours présentés d'une façon décorative. Ils doivent donner une impression de profusion accueillante et colorée.

zeste

→ voir aussi citron, mandarine, orange, pamplemousse

Écorce externe des agrumes, le zeste est toujours coloré et parfumé. Lorsque vous l'utilisez, choisissez des fruits non traités. Prélevez-le à l'aide d'un couteau économe ou d'un zesteur sans entamer la peau blanche située en dessous. Utilisez-le taillé en filaments ou haché en petits morceaux pour enrichir une pâtisserie ou garnir un entremets. Râpé plus ou moins finement, ou frotté sur des morceaux de sucre, il parfume aussi bien les pâtes à gâteaux que les crèmes ou les infusions.

Les zestes taillés en julienne sont parfois blanchis avant l'emploi, ce qui les attendrit. Vous pouvez aussi les faire confire dans du sirop de sucre ou du vinaigre (pour parfumer les terrines). Les zestes d'orange confits et enrobés de chocolat sont une friandise délicieuse appelée orangettes.

zuppa inglese

Cet entremets italien d'origine anglaise est également courant en France. Cette « soupe anglaise » associe une génoise ou du pain brioché imbibé d'alcool, des fruits confits macérés, parfois une crème aux œufs pour lier le tout, mais surtout une couche de meringue italienne qui le recouvre pour former une croûte dorée.

Zuppa inglese

Pour **6 personnes**
Préparation **1 h**
Cuisson **1 h 30 environ**

300 g de fruits confits mélangés ◆ 400 g de pain brioché ◆ 1 l de lait ◆ 6 œufs ◆ 420 g de sucre semoule ◆ 1 sachet de sucre vanillé ◆ 40 g de beurre ◆ 4 blancs d'œufs ◆ rhum ◆ sucre glace

1 Coupez les fruits confits en petits morceaux et mettez-les dans une jatte. Arrosez avec 1 petit verre de rhum. Laissez reposer.

2 Coupez le pain brioché en tranches épaisses, écroûtez-les et faites-les dorer au four 2 min. Faites chauffer le lait.

3 Cassez 6 œufs et battez-les dans une terrine, ajoutez 180 g de sucre et le sucre vanillé. Versez dessus le lait bouillant en fouettant.

4 Beurrez largement un grand plat creux en porcelaine à feu. Égouttez les fruits confits. Tapissez le plat de pain et recouvrez-le de fruits confits. Remplissez le plat en alternant le pain et les fruits confits.

5 Versez très doucement dessus la moitié du mélange œufs-lait-sucre pour que la préparation imbibe le contenu du plat.

6 Faites cuire dans le four au bain-marie pendant 30 min à 160 °C. Versez le reste du mélange œufs-lait-sucre et poursuivez la cuisson pendant encore 30 min à chaleur douce.

7 Fouettez les 4 blancs d'œufs en neige très ferme. Faites cuire le sucre restant avec un peu d'eau : lorsqu'une goutte de sirop posée sur une assiette forme une boule molle, retirez du feu.

8 Versez le sirop sur les blancs en neige et fouettez jusqu'à ce que la meringue soit froide. Sortez le plat du four et laissez tiédir.

9 Nappez le dessus du plat d'une couche épaisse de meringue, lissez et poudrez de sucre glace. Remettez dans le four pendant environ 20 min à chaleur très douce. Servez la zuppa inglese tiède ou froide.

Annexes

Alimentation et santé

équilibre alimentaire et santé

L'être humain est un organisme vivant qui a besoin d'énergie pour fonctionner correctement. Depuis des siècles, il a mis au point toutes sortes de produits et de techniques pour satisfaire ses envies et ses gourmandises.

Une alimentation équilibrée

L'équilibre énergétique repose sur l'égalité entre ce que l'organisme absorbe et ce qu'il dépense. Si les entrées sont supérieures aux dépenses, les nutriments sont transformés en graisses stockées dans le tissu adipeux. En principe, la moitié des kcal nécessaires doit être fournie par les glucides (dont 10 % par le sucre, les produits et boissons sucrés), 30 à 35 % des kcal doivent être fournies par les lipides et 12 à 15 % par les protéines (la moitié par celles d'origine végétale, un tiers au moins par celles d'origine animale).

Énergie et nutriments

Le métabolisme de base (minimum vital dépensé obligatoirement pour entretenir la vie au repos) se situe entre 1 300 et 1 500 kcal par jour ; il est variable selon la taille, le poids, le sexe et l'âge, l'état physique et psychique.
La thermorégulation du corps à 37 °C (lutte éventuelle contre le froid ou la chaleur) exige aussi de l'énergie, de même que le simple fait d'absorber et de digérer la nourriture.
Plus importantes sont les dépenses d'énergie liées au travail musculaire ou intellectuel. On arrive donc à des totaux variables : 3 000 kcal pour un adolescent ou un homme ayant une activité physique importante ; 2 000 pour une femme ayant une activité physique moyenne ; 1 300 pour un enfant de 3 ans.
L'énergie est fournie par les aliments, qui contiennent tout ce dont l'organisme a besoin pour fonctionner, se renouveler et être en bonne santé.
Les substances nutritives indispensables sont : l'eau, élément vital ; les protéines animales ou végétales, nutriments bâtisseurs ; les glucides (sucres lents ou rapides), substances énergétiques par excellence ; les lipides (graisses), aussi utiles pour l'énergie que pour la forme apparente du corps, mais aussi ces éléments infinitésimaux, mais absolument nécessaires que sont les sels minéraux, les oligoéléments et les vitamines.

Trois repas sont nécessaires

L'apport énergétique doit être réparti sur l'ensemble de la journée avec un petit déjeuner, un déjeuner et un dîner (plus un goûter chez l'enfant et l'adolescent) pour éviter fringales et coups de fatigue. L'harmonie s'établit naturellement lorsque chaque repas est constitué d'aliments contenant protides, lipides et glucides. Mais les goûts interviennent dans ce schéma abstrait, car le plaisir de manger est aussi important que l'équilibre nutritionnel. La richesse et la diversité des aliments sont telles que de nombreux choix sont possibles, par exemple en remplaçant la viande rouge par les œufs, poissons et laitages.
La grande règle de l'équilibre est de manger de tout, en répartissant les apports (laitages, viande, poisson, pain, beurre, légumes, pâtes, riz, fruits, desserts) sur trois repas.
Le petit déjeuner comportera thé ou café, lait ou yaourt ou fromage blanc, céréales ou pain (avec un peu de beurre et/ou de confiture) et un fruit ou un jus de fruit.
Le déjeuner et le dîner comprendront une viande ou un poisson, des légumes frais (ou pommes de terre, ou pâtes, ou riz), du fromage, des fruits ou un dessert, et du pain.

le végétarisme

Bien conçu, un régime végétarien offre d'indéniables atouts, mais un changement de régime alimentaire ne doit pas être adopté du jour au lendemain. Pour éviter les carences, il faut apprendre à diversifier son alimentation.

Les régimes végétariens

Sont végétariens ceux qui se nourrissent essentiellement de légumes et de céréales, mais aussi d'œufs et de produits laitiers (voire de volaille ou de poisson). Selon les aliments spécifiquement exclus ou autorisés, on distingue ainsi plusieurs écoles végétariennes.
Le *lacto-ovo-végétarisme* exclut viandes et poissons, mais autorise œufs et laitages ; le *lacto-végétarisme* exclut viandes, poissons et œufs (il autorise les laitages) et l'*ovo-végétarisme* exclut viandes, poissons et laitages (il autorise les œufs).
Le *pollo-végétarisme* exclut viandes, laitages et œufs, mais autorise les volailles. Le *pesco-végétarisme*, quant à lui, exclut également viandes, laitages et œufs, mais autorise les poissons.
Les régimes végétariens privilégient par ailleurs les aliments peu raffinés comme les céréales entières et le pain complet.
Ils recommandent les cuissons à l'eau ou à la vapeur, en papillote ou à l'étouffée et prônent souvent les produits issus de l'agriculture biologique.

Les atouts du végétarisme

Le végétarisme n'exclut ni la gourmandise ni la gastronomie, à condition d'autoriser les œufs, le lait et le fromage. Ainsi il permet d'équilibrer les apports protéiques entre les protéines animales et les protéines végétales.
Les aliments animaux, riches en protéines, sont également bien pourvus en lipides, alors que les céréales et les légumineuses sont plutôt riches en glucides. La consommation de céréales, de fruits frais, de légumineuses et de légumes verts diminue l'apport en graisses saturées, tout en augmentant la proportion des glucides complexes (lents) et des fibres alimentaires. Les aliments glucidiques sont stockés sous forme de graisses corporelles dans une bien moindre proportion que les lipides. En outre, les fibres calment la faim et régularisent le transit. On constate que les adeptes du lacto-ovo-végétarisme sont moins sensibles que l'ensemble de la population à certaines affections comme l'obésité, l'hypertension artérielle, l'excès de cholestérol, le cancer du côlon, la constipation.

Les risques de carences

Plus le régime est restrictif, plus les risques de carences sont nombreux et graves. Dans le régime végétalien, les produits laitiers étant totalement absents, le calcium n'est pas fourni à l'organisme. C'est donc un régime dangereux pour les femmes enceintes, les enfants et les adolescents. On s'expose également souvent à des carences en zinc et en vitamine B12. De plus, les proportions de carotène apportées par un régime végétalien ne peuvent suffire aux besoins en vitamine A, que fournissent habituellement le beurre, le foie et le jaune d'œuf. Par ailleurs, il faut augmenter la consommation d'agrumes, car la vitamine C favorise l'absorption du fer végétal. Dans tous ces régimes, les germes de céréales, les graines germées, les produits à base de soja, les algues, les levures doivent être employés pour leur richesse en protéines, en vitamines et en minéraux.

bien choisir les aliments

La santé dans l'assiette relève du bon sens : c'est en connaissant la nature des aliments et leur contribution au bon fonctionnement de l'organisme que l'on peut les choisir à bon escient, les associer et les cuisiner pour en tirer le meilleur profit.

Les viandes et les volailles

▶ **Les critères de qualité**

La qualité d'une viande est fonction de la race de l'animal, de son sexe et de son âge, de sa nourriture, des conditions d'élevage et d'abattage, d'où l'importance des labels. Un animal d'élevage intensif nourri de farines, qui ne bouge pas, sera tendre, mais de moins bonne qualité gustative. La tendreté est liée à la présence du tissu conjonctif et aux fibres musculaires ; moins il y a de tissu conjonctif et plus les fibres sont courtes, plus la viande est tendre. Plus une viande est grasse (« persillée », « marbrée » de graisse visible entre les fibres), plus elle est moelleuse.
Une viande de première qualité a un grain fin, une coupe lisse et une couleur franche. Les viandes de deuxième qualité sont en général plus sèches ou plus grasses, et de couleur moins franche.

Valeur nutritionnelle des viandes et volailles

La viande ne contient pas de glucides, mais elle fournit de 15 à 25 % de protéines. Le taux de lipides varie nettement d'une viande à l'autre : de 3 à 26 % pour le porc ; 10 à 25 % pour le canard ; 16 à 20 % pour l'agneau ; 4 à 13 % pour le bœuf ; 2 à 8 % pour le veau ; 5 % pour le lapin ; 2 % pour le cheval. La valeur énergétique varie donc elle aussi d'environ 110 à 250 kcal pour 100 g. La viande est une excellente source de fer directement assimilable. Elle apporte certains sels minéraux et des vitamines du groupe B. Les diététiciens recommandent une consommation de 100 à 150 g de viande par jour.

Les poissons et les fruits de mer

▶ **Les critères de fraîcheur**

La fraîcheur est la qualité première d'un poisson. Elle peut se juger à différents critères.
Peau : transparente, couverte d'un mucus brillant, de couleur vive et irisée. Jamais opaque, jaunâtre ou terne.
Écailles : nombreuses et adhérentes, jamais molles.
Œil : pupille noire, bombée et brillante.
Branchies : rouge vif ou violacées.
Chair : ferme et rigide, bien blanche (sauf pour le hareng, le thon, le saumon ou le maquereau), jamais flasque ou molle, ni brunâtre.
Arêtes : blanc nacré, très adhérentes, cassantes.
Odeur : marée ou iode, ni aigre, ni ammoniacale.

Valeur nutritionnelle des poissons et fruits de mer

La chair de poisson contient 75 % d'eau, 18 % de protéines très digestes et peu de lipides, en quantité variable selon que le poisson est gras, demi-gras ou maigre. Mais le poisson le plus gras (anguille, saumon, lamproie) l'est deux fois moins qu'un morceau d'échine de porc. Ses lipides riches en acides gras polyinsaturés sont protecteurs de l'athérosclérose. Aliment de santé par excellence, riche en sodium, calcium, phosphore, iode et potassium, vitamines A, B12, B6 et D. Le mode de préparation du poisson peut faire varier sensiblement sa valeur nutritionnelle. Cuisiné en friture ou à la poêle (meunière), il est assez calorique. Les modes de cuisson qui préservent le mieux ses arômes, tout en étant diététiques, sont le court-bouillon, la cuisson au gril, à la vapeur, en papillote ou au four (avec vin blanc, fumet ou jus de citron). Le poisson peut s'apprêter cru, en tartare, en rillettes (saumon) ou au jus de citron. Mollusques et coquillages sont eux aussi riches en acides gras polyinsaturés, en sels minéraux, iode, vitamines B1 et E. Moins riches en minéraux et vitamines que les coquillages, les crustacés sont de très bonnes sources de protéines, tout en étant peu caloriques. Riches en acides gras polyinsaturés, ils contiennent du cholestérol, concentré dans la tête.

Valeur nutritionnelle des légumes

Feuilles et fruits sont riches en eau (donc peu caloriques), riches en vitamines A et C, en calcium et en fer ; les choux, petits pois et haricots apportent des vitamines B ; racines et tubercules fournissent glucides et vitamines ; les pois et les haricots sont riches en protéines. Tous les légumes sont riches en fibres, bénéfiques au transit alimentaire. La perte en vitamine C est de 50 % en deux jours au réfrigérateur et de 90 % à l'air libre. Les associations judicieuses de légumes avec de la viande, du fromage ou des œufs constituent des plats uniques de bonne qualité nutritionnelle. Les légumes frais doivent figurer au moins une fois par jour au menu. C'est la cuisson à la vapeur qui préserve le mieux arôme, vitamines et minéraux.

Les légumes

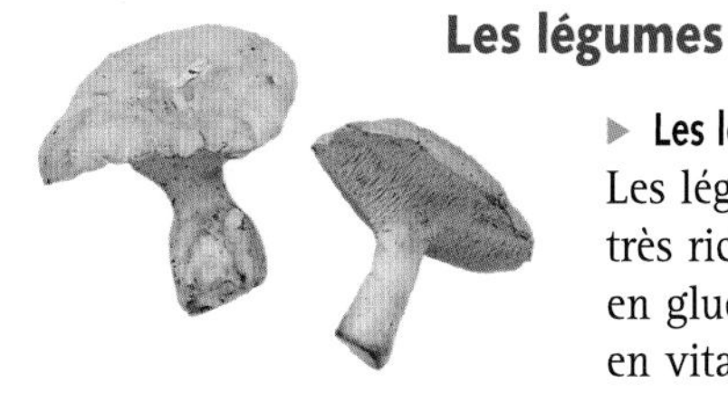

Les champignons

Les champignons n'ont ni chlorophylle, ni racines, ni tige, ni feuille. De culture (champignons de couche, pleurotes, shiitake) ou de cueillette, ils sont peu caloriques et apportent des protéines, des sels minéraux et des vitamines B. Attention : ils sont particulièrement sensibles aux pollutions.

Les légumes secs

Les légumes secs sont très riches en protéines, en glucides complexes, en vitamines B, en magnésium, en fer et en fibre. Mais ils se consomment cuits, ayant absorbé deux fois leur poids d'eau à la cuisson. Si le produit sec fournit 45 g de glucides pour 100 g, il n'en apporte plus que 17 g dans l'assiette.

Les fruits

Fruits à pépins

Pommes, poires, melons et pastèques ont une richesse en glucides très variable, pas nécessairement liée à la saveur sucrée : une pomme acide est deux fois plus riche en sucres (en calories) qu'un melon au goût très sucré.

Fruits à noyaux

Cerises, abricots, pêches, brugnons, nectarines et prunes sont riches en glucides et en calories, relativement pauvres en vitamine C ; ils sont délicieux bien mûrs.

Baies, fruits rouges et raisin

Fraises, framboises, groseilles, cassis, myrtilles sont peu caloriques, pauvres en glucides et riches en vitamine C. Le raisin est diurétique, mais aussi énergétique car riche en glucides.

Agrumes

Oranges, citrons, pamplemousses, mandarines, clémentines, kumquats sont pauvres en sucre et donc peu énergétiques, très riches en vitamine C, mais celle-ci est fragile car le fruit s'oxyde rapidement.

Fruits exotiques

L'ananas est riche en fibres et en sucre, la banane est très riche en glucides, le kiwi est aussi riche en vitamine C que le citron, mais moins que le cassis. Mangues, litchis ou goyaves sont riches en carotène et en vitamine C.

Fruits oléagineux

Amandes, cacahuètes, noix, noisettes, pistaches, sésame sont très riches en lipides (de l'ordre de 50 %), riches en glucides et protéines ; ces fruits regorgent aussi de magnésium, de phosphore et de potassium, aux vertus tonifiantes et défatigantes.

Teneur en glucides des fruits

Qu'ils soient exotiques ou non, les fruits sont classés en trois grandes catégories : les fruits frais riches en eau, les fruits frais et séchés riches en glucides, les fruits secs, riches en lipides. La teneur en glucides varie sensiblement : elle est en général inférieure à 10 % (fraises, framboises, groseilles, mandarines, melons, noix de coco, oranges, pamplemousses, papayes, pastèques, prunes et rhubarbe) ; comprise entre 10 et 15 % (abricots, ananas, brugnons, cassis, citrons, grenades, litchis, mangues, mirabelles, myrtilles, pêches, poires, pommes, quetsches) ; comprise entre 15 et 20 % (bananes, cerises, figues fraîches, raisin). Les fruits séchés sont très riches en glucides.

matières grasses et graisses cachées

Servant de condiment, de graisse de cuisson, d'ingrédient de base ou de moyen de conservation, les corps gras font partie des lipides, indispensables à la santé. Mais les deux tiers des graisses absorbées sont représentés par les lipides cachés, contenus dans de nombreux aliments.

Les différents acides gras

Les lipides alimentaires contiennent trois sortes d'acides gras : saturés (beurre, crème, fromages fermentés, viandes et charcuteries), mono-insaturés et polyinsaturés (huiles, fruits oléagineux et poissons). Un excès (mais un excès seulement) des premiers est nocif pour la santé. Les autres jouent un rôle protecteur. Plus une graisse durcit rapidement (18 °C), plus elle est riche en acides gras saturés.

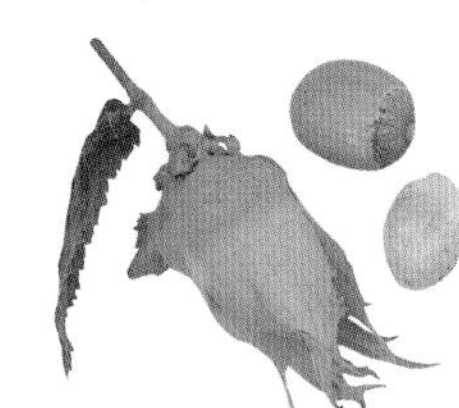

Où se trouvent les graisses cachées ?

Les graisses animales invisibles se trouvent en plus ou moins grande quantité dans les viandes, les charcuteries, les poissons, les œufs, le fromage et les produits laitiers non écrémés, les pâtisseries et certains fruits.

Viandes

Leur taux de matières grasses va de 2 % (cheval) à 25 % (viandes persillées). En moyenne, les viandes grasses cuites renferment 20 % de lipides.

La viande hachée vendue en grande surface contient selon sa catégorie 5 %, 10 %, 15 % ou 20 % de matières grasses. La première catégorie est recommandée.

Charcuteries

Le taux de lipides peut varier de 10 % ou moins (tripes, bacon, jambon cuit) à plus de 20 % (pâtés, saucisses, saucissons, rillettes) ; andouilles, andouillettes ou pâtés de tête sont moyennement gras (10 à 20 % de lipides).

Poissons

Ils renferment de 1 à 22 % de matières grasses selon l'espèce (pourcentage pris sur la chair consommable).

Œufs

Ils contiennent 10 à 12 % de matières grasses (dont 450 mg de cholestérol pour 100 g d'œuf).

Lait

La teneur en lipides varie de 3 à 5 g pour 10 cl (lait frais et cru) à 1,7 g (10 cl de lait demi-écrémé) en passant par 3,4 g (10 cl de lait entier).

Fromages

La teneur en matières grasses des fromages s'exprime par rapport à la quantité de matière sèche une fois l'eau extraite (extrait sec). Très gras (plus de 45 %) : roquefort, vacherin, double-crème ; gras à pâte molle (45 %) : camembert, reblochon, munster ; gras à pâte dure (45 %) : cantal, beaufort ; maigres (moins de 25 %) : certaines tommes et fromages allégés.

Pâtisseries, biscuits et chocolats

La proportion de lipides est de 24 à 35 % pour 100 g.

Fruits oléagineux

De 40 % (cacahuètes) à 60 % (noisettes).

Frites

Elles contiennent 10 % de leur poids en huile (15 % pour les chips).

Plats cuisinés industriels

Leur composition est réglementée ; ils comportent en moyenne 5 à 10 % de lipides pour 100 g (45 g dans une choucroute, 10 g dans un couscous et 32 g dans un cassoulet). Les conserves appertisées et les plats cuisinés frais et réfrigérés sont plus riches en lipides (20 % en plus) que les plats équivalents réalisés en cuisine ménagère.

Des graisses indispensables

Les lipides enrobent les muscles, donnent ses formes au corps et constituent un important réservoir d'énergie. Ce stock n'est entamé que lors d'un long effort physique ou en cas de régime hypocalorique. Les lipides devraient représenter 30 à 35 % de la ration énergétique journalière dans une alimentation équilibrée (rappelons que 1 g de lipides apporte 9 kcal). On ne manque jamais de lipides. Au contraire, l'alimentation occidentale en apporte généralement trop (ils représentent entre 37 et 40 % des calories quotidiennes nécessaires) ; l'excès de lipides alimentaires entraîne une prise de poids et peut provoquer diverses maladies (athérosclérose, excès de cholestérol dans le sang).

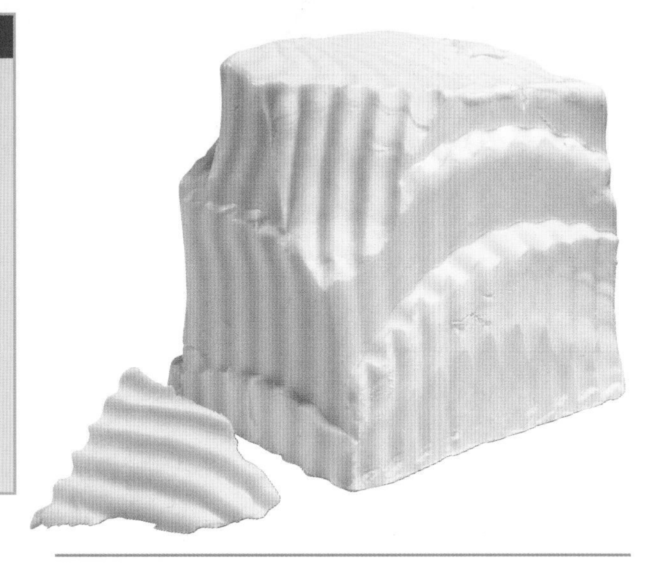

Graisses et santé

Il faut consommer des graisses pour couvrir ses besoins en vitamines liposolubles (qui peuvent être stockées dans le foie et dans les tissus graisseux) et en acides gras insaturés, notamment ceux que l'on dit « essentiels » parce que l'organisme ne sait pas les synthétiser et qu'ils jouent un rôle primordial dans la constitution des cellules. Lorsqu'on est en bonne santé, avec un taux de cholestérol sanguin normal, on peut consommer toutes sortes de graisses animales et d'huiles (qui ont toutes la même valeur calorique, quel que soit le type de graisse ou le taux de saturation des acides gras). Il suffit de veiller à ne pas faire d'excès en acides gras saturés (qui se trouvent dans les aliments d'origine animale) et à ce que les apports en lipides ne représentent pas plus de 35 %, soit 65 à 70 g maximum pour une ration journalière de 2 000 kcal.

Matières grasses

L'huile végétale, qu'elle provienne d'un fruit (olive, noix), d'une graine oléagineuse (arachide, colza, tournesol) ou d'un germe de céréale (maïs, blé), est la plus visible des graisses, car elle contient 100 % de lipides.
Les huiles les plus riches en acides gras polyinsaturés sont celles de soja, de maïs, de tournesol, de noix, de germes de blé, de sésame et de pépins de raisin. Les huiles les plus riches en acides gras mono-insaturés sont celles d'arachide, d'olive, d'amandes et de noisettes.
Le beurre a un taux de matières grasses de 82 %, avec une majorité d'acides gras saturés ; le beurre allégé contient 41 à 65 % de matières grasses ; les spécialités laitières à tartiner (à base de produits laitiers) : 21 à 41 % ; les pâtes à tartiner à teneur en lipides réduite (à base de matières grasses d'origine végétale et animale) : 21 à 41 % ; la crème fraîche : 30 %.
La margarine contient la même quantité de matières grasses que le beurre, mais la qualité des acides gras diffère. Enfin, le saindoux, très présent dans la charcuterie, contient autant d'acides gras saturés qu'insaturés.

Les vertus de l'huile d'olive

Les Grecs connaissaient déjà ses vertus, mais des études récentes prouvent la réalité médicale de leurs observations empiriques, qui confirment son rôle bénéfique dans le métabolisme du cholestérol. Fortement conseillée dans le cadre du fameux « régime méditerranéen », l'huile d'olive est riche en acide oléique, dont l'action est efficace contre l'athérosclérose mais aussi contre l'ostéoporose. Elle favorise par ailleurs la digestion des aliments les plus lourds.

les menus santé du printemps

Lundi

◆ **Déjeuner**

Champignons à la grecque *page 136*

Gibelotte de lapin *page 336*

Mousse légère au cacao *page 107*

◆ **Dîner**

Crème de laitue *page 219*

Ris de veau aux légumes *page 628*

Salade d'oranges au Grand Marnier *page 654*

Mardi

◆ **Déjeuner**

Crevettes et pois gourmands en salade *page 569*

Potée de veau printanière *page 591*

Fromage blanc aux poires *page 313*

◆ **Dîner**

Crème d'asperge *page 219*

Méli-mélo de poissons *page 671*

Compote de mangue à l'orange *page 428*

Mercredi

◆ **Déjeuner**

Radis au beurre frais

Filets de limande aux champignons *page 412*

Tarte au fromage blanc *page 314*

◆ **Dîner**

Velouté de cresson *page 229*

Bucatini aux pignons *page 551*

Dessert glacé aux fraises *page 287*

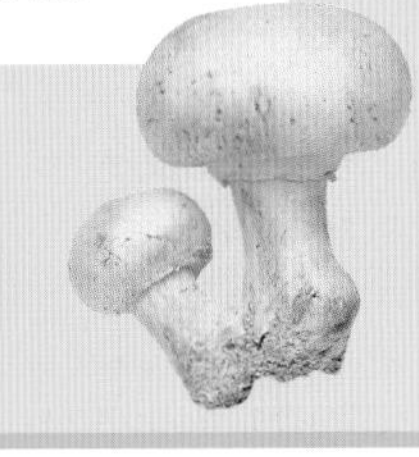

Jeudi

◆ **Déjeuner**

Carottes râpées aux raisins secs *page 120*

Œufs en cocotte au poisson *page 480*

Tranche de gouda et pomme granny

◆ **Dîner**

Terrine de courgettes *page 714*

Lotte à la ciboulette *page 418*

Yaourt brassé aux fruits

Vendredi

◆ **Déjeuner**

Poireaux vinaigrette *page 567*

Jambon en papillotes aux champignons *page 382*

Crème renversée au caramel *page 218*

◆ **Dîner**

Potage aux petits pois *page 588*

Mousse de thon *page 724*

Tomme de Savoie

Samedi

◆ **Déjeuner**

Salade de cresson

Darnes de saumon à l'aneth *page 670*

Pommes bonne-femme *page 579*

◆ **Dîner**

Concombre farci *page 191*

Magrets aux pommes *page 424*

Gratin d'abricots *page 354*

Dimanche

◆ **Déjeuner**

Asperges vertes à la vinaigrette

Gigot d'agneau aux flageolets *page 340*

Salade fraîche aux fruits exotiques *page 654*

◆ **Dîner**

Soupe de fèves *page 691*

Poulet rôti *page 598*

Tarte aux fraises *page 306*

les menus santé de l'été

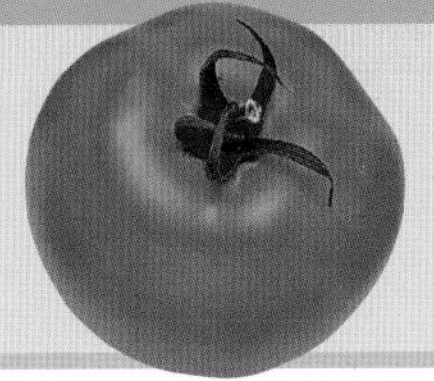

Lundi

Déjeuner

Salade de haricots verts aux poivrons *page 370*

Moules à la provençale *page 458*

Ratatouille niçoise *page 620*

Fromage frais

Dîner

Salade de concombre à l'aneth *page 28*

Poulet à l'estragon aux petits oignons *page 596*

Coupe de fruits frais *page 316*

Mardi

Déjeuner

Pamplemousses cocktail *page 514*

Soufflé au fromage *page 688*

Mousse légère au cacao *page 107*

Dîner

Velouté à la tomate *page 749*

Filet de veau au poivre vert *page 574*

Abricots frais

Mercredi

Déjeuner

Salade niçoise *page 652*

Daurade en croûte de sel *page 246*

Mousse glacée à la fraise *page 306*

Dîner

Potage au cresson *page 588*

Œufs en piperade *page 555*

Fontainebleau aux framboises *page 304*

Jeudi

Déjeuner

Salade de haricots verts *page 651*

Filet de porc à la sauge *page 670*

Fraises à la menthe *page 305*

Dîner

Chou-fleur au fromage frais *page 173*

Lapin au citron *page 404*

Melon

Vendredi

Déjeuner

Caviar d'aubergines *page 38*

Pigeonneaux à la crapaudine *page 551*

Crème amandine aux fruits frais *page 22*

Dîner

Gaspacho andalou *page 327*

Rougets aux anchois *page 639*

Abricotine aux framboises *page 10*

Samedi

Déjeuner

Fonds d'artichauts au chèvre *page 33*

Filet d'agneau à la provençale *page 289*

Sorbet au cassis *page 126*

Dîner

Minestrone de légumes *page 450*

Gambas en salade *page 326*

Flan aux abricots *page 11*

Dimanche

Déjeuner

Salade italienne *page 652*

Paupiettes de dinde farcies *page 536*

Melon glacé *page 439*

Dîner

Poivrons farcis au thon *page 722*

Pâtes au basilic *page 534*

Soupe aux cerises *page 134*

les menus santé de l'automne

Lundi

Déjeuner

Soupe au potiron *page 593*

Bar à la vapeur d'algues *page 48*

Gratin de poires épicé *page 355*

Dîner

Salade grecque *page 284*

Panaché de légumes *page 99*

Compote aux quatre fruits *page 190*

Mardi

Déjeuner

Tartare aux deux poissons *page 706*

Œufs mollets à la forestière *page 483*

Fromage frais et raisin

Dîner

Chou rouge à l'aigre-doux *page 170*

Blanquette de dinde *page 74*

Tarte aux quetsches *page 609*

Mercredi

Déjeuner

Champignons farcis aux raisins secs *page 136*

Truites en papillotes *page 738*

Figues fraîches

Dîner

Soupe de poulet au curry *page 695*

Cèpes grillés *page 130*

Crème aux deux fruits *page 331*

Jeudi

Déjeuner

Tabboulé libanais *page 701*

Papillotes de lieu *page 518*

Tomme de Savoie maigre et salade verte

Dîner

Soupe vietnamienne *page 694*

Daurade au vin blanc *page 247*

Litchis et mangues à la crème *page 416*

Vendredi

Déjeuner

Chiffonnade d'endives aux trompettes *page 735*

Foies de volaille en salade aux figues *page 288*

Mimolette et pommes en lamelles

Dîner

Soupe de poissons *page 693*

Boulettes au paprika *page 89*

Flan à la vanille *page 293*

Samedi

Déjeuner

Cocktail de crabe *page 181*

Filets de sole aux cèpes *page 131*

Tarte fine aux pommes *page 709*

Dîner

Vichyssoise *page 751*

Terrine de gibier et salade *page 337*

Salade d'oranges au Grand Marnier *page 500*

Dimanche

Déjeuner

Salade de champignons *page 137*

Filet de bœuf à l'ail *page 289*

Ananas meringué *page 23*

Dîner

Bouillon de légumes *page 89*

Dos de cabillaud à la tomate *page 105*

Prunes fraîches et sorbet exotique *page 685*

les menus santé de l'hiver

Lundi

Déjeuner

Salade vigneronne
page 422

Crevettes aux champignons parfumés
page 140

Gratin de reinettes
page 355

Dîner

Crème de céleri
page 219

Cailles aux pommes
page 108

Yaourt aux fruits

Mardi

Déjeuner

Salade de chicorée aux anchois *page 157*

Jarret de veau aux légumes *page 386*

Fromage blanc à la cannelle

Dîner

Consommé au porto
page 198

Tarte aux poireaux et saumon fumé *page 709*

Oranges soufflées
page 498

Mercredi

Déjeuner

Coupe d'endives aux fruits *page 261*

Blanquette de veau
page 75

Clémentines

Dîner

Soupe de crevettes
page 691

Parmentier au poisson
page 106

Poires fourrées au roquefort *page 636*

Jeudi

Déjeuner

Avocats farcis au crabe
page 40

Poulet au céleri
page 596

Neige aux myrtilles
page 494

Dîner

Fromage frais aux fines herbes

Pâtes fraîches au saumon fumé *page 672*

Litchis rafraîchis

Vendredi

Déjeuner

Salade de chou chinois
page 172

Fruits de mer aux poireaux *page 322*

Crème brûlée *page 218*

Dîner

Champignons à la grecque *page 136*

Marmite de bœuf
page 83

Poires Bourdaloue
page 564

Samedi

Déjeuner

Betteraves râpées aux noisettes *page 63*

Pintade au chou et aux figues *page 555*

Bananes antillaises
page 46

Dîner

Noix de saint-jacques à la trévise *page 202*

Sauté de riz aux crevettes *page 632*

Mousse au citron
page 178

Dimanche

Déjeuner

Huîtres

Veau braisé à l'orange
page 746

Soupe de poires
page 692

Dîner

Assiette de crudités

Foie de veau à la sauge *page 668*

Salade fraîche aux fruits exotiques
page 654

Choisir et servir les vins

les mets et les vins

Le bon accord d'un mets et d'un vin exige que l'on tienne compte des caractéristiques gustatives de chaque partenaire. Il n'y a cependant pas de règles immuables. La saison, l'occasion, l'ambiance et les convives participent aussi à la réussite du repas.

Quelques principes d'accord

La gamme des combinaisons entre les mets et les vins est infinie (les tableaux des pages 774 à 778 en illustrent les grandes lignes).

Pour obtenir la meilleure harmonie, on peut jouer sur différents registres : rechercher le contraste ou bien, plus délicatement, la ressemblance. Les accords de contraste consistent à opposer les saveurs et les textures. Par exemple, on accompagnera la saveur salée et subtile du crustacé avec un vin de faible puissance aromatique. Ou, encore, on mariera du salé et du sucré, comme du fromage persillé avec du porto.

Quant aux accords de ressemblance, ils se basent sur le mariage des textures et l'harmonie des puissances. Par exemple, à la puissance savoureuse d'un mets, le vin doit répondre par autant de force et de caractère ; marier un plat délicat avec un vin trop puissant, c'est risquer de tuer les saveurs du plat par celles du vin et inversement. Pour accorder un plat régional, il convient généralement de servir le vin de la région. Mais il faut aussi oser : avec un confit de canard, proposez un morgon, l'un des crus les plus corsés du Beaujolais, et, avec des tripes à la mode de Caen, du fitou, AOC du Languedoc, moelleux et coloré. Dans cette quête d'un mariage heureux entre les mets et les vins, c'est le plaisir de la dégustation qui compte avant tout. Sachez organiser un repas en fonction de votre budget : un simple vin de pays peut lui aussi apporter d'authentiques émotions.

Les accords difficiles

Le vin compte quelques ennemis qui lui sont fatals. Le vinaigre le tue impitoyablement. Assaisonnez vos salades avec du vinaigre balsamique additionné d'huile de noisette ou d'huile de noix et proposez un vouvray moelleux, par exemple. L'asperge présente, elle aussi, peu d'affinité avec le vin. Évitez la vinaigrette et optez pour une sauce mousseline. Seuls le muscat d'Alsace, le xérès et le vin jaune peuvent dignement l'escorter. Enfin, les cuisines exotiques épicées, comportant parfois des fruits, exigent une gamme de vins jeunes. Le rosé y officie en maître, mais vous pouvez aussi oser un vin blanc très sec.

L'âge du vin, la saison et les convives

L'âge d'un vin est aussi important que son cru et sa provenance. Pour apprécier les tanins usés d'un vin vieux, une certaine initiation est nécessaire. Il ne faut pas négliger d'autres facteurs dans le choix des bouteilles. La saison, notamment, exerce une influence sur notre goût. L'hiver, on appréciera les vins tanniques et capiteux ; l'été, on préférera plutôt les vins jeunes et fruités. Le nombre de convives est également déterminant : il est conseillé de déguster un très grand cru en petit comité.

le service du vin

Soigneusement choisi en fonction du repas, le vin mérite une préparation qui le mettra en valeur. Chaque détail a son importance, car la négligence peut décevoir bien des espoirs. Des règles simples et un peu de bon sens permettent de réussir la dégustation.

La température de service

La température du vin a une influence certaine sur son goût. La chaleur permet en effet au bouquet du vin de s'exprimer. Comme les arômes varient d'un vin un autre, les vins donnent le meilleur d'eux-mêmes à des températures différentes *(voir tableaux pages 774-777)*.

▶ Pour rafraîchir un vin, le seau à glace est le moyen le plus rapide et le plus sûr. Ajoutez de l'eau à la glace et immergez la bouteille. Comptez 10 à 15 minutes pour passer de 20 °C à 8 °C (un réfrigérateur mettra environ 2 heures pour aboutir au même résultat). Si le délai est trop court, le vin ne sera pas uniformément à la même température, et, s'il est trop long, il sera trop froid. Ne placez jamais la bouteille dans le congélateur.

▶ Pour réchauffer un vin et le servir chambré, laissez la bouteille pendant 2 à 3 heures dans une pièce à 18 °C et ne la placez pas près d'une source de chaleur qui risquerait d'affecter le goût du vin.

Une fois que le vin a atteint la température de consommation, il suffit d'ajouter quelques cubes de glace dans l'eau du seau pour maintenir la fraîcheur, sachant qu'il faut surtout éviter tout excès de froid.

Par temps chaud, servez le vin un peu plus frais qu'à l'ordinaire ; par temps froid, ne refroidissez pas trop un jeune vin rouge, même s'il se déguste frais.

Le recours à un thermomètre pour déterminer si le vin est à la bonne température peut avoir son utilité. Faites des tests, mémorisez l'impression que vous donne une bouteille, puis fiez-vous à vos sens.

Lors de la mise en carafe, le tube incurvé de l'entonnoir dirige le vin contre les parois sans les éclabousser.

La décantation

Cette opération consiste à transvaser le vin dans une carafe. On décante certains vins jeunes pour les aérer et les assouplir tout en réveillant leurs parfums. Le vin est versé assez vite et peut même éclabousser les bords de la carafe.

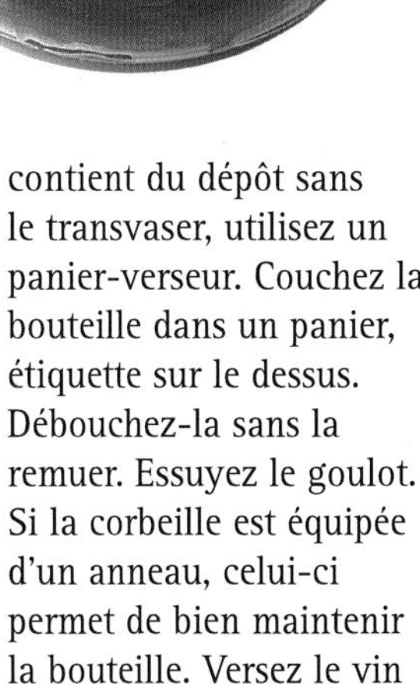

Il faut ensuite le laisser reposer au moins 1 heure avant de le boire. Les vins vieux sont décantés pour les débarrasser d'un éventuel dépôt. Cela demande patience et souplesse : le vin doit être transvasé lentement et très progressivement. Cette décantation se fait juste avant le service.

Pour décanter un vin qui contient du dépôt sans le transvaser, utilisez un panier-verseur. Couchez la bouteille dans un panier, étiquette sur le dessus. Débouchez-la sans la remuer. Essuyez le goulot. Si la corbeille est équipée d'un anneau, celui-ci permet de bien maintenir la bouteille. Versez le vin en filet régulier sans bouger la bouteille.

Que faire d'une bouteille entamée ?

Si tout le vin n'a pas été consommé au cours du repas, il faut reboucher la bouteille aussitôt, la conserver au frais et la terminer sous 48 heures, car l'oxydation provoquée par le contact avec l'air est toujours néfaste pour le vin. Une bouteille de vin blanc entamée et bien rebouchée se garde au réfrigérateur jusqu'à 3 ou 4 jours. Un vin décanté doit être bu dans la journée. Les vins pétillants seront immédiatement remis au réfrigérateur, rebouchés aussi hermétiquement que possible et bus dans les 48 heures. Un vin qui ne mérite plus d'être bu fait merveille en cuisine ou dans le vinaigrier.

les 14 familles de vins

Les vins selon leur couleur et leur personnalité gustative peuvent être classés en 14 grandes familles. Pour chacune d'entre elles sont spécifiés les principaux cépages, les appellations les plus typiques, le principe d'accord culinaire et les conseils de service. Un même cépage peut figurer dans plusieurs familles à la fois, puisque, selon son terroir d'origine, il donnera des expressions différentes.

muscadet

1 - Vin blanc sec léger et nerveux	
Caractéristiques	bouche facile, légère, rafraîchissante grâce à un bon support acide ; arômes simples et peu complexes ; finale fraîche et désaltérante.
Cépages	aligoté, chasselas, chardonnay, gros-plant, jacquère, melon de Bourgogne, pinot blanc, romorantin, sauvignon, sylvaner, tressalier.
Appellations	bergerac, bourgogne aligoté, cheverny, cour-cheverny, crépy, entre-deux-mers, gros-plant, mâcon-villages, muscadet, petit chablis, pinot blanc d'Alsace, pouilly-sur-loire, saint-pourçain, sylvaner d'Alsace, vin de Savoie et, pour la Suisse, fendant.
Type d'accord	cuisine simple et franche aux saveurs pas trop complexes ; fruits de mer dont les huîtres, légumes crus ou cuits, escargot, cuisse de grenouille, poisson grillé, terrine de poisson, friture de poisson, charcuterie, fromages de chèvre.
Service	à boire très jeune ; servir très frais, environ 8 °C.

2 - Vin blanc sec souple et fruité	
Caractéristiques	bouche construite sur le fruit, la rondeur et la fraîcheur ; arômes expressifs fruités et/ou floraux ; finale désaltérante et parfumée.
Cépages	altesse, chardonnay, chenin, clairette, gros-manseng, mauzac, rolle, sauvignon, sémillon, ugni blanc, vermentino.
Appellations	bandol, bellet, cassis, chablis, côtes-de-blaye, coteaux-d'aix, côtes-de-provence, gaillac, graves, jurançon sec, picpoul-de-pinet, pouilly fumé, pouilly-fuissé, montlouis, roussette de Savoie, roussette du Bugey, saint-véran, sancerre, saumur, vins de Corse.
Type d'accord	cuisine variée allant du simple à plus élaboré, mais sans recherche aromatique trop complexe ; coquillages crus ou cuisinés, pâtes aux fruits de mer, poisson grillé ou cuisiné simplement, mousseline de poisson, charcuterie, fromages de chèvre demi-sec et sec.
Service	à boire dans les 3 premières années de bouteille ; servir frais, entre 8 et 10 °C.

3 - Vin blanc sec ample et racé	
Caractéristiques	bouche charnue construite sur une matière riche et racée, parfaitement équilibrée ; arômes complexes et élégants ; finale longue et persistante.
Cépages	chardonnay, chenin, marsanne, riesling, roussanne, sauvignon, sémillon.
Appellations	châteauneuf-du-pape, chablis premier et grand cru, chassagne-montrachet, corton-charlemagne, hermitage, meursault, montrachet, puligny-montrachet, pessac-léognan, savennières, vouvray.
Type d'accord	cuisine assez sophistiquée et assez aromatique ; champignons, coquilles Saint-Jacques, foie gras poêlé, homard cuisiné, poisson à la crème, viandes blanches à la crème, fromage crémeux type saint-félicien, fromage de chèvre affiné.
Service	à boire après 3 à 5 ans de vieillissement en bouteille ; servir pas trop frais, entre 10 et 12 °C.

4 - Vin blanc sec très aromatique	
Caractéristiques	bouche riche et séveuse avec une personnalité gustative originale ; arômes fruités exubérants, souvent épicés, parfois de noix fraîche et de froment ; finale persistante et de caractère.
Cépages	gewürztraminer, muscat, palomino, riesling, savagnin, tokay-pinot gris, viognier.
Appellations	château-chalon, condrieu, gewürztraminer d'Alsace, manzanilla, muscat d'Alsace, riesling d'Alsace, tokay-pinot gris d'Alsace, vin jaune du Jura, xérès.
Type d'accord	cuisine très aromatique, utilisant des épices, des herbes ; curry de viande, poulet à la crème et aux morilles, homard à l'américaine, saumon à l'aneth, fromages à pâte pressée cuite type beaufort, comté ou au goût prononcé type munster.
Service	à boire jeune pour le muscat et le viognier, servis frais entre 8 et 10 °C ; après 3 à 5 ans de vieillissement en bouteille pour les autres cépages, servis pas trop frais, entre 10 et 12 °C.

gewürztraminer

5 - Vin blanc demi-sec, moelleux, liquoreux	
Caractéristiques	bouche riche due à la présence plus ou moins importante de sucres résiduels avec une chair grasse, moelleuse, équilibrée par une bonne acidité ; arômes miellés et fruités importants ; finale aromatique persistante.
Cépages	chenin, gros- et petit-manseng, muscadelle, riesling, sauvignon, sémillon, tokay-pinot gris.
Appellations	barzac, bonnezeaux, cérons, coteaux-de-l'aubance, coteaux-du-layon, gewürztraminer vendanges tardives ou sélection grains nobles, monbazillac, montlouis, quarts-de-chaume, riesling vendanges tardives ou sélection grains nobles, sainte-croix-du-mont, sauternes, tokay-pinot gris vendanges tardives ou sélection grains nobles, vouvray.
Type d'accord	cuisine riche à la texture grasse, classique ou plus exotique avec des épices et une alliance salé/sucré ; foie gras, poulet à la crème et aux épices, canard à l'orange, fromage à pâte persillée type roquefort, tarte aux fruits, dessert à base de crème type sabayon et crème brûlée.
Service	à boire après 3 à 5 ans de vieillissement minimum en bouteille ; servir frais, entre 8 et 10 °C.

6 - Vin rosé vif et fruité	
Caractéristiques	bouche croquante, fraîche, légèrement acidulée, avec une expression aromatique très fruitée ; finale désaltérante.
Cépages	cabernet franc, carignan, cinsault, gamay, grenache, poulsard, tibouren.
Appellations	bellet, baux-de-provence, cabernet d'Anjou, coteaux-d'aix, coteaux-varois, côtes-du-luberon, côtes-de-provence, côtes-du-jura, irouléguy, palette, rosé-de-loire.
Type d'accord	cuisine légère à base de légumes crus ou cuits ; salades composées, pâtes aux légumes, tartes salées aux légumes, tapenade, anchoïade, pizzas, fromages de chèvre frais ou un peu sec.
Service	vin à boire jeunes sur leur fruit pendant la première année de bouteille ; servir frais, entre 8 et 10 °C.

sauternes

7 - Vin rosé vineux et corsé	
Caractéristiques	bouche ronde, souple, avec une bonne vinosité ; arômes fruités ; bon équilibre entre l'acidité et une légère structure tannique ; finale rafraîchissante.
Cépages	carignan, grenache, merlot, mourvèdre, négrette, pinot noir, syrah.
Appellations	bandol, bordeaux clairet, coteaux-du-languedoc, côtes-du-rhône, corbières, lirac, marsannay, rosé des Riceys, tavel.
Type d'accord	cuisine du soleil à base d'huile d'olive, de légumes et de poisson ; aïoli, bouillabaisse, tian d'aubergines, ratatouille, rouget, grillades, fromages de chèvre affinés.
Service	à boire jeune pendant les deux premières années de bouteille ; servir frais, entre 8 et 10 °C.

pauillac

8 - Vin rouge léger et fruité

Caractéristiques	bouche gouleyante, toute en fruits et en fraîcheur ; structure tannique légère compensée par une agréable acidité ; arômes expressifs de fruits rouges et/ou de fleurs ; finale simple et désaltérante.
Cépages	cabernet franc, gamay, pinot noir, poulsard, trousseau.
Appellations	anjou, arbois, beaujolais, bourgogne, bourgueil, côtes-du-forez, côtes-du-jura, coteaux-du-lyonnais, hautes-côtes-de-beaune, hautes-côtes-de-nuits, pinot noir d'Alsace, saint-nicolas-de-bourgueil, sancerre, saumur-champigny, vin de Savoie et, pour l'Italie, valpolicella.
Type d'accord	cuisine simple, pas trop complexe ; cochonnailles, quiches, pâté à la viande, terrine de foie de volaille, terrine de lapin, fromages de chèvre ou de vache assez crémeux type saint-marcellin.
Service	à boire jeune pendant les deux premières années de bouteille ; servir entre 12 et 14 °C.

9 - Vin rouge charnu et fruité

Caractéristiques	bouche charnue, construite sur un fruité important, la rondeur de l'alcool et des tanins présents mais peu complexes ; arômes de fruits rouges et souvent d'épices ; finale moyennement persistante.
Cépages	cabernet franc, cabernet-sauvignon, carignan, grenache, merlot, mondeuse, pinot noir, syrah.
Appellations	bergerac, bordeaux, bordeaux supérieur, buzet, chinon, côte-de-blaye, côte-de-bourg, côte-de-castillon, côte chalonnaise, côtes-de-provence, côtes-du-rhône-villages, coteaux-d'aix, coteaux champenois, crozes-hermitage, fronton, saint-joseph, et, pour l'Italie, chianti.
Type d'accord	cuisine de terroir savoureuse ; petit gibier à plume ou à poil, pâté de campagne, viande en sauce, viande rouge rôtie, grillades, fromage à pâte pressée non cuite.
Service	à boire après 2 à 3 années de vieillissement en bouteille ; servir entre 15 et 17 °C.

saint-émilion

10 - Vin rouge complexe, puissant et généreux

Caractéristiques	bouche à la chair puissante et suave, construite sur une matière riche en alcool et en tanins qui demande un peu de temps pour se fondre ; bouquet riche et complexe de fruits, d'épices et de notes boisées ; finale persistante et complexe.
Cépages	auxerrois, cabernet franc, carignan, grenache, malbec, merlot, mourvèdre, syrah, tannat.
Appellations	cahors, châteauneuf-du-pape, corbières, côtes-du-roussillon-villages, coteaux-du-languedoc, gigondas, madiran, minervois, pécharmant, pomerol, saint-émilion, saint-chinian, vacqueyras et, pour l'Espagne, les vins de la Rioja.
Type d'accord	cuisine riche en saveurs ; cassoulet, confit de canard, champignons dont les truffes, escalope de foie gras, plats en sauce, viande rouge grillée ou rôtie, gibier à poil ou à plume, fromage à pâte pressée non cuite (tomme, cantal).
Service	à boire après un minimum de 3 ans de bouteille ; servir entre 15 et 17 °C.

11 - Vin rouge complexe, tannique et racé

Caractéristiques	bouche de caractère à la chair dense et serrée tenue par une importante mais élégante charpente tannique nécessitant quelques années pour se fondre ; arômes complexes fruités, épicés et souvent boisés ; finale longue et racée.
Cépages	cabernet-sauvignon, mourvèdre, syrah.
Appellations	bandol, cornas, côte-rôtie, graves, haut-médoc, hermitage, margaux, médoc, pauillac, pessac-léognan, saint-estèphe, saint-julien.
Type d'accord	cuisine riche en saveurs et pas trop grasse ; champignons dont les truffes, gibier à plume ou à poil, viande rouge grillée ou rôtie, fromage à pâte pressée non cuite type cantal, saint-nectaire.
Service	à boire après un minimum de 3 ans de bouteille ; servir entre 16 et 17 °C.

12 - Vin rouge complexe, élégant et racé	
Caractéristiques	bouche soyeuse, élégante, construite sur des tanins fins et encore fermes dans leur jeunesse ; arômes expressifs de fruits rouges avec des notes de sous-bois ; finale persistante et racée.
Cépages	pinot noir.
Appellations	grands vins de Bourgogne, de la côte de Nuits comme chambolle-musigny, gevrey-chambertin, vosne-romanée, de la côte de Beaune comme corton, pommard, volnay et de la côte chalonnaise comme mercurey.
Type d'accord	cuisine savoureuse et mitonnée avec sauce au vin : coq au vin, œuf en meurette, viande blanche et rouge rôtie, petit gibier à poil et à plume, fromage à pâte molle et croûte fleurie pas trop fort (brie, coulommiers...).
Service	à boire après un minimum de 3 ans de bouteille ; servir entre 16 et 17 °C.

13 - Vin pétillant	
Caractéristiques	bouche fraîche, vive et légère grâce à ses bulles (CO_2) ; arômes délicats de fruits, de fleurs ; finale désaltérante et plus ou moins persistante.
Cépages	auxerrois, cabernet franc, chardonnay, chenin, clairette, mauzac, merlot, pinot blanc, pinot noir, pinot meunier, sauvignon, savagnin, sémillon.
Appellations	blanquette de limoux, champagne, clairette de Die, crémant d'Alsace, crémant de Bordeaux, crémant de Bourgogne, crémant du Jura, gaillac, montlouis, saumur, vouvray.
Type d'accord	les non dosés : fruits de mer, terrine de poisson, poisson grillé, fumé ou servi avec une crème légère, fromages à pâte molle et croûte fleurie ; les dosés : fromages à pâte molle et croûte fleurie, desserts aux fruits, meringue, crème anglaise.
Service	à boire jeune ; servir frais, entre 8 et 10 °C.

mercurey

14 - Vin doux naturel et vin de liqueur	
Caractéristiques	bouche riche en sucres résiduels et en alcool donnant une chair grasse et très gourmande en fruits ; arômes fruités exubérants ; finale savoureuse.
Cépages	cabernet franc, cabernet-sauvignon, folle-blanche, colombard, grenache, maccabeu, malvoisie, merlot, muscat, ugni blanc.
Appellations	banyuls, macvin du Jura, muscat de Beaumes-de-Venise, muscat de Mireval, muscat de Rivesaltes, pineau des Charentes, porto, rasteau, rivesaltes.
Type d'accord	cuisine riche, savoureuse, mariant le salé et le sucré, et plus particulièrement les desserts ; foie gras frais cuit, canard aux figues, fromage à pâte persillée type roquefort, dessert à base de fruits, dessert au chocolat et au café.
Service	pour les blancs, à boire très jeunes, servis frais entre 8 et 12 °C ; pour les rouges, à boire après 3 à 5 ans de vieillissement au minimum, servis entre 12 et 15 °C.

les fromages de A à Z et leur accord

Appenzell	château-chalon, vin jaune du Jura.
Banon	côtes-du-rhône-villages rouge, côtes-de-provence blanc, coteaux-d'aix blanc.
Beaufort	château-chalon, vin jaune du Jura.
Bleu d'Auvergne	loupiac, maury, sainte-croix-du-mont, sauternes jeune.
Bleu de Bresse	monbazillac, rivesaltes blanc.
Bleu des Causses	banyuls vintage, barsac.
Bleu de Gex	cérons, maury, loupiac.
Brebis basque et corse	jurançon sec, muscat de Corse.
Brillat-savarin	champagne blanc de blancs.
Brie de Meaux et de Melun	champagne, pomerol, saint-émilion, sancerre rouge.
Broccio	vins blancs de Corse secs ou muscat de Corse.
Camembert	cidre doux, champagne, coteaux champenois.
Cantal	côtes-d'auvergne rouge, mercurey, pomerol, saint-émilion.
Chabichou	menetou-salon blanc, sancerre blanc.
Chaource	champagne rosé, coteaux champenois.
Charolais	chablis, mâcon-villages, saint-véran.
Chèvre sec	beaujolais, mâcon-villages, pouilly-fuissé.
Comté	château-chalon, vin jaune du Jura, meursault mûr.
Coulommiers	champagne blanc de blancs jeune, coteaux champenois.
Crottin de Chavignol	pouilly fumé, sancerre blanc.
Édam	chinon, médoc, pauillac.
Emmental	roussette de Savoie, vin blanc de Savoie.
Époisses	bandol rouge, gewürztraminer corsé.
Fontainebleau	muscat de Beaumes-de-Venise, muscat de Mireval.
Fourme d'Ambert	banyuls, rivesaltes, porto.
Fribourg	château-chalon, meursault mûr, vin jaune du Jura.
Gouda	médoc, madiran, saint-estèphe.
Gruyère	chasselas suisse mûr, roussette de Savoie, roussette du Bugey.
Laguiole	bergerac rouge, côtes-du-frontonnais.
Langres	champagne un peu vieux, marc de Champagne.
Livarot	gewürztraminer vendanges tardives, tokay-pinot gris vendanges tardives.
Maroilles	gewürztraminer corsé, tokay-pinot gris vendanges tardives.
Mimolette	pomerol, saint-émilion.
Morbier	vin blanc de Savoie.
Mont-d'or	chasselas suisse mûr (dézaley), mâcon-villages, roussette de Savoie.
Munster	gewürztraminer d'Alsace sec ou vendanges tardives.
Ossau-iraty	jurançon, irouléguy blanc.
Pélardon	châteauneuf-du-pape blanc ou rouge, condrieu, viognier vin de pays.
Picodon	côtes-du-rhône-villages rouge, saint-joseph blanc ou rouge.
Pont-l'évêque	chassagne-montrachet, meursault, riesling d'Alsace mûr.
Pouligny-saint-pierre	cheverny, reuilly blanc, sancerre blanc, sauvignon de Touraine.
Reblochon	pouilly-fuissé, crépy, roussette de Savoie.
Rocamadour	jurançon sec, xérès.
Roquefort	banyuls vintage, rivesaltes rancio, porto.
Saint-félicien	beaujolais blanc ou rouge, saint-joseph blanc.
Saint-marcellin	beaujolais rouge, châteauneuf-du-pape blanc, saint-joseph blanc.
Saint-nectaire	chinon, médoc, pauillac.
Sainte-maure	bourgueil, sec ou demi-sec.
Salers	côtes-du-rhône-villages rouge, mercurey, pomerol, saint-émilion.
Selles-sur-cher	pouilly fumé, sancerre blanc.
Tomme d'Auvergne	côtes-d'auvergne, côtes-du-rhône-villages rouge, mâcon-villages.
Tomme des Pyrénées	madiran mûr.
Tomme de Savoie	bourgueil, chinon, vin blanc et rouge de Savoie dont roussette de Savoie.
Vacherin	chasselas suisse mûr (dézaley), meursault mûr, roussette de Savoie.
Valencay	quincy, reuilly blanc ou rosé, sancerre blanc.

Glossaire

abaisser

Lorsqu'une boule de pâte à tarte est prête à l'emploi, il faut l'abaisser : l'étaler pour lui donner l'épaisseur voulue (3 à 5 mm) et la bonne taille (évaluez-la en posant le moule sur l'abaisse et en prévoyant une bonne marge pour les bords). Votre rouleau à pâtisserie et votre plan de travail doivent être légèrement farinés. Pour placer facilement l'abaisse dans le moule, enroulez-la autour du rouleau, puis déroulez-la au-dessus du moule.

attendrir

Selon sa variété, sa qualité ou sa saison, un aliment (légume ou viande le plus souvent) est plus ou moins tendre. En général, c'est une cuisson prolongée dans un liquide qui aura pour effet de l'attendrir. La marinade joue également ce rôle *(voir page 432)*. Enfin, il est parfois nécessaire de battre une pièce de viande pour l'attendrir en l'aplatissant.

bain-marie

Placer un récipient de cuisson dans une casserole plus grande ou un plat à gratin contenant de l'eau frémissante. Ce mode de cuisson s'applique à une préparation délicate : sauce, pain de légumes ou de poisson, crème, etc. Elle cuit ainsi très doucement, sans contact direct avec le feu. Le bain-marie permet aussi de tenir au chaud une sauce ou un potage jusqu'au service.

barder

Protéger une viande ou une volaille à rôtir de la chaleur trop vive du four, en l'entourant d'une mince tranche de lard gras qui empêche la chair de se dessécher. Les viandes grasses sont rarement bardées. Retirez la barde du rôti, des paupiettes, des tournedos ou grenadins avant de servir. Vous pouvez la laisser pour le gibier à plume.

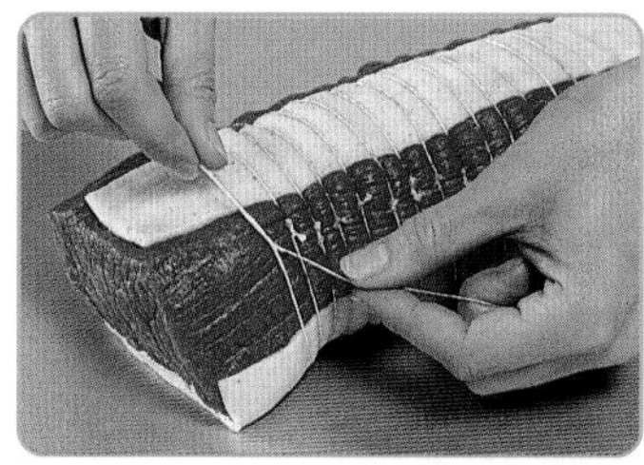

Entourez le rôti d'une large barde et maintenez-la avec des tours de ficelle.

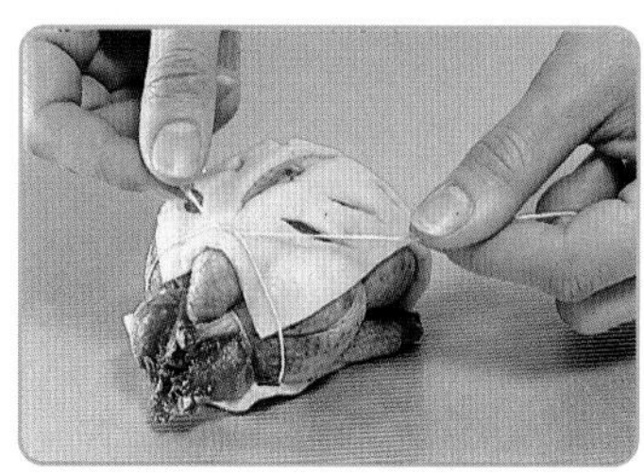

Pour une volaille, placez la barde sur la poitrine. Ficelez-la. Pour un petit oiseau, fendez-la en 2.

blanchir

Maintenir un aliment cru plongé dans de l'eau bouillante pendant un bref laps de temps. L'opération a pour but, selon le cas, de l'attendrir, de le dessaler (lardons), de le faire diminuer de volume, de faciliter son épluchage, d'éliminer son âcreté, etc. L'eau est nature, salée ou légèrement vinaigrée.

braiser

Faire mijoter à l'étouffée dans un récipient clos, avec peu de liquide, longuement et à feu doux, des viandes de deuxième ou troisième catégorie, de grosses volailles et certains légumes. Pour les poissons à chair ferme, le braisage s'apparente à un pochage au four.

brider

Passer une ou deux longueurs de fil de cuisine avec une aiguille à travers le corps d'une volaille, pour maintenir les pattes et les ailes ramassées contre celui-ci. On peut se contenter de ficeler la volaille à la hauteur des ailes et des cuisses. La volaille bridée est ainsi plus facile à cuire et plus commode à arroser et à retourner. On la débride toujours avant de la découper, ce qui permet de vérifier (parfois d'achever) la cuisson des côtés jusqu'alors protégés par les cuisses.

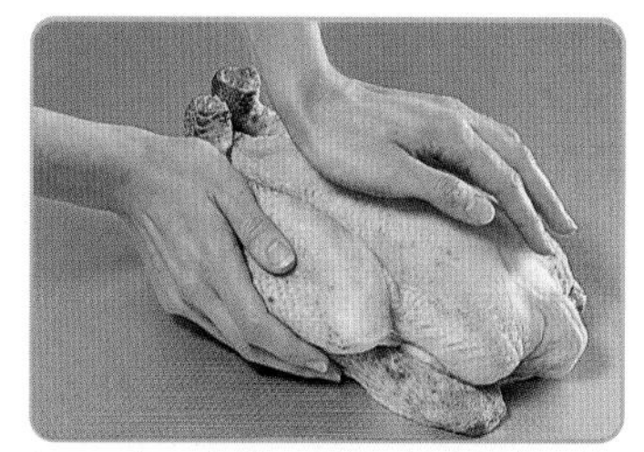

Posez la volaille sur le dos, repliez les ailerons et écrasez le bréchet avec la paume de la main.

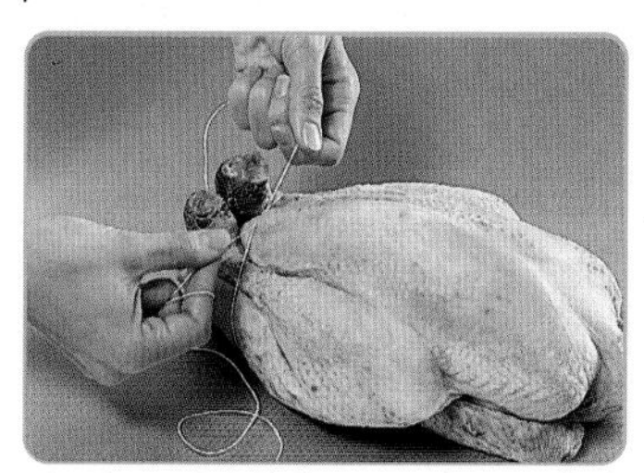

Liez les pattes et la partie arrière de la volaille en croisant la ficelle.

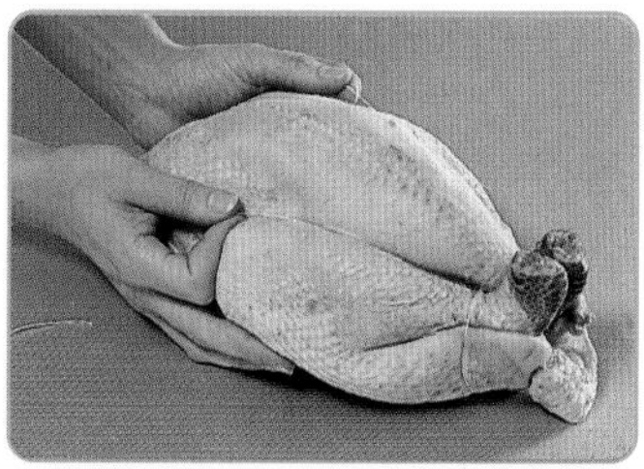

Faites passer la ficelle de chaque côté du bréchet puis contournez les cuisses.

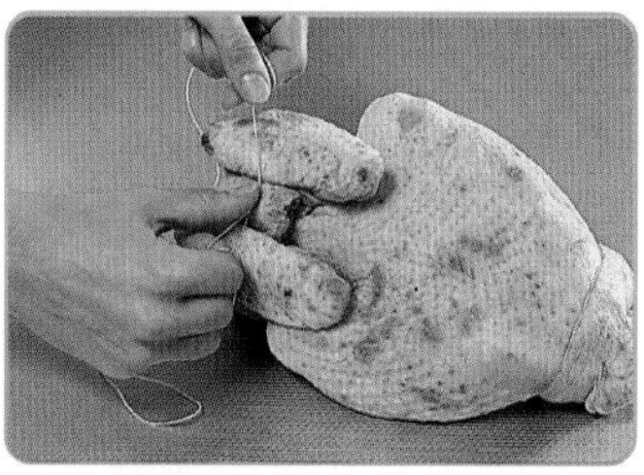

Prenez les ailes dans la bride, rabattez la peau du cou. Faites un double nœud.

brunoise

Constituée d'un seul ou de plusieurs légumes, taillés en dés minuscules, la brunoise sert à garnir un potage, enrichir une sauce ou une farce, aromatiser une cuisson. Utilisez-la sitôt préparée.

Débitez les carottes dans la longueur en tranches de 1 à 2 mm d'épaisseur.

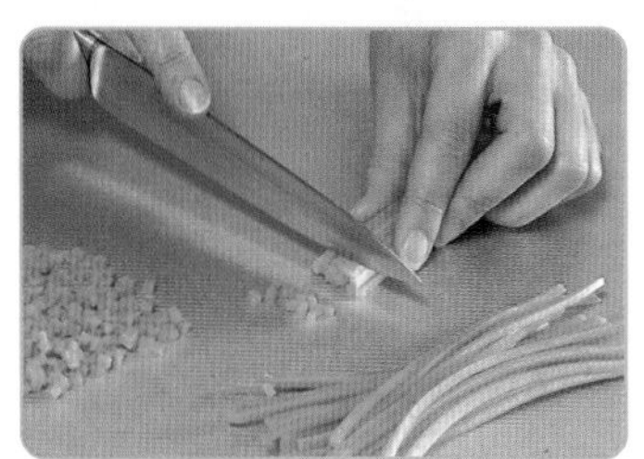

Recoupez-les en filaments très minces puis en minuscules dés.

canneler

Cette opération purement décorative consiste à creuser des petits sillons en V à la surface d'un légume (tête de champignon) ou plus souvent d'un citron ou d'une orange, que l'on coupe ensuite en rondelles.

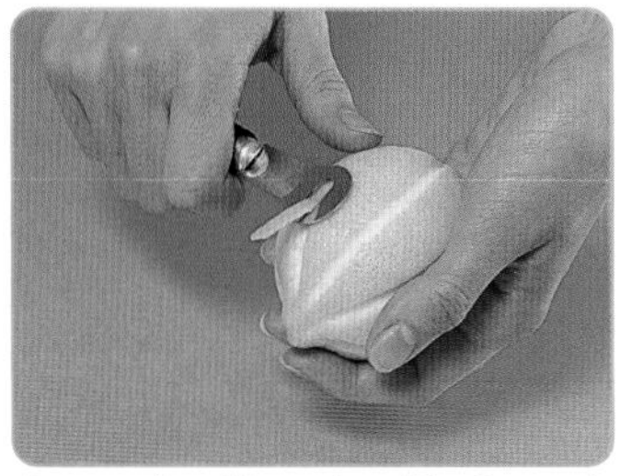

Creusez des sillons dans l'épaisseur du zeste à l'aide du couteau à canneler.

Coupez le fruit en rondelles fines.

chemiser

Tapisser intérieurement les parois et le fond d'un moule avec une préparation quelconque : glace, gelée, caramel, biscuits, tranches de pain de mie. Avec du papier sulfurisé beurré, l'opération a pour but d'éviter à la préparation d'adhérer au moule dans lequel elle cuit.

Découpez le papier sulfurisé selon la forme du moule. Appliquez-le contre les parois.

ciseler

Tailler de la verdure en fragments effilés avec une paire de ciseaux. Ciselez le persil et la ciboulette dans un verre pour récupérer tout le hachis. Ciseler un poisson à griller, c'est pratiquer quelques incisions en oblique sur les flancs avec un couteau pointu.

clarifier

Rendre clair et limpide le bouillon de cuisson d'un pot-au-feu ou d'une volaille en le débarrassant de ses impuretés, pour le servir en consommé. En cuisine familiale, cette opération n'est pas indispensable, mais elle est nécessaire si vous voulez utiliser ce bouillon pour préparer une gelée.

concasser

Ce terme s'applique à du poivre grossièrement écrasé ou à des cerneaux de noix et des fruits secs, hachés plus ou moins finement. Le même terme concerne aussi les tomates : une concassée désigne la chair de tomates pelées, taillée en petits dés.

décortiquer

Extraire la chair d'un crustacé (crabe, crevette, langoustine, homard).

Décortiquer un crabe

Glissez un couteau entre la carapace et le plastron.

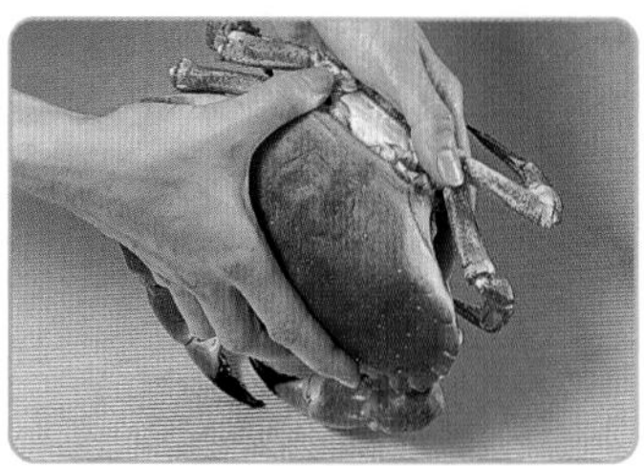

Dégagez-en le tour et séparez les 2 parties. Posez le crabe sur le dos et détachez les pinces et les pattes.

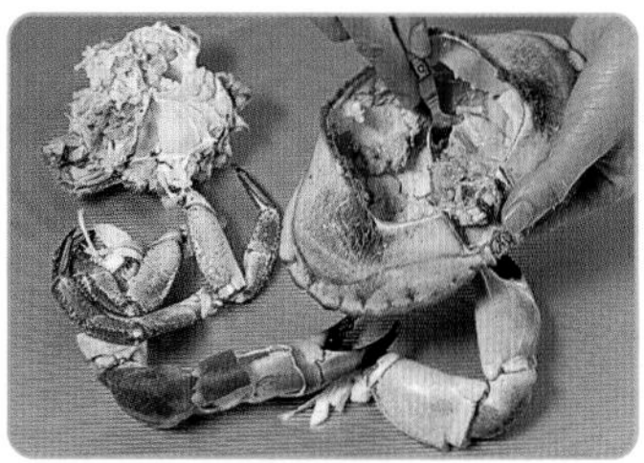

Retirez la chair du coffre et des alvéoles. Décortiquez pattes et pinces.

Décortiquer un homard

Coupez le homard en 2. Cassez les pinces. Jetez le sac pierreux (entre les yeux).

Détachez les pattes. Extrayez la chair du coffre et de la queue.

découper

Trancher viandes, volailles, gibier, poissons pour les servir à table s'ils sont cuits, et en vue de certaines préparations s'ils sont crus. En règle générale, le découpage des pièces de boucherie se fait perpendiculairement au sens des fibres musculaires. Les tranches doivent être d'une épaisseur régulière.

Découper une côte de bœuf

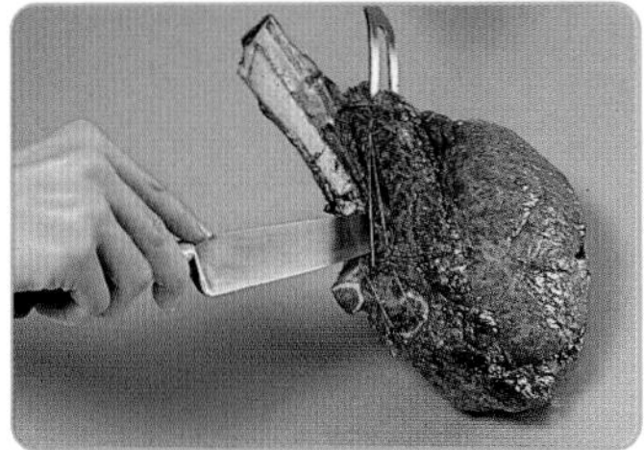

Dégagez la viande de l'os en commençant du côté de la vertèbre.

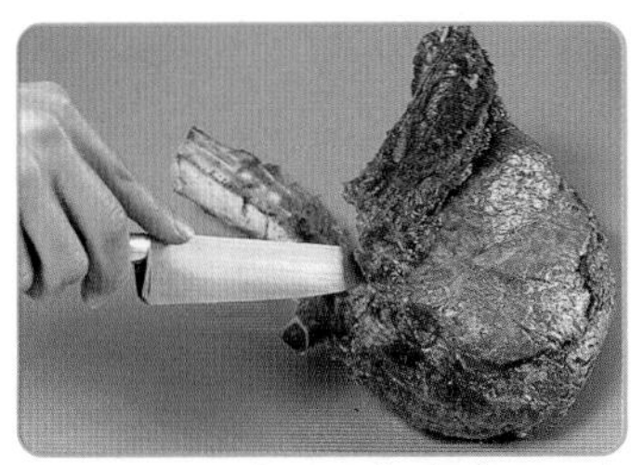

Séparez toute la viande de l'os en la coupant selon les contours de la côte.

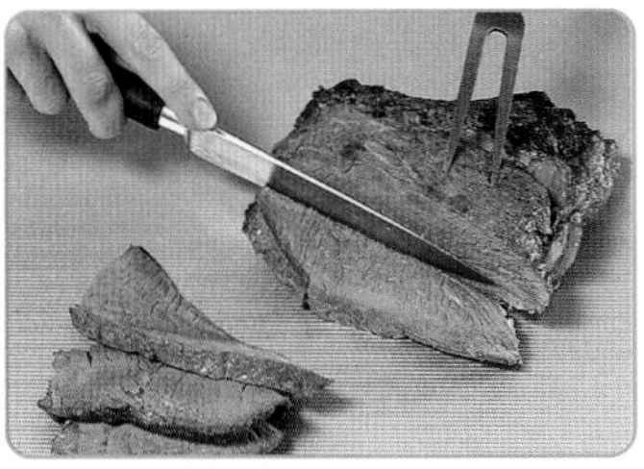

Taillez le morceau de viande en tranches régulières assez épaisses.

Découper un canard cuit

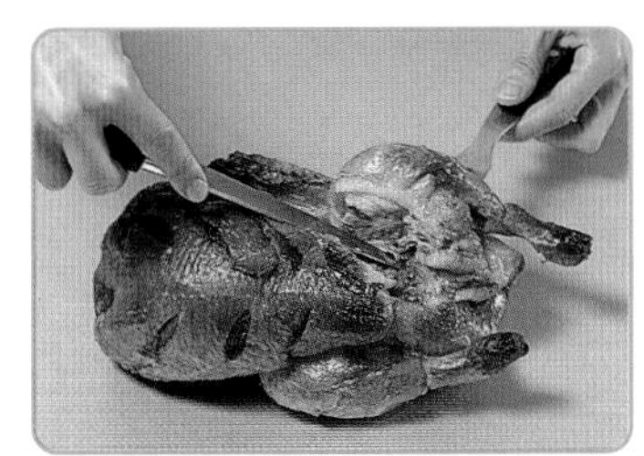

Coupez la cuisse entière, détachez-la du corps et séparez la cuisse du pilon.

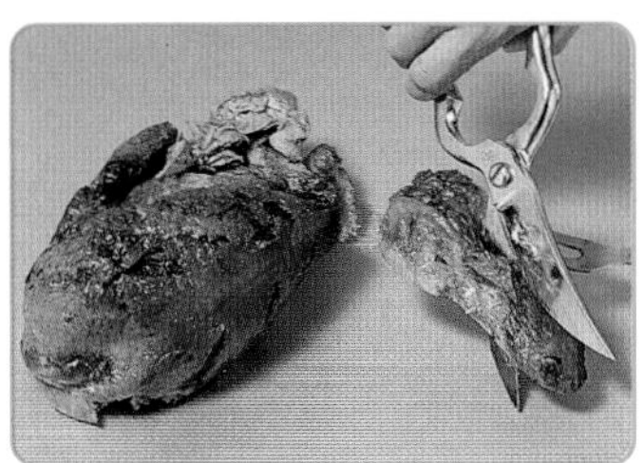

Détachez les ailes et coupez-les en 2 avec une cisaille à volaille.

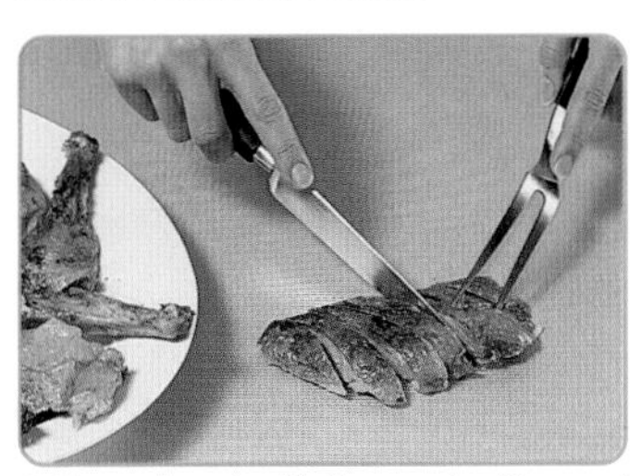

Prélevez les aiguillettes sur les flancs et détaillez-les en lamelles régulières.

Disposez les morceaux sur le plat de service et récupérez le jus dans la saucière.

Découper une dinde rôtie

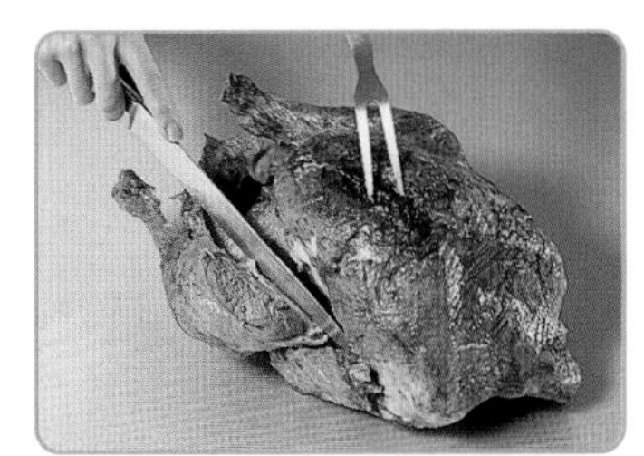

Posez la dinde sur le dos. Tranchez les cuisses à l'articulation, l'une après l'autre.

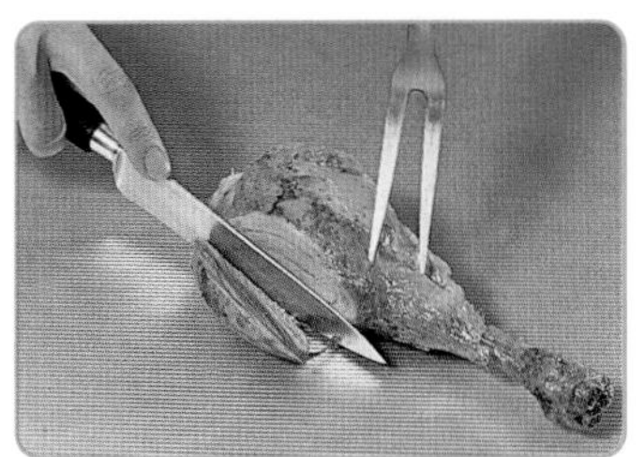

Séparez le haut de la cuisse. Détaillez des tranches obliques le long du pilon.

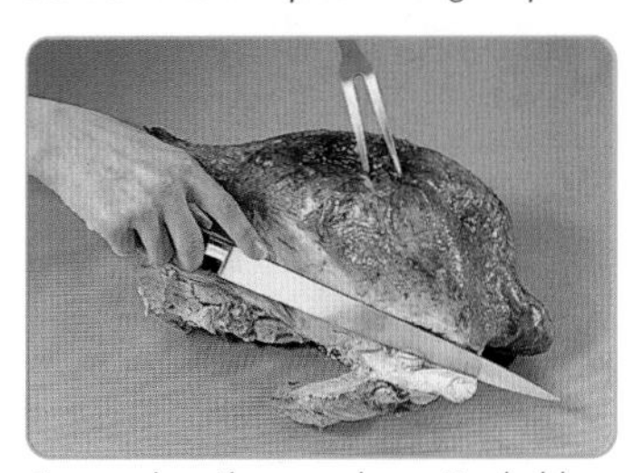

Coupez les ailes avec la partie de blanc qui s'y rattache.

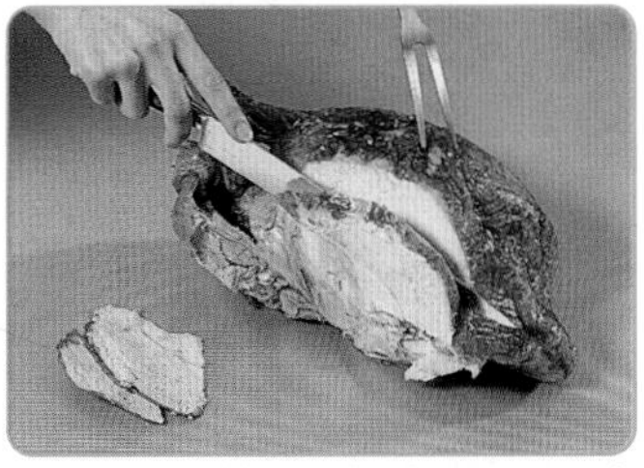

Détaillez les blancs de chaque côté de la carcasse en larges tranches fines.

Découper un gigot cuit

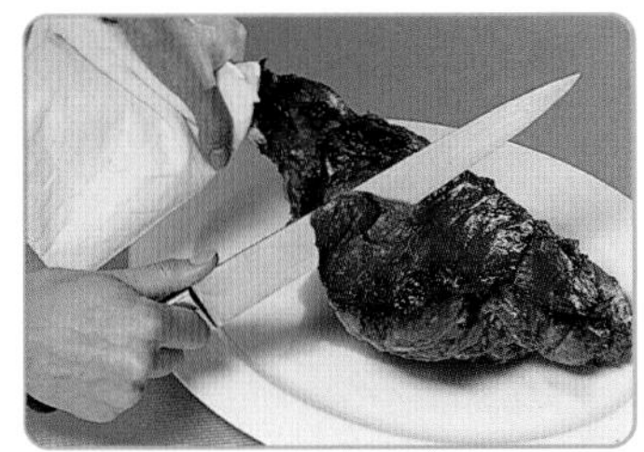

Soulevez le gigot en oblique par le manche et entamez-le du côté bombé.

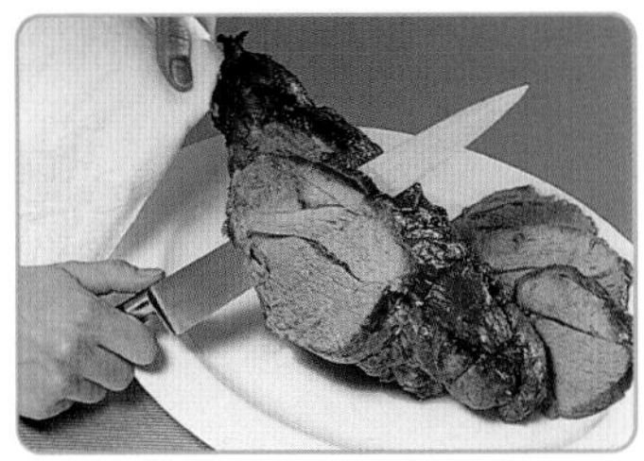

Détaillez la noix en tranches minces, en allant du haut vers le bas.

Retournez le gigot et coupez autant de tranches dans la sous-noix.

Découper un lapin à cru

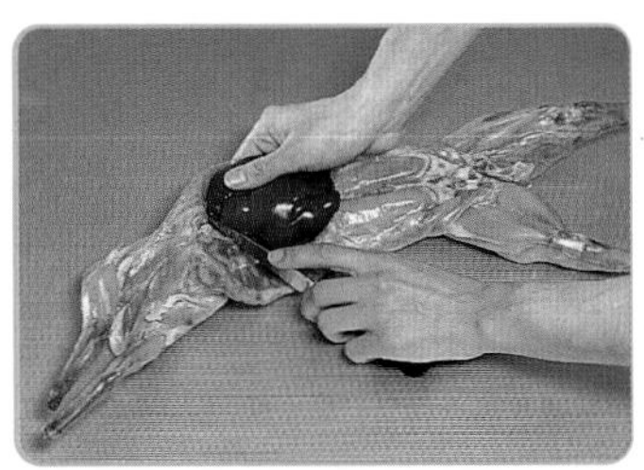

Ouvrez le lapin sur le ventre jusqu'aux côtes et videz-le. Mettez le foie de côté.

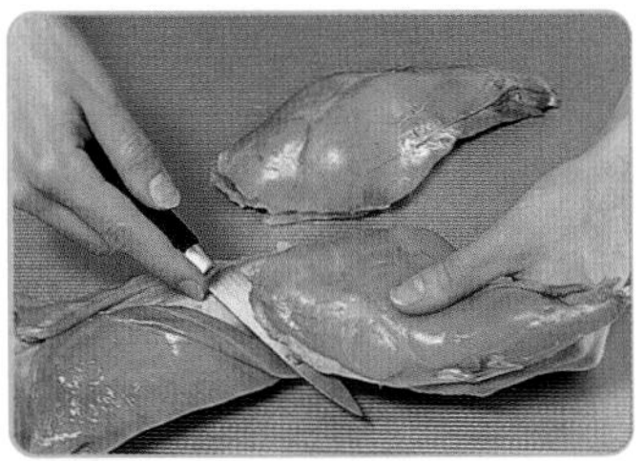

Sectionnez la poitrine en 2. Coupez les pattes arrière en haut de la cuisse.

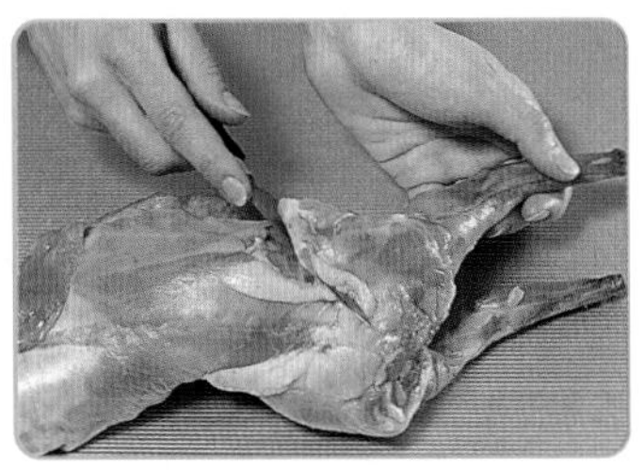

Désarticulez les épaules. Détachez délicatement les pattes avant.

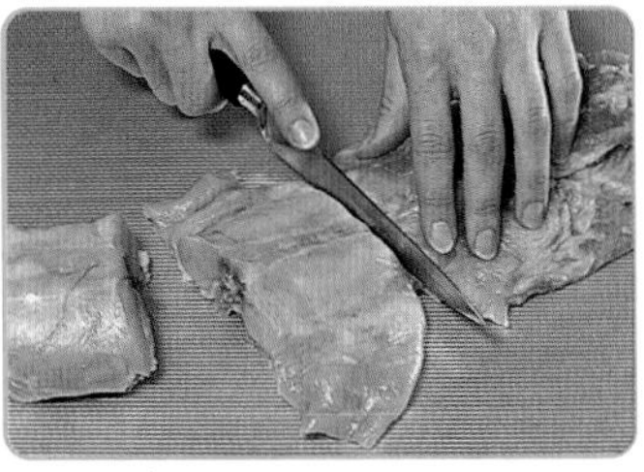

Coupez le corps en 2 ou 3 morceaux, dans le sens de la largeur.

Découper un poulet cru

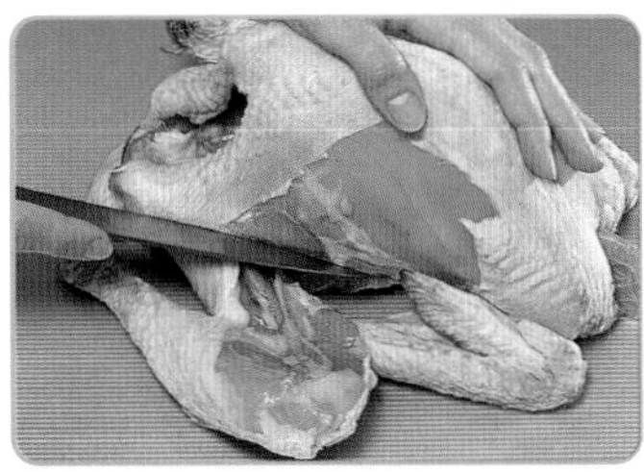

Prélevez les cuisses et les pilons avec les sot-l'y-laisse. Séparez la cuisse du pilon.

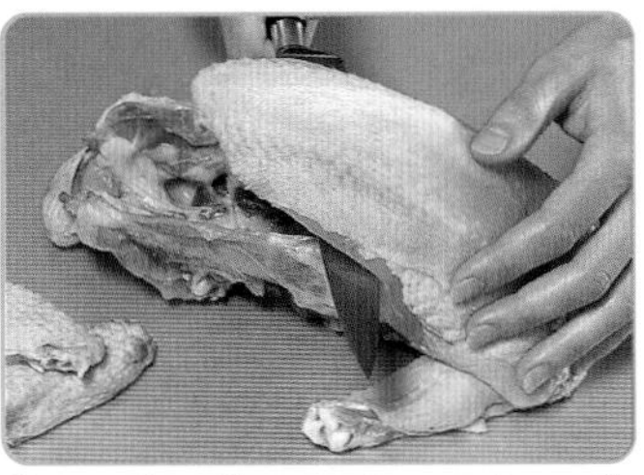

Coupez les ailerons. Coupez la partie dorsale de la carcasse.

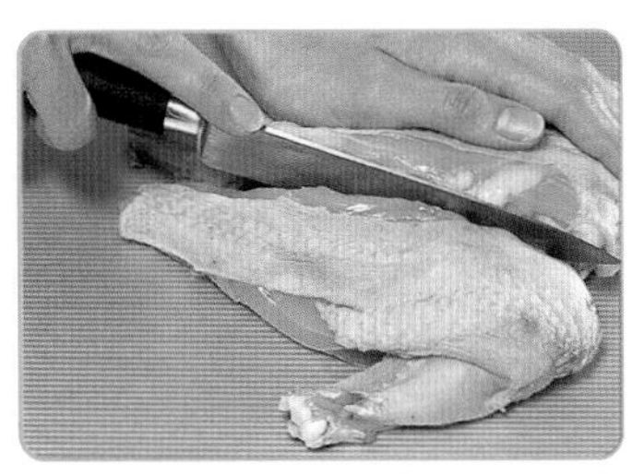

Coupez la poitrine de chaque côté du bréchet et séparez les 2 ailes du blanc.

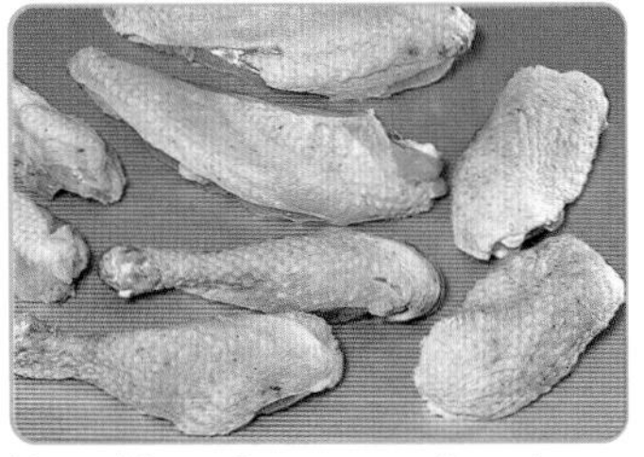

Vous obtenez 8 morceaux. Pour 6 morceaux, ne séparez pas les ailes des blancs.

Découper un poulet cuit

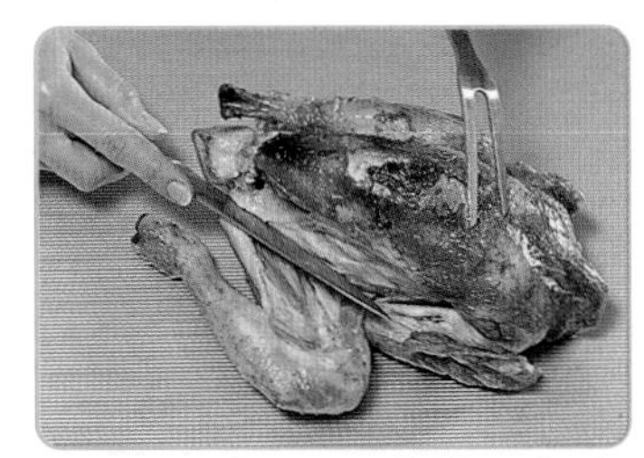

Incisez entre la cuisse et le blanc, écartez la cuisse et tranchez l'articulation.

Séparez le haut de la cuisse du pilon en sectionnant l'articulation.

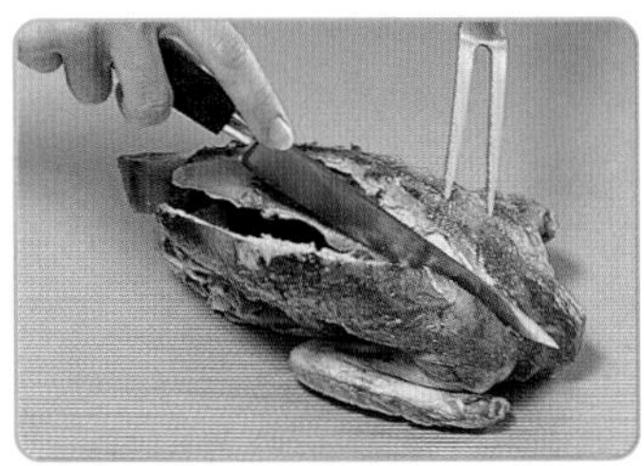

Dégagez le blanc le long du bréchet puis tranchez l'articulation de l'aile.

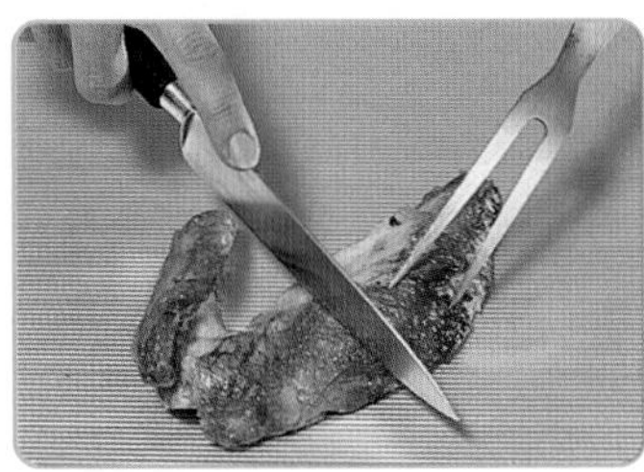

Coupez le blanc en 2. Vous aurez ainsi 8 morceaux.

déglacer

Faire dissoudre les sucs de cuisson d'une viande en versant sur feu vif un liquide (vin, bouillon, crème fraîche, etc.) dans le récipient qui a servi à la cuisson. On obtient ainsi la sauce d'accompagnement. Rectifiez l'assaisonnement *(voir page 790)* à la fin du déglaçage. Pour faire des économies de calories, déglacez avec de la crème allégée.

Versez le liquide dans le récipient de cuisson. Réglez sur feu vif.

Grattez les sucs de cuisson à la spatule et délayez en remuant pendant 3 ou 4 min.

dégorger
Pour éliminer les impuretés ou le sang d'un abat ou d'un poisson, faites dégorger ceux-ci en les faisant tremper 1 heure dans de l'eau froide, renouvelée plusieurs fois. On fait aussi dégorger le concombre ou l'aubergine en les poudrant de sel pour éliminer l'eau de végétation et les rendre plus digestes. On fait également dégorger les escargots en les salant ou en les saupoudrant de farine de son.

dégraisser
Pour dégraisser un braisé ou un bouilli, laissez-le reposer au frais jusqu'à ce que la graisse soit figée en surface : vous pourrez alors la prélever avec une cuiller. Avant de déglacer une poêle *(voir page 782)*, dégraissez-la en la vidant de l'excès de graisse cuite.

Dégraisser un bouillon

Passez le contenu de la cocotte dans une terrine à travers une mousseline. Mettez au refrigérateur.

Le lendemain, retirez la couche de graisse figée.

démouler
La plupart des préparations réalisées dans un moule sont servies démoulées. Pour celles qui sont froides ou glacées, facilitez l'opération en plongeant le fond du moule quelques secondes dans de l'eau chaude.

Démouler un gâteau

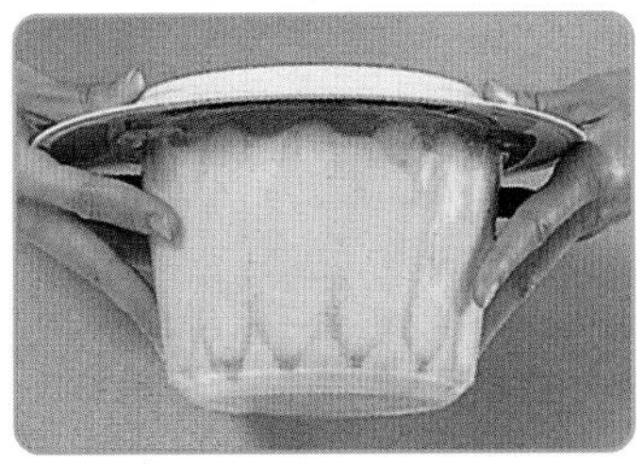

Posez un plat sur le moule.

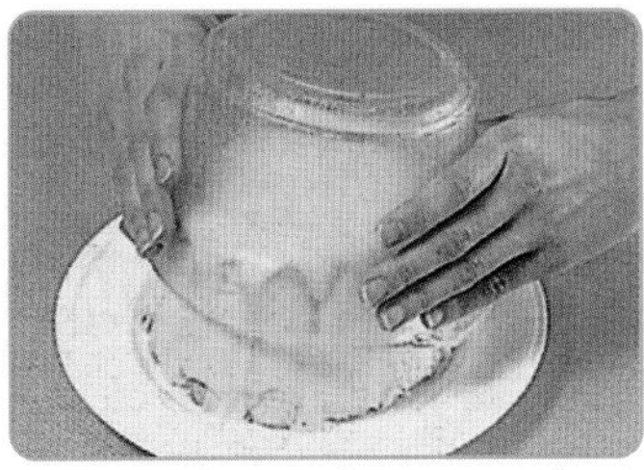

Retournez le tout d'un geste vif puis retirez le moule délicatement.

dépouiller
Enlever toutes les impuretés qui, au cours d'une ébullition lente, remontent à la surface d'un fond ou d'une sauce. Dépouiller signifie aussi retirer la peau d'un animal. Dépouiller un jambon, c'est le découenner.

Dépouiller une sole

Coupez les nageoires latérales de la sole avec des ciseaux de cuisine. Incisez la peau, côté foncé, à la hauteur de la queue avec la pointe d'un couteau.

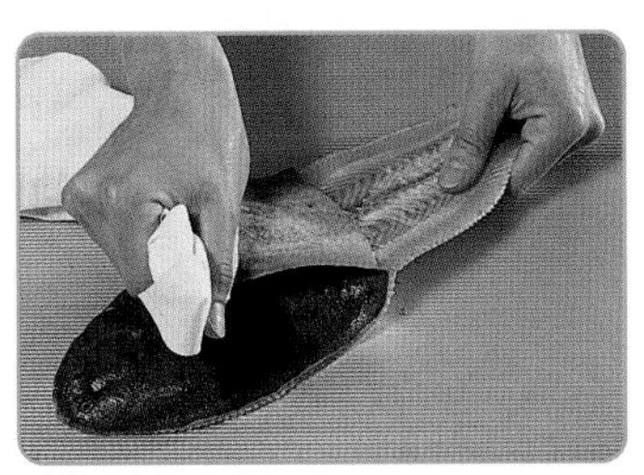

Prenez le coin de peau décollé avec un linge et tirez d'un coup vers la tête.

désosser
N'hésitez pas à demander au boucher de désosser la viande ou la volaille que vous désirez cuisiner, mais récupérez les os (soit pour enrichir le fond de cuisson, soit pour confectionner une sauce). Si vous désossez vous-même la viande, choisissez bien votre outil : un couteau pointu, convenablement aiguisé.

dessaler
Éliminer l'excès de sel d'un produit en le faisant tremper. La morue doit être mise à dessaler la veille de son emploi : placez-la dans une passoire, peau dessus, en disposant celle-ci dans une bassine d'eau froide. Renouvelez l'eau. Les viandes demi-sel doivent tremper plusieurs heures. Demandez au boucher le temps exact. Il vaut mieux trop dessaler et ressaler ensuite.

dessécher
Lorsqu'une préparation est trop riche en eau, il faut la faire dessécher sur feu doux : c'est le cas de la purée de pommes de terre, que l'on fait chauffer en la remuant à la spatule avant de lui incorporer du beurre et du lait. Faites également évaporer l'eau de cuisson des légumes en les faisant sauter rapidement *(voir page 791)* avant de les lier avec un peu de beurre.

détendre
Lorsqu'une pâte ou une sauce n'est pas assez souple, il faut la détendre en lui ajoutant un liquide (lait, bouillon, œuf battu). Faites-le progressivement et par petites quantités, pour ne pas être obligé de rajouter ensuite de la farine, et de ce fait encore du liquide.

dorer
Badigeonner une pâte, un gâteau, une croûte avec de l'œuf battu pour lui donner, après cuisson, une belle couleur ambrée. Utilisez un pinceau et procédez juste avant d'enfourner. Formule classique : un jaune d'œuf

délayé dans un peu d'eau ou de lait. Pour les gâteaux secs ou les petits biscuits, un peu de lait sucré suffit.

Dorer un feuilleté

Mélangez à l'aide d'une fourchette 1 jaune d'œuf et 1 c. à soupe d'eau.

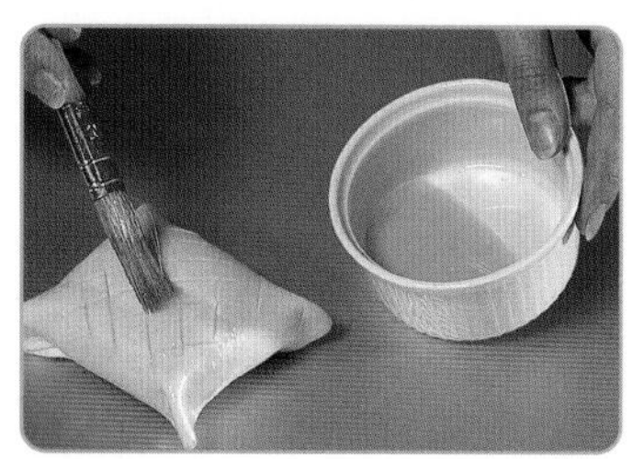

Badigeonnez le dessus de la croûte au pinceau avec ce mélange. Enfournez.

ébarber

Couper les nageoires, les barbes et écourter la queue d'un poisson avant la cuisson. Servez-vous pour cette opération d'une paire de ciseaux de cuisine. On ébarbe aussi les œufs pochés pour leur donner une présentation plus soignée : il s'agit d'éliminer les filaments de blanc coagulé irrégulièrement.

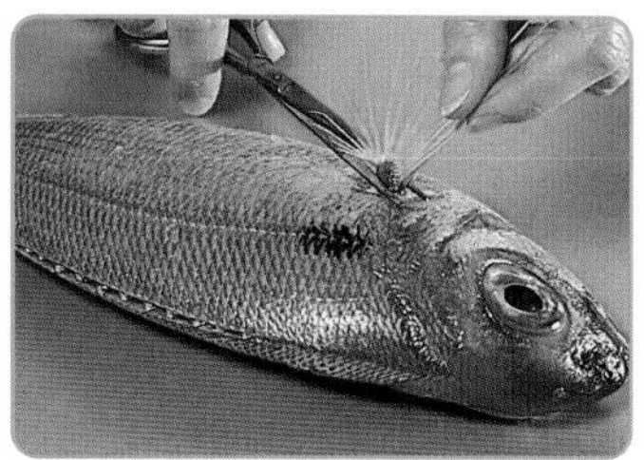

Coupez les nageoires et les barbes au ras du poisson. Écourtez la queue.

ébouillanter

Plonger un aliment dans de l'eau bouillante raffermit sa texture, élimine certaines impuretés ou bien facilite son épluchage. Pour peler aisément des tomates ou des fruits à peau fine, faites-les tremper quelques secondes dans une casserole d'eau portée à ébullition puis passez-les sous l'eau froide : la peau se détache sans difficulté à l'aide d'un couteau pointu. La même opération permet d'attendrir une viande. On ébouillante également les pots de confiture ou les bocaux de conserve, avant de les remplir, pour qu'ils soient propres.

écailler

Pour débarrasser un poisson de ses écailles, servez-vous d'un écailleur : sorte de grattoir métallique à lames verticales dentelées. Demandez toujours conseil à votre poissonnier, car certains poissons, comme le bar, le rouget ou les sardines à griller, ne s'écaillent pas. Il peut se charger de toute la préparation du poisson.

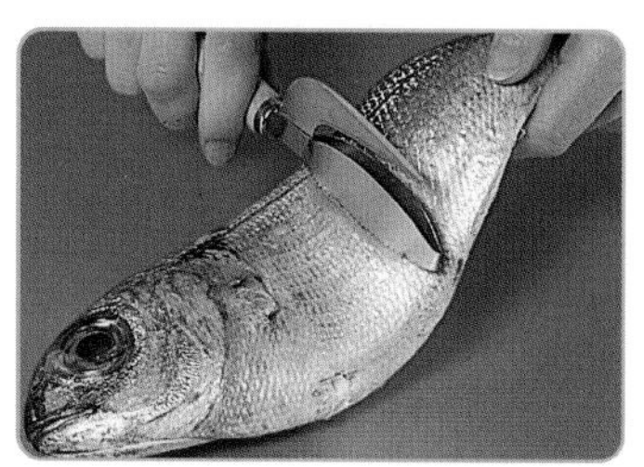

Grattez le poisson en passant l'écailleur de la queue vers la tête.

écaler

Retirer la coquille d'un œuf cuit, mollet ou dur. Pour faciliter l'opération, passez l'œuf sitôt cuit sous l'eau froide, et faites-le rouler sur le plan de travail pour fendiller la coquille.

écumer

Lorsqu'un liquide ou une préparation (sauce, ragoût, confiture) est en train de cuire à découvert, il faut retirer plusieurs fois l'écume qui se forme en surface. Servez-vous d'une écumoire (si le récipient est grand), d'une petite louche ou d'une cuiller.

effiler

Effiler des amandes signifie les tailler en lamelles dans l'épaisseur. Par extension, on effile aussi des blancs de volaille. Le terme s'applique aussi aux haricots verts pour supprimer les fils : cassez les deux extrémités le plus près possible de la pointe entre le pouce et l'index et retirez du même coup les fils.

Effiler un blanc de volaille

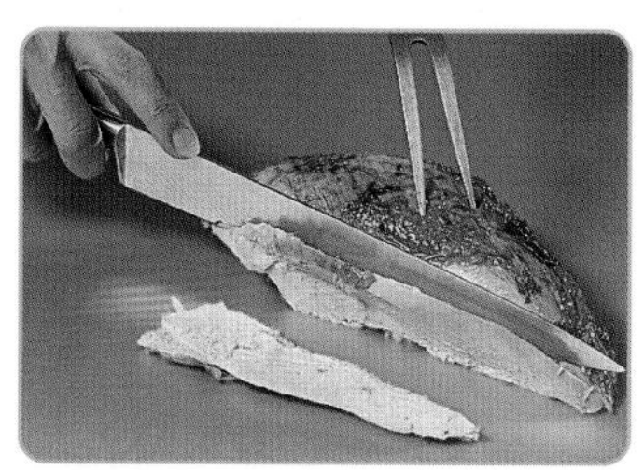

Détaillez le morceau en minces languettes obliques, dans le sens des fibres.

émincer

Couper une viande, des légumes ou des fruits en tranches, en lamelles ou en rondelles plus ou moins fines, mais d'épaisseur égale. Utilisez un couteau de cuisine bien aiguisé et prenez appui sur une planche à découper bien stable. L'opération se fait aussi au robot ménager.

émulsion

L'émulsion est un mélange qui associe en général un corps gras et un liquide. C'est le principe de la mayonnaise et celui de nombreuses sauces. Pour réaliser et maintenir stable un produit émulsionné, l'industrie alimentaire a recours à des émulsifiants, par exemple les lécithines du soja. L'émulsifiant le plus utilisé en cuisine est le jaune d'œuf.

étuver

Pour faire étuver les légumes, une viande ou un poisson, trois conditions sont indispensables : un récipient couvert, un feu doux, peu de matière grasse ou de liquide, parfois simplement l'eau de végétation. La cuisson en papillote et à la vapeur *(voir page 791)* donne également d'excellents résultats. C'est ce que l'on appelle la cuisson « à l'étuvée » ou « à l'étouffée ».

farcir

Garnir l'intérieur de viandes, de poissons, de coquillages, de légumes (aubergines, choux, courgettes, tomates, etc.), d'œufs, de fruits (avocats, agrumes, melons, pommes, etc.), d'une farce grasse ou maigre, d'un salpicon *(voir page 791)* ou d'une purée, le plus souvent avant la cuisson, mais aussi pour des apprêts froids.

Farcir une volaille

Préparez la farce. Incisez la volaille à partir du croupion vers la carcasse.

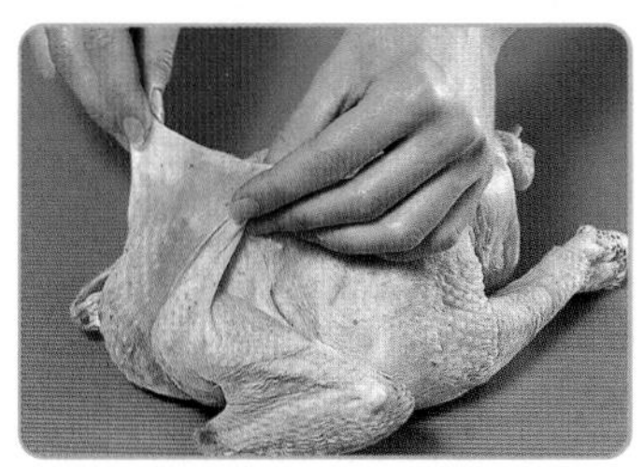

Coupez le cou en ayant soin d'en dégager la peau. Rabattez-la soigneusement et cousez-la solidement.

Introduisez la farce par le croupion en laissant un peu d'espace, car elle gonfle.

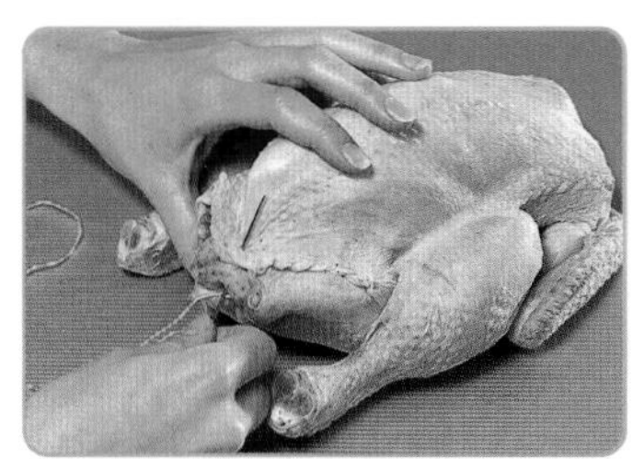

Recousez le croupion solidement pour que la farce ne s'échappe pas. Bridez la volaille.

Farcir un gros poisson

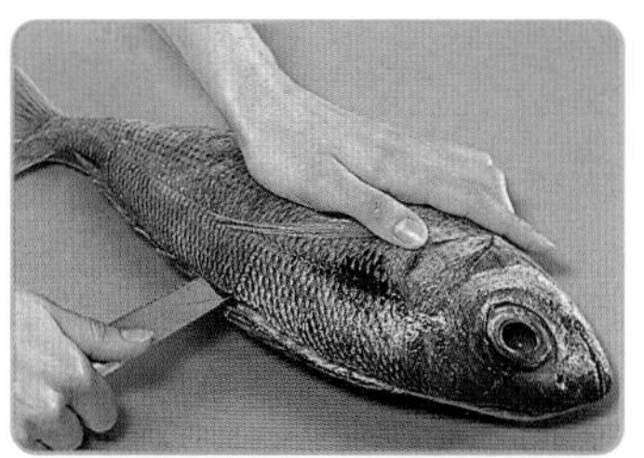

Incisez profondément le poisson le long de l'arête dorsale de la tête à la queue.

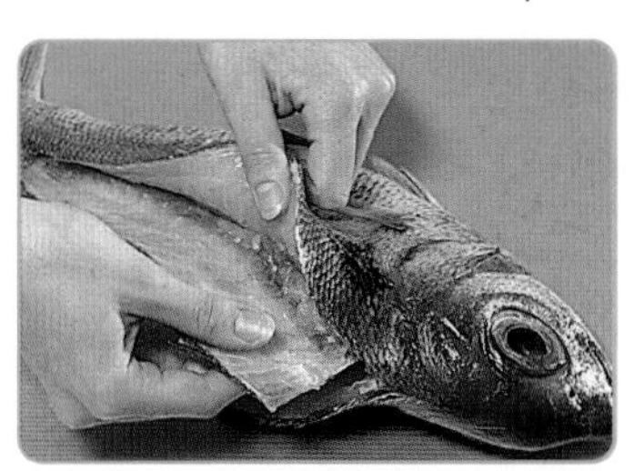

Décollez l'arête des 2 côtés, coupez-la au niveau de la tête et de la queue. Retirez-la.

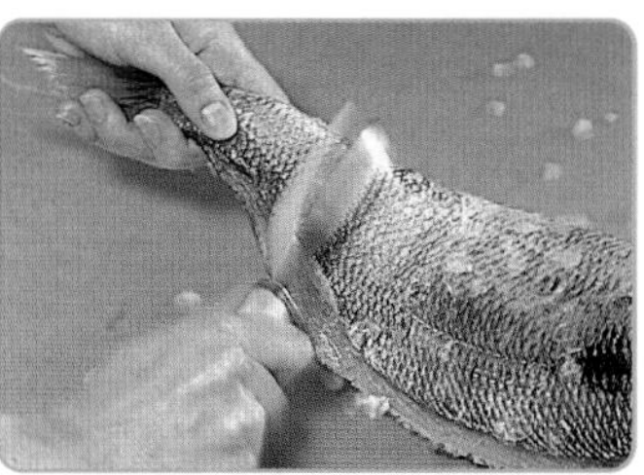

Videz le poisson, écaillez-le et lavez-le. Épongez-le et salez-le.

Remplissez-le de farce en tassant bien puis ficelez-le en plusieurs endroits.

fariner

Enduire ou enrober un aliment de farine pour l'isoler pendant la cuisson. On le tapote ensuite du bout des doigts pour faire tomber l'excédent de farine. Ne farinez pas à l'avance les escalopes ou les poissons à poêler : la farine doit rester sèche. On farine aussi des éléments avant de les paner à l'anglaise *(voir page 789)*. On peut également fariner les morceaux d'un sauté de viande ou de volaille, une fois dorés, avant le mouillage. Enfin, en farinant un moule déjà beurré, vous facilitez le démoulage. Pour bien travailler une pâte, farinez plusieurs fois le plan de travail et le rouleau à pâtisserie.

Fariner une escalope

Passez-la dans la farine puis tapotez-la pour faire tomber l'excédent.

Pour fariner facilement des petits morceaux (des poissons, par exemple), mettez-les dans un sac en papier et secouez.

flamber

Quand on a plumé une volaille, il faut généralement la flamber : passez rapidement les ailes puis les pattes et le cou dans la flamme d'un brûleur en les tenant bien tendus. Cette opération permet d'éliminer complètement les petites plumes et le duvet, sous les ailes et à l'intérieur des cuisses.

En cuisine, le flambage consiste à verser un peu d'alcool (cognac, armagnac, calvados, rhum, whisky, etc.) sur un apprêt salé pour le parfumer : chauffez-le toujours un peu avant de l'enflammer. Il se pratique soit avant le déglaçage *(voir page 782)*, soit avant de mouiller la préparation. Pour les desserts, ce sont les fruits cuits au beurre, les omelettes et les crêpes que l'on flambe : versez l'alcool chauffé au préalable et enflammez aussitôt.

foncer

Ce terme signifie « garnir » : soit une terrine à pâté avec des bardes de lard, soit une cocotte avec des couennes et des aromates, soit, le plus souvent, un moule beurré et fariné avec une abaisse de pâte.

Foncer un moule

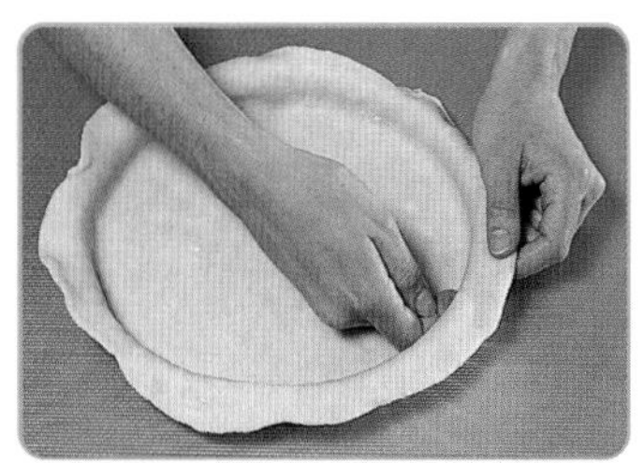

Étendez la pâte abaissée sur le moule et pressez-la contre les bords intérieurs.

Passez le rouleau à pâtisserie sur le moule pour faire tomber la pâte qui dépasse.

fondre

Faire chauffer un produit solide (beurre, chocolat, sucre) pour le liquéfier. Le point délicat est toujours d'éviter le moment où il risque de brûler : ayez recours au bain-marie ou utilisez un diffuseur. On fait également « fondre » des légumes (oignon, échalote, tomate) dans un corps gras sans autre mouillement que leur propre eau de végétation.

fouetter

Battre vigoureusement au fouet un ingrédient ou un liquide. Pour fouetter des blancs en neige, des jaunes d'œufs et du sucre, de la crème fraîche ou de la purée de pommes de terre, prenez le fouet à blancs, court et arrondi, avec des fils souples. Pour travailler une sauce (incorporer du beurre, émulsionner) ou une crème en train de cuire, prenez le fouet à sauce, plus allongé, à fils plus raides. Le fouet électrique s'utilise dans toutes les opérations courantes, mais, pour les préparations délicates (béarnaise, hollandaise, chantilly), le fouet à main donne de meilleurs résultats.

fourrer

Garnir d'éléments cuits ou crus l'intérieur d'un mets salé ou sucré. L'omelette fourrée est cuite à plat et garnie avant d'être repliée. Les crêpes fourrées sont badigeonnées de confiture ou de crème, puis pliées en pannequets ou roulées. En pâtisserie, on fourre les biscuits, les choux, les éclairs et les génoises avec de la crème au beurre ou aux amandes, de la crème pâtissière ou un salpicon de fruits *(voir page 791)*. Les petits pains servis en hors-d'œuvre froids sont fourrés de toutes sortes d'appareils salés, réduits en purée ou en mousse.

fraiser

Étaler une boule de pâte brisée sur le plan de travail fariné en l'écrasant avec la paume de la main pour la rendre souple et homogène. Cette opération a lieu une fois que les ingrédients ont été amalgamés et que le pâton a reposé au frais pendant 30 minutes.

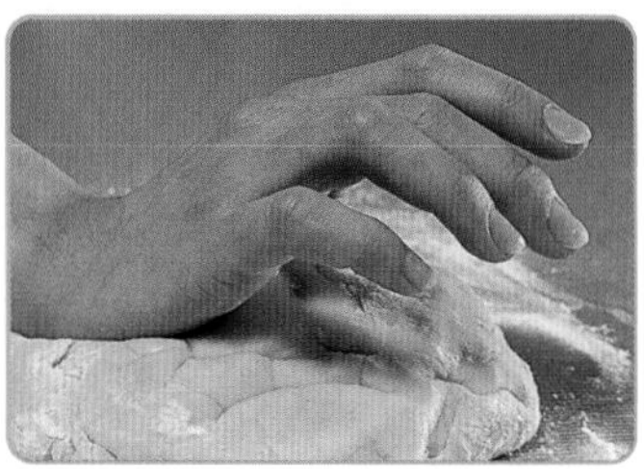

Étalez la boule de pâte avec la paume de la main sans la pétrir : la cohésion des ingrédients est renforcée.

frapper

Frapper une crème ou une préparation, c'est la mettre dans le congélateur ou le réfrigérateur pour la faire prendre au froid. Frapper du champagne, c'est placer la bouteille dans un seau avec de la glace pilée pendant au moins 2 heures avant de servir. Frapper un cocktail, c'est secouer le mélange dans un shaker avec de la glace pilée.

frire

Plonger une bouchée d'aliment dans un bain d'huile chauffé pour le faire cuire très rapidement. Ce mode de cuisson donne les meilleurs résultats si la friture est une préparation sèche, croustillante et dorée ; il faut que l'huile soit à la bonne température, que les portions soient réduites et que les produits frits, bien égouttés, soient servis brûlants.
Les aliments à frire doivent être aussi secs que possible : l'eau qui s'évapore à 100 °C dissocie la friture. Les aliments qui contiennent naturellement de l'albumine, qui durcit (œufs), de l'amidon (pomme de terre), ou du sucre, qui caramélise, sont plongés directement dans la friture. Les autres doivent être isolés par un enrobage.
Faites frire sans enrobage : pommes de terre pelées, lavées, taillées et essuyées ; œufs ; très petits poissons ; boulettes à base de pâte à choux qui est incorporée à un aliment ou l'enrobe (pommes dauphine, rissoles, pets-de-nonne).
Trois procédés vous permettent d'« imperméabiliser » un aliment à frire : passez dans la farine petits poissons ou goujonnettes d'abord trempés dans du lait froid ; enrobez de farine, d'œuf battu puis de mie de pain (panure) les bouchées de viande, de volaille ou d'abats et les croquettes, qui sont très humides ; enrobez de pâte à frire les légumes et les fruits, qui contiennent une forte proportion d'eau ; ce sont les beignets et les fritots.

givrer

Mettre quelques glaçons dans un verre vide et les faire tourner rapidement pour obtenir une buée opaque : le verre est « givré ». Versez-y aussitôt l'alcool à déguster (cocktail ou eau-de-vie de fruit). Les fruits givrés (citron, orange, ananas...) sont évidés et garnis du sorbet préparé avec la pulpe.

glacer
Passer sous le gril une préparation en sauce qui contient des jaunes d'œufs, du beurre frais fouetté ou de la crème réduite : le plat devient glacé.
Glacer des petits oignons, des carottes ou des navets consiste à les faire caraméliser dans une cuisson au beurre et au sucre. Ils garnissent sautés, ragoûts ou matelotes.

gratiner
Faire cuire une préparation au four pour obtenir une croûte dorée. L'opération dure plus ou moins longtemps selon qu'il s'agit d'une cuisson complète (gratin de pommes de terre), d'un réchauffage (endives au jambon) ou d'un simple dorage (coquilles de poisson). Pour une cuisson lente, placez le plat au milieu du four ; pour faire dorer, glissez-le sous le gril. La couche de gratin elle-même est formée soit de fromage, soit de chapelure ; ajoutez toujours quelques parcelles de beurre. La salamandre est utilisée dans le cas d'une finition rapide.

griller
Faire griller une viande, une volaille ou un poisson, c'est le saisir sur feu vif et le faire cuire en le laissant colorer. Pour les viandes rouges, le gril doit être bien chaud et le morceau, légèrement badigeonné d'huile. Saisissez-le sur une face, tournez-le d'un quart de tour du même côté pour le quadriller, puis faites la même chose sur l'autre face. Pour l'andouillette, les viandes blanches et la volaille, le feu doit être moins violent.
Évitez de saler ou de piquer la viande en cours de cuisson, sinon elle perd tout son jus. Si la grillade a une épaisseur inégale, attention à ne pas brûler la partie mince : tenez-la éloignée de la source de chaleur. Après usage, nettoyez le gril encore bien chaud avec une brosse métallique : les résidus risquent de donner un goût amer aux prochaines grillades.
Cette cuisson convient très bien aux poissons gras (sardine, maquereau, hareng), aux darnes de saumon et aux rougets. Une grillade à forte chaleur ne demande que peu ou pas de corps gras.

hacher
Réduire en menus morceaux, en pâte ou en purée une viande ou un légume. Le hachoir électrique ou le mixer donnent des hachis très fins, homogènes et parfois presque fluides. Utilisez plutôt un hachoir à main traditionnel (le « berceau ») ou un couteau à large lame pour hacher les fines herbes ou la verdure : elles garderont toute leur saveur et leur parfum. Pour hacher du jaune d'œuf dur, servez-vous d'un tamis. Pour hacher des amandes ou des noix, servez-vous du hachoir électrique.

julienne
Une julienne de légumes est une préparation d'un ou de plusieurs légumes taillés en filaments (carotte, champignon, poivron, poireau, chou). Faites-la fondre au beurre ou utilisez-la en crudité. Vous pouvez aussi tailler en julienne de la langue écarlate, du jambon, un blanc de poulet ou un zeste d'agrume.

Tailler des poireaux en julienne

Coupez le blanc en tronçons de 10 cm et fendez-les sur la hauteur jusqu'au centre.

Mettez les feuilles obtenues à plat et ciselez-les en minces filaments.

larder
Introduire du lard dans une pièce de viande pour la rendre plus moelleuse. Servez-vous de préférence d'une lardoire ou d'un couteau à longue lame bien aiguisé. Sortez la barde du réfrigérateur au dernier moment : elle est plus facile à manipuler quand elle est un peu raide. Entrelarder consiste à recouvrir de minces bardes de lard des tranches de viande qui seront cuites ensemble. Les chairs maigres alternent ainsi avec le gras.

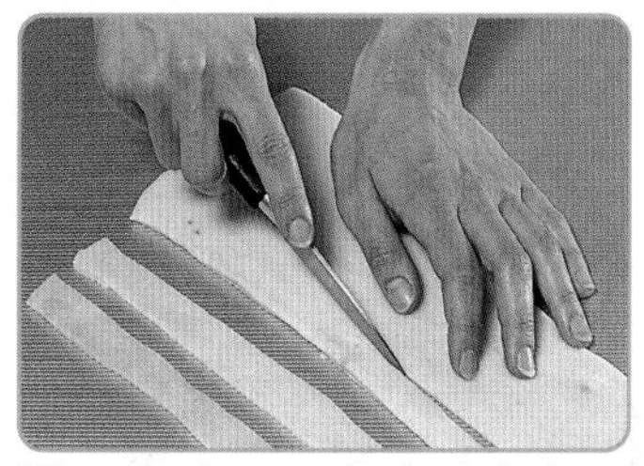
Découpez dans une barde de lard gras des lanières régulières de 1,5 cm de large environ.

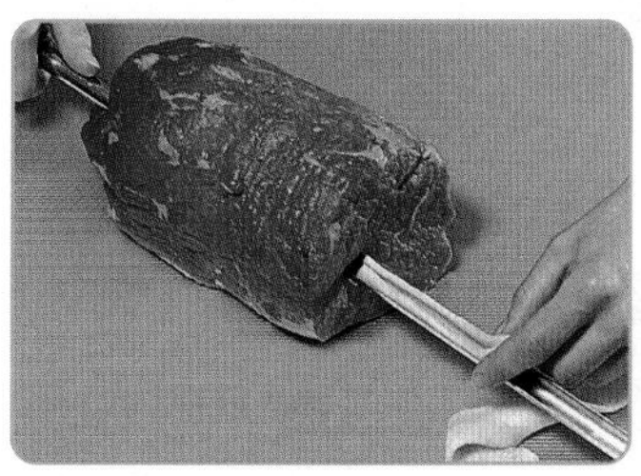
Enfoncez la lardoire à travers la pièce de viande et placez une lanière de barde dans la gouttière de la lardoire.

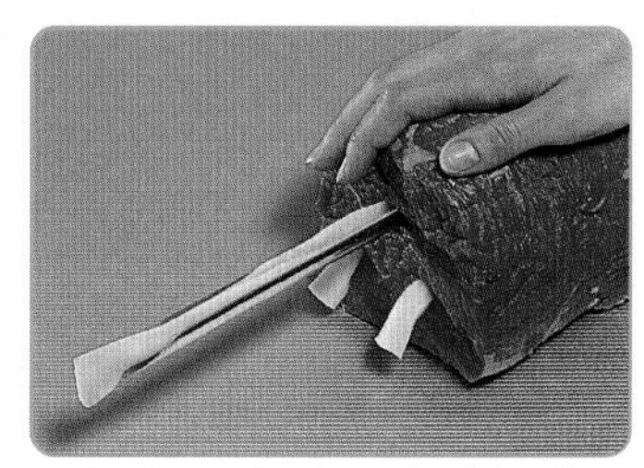
Retirez la lardoire : le lard reste en place.

lever
Prélever des morceaux d'une viande, d'une volaille, d'un poisson ou d'un légume. Pour un poisson, l'opération consiste à détacher les filets de l'arête centrale. Servez-vous d'un couteau spécial à lame souple dit « à filets de sole ». Installez-vous sur un plan de travail stable et dégagé, près d'un point

d'eau. Si le poissonnier se charge de l'opération, demandez-lui les parures pour un court-bouillon ou un fumet. Lever signifie aussi, pour une pâte à pain, à brioche, à savarin, à baba, augmenter de volume sous l'effet de la fermentation. On ajoute du levain ou de la levure à la pâte et on la laisse reposer sous un linge.

Lever les filets d'un poisson plat

Incisez le poisson dépouillé de la tête à la queue le long de l'arête dorsale.

Détachez un filet juste sous la tête et dégagez-le en le soulevant avec le couteau.

Coupez le filet près de la queue, puis dégagez le deuxième filet de l'autre côté de l'arête.

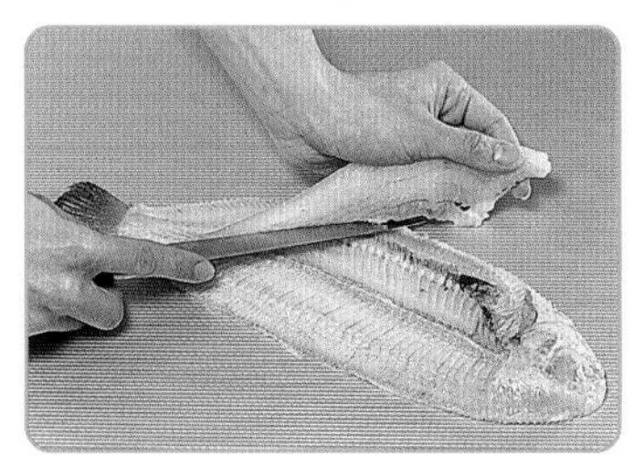

Retournez le poisson et levez les 2 autres filets. Gardez arêtes et parures pour un fumet.

Lever les filets d'un poisson rond

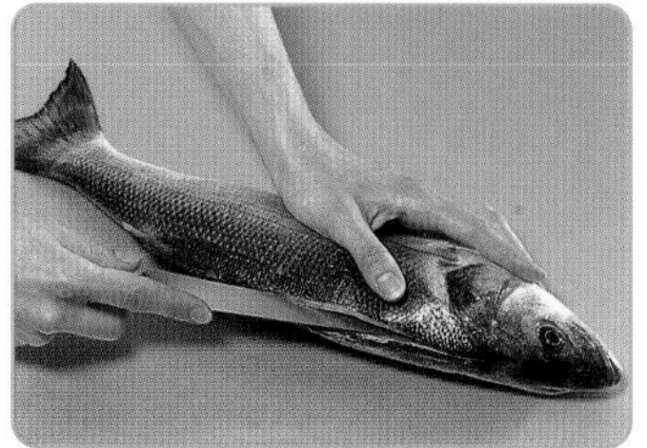

Placez le poisson la queue tournée vers vous. Incisez le long de l'arête dorsale.

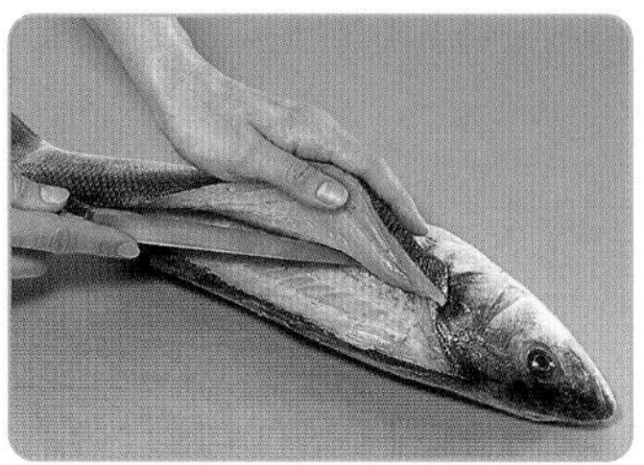

Coupez le filet supérieur derrière l'ouïe. Faites glisser le couteau le long de l'arête.

Détachez le filet. Faites glisser la lame sous l'arête. Détachez le filet du dessous.

lier

Donner de la consistance ou de l'onctuosité à une préparation liquide en la faisant épaissir avec un élément liant. Selon le cas, la liaison utilise divers ingrédients.

Pour une sauce ou une crème, délayez de la farine ou de la fécule de maïs avec un peu d'eau. Versez cette liaison dans le liquide bouillant en remuant sans arrêt jusqu'à épaississement.

Pour un civet, un coq au vin, une blanquette, etc., incorporez à la sauce un jaune d'œuf, du sang ou de la crème fraîche. Fouettez vivement en évitant toute ébullition.

Pour une sauce blanche, versez le liquide (lait, court-bouillon, eau) bouillant sur un mélange de farine et de beurre (roux).

Dans un potage ou une sauce, incorporez du beurre frais ou du beurre manié en parcelles en évitant la moindre ébullition.

lut

Ce simple mélange pâteux de farine et d'eau assure l'étanchéité d'une cuisson dans un récipient hermétiquement clos.

Luter une terrine

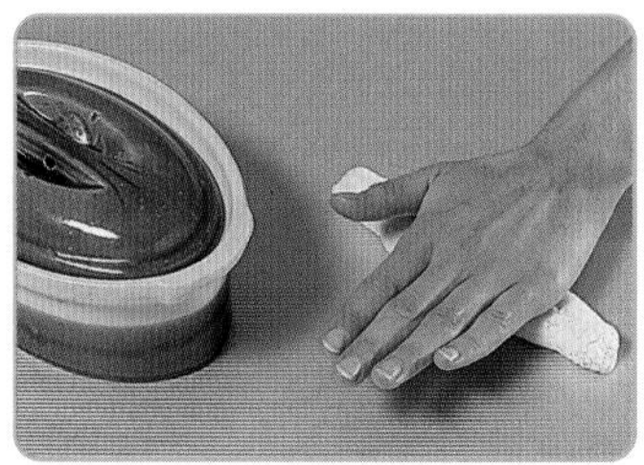

Pétrir un peu de farine avec de l'eau pour obtenir un boudin de pâte.

Placez-le sur le rebord de la terrine, posez le couvercle et appuyez.

macérer

Faire tremper des éléments crus, séchés ou confits dans un liquide (alcool, liqueur, mélange aigre-doux, sirop, vin), pour que celui-ci les imprègne de son parfum. La macération concerne plus spécialement les fruits. Pour les viandes, les poissons ou les légumes, on emploie plutôt le terme « mariner » *(voir page 788)*. Pour préparer les marmelades, on fait auparavant macérer les fruits dans le sucre avec lequel ils cuiront.

mariner

Mettre un ingrédient à tremper dans un liquide aromatique pendant un temps déterminé, pour l'attendrir et le parfumer *(voir page 432)*.

mélanger
Réunir des ingrédients solides, ou liquides, dans un ustensile de préparation et les mêler pour confectionner un appareil, une pâte ou un salpicon *(voir page 791)*. Le mélange se réalise à la main (pâte feuilletée, brisée, sablée), à l'aide d'un instrument (spatule, fouet, fourchette, couverts) ou d'une machine (robot, mixer, moulin). Lorsqu'il s'agit d'incorporer à une préparation des éléments fouettés, on doit mélanger « délicatement » avec une spatule en bois. En revanche, d'autres mélanges se font « grossièrement » pour garder une certaine texture (farce, terrine).

mijoter
Faire cuire lentement ou finir de cuire sur feu modéré ou à four moyen, dans une sauce, un jus ou un bouillon. Généralement, on « laisse » mijoter sans remuer, en surveillant de temps en temps pour empêcher le fond d'attacher. Il existe des mijoteuses électriques qui assurent automatiquement les cuissons lentes (ragoût, daube, braisé, potée). Une bonne cocotte en fonte et une plaque isolée intercalée entre le feu et le récipient donnent d'aussi bons résultats.

monder
Retirer la peau d'un fruit : tomate, pêche ou amande surtout. Plongez le fruit quelques secondes dans une casserole d'eau portée à ébullition puis égouttez-le et pelez-le avec un couteau pointu sans entamer la pulpe.

napper
Verser une sauce, un coulis, une crème ou une préparation semi-liquide sur un mets pour le recouvrir en partie ou totalement. On nappe aussi bien des desserts (gâteau, biscuit, pudding, glace, etc.) que des mets salés pour obtenir une préparation soignée, avec un contraste de goût ou de couleur. Il existe des nappages tout prêts à base de marmelade d'abricots, de gelée de groseilles ou de chocolat, qui facilitent une finition rapide. Faites-les chauffer très doucement, en remuant, pour bien les fluidifier.

paner
Enrober un aliment de chapelure ou de panure avant de le faire cuire : on pane ainsi des filets de poisson, des croquettes, des escalopes ou des côtelettes de veau. Les aliments sont en général panés « à l'anglaise » : farinés, passés dans de l'œuf battu puis dans de la chapelure. Si la préparation comporte du parmesan, ils sont alors panés « à la milanaise ». On peut aussi simplement paner au beurre : badigeonner de beurre clarifié puis enrober de mie de pain tamisée. Attention, la panure absorbe facilement au moins 50 % de la matière grasse dans laquelle l'aliment est cuit.

Paner à l'anglaise

Battez 1 ou 2 œufs dans une assiette avec un peu d'huile et d'eau.

Salez et poivrez. Farinez l'aliment en l'enrobant des 2 côtés.

Passez-le dans l'œuf battu puis dans la chapelure ou la panure en appuyant.

parer
Procéder à toutes les opérations qui précèdent une préparation culinaire ou le service d'un mets : dégraisser une viande, peler des légumes, couper la tête d'un poisson, ébarber un œuf poché, égaliser le pourtour d'un gâteau, retirer les parties abîmées ou non comestibles d'un aliment.

Ouvrir et parer des coquilles Saint-Jacques

Glissez la lame d'un couteau entre les 2 valves. Sectionnez le muscle interne.

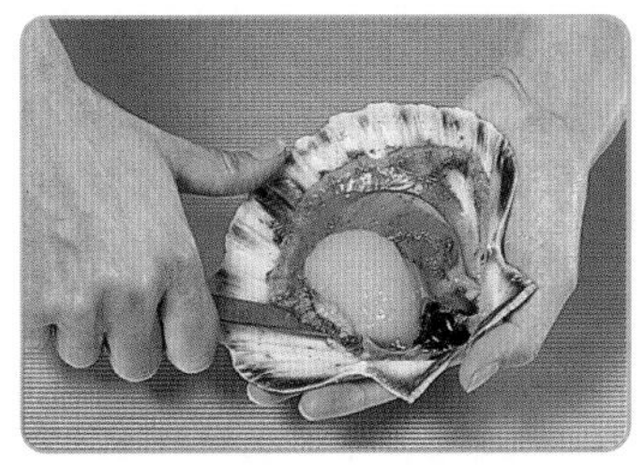

Séparez les 2 valves à la charnière puis détachez la noix de chair avec son corail.

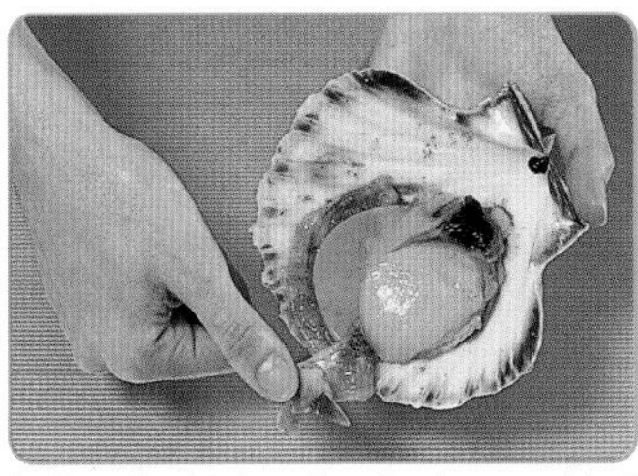

Retirez les barbes (bord externe gris) et lavez-les pour les utiliser dans un fumet.

pétrir
Malaxer avec les mains un mélange à base de farine pour obtenir une pâte lisse et homogène. Cette opération est nécessaire pour la pâte à pain, les pâtes levées et briochées où tous les ingrédients doivent être bien incorporés. Le batteur électrique, ou le robot ménager, offre une aide appréciable, surtout pour les pâtes brisées et sucrées.

piquer
Cette opération consiste à introduire des bâtonnets ou des lanières de lard gras dans une pièce de viande ou de gibier à l'aide d'une aiguille spéciale. À la cuisson, le lard fond en imprégnant régulièrement la viande de graisse.

pocher
Plonger un aliment dans un liquide bouillant : eau, sirop, lait, court-bouillon. Une ébullition imperceptible est maintenue le temps que dure la cuisson. Le pochage est une technique très courante en cuisine et en pâtisserie, aussi bien pour des viandes, abats, volailles, poissons, saucisses, etc., que pour des fruits ou des œufs.

rafraîchir
Passer sous l'eau froide un aliment que l'on vient de faire cuire à l'eau : l'opération a pour but de stopper la cuisson et de refroidir rapidement le produit. Elle intervient notamment pour les légumes verts cuits à l'anglaise (qui restent bien verts) ou les pâtes.

raidir
Soumettre un morceau de viande ou de volaille à un début de cuisson dans un corps gras, sur feu doux et sans coloration, juste pour raffermir la chair. Surveillez attentivement cette opération. Ensuite, la cuisson se poursuit généralement avec un mouillement.

rectifier
Corriger l'assaisonnement d'un mets en fin de préparation après l'avoir goûté, en lui ajoutant un ingrédient qui est susceptible de l'améliorer, d'en parfaire le goût ou de faire ressortir une saveur particulière (sel et poivre surtout, sucre, crème fraîche, etc.)

réduire
Faire évaporer le liquide d'un fond, d'une sauce ou d'un jus en le faisant bouillir ou cuire à découvert. La réduction des sucs donne un liquide concentré, plus épais et bien plus savoureux.

rissoler
Faire saisir une viande, une volaille ou un légume dans un corps gras chauffé assez vivement. Cette cuisson s'effectue à découvert. Elle doit durer assez longtemps pour caraméliser l'aliment en surface, mais vous devez la surveiller attentivement pour l'empêcher de roussir.

rôtir
Exposer une viande, une volaille, un gibier ou un poisson à une chaleur plus ou moins vive, soit dans la cheminée à la broche, soit dans le four. La croûte caramélisée qui se forme à la surface de l'aliment concentre les sucs et la saveur à l'intérieur. Ne piquez pas la chair pendant la cuisson, sinon le jus se perdrait. Les viandes rouges doivent être bien saisies, puis rôties à une chaleur soutenue pour cuire l'intérieur. Les volailles et les viandes blanches sont rôties à une chaleur un peu moins forte pour cuire en même temps l'intérieur et l'extérieur.
Pendant la cuisson, il faut éviter de rajouter de l'eau, car, en s'évaporant, elle communique au rôti un goût de bouilli.

ruban
On emploie ce mot dans l'expression « faire le ruban » : elle désigne la consistance d'un mélange de jaunes d'œufs et de sucre semoule travaillés à la spatule ou au fouet.

Lorsque le mélange sucre-œufs est lisse, homogène et bien fluide, il « fait le ruban ».

sabler
Mélanger les ingrédients d'une pâte en les effritant jusqu'à une consistance granuleuse comme du sable. C'est en général le mélange à sec du beurre et de la farine qui permet d'obtenir cette préparation. On ajoute ensuite l'eau ou les œufs. La pâte obtenue est ensuite mise en boule et doit reposer.

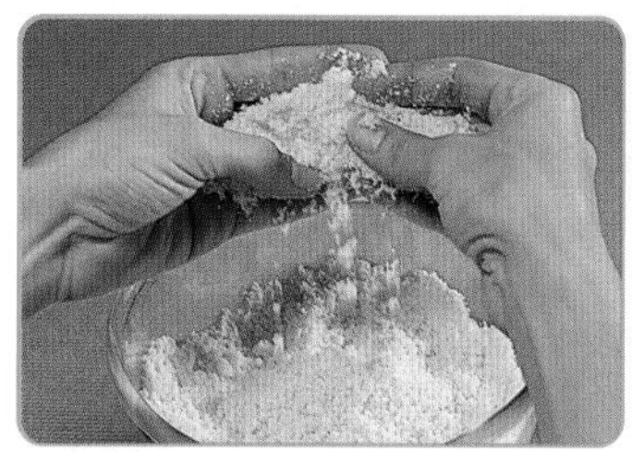

Le sablage s'effectue d'abord du bout des doigts. Frottez ensuite le mélange entre les paumes.

saisir
Mettre en contact un aliment avec une matière grasse brûlante ou un liquide bouillant, de manière à cuire aussitôt la partie extérieure. On saisit par exemple les beignets, les œufs pochés ou les biftecks à la poêle.

saler
Ajouter du sel dans une préparation pour en rehausser la saveur. Soyez prudent dans vos assaisonnements : il est toujours plus facile d'ajouter une pincée que de « sauver » une préparation trop salée.
Voici quelques conseils pratiques pour saler à point. Salez les légumes secs à mi-cuisson seulement. Salez l'eau de cuisson des légumes frais ou des pâtes lorsqu'elle atteint l'ébullition, pas avant. Pour la cuisson d'un pot-au-feu, écumez une première fois l'eau de cuisson avant de saler. Salez très prudemment une sauce au vin qui doit réduire, ainsi qu'une préparation qui contient du fromage ou du jambon cru. N'oubliez pas la pincée de sel dans les pâtes à pâtisserie. Ne salez pas vos grillades avant la cuisson, car le jus s'écoulerait.
Dans un régime sans sel, préférez les épices et les fines herbes.

salpicon

Ce terme désigne un aliment cru ou cuit, chaud ou froid, coupé en petits dés réguliers. Selon qu'il est salé ou sucré, le salpicon est lié d'une sauce, d'une crème ou d'un sirop : salpicon de jambon à la vinaigrette, de volaille à la béchamel, de crevettes à la mayonnaise, de fruits à la liqueur, etc. Les salpicons servent de farce ou de garniture.

sauter

Faire cuire à découvert dans un corps gras, sur feu assez vif, des légumes, des morceaux de viande, de volaille ou de poisson. Servez-vous d'une sauteuse, casserole large et basse munie d'une queue, d'une poêle à rebord, d'une casserole à fond épais ou encore d'un wok. Remuez souvent l'ustensile en cours de cuisson et surveillez constamment celle-ci.

Réalisez vos sautés dans une sauteuse à revêtement antiadhésif pour limiter l'emploi de la matière grasse.

sécher

Exposer à l'air libre ou à la chaleur un aliment pour le dessécher et le conserver. Cette technique artisanale ou industrielle concerne aussi bien la morue que le saucisson, les légumes ou les fruits. Les produits que vous pouvez le mieux sécher vous-même sont les champignons, les fines herbes ou les fruits.

Pour les champignons : nettoyez-les, coupez-les en tranches s'ils sont gros et charnus, étalez-les en une seule couche sur un treillage fin et exposez-les au soleil dans un endroit aéré en les retournant de temps en temps ; lorsqu'ils sont bien secs, mettez-les dans un bocal à fermeture hermétique et conservez-les dans un endroit sec. Si le soleil n'est pas suffisant, utilisez le four de la cuisinière à 30 °C pendant deux fois 2 heures. Consommez-les avant une année.

Pour les fines herbes : cueillez-les juste avant la floraison, lavez-les et épongez-les. Si elles ont des petites feuilles, enveloppez-les dans des sachets de mousseline et suspendez-les dans un endroit chaud ; si elles ont de grandes feuilles, faites-les sécher en bouquets, la tête en bas. Conservez-les entières ou pulvérisées dans des petits bocaux hermétiques. Consommez-les dans les 6 mois.

Pour des pommes : pelez-les, retirez le cœur et les pépins avec un vide-pomme, coupez-les en tranches horizontales et plongez-les dans de l'eau citronnée ; égouttez-les et posez-les sur une claie en bois en plein soleil, sans qu'elles se touchent ; laissez sécher 2 ou 3 jours ; si nécessaire, terminez le séchage au four à 60 °C. Consommez-les dans les 6 mois.

trousser

Inciser les flancs d'une volaille ou d'un gibier à plume, de chaque côté, et y glisser l'articulation de la patte à la cuisse : ainsi mis en forme, l'animal peut être rôti ou braisé sans avoir besoin d'être bridé (ficelé). On trousse aussi les écrevisses ou les langoustines cuites en piquant l'extrémité des pinces à la base de la queue, pour les présenter d'une façon décorative.

Trousser une volaille

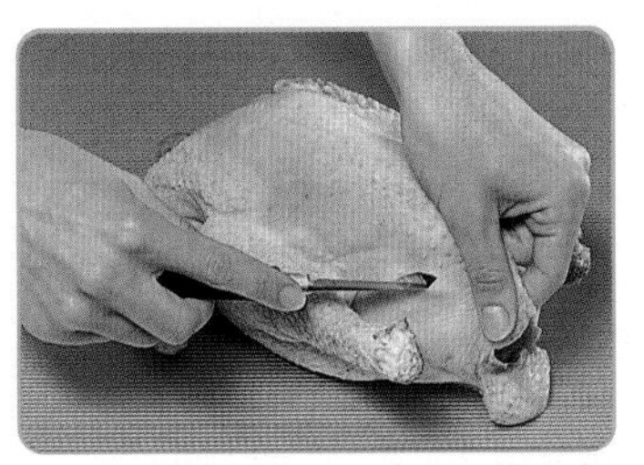

Posez le poulet sur le dos et faites une incision dans les flancs, de chaque côté.

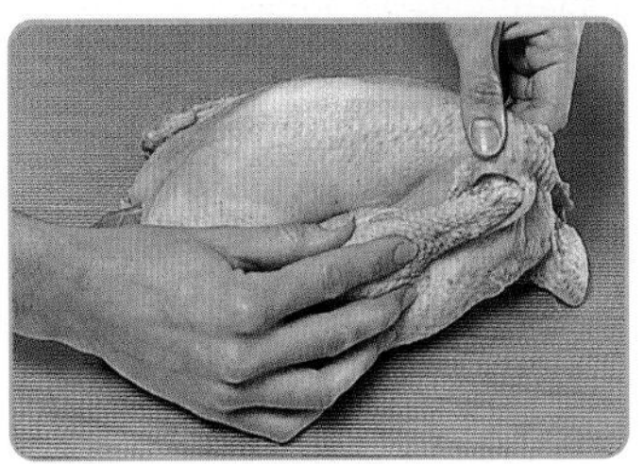

Glissez le bas de chaque pilon dans l'incision de la peau pour maintenir les pattes allongées.

truffer

Incorporer à une préparation ou à un aliment des parcelles de truffe pour lui communiquer son parfum. Sont ainsi truffés les boudins, les farces et les pâtés. Pour truffer une poularde ou un chapon, incisez la peau sur les parties les plus charnues et glissez-y des lamelles de truffe. Lorsque du foie gras est vendu « truffé », il contient au moins 3 % de truffe.

vapeur

C'est une méthode de cuisson à l'étouffée *(voir page 784)* dans un récipient clos au cours de laquelle les aliments sont exposés aux vapeurs parfumées d'un liquide, très souvent aromatisé.

La gamme des ustensiles disponibles est variée : paniers de bambou tressés superposés ou « cuit-vapeur » à étages, qui permettent de cuisiner tout un repas ; simple passoire métallique à pieds placée dans un faitout assez grand ; panier en Inox de taille variable ; autocuiseur ou couscoussier.

Le liquide qui produit la vapeur doit être en quantité suffisante, mais sans affleurer le panier : simple eau salée ou parfumée avec des herbes, des épices, du bouillon en cube (bœuf ou volaille), du court-bouillon ou du fumet de poisson, selon l'aliment à cuire.

Cette cuisson convient parfaitement aux poissons : ils cuisent plus vite qu'au four ou au court-bouillon et ne se ramollissent pas. S'ils sont entiers, ne les écaillez pas ; placez-les sur un lit de fenouil, d'aneth ou d'algues. La même technique s'applique aussi aux coquillages et aux crustacés.

Les viandes cuites à la vapeur ne risquent pas de se dessécher (comme pour un rôti) ; il n'y a aucune perte de goût, comme c'est parfois le cas dans un bouilli. En outre, les graisses de constitution sont en partie éliminées dans le liquide de cuisson.

Pour les légumes, la vapeur est un mode de cuisson idéal, qui préserve les vitamines et les sels minéraux, la saveur et la couleur. Il est aussi utile

pour faire cuire des fruits en les parfumant au thym, à la vanille, à la cannelle, etc.
La cuisson à la vapeur est l'une des plus saines qui soit, mais seuls des produits de qualité et d'une fraîcheur parfaite peuvent être cuisinés de cette façon.
Utilisez aussi la vapeur pour peler facilement des tomates ou des pêches (1 minute), réhydrater des fruits secs (de 4 à 5 minutes), ouvrir des coquillages (3 minutes).
C'est le mode de cuisson privilégié de toutes les recettes légères sans matière grasse : n'en gâchez pas les effets par des sauces riches.

vider

Retirer les entrailles d'un poisson, d'une volaille ou d'un gibier avant de le cuisiner.
Les poissons de mer, en général vendus partiellement vidés, doivent être ébarbés et écaillés *(voir page 784)*, ou débarrassés de leur peau grise. Pour les gros poissons ronds (colin), le vidage s'opère par une incision par le ventre ; pour les poissons plus petits ou les poissons-portions (merlan, truite), il se pratique par les opercules. Les gros poissons plats (turbot) se vident côté peau noire, et les poissons-portions plats (sole), par une incision sur le côté droit. D'une manière générale, on retire les ouïes. Après le vidage, les poissons doivent être soigneusement lavés. Vous pouvez demander au poissonnier d'effectuer cette opération pour vous : n'oubliez pas dans ce cas de récupérer les parures ou les abattis.
Les volailles sont souvent vendues déjà effilées. Le vidage se fait après le flambage *(voir page 785)* et le parage.

Vider un poisson par les ouïes

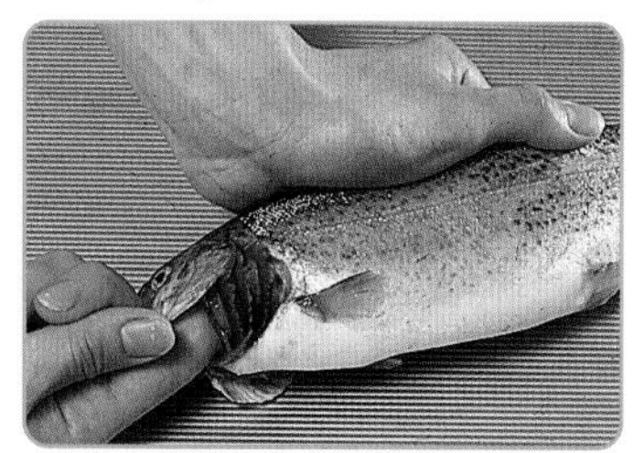

Si le poisson est de petite taille, videz-le par les opercules pour éviter de l'éventrer.

Vider un poisson par le ventre

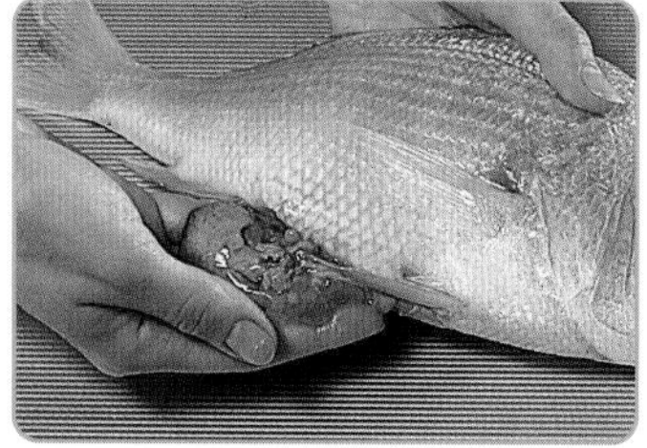

Incisez le ventre du poisson sur 3 cm. Glissez l'index à l'intérieur et retirez délicatement les viscères.

Vider un poulet

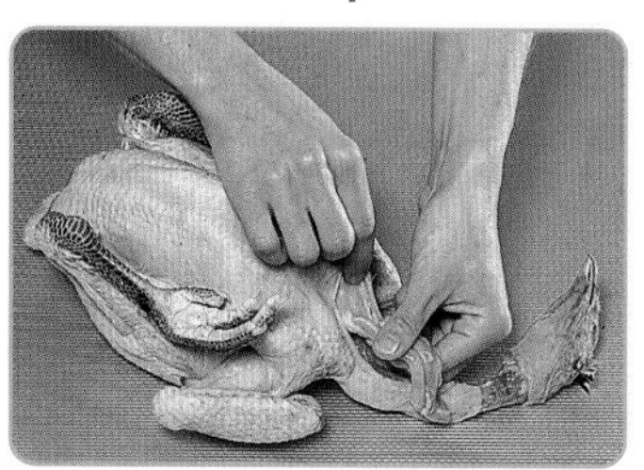

Incisez la base du cou, décollez la peau. Dégagez le tube digestif et le jabot. Jetez-les.

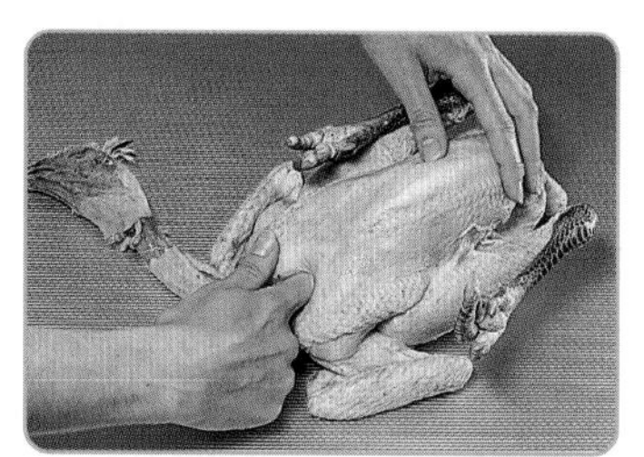

Glissez l'index à l'intérieur du poulet, côté cou, et décollez les poumons.

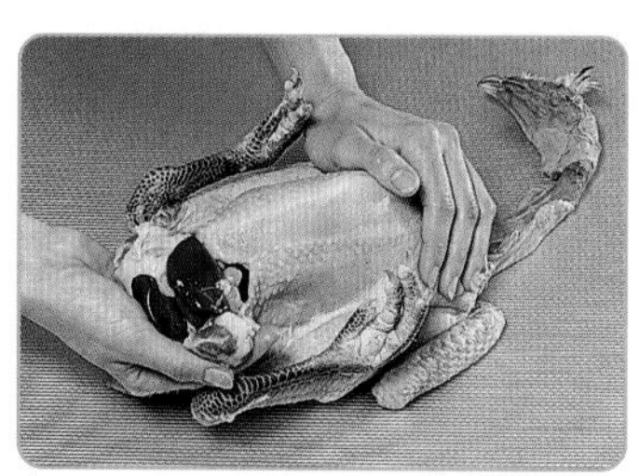

Élargissez l'orifice anal. Maintenez le poulet au niveau du cou et extrayez en une seule fois gésier, foie, cœur et poumons.

Index général

On trouvera dans cet index toutes les recettes classées par ordre alphabétique soit par leur titre, soit par leur ingrédient principal. Les recettes suivies de la mention « plat complet » réunissent en un seul service la viande ou le poisson et les légumes. Le signe L indique les recettes légères (un tampon placé en tête de la recette donne la valeur calorique par portion). Le signe V identifie les recettes convenant à un régime végétarien et le signe M celles qui sont réalisables au four à micro-ondes. Les chiffres en italique signalent les recettes illustrées.

a

b

g

m

q

r

t

w

x-y-z

Index
des recettes légères

Sont indexées les recettes qui peuvent entrer dans un menu peu calorique.
Un tampon, placé en tête de recette, indique la valeur calorique par portion.

a

b

c

d

e-f

g

h

i-j

l

m-n

o

p

q-r

s

t-v

Index des recettes végétariennes

Sont indexées les recettes ne contenant ni viande ni poisson et pouvant entrer dans la composition d'un menu végétarien (voir page 763). Ne sont pas relevées les recettes de dessert, qui conviennent en général au végétarisme.

a

b

c

d-e

f

g

h

j-l

m-n